JN253853

DERMATOLOGY

皮膚科学

編集

大塚藤男（筑波大学名誉教授）
藤本　学（大阪大学教授）

原著

上野賢一

〔編集者〕

大塚　藤男　　筑波大学名誉教授
藤本　　学　　大阪大学大学院医学系研究科皮膚科学教授

〔分担執筆者（五十音順）〕

梅林　芳弘　　東京医科大学八王子医療センター皮膚科教授
大塚　藤男　　筑波大学名誉教授
川内　康弘　　東京医科大学茨城医療センター皮膚科教授
菅谷　　誠　　国際医療福祉大学医学部皮膚科主任教授
常深祐一郎　　埼玉医科大学皮膚科教授
中村　泰大　　埼玉医科大学国際医療センター皮膚腫瘍科・皮膚科教授
藤本　　学　　大阪大学大学院医学系研究科皮膚科学教授
山﨑　　修　　島根大学医学部皮膚科学講座教授

本書は上野賢一著「皮膚科学」を継承し発展させたものである.

序

「皮膚科学」第11版は第10版以来6年を経てここに刊行されました．本書が1971年故上野賢一先生著の「小皮膚科書」として上梓されて半世紀，編者の1人が上野先生から本書を引き継いでからも20年近くを経ています．その間，世の中が大きく動き，自然科学，医学，皮膚科学も目まぐるしいほどに進歩しています．その動き，進捗に対応して，改版の度に少しずつ新知見を加えてよりよい教本を目指してきた次第です．しかし11版では著書から複数の編者による編集本に変更し，多くの章で新進気鋭の皮膚科臨床医，研究者に分担執筆をお願いしました．このような措置により我が国の皮膚科学の新しい側面，疾患概念の変化やcutting edge部分を含めて，その息吹を本書に取り込めたのではないか，また将来に亘って本書の意味合いを変革しつつ維持できるのではないかと考えております．その意味で11版が曲がり角を通過したように思います．ただ残念ながらここのところのコロナ禍やその他の事情により議論や準備が必ずしも十分とは言えず，多くの積み残しもございます．12版以降さらにこの方向性を先に進めて，本書にふさわしい新しい伝統を志向，構築したいと考えています．

本書は学部学生から，一般臨床医，皮膚科の臨床医，専門医ないし専門医を目指す諸氏等広い読者層に向けたものですが，皮膚科学の基礎とともに進歩の先端部分などを取り込みまして，皮膚科専門医にも十分対応できる教本とも思っています．本書第11版が意欲ある読者諸氏のお役に立つことができれば望外の喜びです．また前述の方針に従って鋭意編集作業をしましたが，内容などにやや凹凸や不備をお感じいただく向きがあるやと危惧しております．その際には是非その旨をご叱正いただければ幸いです．次版以降の改訂に向けての御教示，参考にと考えております．宜しくお願い致します．

階前梧葉已秋聲ですが，未覺池塘春草夢の心で参りたい，泉下の上野名誉教授にもお伝えできればと考えます．

ともあれ，本書が連綿として半世紀を経て，此の度その第11版を世に送り出せますことを慶び，また多々ご援助，ご教示いただいた多くの皮膚科医，研究者の方々に，また多大なご助力を賜った金芳堂，藤森祐介氏に深甚なる感謝の意を表する次第です．

2022年晩春

編者　大塚藤男
藤本　学

第10版　序

「皮膚科学」第10版が9版以来5年振りに世に出ます．第8版から本書に携わった著者は準備期間を含めて10数年「皮膚科学」に付き合っています．原著者の故上野賢一先生は本書を1971年に発刊されています．講義録として長年まとめられたのを土台に執筆されたそうですから私の十数年など物の数にも入らないかもしれません．そういうわけでこの「皮膚科学」は上野先生の息吹というか，皮膚科，皮膚科学への思い，姿勢が色濃くにじんでいます．皮膚科学も他の医学領域と同様，あるいは部分的にはそれ以上に急速に進展，変化しており，そこは本書に反映されているはずですが，基本骨格にいい意味での上野調が出ているように感じています．

今回の改訂ではわがままを許していただき小生の単著にしました．無論，これまでの共著者，協力者，写真や図表を提供していただいたり，あるいは誤りを指摘，貴重なご意見をいただいたりした多くの先生方に本書の全体，あるいは多くの部分が大きく負うていることは論を俟たないのですが，節目の第10版を私なりにまとめてみようとした次第です．その目論見はややもすると的を外れているかもしれません．もしそうだとしても，来る10年，20年の「皮膚科学」の礎になれば幸せと考えています．

上野先生も筑波大学を定年退官後の「皮膚科学」の執筆の際に「隔靴掻痒の感から免れ得ない」と記していらっしゃいます．小生も早いもので23年近く勤務した筑波大学を定年退職して早3年余を過ごしています．11版や12版の話はまだ尚早にすぎるかもしれません．しかし，うまい優れものは新鮮な，良い革袋が必要でしょう．新しい「皮膚科学」に向けた新しい取り組みが，上野先生の思いの伝統を基盤に大きく飛躍できるようにしたいと考える今日この頃です．

本書の構成や写真，図表の提供に協力いただいた東京医科大学川内康弘教授，また多数の美しい写真を提供いただいた同大学梅林芳弘教授，その他多くの筑波大学，あるいは他大学の研究者，皮膚科医師にお世話になりました．厚く御礼申し上げます．また，第10版の出版にあたり，多大なご助力を賜った金芳堂社長宇山閑文氏，同取締役市井輝和氏，細やかな配慮と緻密な編集をしていただいた村上裕子氏に深甚なる感謝の念を捧げます．

2016年晩夏

京師巽の仮寓にて

著者　識

目　　次

1章　皮膚の構造と機能（大塚藤男）

2章　皮膚の病理組織学（梅林芳弘）

3章　皮膚免疫学（藤本　学）

4章　発疹学（大塚藤男）

5章　皮膚の診断学（梅林芳弘）

6章　皮膚疾患の治療（梅林芳弘）

7章　湿疹・皮膚炎（川内康弘）

8章　じんま疹・痒疹・皮膚瘙痒症（川内康弘）

9章 紅斑症・紅皮症（川内康弘）

10章 血管炎とその類症（藤本 学）

11章　紫斑病・末梢循環障害（藤本　学）

12章 物理的および化学的皮膚障害 (大塚藤男)

13章 薬疹・薬物皮膚障害 (中毒疹を含む) (川内康弘)

14章　水疱症・膿疱症（藤本　学）

15章　角化症（大塚藤男）

16章　炎症性角化症（川内康弘）

17章　膠原病（藤本　学）

18章　代謝異常症（大塚藤男）

19章　皮膚形成異常・萎縮症（大塚藤男）

20章　肉芽腫症・皮下脂肪織の疾患（梅林芳弘）

21章　色素異常症（大塚藤男）

22章　母斑（大塚藤男）

23章　母斑症（大塚藤男）

24章　皮膚腫瘍

25章 皮膚付属器疾患（大塚藤男）

26章　ウイルス性疾患（大塚藤男）

27章 皮膚の細菌感染症（山﨑 修）

28章　皮膚抗酸菌感染症（大塚藤男）

29章　真菌症（常深祐一郎）

30章　スピロヘータ・原虫・動物性皮膚疾患（大塚藤男）

31章　性病・性感染症（大塚藤男）

第1章 皮膚の構造と機能

皮膚（skin，cutis）は人体を覆い，外界から保護するとともに，生命の保持に不可欠の種々の機能を営む重要な臓器である．面積は成人で平均1.6 m^2，皮膚のみの重量は3 kg弱，皮下組織も加えると約9 kgで体重の14%に及ぶ．

皮膚（皮下組織を除く）の厚さは1.5～4 mm，一般に男＞女，伸側＞屈側，成人＞幼児の順であり，包皮・眼瞼・小陰唇内側が最も薄い．また角層は手掌足底において数倍厚い．表皮は，0.06～0.2 mmで，手掌足底のみは0.6 mm（うち角層0.5 mm）と厚い．皮下脂肪組織は部位差が大きく，また栄養状態により変動する．

このようにヒトの皮膚は全体的に薄くて軟らかい．また体毛が少なく，硬く長い毛は頭髪などに限られている．着衣服の必要性があり，その外観，触感，においなどの面から対人関係・社会生活にも重要な役割を果たし，また影響する．他の哺乳類，例えば体毛を有する，また剛毛のある猿や熊などと比べても，さらには厚く硬い皮膚の象を想起すればヒトの皮膚の特徴・特殊性を十分理解できるところである．

1 皮表 skin surface

皮表は，細かい大小の溝が交差し（皮溝 furrow，sulcus cutis），その間は菱形または三角形に隆起する（皮丘または皮櫛 ridge，crista cutis）（図1-1）．手掌足底では皮溝・皮丘が流線状に並び，いわゆる指紋・掌紋・足紋を形成する．皮丘と皮溝とは太い溝で区画され，皮野（area cutanea）を形成する．皮表には，毛孔とエクリン汗孔とが開口している．手掌足底には毛がない．関節部には一定のしわ（屈線）があり，しわはまた加齢により種々の部位に発生増加する．一定の伸展方向があり，その長軸方向をLanger割線（line of cleavage）という．真皮の膠原線維の走行の偏りの反映と考えられており，皮膚の切開にはLanger割線に沿うのが原則である．

皮表には次のような境界がある．

1）ブラシュコ線 Blaschko line（図 1-2）

胎生期皮膚の成育していく線といわれ，皮膚細胞の突然変異によって生じるモザイク病変はこの線に沿う．表皮母斑・色素失調症など．

2）フォイクト境界線 Voigt boundary line

末梢神経の分布領域の境界を示す．色素分界線に近い．

3）ヘッド帯 Head zone

脊髄神経の支配領域別．デルマトーム（dermatome）．帯状疱疹，白斑の一部など．

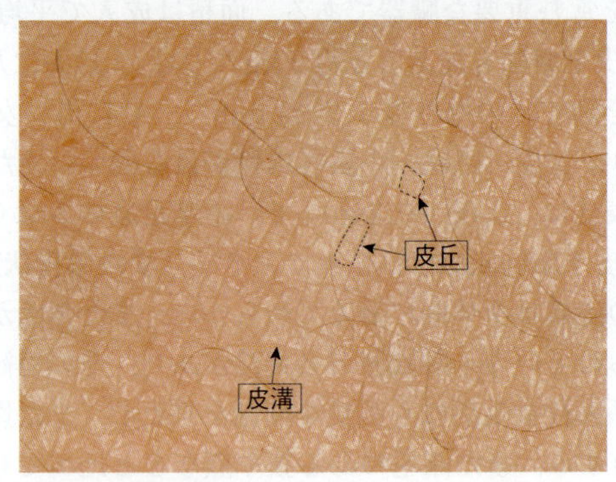

図 1-1　皮表の構造（皮溝と皮丘）

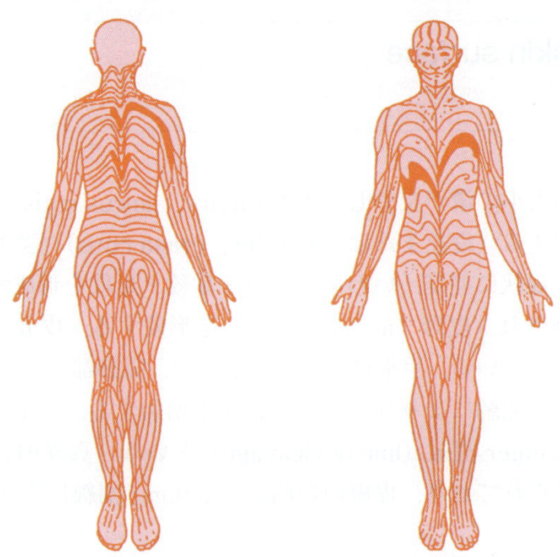

図 1-2　ブラシュコ線〔相馬良直加筆（皮臨，1998）をさらに加筆〕

I章

2　色調 color tone

人種・年齢・性・部位・個人差が大である．色調は，①メラニン（量・分布），②循環血量（ヘモグロビン），③カロチン（carotene）量（角層・真皮・皮下組織中），④角層の性状（厚さ・透明度）などにより形成される．黒褐色調に関与するのはメラニンで，通常基底層（一部有棘層）に存在し，時に真皮（蒙古斑・青色母斑など）にあって青色調を与える．腋窩・外陰・肛囲・臍窩・乳暈などでは生理的に色調が濃い（生理的色素沈着部）．異物によっても色調が変化する（銀皮症・刺青）．

3　皮膚の構築 skin structure　◎

表皮（epidermis），真皮（dermis），皮下組織（subcutaneous tissue）とに大別される（図 1-3）．

表皮は，被覆表皮（surface epidermis）と付属器表皮（appendage epidermis）（毛包とエクリン汗管）とから成り，後者の中に埋もれる前者の一部分を，表皮内毛包部（acrotrichium），表皮内汗管部（acrosyringium）と呼ぶ（図 1-4）．

真皮は表皮に向かって乳頭（papilla）が林立し，これに対する表皮下面は凹窩を生じ，真皮に向かって突出する．これを表皮突起（乳頭間突起）または**網突起（rete ridge）**という．垂直切片では，表皮真皮境界は波形を呈し，この境界部には光学顕微鏡で見える**基底膜（basement membrane）**（PAS 陽性の帯状構造）がある（図

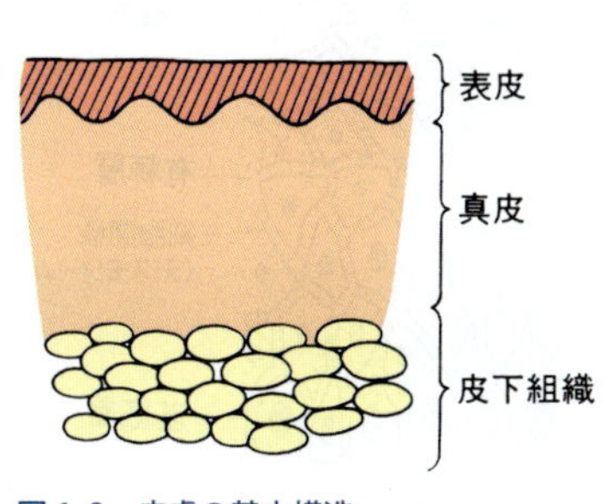

図 1-3　皮膚の基本構造

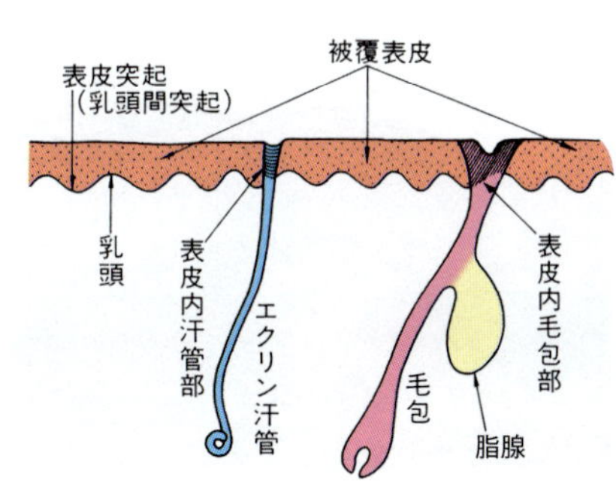

図 1-4　表皮と付属器

1-5).

表皮は外胚葉，真皮は中胚葉に由来する．原腸胚は神経管や神経堤を形成する神経外胚葉と表皮，皮膚付属器，乳腺，歯牙，水晶体などを形成する体表外胚葉に分化する．真皮は皮板由来の細胞と壁側中胚葉から遊走する細胞から形成される．皮膚は胎生 3～8 週から始まり 6ヵ月目にほぼ完成する．

4　表皮 epidermis ◎

1．表皮の構造

表皮は95％以上が**角化細胞（keratinocyte）**から構成され，残りは**色素細胞（melanocyte）**，**ランゲルハンス細胞（Langerhans cell）**，**メルケル細胞（Merkel cell）**が占める．表皮は重層扁平上皮であり，組織学的に下方から基底層（basal layer），有棘層（spinous layer），顆粒層（granular layer），角層（horny layer）の4層に分けられる（図 1-6）．透明層（stratum lucidum）は角層と顆粒層の間にあり，手掌足底のみにみられる（図 1-7）．基底層・有棘層・顆粒層を合わせてマルピギー層（Malpighian layer）と呼ぶこともある．角化細胞は基底層から有棘層，顆粒層へ移動しながら分化し，最終的に脱核した死細胞である角層細胞となり，外界へと脱落していく．この角化細胞独特の分化過程を**角化（keratinization）**と呼ぶ．基底層の未分化角化細胞が上方に移動しながら最終分化して角層細胞となり，表皮から脱落するまで健常表皮では 52～75 日かかるといわれている．基底細胞は縦に長く，上に行くに従って横に平たくなり，角層細胞は薄い扁平形となり，1 個の平板状の

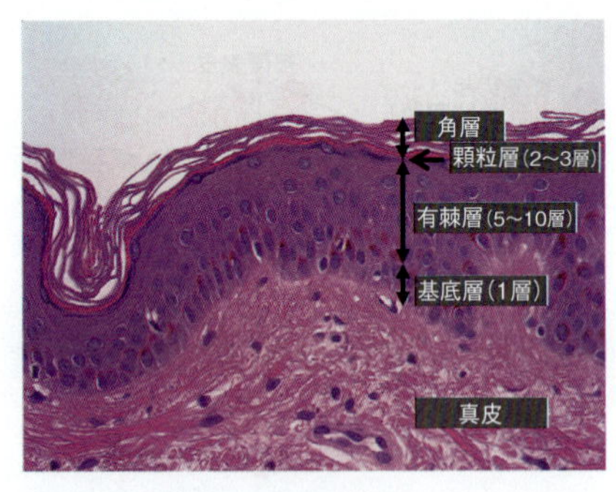

図 1-5　皮膚の構造（組織像）

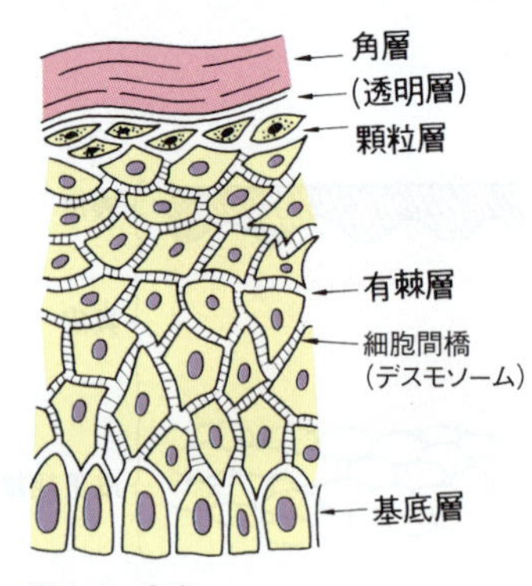

図 1-6　表皮

角層細胞の下には約 25 個の基底細胞がカバーされる．

表皮角化細胞は高い分裂能力と多分化能を有する**幹細胞（stem cell）**から供給されると考えられている．表皮幹細胞は表皮基底層や毛包バルジ（隆起部）に存在し，後者は多様な分化能を有して創傷治癒時に表皮角化細胞の供給源として働くといわれているが，通常は毛包脂腺系のホメオスタシスの維持に働いている．

1）基底層 basal layer（図 1-8）

表皮最下層で 1 層の基底細胞（basal cell）より成る．基底細胞は縦に長く円柱形で，細胞質は塩基性に濃染し，核は楕円形でクロマチンに富み，1～2 個のよく発達した核小体を持つ．角化細胞は，隣接細胞と**デスモソーム（desmosome）**や裂隙結合（gap junction），接着結合（adherens junction），密接結合（tight junction）を介して結合するが，このうちデスモソームが角化細胞の主要な接着装置である．また，下方の基底膜・真皮とは**ヘミデスモソーム（hemidesmosome）**で結合する．これらの接着装置は固定したものではなく出現と消褪を繰り返し，角化細胞の表皮内可動性（上昇）が保たれている．約 10 個の基底細胞に対して 1 個の色素細胞があり，前者は後者からメラニン顆粒を受け取り，基底細胞内のメラニン顆粒は，核の上極上方に密集し（核帽形成），これにより核は紫外線から保護される．

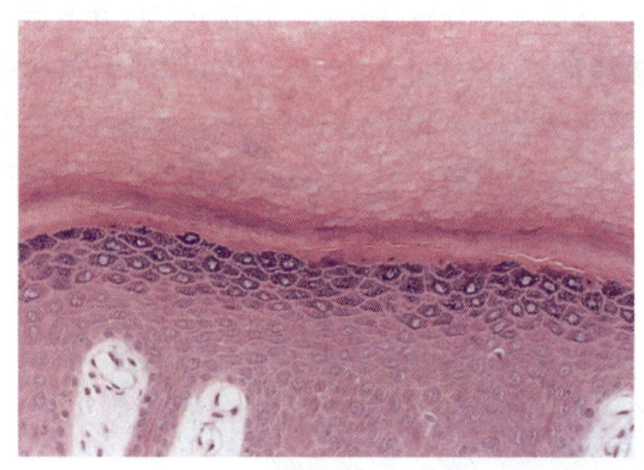

図 1-7　透明層

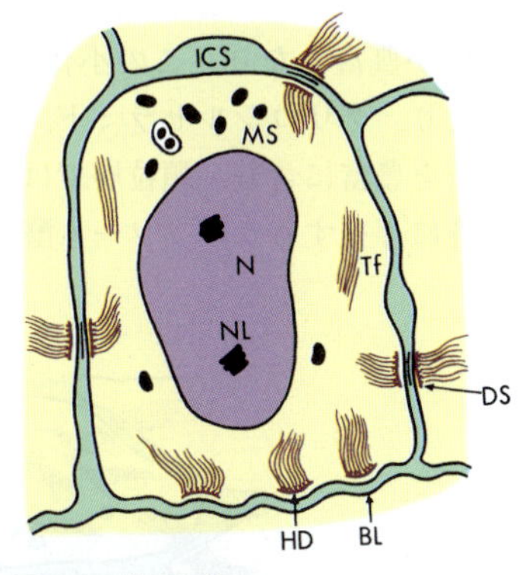

図 1-8　基底細胞
HD：ヘミデスモソーム，BL：基底板，DS：デスモソーム，Tf：張原線維，MS：メラノソーム，ICS：細胞間隙，N：核，NL：核小体

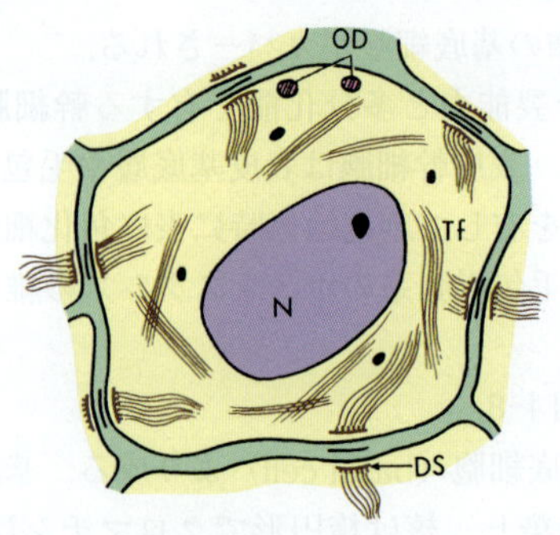

図 1-9　有棘細胞
OD：オドランド小体

2）有棘層 spinous layer

有棘細胞は下方ほど多角形で上昇するに従って次第に扁平となり 5～10 層に並ぶ．基底細胞より大きく明るく，細胞は互いに棘で連なっているようにみえ，これを**細胞間橋**（intercellular bridge）と呼び，電顕的に**デスモソーム**に相当する（図 1-9）．上方にいたるとオドランド小体（Odland body）が少数出現してくる．

3）顆粒層 granular layer

顆粒細胞は有棘細胞よりさらに扁平となり 1～数層をなし，細胞質中に好塩基性蛋白の小顆粒である**ケラトヒアリン顆粒**（keratohyalin granule）が多数出現する（図 1-10）．ケラトヒアリン顆粒の主成分はプロフィラグリンであり，角層で分解されてフィラグリンとなり，さらにアミノ酸まで分解される．顆粒層では**オドランド小体**が豊富となり，この小体は**層板顆粒**（lamellar granule）とも呼ばれ層板構造をとり，グリコシルセラミド，フォスフォグリセリド，スフィンゴミエリンなどの脂質を豊富に含む．顆粒層では核・小器官が消失し始めるが，これは細胞内にびまん性に存在するライソソーム酵素による．

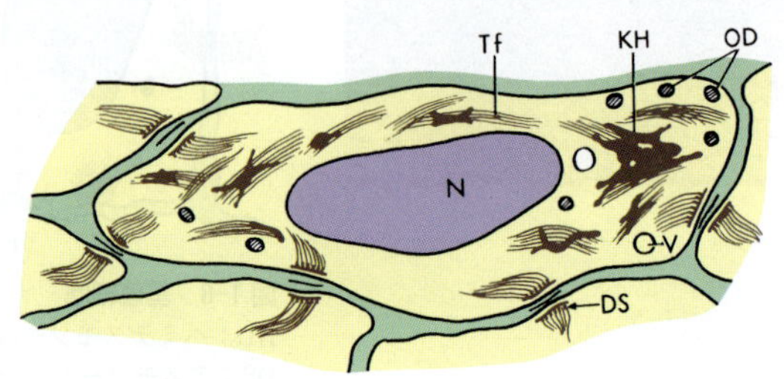

図 1-10　顆粒細胞
KH：ケラトヒアリン顆粒，V：空胞，OD：オドランド小体

4）角層 horny layer

表皮最外層の薄膜（厚さ 20 μm）で，脱核した死細胞が膜状となり重層化し，最後にはいわゆる「垢」として外部環境中に剝脱する．角層は外界の病原微生物などの侵入を防ぎ，また体内の水分や蛋白が外界に出て行くのを防ぐ機能的バリアとして生体の恒常性維持にとって極めて重要な役割を果たしている．角層細胞は，細胞外周を**周辺帯（marginal band，cornified cell envelope）**と呼ばれる化学的に安定な不溶性蛋白質の膜で囲まれ，この周辺帯は生細胞における細胞質に相当する構造である．角質細胞の核は消失し，細胞内はケラチン線維束とその間を埋めるフィラグリン（filaggrin）分解蛋白から成る．この構造は電顕的にケラチン・パターンと呼ばれ，生細胞の細胞質に相当する．

2. 表皮の接着

1）角化細胞相互の接着

角化細胞は，隣接角化細胞と複雑に入り組んで相対しており（interdigitation），隣接細胞と**デスモソーム**（図 1-11，12），裂隙結合，接着結合，密接結合を介して結合する．このうちデスモソームが角化細胞の主要な接着装置であり，これが光顕レベルの細胞間橋（棘）に相当する．デスモソームは膜貫通蛋白である**デスモグレイン 1～3（desmoglein 1～3，Dsg 1～3）**とデスモコリン 1～3（desmocollin 1～3，Dsc 1～3）（天疱瘡ではデスモグレインに対する自己抗体ができる）と，細胞膜内側の接着板（attachment plaque）を構成するデスモプラキン，プラコグロビン，プラコフィリンなどから成る．この接着板にはケラチン線維が内側より接する．

デスモソームの他に，隣接する 2 枚の細胞膜が約 2～3nm の裂隙を隔てて相接する接合があり，**裂隙結合（gap junction）**という．裂隙結合は細胞膜にコネキシン

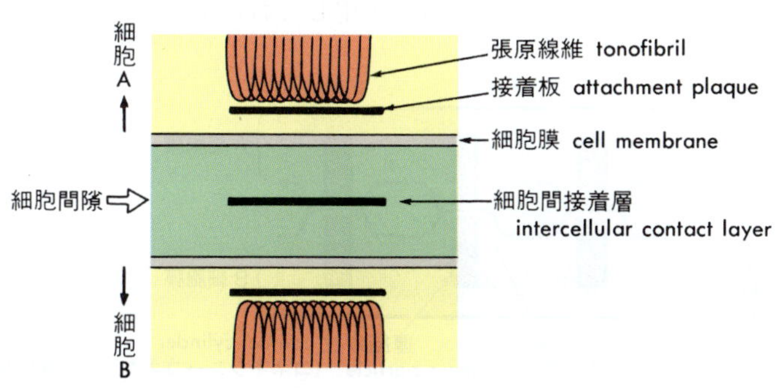

図 1-11　デスモソーム

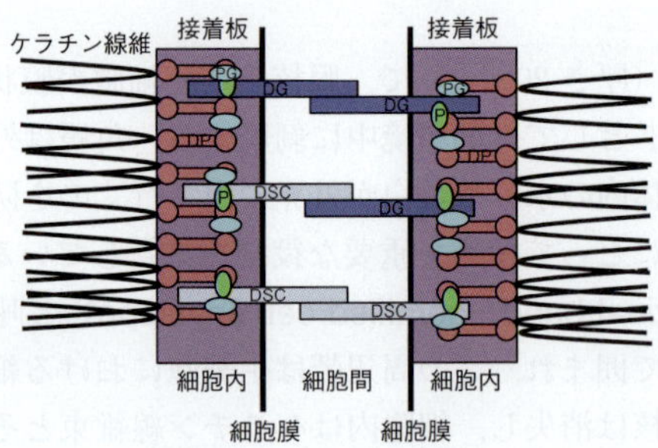

図 1-12　デスモソームの分子構造
PG：プラコグロビン，DG：デスモグレイン
P：プラコフィリン，DP：デスモプラキン
DSC：デスモコリン

表 1-1　デスモソーム構成蛋白遺伝子と関連疾患

	常染色体優性	常染色体劣性
Plakophillin 1		skin fragility（ectodermal dysplasia）syndrome
Plakophillin 2	心筋症	心筋症
Desmoplakin	心筋症	wooly hair と掌蹠角化症 棘融解型表皮水疱症
Plakoglobin	心筋症	Naxos 病
Desmoglein 1	線状型掌蹠角化症	
Desmoglein 2	心筋症	心筋症
Desmoglein 4		限局性乏毛症 連珠毛
Desmocollin 2	心筋症	
Corneodesmosin	乏毛症（hypotrichosis simplex）	

分子が筒を形成するように重合しており，これを連結角柱（contact cylinder）といい，隣接する細胞膜上の連結角柱が接合し，これが両細胞の交通路となっている（図 1-13）．裂隙結合にはケラチン線維は集中しておらず，デスモソームが必要に

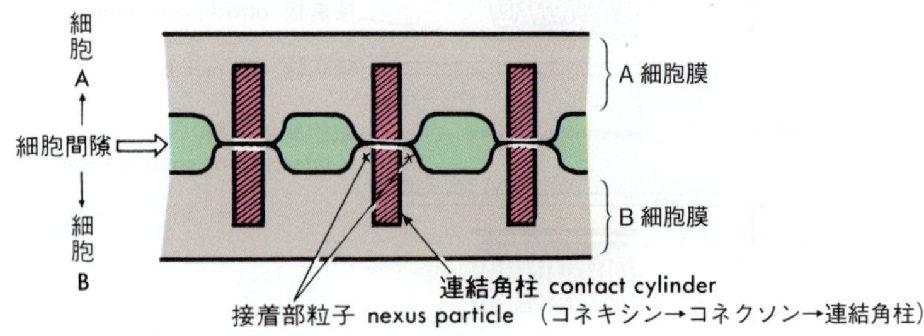

図 1-13　裂隙結合（gap junction）

応じて出現・消失を繰り返す動的な接着機構であるのに対して，裂隙結合は細胞間の物質，情報の交換に関与する．コネキシン遺伝子異常により掌蹠角化症（☞ p.352），Vohwinkel 症候群（☞ p.354），紅斑角皮症（☞ p.363），有汗性外胚葉形成不全症（Clouston 症候群）（☞ p.501）などが生じる．

接着結合（adherens junction）は電子密度の高い細胞間構造でネクチン—アファディン，カドヘリン—カテニン体を介して細胞骨格蛋白（アクチンフィラメント）と接続する．角化細胞の接着，表皮細胞の形態変化や移動に関与しているといわれる．

密接結合（tight junction）は角層とともに皮膚のバリア機能に重要な役割を果たし，角化細胞の統合性や極性の維持に働いている．細胞膜内蛋白はクローディン，オクルディン，細胞側蛋白には ZO-1，2，3 などがある．クローディン遺伝子異常は腎石灰化症（低マグネシウム血症，高カルシウム血症）を，クローディン 1 の完全欠損は常染色体劣性遺伝性の neonatal ichthyosis-sclerosing cholangitis（NISCH）症候群を起こすことが知られている（☞ p.352）．

2）表皮–真皮接合（図 1–14，15）

基底膜（subepidermal basement membrane zone）は，基底層直下に表皮下縁を縁取る 0.5～1.0 μm 幅の PAS 陽性帯であり，これは次に述べる基底板の 20 倍の厚さで基底板とその直下の線維帯とを含む．液状変性や皮膚癌の真皮内浸潤の際には，これが失われる．電顕的にみるとこれは膜ではなく，厚さ 60～80 nm の**基底板（lamina densa）**を中心とした次のような構造を有する．

基底細胞膜真皮側内面には**接着板（attachment plaque）**があり，ケラチン線維はこれに反転して接している．接着板は細胞膜内葉に接着している．このような**ヘミデスモソーム構造**が基底細胞と基底膜の接着に重要な役割を果たしている．基底細胞の細胞膜と基底板の間には電子密度の低い**透明層（lamina lucida）**がある．

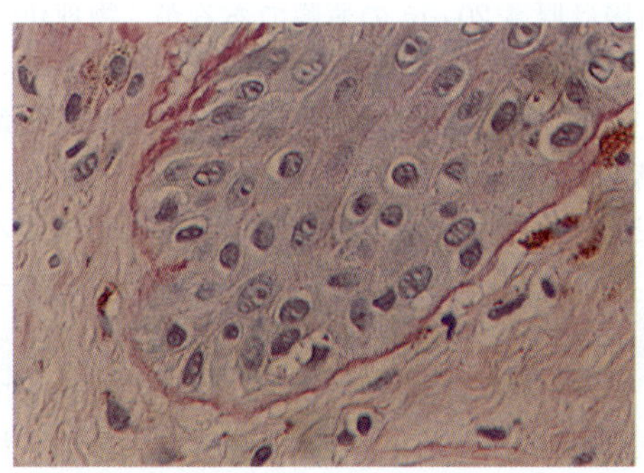

図 1–14 基底膜（光顕像，PAS 染色）

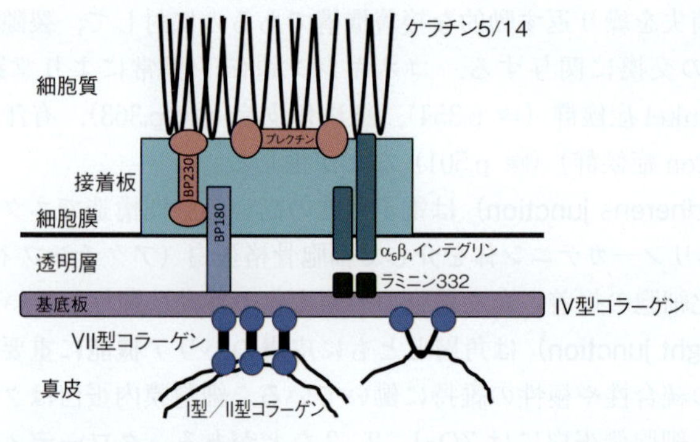

図 1-15　表皮–真皮接合

180kD の BP180 抗原（17 型コラーゲン）は透明層を貫通してヘミデスモソームと基底板を直結させる．一方，230kD の BP230 抗原はデスモプラキン類似の細胞内蛋白でその一端がケラチン線維と結合する．膜蛋白としては，この他にプレクチン，$\alpha_6\beta_4$ インテグリンがある．透明層にはラミニン 332，フィブロネクチン，ヘパラン硫酸プロテオグリカンが分布する．基底板は主としてⅣ型コラーゲンから成り，その他ラミニン，プロテオグリカンを含む．基底板の下には**係留線維**（anchoring fibril）；**Ⅶ型コラーゲン**（径 150〜200 nm）がその両端を弧状に付着させ，真皮のⅠ型／Ⅱ型コラーゲンと強固に結合する．

3. 角化

皮膚は体内環境と体外環境を隔てる境界臓器であり，皮膚の第一義的な機能は体外からの様々な有害物の侵入を阻止し，体内の水分，有用物質が体外に漏出するのを防ぐバリア機能である．このバリア機能は，皮膚の最外層に位置する角層が主として担っており，角層は厚さ 20 μm の薄膜であるが，物理化学的に強靱・安定な膜であり，あたかもプラスティックフィルムのように生体を覆っている．表皮角化細胞は基底層から有棘層，顆粒層へと移動しながら分化し，最終的に角層を形成した後に環境中に脱落していく．この角化細胞の分化過程を特に**角化**（keratinization）と呼び，角化とはすなわち最終産物として角層を形成するための過程である．角層の構造モデルとして，角層細胞を煉瓦，角層細胞間脂質をモルタルに喩え，角層があたかも煉瓦造りの洋館の外壁のように人体を外界から守っているとする「煉瓦とモルタル構造」モデルが提唱されている．角化過程においては，①角化細胞の細胞質，②細胞膜，③細胞間マトリクスで特徴的変化が観察される．

表 1-2　ケラチン（K）遺伝子の発現部位と関連疾患

塩基性 K	酸性 K	発現組織	関連疾患
1	10	基底層上の有棘細胞	先天性魚鱗癬様紅皮症（表皮融解性魚鱗癬）
1	9	掌蹠の基底層上有棘細胞	Vörner 型掌蹠角化症
2	10	有棘層最上層，顆粒層	Siemens 型先天性魚鱗癬様紅皮症（浅在性表皮融解性魚鱗癬）
3	12	角膜	White sponge nevus
4	13	粘膜上皮	先天性表皮水疱症（単純型）
5	14	基底層	先天性爪甲厚硬症（Jadassohn-Lewandowsky）
6a	16	外毛根鞘，有棘層（増殖・掌蹠）	先天性爪甲厚硬症（Jackson-Lawler）
6b	17	爪床，付属器	多発性脂腺嚢腫
8	18	単層上皮	

◎角化過程における角化細胞の生化学的変化

1）細胞質の変化とケラチン・パターンの形成

①**ケラチン**（表 1-2）：ケラチンは，細胞骨格を形成する中間径線維（径 10 nm）の一つで，その構成成分はケラチン蛋白で，4 つの α ヘリックス構造 1A，1B，2A，2B が短い 3 つのリンカーで繋がった中央のロッドドメインと，その前後のエンドドメイン（ヘッドドメインとテイルドメイン）を基本構造とする．ロッドドメインの末端の 1A の最初と 2B の末端がケラチン線維形成に重要で，この部分の変異が各種角化異常症を起こす．

ケラチンには多くのサブタイプがあり，40〜70 kD のソフトケラチン（K1〜22：酸性のⅠ型《K9〜22》と中性〜塩基性のⅡ型《K1〜8》など）が 21 種類以上，爪や毛髪などに発現するハードケラチンも 8 種類以上ある．Ⅰ型とⅡ型は特定のペアを組み，ヘテロダイマーを形成し，これが重合してケラチン線維を形成する．角化細胞は基底層では細胞質に K5/14 を発現しているが，有棘層に分化・移動すると K5/14 の発現はなくなり，代わって K1/10 が発現する．また，病的状態では健常部と異なるケラチンを発現し，乾癬や創傷治癒過程では K6/16 が発現する．

②**フィラグリン**：角化細胞は，有棘層上方においてプロフィラグリンを発現し始め，プロフィラグリンは顆粒層ではケラトヒアリン顆粒を構成する主要蛋白である．角化が進むと角層において，核や細胞小器官は分解され消失し，プロフィラグリンはフィラグリンに分解され，ケラチン中間径線維と結合して電顕的に「ケラチン・パターン」と呼ばれる基質が角質細胞の細胞質を満たす．フィラグリンは角層上層でアミノ酸などに分解されて天然保湿因子として機能する．フィラグリン遺伝子変異は尋常性魚鱗癬を起こす（☞ p.341）．またアトピー性皮膚炎発症に重要な危険因子として働いている（☞ p.341）．

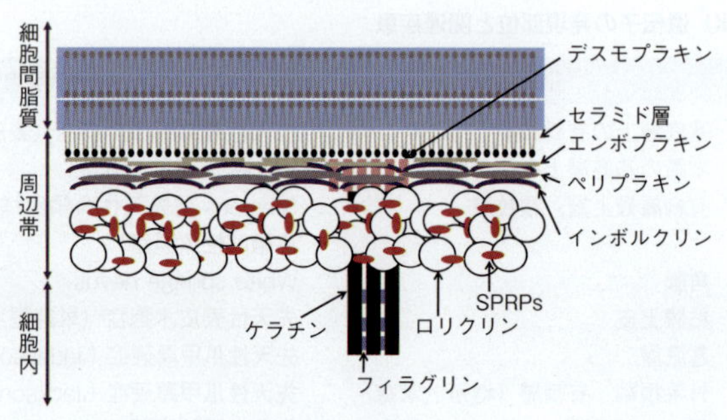

図 1-16　細胞膜消失と周辺帯

2）細胞膜消失と周辺帯（コーニファイド・エンベロープ）形成（図 1-16）

角層細胞では，生細胞膜の脂質二重層は，層板顆粒として細胞内から分泌されたセラミドで置換され，それを細胞質側から互いに架橋された蛋白分子群が裏打ちする構造をとっており，この構造を周辺帯（マージナル・バンド，またはコーニファイド・エンベロープ）と呼ぶ．周辺帯外層を構成するセラミド分子の疎水部分と内層の蛋白分子（インボルクリンなど）は，エステル結合している．周辺帯は，物理的・化学的に非常に強靱・安定で角層の表皮バリア機能にとって重要な構造である．

①**トランスグルタミナーゼ**：角化細胞内カルシウム濃度は，角化が進行し，表皮上方に移動するに従って上昇する．有棘層上層でカルシウム依存性酵素であるトランスグルタミナーゼが活性化し，周辺帯関連蛋白を架橋する．トランスグルタミナーゼ（TGase）は，基質蛋白に Nε-(γ- グルタミール・リジン）結合を作る酵素であり，表皮では 7 種類の TGase のうち少なくとも TGase 1，3，5 の 3 種類が周辺帯形成に関与する．TGase 1 は有棘層上層から顆粒層に発現し，周辺帯の枠組みを形成，TGase 3 は顆粒層に発現して周辺帯形成の後半部分に関与すると推測されている．TGase 1 遺伝子異常により周辺帯形成異常を生じ，葉状魚鱗癬の原因となる．TGase 5 は手足の角層維持に重要でその遺伝子変異は肢端型ピーリングスキン病を起こす（☞ p.347，352）．

②**周辺帯構成蛋白（インボルクリン・ロリクリン）**：インボルクリンはグルタミン，グルタミン酸に富む 68kD の水溶性酸性蛋白で，有棘層上層で発現し始め，TGase 1 により架橋され不溶性となり，周辺帯を構成する．角化の比較的早期に周辺帯に組み込まれるため，完成した角層細胞の周辺帯最外層に位置する．ロリクリンは，グリシン・セリン・システインに富む不溶性塩基性蛋白で，周辺帯の 70% を占める主要構成成分である．インボルクリンより遅れて，角化細胞が最終分化する顆粒層で発現し，TGase 1 により架橋され，周辺帯の内側を構成する．周辺帯にはその他に small proline-rich proteins（SPRPs）やシスタチン A などが構成蛋白として

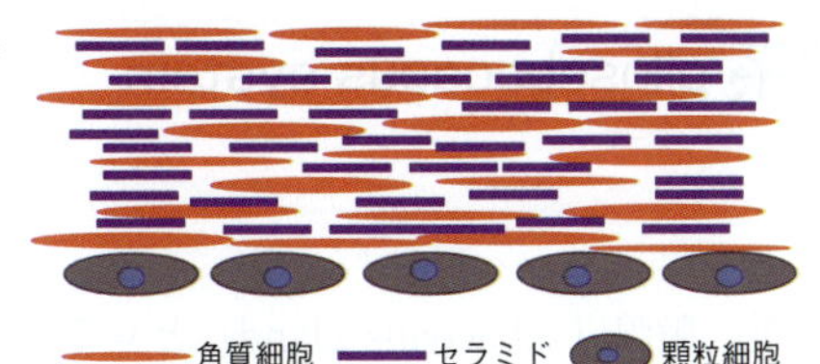

図 1-17 角層とセラミド
（角質細胞間にセラミドがレンガの接着物のように埋めこまれている）

存在する．

3）細胞間脂質の形成（図 1-17）

細胞間脂質は，「煉瓦とモルタル構造」モデルのモルタルに相当し，煉瓦にあたる角層細胞の間を目張りする役割を果たし，表皮の水分バリアの主体をなし，水分の漏出・蒸散と外界からの侵入を防いでいる．

細胞間脂質は，セラミド，遊離脂肪酸，コレステロールから成り，有棘層，顆粒層において角化細胞の細胞質に出現する**層板顆粒内**に蓄えられる．層板顆粒膜は脂質二重膜構造をとり，顆粒細胞が角層細胞に分化する際に層板顆粒膜と顆粒細胞膜とが癒合し，層板顆粒内の脂質が細胞間に放出される．放出された脂質は角層細胞間で多層のラメラ構造を形成して存在する．角層細胞間脂質の 50％はセラミドとして，また脂肪酸にも極長鎖脂肪酸が存在するという．

4. 表皮の発生

胎生 5〜6 週（体長 14 mm）で 2 層〔下層は基底層または胚芽層（str. germinativum），上層は周皮 periderm〕，10 週（体長 5 cm）にはこの 2 層間に中間層（str. intermedium）が形成される．19 週（体長 17 cm）には中間層は 2〜3 層に増え周皮は扁平化し，23 週（体長 19 cm）で中間層に角化が始まり周皮は脱落する．デスモソームは 14 週，トノフィラメントは 16 週頃から発達してくる．ケラチン 5，14 などは胎生 6 週で発現，1，10 などの分化型ケラチン，フィラグリンは 13 週頃から発現してくる．層板顆粒は胎生 22 週から形成される．胚芽層からは毛原基（hair-germ）または初期上皮原基（primary epithelial germ）とエクリン原基（eccrine gland germ）が下方に伸び，それぞれ毛・脂腺・アポクリン腺とエクリン腺を形成する．毛原基の分化した外毛根鞘の立毛筋付着部突起部（バルジ bulge）に幹細胞（stem cell）のプールが存在する．

5 毛包脂腺系 pilosebaceous system

毛包（hair follicle），毛，脂腺（sebaceous gland）と立毛筋のユニットである．

毛包は手掌・足底・指趾腹側・指趾末節背面・唇紅・亀頭・包皮内面・大陰唇内面・小陰唇・陰核を除く全身皮膚に分布する．

1. 毛包と毛（毛器官 hair apparatus）

1）毛包（毛嚢）hair follicle（図 1-18〜22）

毛包の内側は上皮，外側は結合組織成分が構成する．毛包は皮面に対して斜走し，その下面の一部が隆起（**毛隆起 hair bulge**）し，そこに立毛筋基部が付着する．毛隆起部に**毛包幹細胞**（**hair follicle stem cell**）が存在する．バルジ領域の毛包幹細胞は毛包のみならず表皮，脂腺をも再構成できる．隆起部上方に脂腺孔が開き，さらにその上方にアポクリン汗管が開く．成長期の毛根（hair root）の下部は球状に膨れ（**毛球 hair bulb**），中に**毛乳頭**（**hair papilla**）を容れる．毛孔（pore）は漏斗状に開き（毛漏斗 infundibulum），毛根に続く毛幹（hair shaft）が外方に伸び毛尖（apex pilli）に至る．

毛包は下部（lower portion）（毛包底より毛隆起部まで），中部または**峡部**（middle portion，isthmus）（毛隆起より脂腺導管開孔部まで），上部または**漏斗部**（upper

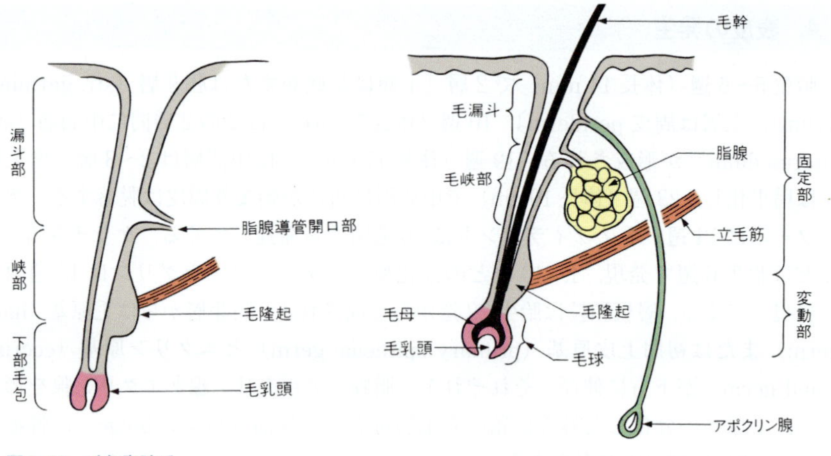

図 1-18　毛包脂腺系

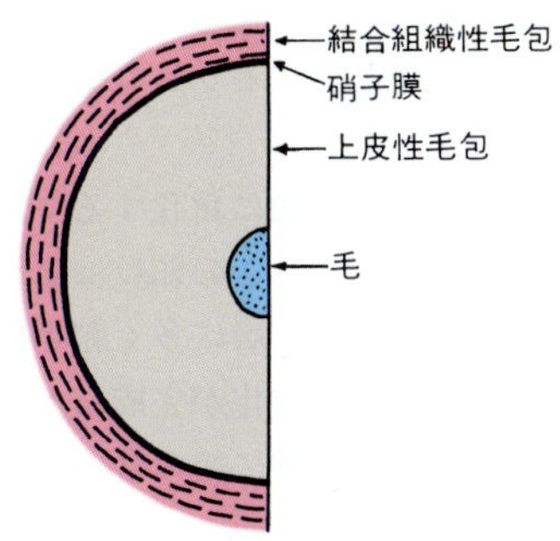

図 1-19　上皮性毛包と結合組織性毛包

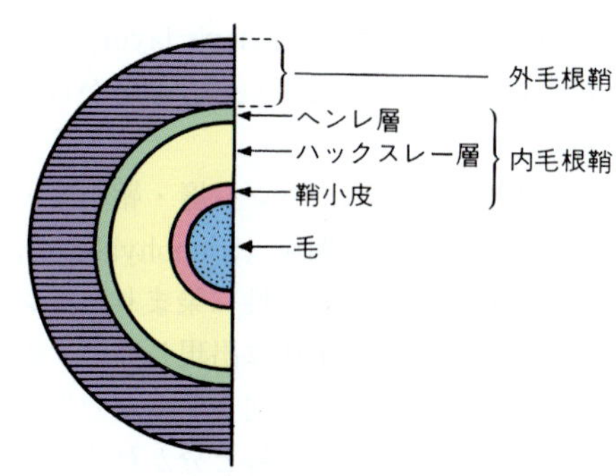

図 1-20　上皮性毛包

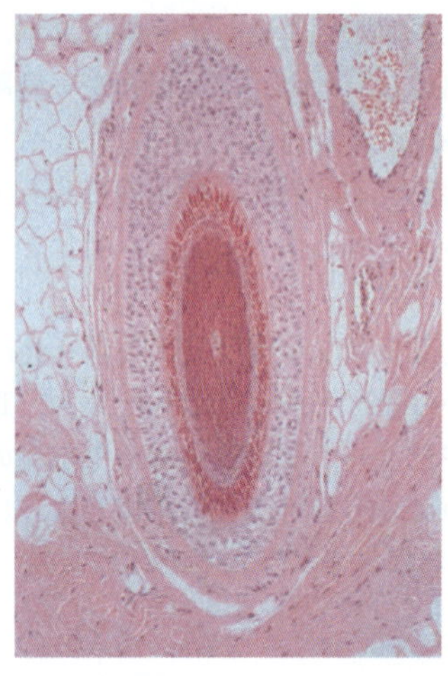

図 1-21　毛包

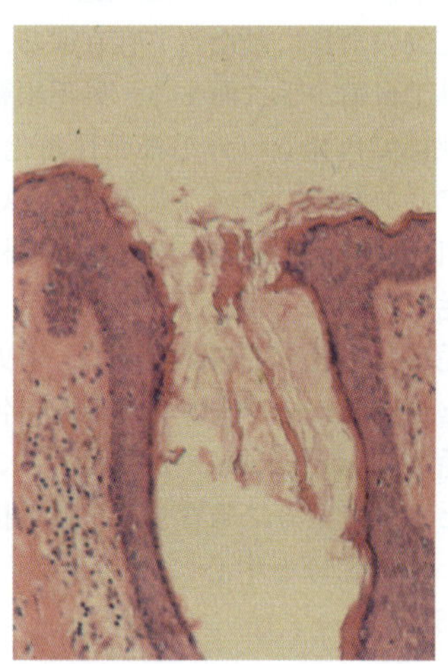

図 1-22　漏斗部角化

portion, infundibulum)（脂腺導管開孔部より毛孔まで）に分けられる．峡部の毛管側はいわゆる外毛根鞘性角化（trichilemmal keratinization）を示す．

2）毛包の微細構造

毛包は上皮性の内毛根鞘と外毛根鞘（上皮性毛包）と，その外側の結合組織性毛包とから成り，両者間に硝子膜（glassy or vitreous layer，好酸性で PAS 陽性，電顕的には基底板と膠原線維）が介在する．結合組織性毛包内側は環状に，外側は縦方向に膠原線維が走っている．

①**内毛根鞘** inner root sheath

内側より鞘小皮，ハックスレー層，ヘンレ層の 3 層を形成する．

a）鞘小皮（sheath cuticula）：毛小皮とかみ合って，毛を固定する．

b）ハックスレー層（Huxley's layer）：2～3層より成る．

c）ヘンレ層（Henle's layer）：1層から成り，外毛根鞘とデスモソーム結合をする．

表皮に近づくにつれ，ヘンレ層・鞘小皮・ハックスレー層の順に角化する．角化の際にトリコヒアリン顆粒（trichohyalin granule）が出現する．この顆粒はケラトヒアリン顆粒に似るが好酸性に染まり，ヘンレ層，ハックスレー層に多く鞘小皮では少ない．オドランド小体は出現しない．脂腺開口部の高さで角化が完成して落屑する．鞘小皮の尖は下方を向き毛小皮の尖は上方を向き互いに密に組み合っている．峡部の高さで内毛根鞘は毛幹と分かれる．

②外毛根鞘 outer root sheath

毛包の全長にわたって存在する．漏斗部は被覆表皮が毛に面し，その深部峡部では外毛根鞘が毛に面する．外毛根鞘の大部分は角化しないが，内毛根鞘から剝離する峡部で角化し（外毛根鞘性角化 trichilemmal keratinization）（図 1-23），ケラトヒアリン顆粒のない，大きな明るい角層細胞を形成する．外側は硝子膜を介して結合組織性毛包と接し，内側は内毛根鞘最外層のヘンレ層とデスモソーム結合をする．

③毛　球 hair bulb（図 1-24）

毛球は毛包下部の膨らみで，中央下方に血管豊富な真皮が伸びて毛乳頭（dermal hair papilla）を形成する．上皮毛包はこれを上から覆うドーム状の形をなし，頂点に毛母（hair matrix）があって，ここより毛根が発育し，その内側が内毛根鞘の母地となって上方に発育する．外毛根鞘はドームの最外層を外から取り囲むようにしている．毛母を中心にメラノサイトが存在し，毛にメラニンを供給している（図 1-25）．

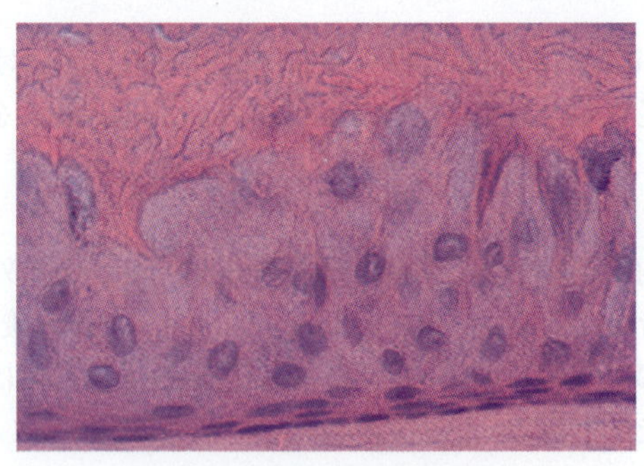

図 1-23　外毛根鞘性角化（外毛根鞘性嚢種）

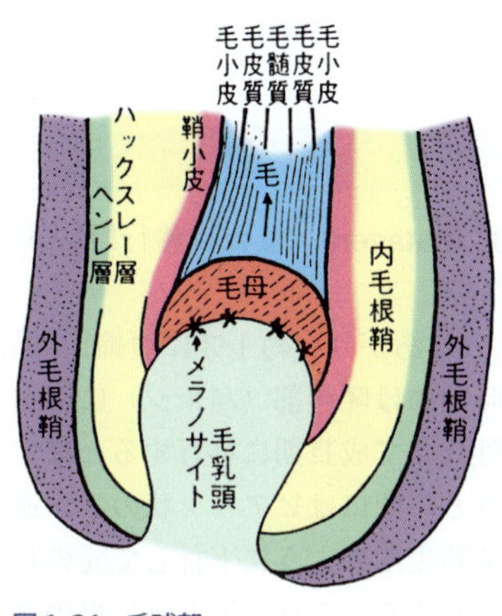

図 1-24　毛球部

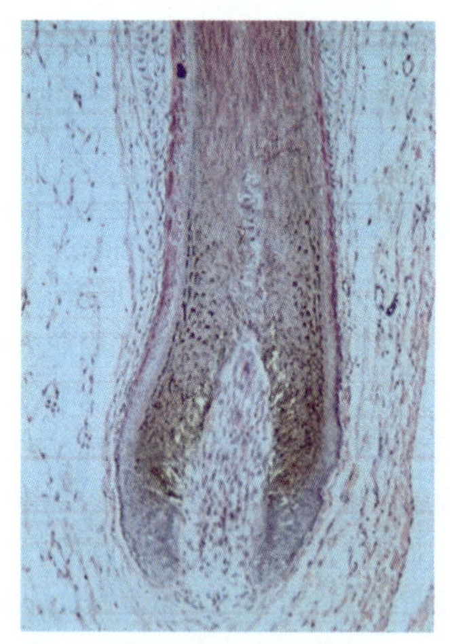

図 1-25　毛　球

3）毛 hair

毛は毛髄質（medulla），毛皮質（cortex），毛小皮（cuticula）から成り，後２者は角化する（図 1-26）.

①髄質は電子密な髄質顆粒（medullary granule）を有するが，張原線維は少ない．先端部で空胞化が目立つ．ヒトでは髄質は頭毛と須毛にのみ存在する．

②皮質には長軸方向に張原細線維が並び，先端ではケラチン模様を示す．ケラトヒアリン・トリコヒアリン顆粒を形成せずに角化する．形成される主要ケラチンは硬ケラチン（hard keratin）である（被覆表皮や内毛根鞘では軟ケラチン soft keratin が形成される）．線維間基質はシスチン，システインを多く含み，脂質含量は低く，弾力性・強靱性と熱抵抗性に優れる．

③毛小皮は扁平な細胞で，互いに小突起で連結し合い，板葺き屋根状に毛皮質の外側を覆い，内毛根鞘の最内側の鞘小皮と鋸歯状に結合するが，脂腺開口部の高さで離れ，毛幹の最外層としてこれを保護している．毛の物理的化学的処置が激しいと毛小皮が傷害されて皮質が露出し，自然のつやが失われてしまう．

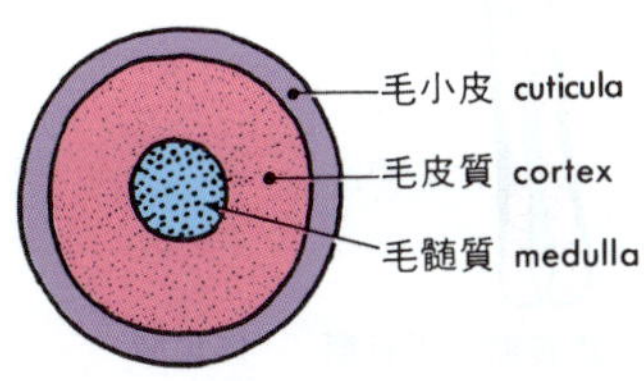

図 1-26　毛の断面

メラニンは皮質（と髄質）に存在して毛色を規定し，黒毛ではブロンド毛に比してメラノソームは大きくかつ多い．赤毛は鉄を含む phaeomelanin 含量が高い．

2. 毛周期 hair cycle（図 1-27）

毛は**成長期（anagen）**，退縮していく**退行期（catagen）**（または移行期），発毛停止の**休止期（telogen）**の毛周期を繰り返している．

休止期に毛包底部，毛根は毛隆起部まで上方にあがり（約 1/3 に短縮），棍棒状を呈するので棍毛（club hair）という．この時期には隆起部（バルジ）に存在する幹細胞が何らかのシグナルを受けて毛根が活性化して成長期に移行すると推定される．上昇した毛包底部と成長期の毛球存在位置との間にはヒアリン状の索が連なる．成長期が始まると，毛包表皮は分裂を開始して胎生期のように下行して元のレベルに達し，毛乳頭を容れ，新しい毛が再び毛母より生じ，これに押されて棍毛は脱落する．頭毛は 1 日 0.35～0.44 mm 伸びる．

退行期には毛包の収縮が始まり，細胞分裂を停止し，その期間は短い．

周期により伸縮する部分は毛隆起以下で，これを変動部と称し，これに対して毛隆起より上の部分を固定部と称する．

ヒトの毛包の周期は個々に異なるから（mosaic type），全体として一定数を保っている．

頭毛では，成長期が 4～7 年続き，退行期は 2～3 週，休止期は数ヵ月である．したがって剪毛しなければ，1 m 以上にも伸びうる．これに対して眉毛・睫毛は毛周期が 30 日と短く，余計に伸びすぎて視力の邪魔となることがない．頭毛は 1 日に

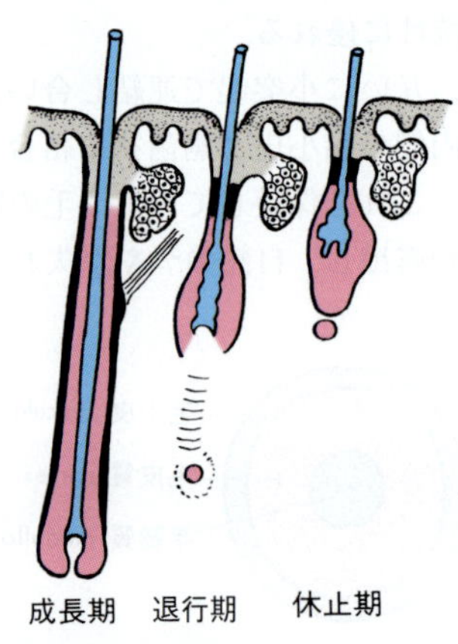

図 1-27　毛周期

約 60 本脱落する.

頭毛では 85%が成長期毛であり（14%が休止期，1%が退行期），眉毛では 50%である．毛を引っ張ったとき，あまり抵抗なく抜け（櫛で抜ける毛），細く，毛根が棍棒のものが休止期毛であり（club hair），抵抗があって痛く，毛根部にゼラチン様カプセルを有するものが成長期毛である（exclamation hair）.

胎生末期は，うぶ毛（lanugo）で覆われ（毛髄を欠き，色素に乏しい），これは生後軟毛（vellus hair）と終毛（terminal hair）に変わる．軟毛は短く（1 cm 以下）細く色は淡く，無髄であり，体表の大部分を覆い，その一部は有髄となり，色素を有して終毛となる．終毛は硬毛ともいい，太く色も濃く，頭毛・須毛・眉毛・睫毛・腋毛・陰毛がこれにあたる．前腕・下腿の毛を両者の中間毛（intermediate hair）と呼ぶことがある.

男性ホルモンは，須毛・胸毛・臍囲毛・陰毛（上三角）の成長を促進し，頭毛（前頭・頭頂）の脱落を促進する（男性型脱毛症）.

加齢とともに毛周期は一般に長くなり，特に成長期延長のため眉毛・耳毛の長毛化がみられる．さらに，色は灰色～白色化し，男性では頭毛が疎となってくる.

毛の成長は DHT（dihydrotestosterone：testosterone が 5α-reductase で還元）により促進され（須毛，陰毛，体毛），頭毛は androgen 性脱毛（AGA：androgenic alopecia）をきたす.

3. 毛の発生

胎生 9～12 週にまず眉毛・上口唇・オトガイ，次いで顔頭部その他に毛原基 / 毛芽（hair germ）が下方に向かって突出してくる．毛芽は皮表に対して 45°と斜めに伸び，下面から脂腺・アポクリン汗器官・毛隆起が生じる．胎生 4～5ヵ月で全身の毛包の発生が終わる.

①**前毛芽期 pregerm stage**：胚芽層細胞が下方に突出.

②**毛芽期 hair germ stage**：表皮に約 45°の方向にさらに伸展し，柵状に並ぶ胚芽層細胞の間に中間層細胞が入り込む．以後細胞分裂をして伸びていく.

③**毛杭期 hair peg stage**：先端の間葉系細胞に牽引されつつ伸びる.

④**毛球性毛杭期 bulbous peg stage**：先端が丸まって毛球となり，その中央が陥凹して間葉系細胞が入り込み毛乳頭となる．毛杭中心に退行変性が起こり原始毛管となり，外側細胞にトリコヒアリン顆粒が現れて角化し，毛管の壁となる．この毛管の中を，毛乳頭頂点部より発生した毛が上昇してくる．表皮内毛管はこれとは独立して上方に形成されてくる.

4. 脂腺 sebaceous gland

毛原基に由来し，毛芽出現4週後に毛球性毛杭の下面でアポクリン汗器官原基の下方に突出してくる．導管は毛管に近接した部分の細胞の崩壊により形成される．出生時までは幼児に比して大きく，胎脂（vernix caseosa）を分泌している．

1）構造と分布

毛漏斗部基部に1～数個の分葉脂腺（sebaceous lobule）が付着，開口する．分葉の最外層は円柱形，好塩基性細胞で脂肪を含まない．その外側は半デスモソームをもって基底膜に接する．中央の細胞は脂肪を含み，核が中央に位置し，原形質は大きく，網工状にみえ，滑面小胞体で脂質は合成され，ゴルジ領域で脂肪小滴となり，これは次第に集積して全原形質を占めるに至る．脂腺細胞が成熟すると，脂肪化して死滅し，この脂質は細胞崩壊物とともに脂腺導管・毛包漏斗部下端（峡部の上端）を通じて皮表に出る（**全分泌 holocrine secretion**）（図1-28）．この分泌物を**皮脂**（**sebum**）と称し，**蠟エステル**（**wax ester**）・**トリグリセライド**・**スクアレン**から成る．トリグリセライドは常在菌（*Propionibacterium acnes* など）などのリパーゼにより遊離脂肪酸に分解される．

毛孔・脂腺導管にはニキビダニ（*Demodex folliculorum*，*D. brevis*）が寄生し，蛋白を食している．

脂腺が大きく，豊富な部分を**脂漏部位**（seborrheic zone，seborrheische zone）と称し，頭・前額・眉間・鼻翼・鼻唇溝・オトガイ・胸骨部・肩甲間部・腋窩・臍囲・外陰部がこれにあたる．脂漏部位での脂腺数は400～900個/cm^2，その他の部位では100個/cm^{2}以下，手掌足底・下口唇では0である．脂腺の大きさと分泌活動は相関し，顔面では脂腺は大きく（**脂腺性毛包 sebaceous follicle**），尋常性痤瘡はこれに発する．脂腺性毛包では脂腺に比して毛包は小さい．毛の太さと脂腺の大きさは逆相関し，脱毛症では一般に脂腺は大きい．

表1-3　ヒト皮表脂質の構成成分

（Downing ら，1969）

	平均重量％
トリグリセライド	41.0
ジグリセライド	2.2
脂肪酸	16.4
スクアレン	12.2
蠟エステル	25.0
コレステロール	1.4
コレステロール・エステル	2.1

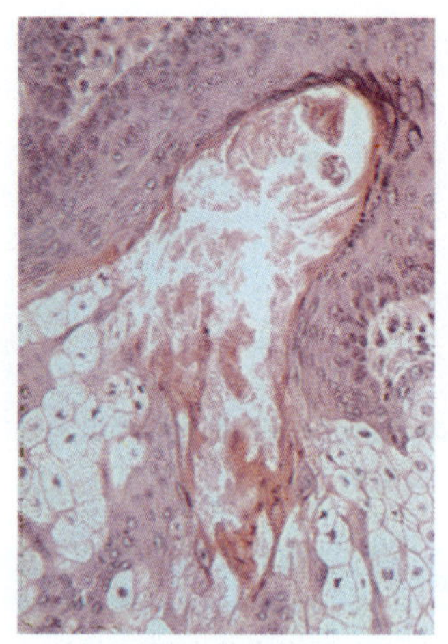

図 1-28 全分泌（脂腺導管部）

毛を欠如する口唇・頬粘膜・小陰唇・腟・亀頭・包皮・乳暈でも毛包に付属しない脂腺（**独立脂腺**）（free sebaceous glands）が存在・増殖することがある（フォアダイス状態）．稀に皮膚以外の舌・子宮頸部・食道・耳下腺・顎下腺などにも異所性に生じる（sebaceous metaplasia）．眼板腺（Meibom 腺）も独立脂腺の一種である．

2）機能

胎児期には脂腺は母体由来ホルモンによりよく発達していて胎脂（vernix caseosa）を形成，羊水から体を保護しているが，出産後縮小，思春期に再び発達し，老年に至って退縮する．

男性ホルモン（アンドロゲン）の支配を受け，肥大し，皮脂分泌が増し，脂腺細胞有糸分裂率が高まる．女性ホルモンは縮小，皮脂分泌を抑制するが有糸分裂率は低下させない．神経支配は受けない．脂腺は 0.1〜2.0 $\gamma/cm^2/min$ の脂質を分泌・排泄，皮表に 0.05〜0.4 mg/cm^2 の**皮表脂質（skin surface lipid）**を蓄積する．皮表脂質の大部分は脂腺由来（トリグリセライド triglyceride およびその分解産物ジグリセライド・モノグリセライド，脂肪酸，スクアレン squalene，蠟・蠟エステル）で，一部に表皮細胞由来の脂質（epidermal lipids）（コレステロールエステル・コレステロール・リン脂質）を混じ，水と乳液を作り**皮表膜（skin surface film）**（酸外套 acid mantle：pH 4.2〜6.4）を形成する．皮表膜は外部よりの物質の侵入を防ぎ，殺菌作用を有し，皮膚の不感蒸泄（transepidermal water loss；TEWL）を抑制し，保湿機能を有する（表 1-3）．

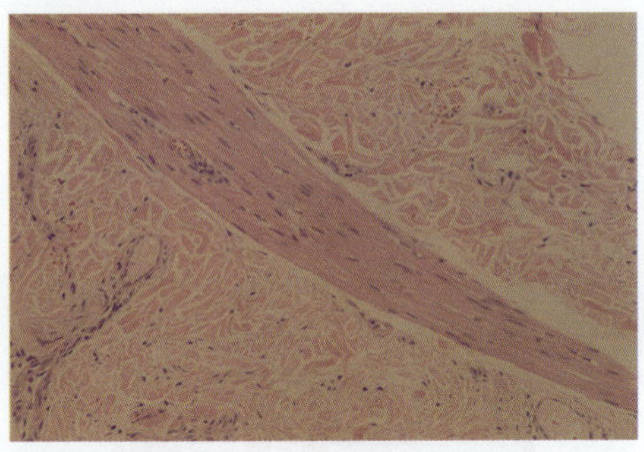

図 1-29　立毛筋

5. 立毛筋 musculus arrector pili（図 1-29）

斜走毛包の下面で，毛隆起より，表皮基底板に向かって斜走する平滑筋で，収縮すると毛幹が直立する．このとき毛孔部の皮膚がわずかに隆起し，いわゆる「トリハダ」(cutis anserina, goose flesh）を呈する．これは寒気，情緒（恐怖・驚愕）などで起こり，アドレナリン作働性である．

6 エクリン汗器官 eccrine sweat apparatus ○

エクリン汗器官は，大量の水分を分泌して体温を調節し，皮表に適当な湿度を与える．高温下では 1 時間に 2〜3 L の水分が蒸発して，体温を低下させる．

ほぼ全身皮膚に分布し（総数約 300〜400 万個），手掌足底・腋窩に多く，大腿部で少ない．亀頭・包皮内板・陰核・小陰唇・爪床・口唇縁には存在しない（表 1-4）．霊長類以外の動物では，主として手掌足底に存在し，全身に広く分布することはない．

温熱刺激による全身的発汗（thermal sweating），情緒的刺激による掌蹠・前額の発汗（emotional sweating），味覚刺激による発汗（gustatory sweating）の 3 種がある．

1. エクリン汗器官の構造（図 1-30）

分泌部（汗腺）(secretory segment）と導管部（汗管）(ductal segment）に分かれ，後者はさらに下方より曲導管（coiled duct），直導管（straight duct）および表皮内導管（intraepidermal duct, acrosyringium）とに分かれる．曲導管と直導管

表 1-4　エクリン汗器官の部位別分布

部　位	平均値/cm^2
手掌足底	600
前　頭	360
足　背	250
前　腕	225
体　幹	175
上　腕	150
大　腿	130

とは真皮内にあるので，合わせて真皮内導管（intradermal duct）とも呼ばれる．

分泌部は，多数の血管と無髄C神経終末とに取り巻かれ，神経は交感神経であるが，機能的にはコリン作働性である．

1）分泌部 coiled secretory gland（図 1-31，32）

真皮中層ないしそれ以下に存し，くねくねと曲がったコイル状の管で真皮皮下組織境界部ないし真皮下 2/3 の部位に存在する．

中央の腺腔（glandular lumen）（直径 20 μm）を囲んで明暗 2 種の細胞が 1 層並び，その外側を細長い筋上皮細胞（myoepithelial cell）が取り巻き，最外側に基底膜がある．

①**漿液細胞 serous cell**：明調細胞（clear cell），基底細胞（basal cell）ともいう．

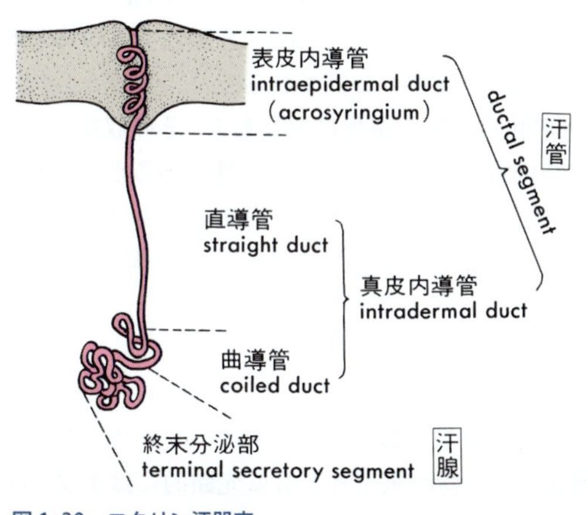

図 1-30　エクリン汗器官

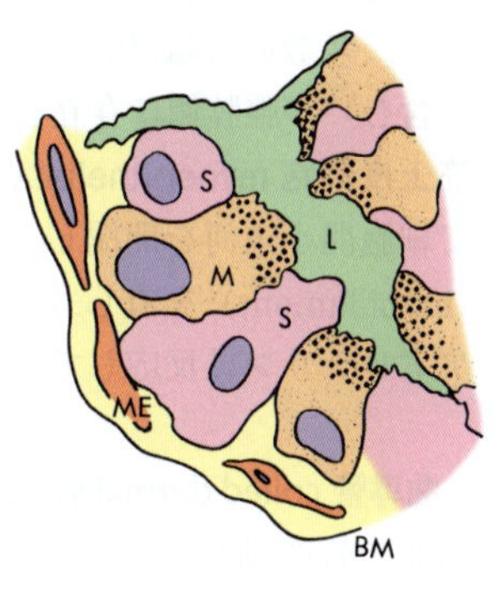

図 1-31　エクリン汗腺（分泌部）
L：腺腔，S：漿液細胞，
M：粘液細胞，ME：筋上皮細胞，
BM：基底膜

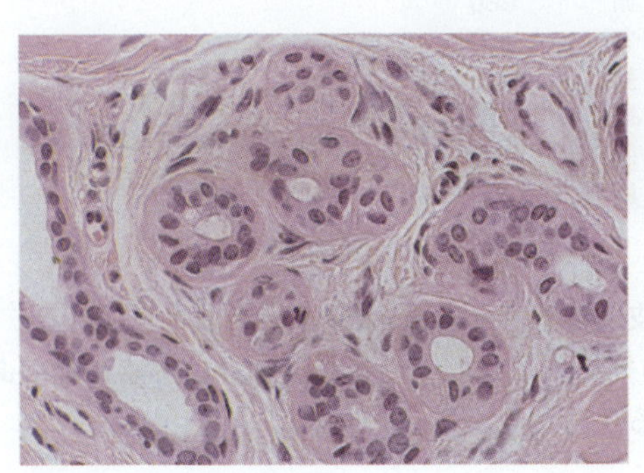

図 1-32　エクリン汗腺

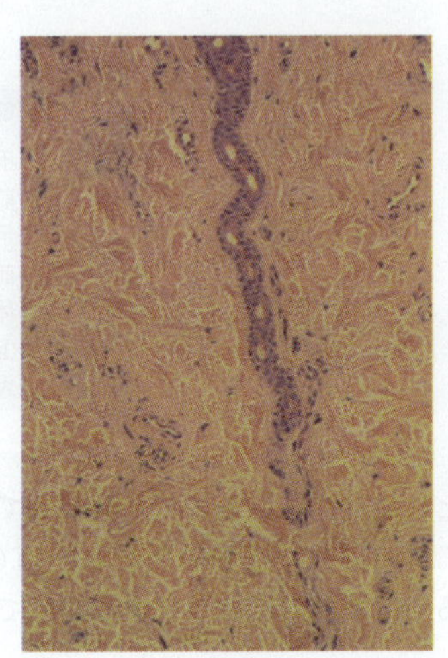

図 1-33　真皮内直導管

腺腔よりも基底側に位置し，粘液細胞よりやや大きく，また淡い小顆粒を有する．ジアスターゼ消化性 PAS 陽性でグリコーゲンに富む．基底側に対し，また相互に著明な突起を出してからみ合う．相互間の入り組んだ間隔を細胞間小運河（intercellular canaliculi）といい，組織液がここより漿液細胞に吸収され，腺腔に面して小絨毛の多い面より腔内に分泌される．

②**粘液細胞 mucous cell**：暗調細胞（dark cell），表層細胞（superficial cell）ともいう．多数の好塩基性の分泌顆粒（ジアスターゼ抵抗性 PAS 陽性でムコ多糖類を含む）が腺腔側に存在し，その内容が腺腔中へ分泌される．

③**筋上皮細胞 myoepithelial cell**：腺細胞の外側を環状に取り巻き，その収縮によって細胞間小運河を開閉し，また腺腔内容を圧出する．外胚葉性であるが，筋線維（myofilament）を有し，機能的にも平滑筋と同じである．胞飲運動も盛んである．アドレナリンに反応して収縮する．分泌部から移行部導管を経て曲導管に続く．

2）曲導管 coiled dermal sweat duct

内側の管腔細胞（luminal cell）と外側の外周細胞（peripheral cell）の細胞より成り，前者は管腔（直径 15 μm）に面して多数の微小絨毛を持ち，Na^+ などを再吸収する．管腔側には張原細線維が密なので，微小絨毛とともに光顕的には小皮（cuticula）と呼ばれる．筋上皮細胞，基底膜は存在しない．

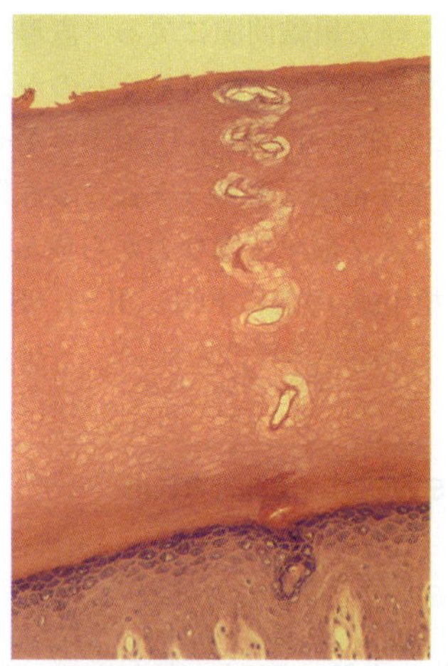

図 1-34　表皮内導管（acrosyringium）

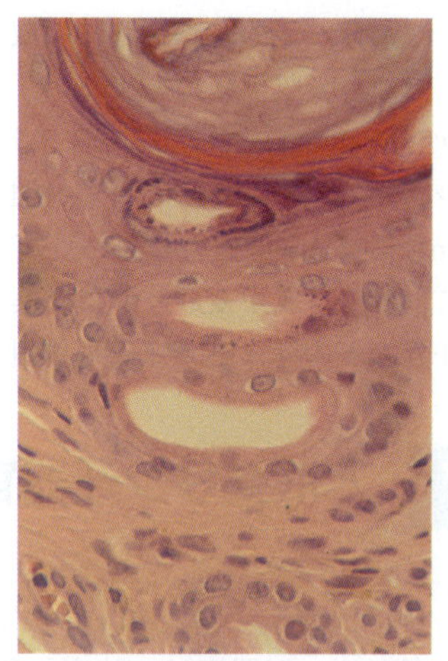

図 1-35　表皮内導管（acrosyringium）

3）直導管 straight dermal sweat duct（図 1-33）

曲部導管より垂直に上行して表皮に達する部で，ここでも再吸収が行われる．

4）表皮内導管 acrosyringium（図 1-34，35）

表皮をラセン状に上行して汗孔に開く．同様に一層の管腔細胞（luminal or inner cell）と 2～3 層の外周細胞（peripheral or outer cell）から成る．管腔細胞は微小絨毛を有し，管腔は真皮内導管のそれに比して広い．管腔細胞は角化して腔内に脱落し，外周細胞がこれを補給していく．

2. エクリン汗の生成

交感神経終末から分泌されたアセチルコリンの作用により，分泌細胞内に Ca^{2+} が流入，それによって腺腔側細胞膜の Cl^- や基底細胞膜の K^+ の透過性が亢進して KCl が細胞外に流出する．細胞内 KCl 濃度が低下すると基底細胞膜に存在する Na-K-2Cl 共輸送体が活性化され，細胞内 Na^+ 濃度が上昇，これが基底膜側細胞膜の Na^+-K^+-ATPase を賦活化して細胞内の Na^+ は細胞外に，細胞外 K^+ は細胞内に輸送される．この一連の動きにより，Na^+ と K^+ は基底膜細胞膜の内外を循環し，Cl^- のみが腺腔に移動してその電位が低下，その腺腔の陰性電位に引かれて Na^+ が腺腔側に移動すると考えられている．腺腔内へ流出した前駆汗（precursor sweat）は血清と等張性であるが，主として曲導管で再吸収が行われる．Na^+・K^+・乳酸そして水分がその管腔細胞に吸収され，外周細胞を経て組織間隙に戻る．直導管より上での再吸収は極めて少ない．かくして表皮内導管より皮表に出てくるのが最終汗（final sweat）であり，pH 5.7～6.5，99～99.5%が水分，残り 1～0.5%がその他の成分で，後者は NaCl（5～184 mEq/L，1 日に 330 mg）・乳酸（皮表の酸性保持，40 mEq/L で血中値より高い）・Ca・Mg・P・Fe アミノ酸・尿素などから成る．疾患によって組成が変わり，また薬物・抗原・分泌型 IgA の他に EGF，IL-1，IL-6，TNFα などのサイトカインも排泄される．

7　アポクリン汗器官 apocrine sweat apparatus

アポクリン汗器官は，腋窩・乳房・乳暈・外陰・会陰・肛囲に存在する．稀に顔・頭・腹部にもみられるが小さく機能はほとんどない．毛・脂腺と同じく毛原基由来であり，胎生 15～20 週（毛芽発生 8 週）に毛球性毛杭の下面より伸び，垂直に下がり，6ヵ月で先端に丸味を帯びてコイル状となり，9ヵ月で分泌部が完成する．思春期に発達する．

哺乳類の芳香腺に相当し，動物ではフェロモン作用，縄張りや通路の標識などとして機能する．

1. 分泌腺

分泌腺は皮下組織中にあり，1 層の分泌細胞が規則正しく並んで，比較的広い腺腔（径 200 μm）を取り囲む．その外側に筋上皮細胞，基底膜がある（図 1-36，37）．

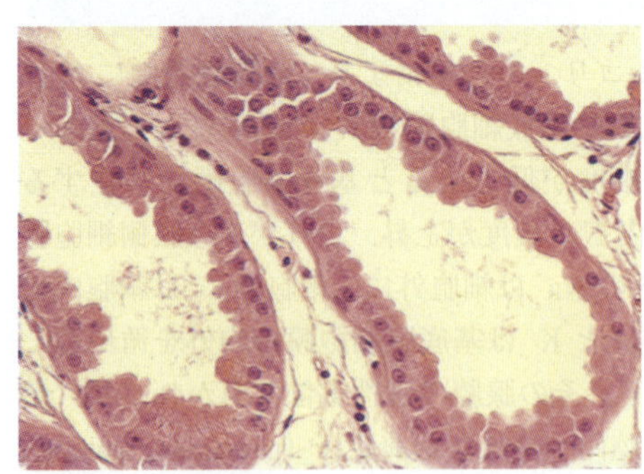

図 1-36　アポクリン汗腺

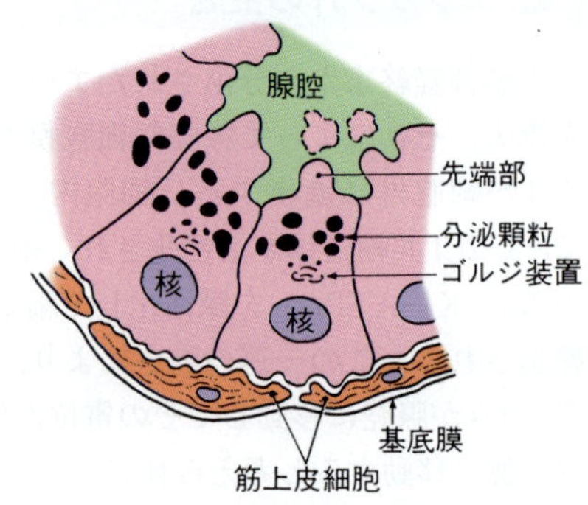

図 1-37　アポクリン汗腺（分泌部）

分泌細胞は円柱形で核は楕円形，豊富な好酸性の胞体を有する．径5 μm大，蛋白・脂肪滴・フェリチン粒子・ミエリン構造物を含む暗調顆粒（dark granule）とミトコンドリア由来の明調顆粒（light granule）を有する．細胞が成熟すると腺腔側に先端部（apex）を生じ，その中に50 μm径の小空胞を持ち，その内側に上記2種顆粒が集まり，腺腔側に小絨毛が増える．

分泌は主に**断頭分泌**〔**decapitation secretion**，アポクリン分泌（apocrine secretion)〕により，先端部で分泌顆粒は融解し，この部がくびれて切断され腺腔中に遊出する．アポクリン汗中には，脂質（中性脂肪・脂肪酸・コレステロール），鉄，色素（リポフスチン），細胞破壊成分を含み，導管を経て毛漏斗中へ押し出され，皮表で細菌に分解されて発臭する．

2. 導管

毛包内汗管と真皮内汗管とに分かれる．真皮内ではラセン状，毛包内では直線状を呈し，脂腺導管開口部の上方で毛孔部に開口する．稀に毛孔付近の被覆表皮に直接開口するが，表皮内では真直に伸びている．

導管は管腔細胞と外周細胞から成るが，分泌部と異なり筋上皮細胞を，またエクリン導管と異なり小皮を欠く．

8 爪 nail

爪（nail，unguis）は主に爪甲・爪郭・爪床・爪母とから成り，さらに細分化された構造と名称がある（図1-38）．指先の保護や感覚などの機能を持っている．1日に0.1〜0.15 mm伸長し，加齢とともに速度は遅くなる．指爪は趾爪より速く，また拇指ほど速く，小指に向かう順に遅くなる．

爪は胎生7週頃に発し，13週で爪の形をとり（偽爪 false nail），約6ヵ月で完成する．

1. 爪甲 nail plate

角層の分化したもので，指・趾端背面に存する．扁平な角化細胞が結合・多層化しているが，大きく3層に分けられ，背面より背爪・中間爪・腹爪と呼ぶ．爪甲は爪母から作られる．

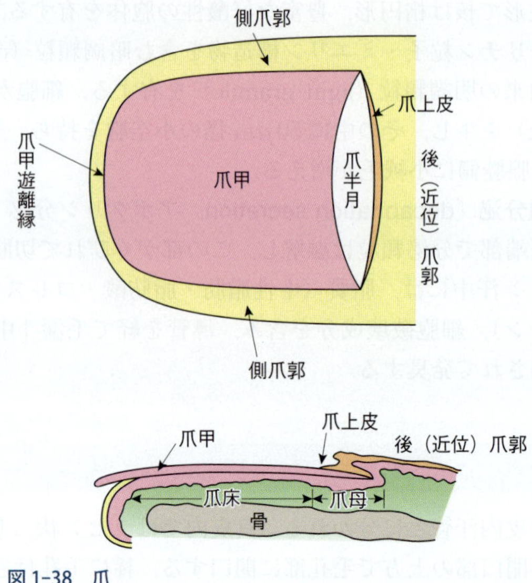

図 1-38　爪

爪甲根部に半月状の白色部があり（爪半月 lunula），栄養に関係がある．それより前面は爪下血管を透見して淡紅色を呈し（全身状態を反映している），末端に横走する黄線（yellow line）があり，次いで白色の遊離縁に至る．

爪甲はリン脂質などを多く含有し，爪の柔軟性に寄与している．構成蛋白はハードケラチンを主体に少量のソフトケラチンより成っている．

2. 爪郭 nail wall

爪甲の両側縁（側爪郭）と爪根（後爪郭，近位爪郭）とを覆う．後爪郭は角層が前方に伸びて爪甲をわずかに覆う（爪上皮 eponychium，あまかわ）．爪甲と側爪郭の間は溝（爪溝 nail groove）を形成する．

3. 爪床 nail bed

爪半月の遠位端から黄線までの爪甲下面に接着する皮膚．表皮マルピギー層に相当する表皮部（ただし顆粒層を欠く）と真皮とから成る．

4. 爪母 nail matrix

爪半月遠位端から後（近位）爪郭表皮に連なる部までの爪甲下部で，爪甲を形成する機能を持つ．1層の基底細胞と数層の表皮細胞から成るが，顆粒層を欠き，層板顆粒も形成されない．

9　メラノサイトとメラニン色素

1. メラノサイト melanocyte ○

1）メラノサイトの特徴（図1-39）

Langerhans細胞とともに表皮に存在する樹枝状細胞で，メラニン色素を産生する．表皮基底層のみならず，外毛根鞘上部，毛母，脳軟膜，網膜色素上皮に存在する．数と分布に人種差はない．黒人では白人に比して大きく，メラニン合成小器官の発達が良く，メラニン産生能が高く，成熟メラノソームも大きい（長径は黒人1.0 μm，日本人0.6～0.8 μm，白人0.5 μm）．

その密度は顔・男子外陰で2,000個/mm²，体幹で800個/mm²，平均1,500個/mm²，性差なく，加齢で減少，1人当たり約20億個．

メラノサイトは光顕ではケラチノサイトに比して明るく，澄明細胞（clear cell）とも呼ばれ，ドーパ反応やFontana-Masson染色で陽性を示す．1個のメラノサイ

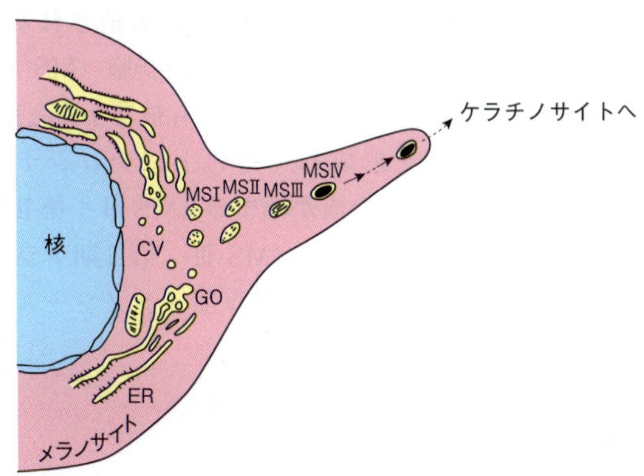

図1-39　メラノサイトとメラノソーム（MS）
GO：ゴルジ装置，CV：coated vesicle，ER：小胞体

トは36個のケラチノサイトにメラニン顆粒を供給している（epidermal melanin unit）.

2～数本の突起（樹枝状突起 dendrite）を有し，ケラチノサイト間に伸びている．下方は基底板と接し，発達の悪いヘミデスモソームで接合，隣接ケラチノサイトとデスモソーム結合はない．張原線維はなく，微細小線維があり，メラニン顆粒の細胞内移動を助けると考えられている．

2）メラノサイトの発生

神経堤（neural crest）に由来する神経堤細胞は神経管を出て遊走し，胎生10週頃には表皮に入り込む．表皮に入ってからメラノサイトは成熟，増殖する．エンドセリン，SCF，kit，pax3，SOX10などの増殖・分化因子や転写因子がメラノサイトの発達に関与している．真皮内のメラノサイトは胎生後半には消失するが，一部出生後も残存して蒙古斑となる．頭側より尾側に向かって次第にメラノサイトは表皮に定着する．毛包においては，毛球性毛杭期に毛包の周辺部に集中し，より上部のものは消失する．メラノサイトの幹細胞は毛包バルジ領域，特にその恒常部下端に存在し，メラノサイトを供給している．加齢によって幹細胞の維持が不安定化すると白髪をきたすと考えられている．

2. メラノソーム melanosome

1）メラノソームの生成（図1-39）

①メラノソーム構造蛋白およびチロジナーゼは粗面小胞体（rER）上のリボソームで合成される．②チロジナーゼはゴルジ装置付近の滑面小胞体（sER）に移送され，それより分離した被覆小胞（coated vesicle）に集積される．③構造蛋白はrERからゴルジ層板内に移送され，それより分離した空胞（MS Ⅰ；第Ⅰ期メラノソーム）に集積される．④MS Ⅰがチロジナーゼ含有被覆小胞と融合する．⑤この空胞内で構造蛋白が層板状骨格を形成し，その上にチロジナーゼが分布するTYRP2，TYRP1と協同してメラニン合成が始まる（MS Ⅱ；第Ⅱ期メラノソーム）．⑥合成されたメラニンが骨格上に沈着する（MS Ⅲ；第Ⅲ期メラノソーム）．⑦メラニンにより骨格は完全に覆われ（MS Ⅳ；第Ⅳ期メラノソーム），メラノソーム（melanosome）が完成する．

2）メラノソームの移動

メラノサイトの微小管の上をキネシン（kinesin）に乗って核周辺から末梢に移動し，ダイニン（dynein）に乗って戻る．この移動中に幼若メラノソームはメラニンを沈着して成熟化する．樹枝状突起部ではアクチンフィラメント上をミオシン（myosin）に乗って移動する．

3）メラノソームとケラチノサイト

MS Ⅳ（メラニン顆粒）は順次樹枝状突起中に移動し，樹枝状突起の先端は，ケラチノサイト（および毛皮質細胞）の表面の凹みに包まれてその細胞質内に取り込まれ拡散する（cytocrine secretion）．ケラチノサイトに取り込まれたメラノソームはライソソーム酵素で消化される．メラノソームは基底細胞内では核上方に集簇する傾向があり（核帽形成），核を紫外線から保護している．

3. メラニン合成（図 1-40）

チロジンがチロジナーゼによりドーパに，さらにチロジナーゼによりドーパキノンとなり，以下自動酸化によりロイコドーパクロム，次いでドーパクロムとなり，

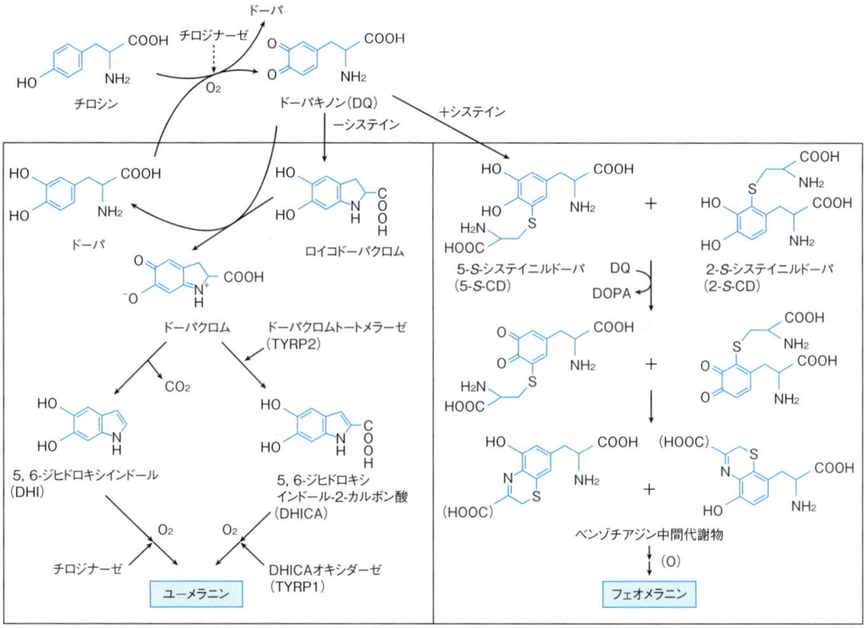

図 1-40　メラニン生成経路

チロジナーゼにより生成したドーパキノンは，システイン存在下でフェオメラニン生成（右図）へ，非存在下でユーメラニン生成（左図）へ進行する．実際には最後まで反応が進まなくても，それぞれの中間代謝産物の段階でも，既に存在するメラニンポリマーに取り込まれる．（Ito S 原図，富田靖一部改変）

ドーパクロムはドーパクロムトートメラーゼ（dopachrome tautomerase, TYRP-2）により5,6-ジヒドロキシインドール-2-カルボン酸（5,6-dihydroxyindole-2-carboxylic acid；DHICA）へと代謝される．DHICAはDHICA酸化酵素（TYRP-1）によりインドール5,6キノンとなり，互いに結合，他の中間代謝物や自動酸化して生成した5-6-ジヒドロキシインドールと結合してメラニンポリマーを形成する（eumelanin）．一方，ドーパキノン，シドーパキノンにシスティンが結合して5-S-システィニルとなり，ポリマー化してpheomelaninが形成される．

ACTH，MSH（melanocyte stimulating hormone），甲状腺ホルモンは色素沈着を増強し，女性ホルモンも特定部位（乳頭・乳暈・外陰）の色素沈着を増強する（その他ピル内服者の肝斑発生，月経終期の眼周囲色素沈着など）．紫外線・X線も増強作用がある．メラニン合成に関与するものとして，この他，bFGF，HGF，SCF，GM-CSF，ET-1などのサイトカインがある．

10　真皮 dermis ◎

膠原線維，弾性線維の線維と線維芽細胞などの細胞成分，細胞基質により構成され，他に血管，リンパ管，神経などを含んでいる．

1. 構造

3層から成る（図1-41）．

1）**乳頭層 stratum papillare**：表皮突起間にくい込む部分で線維成分は疎，毛細血

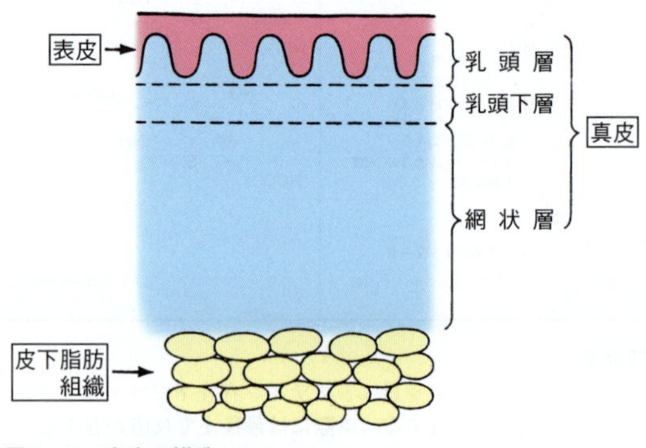

図1-41　真皮の構造

管と知覚神経末端に富む.

2）**乳頭下層 stratum subpapillare**：表皮突起下端より下方で真皮上層の一帯で，脈管・神経系に富む.

3）**網状層 stratum reticulare**：真皮の大部分を占め，下方は皮下脂肪組織に接する. 線維成分に富む.

2. 線維

結合組織（細胞外マトリックス：ECM）の主成分は線維芽細胞において合成され，支持機能を有し，さらに細胞の分化・増殖の調節にも関与している.

1）膠原線維 collagen fiber

強靱で白い線維性蛋白（コラーゲン）より成り，太い線維束を作って真皮結合組織の 90%を占める. HE 染色で淡紅色に，van Gieson 染色で赤く，トリクローム染色（Mallory，Masson）で青く，EVG 染色で紅色に染まる. 乳頭層では，細く，粗に垂直方向に走る. 乳頭下層・網状層では膠原線維束（collagen bundle）を形成して縦横に走り，強力な支持組織となっている.

膠原線維の分子は線維芽細胞（fibroblast）の粗面小胞体で作られる. これがプロコラーゲンで，分子量約 10 万のポリペプチド鎖（α 鎖）3 本の三重らせん構造をとり，細胞外に分泌される. 糖鎖付加，ペプチド切断の修飾を経てトロポコラーゲンができ，これが架橋・重合されて膠原（コラーゲン）線維が形成される. トロポコラーゲンは分子量 30 万，260 nm の長さを有し，これが約 1/4 ずれて架橋・配列するので，膠原線維は 64 nm 周期の縞模様を示す（図 1-42）.

コラーゲンは主にグリシン・ハイドロオキシプロリン・ハイドロオキシリジンと少量の糖とから成る糖蛋白で，その分子種は α 鎖の構造の違いから I から XX 型の

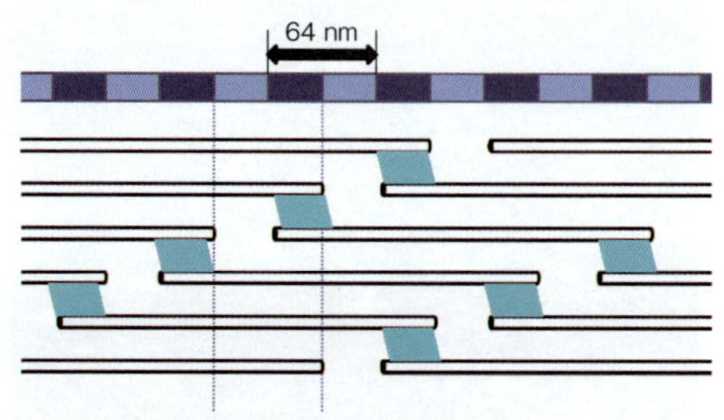

図 1-42　コラーゲン線維の縞模様はトロポコラーゲンがずれて配列するために生じる

表 1-5　皮膚におけるコラーゲン

名　称	種　類	特　徴
線維性コラーゲン	Ⅰ，Ⅲ，Ⅴ（これらは真皮に） Ⅱ，Ⅺ	線維束を構成する． 真皮内量：Ⅰ＞Ⅲ＞Ⅴ
基底膜コラーゲン	Ⅳ	表皮・真皮境界部，血管周囲の基底膜部
長鎖コラーゲン	Ⅶ	表皮・真皮境界の基底膜部を真皮に繋ぎとめる（anchoring fibril）．
短鎖コラーゲン	Ⅷ，Ⅹ	
FACIT※	Ⅻ（真皮網状層），ⅩⅣ（乳頭層）	3次元構造に関与（？）
マイクロフィブリラーコラーゲン		全身に分布．真皮の膠原線維間や神経線維・毛細血管の基底膜周囲に局在．
Multiplexin collagen	ⅩⅤ，ⅩⅧ	血管などの基底膜，抗血管新生作用
その他	ⅩⅢ，ⅩⅦ	ⅩⅦ：基底膜部，180kD 類天疱瘡抗原

※ fibril associated collagen with interrupted triple helix

20種に及ぶ（表 1-5）．コラーゲンの合成には種々のサイトカイン・ホルモン・薬剤が関与するが，コラーゲン遺伝子転写活性を増強する因子として TGF-β や PDGF，抑制する因子として INF-γ や INF-α，TNF-α などが知られている．

主要なコラーゲンはタイプⅠコラーゲンで，80％を占める．細い線維の細網線維（reticular fiber）はタイプⅢで 15％．膠原線維は好中球・組織球・線維芽細胞・表皮細胞から分泌されるコラゲナーゼやライソソーム酵素により消化され組織球で処理される．

2）弾性線維 elastic fiber（図 1-43）

皮膚，肺胞，動脈壁，腱などに分布する．皮膚では頭皮部と顔面に多い．膠原線維に比すると存在量が少なく，強靱でもないが，弾力性に優れ，伸展性がある（2.5

図 1-43　弾性線維（エラスチカワンギーソン染色）

倍に伸びる）．膠原線維束と並走するが，HE 染色で区別できず，Weigert 染色（resorcin-fuchsin）で青黒色，Gomori 染色（aldehyde fuchsin）で黒色に染まる．

網状層では皮表に平行に走り，最も多くかつ太い．乳頭下層で網工をなし，乳頭層では上方に向かって走り基底板に接合する．腺・導管・平滑筋・神経・血管の基底板にも結合する．膠原線維と異なり分枝して互いに連なる．

弾性線維は直径 1〜3 μm で電子顕微鏡状の中央無構造部分（エラスチン）と周囲の微細線維（microfibril）〔径 10〜12 nm，管状構造，成分：フィブリリン・microfibril-associated glycoprotein (MAGP)・latent TGF-β binding-protein (LTBP) など〕から成る．エラスチンはグリシン・プロリン・バリン・デスモシンなどを主体とするポリペプチドである．

線維芽細胞が微細線維（microfibril）を合成，これが細胞外に分泌される．一方リボソームで合成されたトロポエラスチンも細胞外に分泌され，上記微細線維の周囲や間に集合，分子間架橋を形成，弾性線維のコア蛋白質エラスチンを生じる．

3. 基質（礎質）ground substance，細胞外基質 extracellular matrix

線維や細胞間を満たす無定形成分で，親水性が強く水分量の調整，水溶性物質の組織への浸透・拡散に重要な役割を果たす．基質は有機成分・血漿蛋白・電解質・水から成り，有機成分には①グリコサミノグリカン（glycosaminoglycan，酸性ムコ多糖類 mucopolysaccharide），②プロテオグリカン（proteoglycan），③細胞接着因子などの糖蛋白がある．

1）グリコサミノグリカン

酸性ムコ多糖類（AMPS）で，ヒアルロン酸，デルマタン硫酸（コンドロイチン硫酸 B），コンドロイチン-6- 硫酸（コンドロイチン硫酸 C），ヘパリン（肥満細胞由来），ヘパラン硫酸などから成る．真皮ではヒアルロン酸とデルマタン硫酸が多い．前者は粘稠性が強く，大量の水分保持能があり，細胞の足場として機能し細胞表面の受容体を介してシグナル伝達に寄与する．後者は線維の維持や他の基質の保持機能を有する．

2）プロテオグリカン

ヒアルロン酸以外のグリコサミノグリカンがコア蛋白を中心に大きな集合体を形成した巨大分子をプロテオグリカンという．コア蛋白の種類によってアグリカン（軟骨プロテオグリカン）や，皮膚に存在するデコリンとバーシカン（細胞外基質型），パールカン（基底膜型）に分けられる．水分保持能とともに電解質や物質の交換・

移動，細胞の移動や分化，コラーゲン線維形成の制御など多様で重要な役割を果たしている．

3）細胞接着因子（フィブロネクチン）

細胞膜やコラーゲン線維，プロテオグリカンなどの基質に親和性を有する糖蛋白である．

その一種のフィブロネクチンは線維芽細胞で作られ，コラーゲン・フィブリン・ヒアルロン酸などと複合体を形成して細胞増殖の移動・分化・増殖を誘導し，創傷治癒に関与する．

4. 細胞成分

1）線維芽細胞 fibroblast

紡錘形で両端が細く伸びる．膠原線維（および弾性線維）と基質成分を産生する．ゴルジ装置と粗面小胞体の発達が良い．これらには，副腎皮質ホルモン・甲状腺ホルモンなどが影響する．

2）マクロファージ macrophage（組織球 histiocyte）

骨髄幹細胞が分化して，肝・脾・肺・腹腔などの組織に定着するマクロファージ（組織球）と炎症刺激によって動員される単球由来の滲出マクロファージとがある．円形・楕円形・星形と形は一定しない．核は腎形で大きく淡染．正常では毛細血管周囲に少数存在するのみであるが，炎症・肉芽腫で増加，エステラーゼ・コラゲナーゼなどの中性プロテアーゼや加水分解酵素など種々の酵素活性を有して，取り込んだ物質を処理し，あるいはIL-8やMCP-1（monocyte chemoattractant protein-1）を産生して好中球や単球を炎症局所に呼び寄せる．さらにIL-1β，TNF-α，GM-CSF，M-CSF，一酸化窒素などを分泌して炎症細胞や血管などの増殖に関与，その他腫瘍細胞障害・組織再生の機能を営む．また類上皮細胞（異物・Langhans巨細胞を含む）となって肉芽腫を形成し，黄色腫細胞（Touton巨細胞を含む）として局所脂質異常に対応する．

3）肥満細胞 mast cell，mastocyte（肥胖細胞）（図1-44）

直径10μm，核は円形で比較的小さく，原形質には大小（ϕ平均0.8μm）の粗大顆粒（うず巻状構造でscroll，lattice-likeと呼ばれる）が充満し，これはメチレン青（ギムザ液）に染まり，トルイジン青で異染性（赤紫色）を呈する．ヒスタミン，ヘパリン，トリプターゼやキマーゼなどを含み，顆粒を細胞外に放出（脱顆粒 de-

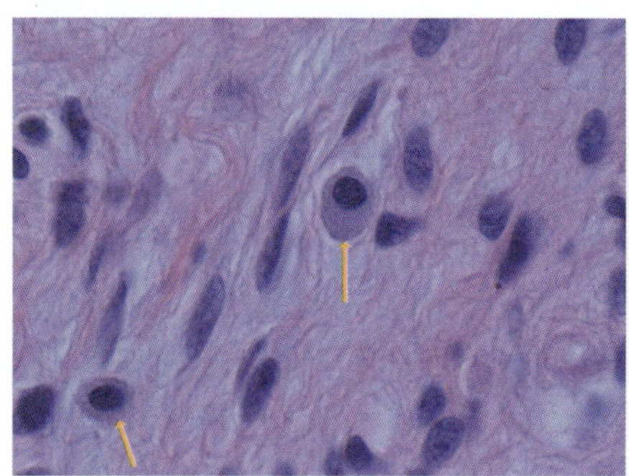
図 1-44 肥満細胞（矢印）

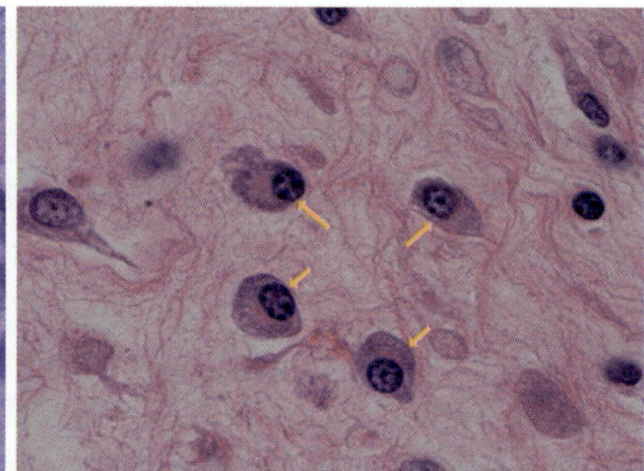
図 1-45 形質細胞（矢印）

granulation）することにより，これらを分泌する．真皮および皮下組織の血管周囲に存在する（7,000〜20,000 個 /mm^3）．発現する高親和性 IgE 受容体と各種 IgE 抗体が反応し，あるいはサブスタンス P，補体（C5a），化学物質（モルヒネ，アスピリン）などが作用すると顆粒内メディエーター，脂質メディエーター（LTC4・PGD2 など），その他 TNF-α・TGF-β・MCP-1・bFGF・IL-4〜6，8，13，16 などを放出し，皮膚機能の調節（神経・血管機能）・免疫・炎症（じんま疹・アトピー性皮膚炎・強皮症・乾癬など）に関与する．肥満細胞の分化・増殖には SCF（stem cell factor）が不可欠である．

4）形質細胞 plasma cell（図 1-45）

円〜梨子形で白血球の約 2 倍の大きさ（直径 8〜14 μm），車輪状（cartwheel appearance）に染色体の並ぶ核を偏心性に持ち，原形質は顆粒状．B 細胞が抗原刺激を受けると分化して形質細胞となり，その粗面小胞体で抗体（免疫グロブリン分子）を産生し，液性免疫に関与する．鼻硬腫のような形質細胞の強い浸潤の際に Russell 小体という円形のヒアリン状好酸性の塊が細胞の内外に出現する．多量の免疫グロブリン産生の結果といわれる．

5. 脈管系

1）血管 blood vessel（図 1-46，47）

表皮に平行に 2 面の細かい網工を形成する．皮下の皮動脈から上行した動脈は真皮深層で最初の網工（subcutaneous plexus）を形成，それよりさらに上行して乳頭下層で第 2 の網工をなす（subpapillary plexus）．これより小動脈（arteriole）が乳頭層中を上行し，係蹄（capillary loop）を構成して小静脈（venule）に移行し，乳頭下層の網工に下行，さらに下行して真皮深層の網工に至り，下方の皮静脈に至る．エクリン汗腺周囲は特に血管網工が著明で，血流量変動→発汗→体温調節という機能を営む．成長期毛包周囲も血管に富む．

毛細血管は内皮細胞（endothelial cell）と周皮細胞（pericyte）から成る．

〔付〕皮膚糸球 glomus cutaneum：指趾尖・爪下部では毛細血管を介せずに細小動脈と細小静脈が皮膚糸球を通して吻合する．すなわち細小動脈から短い輸入動脈が出，これは数本の吻合管に分岐（Sucquet-Hoyer 管），この部を数層の糸球体細胞（glomus cell）が取り巻き，さらに有髄・無髄の神経線維がこれを取り巻く．次いで吻合管の静脈部→輸出静脈→細小静脈と続く．糸球体細胞は平滑筋細胞で類上皮細胞の像に似る．大量の血液が流れる，またはプールされることにより局所温度の調節をする．

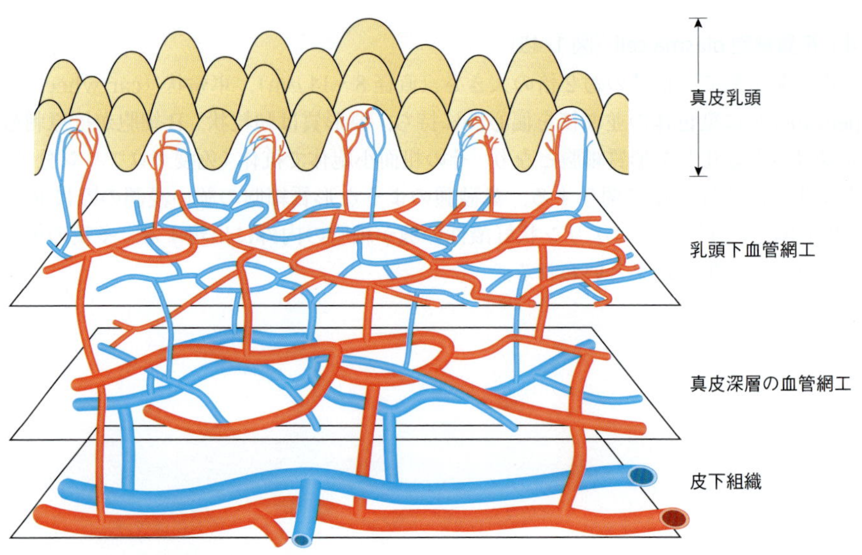

図 1-46　皮膚の血管と網工

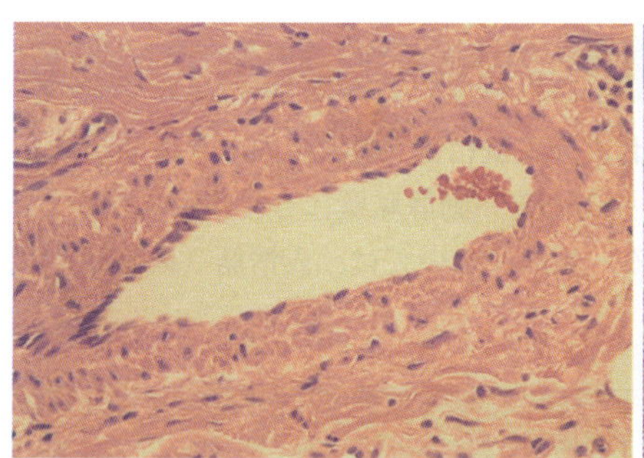
図 1-47 血管

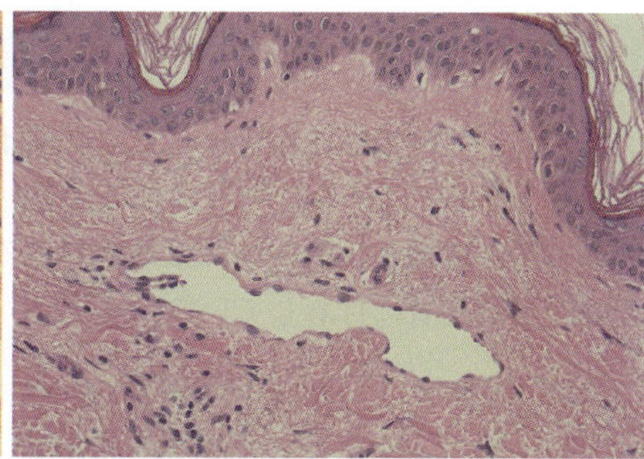
図 1-48 リンパ管

2）リンパ管 lymph vessel（図 1-48）

薄い内皮細胞から成る毛細リンパ管（lymph capillary）より後毛細管リンパ管（postcapillary lymph vessel）を経て，真皮および皮下のリンパ管（lymph vessel）となり，リンパ節に至る．リンパ管は周皮細胞・基底膜を有さず，ルーズな膠原線維・弾力線維で囲まれている．

〔付 1〕**血管とリンパ管の区別**：血管は第Ⅷ因子関連抗原が陽性，電顕で内皮細胞中に Weibel-Palade 小体が存在し，基底板は連続かつしばしば多層化し，細胞間接合が発達している．リンパ管では基底板は断続的であり細胞間接合も弱い．光顕で血管は類円形の管腔を，リンパ管は不整形の管腔を示し，弾力線維染色では動脈は内弾性板が陽性であるが，静脈・リンパ管では陰性である．

〔付 2〕**Weibel-Palade 小体**：ゴルジ野で作られる 100 × 3,000nm 大の長楕円形，顆粒状の小体で，単位膜に包まれ，中に約 20nm 径の小管が束になって存在し第Ⅷ血液凝固因子を含む．

6. 筋肉系

立毛筋については既述（☞ p.22）．陰嚢および乳暈には，網状層内に平滑筋があり，肉様筋（tunica dartos）と呼ばれる（図 1-49，50）．動静脈壁にも平滑筋層があり，汗腺の筋上皮細胞は機能的には筋性である．顔面においては，表情筋（横紋筋）は，その一端が皮膚に付着している．

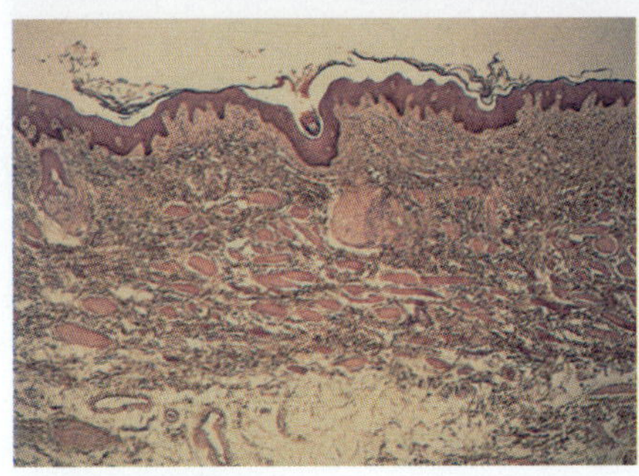

図 1-49　陰嚢部皮膚

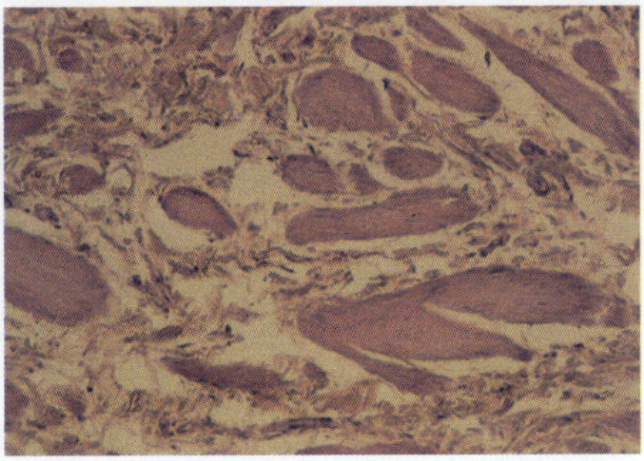

図 1-50　肉様筋

7. 神経系

知覚神経（求心性）と自律神経（遠心性）とが分布する（図 1-51）．

知覚神経は，真皮深層に深在性神経叢を作り，これより垂直に上昇し，乳頭下層に浅在性神経叢を形成し，さらに上部に分岐して一部は表皮内に入る．自律神経終末は主として皮膚付属器周囲に分布する．

有髄神経線維は軸索（axon）とそれを取り巻く髄鞘（myelin sheath）とから成る．

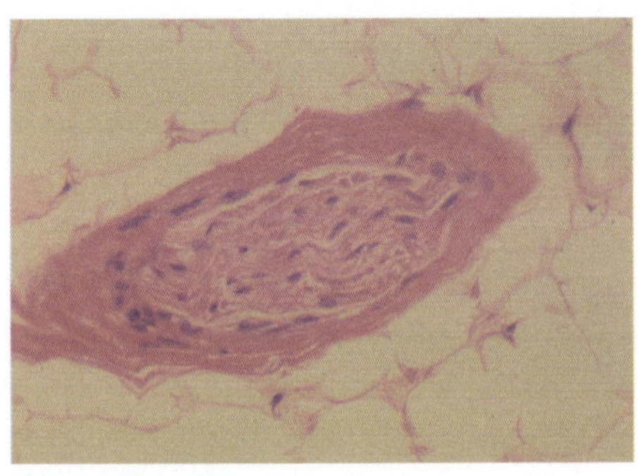

図 1-51　神　経

軸索は神経細胞の細胞質突起で，長軸に沿って神経細管（neurotubule）や神経細線維（neurofilament）が存在する．髄鞘はシュワン細胞（Schwann cell）の原形質が癒合して軸索間膜（mesaxon）を形成し，これが軸索を幾重にも取り巻き，横断面では層状構造をなす．ランヴィエ絞輪では軸索が露出する．

無髄神経線維は髄鞘を欠き，シュワン細胞の細胞質突起に包まれている．

1）知覚神経 sensory nerves

脊髄後根に発し，有髄であるが，終末では無髄・無鞘となる．

①**自由神経終末** free nerve ending：真皮上層・乳頭層に分布，表皮でメルケル細胞・ケラチノサイト・ランゲルハンス細胞・メラノサイトと接触する一方，表皮下で神経網を形成し，一部が細い枝で表皮内に入る．無髄神経でC線維（知覚神経）が痛覚・痒覚に関与する．

②**終末小体** end corpuscle

a）**メルケル触覚細胞** Merkel's tactile cell（1875）（図 1-52）：表皮・外毛根鞘・毛盤および口腔粘膜基底層の下面，基底膜の上面に位置する．細胞内に有芯顆粒（dense core granule，neuroendocrine granules：直径 80～200 nm）を多く有し，線維構造（ケラチン線維：K20）を持ち，隣接ケラチノサイトとは小型デスモソームで結合する．メルケル細胞は表皮（の幹細胞？）に由来し，胎生期に真皮に移動して末梢神経の分枝を誘導し，また機械的刺激に対してこの顆粒は透出分泌（diacrine）をし，メルケル細胞に接する神経終末に刺激（触圧感）を伝達する．マーカーとしてNGF-R・NSE（neuron specific enolase）・VIP（vasoactive intestinal polypeptide）・chromogranin A・pancreastatin・synaptophysin・sim-

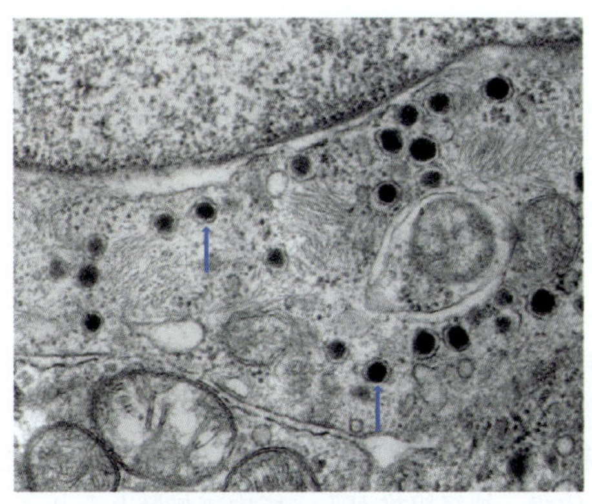

図 1-52　メルケル細胞の有芯顆粒（矢印）
（立花民子博士原図）

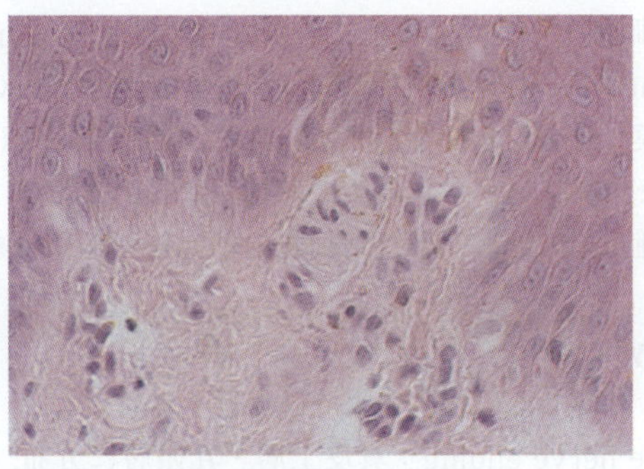

図 1-53　マイスネル触覚小体

ple-epithelium type のサイトケラチン（CK）8，18，19，20 など，特に CK20 はヒトの皮膚のメルケル細胞に特異的．口唇・硬口蓋・掌・指腹・足背に多く（50/mm^2 以上)，頭・舌・背・乳暈・腋窩・陰嚢に少ない．

b）**マイスネル触覚小体** Meissner's tactile corpuscle（図 1-53）：淡染性紡錘形核を有する長卵形細胞〔内棍細胞（Kolbenzellen)〕が重積しているが，これは層板化したシュワン細胞と考えられ，下方より有髄神経が入って脱髄し，この中をラセン状に分布上行する．小体の上方は基底膜を介さずに基底細胞に接する．真皮乳頭に存し，大きさ 30 × 80 μm，指趾背の乳頭の中にマツカサのように入っており，指趾尖へいくほど，また趾より指でその数が多い（指尖 1 個 /4 乳頭)．指趾腹のような無毛部の触覚・圧覚を受容する．

c）**皮膚粘膜境界部神経終末** mucocutaneous end organs：亀頭・包皮・陰核・小陰唇・肛囲・唇紅縁の乳頭部に存在する直径 50 μm の小体で，脱髄した神経が進入，接触する．

d）**ファーター・パチニ層板小体** Vater-Pacinian lamellar corpuscle（図 1-54）：終末小体中最大で，円筒状内棍と層状外棍とから成り，被膜で包まれ，下極から無髄神経が進入する．手掌足底（特に指趾尖)，次いで乳暈・外陰肛囲部の皮下組織中に存し，直径 1 mm なので光顕でよく見える．形は卵円形・扁平球形・不整形で断面は玉ネギ状にみえる．茎部（髄鞘を脱した神経）と体部とから成る．体部は小さい中心芯（1 本の神経線維)，厚い層板状被膜（内棍 inner bulb：シュワン細胞由来）およびこれをさらに取り巻く外棍（outer bulb：結合組織）とから成る．圧覚を司る．

e）**クラウゼ終末棍** endbulb of Krause：結合組織性被膜を有する直径約 0.1 mm の卵～球状小体で，神経線維が入って中で無髄となり，分岐して糸球状となる．指の乳頭またはその直下に存在する．冷覚を司る．

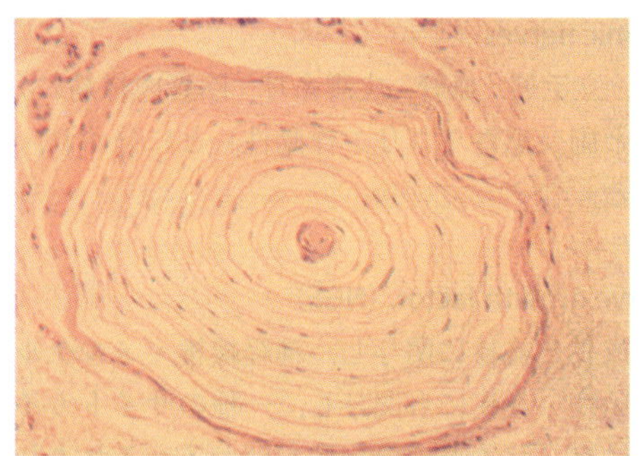

図 1-54 ファーター・パチニ層板小体

f）**ルフィニ小体** Ruffini corpuscle：被膜を有する細長い長径 3 mm の小体で，内部に神経線維が樹枝状に拡がる．指趾に多い．皮下組織の緊張の度合を感受する．

g）**毛包周囲柵状神経終末（毛髪神経管）**：立毛筋起始部から脂腺開口部にかけて毛包を取り囲んで柵状に神経線維が集まる．その終末では軸索内にミトコンドリアが豊富で，シュワン細胞に包まれず基底膜を介して外毛根鞘と接する．

2）感覚

知覚神経終末は触覚・痛覚・温覚・冷覚を感覚し，知覚神経→脊髄→脳幹→視床→大脳皮質へ伝える．

瘙痒（itch）には，末梢性（皮膚の炎症）と中枢性（精神的要因，内因性オピオイド）とがある．末梢性瘙痒の起因として物理的（機械的，電気的，熱），化学的（ヒスタミン，ブラジキニン，プロスタグランディン，セロトニン，ニューロペプタイド，IL-4/IL-13/IL-31/TSLP などのサイトカイン）なものがある．感覚ニューロンはグルタミン酸・サブスタンス P（SP），CGRP（calcitonin gene-related peptide），SOM（somatostatin），NPY（neuropeptide Y），VIP（vasoactive intestinal polypeptide）などの神経伝達物質（neurotransmitter）を介して痒みを求心性に脊髄に伝え，この情報は前外側索を上行し，視床・大脳皮質感覚野に至る．

ニューロペプチド（NP）は 20 種以上あり（neuromediator と neurohormone に大別），炎症惹起（neurogenic inflammation：三相反応，肥満細胞脱顆粒），免疫反応調節（T・B 細胞の増殖と機能増強，サイトカインの分泌，ケミカルメディエータの遊離），細胞増殖（ケラチノサイト，平滑筋細胞，線維芽細胞，血管内皮細胞）の機能を有する．皮膚の 1 点に瘙痒惹起性刺激を与えると，その周囲が瘙痒に過敏な状態となり，微細な刺激によっても瘙痒を発するようになる（itchy skin）．

3）自律神経 autonomic nerves

節後神経で汗器官，立毛筋，血管，皮膚糸球，陰嚢肉様筋に分布する．交感性（アドレナリン作動性）と副交感性（コリン作動性）とに分かれ，後者は特異的コリンエステラーゼを有する．

4）神経成長因子 nerve growth factor（NGF）

知覚・自律神経の成長と維持に関与し，神経線維・メルケル細胞・ケラチノサイトより分泌される．免疫・炎症にも関与し，一種のサイトカインと目される．さらにケラチノサイト，メラノサイトの分化にも関わる．これより乾癬・アトピー性皮膚炎・悪性黒色腫の発症への関与も論じられている．

11 皮下組織 subcutaneous tissue

大部分が脂肪細胞（lipocyte）で（図 1–55），大小に区画された脂肪体（corpus adiposum）をなし，結合組織隔壁（septa）で境される．包皮には存在しない．

脂肪細胞の原形質内には多量のトリグリセライド（10％以上オレイン酸・20～25％パルミチン酸・少量のリノール酸・ステアリン酸）を含み，核は辺縁に押し付けられ HE 染色では空胞状にみえる．冷凍染色でズダンⅢ陽性（橙色）．皮下組織は年齢・栄養で大きく変動し，貯蔵脂肪は外力へのクッション役や体温喪失を防ぐ役をしている．

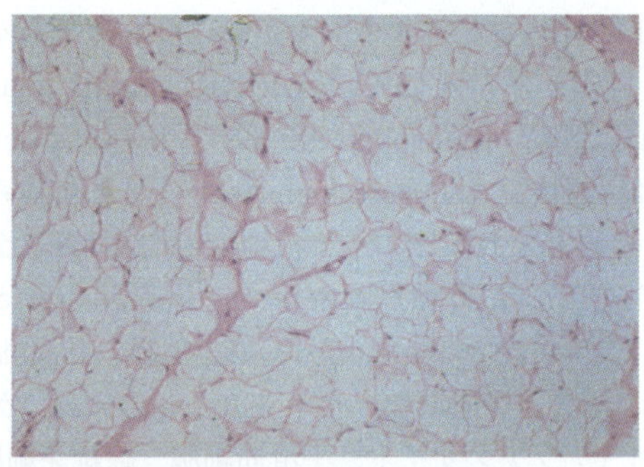

図 1–55　皮下組織

第 2 章　皮膚の病理組織学

病理組織学的検査とは，顕微鏡下に組織標本を観察し，その形態学的特徴を把握することにより診断にアプローチする，あるいはさらにその病態生理を考究する方法である．同検査は各種臓器を対象とするが，検体採取が簡便な皮膚はより検査しやすい臓器であるといえる．

検体は，生検と手術により採取される．生検は，皮疹の一部を採取して検査，診断するのが目的で，幅広い皮膚疾患が対象となりうる．一般に生検で診断を確定した後に適切な治療法が選ばれるが，手術が選択されるのは主に腫瘍性疾患である．

病理組織学的検査は，最も重要な検査法の一つで，腫瘍などではそれが最終診断に直結することも多い．しかしながら，臨床所見やその他の検査所見を併せて，総合的に診断していくことの重要性は言うまでもない．

1　皮膚生検と標本作製

1. 生検 skin biopsy

皮疹の一部を，通常局所麻酔下に採取する．簡便な方法としてトレパンを用いて円形にくり抜く方法もある（punch biopsy）が，一般的にはメスにより紡錘形（舟状）に切り取り，縫合する．小型の腫瘍はしばしば全摘され，これを切除生検（excisional biopsy），一部を採取する方法を部分生検（incisional biopsy）という．

生検する皮疹は，なるべく最盛期のものを選び，新旧混在しているときは，両者を採ることが望ましい．二次的な潰瘍ないし感染をきたしているものは診断価値が低い．水疱症や膿疱症では早期の皮疹がよい．出来る限り周囲の健常皮膚も含めて切除し，病変部と健常部を比較するとともにその移行部をも調べる．また，表皮，真皮，皮下組織の 3 要素が必ず入るように採取する．

2. 固定

採取した皮膚は，通常10%ホルマリンで固定する．蛍光抗体法や電子顕微鏡での観察が必要な場合は，分割した標本をそれぞれ凍結固定，2%グルタルアルデヒド固定を行う．

3. 染色

まずヘマトキシリン・エオジンで染色（**HE 染色**），必要に応じて他の染色を追加する．HE 染色では，核は青く（好塩基性に），細胞質，膠原線維，神経，筋は赤く（好酸性に）染まる．

皮膚科でよく用いられる特殊染色（組織化学染色）の主なものは表 2-1 の通りである．

4. 免疫組織化学 immunohistochemistry

組織中の目的とする物質に対する特異抗体を用い，切片上で免疫反応を起こさせることによって，その物質の局在を明らかにする方法．蛍光色素を用いた蛍光抗体法と，酵素反応を利用して発色させる酵素抗体法がある．

皮膚腫瘍では，酵素抗体法により細胞マーカーが検索されて診断に役立っている．主なマーカーと目的とする細胞・構造は表 2-2 の通りである．

5. 電子顕微鏡

電子線を照射して拡大像を得る電子顕微鏡では，1,000 倍から 10 万倍までの倍率で観察できる．透過した電子線を検出する透過型と，反射された電子線を検出する走査型がある．免疫染色と併用する免疫電顕では，金コロイド標識抗体がよく用いられる．

表 2-1 病理標本の染色法と染色結果

染色法	染色対象	染色の色調
ヘマトキシリン・エオジン (Hematoxylin-eosin)	ルーチンの染色	核：青，細胞質・膠原線維など：赤
エラスチカ・ワンギーソン (Elastica van Gieson)	膠原線維 弾性線維	赤 黒
アザン・マロリー (Azan Mallory)	膠原線維	青
マッソン・トリクローム (Masson trichrome)	膠原線維 筋線維	青～緑 暗赤
フォンタナ・マッソン (Fontana-Masson)	メラニン	黒
PAS (Periodic acid-Schiff)	表皮真皮基底膜 グリコーゲン 中性ムコ多糖類・真菌	赤（グリコーゲンはジアスターゼ消化性）
トルイジンブルー (Toluidine blue)	酸性ムコ多糖類 肥満細胞	青 赤紫（異染性）
アルシアンブルー (Alcian blue)	酸性ムコ多糖類	青
コロイド鉄 (Colloidal iron)	酸性ムコ多糖類	青
ズダンⅢ (Sudan Ⅲ)	脂肪	赤
コンゴーレッド	アミロイド	赤橙
DFS（direct fast scarlet）	アミロイド	赤橙
ベルリンブルー (Berlin blue)	ヘモジデリン	青
コッサ (Kossa)	カルシウム	黒
グロコット (Grocott)	真菌	黒
チール・ネルゼン (Ziehl Neelsen)	抗酸菌	赤

表 2-2　酵素抗体法の標識抗原と対象細胞・組織

標識抗原	対象細胞・組織・疾患など
ケラチン	CK1, 5, 10, 14（全表皮型）
抗体：AE1/AE3，34βE12 CAM5.2 など	CK7, 8（単層上皮型）汗腺分泌部 CK15 毛包隆起部幹細胞のマーカー CK20 メルケル細胞，同癌の診断
CEA	汗腺，パジェット細胞
EMA	汗腺，脂腺
Adipophilin	脂腺，脂腺系腫瘍
Ber-EP4	基底細胞癌（有棘細胞癌は陰性）
Gross cystic disease fluid protein（GCDFP）-15	アポクリン汗腺，エクリン汗腺 乳房外パジェット病
S-100	シュワン細胞，メラノサイト，ランゲルハンス細胞，筋上皮細胞
NSE（neuron specific enolase）	神経細胞，メルケル細胞
Gp-100（抗体：HMB-45）	悪性黒色腫
MART-1，Melan A	メラノサイト，色素細胞母斑，悪性黒色腫
SOX10	悪性黒色腫など（細胞核に染まる）
Vimentin	間葉系細胞
Desmin	筋細胞
α-smooth muscle actin	平滑筋細胞
第XIII a 因子	皮膚線維腫
第VIII因子関連抗原	血管内皮細胞
UAE-1 レクチン	血管内皮細胞
D2-40	リンパ管
CD1a	ランゲルハンス細胞
CD4	ヘルパー T 細胞
CD8	細胞傷害性 T 細胞
CD20	B 細胞
CD30（Ki-1）	未分化大細胞リンパ腫，Reed-Sternberg 細胞
CD31	血管内皮細胞
CD34	血管内皮細胞，隆起性皮膚線維肉腫
CD45RB（leukocyte common antigen）	白血球
CD45R0（UCHL-1）	活性化・メモリー T 細胞，胸腺細胞
CD56	NK 細胞
CD68	マクロファージ
CD79a	B 細胞
免疫グロブリン軽鎖	B 細胞リンパ腫と皮膚リンパ球腫の鑑別
MIB-1	細胞増殖能

2 皮膚病理組織学 dermatopathology

1．表皮の変化

1．角質肥厚（過角化，角質増殖）hyperkeratosis（図 2-1）

角層が正常より厚くなった状態をいう．角質の過形成による角質肥厚では，顆粒層も同時に 2～5 層と厚くなるのが普通である．これを**顆粒層肥厚**（hypergranulosis）という（図 2-2）．扁平苔癬，ウイルス性疣贅などでみられる．

角質の剝離脱落が障害されて角質が厚くなるのを**貯留角化**（retention hyperkeratosis）という．この場合は，顆粒層は菲薄化し，魚鱗癬に特徴的である（図 2-3）．

毛孔に一致した角化を**毛孔性角化**（follicular keratosis）（図 2-4）といい，この角質を角栓（keratotic plugging）という（DLE など）．

逆に，角層が薄くなるのを**角層菲薄化**（hypokeratosis）という（老人皮膚など）．

2．不全角化（錯角化）parakeratosis（図 2-5）

角化が不完全なため，角層にも核が残存している状態．この場合，顆粒層はしばしば欠如する（hypogranulosis）．粘膜上皮では正常でも不全角化がみられる．これに対して正常に角化して核残存のないのを**正常角化**（orthokeratosis）という．またメラニン顆粒がともに角層まで上昇しているときは，色素性不全角化（pigment-

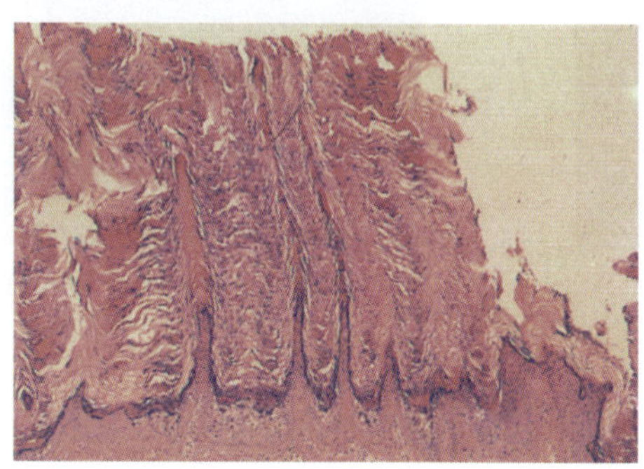

図 2-1　角質肥厚（表皮母斑）

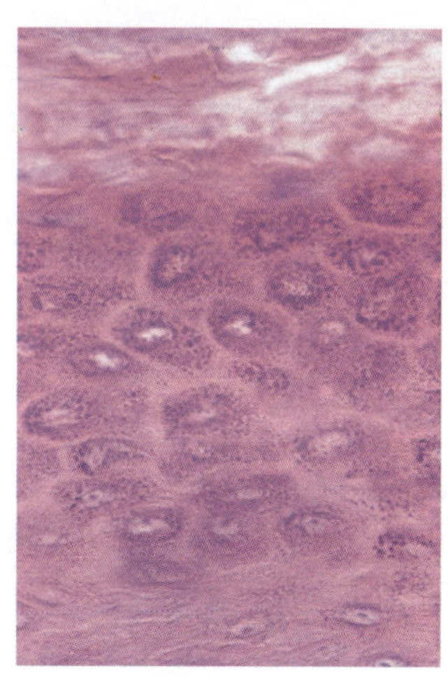

図 2-2　顆粒層肥厚

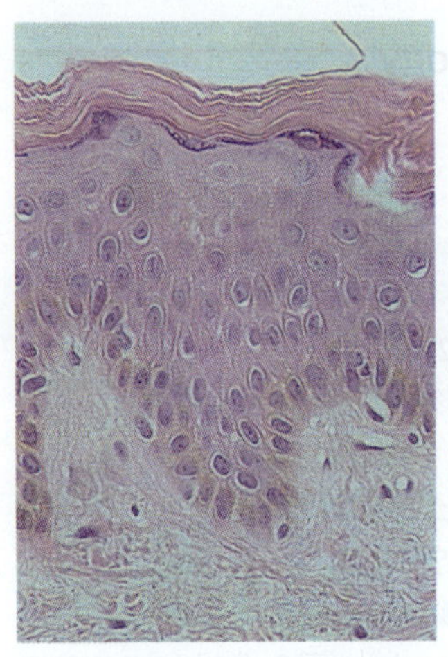

図 2–3　顆粒層菲薄化（尋常性魚鱗癬）

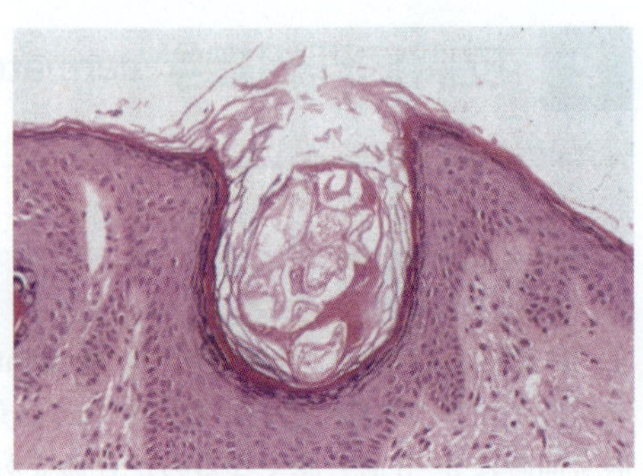

図 2–4　毛孔性角化

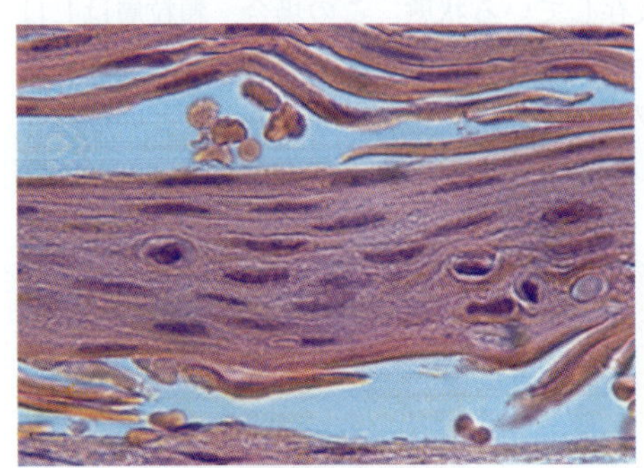

図 2–5　不全角化（湿疹）

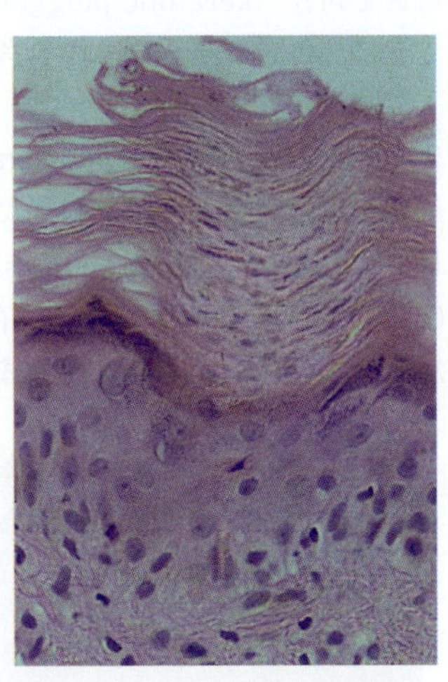

図 2–6　cornoid lamella（汗孔角化症）

ed parakeratosis）と呼ぶ．角質肥厚中に柱状に不全角化がみられることがあり（**cornoid lamella**）（図 2–6），汗孔角化症に特徴的である．

不全角化は顆粒層菲薄化 / 消失（hypo/agranulosis）を伴うことが多い．これは角化促進のため角化機転が十分に働いていないためと考えられる．

3．表皮肥厚 acanthosis（図 2-7）と表皮萎縮 epidermal atrophy

マルピギー層の肥厚で，このとき，しばしば表皮突起が肥大延長する（elongated acanthotic rete ridges）（図 2-8）．表皮突起がほぼ同じ長さに伸び棍棒を並べたようになる表皮肥厚を**乾癬様表皮肥厚**（psoriasiform acanthosis）という（図 2-9）．

逆に，マルピギー層の薄くなった状態を**表皮萎縮**（epidermal atrophy）という（図 2-10）．老人皮膚，DLE などでみられる．

4．乳頭腫症 papillomatosis（図 2-11）

真皮乳頭が上方に延長し，これに対して皮表が不規則に波動（undulation）を示すようになった状態．

乳頭腫症に角質増殖の加わった状態を**乳頭腫**（papilloma）という（図 2-12）．表皮母斑，ウイルス性疣贅，黒色表皮腫などでみられる．

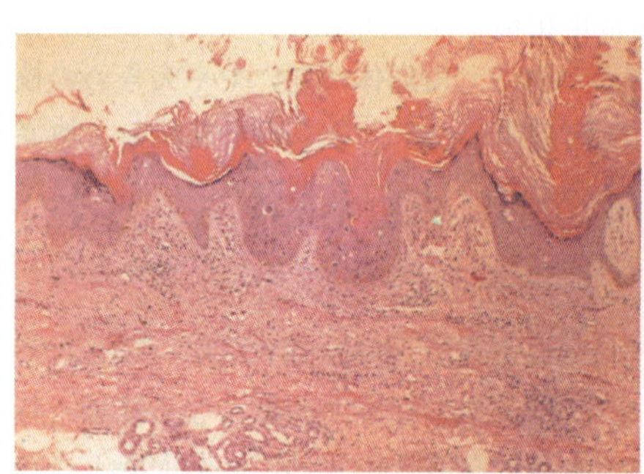

図 2-7 表皮肥厚（ボーエン病）

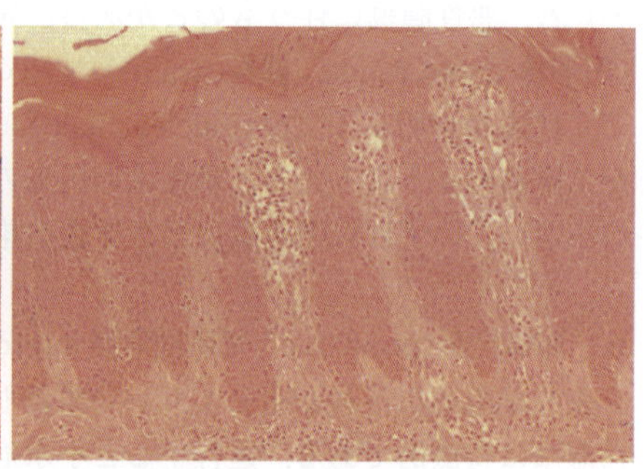

図 2-8 表皮突起の延長（慢性湿疹）

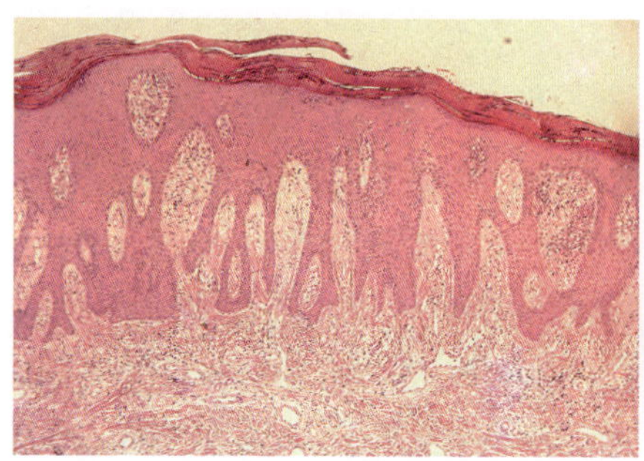

図 2-9 乾癬様表皮肥厚（尋常性乾癬）

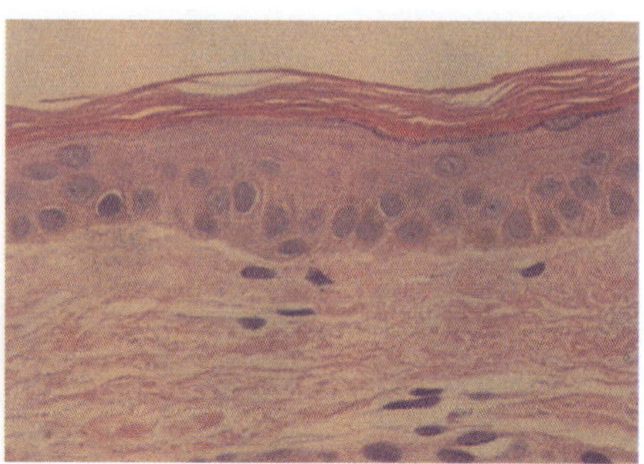

図 2-10 表皮萎縮（菲薄化：老人皮膚）

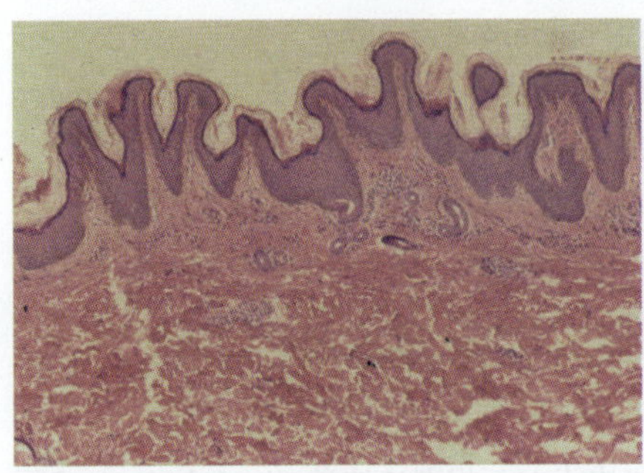

図 2-11　乳頭腫症（仮性黒色表皮腫）

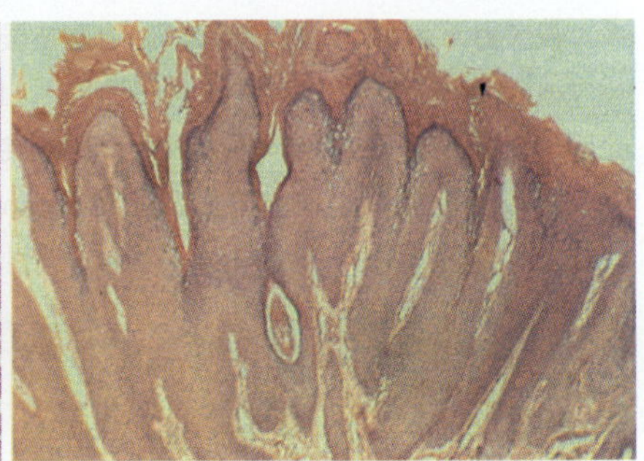

図 2-12　乳頭腫（尋常性疣贅）

5．異常角化 dyskeratosis（図 2-13，14）

表皮細胞が角層に到達する前に，個別に角化する状態．表皮細胞は壊死に陥り，核は萎縮し細胞質は好酸性を呈する．良性疾患の棘融解に伴うもの（ダリエー病など）と，悪性腫瘍に伴うものとがある．異常角化細胞は周囲細胞より分離し円形化（**円形体** corps ronds，**顆粒** grains）することがある．円形体は丸いやや大きめの核で，核周囲が明るく（perinuclear halo），細胞自体もやや大きく円形を呈し，境界が二重膜のようにみえる．顆粒は卵円形の穀物の顆粒のような形の核で円形体に比べ小さい．いずれも細胞質はピンク色に染まる．

6．海綿状態 spongiosis（細胞間浮腫 intercellular edema）（図 2-15）

表皮細胞間に浮腫が生じて互いに離開し，細胞間橋の存在が明瞭になる状態．特に湿疹に特徴的である．進行すると小水疱・水疱となる（spongiotic vesicles）．

リンパ球の表皮内浸潤（exocytosis）は，通常海綿状態を伴う．好酸球の浸潤を

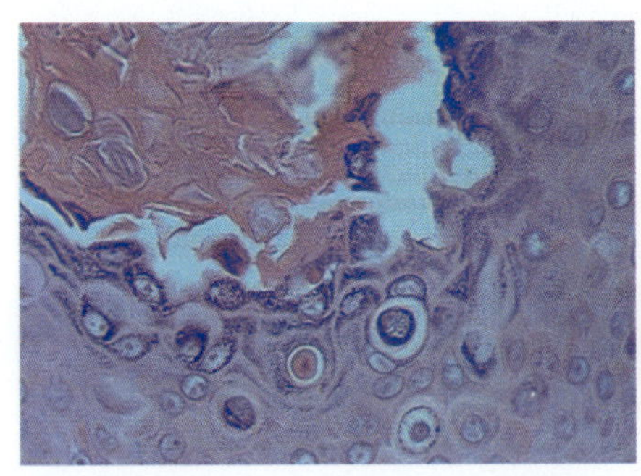

図 2-13　異常角化（corps ronds）（ダリエー病）

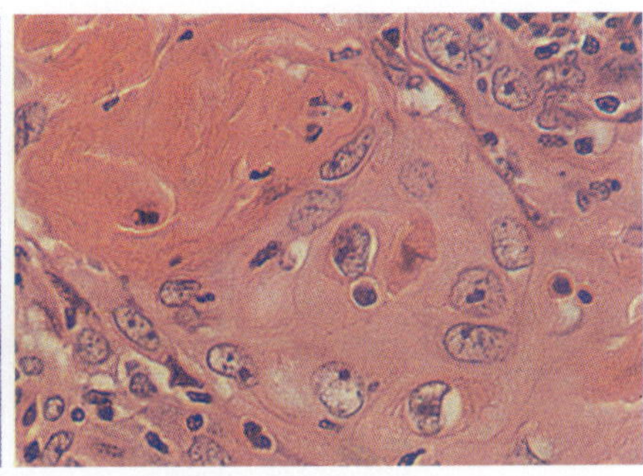

図 2-14　異常角化（有棘細胞癌）

伴う海綿状態を好酸球性海綿状態（eosinophilic spongiosis），好中球の浸潤を伴う海綿状態を**海綿状膿疱**（spongiform pustule）という．

7．細胞内浮腫 intracellular edema

表皮細胞内の浮腫が高度になると細胞が球状に膨化する．これを**球状変性**（ballooning degeneration）という（図 2-16）．さらに膨化すると，表皮内多房状水疱（multilobular bulla）や，細胞が破れ残存細胞膜が網状に連なる**網状変性**（reticular degeneration）（図 2-17）の形をとる．

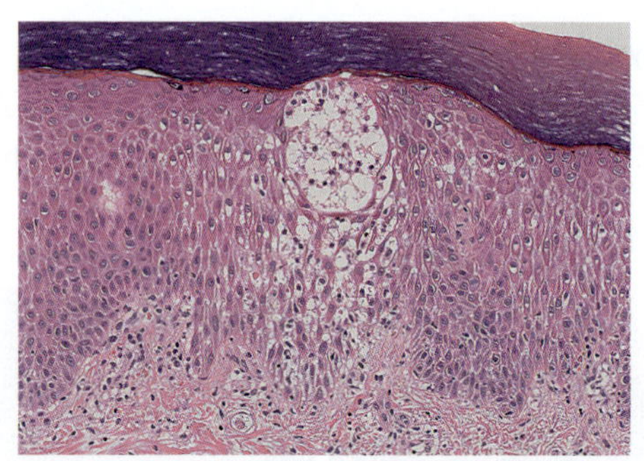

図 2-15　海綿状態性水疱（急性湿疹）

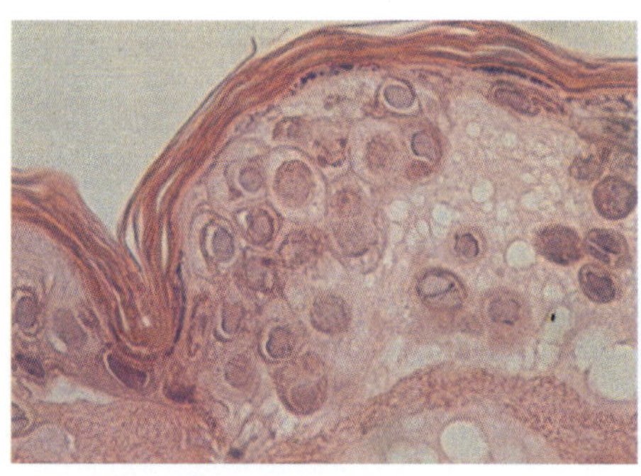

図 2-16　球状変性（帯状疱疹）

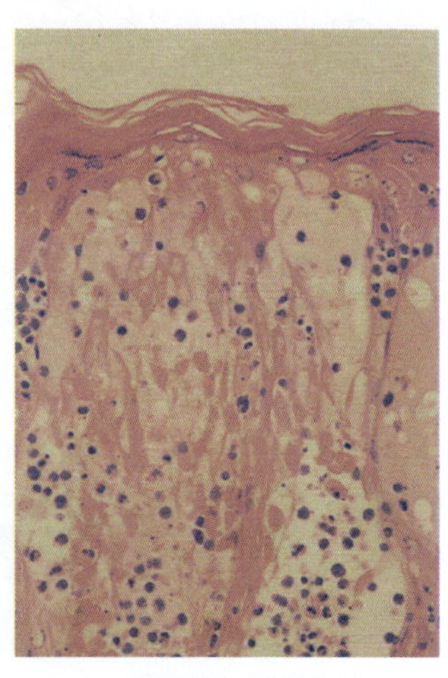

図 2-17　網状変性（帯状疱疹）

8．液状変性 liquefaction degeneration（hydropic degeneration）（図 2-18）

基底細胞の空胞変性で，真皮最上層から基底層にかけて浮腫があって境界が不明瞭となる．基底膜は失われ，しばしば**組織学的色素失調**を伴う．高度の場合，表皮下裂隙（subepidermal cleft），さらには表皮下水疱を形成する．エリテマトーデス，皮膚筋炎，扁平苔癬，多形紅斑，GVHD などにみられる．

表皮直下に，壊死により好酸性均一に染まる表皮細胞をみることがある．これを**シバット小体**（Civatte body）という．コロイド小体（colloid body），ヒアリン小体（hyaline body），好酸性小体（eosinophilic body）ともいう．変性したコラーゲン，フィブリン，基底膜，免疫グロブリンも同様の像を呈するので，これらを一括して広義のシバット小体と呼ぶことが多い（図 2-19）．

9．棘融解 acantholysis（図 2-20，21）

細胞間橋（棘，デスモゾーム）の変性または形成不全により表皮細胞相互の結合が失われること．このため間隙（cleft）や水疱（acantholytic bulla）を生じる．棘

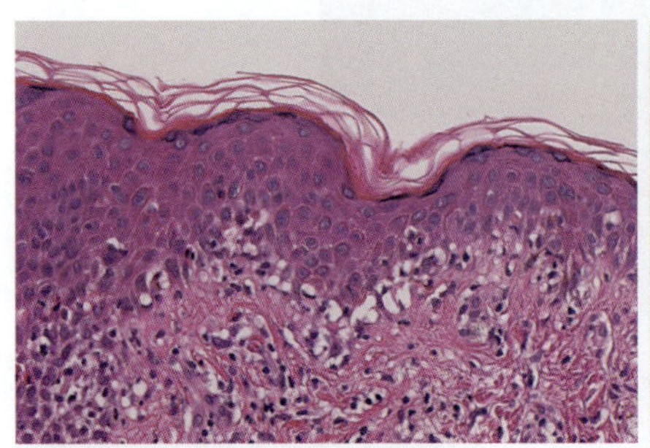
図 2-18　液状変性（GVHD）

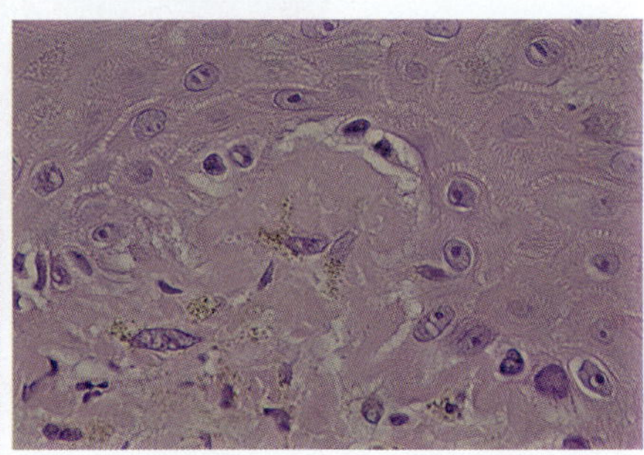
図 2-19　シバット小体

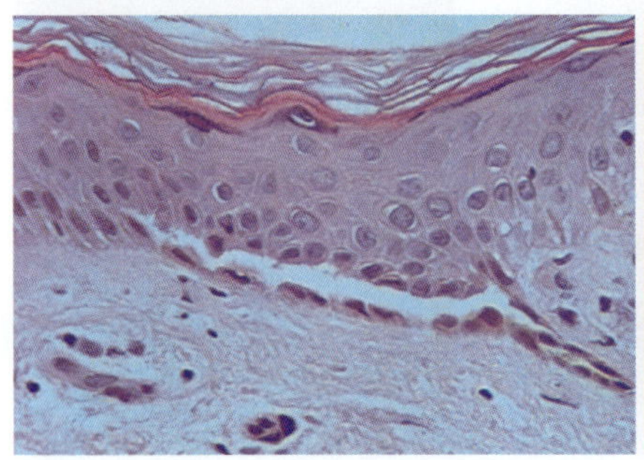
図 2-20　棘融解（尋常性天疱瘡）

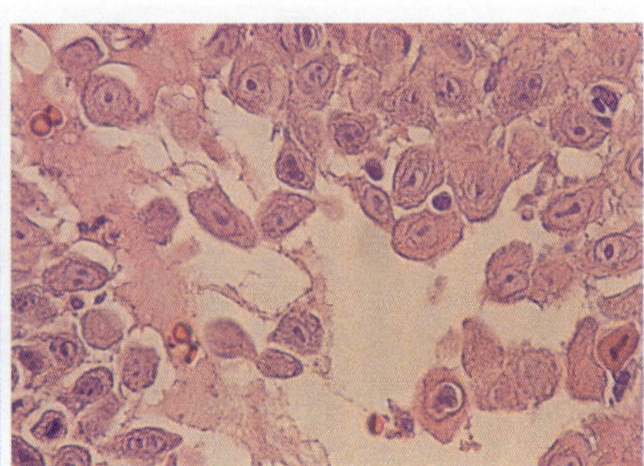
図 2-21　棘融解細胞（尋常性天疱瘡）

融解をきたした細胞を棘融解細胞（acantholytic cell）という．棘融解細胞は異常角化の傾向があり，円形を呈し棘は失われている．天疱瘡，ダリエー病，ヘイリーヘイリー病でみられる．日光角化症，有棘細胞癌のような表皮系悪性腫瘍でもみられることがある．

10. 顆粒変性 granular degeneration（図 2-22）

表皮融解性過角化（epidermolytic hyperkeratosis）ともいう．有棘層上層，顆粒層に生ずる角化異常で，細胞の空胞化，張原線維の凝縮，粗大ケラトヒアリン顆粒をみる．電顕的にトノフィラメントの異常凝集，巨大ケラトヒアリン顆粒，細胞内浮腫，角層のケラチンパターンの消失が認められる．水疱型先天性魚鱗癬様紅皮症，Vörner 型先天性掌蹠角化症においてみられる．

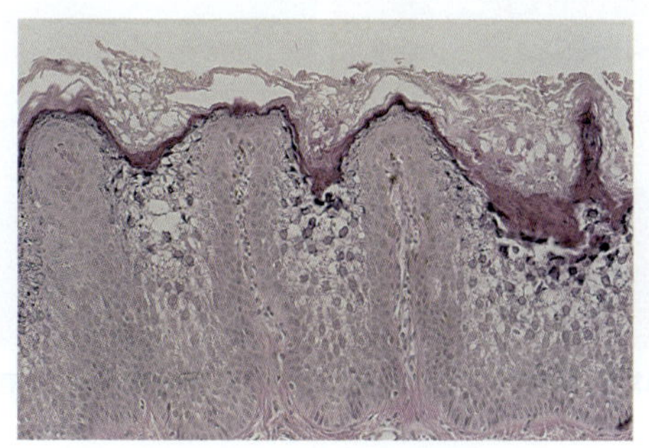

図 2-22　顆粒変性（列序性母斑の特殊型）

11. 水疱 bulla（図 2-23, 24）

表皮内または表皮下にみられる空洞．海綿状態，網状変性，棘融解，液状変性などに続発することが多い．わずかな裂け目（slit）のときは **lacunae** といい，基底細胞の上で解離し，乳頭の形に沿って裂隙に絨毛状に突出する状態を絨毛（**villi**）（図 2-25）という．

12. 微小膿瘍 microabscess

表皮内膿疱の比較的小さいもので，乾癬では**マンロー微小膿瘍**（Munro's microabscess）（図 2-26），菌状息肉症では**ポートリエ微小膿瘍**（Pautrier's microabscess）（図 2-27）がみられる．前者は角層中またはその直下にみられる好中球の集

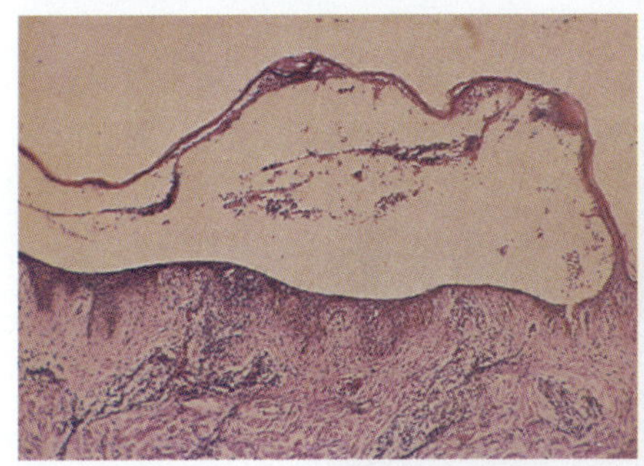

図 2-23　表皮内水疱（尋常性天疱瘡）

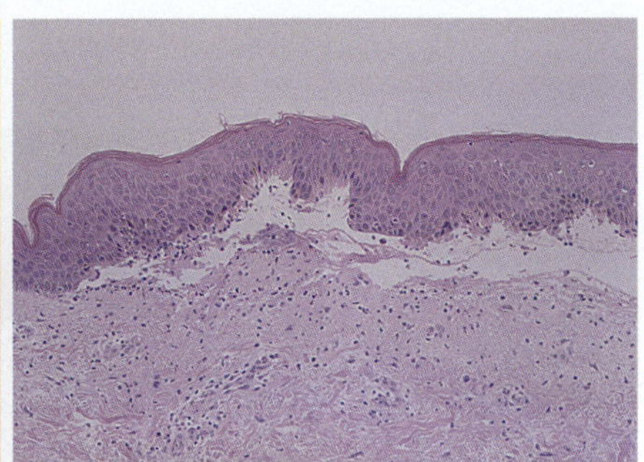

図 2-24　表皮下水疱（水疱性類天疱瘡）

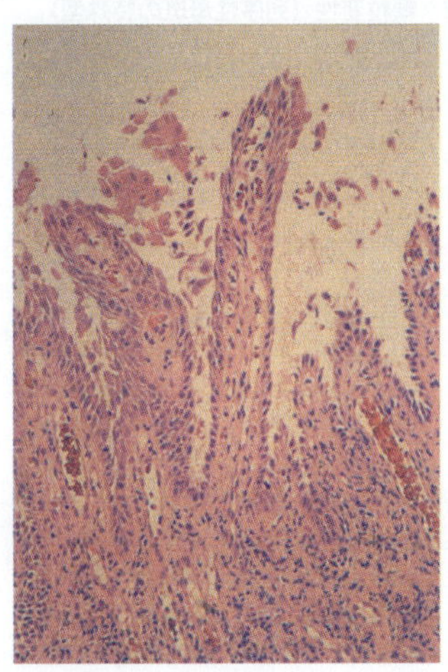

図 2-25　絨毛形成（棘融解による：尋常性天疱瘡）

合，後者は基底層ないし有棘層下層にみられる異型リンパ球，息肉症細胞の集合である．

13. 海綿状膿疱 Kogoj's spongiform pustule（図 2-28）

有棘層上層の多房性膿疱で，ここに好中球が多数みられる．好中球浸潤により表皮細胞が破壊され，細胞膜のみが残って網状となったもの．膿疱性乾癬などでみられる．

14. 偽上皮腫性増殖 pseudoepitheliomatous hyperplasia（図 2-29）

真皮の炎症・肉芽腫・腫瘍に対応して，その上部の表皮が，一見癌性のような増殖を示す状態．深在性真菌症，潰瘍辺縁部などでみられる．表皮だけでは有棘細胞癌と見誤るが，真皮を観察すると炎症，肉芽腫様病変，非上皮性腫瘍性増殖が見出され，これが病変の主体で表皮は反応性の増殖に過ぎないことが解る．増殖表皮細胞が基底細胞癌様のときは pseudobasaliomatous hyperplasia といい，皮膚線維腫

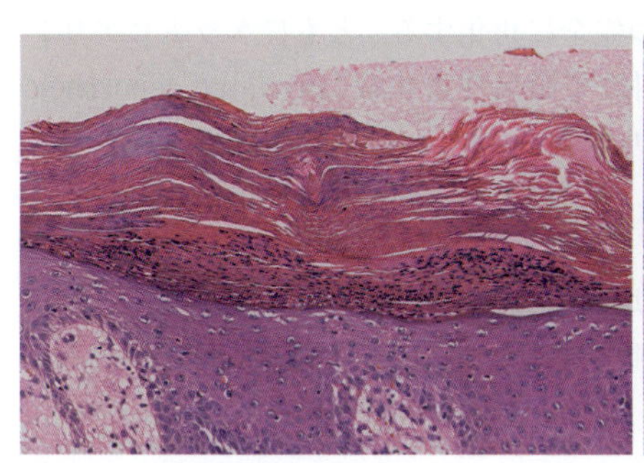

図 2-26　マンロー微小膿瘍（乾癬）

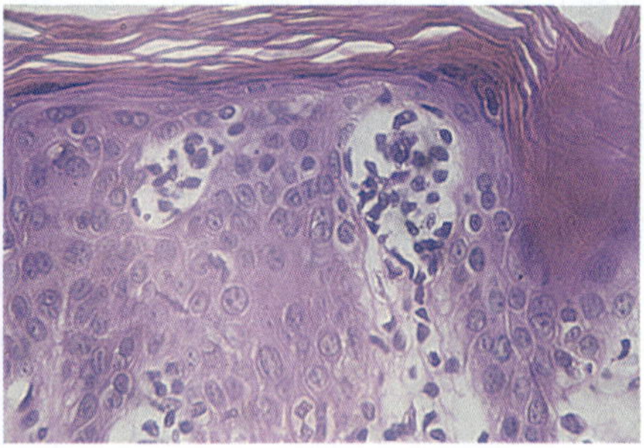

図 2-27　ポートリエ微小膿瘍（菌状息肉症）

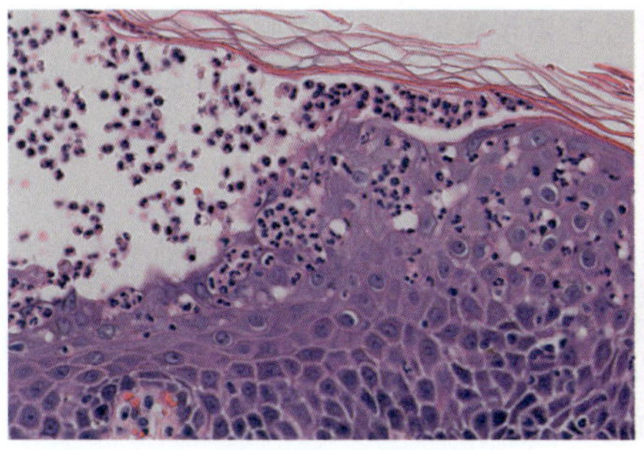

図 2-28　コゴイ海綿状膿疱（膿疱性乾癬）

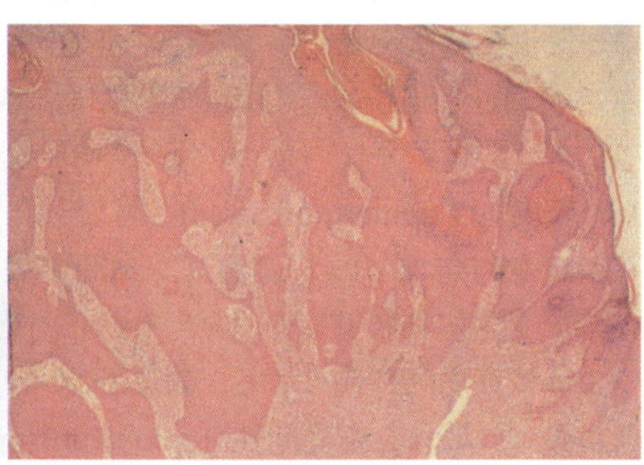

図 2-29　偽上皮腫性増殖

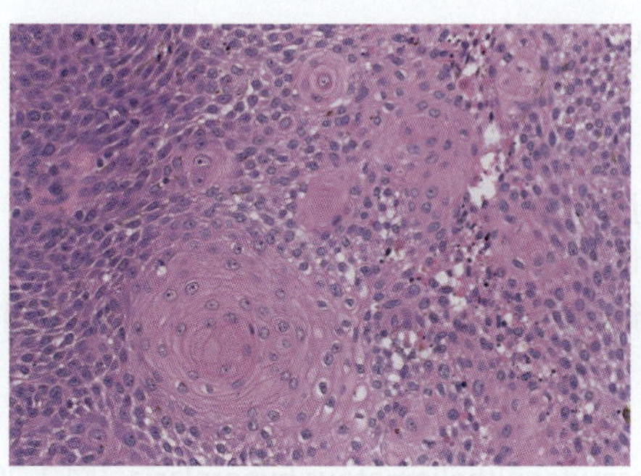

図 2-30　渦形成（被刺激型脂漏性角化症）

などでみられる．

15. 渦形成と癌真珠 squamous eddy and cancer pearl（図 2-30）

渦形成は同心円状に渦を成す角化で，中心に向かって次第に角化する．癌真珠も同様であるが，角化は急激に起こり，かつ完全に角化する．ともにケラトヒアリン顆粒は欠如または乏しい．渦形成は被刺激型脂漏性角化症（irritated seborrheic keratosis），癌真珠は有棘細胞癌などでみられる．

16. 角質嚢腫 horn cyst

中心に同心円状に角層が重層した表皮増殖．偽角質嚢腫（pseudohorn cyst）は乳頭腫状に増殖陥入した角層の断面が嚢腫状にみえる状態で，脂漏性角化症でみられる．

17. 表皮内浸潤 exocytosis

炎症細胞が基底膜の破綻部より表皮内に侵入した状態をいう．リンパ球の浸潤が多く，海綿状態を伴う．炎症にに付随して生じる現象で，腫瘍細胞の表皮内侵入である epidermotropism（次項）とは区別される．

18. 表皮向性 epidermotropism（図 2-31）

菌状息肉症などの T 細胞リンパ腫が表皮内に浸潤するときは，腫瘍細胞はケモカイン受容体を発現しており，それに対応するリガンドを持つ表皮細胞に誘引されるように表皮内に侵入する．表皮細胞への傷害作用は少なく，通常海綿状態などを伴わない．これを表皮向性（epidermotropism）と呼ぶ．

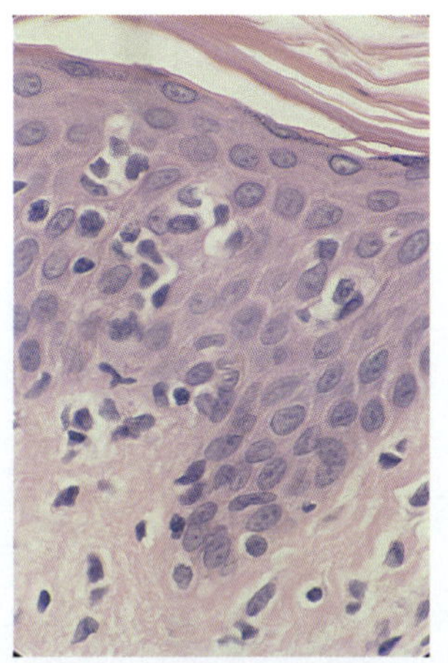
図 2-31　表皮向性（菌状息肉症）

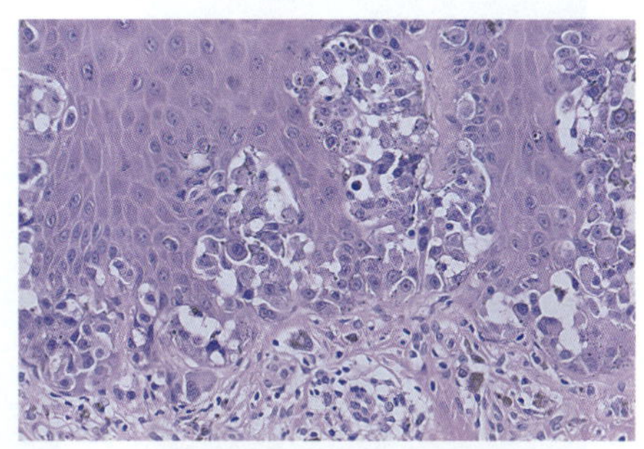
図 2-32　パジェトイドパターン（メラノーマ）

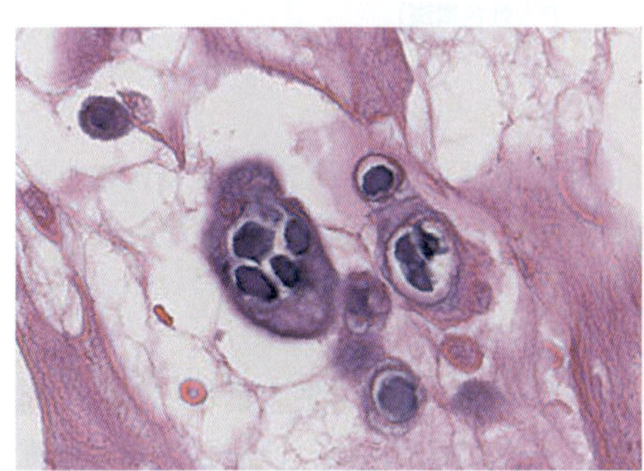
図 2-33　ウイルス性巨細胞（水痘）

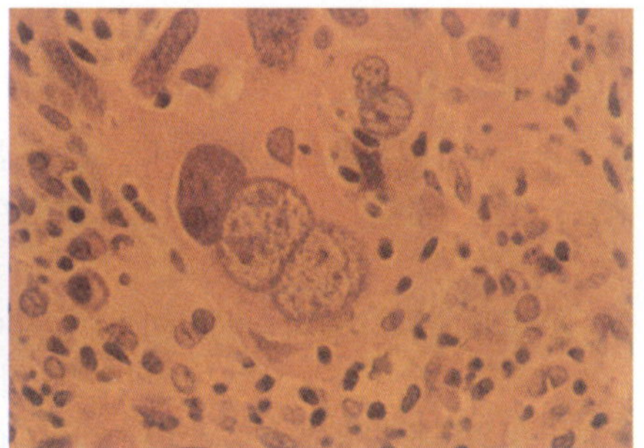
図 2-34　異常角化（clumping cell）（ボーエン癌）

19. パジェトイドパターン pagetoid pattern, pagetoid spread（図 2-32）

表皮内に明るく大型の腫瘍細胞が侵入し，個別にまたは胞巣を作って存在する状態．パジェット病に似た像を呈するので，パジェット様（pagetoid）という．メラノーマ，ボーエン病などでみられる．なお，パジェット現象（Paget phenomenon）はほぼ同義であるが，最近は「表皮細胞と，それとは異なる系統の癌細胞の共生」という原義に基づいて定義されることが多い．

20. 巨細胞 giant cell

表皮細胞性巨細胞（epithelial giant cell）と，メラノサイト系巨細胞（melanocytic giant cell）がある．前者は，ヘルペスウイルス感染症などで，感染した表皮細胞が多核巨細胞としてみられるもの（図 2-33），ボーエン病などで clumping cell（図

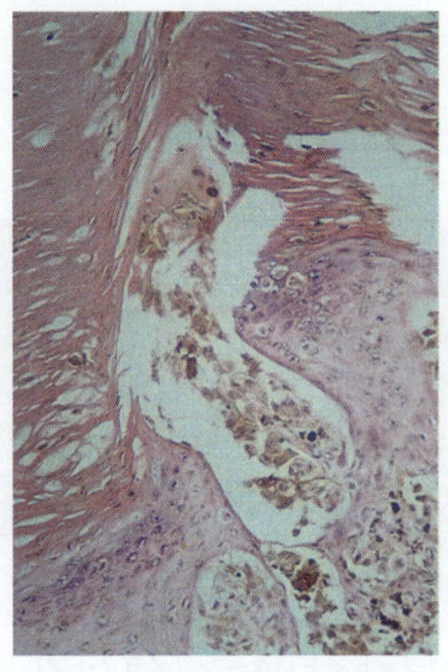

図 2-35　経表皮性排除（悪性黒色腫）

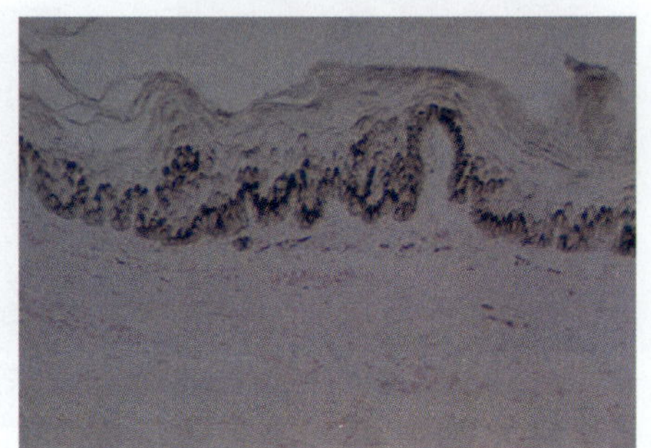

図 2-36　基底層色素沈着（メラニン染色）（老人性色素斑）

2-34）として観察されるものがある．後者は，色素性母斑とくにSpitz母斑にみられる巨細胞（nevocellular giant cell），悪性黒色腫において出現するものがある．

21. 経表皮性排除 transepidermal elimination（図 2-35）

変性線維成分，カルシウム，アミロイド物質，赤血球，腫瘍細胞巣などが表皮間を通り皮表に排出される状態をいう．反応性穿孔性膠原症，蛇行性穿孔性弾力線維症，穿孔性毛包炎，キルレ病など．腫瘍細胞の排出はcasting offともいう．

22. メラニン色素の増加および減少 hypermelanosis and hypomelanosis

基底層のメラニン沈着（basal melanosis，basal pigmentation）（図 2-36）は，炎症後色素沈着，扁平母斑，肝斑，雀卵斑で観察される．

メラニン色素の脱失は，白皮症，尋常性白斑，老人性白斑でみられるが，HE染色標本での観察は難しい．フォンタナ・マッソン（Fontana-Masson）染色でメラニン色素を確認する．

23. 色素伝達障害性メラノサイト pigment blockade melanocyte

メラノサイトからケラチノサイトへのメラニン伝達が障害され，メラニン顆粒が貯留して膨らんだメラノサイトをいい，特にケラチノサイトの悪性増殖の際にしばしばみられる．

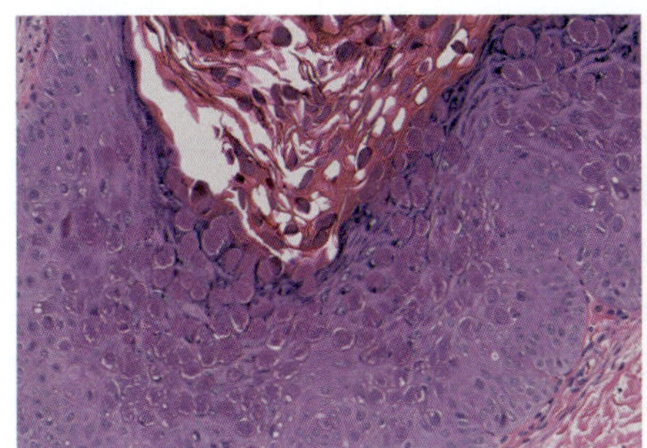
図 2-37 封入体（伝染性軟属腫）

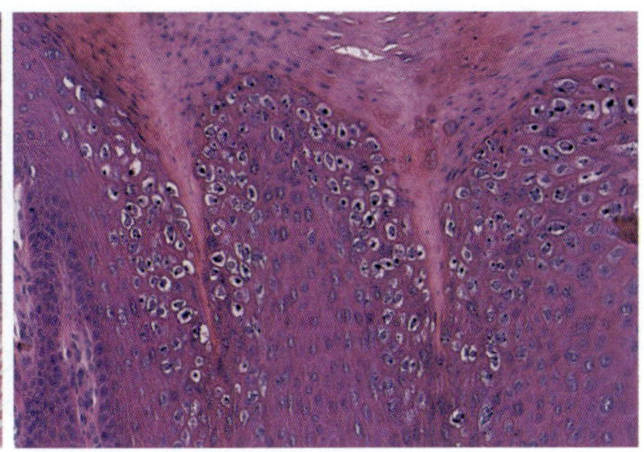
図 2-38 コイロサイト（尋常性疣贅）

24. 封入体 inclusion body（図 2-37）

ウイルス感染症で，核や細胞質の中でウイルスが結晶化し均質な構造として観察されることがある．この特異な構造を封入体という．ウイルス性疣贅では，ミルメシアで顕著にみられる．伝染性軟属腫の封入体は細胞質内に生じ核を圧排する．これを**軟属腫小体**（molluscum body）と称する．

25. コイロサイト koilocyte（図 2-38）

ウイルス性疣贅では，顆粒細胞の核の空胞変性により核周囲に空隙を生じる．これをコイロサイトと称する．

26. 真菌要素

白癬，カンジダ症，癜風では，角層内に胞子や菌糸が観察されることがある．PAS 染色，グロコット染色で確認する．

2. 真皮の変化

1．炎症性細胞浸潤 inflammatory cell infiltration

真皮には種々の要因によって炎症細胞が浸潤してくる．浸潤パターンにより，血管周囲性（perivascular），皮膚付属器周囲性（perifollicular, periglandular），びまん性（diffuse），斑状（patchy），帯状（band-like）などと表現する．血管周囲性細胞浸潤は，様々な炎症性皮膚疾患において，非特異的にみられる．血管を反応の場とし，フィブリノイド変性や出血を伴うものを血管炎（vasculitis）という（図2-39）．

浸潤する細胞の種類には，リンパ球，形質細胞，好中球，好酸球，組織球，肥満細胞などがあり，ある程度の疾患（病態）特異性がある．

1）**リンパ球（lymphocyte）**：各種の炎症の際に出現する．時にリンパ節に類似するリンパ濾胞（lymph follicle）を形成することがある（図2-40）．HE染色上，リンパ球と組織球は区別しがたく，両者をさして単核球（mononuclear cell）と称する．

2）**形質細胞（plasma cell）**：感染症（梅毒，鼠径リンパ肉芽腫症），日光角化症などの腫瘍，慢性深在性毛包炎，形質細胞性慢性亀頭炎などに出現する．

3）**好中球（neutrophil）**：①炎症の初期に出現する（一次的刺激性皮膚炎，結節性紅斑など）．②微生物の貪食，処理作用を有する（膿痂疹，カンジダ症，毛包炎，丹毒など）．③補体存在下で抗原抗体複合体の不動化，貪食の作用を有する（白血球破砕性血管炎，持久性隆起性紅斑，スイート病，ベーチェット病など）．

4）**好酸球（eosinophil）**（図2-41）：虫刺症，好酸球性膿疱性毛包炎，天疱瘡，類天疱瘡，寄生虫症，薬疹などにみられる．好酸球から放出された顆粒が膠原線維に付着して炎のようにみえるのを**flame figure**という．Wells症候群などでみら

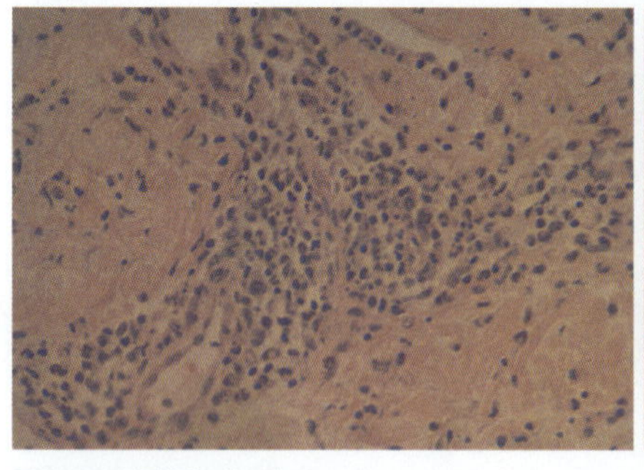

図2-39　血管炎（SLE）

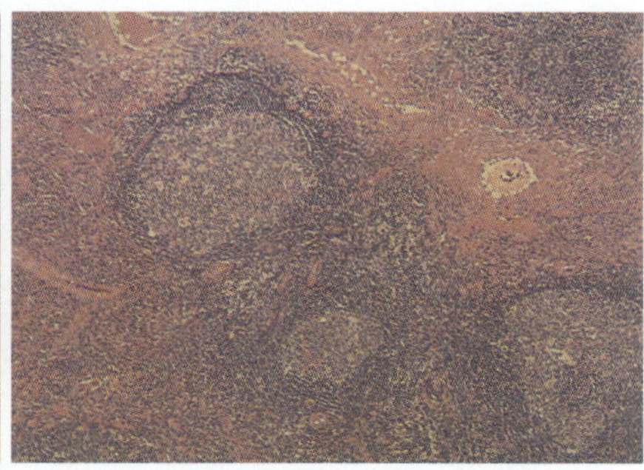

図2-40　リンパ濾胞構造（皮膚リンパ球腫）

れる．

5）**組織球**（**histiocyte**）：組織中のマクロファージで，貪食能を有する．メラニンを貪食したときは**担色細胞**（melanophage）（図 2-42），脂肪を貪食したときは脂食細胞（lipophage）または**泡沫細胞**（foam cell）といい，黄色腫（図 2-43）などでみられる．さらに，後述の肉芽腫を形成する．

6）**肥満細胞**（**mast cell**）（図 2-44）：種々の炎症において浸潤する（創傷治癒，アトピー性皮膚炎など）．腫瘍，特に神経線維腫でもみられる．トルイジンブルー染色で胞体が異染性を示し，赤紫に染まる．

2．肉芽腫 granuloma

単球由来組織球（マクロファージ）の密な浸潤を肉芽腫という．大型の組織球は上皮細胞に似るため類上皮細胞（epithelioid cell）といい，類上皮細胞の集塊を**類上皮細胞肉芽腫**（epithelioid cell granuloma）ともいう．その他，組織球由来の多核巨細胞，リンパ球，線維芽細胞などが混在している．

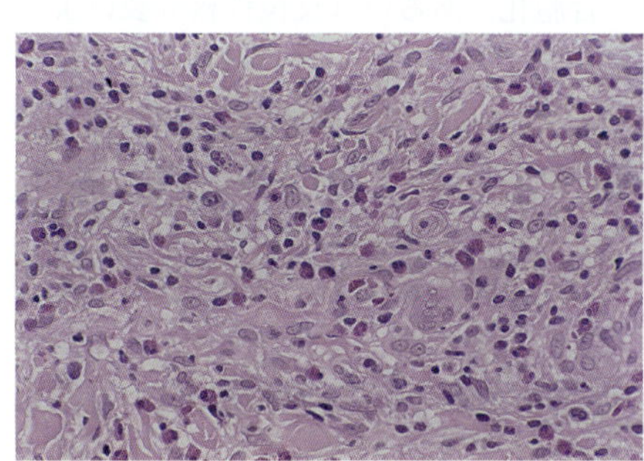

図 2-41　好酸球（虫刺症）

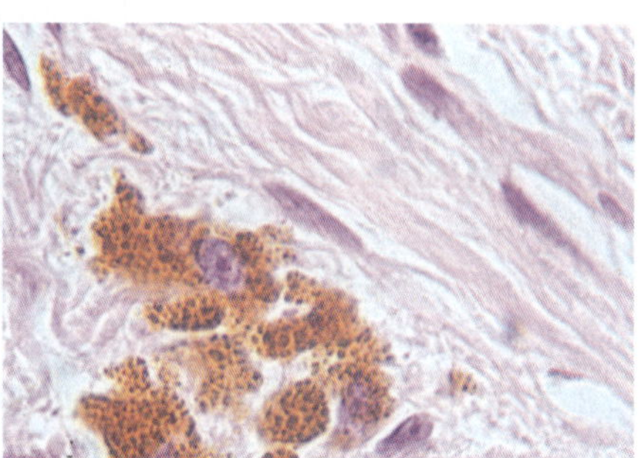

図 2-42　メラノファージ（悪性黒色腫）

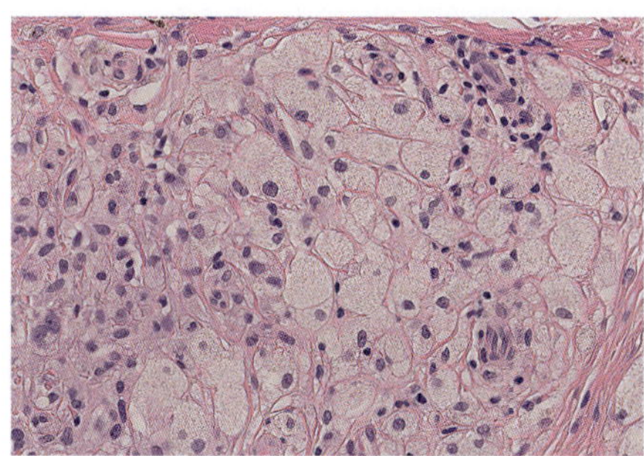

図 2-43　黄色腫細胞（眼瞼黄色腫）

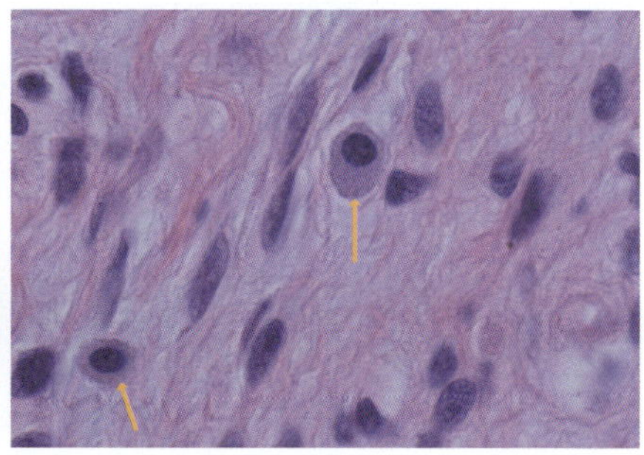

図 2-44　肥満細胞（神経線維腫）

1）**類結核型肉芽腫（tuberculoid granuloma）**（図 2-45）：類上皮細胞肉芽腫の中央が壊死（乾酪壊死：caseation necrosis）に陥りかつ周囲にリンパ球浸潤が強く，三重構造となっているものをいう．結核のほか，顔面播種状粟粒性狼瘡などでみられる．

2）**サルコイド型肉芽腫（sarcoidal granuloma）**（図 2-46）：乾酪壊死がなく，リンパ球浸潤の少ないものをいう．

3）**柵状肉芽腫（palisading granuloma）**：中央にコラーゲンの変性，ムチン沈着，フィブリン沈着があり，これを放射状に類上皮細胞が取り囲むものをいう．環状肉芽腫，脂肪類壊死，リウマチ結節などに特徴的である．

4）**異物肉芽腫（foreign body granuloma）**：外来性の異物や，表皮囊腫が破れた際の内容物に対する反応として出現する．

5）**線状肉芽腫（linear granuloma）**：皮膚末梢神経に沿って生じる線状の類上皮細胞の増殖．類結核型ハンセン病でみられる．

3．多核巨細胞 multinucleated giant cells

2個以上の核を有する巨大な細胞．細胞の合胞化，あるいは反復性核分裂により生ずる．ウイルス感染や悪性腫瘍においても出現するが，多くは組織球由来で以下のようなものがある．

1）**異物巨細胞（foreign body giant cell）**（図 2-47）：組織球が異物（細菌，真菌，組織破壊物を含む）を貪食して大きくなり，あるいは何個かが合胞化して多核性となったもの．核は互いに融合して不規則に集まるが，ときに周辺に配列することもある．

2）**ラングハンス型巨細胞（Langhans giant cell）**（図 2-48）：類上皮細胞が合胞化したもので，核は規則正しく周辺に並ぶ．結核，サルコイドーシス，光沢苔癬で

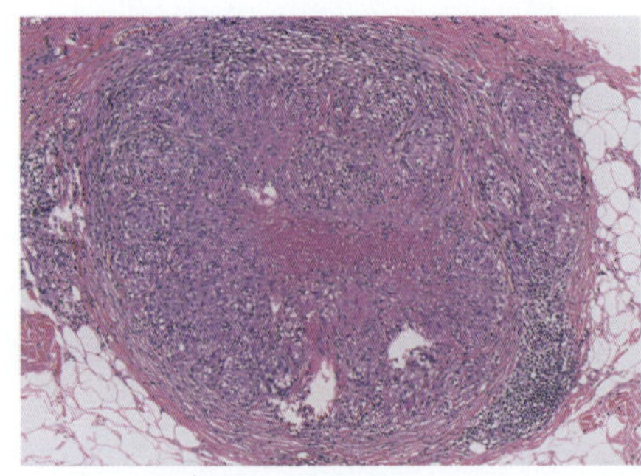

図 2-45　結核結節（尋常性狼瘡）

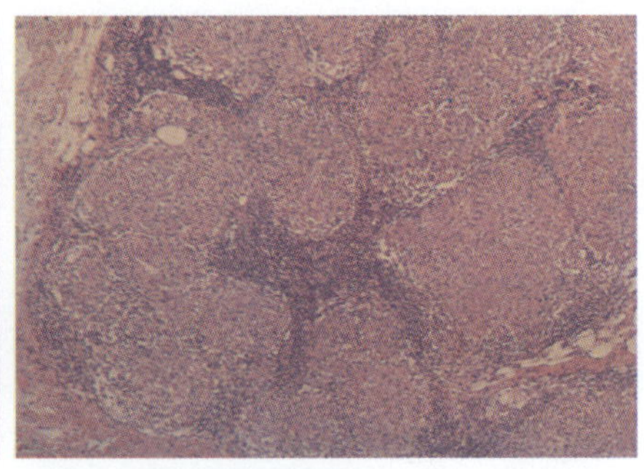

図 2-46　類上皮細胞肉芽腫（サルコイドーシス）

よくみられる.

3）**ツートン型巨細胞（Touton giant cell）**（図 2-49）：脂質を貪食した組織球．核が花環状に配列し，その内部の細胞質は好酸性，外部は泡沫状である．若年性黄色肉芽腫，黄色腫にみられる.

4. 肉芽組織 granulation tissue

創傷治癒過程で出現する，血管増生と線維芽細胞の増殖を主体とする組織．間質は浮腫性で，炎症細胞が浸潤する.

5．組織学的色素失調症 incontinentia pigmenti histologica（図 2-50）

基底細胞が破壊された結果，放出されたメラニン色素が真皮へ落ち，これを貪食したマクロファージが担色細胞（melanophage）として認められる状態．扁平苔癬，エリテマトーデスなどの液状変性を伴う疾患でみられる.

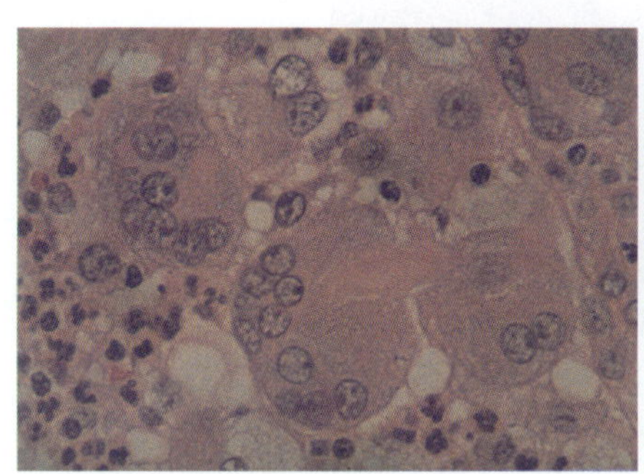

図 2-47 異物巨細胞（炎症性粉瘤）

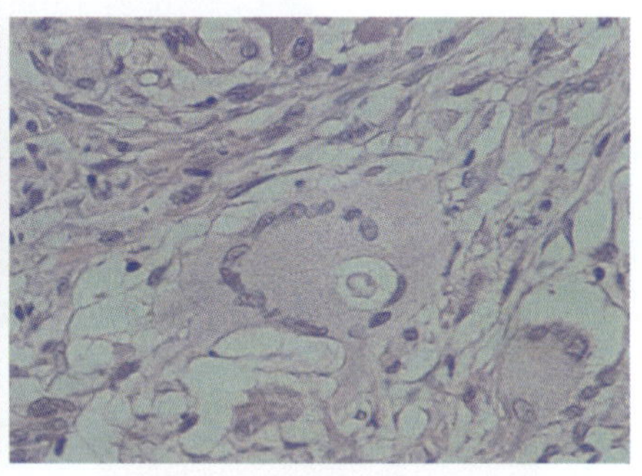

図 2-48 ラングハンス巨細胞（クロモミコーシス）

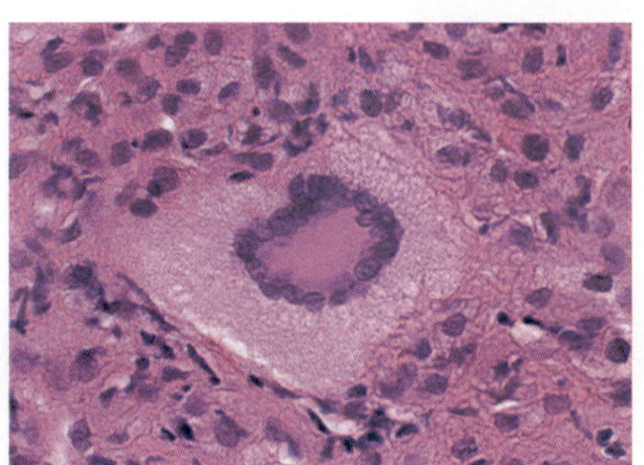

図 2-49 ツートン型巨細胞（黄色肉芽腫）

6．膠原線維の変化

1）**線維化**（fibrosis）：線維芽細胞が増数し，膠原線維の増生がみられる状態．瘢痕など．

2）**硬化**（sclerosis）（図 2-51）：膠原線維がさらに増加し，線維束が膨化，均質化した状態．線維芽細胞の増数はない．強皮症など．

3）**硝子化**（hyalinosis）（図 2-52）：膠原線維が融合し，均質に好酸性にみえる状態．ヒアリン化．ケロイド，放射線皮膚炎，硬化性萎縮性苔癬など．

7．日光性弾力線維症 solar elastosis（図 2-53）

慢性的日光曝露により，真皮網状層の結合織が変性して生じる．好塩基性に染色され，エラスチカ・ワン・ギーソン染色陽性．

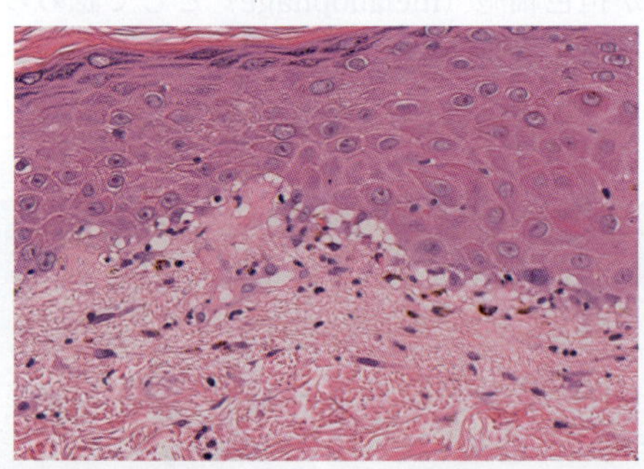

図 2-50　組織学的色素失調（GVHD）

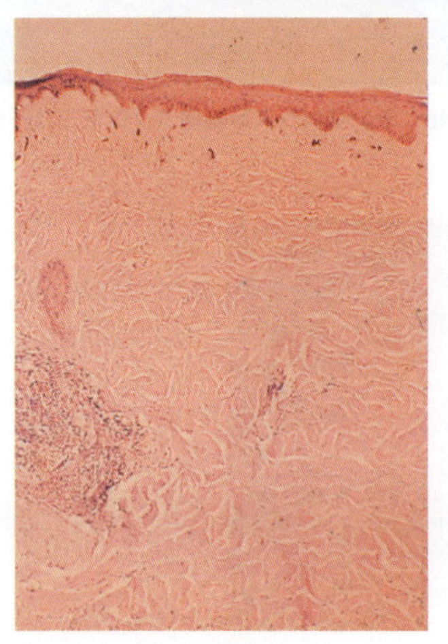

図 2-51　硬化（強皮症）

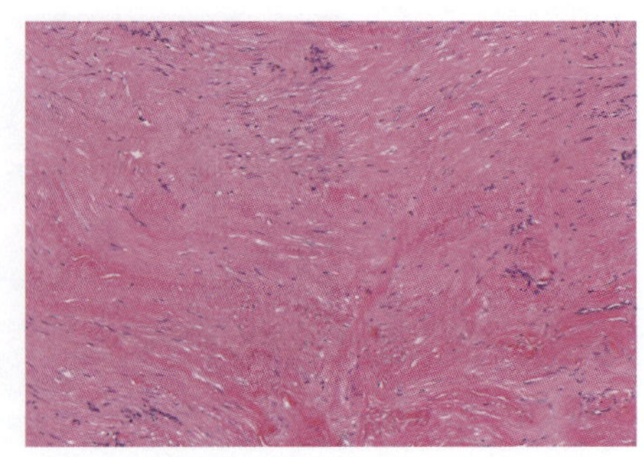

図 2-52　硝子化（ケロイド）

2章

8．弾性線維の変化

弾性線維性仮性黄色種では，弾性線維が断裂，変性する．

9．沈着物

1）**ムチン（mucin）**：真皮ムチンは膠原線維間に沈着し，HE 染色では空隙（fenestration）としてみえる．皮膚のムチン沈着症（成年性浮腫性硬化症，粘液水腫など）で沈着するのはほとんどヒアルロン酸で，アルシアンブルー，コロイド鉄で青く染まり，トルイジンブルーで異染性を示し，PAS 陰性である．口腔粘膜の粘液嚢腫は唾液腺由来のシアロムチンが沈着し，PAS 陽性である．

2）**石灰（calcium）**（図 2-54，55）：HE 染色では好塩基性の塊としてみられる．コッサ染色で黒染する．周囲に異物巨細胞が出現したり，骨・軟骨の形成をみることがある．石灰沈着症，石灰化上皮腫，皮膚混合腫瘍，皮膚筋炎，弾力線維性仮性黄色腫など．

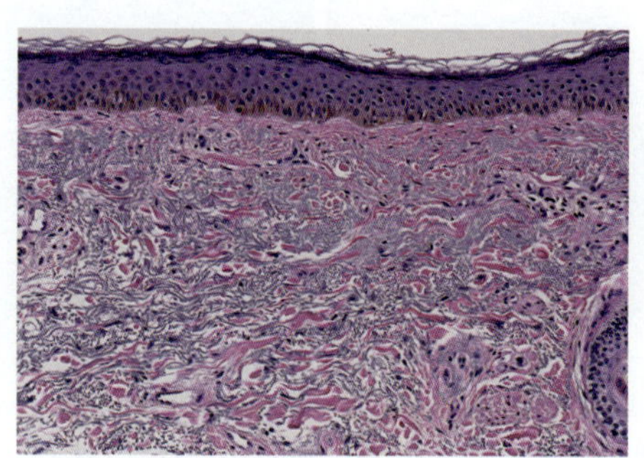

図 2-53　日光性弾力線維症（老人皮膚）

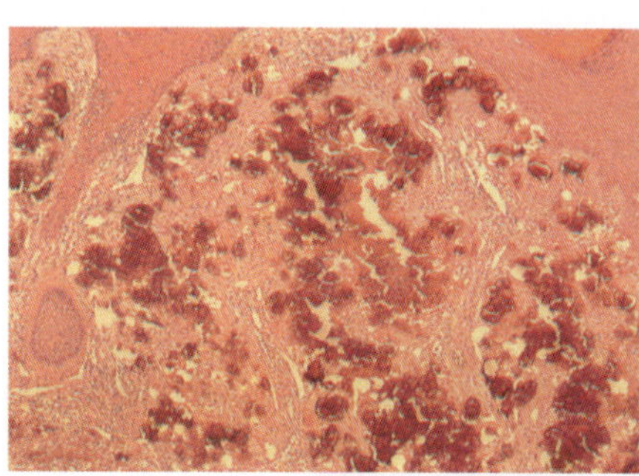

図 2-54　石灰沈着（皮膚筋炎）

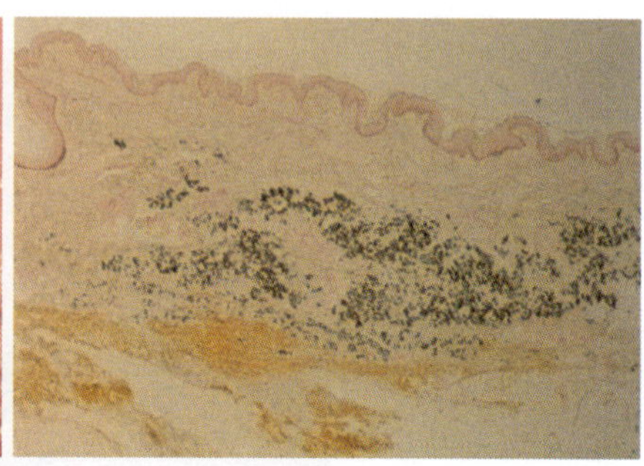

図 2-55　石灰沈着
（コッサ染色：弾力線維性仮性黄色腫）

3）**アミロイド（amyloid）**（図 2-56）：HE 染色標本では，好酸球無構造物としてみえる．一般にアミロイドはコンゴーレッド染色で赤橙色に染まるが，皮膚限局性のアミロイドーシスではコンゴーレッド染色で染まりにくいため，DFS 染色が勧められている．偏光顕微鏡で，アミロイドは青緑色の複屈折を示す．

4）**ヘモジデリン（hemosiderin）**（図 2-57）：出血後のヘモグロビンに由来する褐色小顆粒．マクロファージに貪食されている（ヘモジデリンを貪食したマクロファージを siderophage という）．ベルリンブルー染色で青く染まる．ヘモクロマトーシス，紫斑病，血管炎など．

10. 腫瘍細胞の索状増殖 Indians in a file（図 2-58）

腫瘍細胞が膠原線維間を一列に並んで増殖する現象をいう．癌皮膚転移，悪性リンパ腫，メルケル細胞癌などでみられる．

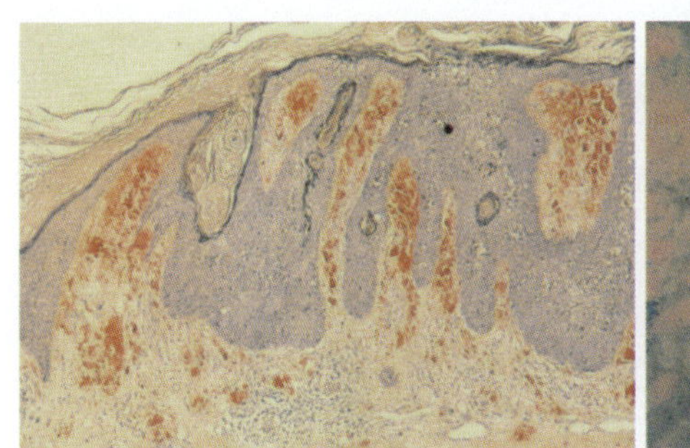

図 2-56　アミロイド沈着（DFS 染色：ボーエン病）

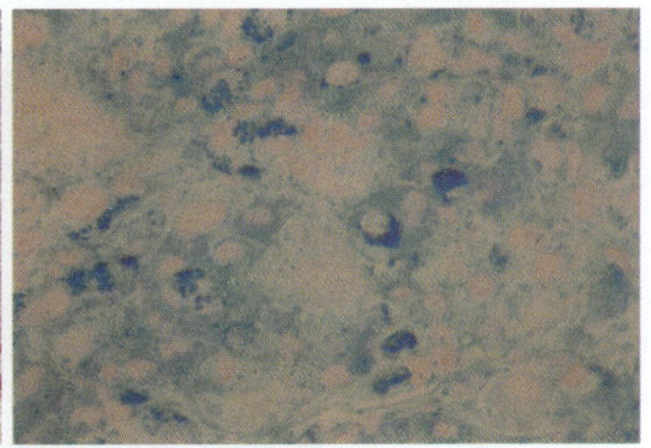

図 2-57　ヘモジデリン（ベルリンブルー染色：細網組織球腫）

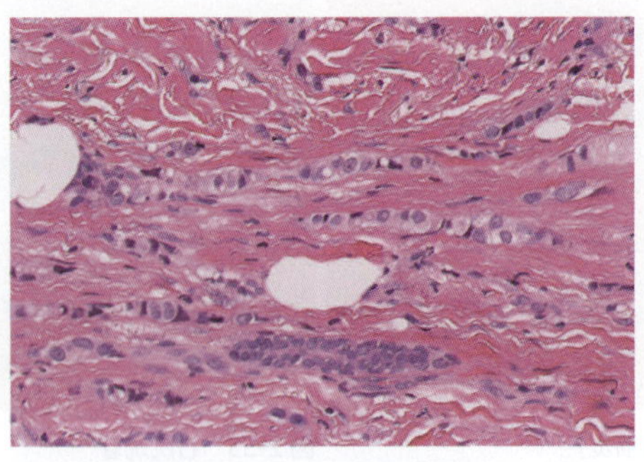

図 2-58　Indians in a file（乳癌皮膚転移）

3. 皮下組織の変化

皮下脂肪組織の炎症性変化は，以下の２型に大別される．

1．中隔性脂肪織炎 septal panniculitis（図 2-59）

皮下脂肪組織の中隔を主とする炎症．結節性紅斑など．

2．小葉性脂肪織炎 lobular panniculitis

皮下脂肪組織の小葉を主とする炎症．脂肪細胞が変性，壊死をきたし（liponecrosis），組織球が脂肪を貪食し泡沫細胞（foam cell，lipophage）となり，類上皮細胞肉芽腫を形成することがある（lipogranuloma）．バザン硬結性紅斑，Weber-Christian 病など．

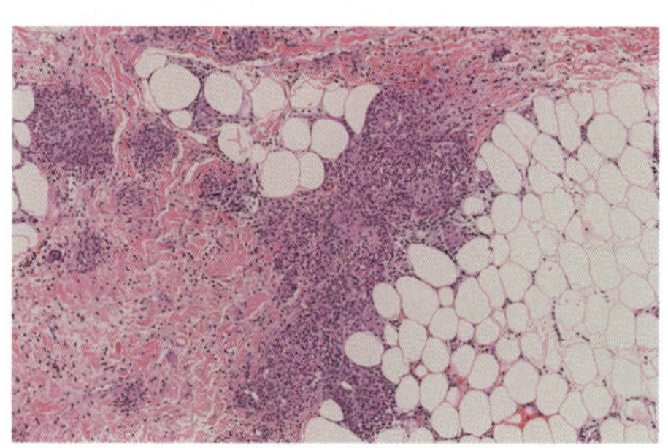

図 2-59　中隔性脂肪織炎（結節性紅斑）

第3章 皮膚免疫学

皮膚は生体の最外層にあって，紫外線，病原微生物など外環境からの様々な刺激，侵入物にさらされている．これに対して皮膚は，侵入物の物理的バリアとして働くとともに，さらに能動的に侵入物を認識し排除する仕組みを有している．この皮膚の免疫機構を理解することは，様々なアレルギー性皮膚疾患，自己免疫性皮膚疾患，皮膚感染症の病態を理解するためにも必須である．

1 反応様式

外界異物の侵入を非自己として反応する免疫系は，大きく**自然免疫系**と**獲得免疫系**に分けられ，この2つがお互いに協調して病原微生物などを認識・排除している．

獲得免疫は抗原抗体反応を主体とする液性免疫と，Tリンパ球が担う細胞性免疫から成り，ともに抗原特異的な1対1の非自己認識である．自然免疫は，**補体**，**抗菌ペプチド**，**トール様受容体 toll-like receptor（TLR）**や**nucleotide-binding oligomerization domain（NOD）-like receptor（NLR）**，**retinoic acid-inducible gene I（RIG-I）-like receptor（RLR）**などの，病原体に特有の成分を認識するパターン認識受容体を用いたマクロファージ，好中球，樹状細胞，自然リンパ球，上皮細胞（角化細胞）による1対多種類の免疫機構である．

1. 皮膚の自然免疫機構

1）パターン認識受容体（Pattern recognition receptor）

自然免疫系は，微生物に特有の硬成分のパターンを認識する受容体（パターン認識受容体，pattern recognition receptor：PRR）によって，多種多様な病原体に限られた数のセンサーで対応している．PRRの代表である**トール様受容体 toll-like receptor**（TLR）は，無脊椎動物からほ乳類まで広く存在する病原体認識受容体で

表 3-1　TLR とリガンド

TLR	リガンド
TLR2-TLR1	triacyl lipopeptide（マイコプラズマ）
TLR2-TLR6	diacyl lipopeptide（細菌）
TLR3	dsRNA（ウイルス）
TLR4	LPS（グラム陰性細菌）
TLR5	flagellin（細菌鞭毛）
TLR7	ssRNA（ウイルス）
TLR8	ssRNA（ウイルス）
TLR9	CpG DNA（細菌，ウイルス）

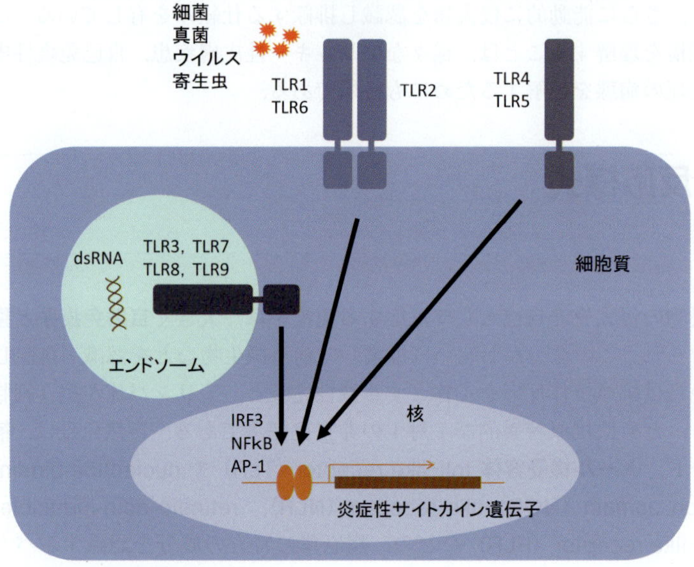

図 3-1　角化細胞に発現する TLR

あり，ヒトでは 10 種類が同定されている．TLR は細胞表面あるいは細胞内に存在し，それぞれの TLR は，細菌，真菌，ウイルスの成分を認識して（表 3-1），下流の病原体排除機構を活性化する（図 3-1）．

皮膚においては，表皮の角化細胞，Langerhans 細胞のほか，真皮の樹状細胞，マクロファージ，リンパ球，肥満細胞，血管内皮細胞，線維芽細胞などの多種類の細胞が TLR を発現している．これらの細胞は，細菌，ウイルスなどが侵入するとそれぞれに対応する TLR によりその成分を認識し，TNFα，IL-1，IL-6，IL-8，IFN-γ などのサイトカインを産生して炎症を惹起し，さらに直接抗菌活性のある

表 3-2　抗菌ペプチド

抗菌ペプチド	種　類	産生細胞
ディフェンシン（defensin）		
α-ディフェンシン（α-defensin）	human neutrophil peptide（HNP1～4）	好中球
	human defensin（HD5～6）	小腸陰窩細胞
β-ディフェンシン（β-defensin）	human β-defensin（hBD1～6）	上皮細胞
カテリシジン（cathelicidin）	CAP18/LL37	好中球，マクロファージ 肥満細胞，上皮細胞

ペプチド（抗菌ペプチド；表 3-2）を分泌し，病原体からの初期防御を担っている．

一方，NLR と RLR は細胞質内に局在し，細胞質内の細菌のペプチドグリカン断片やウイルスの RNA を認識すると考えられている．NLR の遺伝子異常は自己炎症性疾患の原因となる．

2）補体

補体は，血清中に豊富に存在する蛋白であり，感染初期の自然免疫に重要な役割を果たしている．病原体自体により，あるいは病原体表面に結合した抗体により補体系が活性化されると，次々と補体が反応し，最終的に細胞膜に穴を開け菌体を融解させたり，菌体をオプソニン化しマクロファージや好中球を引きつけて炎症を惹起したりする活性が誘導される．

補体の活性化経路は 3 種類が知られている（図 3-2）．病原体に結合した抗体によ

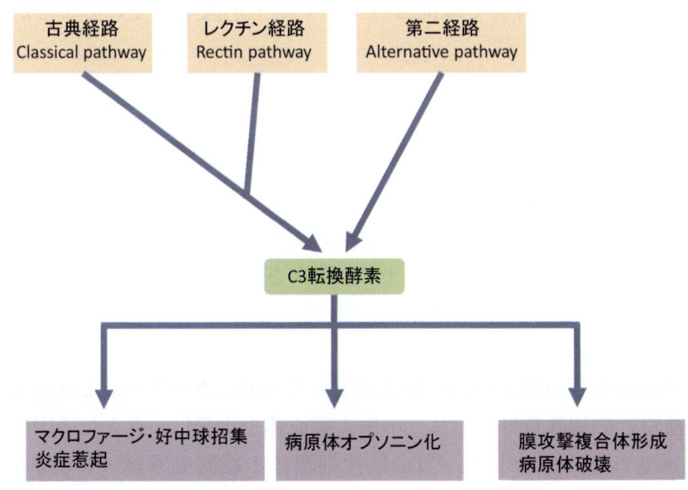

図 3-2　補体とその活性化経路

りC1が活性化する**古典経路**と抗体非依存性に病原体表面で補体が活性化される**第二経路**と**レクチン経路**である．いずれの経路でも蛋白分解反応によりC3転換酵素活性を誘導する．感染症以外の皮膚疾患では，血管炎や水疱性類天疱瘡の水疱形成などに補体の活性化が重要であることがわかっている．

3）抗菌ペプチド（表3-2）

抗菌ペプチドは植物から昆虫，高等脊椎動物まで広く分布し，病原微生物の侵入を阻止，殺菌，排除する免疫物質である．20〜50個のアミノ酸から成る低分子ペプチドであり，アルギニンやリシンなどの塩基性アミノ酸を多く含んでおり，陽性に帯電することにより細菌の弱陰性帯電性細胞膜に引き寄せられ，細菌の細胞膜に小孔を形成し殺菌作用を発揮するものと考えられている．

ヒトの主要な抗菌ペプチドは，**α-デフェンシン（α-defensin）**，**β-デフェンシン（β-defensin）**，**カテリシジン（cathelicidin）**などが知られており，α-デフェンシン（α-defensin）は好中球に発現し，β-デフェンシンは表皮角化細胞を含む上皮細胞に発現する．カテリシジンは好中球，マクロファージ，肥満細胞，上皮細胞（角化細胞）に発現し，内因性プロテアーゼにより分解されC末端37残基（LL37）が抗菌ペプチドとして働く．

抗菌ペプチドは直接病原微生物を殺菌するとともに，宿主の免疫細胞を活性化する作用も明らかとなり，自然免疫だけではなく獲得免疫においても重要な役割を演じていると考えられている．皮膚疾患との関連では，皮膚感染症が起こりにくいことが知られている尋常性乾癬では表皮の抗菌ペプチド産生が亢進し，感染症を起こしやすいアトピー性皮膚炎では抗菌ペプチド産生が低下していることが明らかとなっている．

2. 皮膚の獲得免疫機構

1）細胞性免疫

細胞性免疫を担うT細胞は，遊離抗原は認識できず，マクロファージ・樹状細胞などの抗原提示細胞によって補捉・プロセスされ，細胞膜上の**主要組織適合複合体（major histocompatibility complex；MHC）**とともに提示された抗原ペプチドしか認識しない（図3-3）．

ウイルス抗原などの細胞質内抗原は主としてMHCクラスⅠにより提示され，寄生虫，細菌などの細胞質外病原体，小胞内病原体や毒素は主としてMHCクラスⅡにより提示される．このとき，CD8陽性細胞は**T細胞受容体（T-cell receptor；TCR）**とCD8を用いてMHCクラスⅠ上の抗原をセットで認識し，CD4陽性T細

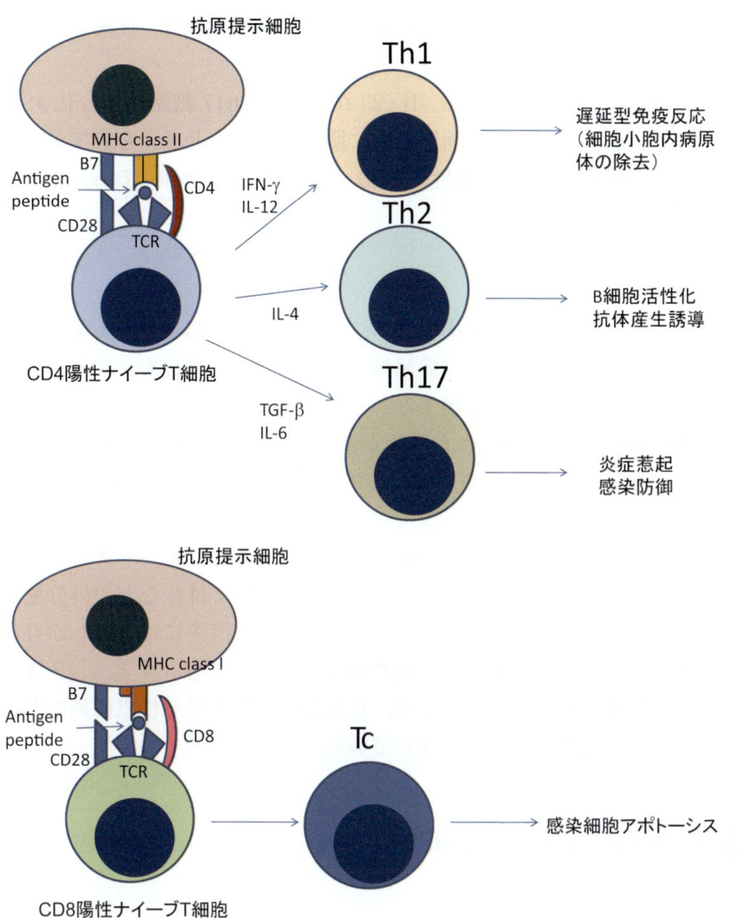

図 3-3　Th 細胞の活性化とその生理的作用

胞は TCR と CD4 を用いて，MHC クラスⅡ上の抗原をセットで認識する．

すなわち，ウイルス抗原などの細胞質内抗原に対しては，主として CD8 陽性 T 細胞が活性化され，細菌，真菌，寄生虫などの小胞内抗原・細胞外抗原に対しては CD4 陽性 T 細胞が活性化される．T 細胞の活性化には T 細胞レセプターと MHC-抗原複合体の結合だけでは不十分であり，さらに**共刺激分子（co-stimulatory molecle）**である抗原提示細胞上の B7 と T 細胞上の CD28 の結合が必要である．活性化刺激を受けた CD8 陽性 T 細胞は，**細胞傷害性 T 細胞（Tc）**へと分化し，ウイルス感染細胞のアポトーシスを誘導する．

CD4 陽性細胞は IFN-γ，IL-12 存在下で **Th1 細胞**に分化し遅延型細胞性免疫を惹起し，IL-4 存在下に **Th2 細胞**に分化した CD4 陽性細胞は，B 細胞と相互作用し，病原体や毒素に対する抗体産生を促す．

CD4 陽性細胞は TGF-β，IL-6，IL-23 存在下で **Th17 細胞**へと分化する．Th17 細胞は IL-17 を産生し，乾癬の病態形成に関与していると考えられている．また，CD4・CD25・Foxp3 陽性の**制御性 T 細胞**（regulatory T-cell；Treg）が存在し，免疫反応を抑制的に制御している．

2）液性免疫

液性免疫の主体は抗原抗体反応である．抗体は**免疫グロブリン**とも呼ばれ，B 細胞・プラズマ細胞から分泌され，病原体や毒素に結合し毒性を中和し，補体や他の免疫細胞を活性化して炎症を惹起する．

IgG，IgM，IgA，IgD，IgE の 5 種類があり，このうち IgG が血清免疫グロブリンの 7 割以上を占める．感染初期にはまず IgM が増加し，引き続いて IgG が増加する．

IgA は，血清グロブリンの 10～20％を占め，血清中ではモノマーとして存在するが，初乳，唾液，涙液，粘膜分泌液や，皮膚においては汗などの外分泌液にダイマーとして存在し，局所免疫を担っている．IgE は血清中には少量しか存在せず，大部分は皮膚，粘膜下の肥満細胞や樹状細胞に結合して存在する．IgE は寄生虫感染防御に重要な役割を果たしているが，じんま疹やアトピー性皮膚炎などのアレルギー性皮膚疾患の病態にも深く関与している．

2　皮膚免疫担当細胞

皮膚は表皮・毛包を構成する角化細胞や脂腺細胞，汗腺細胞などの上皮系細胞と，骨髄由来の免疫細胞，線維芽細胞，血管内皮細胞などの間葉系細胞から成り，それぞれが皮膚免疫において重要な役割を果たしているが，皮膚免疫の主役としては白血球，樹状細胞，マクロファージなどのプロフェッショナル免疫細胞と主要な上皮細胞である表皮角化細胞が特に重要である．

1．角化細胞 keratinocyte

角化細胞の皮膚免疫における役割は，大きく 3 つに分けられる．すなわち，①構造的，物理的バリアとしての役割，②リンパ球，樹状細胞などのプロフェッショナル免疫細胞と相互作用することによる免疫修飾細胞としての役割，③自然免疫の担い手としての役割である．

1）構造的・物理的バリア

角化細胞は表皮の9割以上を占める細胞で，未分化な基底層から有棘層，顆粒層と移動しながら分化（＝角化）し，最終的に脱核した角質細胞にまで分化する．角質細胞が煉瓦のように積み重なった構造をもつ角層は生体の最外層を覆う強固な薄膜であり，皮膚免疫における強力な物理的バリアの本体である．重症熱傷などで広範囲に表皮のバリア機能が失われると，体液漏出，感染などにより短時間で生体は生命の危機にさらされることからも，物理的表皮バリアの重要性は明らかである．

2）免疫修飾細胞

角化細胞は，体外・体内からの刺激により多種類の**サイトカイン・ケモカイン**を分泌し（表3-3），また炎症時には，IFN-γ存在下で自ら MHC クラスⅡ分子や ICAM-I などの免疫関連分子を発現してランゲルハンス細胞やリンパ球などの免疫

表3-3　角化細胞の産生する主なサイトカイン・ケモカイン

分類	主な機能
IL-1a, b	炎症の惹起，二次的サイトカインの誘導
IL-6	T, B 細胞分化，急性期蛋産生
IL-12	Th1 誘導，NK 細胞活性化
IL-15	T 細胞，NK 細胞増殖
IL-17C	炎症性サイトカイン・ケモカインの誘導
IL-18	Th1 誘導，NK 細胞活性化
IL-33	Th2 サイトカインを産生
TNF-α	局所炎症惹起
GM-CSF	顆粒球，マクロファージの増殖，Langerhans 細胞の活性化，生存維持
G-CSF	顆粒球の増殖
M-CSF	マクロファージの増殖
TGF-α	角化細胞の増殖
TGF-β	角化細胞の増殖抑制，リンパ球の活性化抑制
bFGF	線維芽細胞，血管内皮細胞増殖
VEGF	血管内皮細胞増殖
PDGF	線維芽細胞，血管内皮細胞増殖
ET-1	色素細胞増殖
IL-10	免疫反応抑制
IL-8	好中球，T 細胞の遊走・活性化
MCP-1	単球の遊走・活性化
TARC	Th2 細胞の遊走
TLSP	樹状細胞や T 細胞に作用し，Th2 細胞の誘導に関与

細胞と相互作用し，皮膚免疫を制御している．

3）自然免疫

角化細胞は，バリア機能により外界の病原体の侵入を防ぐとともに，各種 TLR を発現しており，細菌・真菌・ウイルスなどの病原体を直接認識し，様々なサイトカインを産生して炎症反応を惹起し，病原体を排除する（図 3-1）．さらに，抗菌ペプチドを産生し，直接的に病原微生物を殺菌・排除している．

2. 樹状細胞 Dendritic cell

骨髄造血幹細胞に由来する樹状細胞は，抗原提示細胞の働きを持ち，皮膚には表皮**ランゲルハンス細胞** Langerhans cell と**真皮樹状細胞** Dermal dendritic cell の 2 つが常在している．ランゲルハンス細胞は主に表皮有棘層に存在し，表皮細胞の 2～5% を占める．CD1a・CD205・ランゲリン（CD207）などを発現し，電顕では細胞質に特徴的なラケット型の **Birbeck 顆粒**が観察される．

ランゲルハンス細胞は，表皮に侵入した抗原を捕食し，プロセスした後，細胞膜上の MHC クラスⅠおよびⅡ分子に抗原ペプチドを乗せ，共刺激分子とともに T 細胞に提示し，T 細胞を活性化させる．また，抗原を捕食した後活性化され，表皮を離れ，真皮，輸入リンパ管を通って所属リンパ節に遊走し，そこで T 細胞に抗原を提示する．所属リンパ節で抗原提示を受けた T 細胞は輸出リンパ管，真皮を経由して表皮に達し，そこで再び抗原提示を受けると活性化され様々なサイトカイン・ケモカインを産生し，炎症を惹起する．この過程がアレルギー性接触皮膚炎の基本機構である（図 3-4）．

このようにランゲルハンス細胞は，皮膚の免疫反応を誘導する司令塔ともいうべき役割を果たしていると考えられてきたが，免疫寛容や免疫抑制にも関与していると考えられるようになっている．

真皮樹状細胞は，ランゲルハンス細胞とは違って Birbeck 顆粒を持たず，真皮に常駐する．真皮樹状細胞も，所属リンパ節での抗原提示や免疫寛容に関与していると考えられている．真皮樹状細胞はその機能や CD11b，ランゲリンなどの発現パターンからいくつかのサブセットに分類されている．

これらの皮膚に常在する樹状細胞以外にも，**単球由来樹状細胞**や**形質細胞様樹状細胞**は，皮膚で炎症が生じると皮膚に流入して反応に関与する．単球由来樹状細胞は乾癬では TNFα や iNOS を産生する樹状細胞として，形質細胞様樹状細胞は IFNα を大量に産生する樹状細胞としてウイルス感染症や自己免疫疾患において重要である．

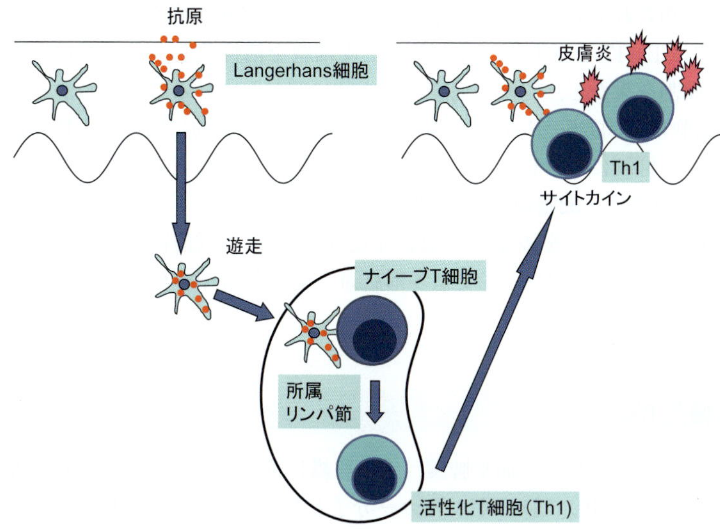

図 3-4 接触皮膚炎の成立機序

3. T 細胞 T cell

T 細胞受容体を細胞表面に持つリンパ球で CD3 が陽性であり，細胞性免疫において中心的役割を担っている細胞である．T 細胞受容体が α，β 鎖からなるものがほとんどであり $\alpha\beta$T 細胞と呼ばれるが，γ，δ 鎖から成る $\gamma\delta$T 細胞も存在する．

T 細胞は骨髄の前駆細胞が胸腺に移動し，胸腺内で自己反応性クローンは除かれ，MHC 拘束性を獲得する分化を経て，CD4 または CD8 を発現する成熟細胞となって末梢に出てくる．CD4 陽性細胞は，抗原刺激の種類や周囲微小環境のサイトカインの種類により **Th1 細胞**，**Th2 細胞**，**Th17 細胞**，**制御性 T 細胞（Treg 細胞）**などへ分化する（図 3-3）．T 細胞が皮膚組織に移行するには組織から産生されるケモカインが重要であり，CCR4，CCR6，CCR10 などのケモカイン受容体をもつ T 細胞が皮膚に浸潤してくる．皮膚に移行したメモリー T 細胞の中には長期間皮膚に常駐するものがあり，皮膚レジデントメモリー T 細胞と呼ばれる．

Th1 細胞は，インターフェロン-γ（IFN-γ）とインターロイキン-2（IL-2）を産生し，マクロファージや NK 細胞を活性化して主として肉芽腫反応や細胞性免疫を誘導する．

Th2 細胞は，IL-4，IL-5，IL-6，IL-10，IL-13 を産生し，B 細胞を活性化して IgM，IgG，IgE を産生させるなど液性免疫を誘導し，好酸球数を増加させる．IL-4，IL-13，IL-31 は末梢神経の受容体を介して痒みを惹起する．

従来から知られていたTh1，Th2の他にTh17の存在が明らかになってきており，Th17細胞はIL-17を産生し，好中球や上皮細胞を活性化し，炎症惹起や感染防御に重要な役割を果たし，乾癬の病態に中心的に関与していることがわかってきた．

Treg細胞は，CD25・Foxp3が陽性で免疫反応を抑制的に制御し，特に自己反応性クローンの抑制により自己免疫疾患発症を予防していると考えられている．

CD8陽性細胞は，**細胞傷害性T細胞（Tc）**へと分化してウイルス感染細胞や非自己MHCを持つ細胞を破壊し，細胞性免疫を担う．移植片対宿主病（Graft versus host disease；GVHD），表皮型多形紅斑，扁平苔癬や移植免疫でエフェクター細胞として働いている．

4. B細胞 B cell

骨髄でつくられ，リンパ節や脾臓，末梢組織に分布し，抗体を産生して液性免疫を担う細胞で，CD19，CD20がマーカー分子として用いられる．B細胞は，細胞膜上にB細胞レセプターとして免疫グロブリンを発現し，特異的抗原によりこの免疫グロブリンが架橋されると活性化する．また，MHCクラスII分子を発現し，抗原をTh細胞や濾胞状Th細胞（Tfh細胞）に提示してTh細胞やTfh細胞と相互作用し活性化され，抗体産生細胞である形質細胞（plasma cell）へ分化・成熟する．

5. 自然リンパ球 Innate lymphoid cell（ILC）

形態はリンパ球に類似するが，抗原受容体をもたず，サイトカイン刺激に反応してT細胞と同様のサイトカインを産生する．自然リンパ球はグループ1から3に分類され，ILC1，ILC2，ILC3はそれぞれTリンパ球のTh1，Th2，Th17に対応している．ILC1はIL-12やIL-18の刺激を受けてIFNγを，ILC2はIL-25やIL33の刺激を受けてIL-4・IL-5・IL-13を，ILC3はIL-1βやIL-23の刺激を受けてIL-17・IL-22を産生する．抗原刺激によらない皮膚免疫疾患に関与すると考えられている．

6. NK細胞 NK cell

T細胞レセプターやCD3を発現しないが，CD2陽性で，CD16，CD56がマーカー分子である．自然リンパ球に含まれる．インターフェロンやTNF-αなどのマクロファージ由来サイトカインにより活性化され，ウイルス感染や腫瘍化により変化した細胞のMHCクラスI分子を認識して標的細胞を傷害する．皮膚疾患においては，ヘルペスウイルスなどのウイルス感染初期，腫瘍免疫に重要な役割を果たしていると考えられている．

7. マクロファージ（組織球）macrophage（histiocyte）

大食細胞とも呼ばれ，循環中では単球であり，組織中では組織球とも呼ばれる．異物や病原体を貪食し，IL-1 や TNF-α などの炎症性サイトカインを分泌して炎症を引き起こす．組織球同士が融合し，巨細胞を形成して肉芽腫を形成することもある．貪食作用をもち，取り込んだ蛋白をペプチドまで分解し（processing），MHC クラスⅡ分子の溝に組み込んで細胞膜上に置き，CD4 陽性 T 細胞に提示する．マクロファージには．炎症を促進するマクロファージ（**M1 マクロファージ**）のほかに，炎症を終息させて組織修復に関わる **M2 マクロファージ**がある．

8. 好中球 neutrophil

マクロファージとともに侵入した微生物を認識し，貪食，殺菌する．自然免疫系で最も重要な白血球の一つである．流血中に存在し血液中の白血球の 50〜60%を占めるが，健常組織にはほとんど存在しない．組織内に細菌が侵入すると局所炎症による遊走因子の作用で血管壁に固着し，さらに血管外に漏出，組織中に出て，抗体や補体により**オプソニン化**された細菌を貪食し，活性酸素などの作用により細菌を殺菌，破壊する．Sweet 病などの紅斑症，膿疱性乾癬や掌蹠角化症などの膿疱症，血管炎やベーチェット病などでは無菌的に好中球が活性化され，病態形成に深く関与している．好中球は細胞死にあたって粘性のある自己 DNA をネット状に放出し，細菌を捕捉して破壊する．このような機序を neutrophilic extracellular traps（NETs），この細胞死を NETosis と呼ぶ．

9. 好酸球 eosinophil

寄生虫（細菌・真菌にも）に対する自然免疫に重要な役割を果たす．好酸球のもつ顆粒蛋白として **major basic protein（MBP），eosinophil cationic protein（ECP），eosinophil peroxidase（EPO），eosinophil-derived neurotoxin（EDN）**があり，病原体の排除を担っているが，これらの蛋白は健常組織に対しても傷害性がある．好酸球は Th2 サイトカインである IL-5 によって増殖・活性化する．アトピー性皮膚炎，湿疹皮膚炎群，類天疱瘡，薬疹，好酸球性膿疱性毛包炎，好酸球性蜂窩織炎（Wells 症候群），好酸球増多症候群（hypereosinophilic syndrome；HES）などで好

3章

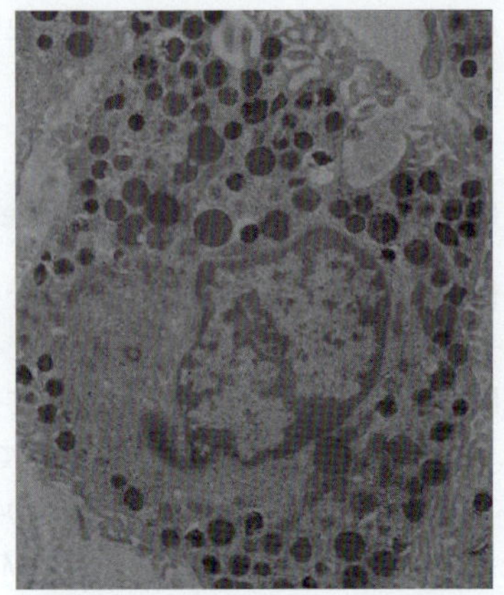

図 3-5　肥満細胞の電顕像（豊富な細胞質内顆粒を持つ）
（伴野朋裕博士提供）

酸球浸潤や血中好酸球増多症がみられる．

10. 肥満細胞 mast cell（図 3-5）

トリプターゼ陽性の**粘膜型肥満細胞**とトリプターゼ／キマーゼ陽性の**結合組織型肥満細胞**があり，皮膚では真皮血管周囲に存在する．骨髄由来細胞であり，末梢組織で成熟・分布し，血中は循環しない．IgE に対する**高親和性 IgE レセプター（FcεRI）**をもち，I 型アレルギーの中心的細胞であり，特異抗原の結合により FcεRI が架橋されると活性化し，細胞内にある顆粒中のヒスタミン，ヘパリン，セロトニンなどのケミカルメディエーターを放出する．これらにより，真皮の血管が拡張，浮腫が生じ，臨床的に膨疹を形成する．

3　過敏症・アレルギー反応

免疫系は，本来病原体や異物などの非自己を認識し排除する生体システムであり，生体の恒常性維持にとって必要不可欠である．しかし，病原体や異物を排除する過程で自己組織を巻き込み傷害するという，生体にとって不利益な部分も本質的に併せもっている．本来は無害の抗原に対して免疫応答が過剰・異常に起こり，かえって有害事象をもたらすこともある．このように過剰，異常な免疫反応により生体に

アレルギー型	I型	II型	III型	IV型
主体となる細胞	肥満細胞	マクロファージ 細胞障害性T細胞（Tc） ナチュラルキラー細胞	マクロファージ 好中球	感作T細胞（Th1, Tc） マクロファージ
主体となる抗体	IgE	自己抗体 （IgG,IgM）)	免疫複合体 （IgG, IgM）	
皮膚疾患	じんま疹 アナフィラキシー	天疱瘡 類天疱瘡	アナフィラクトイド紫斑病 血管炎	接触皮膚炎 移植片対宿主反応

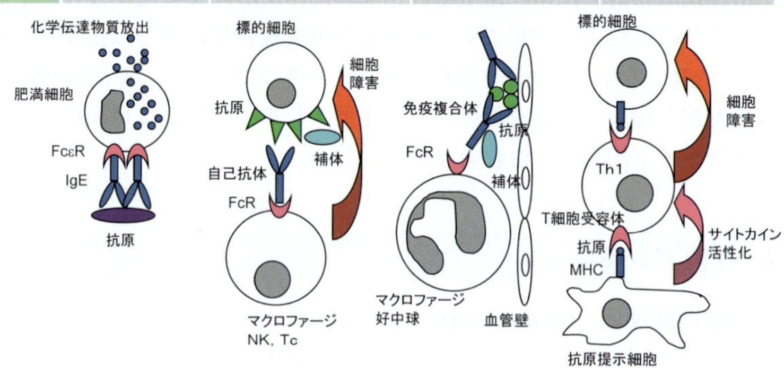

図 3-6　アレルギーの基本 4 型

傷害が生じる場合をアレルギーと呼ぶ.

Coombs と Gell は，アレルギーの反応様式を 4 型に分類（図 3-6）し，現在では古典的分類となっているが，これらの反応様式は生体にとって有益な正常の免疫反応の様式でもあり，免疫反応の基本型を理解するためにも有用である.

1.　I 型アレルギー

肥満細胞表面の高親和性 IgE レセプター（FcεRI）に IgE が結合し，さらに特異抗原（**アレルゲン allergen**）が結合することにより，IgE が架橋され，cAMP をメディエーターとする FcεRI からのシグナルが肥満細胞を活性化し，ヒスタミン，セロトニンなどが放出される．局所では Th2 優位となって好酸球の動員と活性化をもたらし，組織傷害が起こりうる．アレルギー性鼻炎，喘息，じんま疹，アナフィラキシーがこの I 型アレルギーの代表的疾患である.

2.　II 型アレルギー

細胞表面の抗原に対して IgG 抗体が結合し，引き続くオプソニン化，補体の活性化，**抗体依存性細胞性細胞傷害**（antibody-dependent cell-mediated cytotoxicity；ADCC）などにより細胞が傷害される．皮膚疾患では，薬剤アレルギー，天疱瘡，類天疱瘡の病態にⅡ型アレルギーが関わっている．

3. Ⅲ型アレルギー

可溶性抗原に対し抗体が産生され，抗原抗体反応による免疫複合体が血管や組織に沈着することによって起こる．沈着した免疫複合体にさらに補体が沈着，レセプター（FcgR）を持つ白血球（多核白血球，マクロファージ）や肥満細胞が浸潤して，炎症を惹起し血管や組織を傷害する．Ⅲ型アレルギーを主な発症機序として，アナフィラクトイド紫斑病，血管炎などが生じる．

4. Ⅳ型アレルギー

遅延型過敏反応（delayed-type hypersensitivity；DTH）とも呼び，抗原特異的T細胞をエフェクターとする細胞性免疫反応である．感作と活性化の二段階がある．まず，侵入した抗原は，皮膚樹状細胞によって補足され，プロセッシングを受け，所属リンパ節においてMHCクラスⅠまたはクラスⅡによりそれぞれCD8陽性T細胞またはCD4陽性T細胞に提示され，T細胞が活性化され，メモリーT細胞が生成される（感作）．

再び同じ抗原が侵入すると，樹状細胞が皮膚に存在するメモリーT細胞に抗原を提示し，T細胞の増殖と活性化，炎症性サイトカイン分泌が起こり，48時間後をピークとする炎症が惹起される（活性化）．主なエフェクターT細胞はTh1細胞およびCD8陽性細胞傷害性T細胞である．ツベルクリン反応は代表的なDTHの例であり，皮膚疾患では，アレルギー性接触皮膚炎，移植片対宿主病（GVHD）などがある．

第4章 発疹学

皮膚の病変を発疹（exanthema, eruption）と総称する．皮膚疾患の診断には病歴や各種の検査所見とともにそこに存在する発疹が何であるか，視診，触診によってその病態を把握することが最も重要である．発疹の認識，すなわち，発疹学（exanthematology）は臨床皮膚科学の基本であり，具体的に十分理解しておく必要がある．発疹は**原発疹**（primary lesion）と原発疹が変化して生じる**続発疹**（secondary lesion）とに分けられる．なお，粘膜の発疹を粘膜疹（enanthema）と呼ぶ．

1 原発疹 ◎

一次性に初発する発疹（図4-1）．

1. 斑 macule, macula

皮膚の色調変化を主体とする限局性病変で，原則として立体的変化を伴わない．

1）紅斑 erythema（図4-2，3）

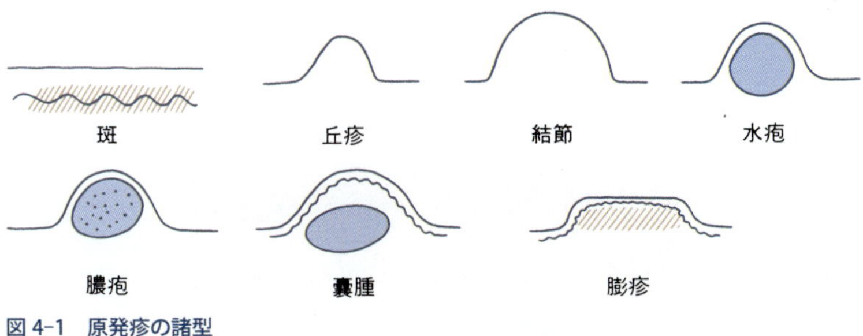

図4-1 原発疹の諸型

真皮乳頭層の血管拡張・充血による皮膚の潮紅．硝子圧（diascopy）により褪色する点で紫斑・色素斑と区別できる．血管は炎症・感染・温熱などで拡張し，受動的充血（うっ血 stasis, Stauung）が長く続くとチアノーゼ（cyanosis）を呈する．爪甲大までの紅斑をばら疹（roseola），丘疹・水疱・膿疱などの周囲の紅斑を紅暈（red halo）という．線状・枝状を呈する毛細血管の拡張を毛細血管拡張症（telangiectasia）（図 4-4）と称する．浮腫性紅斑・滲出性紅斑のように多少隆起する紅斑もあり，このような発疹を局面（plaque）と称することがある．

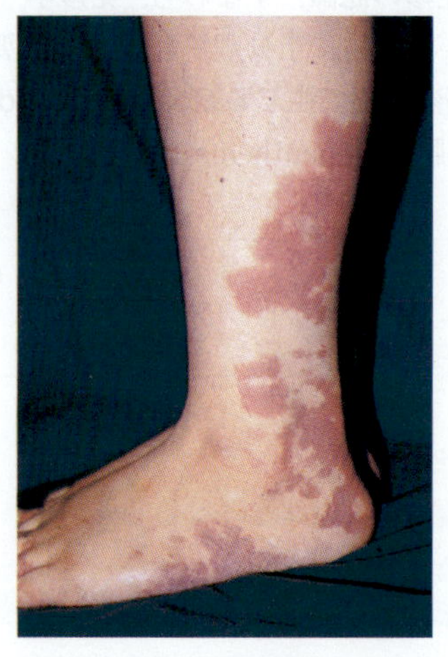

図 4-2　紅斑（単純性管腫）

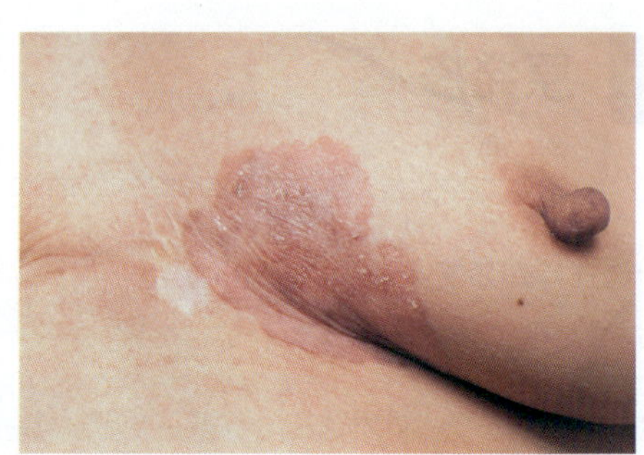

図 4-3　紅斑

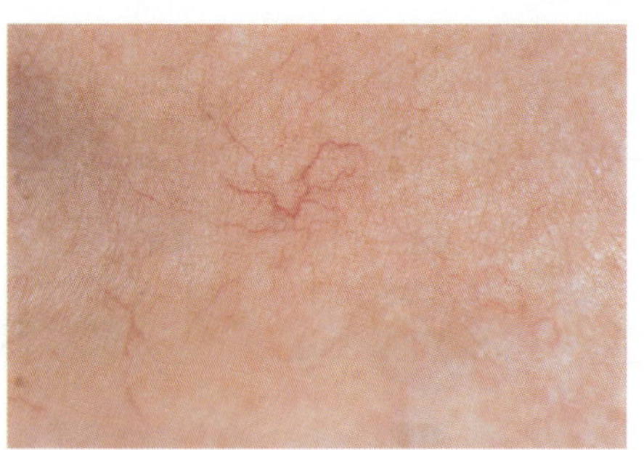

図 4-4　毛細血管拡張

2）紫斑 purpura（図 4-5）

皮内出血のため紫紅色を呈する斑で，硝子圧で褪色しない．小さいと点状出血（petechia），皮下組織にも出血して大きくなったものは斑状出血（ecchymosis）という．大量出血で血液の貯留するものを血腫（hematoma）という．

3）白斑 leukoderma（図 4-6）

メラニン色素の脱失による白色の斑．時に局所性貧血による．ある発疹の周囲を取り巻く白斑を白暈（halo）といい，色素脱失であればサットン現象（図 4-7）（☞ p.537）と呼ぶ．貧血は先天異常（貧血性母斑）・血管痙縮（死指）・寒冷・感情などによって起こる．角化異常（単純性粃糠疹・癜風など）が白斑のようにみえることがある．

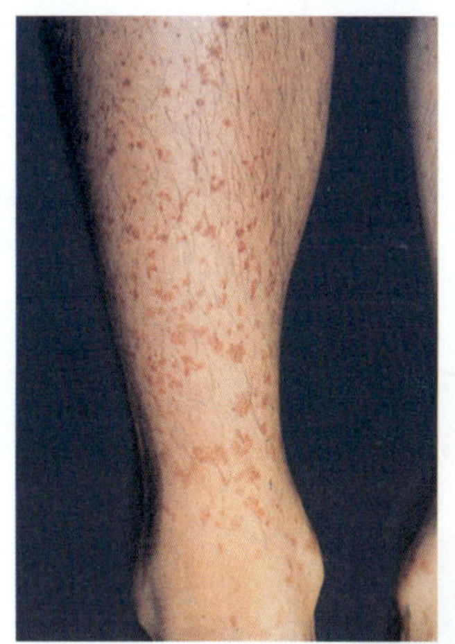

図 4-5　紫斑（アナフィラクトイド紫斑）

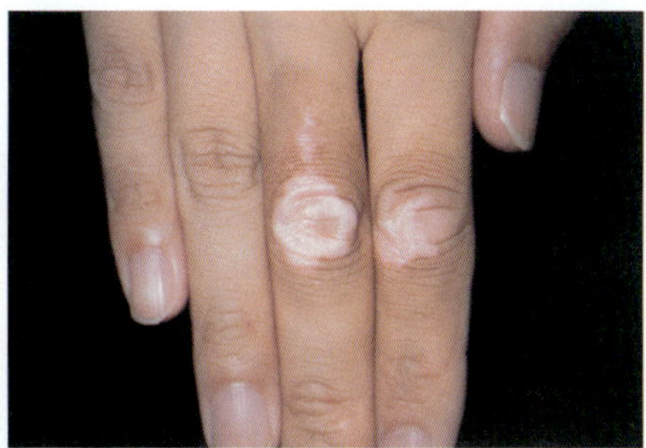

図 4-6　白斑（尋常性白斑）

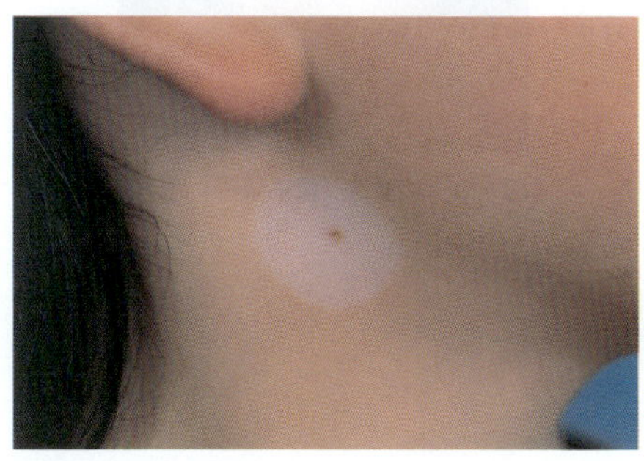

図 4-7　サットン現象（サットン母斑）

4）色素斑 pigmented spot（図 4-8，9）

皮膚色が濃くなって褐・黒褐・紫灰色などを呈する．大部分がメラニン色素によるが，ヘモジデリン・カロチン・胆汁のような体内性色素，また異物性色素（蒼鉛・金・銀，墨・朱・爆粉による刺青）の沈着によっても起こる．メラニン色素はその沈着部位，沈着量によって色調が異なってみえる．

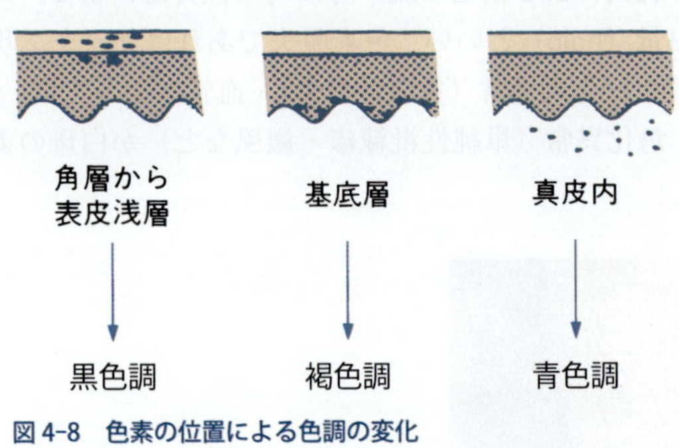

図 4-8　色素の位置による色調の変化

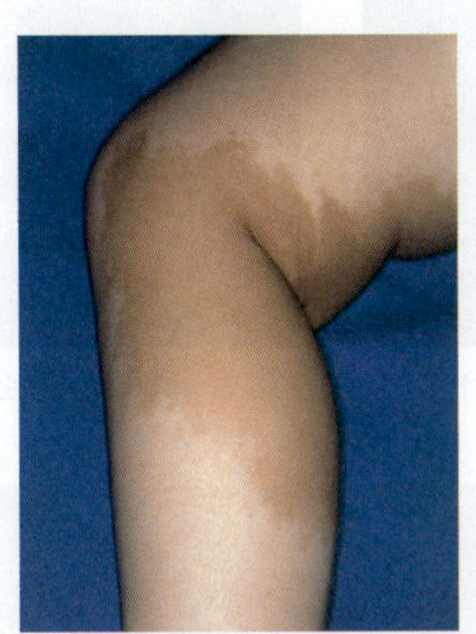

図 4-9　色素斑（扁平母斑）

2. 丘疹 papule，papula（図 4-10〜12）

帽針頭大・米粒大からせいぜい豌豆大までの（$\phi < 5$ mm），皮膚面から半球状〜円錐状〜扁平な限局性の隆起で，円〜楕円〜多角形をとる．部位により下記の3種に分ける．

1）表皮性丘疹 epidermal papule

表皮特に角層の肥厚による．尋常性疣贅，脂漏性角化症など．

2）表皮真皮性丘疹 epidermal-dermal papule

表皮肥厚と真皮の炎症などによる肥厚に由来する．湿疹，扁平苔癬など．

3）真皮性丘疹 dermal papule

真皮の細胞浸潤・肉芽腫・増殖による．黄色腫，線維腫，丘疹性梅毒疹など．

また，丘疹の性状により，頂点に小水疱を有する漿液性丘疹（serous papule），充実性丘疹（solid papule），一部が壊死する壊死性丘疹（necrotic papule），毛孔に一致する毛孔性丘疹（follicular papule）などに分けることもできる．

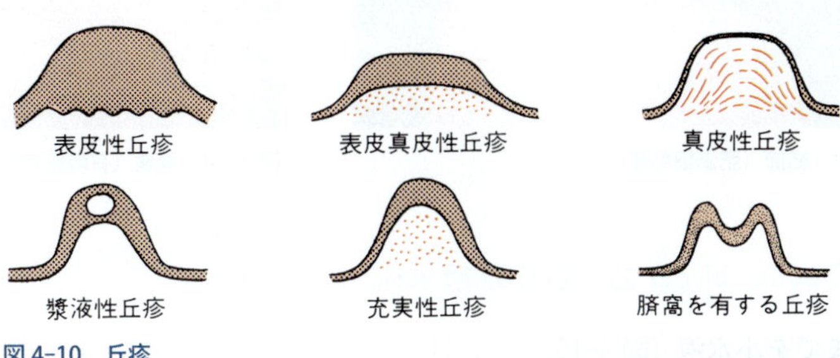

図 4-10 丘疹

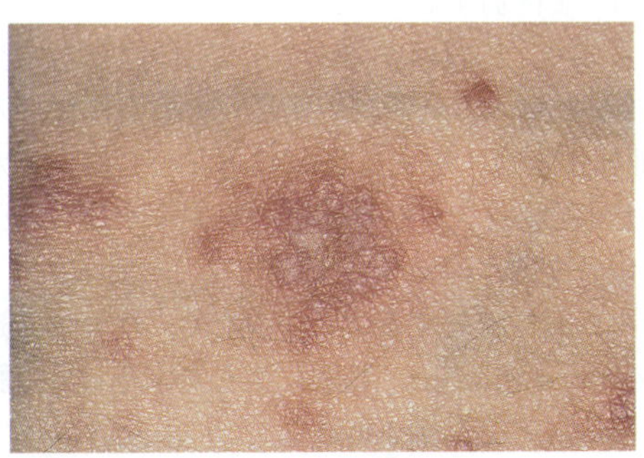

図 4-11 丘疹（多発する紅色丘疹と漿液性丘疹，湿疹）

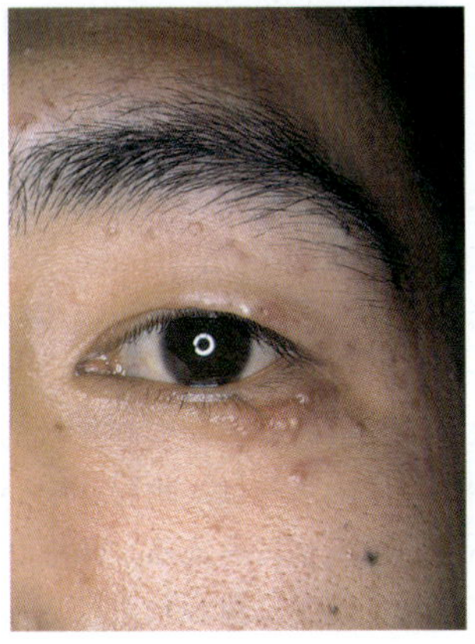

図 4-12 丘疹（汗管腫）

3. 結節 nodule, tuberculum, nodus, Knoten（図 4–13）

丘疹（豌豆大まで）より大きい限局性隆起を**結節**といい，うち小さくて丘疹との移行に近いものを小結節（nodulus, Knochen），はるかに大きく増殖傾向の強いものを**腫瘤**（tumor）（図 4–14）と呼ぶ．多くの腫瘍性病変や肉芽腫などがこの発疹型を示す．

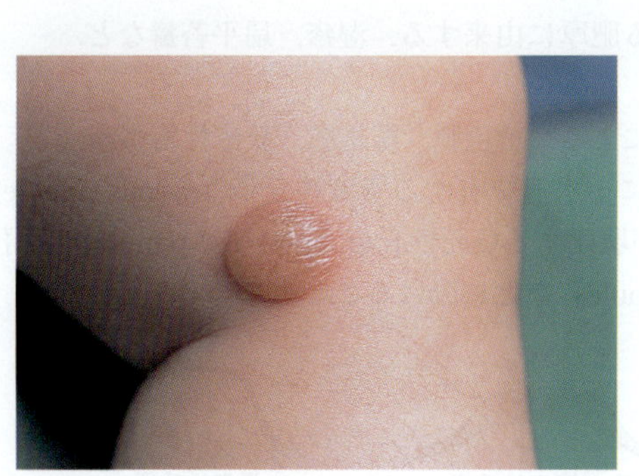

図 4–13　結節（肥満細胞腫）

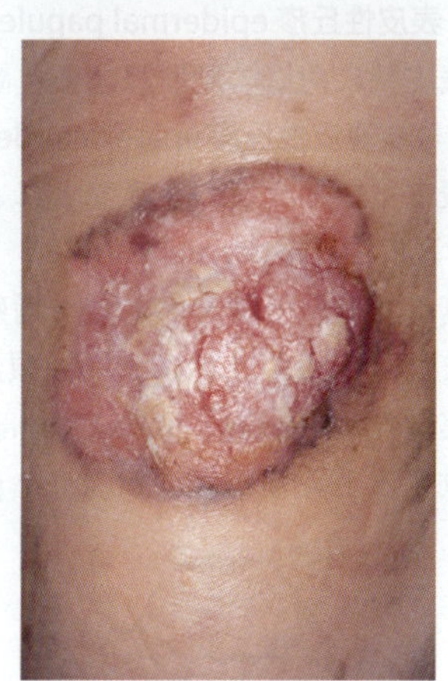

図 4–14　腫瘤（有棘細胞癌）

4. 水疱 bulla, blister および小水疱 vesicle, vesicular

米粒大までを小水疱（図 4–15），それ以上を水疱（図 4–16）という．部位により，

1）角層下水疱 subcorneal bulla

2）表皮内水疱 intraepidermal bulla

3）表皮下水疱 subepidermal bulla　を区別する．

水疱は疱膜，基底および内容とから成り，内容は血清，フィブリン，細胞成分，時に血液（血疱 hemorrhagic bulla）などである．疱膜が緊張して膨らんでいるのを緊満性水疱，たるんでいるのを弛緩性水疱，中央に臍窩のあるのを痘瘡様水疱（varioliform）という．緊満性水疱は類天疱瘡など疱膜が厚い表皮下水疱に，弛緩性水疱は天疱瘡など疱膜の比較的薄い表皮内水疱に多い（図 4–17）．

手掌足底の水疱は，角層が厚いため表面に隆起することが少なく，皮面内に透明で小さい水滴状にみえる（汗疱状 pompholyciform）．粘膜に生じた水疱は，疱膜がすぐ破れて痂皮に覆われたびらんとなる（**アフタ aphtha**）．

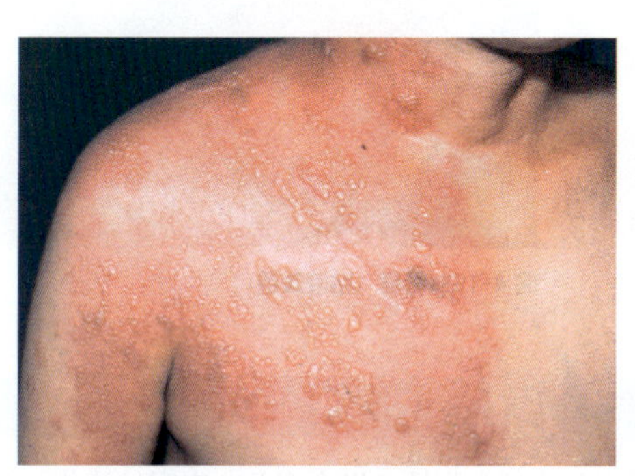

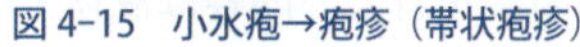

図 4-15 小水疱→疱疹（帯状疱疹）

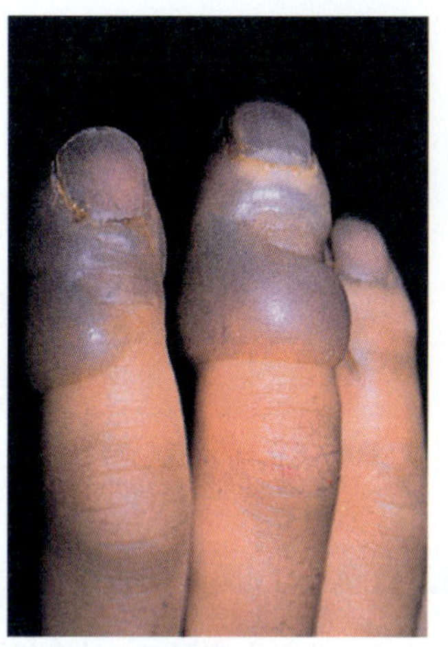

図 4-16 水疱（凍傷）

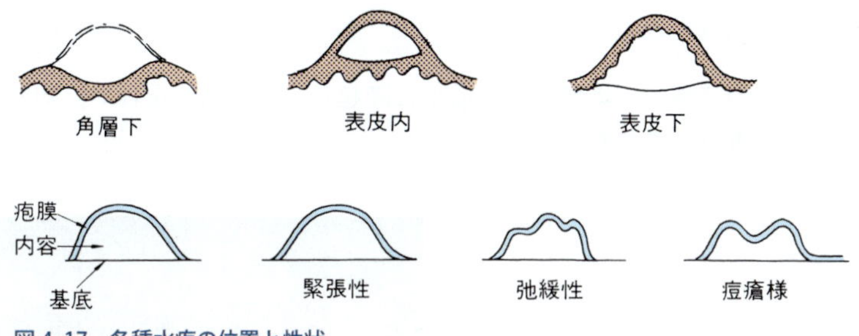

図 4-17 各種水疱の位置と性状

5. 膿疱 pustule, pustula（図 4-18）

水疱の内容が膿性のものをいう．細菌感染による細菌性膿疱と局所の chemotaxis 作用により白血球が遊走した無菌性膿疱（aseptic/sterile pustule）（膿疱性乾癬，好酸球性膿疱性毛嚢炎など）とがある．両者を区別することが膿疱を呈する疾患の診断に重要．

水疱・膿疱が破れると，疱膜は鱗屑に，内容は痂皮に，基底はびらん化する（☞ p.93 続発疹）．

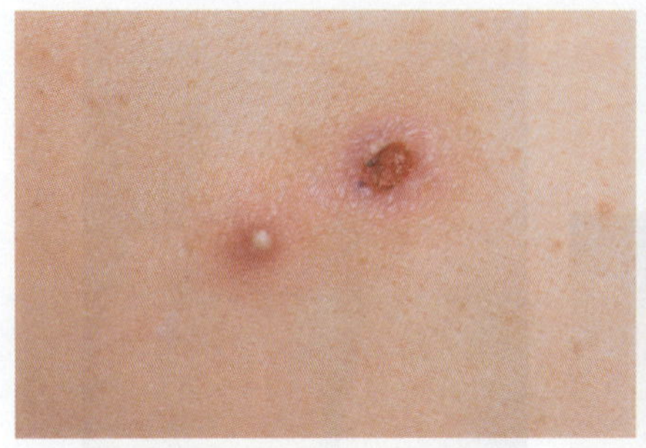
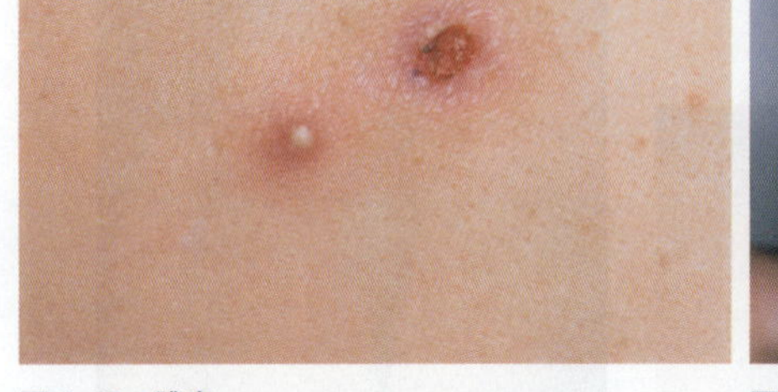

図 4-18　膿疱

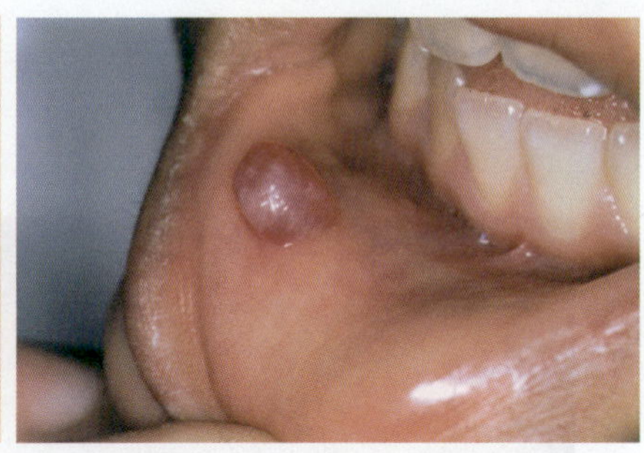

図 4-19　嚢腫（粘液嚢種）

6. 嚢腫 cyst（図 4-19）

真皮内に生じた空洞で，結合組織もしくは上皮性の壁を有し，内容は液体・細胞成分・脂肪など．表皮嚢腫（epidermal cyst）が代表的．

7. 膨疹 wheal，urtica（図 4-20，21）

皮膚の限局性の浮腫で，境界明瞭，扁平に隆起し，多く瘙痒を伴い，短時間で消褪する．じんま疹の発疹である．

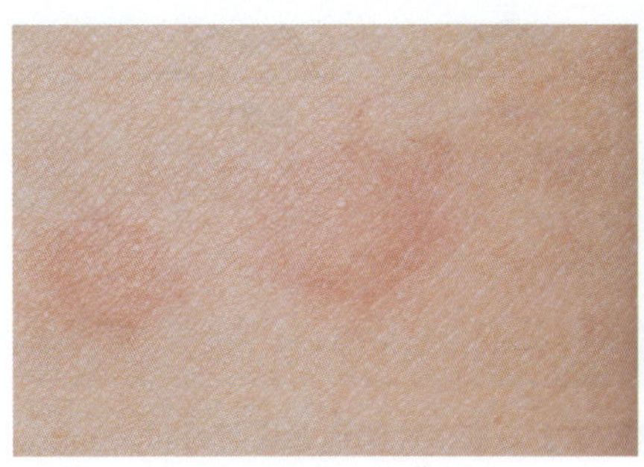

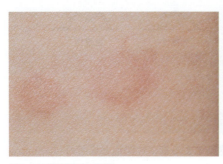

図 4-20　膨疹（じんま疹）

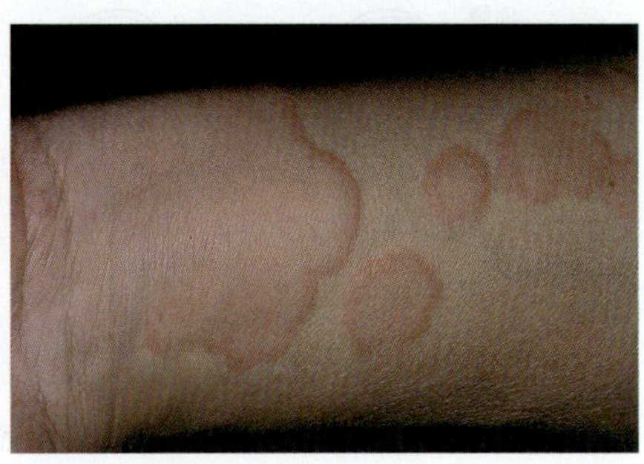

図 4-21　膨疹（じんま疹）

2 続発疹 ◎

原発疹または他の続発疹に引き続いて生じる.

1. 表皮剝離 excoriation

搔破・外傷などにより，表皮の小欠損をきたしたもの．深いと漿液・血液が分泌される.

2. びらん（糜爛）erosion（図 4-22）

表皮の剝離欠損が基底層まででとどまったもの．小水疱・水疱・膿疱などに続発し，多くは紅色調を呈し漿液により湿潤する．あとに瘢痕を残さない.

3. 潰瘍 ulcer，ulcus（図 4-23）

表皮から真皮に及ぶ欠損で，底面に出血・漿液滲出・膿があり，しばしば膿苔，痂皮を被る．肉芽組織を生じ，瘢痕をもって治癒する.

4. 膿瘍 abscess

真皮または皮下に膿（pus，Eiter）の貯留したもの．波動を触れる.

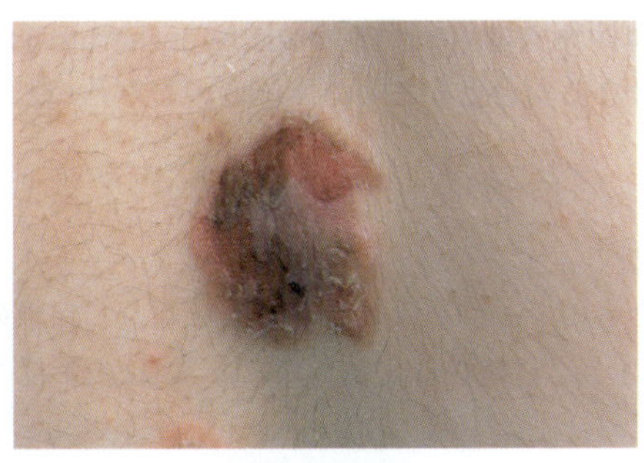

図 4-22　びらん（尋常性天疱瘡）

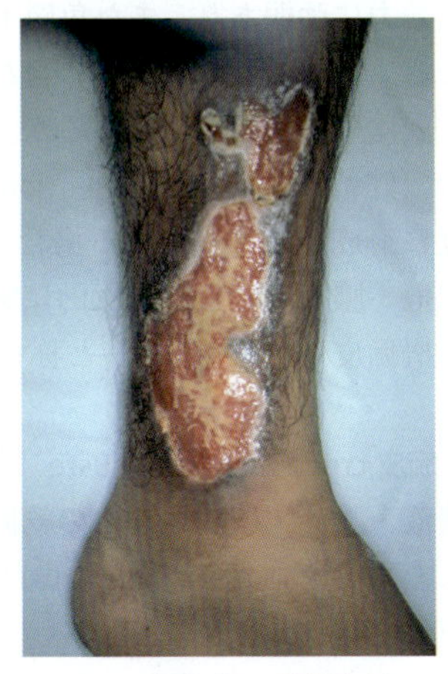

図 4-23　潰瘍（うっ滞性潰瘍）

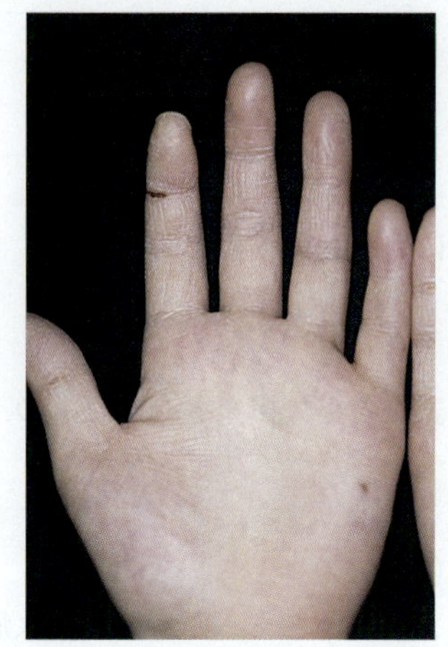

図 4-24　亀裂と鱗屑（アトピー性皮膚炎）

5．亀裂 fissure（図 4-24）

表皮深層ないし真皮に達する細く深い線状の切れ目．「ひびわれ」．

6．鱗屑 scale，squama

角層が集積して厚くなったもの．脱落する現象を落屑（desquamation）という．細かく小さいものを粃糠様（pityriatic），順次小葉状，大葉状といい，薄板状のものを剝脱性（exfoliative），雲母状のものを乾癬様（psoriatic），鱗を並べたようなものを魚鱗癬状鱗屑（ichthyotic scale）という．

固着力に強弱あり，また角層下水疱・膿疱の破れた後は飾り襟状（necklace-like）となる．乾燥して空気を多く含むものは白色を，脂肪分の多いものは黄色を呈する．

①表皮の増殖は正常であるが，角層の固着力が強くて正常に脱落せず厚くたまる場合（貯留性角質増殖 retention hyperkeratosis）と，②表皮増殖が盛んで角層が過度に形成されて脱落する場合（増殖性角質増殖 proliferation hyperkeratosis）と，③水疱・膿疱の疱膜が二次的に鱗屑となる場合とがある．滲出液のしみ込んだ鱗屑を鱗屑痂皮（scale crust）と称する．

7．痂皮 crust，crusta，Kruste（図 4-25）

漿液・膿汁・壊死塊などの乾固したもので，びらん・潰瘍などを覆う．血液の乾固したものを血痂（blood crust）という．いわゆる「かさぶた」．痂皮の形成される現象を結痂（scall）と呼ぶ．

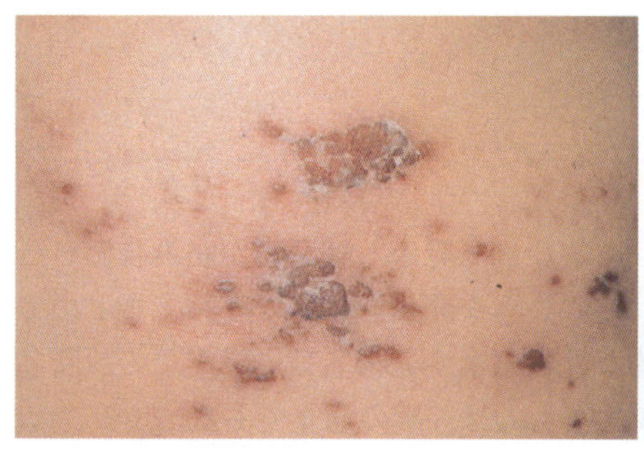
図 4-25 痂皮（帯状疱疹）

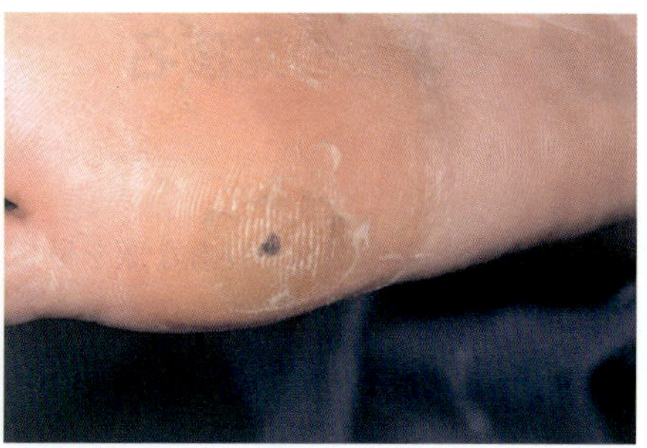
図 4-26 胼胝（中央に出血を伴う）

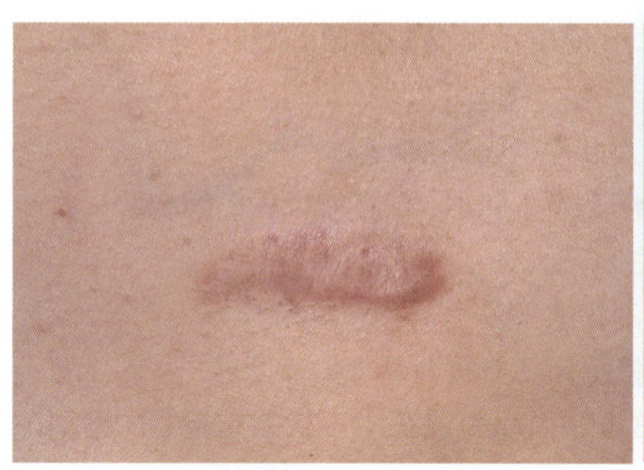
図 4-27 瘢痕（肥厚性瘢痕）

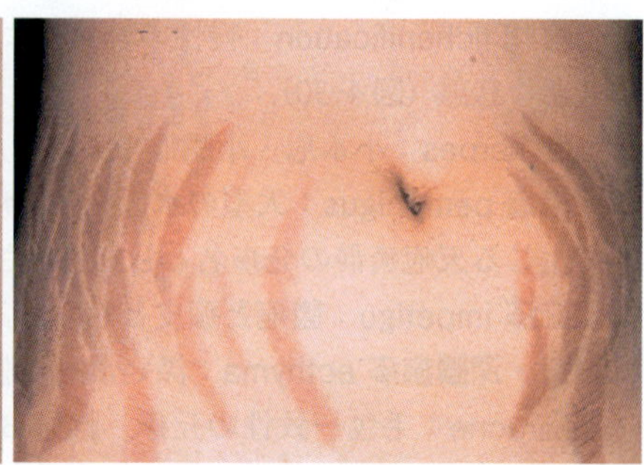
図 4-28 萎縮（線条皮膚萎縮）

8．胼胝（べんち） tylosis，callus（図 4-26）

持続性の圧迫・摩擦による表皮角層の限局性の増殖肥厚.「タコ」.

9．瘢痕 scar，cicatrix，Narbe（図 4-27）

潰瘍・膿瘍・創傷治癒後，組織欠損を埋めた肉芽組織と，これを覆う薄い表皮により形成された局面．表面に皮野形成がなく，付属器を欠き，平滑光沢あり，また色素脱失ないし沈着を示す.

隆起するもの（肥厚性瘢痕 hypertrophic scar）と，萎縮性に皮高を保つか，少し陥凹するもの（萎縮性瘢痕 atrophic scar）とがある.

10．萎縮 atrophy，atrophia（図 4-28）

皮膚組織の退行変性のため，皮膚全体が菲薄化し，表面が平滑またはしわ状となった状態.

3 その他の発疹名

原発疹・続発疹がある特有な像を呈し，あるいは原発疹・続発疹が組み合わさって一定の皮膚病変を形成することがある．このような発疹を一つの呼称でまとめておくと表現が簡単かつ便利である．特徴的な性状を示す発疹名は皮膚疾患の診断名としても，しばしば使用される．その代表的なものは，次の通りである．

①**苔癬 lichen**：ほぼ同じ大きさの小丘疹が多数集簇または散在し，長くその状態を持続し，他の皮疹に変じないもの（図 4-29）．

②**苔癬化 lichenification**：慢性の経過により皮膚が浸潤して硬く触れ，皮野形成の著明な状態（図 4-30）．

③**疱疹 herpes**：小水疱・小膿疱の集簇した状態（図 4-15）．

④**天疱瘡 pemphigus**：大型の水疱を一次疹とする状態．現在では表皮棘融解によって生じる天疱瘡群の発疹名として使用される．

⑤**膿痂疹 impetigo**：膿疱と痂皮とから成る状態（図 4-31）．

⑥**膿瘡・深膿痂疹 ecthyma**：深い潰瘍が膿や痂皮で覆われている状態．

⑦**痤瘡 acne**：毛包一致性の丘疹，膿疱および面皰の混在する状態を指し，脂漏部位に好発する（図 4-32）．

⑧**面皰**（めんぽう）**comedo**：痤瘡において皮脂が毛包を栓塞した状態．皮脂先端が酸化し，または塵埃が付着して，小さい黒点を呈することが多い（図 4-33）．

⑨**毛瘡 sycosis**：硬毛部に毛包一致性膿疱が多発した局面を作るもの（図 4-34）．

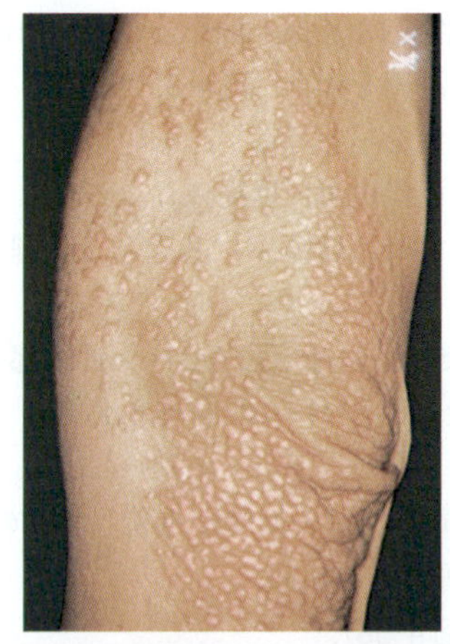

図 4-29　苔癬（アミロイド苔癬）

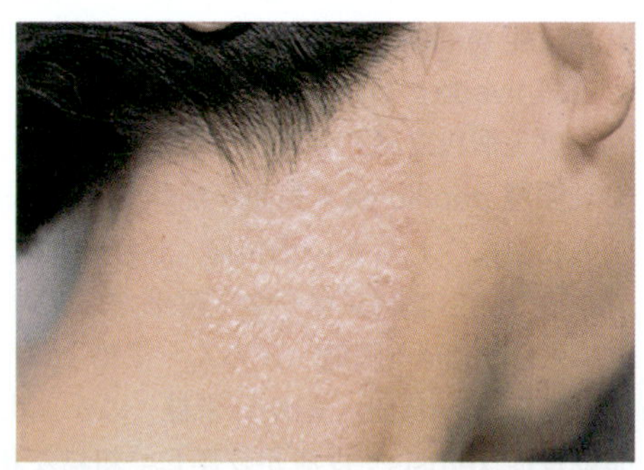

図 4-30　苔癬化（ビダール苔癬）

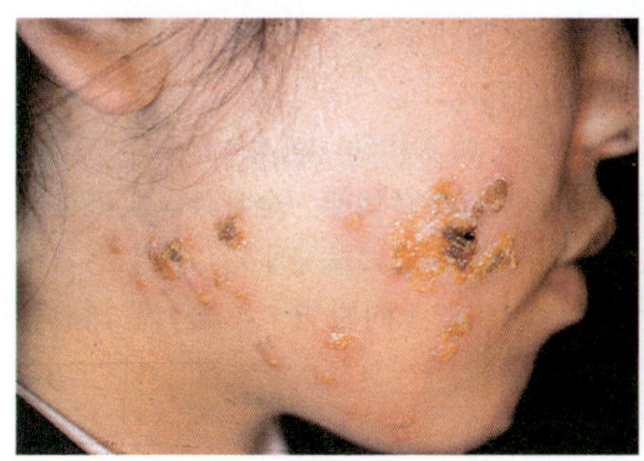

図 4-31　膿痂疹（伝染性膿痂疹）

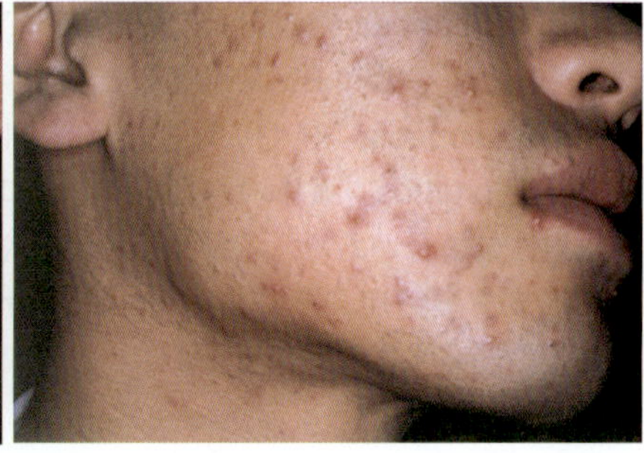

図 4-32　痤瘡（尋常性痤瘡）

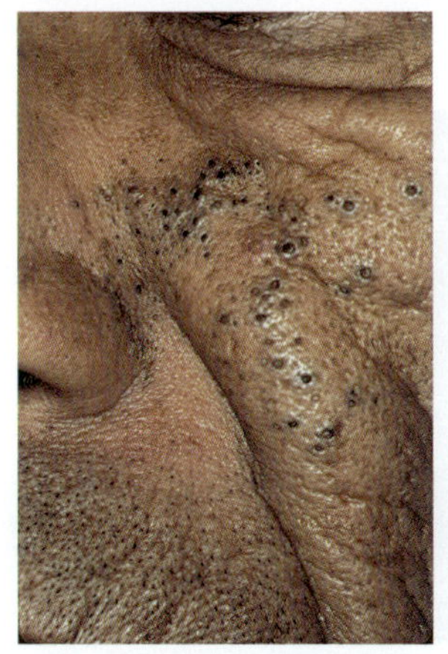

図 4-33　面皰（老人性面皰）

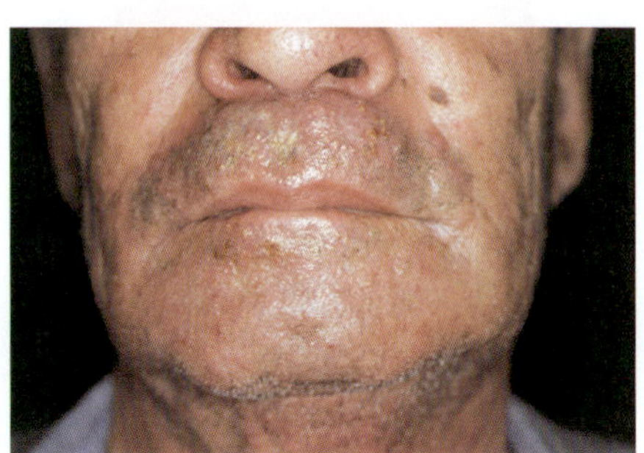

図 4-34　毛瘡

⑩**紅皮症 erythroderma, erythrodermia**（＝剝脱性紅皮症 exfoliative dermatitis）：全身の潮紅を持続するもので，しばしば落屑と浸潤を伴う（図4-35）．湿疹，薬疹，乾癬，天疱瘡，リンパ腫など様々の疾患が紅皮症を呈しうる．

⑪**黒皮症 melanosis**：比較的広く，境界不明瞭な色素沈着（黒褐色）．

⑫**皮斑 livedo**：網状・樹枝状の紅斑（図4-36）．末梢循環障害に基因し，大理石様皮膚・網状皮斑・分枝状皮斑がある．

⑬**乳頭腫 papilloma**：表面が疣状を呈する丘疹ないし結節（図4-37）．外陰部などの粘膜にやわらかい小結節，丘疹が集簇するとコンジローマ（condyloma）と称する（尖圭コンジローマ・扁平コンジローマ）．

⑭**蠣殻疹**（かきがらしん）**rupia**：膿疱・びらん・潰瘍上に，厚く同心円状の痂皮が重積したもの．

⑮**粃糠疹**（ひこうしん）**pityriasis**：細かい米糠（ぬか）状の落屑のある状態．

⑯**乾皮症 xerosis**：皮膚が乾燥して粗糙な状態（図4-38）．

⑰**乾癬 psoriasis**：雲母状銀白色の鱗屑が固着した局面（図4-39）．

⑱**脂漏 seborrhoea**：皮脂分泌が亢進して，皮表に脂肪を帯びている状態．皮脂腺の発達している顔面，前胸部などを脂漏部位と呼ぶ．

⑲**脱毛症 alopecia**：発毛が疎または完全に欠如している状態（図4-40, 41）．

⑳**瘙痒症 pruritus**：瘙痒のみがあり，他に皮疹を伴わない状態．全身性・広汎性と限局性の場合がある．各種全身性疾患や泌尿生殖器疾患に続発することもある．

㉑**多形皮膚萎縮症，多彩皮膚 poikiloderma**：色素沈着・同脱失・萎縮・毛細血管拡張の混在する状態（図4-42）．

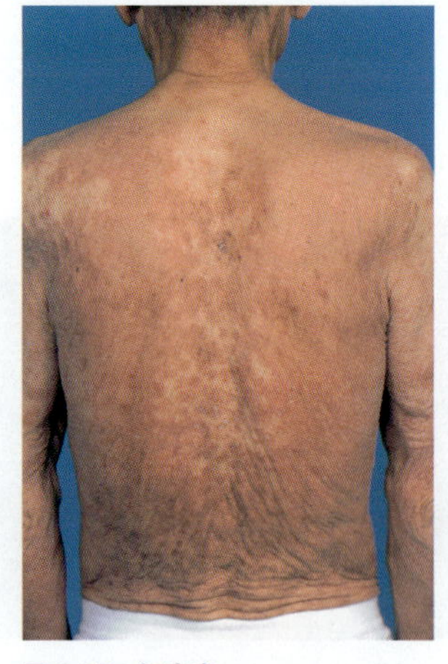

図4-35　紅皮症

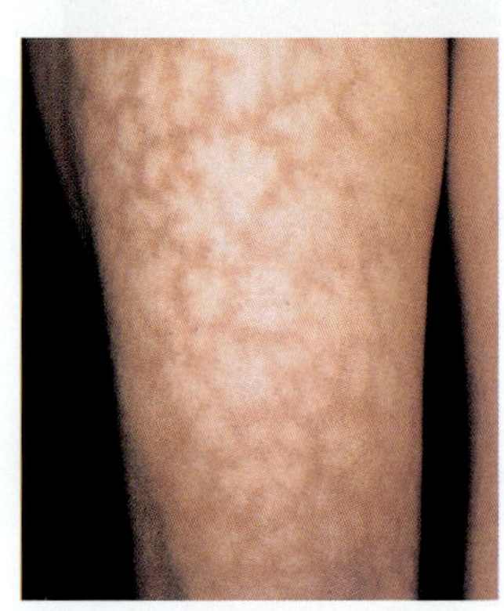

図4-36　分枝状皮斑

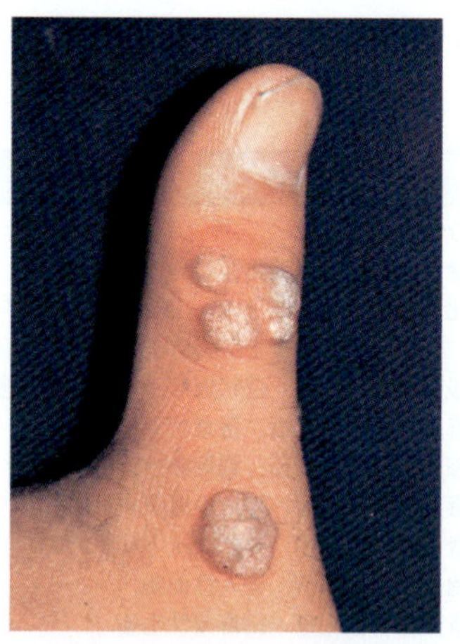
図 4-37　乳頭腫（尋常性疣贅）

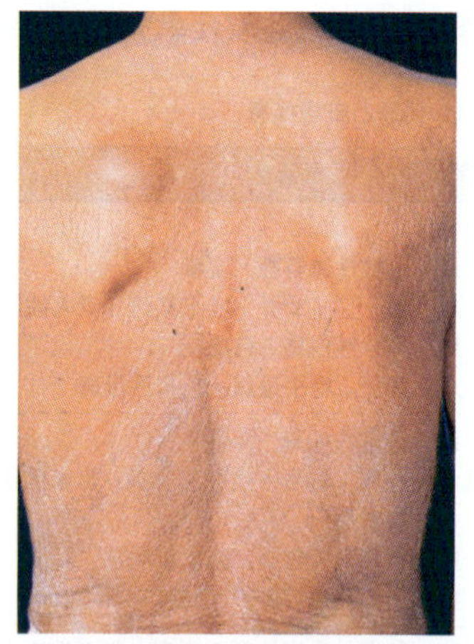
図 4-38　乾皮症（老人性乾皮症）

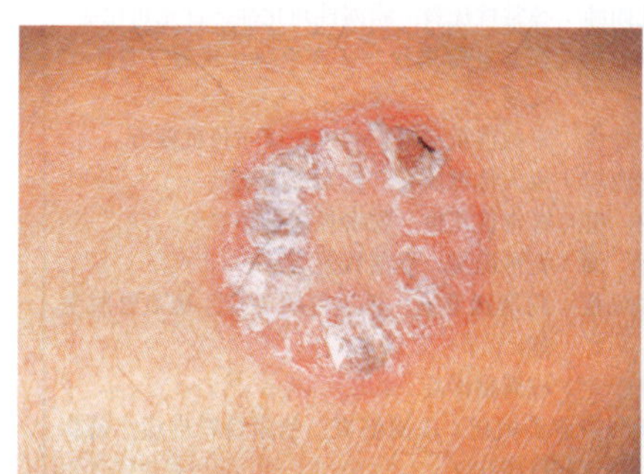
図 4-39　乾癬（尋常性乾癬）

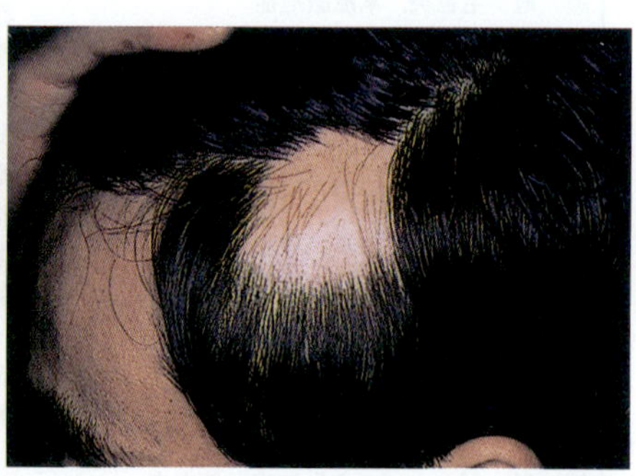
図 4-40　脱毛（円形脱毛症）

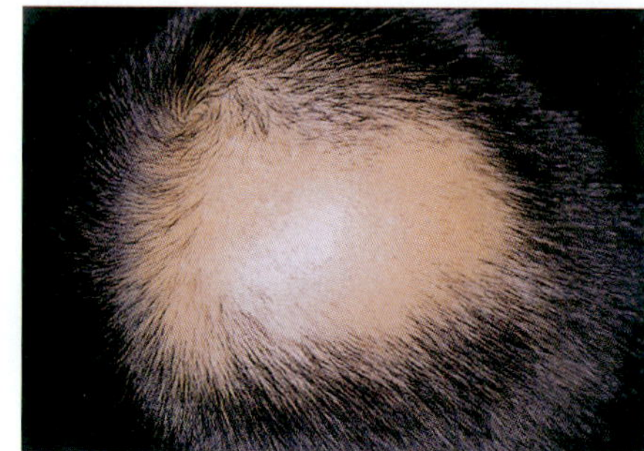
図 4-41　脱毛（抜毛狂）

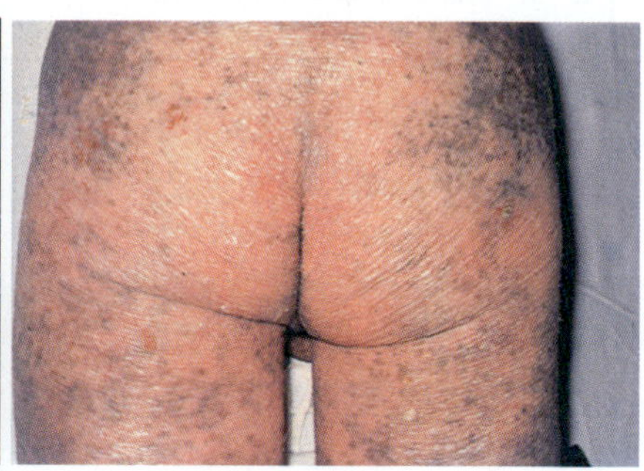
図 4-42　多彩皮膚（菌状息肉症）

発疹に対応する主要疾患を 2，3 挙げて対比してみる（表 4-1）．

表 4-1　発疹と皮膚疾患

発疹	疾患名
(1)原発疹	
紅　斑	単純性血管腫，湿疹
紫　斑	アナフィラクトイド紫斑，老人性紫斑
白　斑	尋常性白斑，白皮症
色素斑	肝斑，扁平母斑，色素性母斑
丘　疹	尋常性疣贅，汗管腫
漿液性丘疹	湿疹，接触皮膚炎，自家感作性皮膚炎
結　節	結節性黄色腫，基底細胞癌
腫　瘤	海綿状血管腫，脂肪腫
水　疱	熱傷，水疱性類天疱瘡，先天性表皮水疱症
小水疱	帯状疱疹，カポジ水痘様発疹症
膿　疱	毛包炎，掌蹠膿疱症
嚢　腫	粉瘤（表皮嚢腫），粘液嚢腫
膨　疹	じんま疹
(2)続発疹	
表皮剥離	掻破痕，湿疹
びらん	熱傷，天疱瘡，表皮水疱症，伝染性膿痂疹
潰　瘍	熱傷，血管炎，血行障害，有棘細胞癌・基底細胞癌などの悪性腫瘍
膿　瘍	蜂窩織炎（蜂巣炎），皮膚放線菌症
亀　裂	進行性指掌角皮症，口角炎，凍瘡
鱗　屑	ジベルばら色粃糠疹，紅皮症
痂　皮	湿疹，膿痂疹
胼　胝	鶏眼，胼胝腫
瘢　痕	熱傷瘢痕，瘢痕化扁平上皮腫
萎　縮	線条皮膚萎縮，老人皮膚
(3)その他の発疹	
苔　癬	扁平苔癬，毛孔性苔癬
苔癬化	慢性湿疹，アトピー性皮膚炎，ビダール苔癬，アミロイド苔癬
疱　疹	単純性疱疹，帯状疱疹，疱疹状膿痂疹
天疱瘡	尋常性天疱瘡，落葉状天疱瘡
膿痂疹	伝染性膿痂疹，膿痂疹性湿疹
膿　瘡	尋常性膿瘡，壊疽性悪液質性膿瘡
痤　瘡	尋常性痤瘡，ステロイド痤瘡
面　皰	尋常性痤瘡，老人性面皰
毛　瘡	尋常性毛瘡，白癬菌性毛瘡
紅皮症	湿疹，薬疹，乾癬，菌状息肉症
黒皮症	リール黒皮症，摩擦黒皮症
皮　斑	大理石様皮膚，網状皮斑
乳頭腫	尋常性疣贅，脂漏性角化症，日光角化症
蠣殻疹	梅毒性蠣殻疹，ノルウェー疥癬，ライター病
粃糠疹	単純性粃糠疹，ジベルばら色粃糠疹
乾皮症	老人性乾皮症，色素性乾皮症
乾　癬	尋常性乾癬，乾癬性梅毒疹
脂　漏	乾性脂漏，脂漏性湿疹
脱毛症	円形脱毛症，汎発性脱毛症，瘢痕性脱毛症
瘙痒症	皮膚瘙痒症
多形皮膚萎縮症	皮膚筋炎，色素性乾皮症，菌状息肉症

第 5 章　皮膚の診断学

視診と触診が皮膚疾患の診断の第一歩であり，医療面接（患者情報，主訴，現病歴，既往歴，家族歴），身体診察，検査などの結果を併せて診断する．

1　医療面接 medical interview

患者情報（氏名，性，年齢，職業など），主訴，現病歴（発症時期，経過，治療歴など），家族歴（遺伝性，伝染性の有無），既往歴，生活習慣など医療面接を通して得られる情報は極めて大きい．注意深く丁寧なコミュニケーションにより信頼関係を構築できれば，患者の生活背景や心理状態などを把握でき，診断や治療などの対応に有用である．

2　視診および触診 inspection & palpation

診断には皮疹の正確な把握がまず必要である．全身皮膚とともに爪・毛・皮膚粘膜移行部・表在リンパ節にも注意する．視診は自然光下が望ましい．

1．発疹の種類（→第 4 章参照）

いかなる発疹から成り立っているか．単調か多様か．

2．数

単発（solitary），多発（multiple）．

3．形（図 5-1）

円形（round），楕円形（oval），多角形（polygonal），不正形，地図状（geographic），線状（linear），環状（annular），星状（asteroidal），帯状（band-like），蛇行状（serpiginous），花環状（gyrate）．

4．大きさ（図 5-2）

数値での表現が望ましい．隆起しているものは，縦×横×高さを記載する．慣用的に次のような表現も使われる．

帽針頭大（虫ピンの頭の大きさ，1 mm ほど），粟粒大（2 mm まで），半米粒大（2〜3 mm），米粒大（3 × 5 mm），小豆大（アズキの大きさ，4 × 7 mm），豌豆大（エンドウ豆の大きさ），爪甲大，指頭大（小指頭大〜母指頭大：それぞれの末節の大きさ），雀卵大，鳩卵大，胡桃大（クルミの実の大きさ），鶏卵大，鵞卵大（ガチョウの卵の大きさ），手拳大（握りこぶし大，10 cm 前後），児頭大（15 cm 前後）．

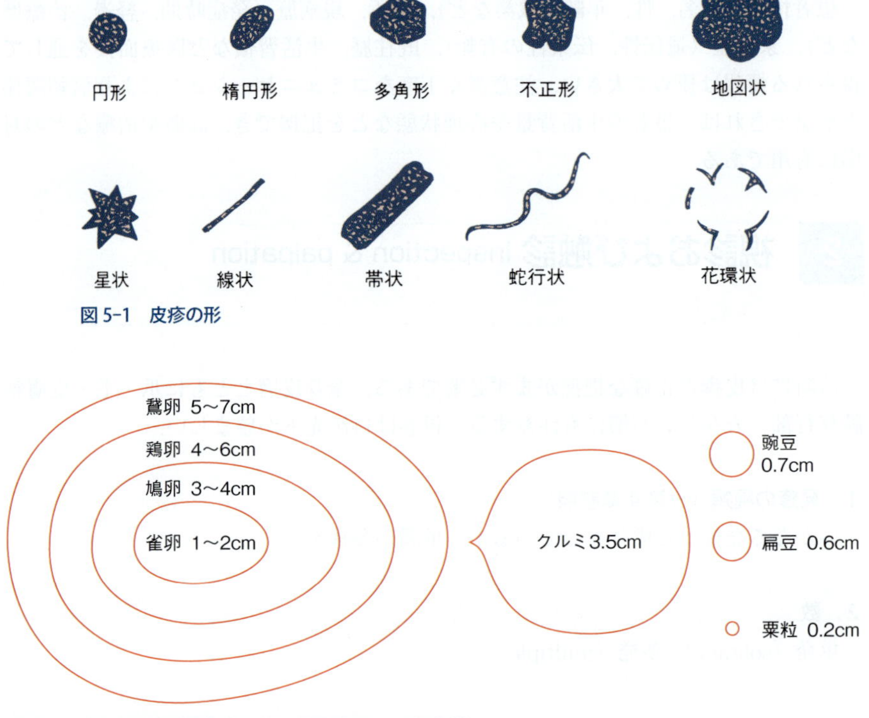

図 5-1　皮疹の形

図 5-2　大きさの例（実物大）（調　来助原図，一部改変）

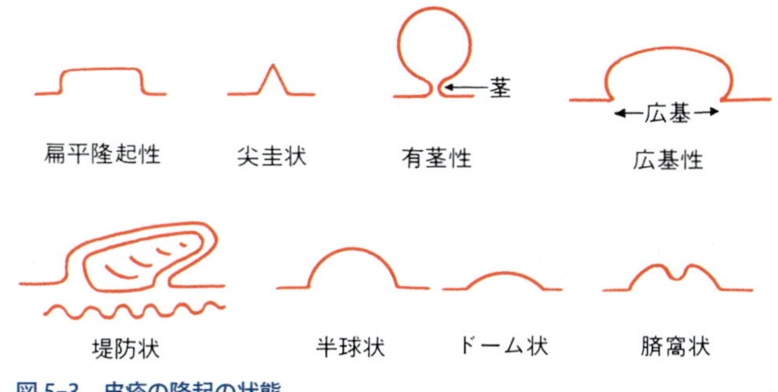

図 5-3　皮疹の隆起の状態

5．隆起の状態（図 5-3）

扁平隆起性，ドーム状，半球状，尖圭状，有茎性，広基性，堤防状，臍窩状.

6．表面の状態

平滑，粗糙，疣状，乳頭状，凹凸の，顆粒状，苔癬化，粒起革様，臍窩の有無，乾性，湿性，滲出性，易出血性，落屑性（粃糠様，小葉状，大葉状，薄葉状，乾癬様，魚鱗癬様；固着性，剝離性，襟飾り状など），結痂性，びらん性，潰瘍化，亀裂性，萎縮性，光沢性，壊死性.

7．色調

紅色，褐色，灰色など各色のほか，色素脱失性，色素沈着性，蒼白，貧血性，充血性，紫藍色うっ血性.

8．硬度

軟，硬（弾性硬，軟骨硬，骨硬），脆い，緊張性，弾性，波動性，可動性（被覆皮膚に対して，周囲組織や下床に対して）.

9．発疹の存在様式・配列

限局性，播種状，集簇性，局面形成性，びまん性，遠心性，線状，帯状，連珠状，連圏状，蛇行状，クモ状，列序性（Blaschko 線・毛流・割線方向に沿って並ぶ），対側性，非対側性，汎発性.

10．発生部位

伸～屈側，裸露～被覆部，剛毛～軟毛部，皮膚粘膜移行部，間擦部（関節屈面・腋窩・陰股・乳房下・指趾間），脂漏部位，片側性（unilateral），両側性（bilateral）.

身体各部はその解剖学的，生理学的特性，その他の理由から，ある疾患の好発部位となることがある．好発部位の反対側のみに発疹があるのを，反対型（typus inversus）という（例：多形紅斑の手掌発生）．

11. 自覚症状

瘙痒，疼痛，蟻走感，しびれ感，知覚障害（過敏，鈍麻，脱失，分離），灼熱感，冷感．

12. 皮疹の経過

誘因（季節，日時，温度，日光，月経，妊娠，分娩，精神的ストレス，食餌，薬剤，機械的刺激，化学的刺激，他疾患の存在など），先行皮疹の有無，急性～慢性，一過性～持続性～再発性，同時性～経時性，治療効果などを確認，区別する．

3　皮膚についての検査

1. 理学的検査

1）硝子圧法 diascopy

透明なガラス・プラスチック板で皮疹を圧迫して色調の変動をみる（紅斑は褪色，紫斑や色素斑は褪色しない）．尋常性狼瘡では，加圧により黄色小点（狼瘡結節 apple jelly nodule）が残り，診断価値がある．

2）知覚検査

触覚（毛筆），痛覚（針），温覚（氷水／温水を容れた試験管）の検査で，ハンセン病の知覚低下の診断に有用．

3）物理的刺激検査とそれに伴う現象

◎①皮膚描記法 dermography（図 5-4）

先端の鈍なもの（爪先・ペン軸・ゾンデ・打診器の柄など）で皮膚をこすると，まず紅色となり（紅色皮膚描記症 dermographia rubra，red dermographism），次いで隆起する（隆起性皮膚描記症 dermographia elevata ＝人工じんま疹 urticaria factitia）．じんま疹患者において陽性となりやすく，肥満細胞症の色素斑部でこの隆起が著しい（ダリエ徴候 Darier's sign）．いずれも診断的価値が高い．アトピー

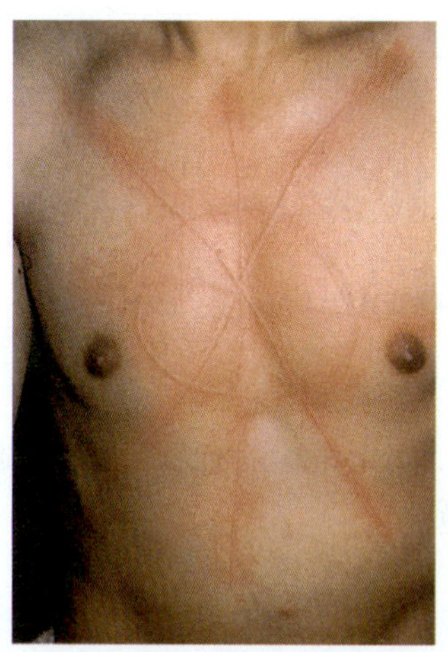
図 5-4　皮膚描記症（じんま疹）

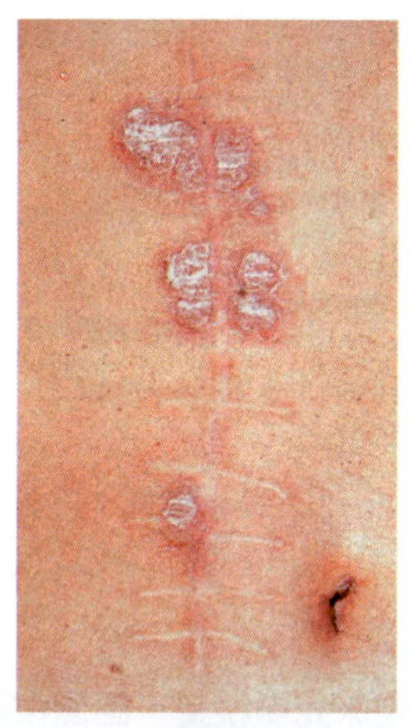
図 5-5　ケブネル現象
（手術痕に生じた乾癬）
（小澤明博士提供）

性皮膚炎では逆に白くなる（白色皮膚描記症 dermographia alba, white dermographism）.

◎②ニコルスキー現象 Nikolsky phenomenon

一見健常な皮膚を摩擦すると表皮剝離または水疱を生じる．天疱瘡，先天性表皮水疱症，ブドウ球菌性熱傷様皮膚症候群，中毒性表皮壊死症などで陽性.

◎③ケブネル現象 Köbner phenomenon（図 5-5）

健常皮膚に刺激（摩擦・日光など）を加えることにより，同一の病変を生じること．乾癬・扁平苔癬・自家感作性皮膚炎などで陽性．青年性扁平疣贅で掻破に一致して線状に生じることをもケブネル現象と称することがあるが，これはウイルスが接種されて生じるので，区別して「偽ケブネル現象」ということもある.

◎④アウスピッツ現象 Auspitz phenomenon（図 5-6）

乾癬において鱗屑を剝離していくと点状出血をきたす現象．ただし湿疹などでも陽性のことがあり，必ずしも乾癬に特異的な所見ではない.

◎⑤針反応 needle reaction

Behçet 病や壊疽性膿皮症の活動期に起こる現象で，採血・注射など針を刺した

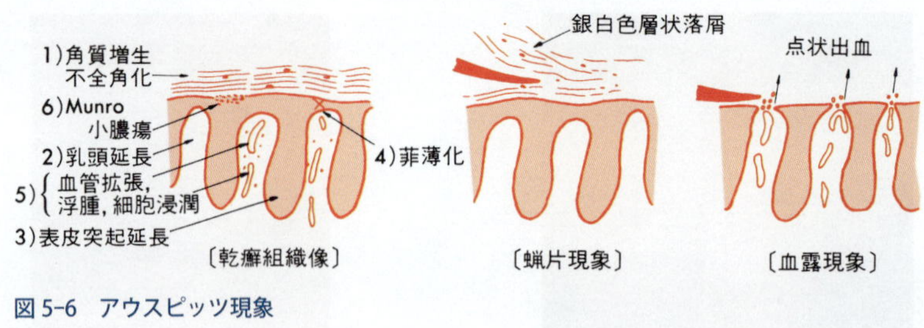

図 5-6　アウスピッツ現象

皮膚に1〜2日後に紅斑，丘疹，膿疱を生じる．好中球の増加と遊走能の亢進（パテルギー：pathergy）を示して，診断価値が高い．

2. 臨床光学検査・画像検査

1）ウッド灯試験

Wood light（365nm 紫外線）照射により，癜風・紅色陰癬・ポルフィリン症などが特徴的蛍光を発する．

2）皮膚毛細血管顕微鏡 capillaroscopy

後爪郭の毛細血管を油浸下に観察．膠原病（強皮症など）の補助診断に有用．

◎3）ダーモスコピー dermoscopy（図 5-7）

光源と拡大レンズを有するダーモスコープを用いて，光の乱反射を抑えるためにゼリーを塗布した皮膚表面を通常 10 倍（時に 50 倍）に拡大して色素や毛細血管の

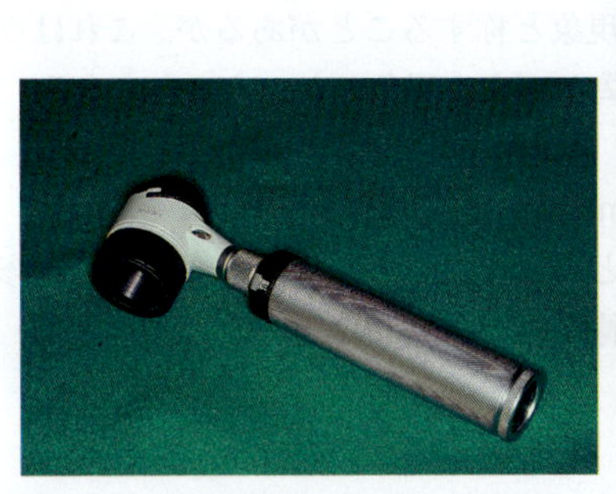

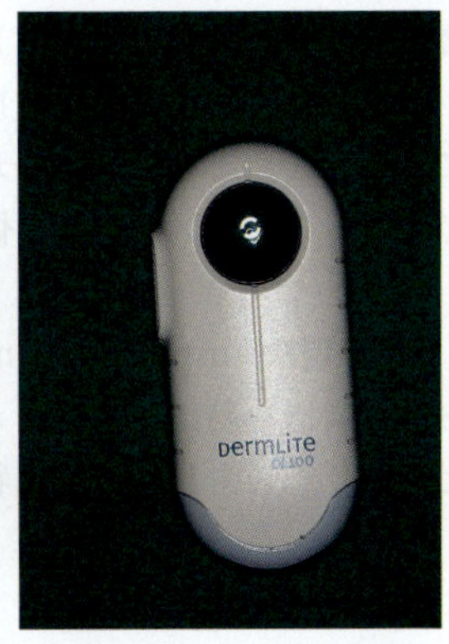

図 5-7　Dermoscope（左：Heine 社，右：ダームライト）

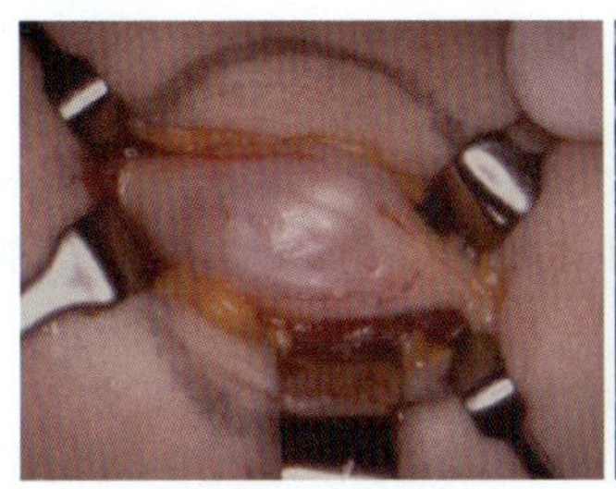
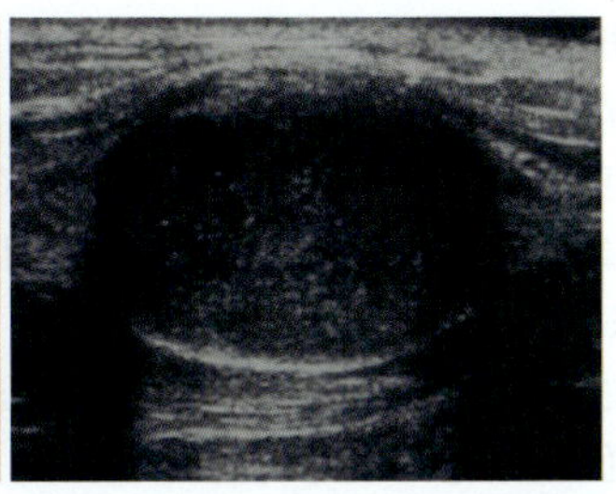

図 5-8 神経鞘腫と超音波像

分布を観察する．侵襲のない検査法であり，外来で手軽にできる利点がある．ゼリーを塗布せず，偏光レンズを用いて非接触式に観察できるダーモスコープ（ダームライト）もある．メラノーマと色素性母斑の鑑別など色素性病変の診断に有力であるが，多くの腫瘍性病変，疥癬などの感染症や炎症性疾患の補助診断にも使われている．

4）超音波検査法 ultrasonography（図 5-8）

高周波短波長の音波（超音波）の反射波をとらえて生体内部の状態を調べる方法で非侵襲性である．表在性の皮膚では 10MHz 以上の高周波（到達深度は浅いが解像度は高い）を用いる．腫瘍の性状，大きさや深さ，形やその規則性と不規則性，充実性か嚢腫性かを診るのに役立つ．

3．皮膚機能検査法

1）皮膚温測定（サーモグラフィ）

赤外線カメラを用いてその輻射熱を測定，皮膚温分布を二次元表示する（サーモグラフィ）．末梢循環障害（皮膚血流低下・阻害），炎症や腫瘍の診断に利用できる．

2）発汗機能検査

発汗誘発には精神的刺激，温熱負荷，ピロカルピンやアセチルコリンの皮内注射などがあり，発汗量は局所発汗量測定連続記録装置を用いて，あるいは Minor 法（全身にヨウ素液と澱粉を塗り，温熱刺激などで発汗を誘発すると，発汗部位はヨード澱粉反応により濃紫色に着色される）などで測定する．掌蹠・腋窩・全身性多汗症，無汗症などの診断に有用．

3）角層機能検査

①水分保持能

皮表２点間の電流とその抵抗を測定して（角層水分含有測定装置）角層の水分量を間接的に測定する．角層に水負荷する生体角層水負荷試験により吸水能と保持能をダイナミックに捉えることができる．

②経表皮蒸散水分量（TEWL；transepidermal water loss）

表皮を通して蒸散する水分量（TEWL）を電気湿度計で測定する．水分の通りやすさは皮膚透過性に相関するので，TEWL の値で皮膚バリア機能をある程度評価できる．発汗しない状態など，測定条件が重要である．魚鱗癬などの角化異常症で通常亢進する．

4）毛細血管抵抗試験

毛細血管の強度，脆弱性をみる方法．Rumpel-Leede 法（上腕を緊縛し末梢部に現れる紫斑数を数える）と v. Borbély 法（硝子筒を当てて陰圧とし，紫斑を発するに要する圧を測る）がある．

5）ドプラ（Doppler）血流測定

血液から反射する超音波を計測して流速，流量，血流の方向をみる方法（ドプラ効果を利用）．これをカラー画像化したのがカラードプラ法，流速・流量をみるのがパワードプラ法．ドプラ聴診器で音声を聴取する方法も使われている．腫瘍内血流の多寡，動静脈奇形での動脈成分の有無や位置，静脈瘤などにおける逆流現象などを判断するのに有用．

4. アレルギー・免疫学的検査

皮膚を被験部に使う検査（プリックテスト，貼布試験など）と血液材料を検体にする検査（抗体検索など）とに大別できる．

○1）皮内反応 intracutaneous test

①即時型（Ⅰ型）アレルゲンの検査

被検液（0.02 mL）を皮内注射し５分に生じる紅斑・膨疹の径で判定．抗原性が強いとアナフィラキシーショックを起こすことがあるので注意する．

②遅延型（Ⅳ型）アレルゲンの検査

被検液（0.1 mL）を皮内注射後 48 時間後に発赤，硬結の大きさを測定して判定する．結核に対するツベルクリン反応（☞ p.865）など，それぞれ固有の名称を付されていることが多い〔トリコフィチン反応：白癬疹・深在性白癬（☞ p.898），スポロトリキン反応：スポロトリコーシス（☞ p.912），など〕．その他，最近はあまり使われないが，レプロミン反応（ハンセン病の病型や予後）やKveim反応（サルコイドーシス）などもある．

2）プリックテスト prick test，スクラッチテスト scratch test

即時型アレルゲン検出のための検査．被検液を皮表にたらし，針を刺し（プリックテスト），あるいは針で引っ掻き（スクラッチテスト），15分で判定する．吸収される抗原量が少なく（プリックテスト＜スクラッチテスト＜皮内反応），皮内反応に比して安全性が高いので，皮内反応に先立って行われる．最近はプリックテストを行うことが多い．

◎3）貼布試験 patch test（図5-9，表5-1）

接触アレルゲンの検出法で遅延型過敏反応をみている．被検材料を基剤（水・エタノール・ワセリンなど）に混じ，パッチテスト用絆創膏やフィンチャンバーにのばして貼布，48時間後，これを剝離し，発赤・浮腫・丘疹・漿液性丘疹の有無をみる．さらに，貼布後72時間後，1週間後も判定する（閉鎖法 closed patch test）．揮発性物質やこれを溶媒とする物質（香水・ヘアトニック・マニキュア液など），刺激性の高い物質は単純塗布により検査する（開放法 open patch test）．被検物質が高濃度でのみ陽性ならば一次刺激性，低濃度でも陽性ならアレルギー性と考える

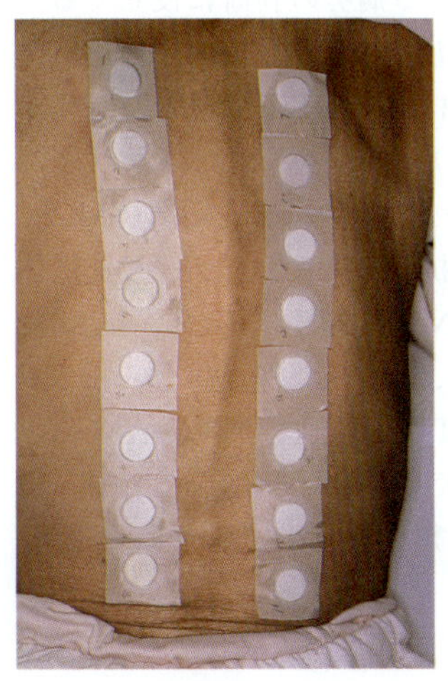

図5-9 貼布試験

表5-1 貼布試験の判定

パッチテスト研究会判定規準	
−	反応なし
±	軽微な紅斑
＋	紅斑
++	紅斑・浮腫
+++	紅斑・浮腫・丘疹・水疱
ICDRG* 判定規準	
NT	not tested
＋?	doubtful reaction
＋	weak (non-vesicular) reaction
++	strong (edematous or vesicular) reaction
+++	extreme reaction (only sometimes required)
IR	irritant reaction

* international contact dermatitis research group

ことができる．判定日以降に遅れて陽性を示すこともある（遅発陽性反応）．光貼布試験（photo-patch test）は別項参照（☞ p.111）．

4）再投与試験（内服テスト）provocation test

薬疹の原因薬剤を特定する最も信頼性の高い方法で，被疑薬を少量（1/100～1/10）再投与（内服）して皮疹が誘発されるか否かをみる．被疑薬が多数あるときは通常可能性の低い薬剤から順次検査する．重症型薬疹での再投与は危険性が高く，試験できない場合も多い．

○5）薬剤添加リンパ球刺激試験（DLST；drug-induced lymphocyte stimulation test）

T細胞の関与する薬疹の原因薬剤検索のためのin vitro検査法である．患者末梢血から分離したリンパ球を培養，被疑薬剤を種々の濃度で添加してリンパ球の薬剤特異的増殖反応を検定する．Stimulation indexが通常180％以上のとき陽性と判定する．検査の時期も重要で，病初期に陽性になりやすいことが多い（播種状紅斑丘疹型薬疹，Stevens-Johnson症候群，中毒性表皮壊死症など）が，薬剤性過敏症症候群では逆に初期には陰性で数週後陽性になりやすい．ステロイド加療中は免疫抑制により偽陰性になりやすく，逆に薬剤によっては偽陽性になりやすいものもある．感度が必ずしも高い検査ではなく，DLST陰性だからといって原因薬であることが否定できるわけではない．

6）自己抗体などの検索

血中自己抗体を検出して疾患あるいは疾患群の診断や病勢の判断に役立てる．ELISA（enzyme-linked immunosorbent assay）や免疫ブロット法により自己抗体を検出する．また，アトピー性皮膚炎などで各種抗原に対するIgE抗体をラジオイムノアッセイを用いて検出する方法もある（RAST法）．

①膠原病：LE因子・抗dsDNA抗体・抗Sm抗体・抗リボソーム抗体（SLE），抗トポイソメラーゼI抗体・抗セントロメア抗体・抗RNAポリメラーゼⅢ抗体（強皮症），抗Jo-1抗体など抗ARS（アミノアシルtRNA合成酵素）抗体・抗Mi-2抗体・抗MDA5抗体・抗TIF1-γ抗体（皮膚筋炎），抗Ro/SS-A抗体・抗La/SS-B抗体（Sjögren症候群），抗U1-RNP抗体（MCTD），②血管炎：C-ANCA・P-ANCA（血管炎），③水疱症：抗Dsg-1抗体（落葉状天疱瘡）・抗Dsg-3抗体（尋常性天疱瘡）・抗BP180抗体・抗BP230抗体（水疱性類天疱瘡）など．

5. 光線過敏性試験 ◎

可視光線・紫外線に対する反応の検査. UVB 光源はサンランプ, UVA 光源はブラックライト, 可視光用にはスライドプロジェクターランプを用いることが多い.

1）最少紅斑量（MED）の測定

MED（minimum erythema dose）とは UVB 紫外線を皮膚に照射したときに, 24 時間後に紅斑を惹起するのに必要な最小の照射量である. 日本人の被覆部皮膚の平均値は 50〜100mJ/cm^2 で, これが低下しているとサンバーンが起きやすい.

2）光貼布試験 photopatch test

通常の貼布試験（パッチテスト）に光照射を加えた試験で, 光アレルギー性接触皮膚炎が適応疾患. 光毒性反応が起きない条件での検査が大切. 被疑薬・物質を貼付, 24〜48 時間後に UVA（または UVB）を照射して, さらに 24〜48 時間後に判定する. この間被験部を遮光し, また非照射対照を設ける.

3）内服照射試験 photodrug test

内服テストに光照射を加えた試験法. 被疑薬の通常 1 回量を内服, 数時間〜24 時間後に作用波長の 1/2 MED を一部皮膚に照射, その部分にのみ発疹を誘発できれば陽性. 光アレルギー性反応と光毒性反応の区別が重要.

6. 感染症の検査

1）病原体検出の検査

①直接鏡検

一般細菌（グラム染色）, 抗酸菌（チール—ネルゼン染色）, 真菌（KOH 法）, ヘルペスウイルス（ウイルス性変性表皮細胞, ギムザ染色：ツァンク試験, 抗体染色）, 梅毒トレポネーマ（暗視野法）, 虫体（KOH 法：疥癬・毛包虫, 実体顕微鏡：シラミ, ダーモスコピー：疥癬）.

②培養

細菌の菌種の選択性の少ない培地と, ブドウ球菌, 連鎖球菌, 緑膿菌, 嫌気性菌など各々に選択性のある培地とがある. 細菌の菌種の同定, 薬剤感受性をみる. 抗酸菌（結核菌・非定型抗酸菌）は小川培地, 真菌はサブローブドウ糖寒天培地が基本. ウイルスは検体接種後の培養細胞の細胞変性効果をみる方法や動物または鶏卵接種後の発病性検査などがあるが, 一般的に使える方法ではない.

○2）血清反応・細胞性免疫皮膚反応

①梅毒反応（STS および TP 抗原反応），Paul-Bunnell 反応（伝染性単核症），ASLO 値（溶連菌病巣感染），CRP（急性炎症・組織壊死），各種ウイルス抗体価.

②ツベルクリン反応 tuberculin test

結核の遅延型アレルギー反応の有無をみる皮内反応検査．抗原には PPD（purifiedprotein derivative）を用いる．一般診断用（0.05 mg/0.1 mL）で陰性・偽陽性のときに確認診断用（0.5 mg/0.1 mL）を用いて確定する．BCG 接種や非結核性抗酸菌症の影響を受ける.

③インターフェロンγ遊離試験

BCG 接種や大部分の非結核性抗酸菌症の影響を受けず，ツベルクリン反応より信頼度の高い検査法.

ⅰ）クォンティフェロン

結核菌特異抗原に対する細胞性免疫能をみる方法で，患者末梢血中リンパ球を培養して産生される IFN-γを測定する.

ⅱ）T スポット

結核菌特異抗原と患者末梢血リンパ球を混合し，IFN-γを産生したリンパ球をカウントする.

3）イムノクロマト法（図 5-10）

セルロース膜の毛細管現象と抗原抗体反応を利用した免疫測定法．迅速に結果が出るので外来での検査に向いている．妊娠やインフルエンザの診断に使われているが，皮膚科領域では最近，イムノクロマト法を測定原理とした水痘・帯状疱疹ウィルス抗原キットが利用されている.

4）遺伝子検査

細菌，ウイルス，真菌などの菌由来のゲノム DNA を PCR 法を用いて増幅，southern 法などで分子マーカーと hybridize するかをみて検出する方法が主流．培養などと比べると迅速に検頼できる．検査対象菌種（ウイルス，一般細菌，抗酸菌，真菌，リケッチア）が増えており，直接鏡検の対象外や培養に時間がかかる菌種に

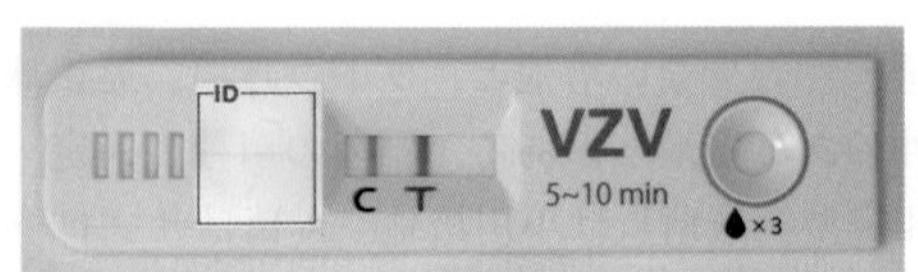

図 5-10　水痘・帯状疱疹ウィルス抗原キット
（デルマクイック VZV）

は利便性が高い．一方で，日常診療には直接鏡検や培養検査はその重要性を失ってはいない．

7．病理組織学的検査 ◎

生検（biopsy）や切除組織の病理標本を作製する．通常の病理組織像は臨床像に次いで，時にはそれ以上に情報量が多く，診断とその確定に重要な位置を占めている．

1）病理組織検査法

2 章参照.

2）免疫組織化学 immunohistochemistry

組織中の物質に対する特異抗体に標識物質を結合してその物質を同定，あるいは局在を調べる方法である．標識物質に蛍光色素を用いる蛍光抗体法と，酵素を用いてその反応を利用する酵素抗体法とがある．

①蛍光抗体法 immunofluorescence（図 5-11）

Fluorescein isothiocyanate（FITC）などの蛍光色素を抗体に標識し，抗体によって認識される抗原の局在を蛍光顕微鏡で観察する方法である．自己免疫性水疱症やエリテマトーデス，血管炎などの病変部に沈着する免疫グロブリンや補体，あるいはその複合体の検出によく用いられている．直接法と間接法がある．蛍光抗体直接

図 5-11　蛍光抗体法：表皮細胞間の IgG 沈着（尋常性天疱瘡）

法は特異抗体に蛍光色素を標識して抗原と結合した特異抗体を蛍光顕微鏡で観察する．間接法は抗原と結合した特異抗体のFc部分に対する蛍光標識2次抗体を結合させてその蛍光を観察する方法である．間接法の一つに蛍光抗体補体法があり，抗補体抗体を蛍光標識して補体の結合した抗原抗体複合物が観察できる．

なお，健常ヒト皮膚の抗原蛋白に結合した血中自己抗体にさらに標識抗ヒトIgG抗体や抗ヒトIgA抗体を結合させて血中自己抗体の有無を検出する方法，すなわち患者血清を1次抗体として用いる間接法を皮膚科領域では慣用的に蛍光抗体間接法と呼んでいる．

②酵素抗体法 enzyme-labeled antibody assay

抗体の標識に酵素（ペルオキシダーゼ，ビオチン―ストレプトアビジン：ABC法など）を用いてその発色反応により抗原物質の組織・細胞内存在，局在を顕微鏡下に検出する方法である．1次抗体を標識する直接法，1次抗体に結合する2次抗体を標識する間接法がある．後者は2段階の抗原–抗体反応を要するが，一般に検出感度が高い．リンパ球や各種腫瘍細胞の表面マーカーの検索などに頻用されている．

3）電子顕微鏡 electron microscopy

可視光線でなく電子線照射による拡大像（1,000～50万倍）を診断などに用いている．細胞や組織の微細構造を見る（メラノサイトのメラノソームやランゲルハンス細胞のバーベック顆粒の同定）ための透過型電子顕微鏡法と電子線の反射像から細胞，組織の表面構造や立体構造を見る走査型電子顕微鏡法とがある．

他に免疫染色を施して微細構造上の抗原部位（自己免疫性水疱症の自己抗原）を同定するなど，免疫電顕も皮膚科領域の診断，研究に使われてきた．

4）センチネルリンパ節の同定と転移診断

生検組織像を悪性黒色腫などの皮膚悪性腫瘍のリンパ節郭清の可否判断に利用している．センチネルリンパ節は悪性腫瘍から直接リンパ流を受けるので最初に転移すると想定されるリンパ節である．色素やRIなどリンパ移行性のよいトレーサーを原発巣周囲に注射してリンパ流に乗せ，センチネルリンパ節を同定，生検する．センチネルリンパ節に転移所見がなければリンパ節郭清を省略する縮小手術の考え方に基づく方法である．

8. 遺伝子検査（DNA検査）（図5-12，13）

①細菌やウイルスの特徴的DNA配列の有無を検索して感染症の診断ができる（☞

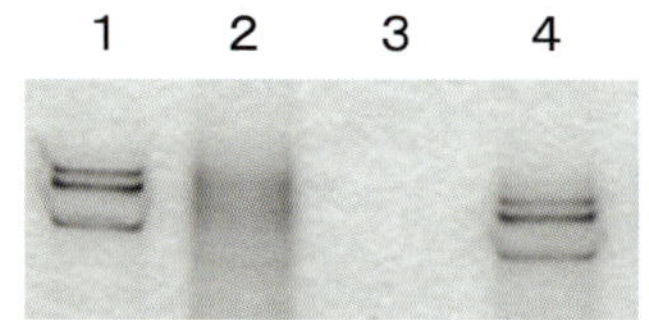

図 5-12　PCR 法による T 細胞レセプター γ 鎖遺伝子の再構成検索
1．陽性コントロール（モノクローナル再構成）
2．陰性コントロール（ポリクローナル再構成）
3．No DNA
4．患者 DNA（モノクローナル再構成）

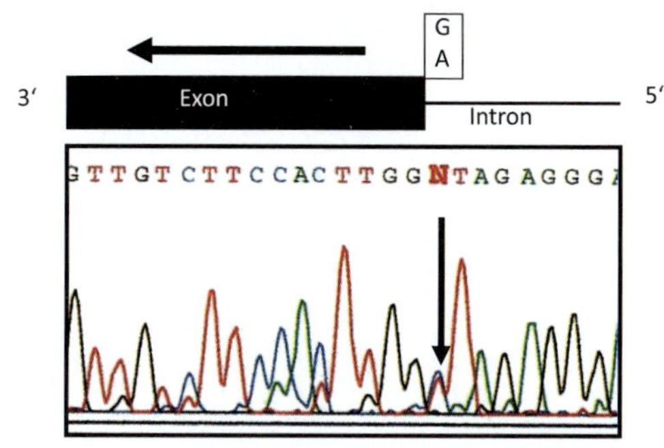

図 5-13　シークエンスによる遺伝子解析：エクソン―イントロン境界領域に RNA スプライシングを阻害する 1 塩基置換変異が片方のアレルに認められる．

p.112)．

②腫瘍に特徴的な変異 DNA を検出できればその診断に有用である．リンパ腫では TCR（T 細胞受容体）遺伝子，免疫グロブリン遺伝子の再構成を解析してクロナリティを証明する．肉腫（隆起性皮膚線維肉腫など）では特異な転座や融合遺伝子が診断に役立つ．

③単一遺伝子の変異による遺伝病ではその変異を同定すれば確実な診断ができる．表皮水疱症，角化異常症，色素異常症，母斑症などで責任遺伝子が解明されてきており，遺伝子診断が可能であるが，解析できる施設が限られる場合も多い．また，遺伝子情報は患者個人のみならず家族の遺伝的背景にも影響する個人情報であり，解析には十分な倫理的配慮を要する．

④遺伝性皮膚疾患の出生前診断：ⓐ胎児皮膚生検，ⓑ絨毛膜絨毛採取（chorionic villus sampling），ⓒ羊水穿刺（amniocentesis），ⓓ胎児血採血（fetal blood sampling）などによる．対象疾患に先天性表皮水疱症・道化師様魚鱗癬・眼皮膚白皮症・水疱型／非水疱型魚鱗癬様紅皮症・無汗性外胚葉形成異常・Sjögren-Larsson 症候群など各種遺伝性疾患．慎重な倫理的配慮とともに同意，倫理審査など事前手続きが必須．

第 6 章 皮膚疾患の治療

皮膚科で用いる治療法には，薬物療法，手術療法といった診療科を問わず広く用いられる手法に加え，紫外線療法やレーザー療法などの特殊な治療法がある．ここでは，皮膚疾患に対する治療を，①薬物療法，②手術療法，③その他（機器を用いた治療法など）に大別して記述する．

1 薬物療法

薬物療法には，①内服あるいは経静脈的投与による全身療法と，②外用薬による局所療法とがある．前者は他の診療科においても一般的な方法であるが，外用療法は皮膚科的治療の特色ともいえる．なお近年，分子標的薬，生物学的製剤など新規薬物が次々と開発され，皮膚科の薬物療法が大きく変化しつつある．

1. 全身療法

1）副腎皮質ステロイド薬

代表的な適応は，膠原病，自己免疫性水疱症である．これらへの投与は長期にわたる．薬疹，自家感作性皮膚炎，接触皮膚炎などのアレルギー疾患が重症な場合，短期間投与することもある．副作用は多彩で（表 6-1），それぞれについて熟知したうえで，注意深く使用する必要がある．

2）抗ヒスタミン薬，抗アレルギー薬

ヒスタミン H_1 受容体の阻害作用により痒みを抑える薬剤を抗ヒスタミン薬と称する．じんま疹では必須の薬剤である．湿疹・皮膚炎群でもしばしば用いられる．マスト細胞からのケミカルメディエーター遊離抑制作用を有する薬剤を抗アレルギー薬と称する．日本では従来，ヒスタミン H_1 受容体拮抗作用とケミカルメディ

表6-1　副腎皮質ホルモン内服薬の主な副作用

A. 重い副作用	B. 軽い副作用
1. 易感染症	1. 満月様顔貌（ムーンフェイス）
2. 消化性潰瘍	2. 中心性肥満
3. 骨粗鬆症	3. 浮腫
4. 無菌性骨壊死	4. 食欲亢進
5. 精神症状	5. 痤瘡
6. 副腎機能不全	6. 多毛
7. 糖尿病	7. 紫斑
8. 高血圧	8. 皮膚線条
9. 高脂血症	9. 白血球増多
10. 白内障	10. 不眠
11. 緑内障	
12. ミオパチー	
13. 血栓症	

エーター遊離抑制作用の両方を兼ね備えた薬剤をも抗アレルギー薬と称したが，最近は第二世代抗ヒスタミン薬として扱われる．また近年，抗ヒスタミン薬は中枢神経抑制作用の少ない非鎮静性のものを使うことが推奨されている，非鎮静性第二世代抗ヒスタミン薬を「第三世代」として分けることもある．表6-2に薬剤を示した．

表に示したもののほか，抗ヒスタミン作用を有さない抗アレルギー薬（トラニラスト，スプラタストトシル酸塩）もある．

3）抗ウイルス薬

皮膚科では，単純疱疹や帯状疱疹に対して，アシクロビル（注射，内服），バラシクロビル（内服），ファムシクロビル（内服），アメナメビル（内服），Ara-A（注射）が用いられている．

4）抗菌薬

①**ペニシリン系**：梅毒，溶連菌感染症に用いる．皮膚の細菌感染症の多くは，黄色ぶどう球菌によるが，黄色ぶどう球菌はペニシリン系に対してはほぼ耐性である．したがって，黄色ぶどう球菌に用いる際は，βラクタマーゼ阻害薬が配合された薬剤を選ぶ．

②**セフェム系**：セフェム系は，第一世代がグラム陽性菌に強い抗菌力を持ち，第四世代はグラム陽性・陰性菌に抗菌力を有する．第二世代，第三世代セフェムは，グラム陽性菌に対する抗菌力がこれらより劣る．皮膚の細菌感染症はグラム陽性菌によることが多いので，第一世代セフェムが選択されることが多い．

③**ペネム系**：ペニシリン系，セフェム系と同様，βラクタム系に属する．経口ペ

ネム系のファロペネムは，痤瘡に適応がある．
④**テトラサイクリン系**：クラミジア，リケッチア，マイコプラズマに用いられる．ツツガムシ病では第一選択薬．ミノサイクリン，ドキシサイクリンがよく使用される．皮膚科領域では痤瘡にもよく用いられる．8歳未満では歯牙の着色をきたすことがあるので原則使用しない．
⑤**マクロライド系**：一般にクラミジア，マイコプラズマなどに用いられる．皮膚科領域では，ロキシスロマイシンが痤瘡に適応がある．
⑥**ニューキノロン系**：抗菌力の増強，スペクトラムの拡大，組織移行が改善され頻用されている．NSAIDsとの併用や光線過敏症などに注意する．皮膚科領域では，痤瘡にも用いられる（レボフロキサシン，トスフロキサシン）．
⑦**その他**：MRSAにグリコペプチド系のバンコマイシン・テイコプラニン，オ

表 6-2　主な抗ヒスタミン薬（カッコ内は主な商品名）

第一世代抗ヒスタミン薬
ジフェンヒドラミン塩酸塩（レスタミン）
クレマスチンフマル酸塩（タベジール）
クロルフェニラミンマレイン酸塩（ネオレスタミン）
d-クロルフェニラミンマレイン酸塩（ポララミン）
プロメタジン塩酸塩（ヒベルナ，ピレチア）
アリメマジン酒石酸塩（アリメジン）
ホモクロルシクリジン塩酸塩（ホモクロミン）
ヒドロキシジン塩酸塩（アタラックス）
ヒドロキシジンパモ酸塩（アタラックスP）
シプロヘプタジン塩酸塩水和物（ペリアクチン）
第二世代抗ヒスタミン薬
ケトチフェンフマル酸塩（ザジテン）
アゼラスチン塩酸塩（アゼプチン）
オキサトミド（セルテクト）
メキタジン（ニポラジン，ゼスラン）
エメダスチンフマル酸塩（レミカット）
エピナスチン塩酸塩（アレジオン）
エバスチン（エバステル）
セチリジン塩酸塩（ジルテック）
レボセチリジン塩酸塩（ザイザル）
ベポタスチンベシル酸塩（タリオン）
フェキソフェナジン塩酸塩（アレグラ）
ロラタジン（クラリチン）
オロパタジン塩酸塩（アレロック）
デスロラタジン（デザレックス）
ビラスチン（ビラノア）

（日本皮膚科学会アトピー性皮膚炎診療ガイドライン2018より改変）　（©日本皮膚科学会）

キサゾリジノン系のリネゾリドなどが用いられる.

5）抗真菌薬

①イトラコナゾール：トリアゾール系. 経口薬は, 爪白癬, 頭部白癬, ケルスス禿瘡, カンジダ症, マラセチア毛包炎といった表在性皮膚真菌症のほか, 深在性真菌症（スポロトリコーシス, クロモミコーシス）や内臓真菌症に幅広く用いられる.
②テルビナフィン：アリルアミン系. 経口薬が, 主に爪白癬, 頭部白癬, ケルスス禿瘡に用いられる.
③ホスラブコナゾール：トリアゾール系の新しい経口抗真菌薬. 爪白癬にのみ用いられる.
④フルコナゾール：トリアゾール系. 内服薬, 注射薬がカンジダやクリプトコッカスによる内臓真菌症に用いられる.

6）駆虫薬

疥癬にイベルメクチンが用いられる.

7）免疫抑制薬

カルシニューリン阻害薬であるシクロスポリンは, 難治性の乾癬, 重症のアトピー性皮膚炎に対しても用いられる. 副作用として腎障害, 血圧上昇に注意する. その他, 関節症性乾癬などの重症乾癬にメトトレキサートが使われたり, 膠原病や自己免疫性水疱症などでステロイドの減量が困難な場合, シクロスポリン, タクロリムス, アザチオプリン, シクロホスファミド, ミコフェノール酸モフェチルなどが併用されることがある.

関節リウマチに使われてきたJAK阻害薬は, 最近アトピー性皮膚炎（バリシチニブ, ウパダシチニブ）や関節症性乾癬（ウパダシチニブ）に用いられるようになった.

8）レチノイド

ビタミンAの誘導体. 日本では, エトレチネートが乾癬をはじめ, 魚鱗癬, 掌蹠角化症, ダリエー病, 掌蹠膿疱症, 毛孔性紅色粃糠疹などに用いられている. 催奇形性があるため, 女性は投与終了から2年間, 男性は6ヵ月間の避妊が必要である. また, ベキサロテンは皮膚T細胞リンパ腫に用いられる（後述).

9）免疫調整薬

免疫調整薬は, 免疫抑制効果を持たないが, 免疫バランスを調整することで免疫系疾患を治療する薬剤である．SLE に対するヒドロキシクロロキン，乾癬に対するホスホジエステラーゼ（PDE）4 阻害薬（アプレミラスト）がある．エトレチナートをここに含めることもある．

10）DDS（ジアフェニルスルフォン）

元来はハンセン病治療薬であったが，好中球の浸潤を主体とする疾患に効果があることがわかり，ジューリング疱疹状皮膚炎，持久性隆起性紅斑，天疱瘡，水疱性類天疱瘡，色素性痒疹などに用いられる．

11）抗悪性腫瘍薬

従来，殺細胞性抗悪性腫瘍薬が使われていたが，近年分子標的薬が新規薬剤として登場し，皮膚悪性腫瘍の治療環境は大きく様変わりした．例えば，悪性黒色腫に対しては免疫チェックポイント阻害薬が標準治療の座を占め，かつて汎用されていたダカルバジンの使用頻度は激減した．

①分子標的薬

(1) 免疫チェックポイント阻害薬：悪性黒色腫に対する抗 PD-1 抗体（ニボルマブ，ペンブロリズマブ），抗 CTLA-4 抗体（イピリマブ），メルケル細胞癌に対する抗 PD-L1 抗体（アベルマブ）など．免疫関連有害事象（immune-related adverse event：irAE）と呼ばれる特有の副作用（内分泌異常，腸炎，間質性肺炎など）の管理が必要である．

(2) モノクローナル抗体（免疫チェックポイント阻害薬以外）：皮膚 T 細胞リンパ腫に対する抗 CCR4 抗体（モガムリズマブ）．CD30 陽性末梢性 T 細胞リンパ腫に対する微小管阻害薬結合抗 CD30 抗体（ブレンツキシマブベドチン）．

(3) 低分子化合物：悪性黒色腫に対する BRAF 阻害薬（ベムラフェニブ，ダブラフェニブ，エンコラフェニブ）．MEK 阻害薬（トラメチニブ，ビニメチニブ）．悪性軟部腫瘍に対するマルチキナーゼ阻害薬（パゾパニブ）．

(4) その他：皮膚 T 細胞リンパ腫に対するヒストン脱アセチル化阻害薬（ボリノスタット），レチノイド（ベキサロテン）．

②殺細胞性抗悪性腫瘍薬

(1) 微小管阻害薬：血管肉腫に対するタキサン，悪性軟部腫瘍に対するエリブリンなど．

(2) アルキル化剤：シクロホスファミド，ダカルバジンなど．

(3) 代謝拮抗薬：メトトレキサート，フルオロウラシル，テガフールなど．

(4) 抗腫瘍性抗生物質：ブレオマイシン，ペプロマイシンなど．

(5) 白金製剤：シスプラチンなど．

(6) トポイソメラーゼ阻害薬：イリノテカンなど．

③**サイトカイン**

菌状息肉症・セザリー症候群に対するインターフェロン γ-1a，血管肉腫に対するテセロイキン，悪性黒色腫に対するインターフェロン β，ペグインターフェロン α-2b.

12）生物学的製剤

生物から産生される物質を応用して作られた薬剤を生物学的製剤という．サイトカインや免疫グロブリン製剤も生物学的製剤であるが，皮膚科領域では，分子標的薬でもあるモノクローナル抗体を指していることが多い．

①TNF α 阻害薬：抗 TNF α 抗体（インフリキシマブ，アダリムマブ，セルトリズマブペゴル）が乾癬に用いられる．アダリムマブは化膿性汗腺炎，壊疽性膿皮症にも使われる．

②IL-23 阻害薬：抗 IL-12/23p40 抗体（ウステキマブ），抗 IL-23p19 抗体（グセルクマブ，リサンキズマブ，チルドラキズマブ）が乾癬に使用される．グセルクマブは掌蹠膿疱症にも用いられる．

③IL-17 阻害薬：抗 IL-17A 抗体（セクキヌマブ，イキセキズマブ），抗 IL-17 受容体 A 抗体（ブロダルマブ）が乾癬に使われる．

④抗 IL-4/13 受容体抗体：デュピルマブがアトピー性皮膚炎に用いられる．

⑤抗 IgE 抗体：オマリズマブが慢性蕁麻疹に使われる．

⑥抗 IL-5 抗体：メポリズマブが好酸球性多発血管炎性肉芽腫症に用いられる．

⑦抗 CD20 抗体：リツキシマブが全身性強皮症や難治性の尋常性天疱瘡・落葉状天疱瘡に用いられる．

13）免疫グロブリン大量静注療法（intravenous immunoglobulin：IVIG）

皮膚科領域では，Stevens-Johnson 症候群，中毒性表皮壊死症，天疱瘡，水疱性類天疱瘡，皮膚筋炎，好酸球性多発血管炎性肉芽腫症などの患者で，ステロイド薬の効果不十分ないし難治な症例に用いられる．

14）その他

非ステロイド系抗炎症薬（消炎・鎮痛・解熱・抗血栓作用，COX 阻害作用），神経性疼痛緩和薬（帯状疱疹後神経痛など：プレガバリン，ミロガバリンベシル酸塩，ドラマドール / アセトアミノフェン配合錠），選択的オピオイド κ 受容体作動薬（透析・慢性肝疾患における瘙痒症），血管拡張薬，脱毛治療薬〔男性型脱毛症に 5-α 還元酵素阻害薬（フィナステリド，デュタステリド）〕，乳児血管腫治療薬（プロプラノロール塩酸塩)，漢方薬（東洋医学の病態概念と生薬の薬理作用を理解して処方する）など．

2. 外用療法

外用療法の意義は，全身投与する場合より高濃度の薬剤を局所に作用させることができるところにある．外用剤は，**主剤（配合剤）**（active ingredients）と**基剤**（vehicle，base）とから成る．主剤には，ステロイド薬や抗真菌薬をはじめとして様々な薬物がある．基剤は，軟膏，クリーム，ローション，テープが代表的なものである．

A. 主剤

1）副腎皮質ホルモン（ステロイド）

作用の強いものから，strongest, very strong, strong, medium（mild），weak の 5 段階にランク付けされている（表 6-3）．症状，部位，患者の年齢を勘案して，外用薬のランクを決定する．外用療法では，内服に較べ全身的な副作用の可能性は低いものの，表 6-4 に示すような局所の副作用には注意を払う必要がある．特に顔面は，経皮吸収が高いため，副作用を生じやすい．

2）免疫抑制薬

アトピー性皮膚炎に，タクロリムスの外用薬が用いられる．ステロイドの副作用の出やすい顔面，頸部に好んで使用されている．吸収や効能の面から前記部位が使用に適している．

3）活性型ビタミン D_3

表皮の増殖抑制作用があり，乾癬をはじめとする角化異常症に用いられる（タカルシトール，カルシポトリオール，マキサカルシトール）．多量に塗布すると副作用として抗カルシウム血症を生じうる．乾癬治療にステロイドとの配合剤（カルシポトリオール水和物 / ベタメタゾンジプロピオン酸エステル配合剤，マキサカルシトール / ベタメタゾン酪酸エステルプロピオン酸エステル配合剤）も使われている．

4）保湿薬

①皮表の水分蒸散防止，皮膚の保護：ワセリンなど．

②皮膚に水分を供給；尿素製剤，ヘパリン類似物質．

6章

表6-3　主なステロイド外用薬（カッコ内は商品名）

Strongest	Medium
クロベタゾールプロピオン酸エステル（デルモベート） ジフロラゾン酢酸エステル（ジフラール，ダイアコート）	吉草酸酢酸プレドニゾロン（リドメックス） トリアムシノロンアセトニド（レダコート） アルクロメタゾンプロピオン酸エステル（アルメタ） クロベタゾン酪酸エステル（キンダベート） ヒドロコルチゾン酪酸エステル（ロコイド） デキサメタゾン（グリメサゾン，オイラゾン）
Very strong	**Weak**
モメタゾンフランカルボン酸エステル（フルメタ） 酪酸プロピオン酸ベタメタゾン（アンテベート） フルオシノニド（トプシム） ベタメタゾンジプロピオン酸エステル（リンデロンDP） ジフルプレドナート（マイザー） アムシノニド（ビスダーム） 吉草酸ジフルコルトロン（テクスメテン，ネリゾナ） 酪酸プロピオン酸ヒドロコルチゾン（パンデル）	プレドニゾロン（プレドニゾロン）
Strong	
デプロドンプロピオン酸エステル（エクラー） プロピオン酸デキサメタゾン（メサデルム） デキサメタゾン吉草酸エステル（ボアラ） ハルシノニド（アドコルチン） ベタメタゾン吉草酸エステル（ベトネベート，リンデロンV） フルオシノロンアセトニド（フルコート）	

（日本皮膚科学会アトピー性皮膚炎診療ガイドライン2018より改変）　（©日本皮膚科学会）

表6-4　副腎皮質ホルモン外用薬の主な副作用

1）全身的副作用
副腎機能抑制
2）局所的副作用
感染症の誘発 酒皶様皮膚炎，口囲皮膚炎 ステロイド痤瘡 ステロイド紫斑 皮膚萎縮 毛細血管拡張 多毛 創傷治癒遅延 接触皮膚炎

5）サリチル酸

角質融解作用があり，足底角化症，胼胝，鶏眼の軟化に用いる．

6）皮膚潰瘍治療薬

デブリドマン効果，感染抑制，血管新生・肉芽形成促進作用，上皮化促進作用などを有する．潰瘍と薬剤の特徴を把握して選択使用する．

①感染創：スルファジアジン銀，白糖 / ポビドンヨード，カデキソマー / ヨウ素など．

②壊死組織除去：ブロメライン．

③肉芽形成・上皮化促進：トラフェルミン，トレチノイントコフェリル，リゾチーム塩酸塩，アルプロスタジルアルファデクス，ブクラデシンナトリウムなど．

④創面保護：アズレン，ワセリン，亜鉛華単軟膏など．

7）抗真菌薬

従来，爪白癬には内服薬が必要であったが，爪白癬に効果のある外用薬（エフィコナゾール，ルリコナゾール）が登場している．

8）その他

抗菌薬（ナジフロキサシン，フシジン酸ナトリウム，ゲンタマイシン，クリンダマイシン，オゼノキサシンなど），抗ウイルス薬，抗癌薬の外用薬，尋常性痤瘡治療薬（アダパレン，過酸化ベンゾイル，過酸化ベンゾイル / クリンダマイシン合剤など），尖圭コンジローマ・日光角化症治療薬（イミキモド），疥癬（フェノトリンローション 5%），サンスクリーン剤，脱毛治療薬〔カルプロニウム塩化物，ビマトプロスト（睫毛の増毛）〕，JAK 阻害薬〔デルゴシチニブ（アトピー性皮膚炎）〕，PDE4 阻害薬〔ジファミラスト（アトピー性皮膚炎）〕，mTOR 阻害薬〔シロリムス（結節性硬化症の皮膚病変）〕，原発性腋窩多汗症治療薬（ソフピロニウム臭化物）などがある．

B. 基剤

1）軟膏 ointment

油脂性，乳剤性，水溶性軟膏に分ける．

①**油脂性軟膏（疎水性軟膏）** oleaginous ointment（water-repellant ointment）：油脂を主体としている．刺激性が少ないため，様々な皮疹に適用できる．最もよく使われている．

②**乳剤性軟膏** emulsion ointment：界面活性剤（emulsifying agent）により水と

油の両相を乳化したもの．水相・油相の比により，油中水型（water in oil，吸水軟膏，absorption ointment，コールドクリーム）と，水中油型（oil in water，親水軟膏，hydrophilic ointment，バニシングクリーム）に分ける（図6-1）．乳剤性軟膏全体を指して「クリーム」ということもあるが，一般に「クリーム」として上市されている外用剤は，親水軟膏であることが多い．クリームは刺激感を生じることがあるので，湿潤面には用いない．

③**水溶性軟膏** water-soluble ointment：ポリエチレングリコール（polyethyleneglycol; PEG）の種々の分子量の混合物．油のような外観・性状を持ち，水によく溶ける．高い吸湿性を有するので湿潤・びらん面に用いて滲出液の排去・皮面の乾燥化を図る．

2）ローション lotion

液体に薬剤を加えたもの．以下二つに分ける．

①**乳剤性ローション**：水中油型の乳剤性軟膏の水分を多くしたもの．被髪頭部に用いられることが多い．

②**振盪ローション**：液体に粉末剤を入れたもの．粉末は沈殿するので，使用前に振盪し懸濁させる必要がある．イオウカンフルローション，カラミンローションなど．

3）液剤 solution

水やアルコールを基剤としたもの．

4）ゲル gel

寒天やゼラチンなどを，水，アルコール，プロピレングリコールなどでゲル化したもの．

5）噴霧剤 spray

液体を霧状に噴霧できるようにしたもの．患部に触れずに外用できる．

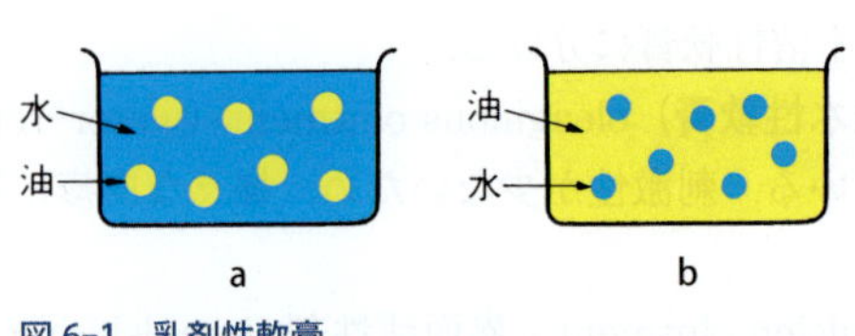

図6-1　乳剤性軟膏

6）粉末剤 powder

亜鉛華（酸化亜鉛），澱粉，タルク（ケイ酸マグネシウムなど）が主なもので，吸湿作用により皮表を乾燥させる．

7）泥膏（でいこう）paste

油脂基剤に微粒子の粉末を混じて泥状としたもの．最近あまり使用されない．

8）糊膏（ここう）linimentum

液体にアラビアゴムなどを混ぜて，皮膚に塗布すると間もなく乾燥固着するようにしたもの．フェノール亜鉛華リニメント（通称カチリ）など．

9）硬膏（こうこう）emplastrum

布地に薬剤を粘着剤とともに延ばしたもの．スピール膏など．

10）テープ剤 tape

薄いプラスチックフィルムに薬剤を粘着剤とともに延ばしたもの．ステロイドテープ・ペンレステープなど．

C. 外用用法

1）単純塗布

最も一般的な方法．患部に直接塗布する．塗布量の目安として，口径5mmのチューブから押し出して示指末節（先端からDIP関節まで）に載せた軟膏量（0.5g）が成人の体表面積の2%（両手掌の面積）に塗る適量とされる（finger tip unit：FTU）．なお，基剤による適応の原則を表6-5にまとめた．

2）貼布

外用剤をガーゼなどに厚く延ばして患部に貼り付けるもの．びらん，潰瘍など滲出液の多い病変に用いられる．ステロイド軟膏を単純塗布した後，亜鉛華軟膏をリント布に延ばして貼り付ける方法を重層法という．湿潤した湿疹病変によく用いられる．

3）密封療法 occlusive dressing technique（ODT）

病変部にステロイド軟膏を塗布し，その上にポリエチレンフィルム（食品保存用のラップなど）をあてて密封するもの．ステロイドテープ剤は，ODTの簡便法である．単純塗布よりも経皮吸収が良く効果も高いが，副作用の発生に注意を要する．

表 6-5　膏薬適応の原則

	発赤腫脹	紅　斑	小水疱	膿　疱	びらん	潰　瘍	痂　皮	落　屑	丘　疹	浸　潤
粉　末		○			○	○				
湿　布	◎	○	○	○	○	○				
油　剤	◎	○	○	○						
油脂性軟　膏	○	○	◎	◎	◎	◎	◎	◎	○	○
乳剤性軟　膏		○						◎	◎	◎
水溶性軟　膏	◎	○	○	○	○					○
ローション	○	○	○					○	○	○
泥　膏		○							◎	◎
糊　膏		○							○	○
スプレー		○						○	○	○

比較的乾燥した病変が適応で，湿潤・びらん面には向かない．

4）湿布

液剤の蒸発に伴う患部の冷却作用を期待して，蜂巣炎などの急性炎症性疾患に用いられる．リバノール液湿布など．

2　手術療法

手術はメスを使った外科的局所療法である．皮膚外科（skin surgery）とも称する．手術適応の代表的疾患は悪性，あるいは良性の腫瘍である．母斑や熱傷もしばしば手術の対象となる．

1）切除，縫縮 excision，suture

①**縫縮**：病巣が小型の場合，その部分を切除して単純に縫い合わせればよい．しかし，丸い病変をそのまま丸く切り取って縫い合わせると，縫合線の両端が盛り上がってしまう．これを dog ear と称する．dog ear を予防するため，紡錘形に切除するのが基本である．紡錘形の長軸は短軸の 3 倍以上にデザインする．縫合線の長縫合線の長軸方向は，皮膚の皺の方向に一致するようにする．さらに傷跡を目立たなくするために，Z 形成術や W 形成術を行うこともある．大型の先天

性色素性母斑などで１回の縫縮が難しい場合は，２回以上に分けて切除する方法もある（serial excision，図 6-2）.

②**open treatment**：病巣がより小型で，顔面など縫縮が難しい部位では円筒状トレパンやメスで切除，縫縮せずに開放創のままで創収縮，上皮化，創閉鎖を待つ．創の縮小と止血目的で巾着縫合を併用することもある．

2）植皮 skin graft

切除した部分が大きく縫合できない場合は，一般に植皮をして欠損部を被覆する．植皮には，分層（中間層）植皮と全層植皮がある．

①**分層植皮術**：表皮と真皮の一部を含む．薄いので生着率が高いが，植皮片が収縮しやすい欠点がある．採皮は一般にデルマトームを用いる．採皮部は縫縮せず，そのまま上皮化を図るのが一般的である．デルマトームには，Padgett-Hood 型やフリーハンドタイプの手動式のほか，電動式，気動式もある．植皮片が小さく薄くてよい場合は，使い捨てのカミソリを用いることもある．このようなごく薄い分層植皮を，Thiersch（チールシュ）植皮という．また，広範囲熱傷などでより大きな植皮片を要する場合は，メッシュダーマトームを用いて植皮片を網目状にし，３倍程度の大きさに拡大することができる．

②**全層植皮術**：表皮と真皮全層を含む．厚いので生着率が低いのが欠点であるが，整容的，機能的に優れ，顔面や関節部を覆うのに適している．採皮部は縫縮する，あるいは分層植皮するのが一般的．そのため広範囲の植皮には適さない．

3）皮弁 flap（図 6-3）

皮膚を完全に切り離さず，茎として残して移植する方法．茎のとりかたで回転皮弁，前進皮弁，転位皮弁，皮下茎皮弁に分けられる．移動距離，面積がおのずと制限されるが，切除病変の部位と大きさによって皮弁の種類を選択する．植皮と違っ

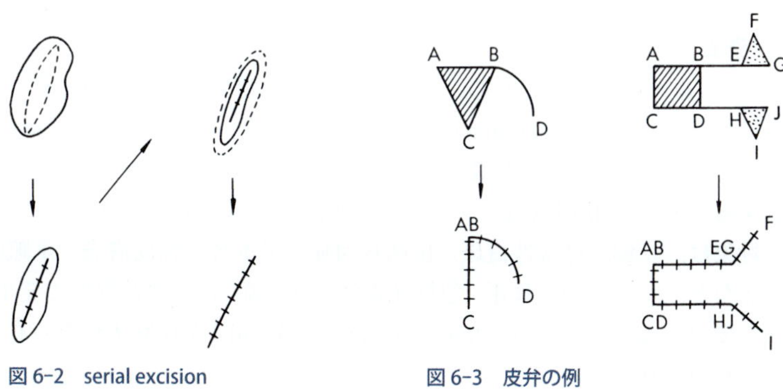

図 6-2 serial excision

図 6-3 皮弁の例

て皮下組織を含むため，整容的に優れ，また荷重・加圧に耐えうる．

4）皮膚削り術 skin abrasion，dermabrasion

高速度（30,000/分）回転するバーで皮膚を削る．表皮母斑などが適応であるが，現在では炭酸ガスレーザーなどで代用されることが多くなった．

5）皮膚伸展法 tissue expansion

大型の色素性母斑などを植皮せず切除する方法としては，上に挙げた serial excision が簡単であるが，病変部皮下にシリコンバッグを入れ，生理食塩水で徐々に膨らませて皮膚を伸展させる方法もある（皮膚伸展法）．皮膚が伸びたらバッグを除去し，弛緩した皮膚を切除する．

3　その他

1．光線療法 phototherapy

光は，波長の長いものから，赤外線（780nm ～），可視光線（400～780nm），紫外線（190～400nm）に分けられる．赤外線には熱作用があり温熱療法に利用されることがあるが，皮膚科領域では，主に紫外線が光線療法として用いられている．

紫外線は，さらに，波長の長いものから，**UVA**（320～400nm，長波長紫外線），**UVB**（290～320nm，中波長紫外線），UVC（190～290nm，短波長紫外線）に分ける．波長が短いほど，エネルギーが高くなり，皮膚透過性が低下する．UVC は殺菌灯として用いられている．UVB と UVA が治療に用いられる．

1）PUVA 療法

UVA はエネルギーが小さいため，単独で用いても効果が得にくい．そこで，光毒性物質であるソラレン（psoralen）を用いる．これを，PUVA 療法（psoralen + UVA）と称する．ソラレンを内服後に UVA を照射するものを内服 PUVA，外用後に照射するものを外用 PUVA，ソラレンの薬浴後に照射するものを PUVA-bath という．対象は，乾癬，尋常性白斑，菌状息肉症，アトピー性皮膚炎，掌蹠膿疱症，円形脱毛症など．PUVA の副作用（急性光毒性，白内障，皮膚悪性腫瘍の発生など）に注意が必要である．近年は以下に述べる narrow band UVB 療法がその有効性，簡便性から頻用されている．

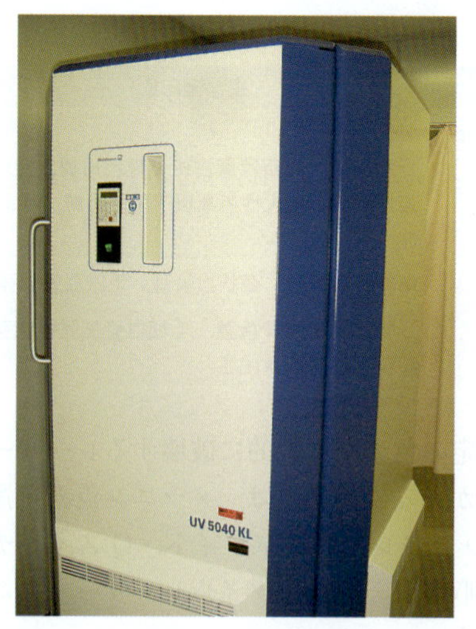

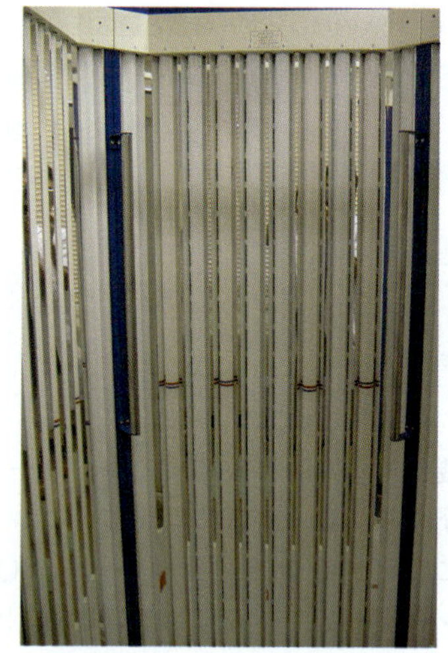

図 6-4　紫外線照射装置（左：外部，右：内部）

2）narrow band UVB 療法（図 6-4）

311 nm に鋭いピークを持つ UVB ランプを用いる．通常の UVB（broad band）よりも効果が高いとされる．PUVA 療法と較べると，効果はほぼ同程度であるが，ソラレンを必要としない点が利点である．現在は紫外線療法のファーストラインとして普及し，乾癬，白斑，痒疹，アトピー性皮膚炎などに広く用いられている．

3）UVA-1 療法

UVA は UVA-1（340～400nm）と UVA-2（320～340nm）に分けられる．UVA-1 は真皮に到達するのでアトピー性皮膚炎，強皮症，肥満細胞症，湿疹，皮膚リンパ腫などに用いられる．

4）エキシマライト

308nm 紫外線を発生するターゲット型（限局性照射型）の紫外線照射装置．紅斑惹起性が低く，かつ有効性が高い．難治性，限局性の白斑や乾癬，掌蹠膿疱症などに有効．

2. レーザー療法 laser therapy

レーザーは，light amplification by stimulated emission of radiation の略で，収束光を増幅することにより，そのエネルギーの熱作用で組織を破壊するものである．

表 6-6　代表的なレーザー装置と適応疾患

レーザーの種類	波長	パルス幅	主な適応症
Q スイッチ・ルビーレーザー	694nm	20〜25nsec	太田母斑，異所性蒙古斑，青色母斑，浅い色素性母斑，老人性色素斑，扁平母斑，刺青
Q スイッチ・アレキサンドライトレーザー	755nm	50nsec	
Q スイッチ・ヤグレーザー	1064nm	6〜10nsec	
ダイレーザー	585nm	300〜500μsec	単純性血管腫，苺状血管腫，毛細血管拡張症
炭酸ガスレーザー	10.6μm		汗管腫，眼瞼黄色腫，毛細血管拡張性肉芽腫，疣贅，脂漏性角化症

組織を非特異的に破壊するレーザーと，特定の色素を選択的に破壊するレーザーとに分けられる．前者には炭酸ガスレーザーがある．後者には，メラニン色素を選択的に破壊するＱスイッチルビー，Ｑスイッチアレキサンドライト，Ｑスイッチヤグレーザーと，ヘモグロビンに選択的に吸収される色素（ダイ）レーザーがある．それぞれの特徴と主な適応症を表 6-6 に示す．

1）炭酸ガスレーザー（図 6-5）

炭酸ガスレーザーは，水に吸収され熱エネルギーを放出することにより，組織を非選択的に蒸散させる．

図 6-5　アレキサンドライトレーザー

2）Qスイッチルビー，Qスイッチアレキサンドライト，Qスイッチヤグレーザー

メラニン色素に選択的に吸収され，破壊する．Qスイッチシステムを有しているため，パルス幅がごく短い．メラニンが増加している疾患のほか，刺青にも有効である．一方，肝斑や炎症性色素沈着には無効．扁平母斑に対する効果は一定しない．

3）色素（ダイ）レーザー

ヘモグロビンに選択的に吸収され，赤血球を破壊する．赤血球破壊に伴う熱放散により血管壁をも破壊する．この機序により，単純性血管腫，苺状血管腫，毛細血管拡張症に用いる．皮膚深達度に限界があるため，皮下の海綿状血管腫などには効果がない．

3．放射線療法 radiotherapy

皮膚科用軟X線照射装置（デルモパン）は製造が中止され，今日ではほとんど使われなくなった．現在，放射線療法の対象は，悪性腫瘍にほぼ限定され，有棘細胞癌や悪性リンパ腫の原発巣や転移巣，悪性黒色腫の骨転移や脳転移などに照射される．

線種としては，ライナックやベータトロンから放出される電子線を用いることが多い．その他，脳転移にγ線（ガンマナイフ）やX線（エックスナイフ）が用いられる．線量分布に優れ，周辺健常組織に対する障害の少ない陽子線や，さらに生物学的効果比の高い重粒子線も，一部の施設で使用されている．

4．凍結療法 cryotherapy

低温にて細胞を凍結させ，壊死，脱落させる治療法．液体窒素（－196℃）を用いることが多い．対象疾患は，疣贅や良性腫瘍がほとんどであるが，表在性の悪性腫瘍や難治性の円形脱毛症に用いることもある．

1）液体窒素療法 liquid nitrogen therapy（図6-6）

綿球に液体窒素を含ませて組織に浸透させて凍結することが多い（綿球法）．小型で有茎性の病変に大きな綿球を当てると周辺組織まで凍結してしまうため，先端を液体窒素に浸した鑷子で病変を摘まみ上げるとよい（cryoforceps法）．逆に大きな病変では，スプレーを使うこともある（スプレー法）．凍結後は自然解凍させ，これを数回繰り返す．適応は，尋常性疣贅，脂漏性角化症，血管拡張性肉芽腫などの皮膚良性腫瘍．

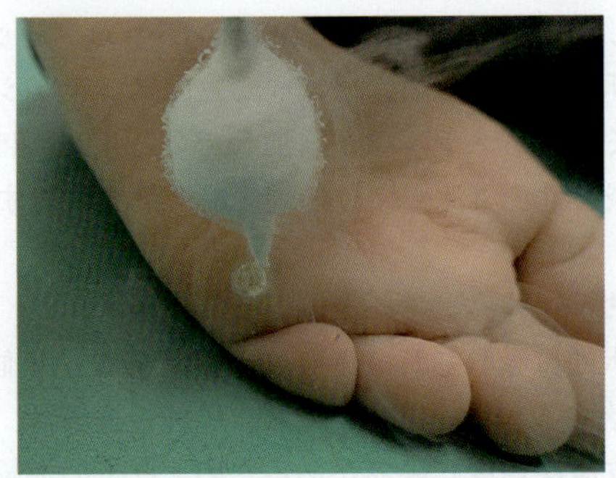

図 6-6　液体窒素法（綿球法：足底疣贅）

2）ドライアイス（雪状炭酸）法

固型ドライアイス（−78℃）を病巣に圧抵する．かつて太田母斑，血管腫に使われていたが，現在はレーザー治療を第一選択とすることが多くなった．

5. 温熱療法 thermotherapy

高温で菌が発育できないことを利用して，スポロトリコーシス，クロモミコーシス，皮膚非結核性抗酸菌症の治療に用いる．使い捨てカイロを用いるのが便利である．悪性腫瘍の集学的治療の一つとして，化学療法などと併用されることもある．

6. 血漿交換 plasma exchange therapy, plasmapheresis

血漿交換とは，血液を血球成分と血漿成分に分離し，後者に含まれている病的因子を除去する治療法である．遠心分離法と膜分離法があるが，皮膚科領域で主に使われるのは，後者のうち**二重膜濾過血漿交換法**（double filtration plasmapheresis；DFPP）である．DFPP では，まず一次濾過膜で血球と血漿を分離する．次いで二次濾過膜で血漿成分のうち，グロブリン分画を選択的に分離，破棄して，アルブミン分画を体内に戻す．これにより，自己免疫疾患の原因蛋白が除去される．自己血漿を再利用しているため，他者血漿の補充に伴う感染やアレルギー反応などの合併症が少ない，という利点がある．適応は，Stevens-Johnson 症候群，中毒性表皮壊死症，天疱瘡，水疱性類天疱瘡，SLE，など．

7. ケミカルピーリング chemical pealing

化学物質（グリコール酸，乳酸，サリチル酸，トリクロロ酢酸など）を塗布し，皮膚の表面を剥離する方法．深達度により，①角層を剥離する最浅層ピーリング，②表皮顆粒層から基底層の間の浅層ピーリング，③表皮と真皮乳頭層までの中間層ピーリング，④真皮網状層に及ぶ深層ピーリングの4つのレベルに分けられる．日本人は肥厚性瘢痕を生じやすく，最浅層，浅層ピーリングが主流である．痤瘡に高い適応がある．その他適応があるのは，毛孔性苔癬，炎症後色素沈着，日光性色素斑，肝斑，雀卵斑など．

8. 光線力学的療法 photodynamic therapy

特殊な光線療法の一つ．腫瘍親和性光感受性物質（δ-アミノレブリン酸）を投与した後，レーザーなどで強力な光を照射すると，腫瘍組織に取り込まれた光感受性物質が光を吸収して，腫瘍細胞を選択的に破壊する．対象は，日光角化症，Bowen 病，表在型基底細胞癌などの浅在性の腫瘍．

9. 局注療法 intralesional injection

皮膚科における薬物の局所投与法はほとんどが外用療法であるが，局所に注射する場合もある．円形脱毛症に対するステロイド局注，眉間の皺に対するボツリヌス毒素局注など．

10. 局所免疫療法 contact immunotherapy

局所にアレルギー性接触皮膚炎を意図的に起こさせ，惹起された免疫反応より治療を行う治療法．感作物質としては，squaric acid dibutylester（SADBE），diphenylcyclopropenone（DPCP）を用いる．難治性の円形脱毛症のほか，難治性の尋常性疣贅にも用いられることがある．

11. 人工被覆材 biosynthetic skin prosthesis

熱傷や採皮に伴う皮膚欠損部を一時的に被覆する．創傷被覆材ともいう．創面に密着して疼痛や浸出液を抑え，肉芽形成を助ける．創を密封するので，感染創には向いていない．

キチンや昆布抽出アルギン酸塩などの生体被覆材，ハイドロジェル，ハイドロコロイド，ポリウレタンフィルムなどの合成材料，アテロコラーゲンスポンジ+シリコンシートのように生体由来と合成材料を複合したものがある．

12. 電気療法 electrosurgery, radiosurgery

高周波の交流電流により，組織を破壊する方法．アクロコルドン，色素性母斑など表在性の小腫瘍の破壊，あるいは術中の止血目的に用いられる．

13. イオントフォレーシス iontophoresis

微弱電流により，溶液中のイオン化した薬剤を無痛で経皮的に病変内に浸透させる方法．帯状疱疹後神経痛に対する局所麻酔薬やステロイドのイオントフォレーシス，多汗症に対する水道水を用いたイオントフォレーシス，美白目的でのビタミンCのイオントフォレーシスなど．

14. 高圧酸素療法 hyperbaric oxygen therapy

重症軟部組織感染症（ガス壊疽，壊死性筋膜炎），急性末梢血管障害（重症の熱傷，凍傷），難治性潰瘍を伴う末梢循環障害などに適応がある．

15. 陰圧閉鎖療法 negative pressure wound therapy

創部をドレッシング材で被って閉鎖環境を保ち，吸引ポンプで陰圧をかけることで創傷治癒を促進させる方法．細菌や毒素，過剰な浸出液を除去すると同時に，肉芽組織の血管新生を促す．

16. 美容皮膚科 cosmetic dermatology

近年，社会状況の変化を受け，美容を目的とした診療のニーズが高まっている．上述のレーザー療法，IPL（intense pulse light）照射，ケミカルピーリング，ボツリヌス毒素局注，イオントフォレーシスなどもその手法の一つである．その他，脱毛術，植毛術，コラーゲン・ヒアルロン酸注入による顔面除皺術など．養毛・増毛治療に男性型脱毛症のフィナステリドやデュタステリド内服，乏睫毛症のビマトプロストの外用がある．ほとんど自費診療のため，従来収益にまつわる関心のみ強くなりがちな領域であったが，光老化や角層などの研究成果を踏まえ，科学的根拠に基づいた診療体制が整備されてきている．

第 7 章 湿疹・皮膚炎

1 湿疹・皮膚炎の概論

概念

湿疹（eczema）は，**湿疹反応**と呼ばれる皮膚の炎症性変化を主体として生じる疾患群で，**皮膚炎**（dermatitis）とほぼ同義で用いられている．湿疹三角に示されるような共通の臨床症状，また組織像を呈するが，病因・病態は単一ではなく，明らかでない部分も多い．湿疹・皮膚炎は，皮膚疾患患者の 1/3 以上を占めて，皮膚科の日常診療上頻繁に遭遇する疾患である．

病態生理

湿疹・皮膚炎に共通するのは，外的あるいは内的刺激に対する一定の特徴を有する炎症反応（湿疹反応）である．湿疹反応の病態の少なくとも一部はアレルギー性接触皮膚炎で，遅延型過敏反応，Ⅳ型アレルギー機序（図 7-1）のように理解されている．

まず表皮に侵入したアレルゲン（抗原）が Langerhans 細胞および真皮樹状細胞に取り込まれて，processing を受ける．Langerhans 細胞と真皮樹状細胞は真皮のリンパ管を遊走し，所属リンパ節でナイーブ T 細胞に対して抗原を提示，ナイーブ T 細胞が活性化され（エフェクター T 細胞）感作が成立する（感作相）．アレルゲンに再度曝露されると感作 T 細胞が活性化され，他の免疫細胞（B リンパ球・単球・好中球・好酸球・肥満細胞）や表皮ケラチノサイトも活性化され，多くのサイトカインが放出されるなど炎症反応が惹起される（惹起相）．多くの湿疹・皮膚炎全体を統一的に理解できるような病態論は将来に期待されるところである．

症状

次の 3 徴候を備える．

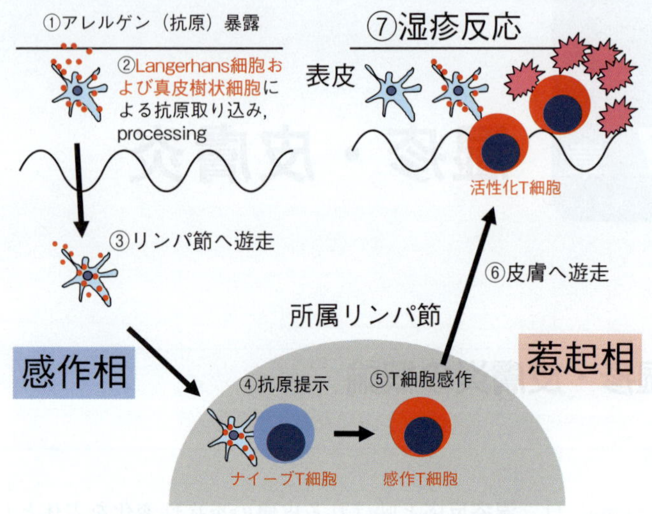

図 7-1　湿疹反応（ここではアレルギー性接触皮膚炎）の発症機序

①**点状状態**：小さい点状要素（小水疱・丘疹・漿液性丘疹・膿疱・鱗屑など）より成る．

②**多様性**：丘疹・小水疱・膿疱・結痂・落屑などの種々の相を同時に，または時期を違えて有する．

③**瘙痒**：程度の差はあるが，ほとんどの場合に伴う．

臨床像とその経過は，湿疹三角（図 7-2）のように，急性期に**紅斑→丘疹・小水疱**（図 7-3）・**小膿疱→湿潤・結痂→落屑**（図 7-4）と経過し，治癒する．治癒せず

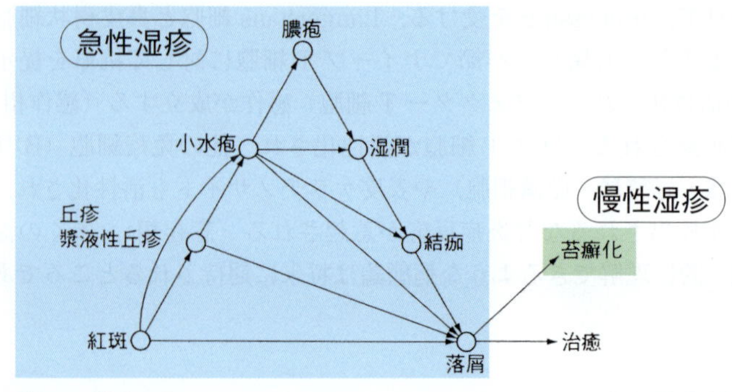

図 7-2　湿疹三角

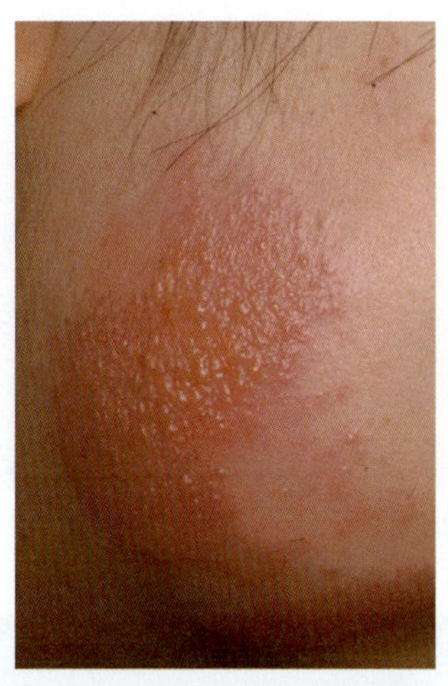
図 7-3 急性湿疹（紅斑・小水疱）

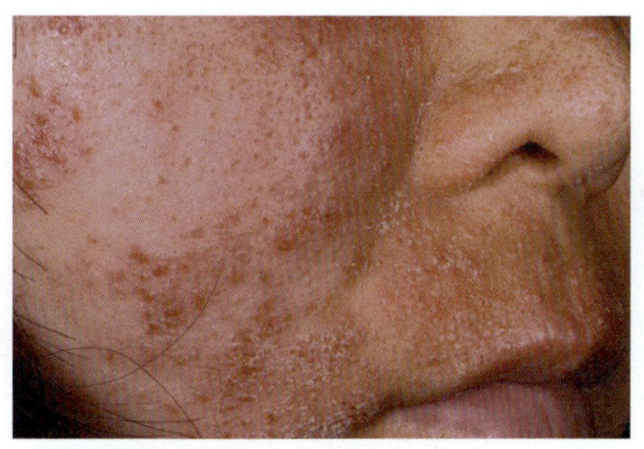
図 7-4 急性湿疹（丘疹・湿潤・結痂・落屑）

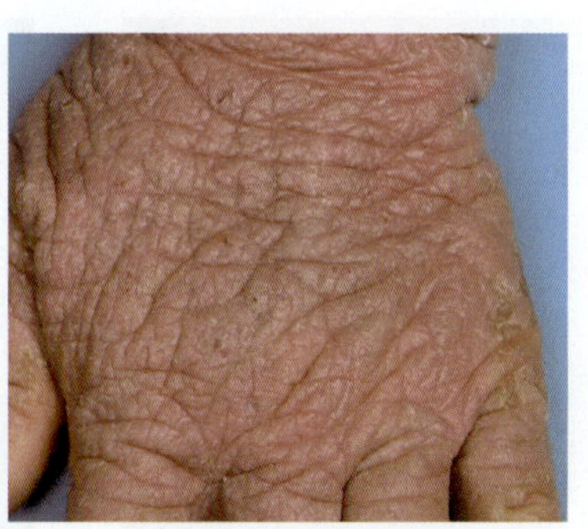
図 7-5 慢性湿疹（苔癬化）

に慢性化すると**苔癬化**（図 7-5）を呈する（慢性湿疹）.

組織

湿疹反応の基本像はリンパ球の表皮内侵入（exocytosis）（図 7-6）と，海綿状態（図 7-7）で，不全角化，表皮肥厚などが加わる．急性・亜急性・慢性と分ける．

①**急性型**：表皮内小水疱（図 7-8）が主体．細胞間浮腫（海綿状態 spongiosis），細胞内浮腫，小水疱（vesicle），網状変性（reticular degeneration）がある．角層は不全角化し，フィブリンや多数の好中球を含む（鱗屑痂皮）．真皮は血管が拡張し，浮腫性で，リンパ球・好酸球・好中球が血管周囲性に浸潤する．

②**亜急性型**：海綿状態・空洞変性・小水疱・リンパ球遊走と中等度の表皮肥厚・不全角化がみられ，真皮ではリンパ球を主体に好中球・好酸球さらに組織球が浸潤する．

③**慢性型**：表皮ケラチノサイトの増生が著明となった結果，表皮肥厚と表皮突起延

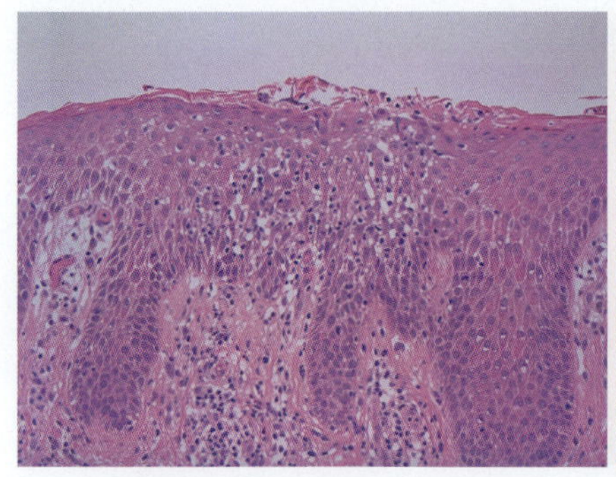

図 7-6　細胞間浮腫と exocytosis

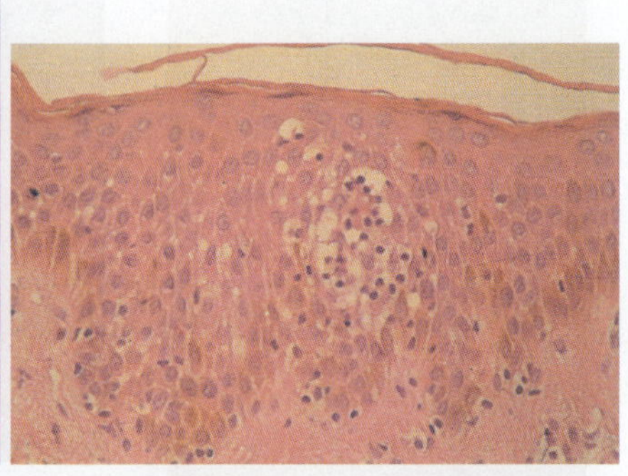

図 7-7　海綿状態

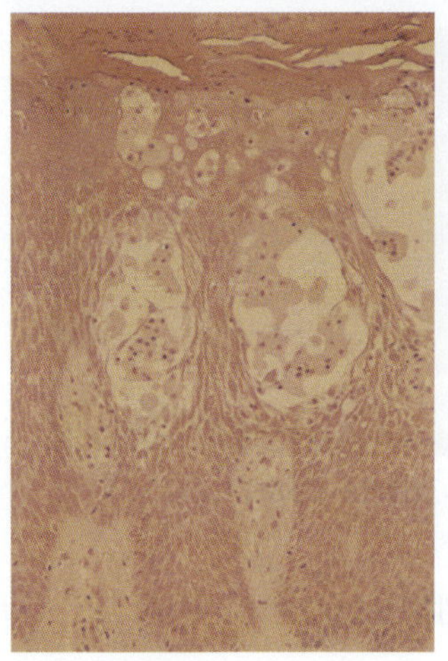

図 7-8　表皮内水疱

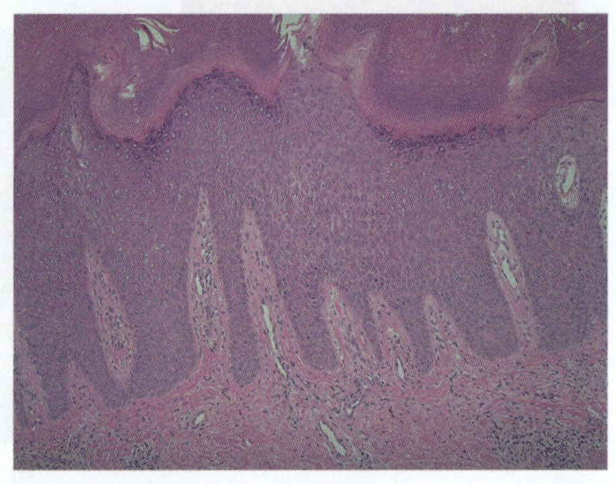

図 7-9　表皮肥厚，表皮突起延長

長が生じる（図 7-9）．角質増殖と不全角化がこれに加わり，軽度の海綿状態は存するが小水疱はない．真皮にリンパ球の血管周囲性浸潤が強まり，好酸球・組織球・線維芽細胞も浸潤するが好中球はない．

分類

湿疹・皮膚炎の病因・病態が複雑・多様であり，国際的にもあるいは広く支持された統一的・明確な分類は存在しない．病期ないし臨床・組織像から急性，亜急性，慢性湿疹に分ける考え方，あるいは発症因子を内・外因子に分けて分類する考え方もある．ここでは，病因が不明な，いわゆる「湿疹・皮膚炎（尋常性湿疹）」と病

表 7-1　湿疹・皮膚炎群の分類

1　原因が明らかでない湿疹・皮膚炎群
1）急性湿疹 acute eczema
2）亜急性湿疹 subacute eczema
3）慢性湿疹 chronic eczema
2　原因が比較的明らか，ないしは定型的臨床像を呈する湿疹・皮膚炎群
1）接触皮膚炎 contact dermatitis
2）アトピー性皮膚炎 atopic dermatitis
3）脂漏性皮膚炎 seborrheic dermatitis
4）貨幣状湿疹 nummular eczema
5）自家感作性皮膚炎 autosensitization dermatitis
6）うっ滞性湿疹 stasis dermatitis
7）皮脂欠乏性皮膚炎 asteatotic dermatitis

因が明らかである，ないしは病態・病像が比較的定型的で特徴的な疾患群（接触皮膚炎，アトピー性皮膚炎，脂漏性湿疹など）とに分類し，前者に病期分類を含めて，後者に各湿疹・皮膚炎疾患を記述する（表 7-1）．

2　原因が明らかでない湿疹・皮膚炎（尋常性湿疹 eczema vulgare）

湿疹の多くがこれに属し，臨床形態の特徴的なアトピー性皮膚炎や脂漏性湿疹を除外，さらに接触機序の明らかな接触皮膚炎を除外した，残りのすべてがこの**尋常性湿疹**〔eczema vulgare（Halter 1941），ordinary eczema〕である．この中の急性型の一つを接触皮膚炎とする考え方もあるが，接触性発症機序の明らかとなったものを，接触皮膚炎として選び抜き出すと考えたほうがよい．尋常性湿疹は未整理の籠の中に残った湿疹の集まりともいえるが，このように臨床診断する機会は多い．

症状

湿疹三角形に示された各像をとり，紅斑・丘疹・小水疱・膿疱・びらん・結痂・落屑などの急性期像を呈するものを**急性湿疹**（図 7-10）と呼ぶ．初期はこの急性湿疹の像をとるが，経過が長期化し，苔癬化し，浸潤を触れ，滲出傾向のない局面を主体とするものを**慢性湿疹**（図 7-11）という．近年，尋常性湿疹の診断名はほとんど使われず，単に湿疹，あるいは急性・慢性湿疹という語を用いる．後者の表現は臨床像を具体的に反映してわかりやすい面もある．

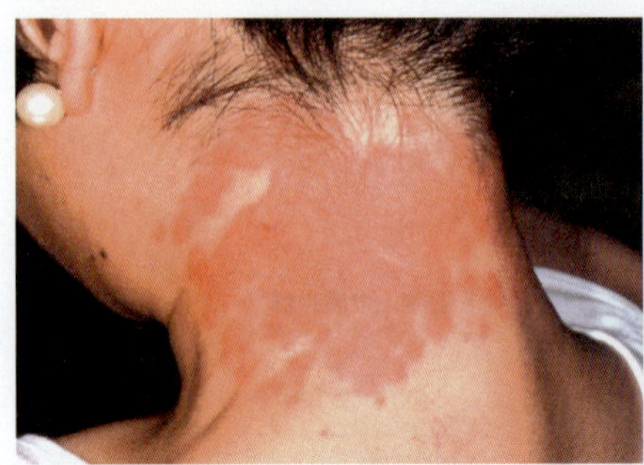
図 7-10　急性湿疹

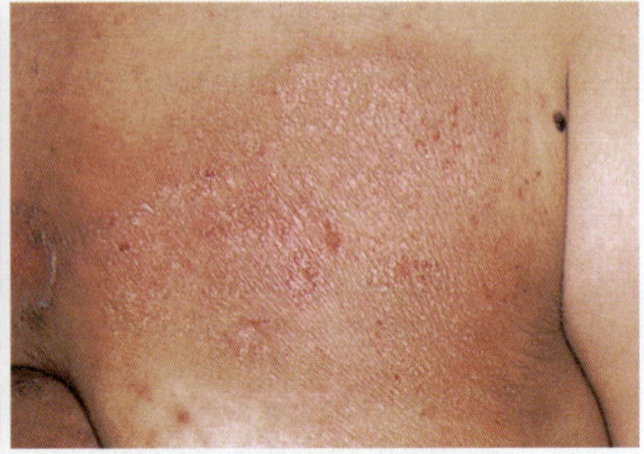
図 7-11　慢性湿疹

また，上記急性期像（紅斑・丘疹・小水疱・膿疱・びらん）と慢性期像（苔癬化）を混じる場合を**亜急性湿疹**と呼ぶ．

尋常性湿疹に属するもので，2〜3 特有の所見あるいは発症機序より，次のような名称を与えるものがある．

膿痂疹性湿疹（e. impetiginosum，膿疱・結痂の著しいもの），汎発性湿疹（e. universale，全身汎発）（図 7-12），毛瘡性湿疹（e. sycosiforme，須毛部に限局），間擦性湿疹（e. intertriginosum，間擦部に湿潤性病変）（図 7-13），汗疹性湿疹（e. sudaminosum），亀裂性湿疹（e. rhagadiforme，耳後・手掌足底で亀裂の著しいもの）（図 7-14），胼胝性湿疹（e. tyloticum，手掌足底で限局性肥厚を伴うもの），苔

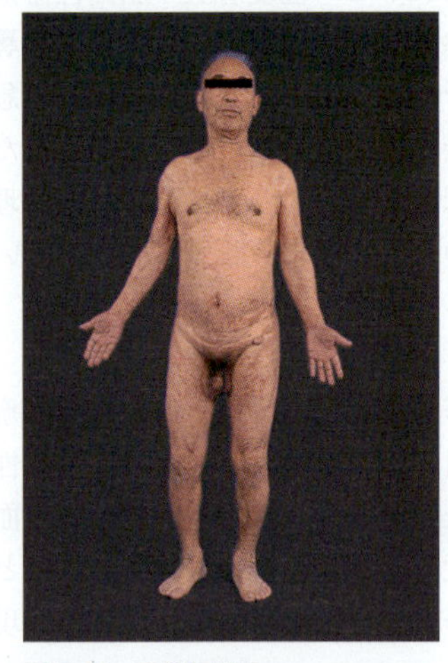
図 7-12　汎発性湿疹

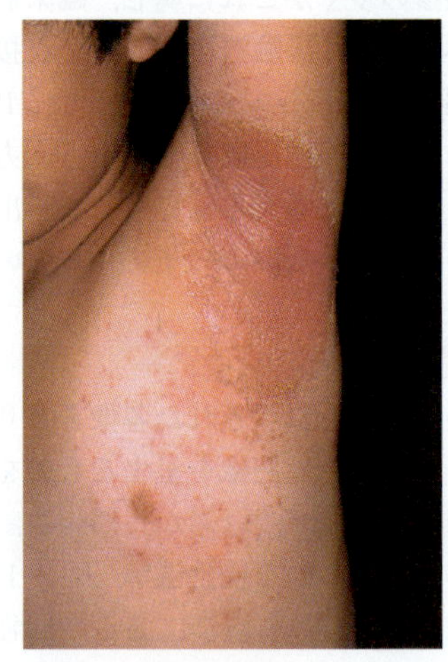
図 7-13　間擦疹性湿疹

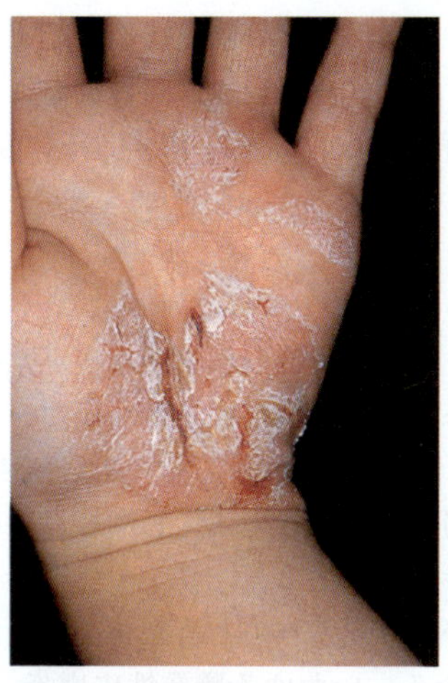

図 7-14　亀裂性湿疹

癬化湿疹（e. lichenificatum），ビダール苔癬（lichen Vidal），疣状湿疹（e. verrucosum）.

組織所見

急・亜急・慢性の各型.

発症機序

原因，発症機序不明．接触アレルギーと推定されるが，その根拠，特に接触原を把握できずにこのカテゴリーに残されているものが多い.

治療

①ステロイド薬などの軟膏療法，②全身療法（抗ヒスタミン薬・抗アレルギー薬・消炎薬など），③紫外線療法.

3　原因が比較的明らか，ないしは定型的臨床像を呈する湿疹・皮膚炎群

1．接触皮膚炎 contact dermatitis

接触皮膚炎には，**一次的刺激性**（primary irritant）と，**アレルギー性**機序による

ものとがある（☞ p.149）．前者は一定の刺激閾値を超えれば，初回接触でも，また誰にでも発症しうる．後者は感作成立後に，同物質および交叉性のある物質に再接触した場合に発症する．特殊なものに光線が関与する光接触皮膚炎（photocontact dermatitis）がある．

症状（図7-15，16）

発赤・腫脹が顕著で，さらに漿液性丘疹・小水疱・水疱を形成し，びらん・結痂に至る（紅斑期→紅斑丘疹期→丘疹小水疱・小水疱期→水疱期→湿潤期→痂皮期→治癒傾向→落屑期→紅斑・浸潤残存期→完全消褪）．瘙痒時に灼熱感が激しい．接触原の接触した部位に限局する．他の型に比し潮紅浮腫の激しいこと，接触原の除去により消褪しうる点が特徴的である．

原因物質との反復接触が繰り返されると苔癬化をきたし，慢性湿疹ないしビダール苔癬の像を示すようになる．いわゆる職業性皮膚炎（occupational dermatitis）にはこの型が多い．炎症の激しいときや治療が不適切であると，全身に撒布疹を生じやすい（接触皮膚炎症候群：自家感作性皮膚炎と同様の症状 ☞ p.162）．広範囲のときは発熱・倦怠感などをきたし，刺激が強いと壊死・潰瘍をきたすこともある．炎症部位から経皮的に吸収された抗原物質が，血行性に散布されて生じると推測されている．

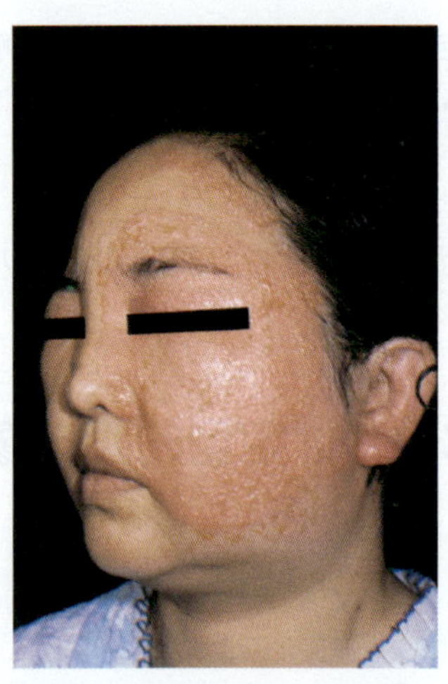

図7-15　接触性皮膚炎（NSAIDs外用薬による）

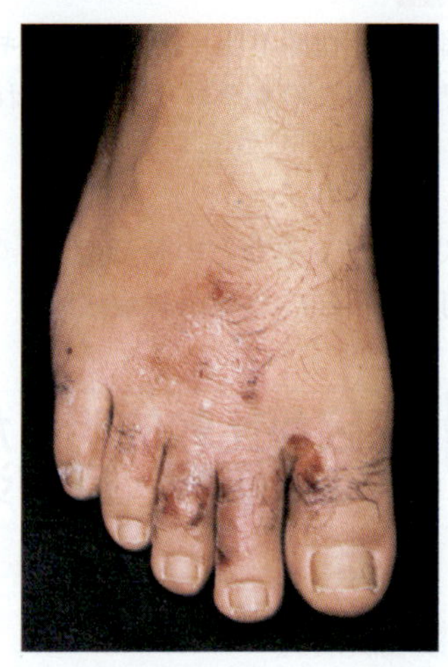

図7-16　接触性皮膚炎（抗真菌薬による）

組織所見

急・亜急・慢性の各像をとる．一次刺激性かアレルギー性かは，早期（24時間まで）なら区別できるという．前者は表皮上層に細胞破壊を生じ，まず好中球，のちリンパ球が侵入し，次いで海綿状態，小水疱を形成，後者はまず血管拡張・浮腫・リンパ球血管外遊走が真皮で起こり，リンパ球が表皮に入っていき，下層に海綿状態を生じ，のちリンパ球の上昇とともに表皮全体に海綿状態，小水疱を生じる．

診断

①**接触原の確認**（既往・部位・生活・職業）．

②**接触原となりやすいもの**：植物（☞ p.149）・ゴム（加硫促進薬：MBT，TMTD）・金属（ニッケル・クロム・コバルト・水銀・金・パラジウム）・農薬・洗剤・化粧品・染髪料（パラフェニレンジアミン）・眼鏡・石鹸・医薬品（外用薬：フラジオマイシン・イミダゾール系・ブフェキサマックなど，消毒薬：ポピドンヨード・塩化ベンザルコニウム・グルコン酸クロルヘキシジン）・絆創膏・化学薬品・合成樹脂・染料・塗料・装身具など．2010年代ではニッケル，金，ウルシオール，パラレフェニレンジアミン，コバルトが接触原の上位を占めており，特にニッケルと金の頻度が増加している．1990年代に多くみられていたプリミンは近年減少している．

③**接触原の証明**（**貼布試験** patch test）：被疑物質を溶液・軟膏に溶解して，貼布試験用プラスターを用い24～48時間貼布，発赤・丘疹・漿液性丘疹・腫脹の有無をみる（24，48，72時間）．衣類・化粧品・皮革などはそのまま貼布する（asis test）．また，ジャパニーズスタンダードアレルゲン22種類が調整済みのパッチテストパネルが市販されており，スクリーニング検査として有用である．

判定基準には，日本の基準およびICDRG（International Contact Dermatitis Research Group）基準の2種類がある（表7-2）．ある物質について希釈系列を作り，一定の濃度で陰性化するなら一次刺激性，濃度に関係なく陽性ならアレルギー性．ただし，アレルギー性でも全く濃度非依存性というわけではなく，高濃度ほど反応が強く出る傾向はある．単純貼布のほか，光線照射を併用して行う光貼布試験があり，光接触皮膚炎の接触原の検索に用いられる．

④**接触原除去による皮疹の消褪**．

治療

①接触原を絶つ．生活環境・職業の変更を必要とすることもある．

②局所はステロイド軟膏を塗布するが，発赤・腫脹・灼熱感には冷湿布，漿液性丘疹・小水疱・びらんが強ければ亜鉛華軟膏．

表7-2 パッチテスト判定基準

日本の基準		ICDRG 基準	
−	反応なし	−	No reaction
±	軽い紅斑		
+	紅斑	+?	Doubtful reaction (faint macular erythema only)
++	紅斑+浮腫	+	Weak (non-vesicular) reaction (erythema, infiltration, possibly papules)
+++	紅斑+浮腫+丘疹, 漿液性丘疹, 小水疱	++	Strong (vesicular) reaction (erythema, infiltration, papules, vesicles)
++++	大水疱	+++	Extreme positive reaction (bullous reaction)
		IR	Irritant reaction of different types
		NT	Not tested

③炎症反応が強い場合や広範囲に及ぶ場合は短期間ステロイド内服. 抗ヒスタミン薬・抗アレルギー薬・消炎薬の内服.

特徴的臨床像を呈する接触性皮膚炎

1）主婦手湿疹 housewives hand eczema

家事に従事する主婦の手, 特に指背・手背に斑状（貨幣状湿疹様）あるいは広範囲に発赤・腫脹・漿液性丘疹・丘疹・亀裂・痂皮・鱗屑・瘙痒などをきたすもの. 温水・石鹸・合成洗剤・紙・布による脱脂, 角層脱落, 角層水分保持力低下, 機械的刺激, 化学的刺激, 他物質に対する感受性の上昇などが基底にある（図7-17, 18）. いわゆる進行性指掌角皮症（☞ p.396）も, この主婦手湿疹の一型とみなす傾向もある. さらに手指の非アレルギー性の接触皮膚炎, アレルギー性接触皮膚炎, 異汗性湿疹などを包括した概念で捉える考え方もある.

2）おむつ皮膚炎 diaper dermatitis

おむつの当たる部分（特に外陰周囲・肛囲）に紅斑, 時に漿液性丘疹・びらんを生じる. 尿・便の刺激（アンモニア・プロテアーゼなど）, おむつの機械的刺激, 密閉環境などによる. 時に乾癬様外観を呈する（psoriasiform napkin dermatitis）. カンジダ症（☞ p.902）との鑑別が重要.

おむつを頻回に交換し, 交換時には微温湯で軽く清拭する. カンジダ症誘発を避けつつ, ステロイド外用などにより炎症反応を除く治療.

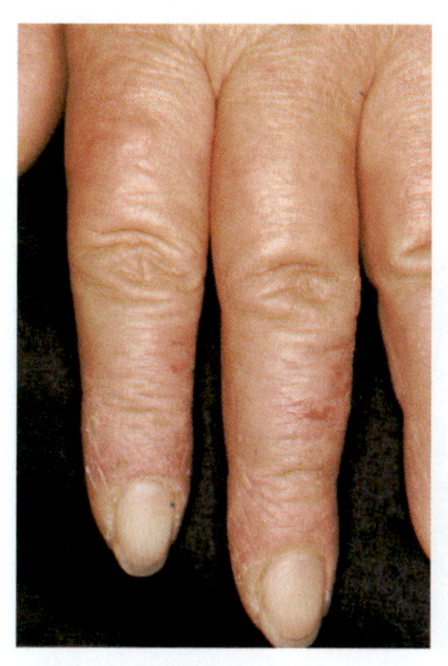

図 7-17 主婦手湿疹

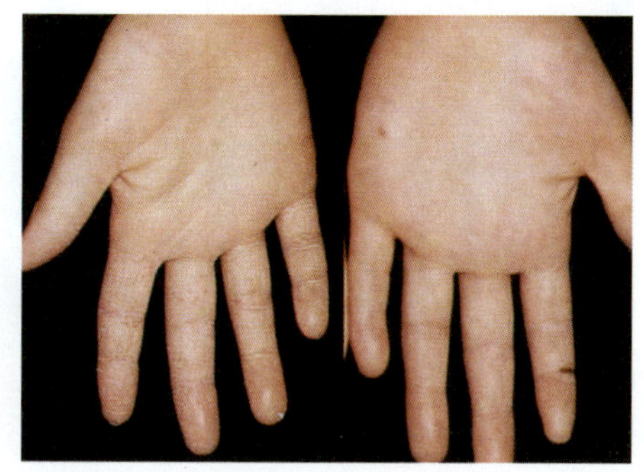

図 7-18 主婦手湿疹

3）植物皮膚炎 plant dermatitis

園芸趣味の興隆とともに増加傾向．顔頸部・前腕・手背・下腿・外陰部などに好発．

①**アレルギー性**：ウルシ系（ウルシ・ハゼ，ウルシオール）・マンゴー（マンゴール）・カシューナッツ・ギンナン系〔ギンナン（外種皮）・イチョウ，ギンコール酸〕・キク系（キク・マーガレット・ヒマワリ・ダリア・ヨモギ・レタスなど）・サクラソウ（トキワザクラ・オトメザクラ，プリミン：葉の裏の絨毛に含まれる）・シソ・チューリップ・カクレミノ・ヤツデ

②**一次刺激性**：イラクサ・ニンニク・タマネギ・カラシ・ホウレンソウ・パパイヤ・パイナップル・トウダイグサ・ミドリサンゴ・キョウチクトウ・ウマノアシガタ・キツネノボタン・センニンソウ・イチジク

③**棘毛による機械的刺激**：セイヨウミズキ・サボテン・コンフリー・バラ

④**蓚酸カルシウム針状結晶**：ヤマイモ・サトイモ・アロエ・キウイ・パイナップル

⑤**光毒性**：フロクマリン（furocoumarin）含有：パセリ・レモン・ライム・ベルガモット・ハナウド・イチジク・セロリ・アカザ

などの機序がある．

4）全身性接触皮膚炎 systemic contact dermatitis（図 7-19）

経皮的感作の成立した抗原が，注射・吸入・経皮・経口的に循環血中に入り，感作部位の flare up とともに全身に汎発疹（紅斑・丘疹・漿液性丘疹）を生じる．かつて水銀によることが多かったが，近年，日常生活での水銀使用の減少とともに激

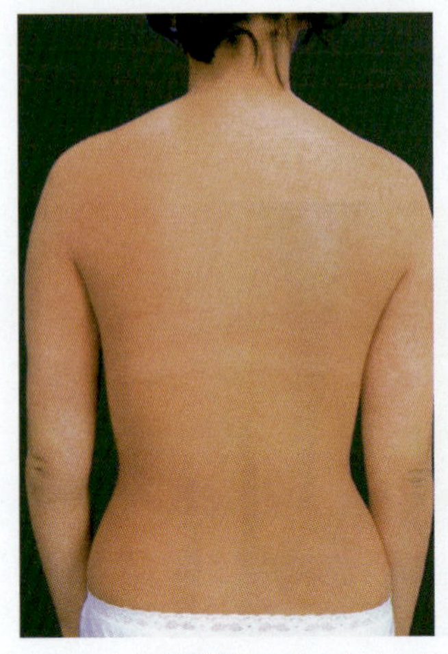

図 7-19　全身性接触性皮膚炎（水銀皮膚炎）

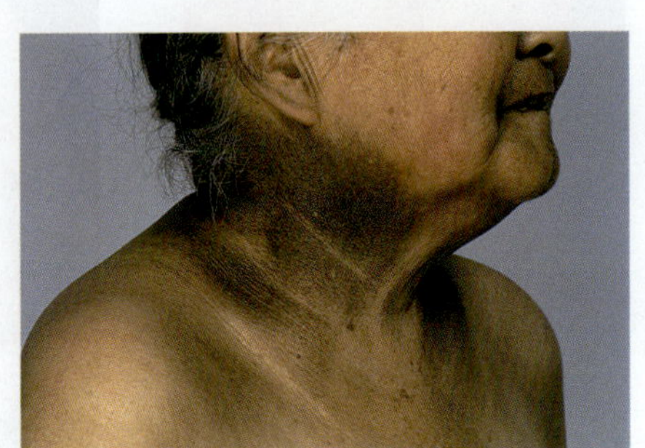

図 7-20　pigmented contact dermatitis（ネルの寝巻による）

減している．次いでニッケル・コバルト・クロム．

5）pigmented contact dermatitis（Osmundsen 1970）（図 7-20）

主として衣類の染料に長期接触し，炎症症状は少ないがスレート色色素沈着を残す．ネル寝巻の染料ナフトール AS（2, 3-hydroxynaphthoic acid anilide）によるものが多く，冬期で頸・鎖骨部・前腕などに，しわの陥凹部を避けて軽度苔癬化を伴う灰褐色色素沈着で，液状変性・表皮菲薄・扁平化・色素失調がみられる．その他洗剤（蛍光剤）・香料（ベルロック皮膚炎 berloque dermatitis Freund 1916）．サクラソウによっても生じる．染料・香料によるものは近年減少している．

6）ピアスによる金皮膚炎

ピアス装着の耳朶に装着後 2 週〜6ヵ月に，初め発赤腫脹・滲出などの急性皮膚炎症状をきたし，やがて皮内小結節を形成する．真皮に持続的に金が存在し，免疫反応が持続するため難治．穿孔術直後にピアスを入れると，金はイオン化して経真皮感作を生じやすいので，小孔に上皮化が完成するまで（3 週ほど），ステンレスなどの代用ピアスを用いる．小硬結は組織学的にリンパ球・好酸球浸潤とリンパ濾胞構造．

2. アトピー性皮膚炎 atopic dermatitis (AD), atopic eczema, ベニエ痒疹 prurigo diathésique (Besnier 1892)

先天的なアトピー素因と後天的で様々な環境刺激因子が関連し合って発症する慢性炎症性湿疹である．

アトピーとは

Coca（1923）はヒトに特有で遺伝性の先天性過敏症であるアレルギーの一型をアトピー（atopy）と称し，その抗原（花粉・動物毛・真菌胞子・食物・家屋塵のようなありふれたもの）を atopen，対応する抗体を reagin（IgE）と名づけた．アトピー素因とは，①家族歴・既往歴に気管支喘息・アレルギー性鼻炎・結膜炎・アトピー性皮膚炎を有し，② IgE 抗体を生じやすい状態をいう．Sulzberger（1933）は Coca のアトピーの概念に基づいて発症する湿疹をアトピー性皮膚炎（atopicdermatitis；AD）と呼称した．

病因・病態

1）アトピー素因（図 7-21）

IgE を産生しやすい免疫学的素因と表皮バリア機能低下の非免疫学的素因が関連し合っている．かかるアトピー素因の皮膚に後天的環境要因・刺激が加わってアトピー性皮膚炎を発症する．

①**アレルギーの側面**：本症は喘息などのアレルギー疾患を合併しやすく，好酸球増多症や高 IgE 血症を伴うことも多い．表皮内に存在するランゲルハンス細胞は

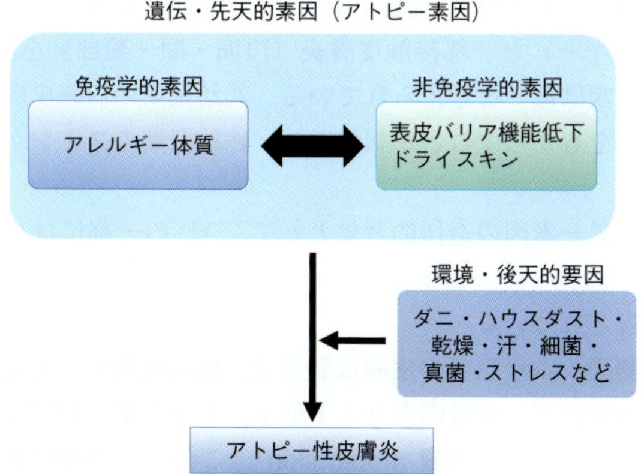

図 7-21　アトピー性皮膚炎の発症機序

高親和性IgE受容体を発現して，ダニ・ハウスダストなどの環境アレルゲンがランゲルハンス細胞を介して炎症の司令官であるヘルパーT細胞に提示され，活性化される．さらに，T細胞を直接強力に活性化できる細菌由来のスーパー抗原の関与も知られている．

ADではヘルパーT細胞のうちIL-4，IL-5，IL-13，IL-31を産生するTh2細胞と自然免疫系のILC2（group 2 innate lymphoid cell）が優位となり，2型炎症が惹起されることがADの病態形成に重要であると考えられている．IL-4，IL-13は，産生細胞であるTh2細胞，ILC2自身にその受容体が発現しており，自己活性化ループを形成するとともに，ケラチノサイトに作用してバリア蛋白の発現を抑制し，B細胞に作用してIgE抗体の産生を増強させる．また，好酸球に作用して炎症メディエーターの産生を増強させ，2型炎症を促進させる．IL-5は好酸球増多，IL-31はIL-4，IL-13とともに痒みを惹起し，itch-scratch cycleに関与する．また，ADでは一部即時型アレルギー（アレルゲンが直接肥満細胞を活性化，ケミカルメディエーターを放出）も関与する．表皮ケラチノサイトは，皮膚バリア障害によりTARC，TSLP，IL-25，IL-33を産生し，Th2偏位を誘導する．また，ケラチノサイトはToll様受容体を発現して自然免疫にも重要な役割を果たしているが，AD表皮ではβ-defensinやcathelicidinsの抗菌ペプチドの産生が低下している．一方，ADの病態形成にはTh2細胞だけではなく，特に慢性期にはTh1細胞やTh22細胞，Th17細胞も大きく関与すると考えられている．

従来からADと食物アレルギーの関係が議論されてきたが，乳幼児では食餌アレルギー（卵白・牛乳・大豆さらに穀類など，掻破試験・皮内反応・特異的IgE抗体・特異的IgG4抗体）の存在は認められるが，除去・投与試験などでADの皮疹と食餌との関係を明らかにできるものは少ない（10%以下）．また3歳を過ぎるとこの食餌アレルギーは急速に消失する．食餌アレルゲンは，じんま疹（および気道アレルギー）と一部接触皮膚炎（口囲・頤・頸部）を生じうるが，AD全体における役割は低いと考えられている．乳幼児期の口囲皮膚炎は食餌アレルゲンの経皮感作をもたらすことが報告され，乳幼児期のスキンケアの重要性が示されている．

さらに，アトピー素因の遺伝的背景として，ADの一部には，高親和性IgE受容体遺伝子，T細胞受容体遺伝子，IL-4遺伝子などにADの発症と相関する遺伝子多型が報告されている．

②**表皮バリアの側面**：本症患者の皮膚は特有で，皮膚乾燥化，毛孔性角化，魚鱗癬様変化，皮表脂質低下，角層内セラミド低下，不感蒸泄（TEWL）亢進，四肢端冷感などがある（**アトピー皮膚 atopic skin**）．このため皮膚は易刺激性で瘙痒閾値が低い．血管反応も異常で，白色皮膚描記症（図7-22）（white dermogra-

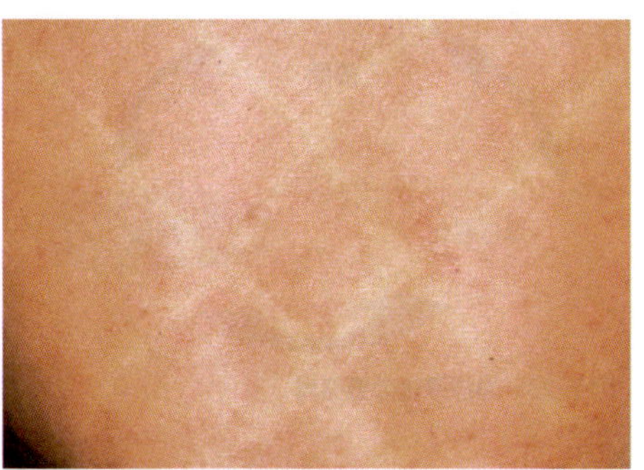

図 7-22　白色皮膚描記症

phism）（皮膚をこすると充血線を生じず，逆に貧血性白線を生じる），アセチルコリン遅発蒼白反応（delayed blanch phenomenon）（アセチルコリン皮内注射後 3～5 分で蒼白斑）がみられ，ヒスタミン反応で紅斑が欠如する．尋常性魚鱗癬の原因であり，表皮バリア形成に重要なフィラグリンの遺伝子変異が日本の AD の 20％程度（欧州では 40％以上）に検出されることから，AD の発生病理における非免疫学的側面（乾燥肌・表皮バリア機能低下）が注目されている．フィラグリンやロリクリン，インボルクリンなどの表皮バリア構成蛋白は，遺伝的に発現が減弱しているだけではなく，IL-4，IL-13 などの Th2 型サイトカインによっても発現が抑制され，バリア機能が低下する．また，AD では伝染性膿痂疹やカポジ水痘様発疹症などの感染症が高頻度に生じ，皮疹部細菌数も増加しており，上述のスーパー抗原などを介して AD の皮疹悪化に関与する．AD 表皮のケラチノサイトからの抗菌ペプチドの分泌が低下しているのがその理由の一つである．

7章

2）後天的・環境的要因

家屋塵内のダニ（house dust mite：コナヒョウヒダニ・ヤケヒョウヒダニ）による遅延型接触アレルギーおよび即時型アレルギー．フケも同様の抗原（およびダニの食餌）としての意義がある．動物表皮成分・植物・細菌類・真菌類・化学物質・線維その他の環境物質も同様な意義が考えられている．精神的ストレス，疲労，睡眠不足なども AD の悪化要因である．AD の瘙痒は極めて激しく強く掻破を繰り返し，これが炎症反応と病変の悪化を生じ，さらに悪循環化する（図 7-23）．

近年 AD が増加しているが，環境因子（都市生活者増加・気密性高温の家屋・排気ガス・接触原の多様化）が大きく関係していると思われ，それに関連して乳幼児期を経過せず思春成人期で発症する例も多くなっている（成人型：全体の 10％以上）．また一方で良質な使い捨ておむつの発達により，おむつ部に病変の軽い乳幼

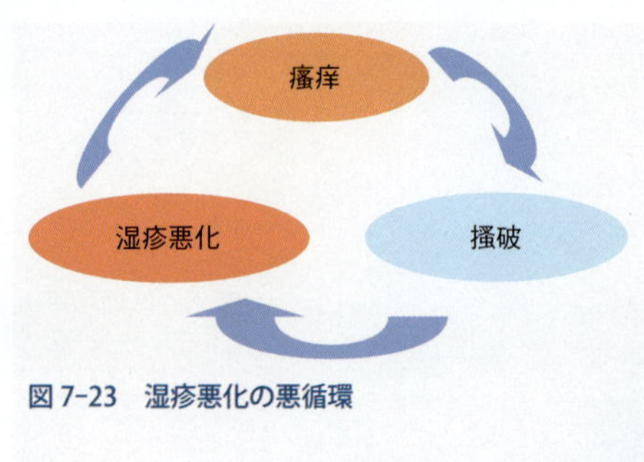

図 7-23　湿疹悪化の悪循環

児例をみる．

症状

大きく乳幼児期（2ヵ月～4 歳），小児期（～15 歳），成人期（16 歳～）に大別され，それぞれの時期に特徴的な症状を呈する．

①**乳児期（乳児湿疹型），幼児期**：頭顔部に始まる紅斑・鱗屑で，また丘疹・漿液性丘疹を混じ，湿潤結痂する（図 7-24）．頭部では厚い痂皮を生じる．体幹・四肢には貨幣状湿疹様あるいは斑状の紅斑落屑性局面の散在することも多い．最近は高度の結痂滲出性の頭顔部皮疹は少なくなり，びまん性紅斑ないし紅斑落屑性局面が多い．体幹に湿疹局面少なく乾燥型がびまん性にみられることも多い．生後 2～3ヵ月，殊に冬期に生じやすいが，多くは 2～3 歳までに自然軽快する．

②**小児期**：乳児期に引き続き起こる場合と，それが一旦治り，間をおいて生じる場合とがある．乾燥した**苔癬化局面**が主体で，その周囲に紅褐色小丘疹を散在性に持つ．四肢屈側ことに肘窩膝窩に好発（図 7-25），次いで項頸・前額を侵し，また体幹にも生じる．乾燥性で落屑し，瘙痒が激烈で，搔破のため出血し血痂を生じ，また滲出性ともなる．顔面単純性粃糠疹（はたけ），耳切れ（図 7-26），口唇乾燥亀裂を伴うことが多い．

蒼白な顔面をし，皮膚全体乾燥して光沢と柔軟性とを欠き，毛孔性角化を示し（**アトピー皮膚** atopic skin，乾燥皮膚 dry skin），さらに魚鱗癬様皮膚変化を伴う．また細菌（伝染性膿痂疹）・ウイルス（カポジ水痘様発疹症・伝染性軟属腫）感染を受けやすい．7～10 歳頃に治癒していくことが多い．

この他，四肢伸側に**痒疹様小結節**を多発する型（アトピー性痒疹 prurigo atopica）（図 7-27）や汎発する型（アトピー性紅皮症 erythrodermia atopica Hill）もある．眉毛外 1/3 の疎毛化，前頭髪際の下降（額が狭くなる）を伴い，治癒したあとに色素異常を残す傾向がある．

③**思春期・成人期**：②が治癒せずに，思春期，時に成人期まで続く場合と思春期・成人期に新たに発症する場合とがある．**苔癬化局面**はさらに高度，かつ広範囲で

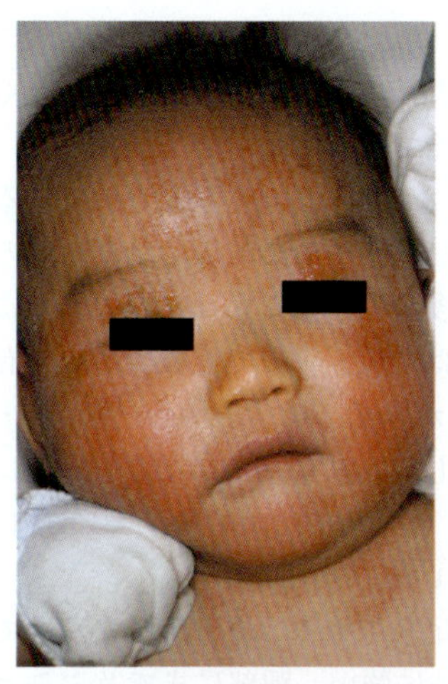

図 7-24　アトピー性皮膚炎（乳児期）

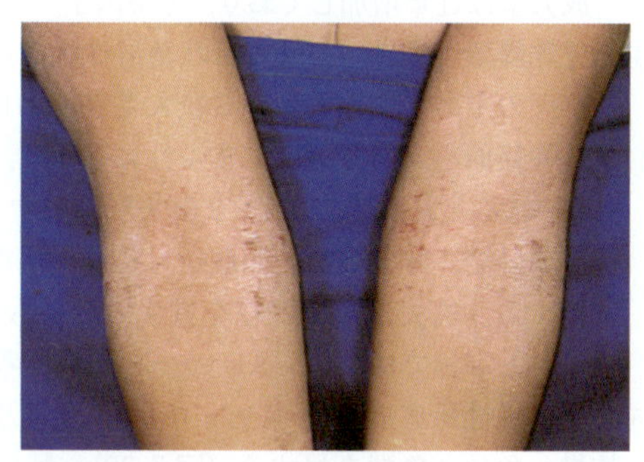

図 7-25　アトピー性皮膚炎（幼児期）

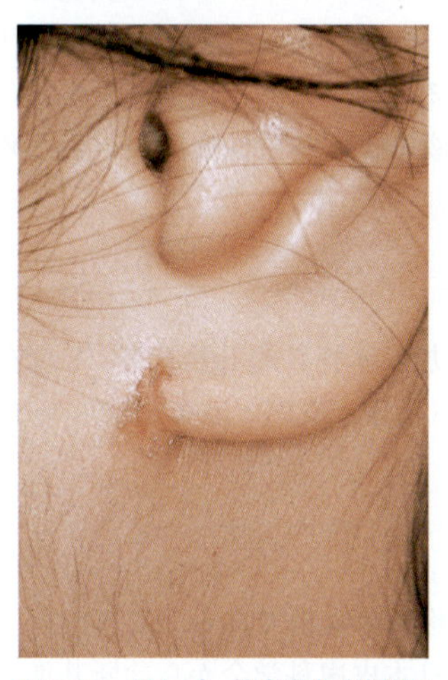

図 7-26　アトピー性皮膚炎（幼児期，耳切れ）

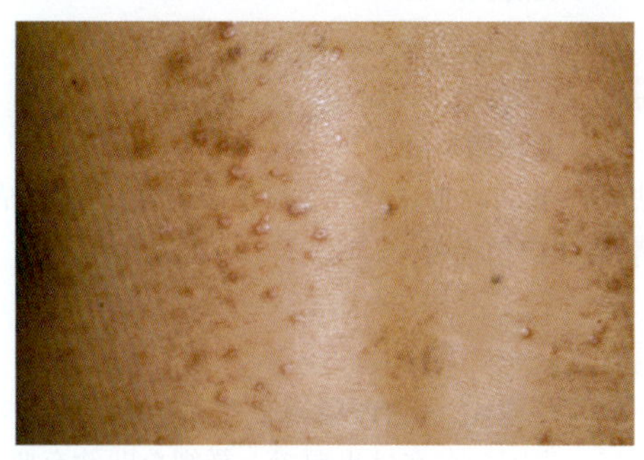

図 7-27　アトピー性皮膚炎（痒疹）

あり，②の部位の他，顔面・前胸などの上半身に強い傾向がある．

加齢とともに乾燥傾向が強まるが，激痒のため掻破して掻痕・血痂を生じる．**痒疹型小結節**（prurigo atopica）も反復して生じる．また炎症の反復のため色素沈着をきたし，特に頸部，鎖骨上窩，上胸にかけてさざ波模様の褐色色素沈着（dirty neck，ポイキロデルマ様皮膚変化）（図 7-28）をみる．

成人では**顔面のびまん性潮紅**〔atopic red face，顔面難治性紅斑 recalcitrant

facial erythema（Omoto 1993）：ステロイド長期外用歴や光接触過敏性を示すことあり．赤鬼顔貌〕・痤瘡様発疹，さらには浮腫状潮紅発作を伴うことも少なくない．またこの期では時に**アトピー性白内障**を併発する．

成人型は近年増加しており，環境因子（ダニ抗原など）の関与が注目されている．

④**小児乾燥型湿疹**（局面性苔癬状落屑性湿疹）dry form：皮膚の乾燥したやせ型の幼小児の主として体幹に，粟粒大毛包性小丘疹が多発し，あるいは鶏卵大までに集簇性局面を，あるいはびまん性に存する．表面は乾燥，平滑で粃糠様落屑を有し，触れると鵞皮状である．2歳までに発することが多く，項・肩・背・胸・腰・臀部に好発，時に腹部・四肢をも侵す．瘙痒が激しい．秋から冬に増悪し，春に寛解する．乳児湿疹の既往を有するものも少なくなく，またのちに② ③へ移行することも稀ではない．ADの一特殊型と考えられる．

⑤**小児乾燥性足底皮膚炎**（Frils 1974）：冬期小児の足底末梢1/3より趾腹にかけて乾燥・角化・亀裂を呈する（図7-29）．特に第1趾に強い．踵部にまで及ぶことあり．その多くにアトピー素質が見出されるところから，アトピーの一表現と考えられ，靴下・靴によるむれ（多湿～乾燥化の反復交替）・刺激・小外傷・発汗障害が引き金となる．ズック靴皮膚炎とも呼ばれる．手掌にも類似病変を生じ，砂かぶれ皮膚炎と呼ばれる（図7-30）．また，唾液による刺激性皮膚炎（舌なめずり皮膚炎，lick dermatitis）（図7-31）もある．

検査所見

①好酸球増多症（>5%，>500/mm^3），②IgE増加，③特異的IgE抗体（RAST法：0～6スコアに分け2以上を陽性），④皮膚反応（掻破・皮内・貼布試験），⑤血清TARC値上昇．

診断

（症状）の①～③の経過をたどってきたものでは診断は容易である．家族内のアトピー素因の存在は重要で，詳細な問診を要する．日本皮膚科学会から診断基準が示されており，自覚症（瘙痒），皮疹の分布，性状，経過から診断する（表7-3）．従来まで乳児湿疹（ecz. infantum）と称していたものの大部分を，あるいは乳児湿疹をすべてADと断じる考え（Sulzberger）もあるが，小児脂漏性湿疹，小児急性湿疹，接触皮膚炎（乳かぶれ・おむつかぶれなど）などのこともありうる．

組織所見

著明な表皮肥厚を伴う慢性湿疹反応を主体に，種々の程度の海綿状態を伴う．

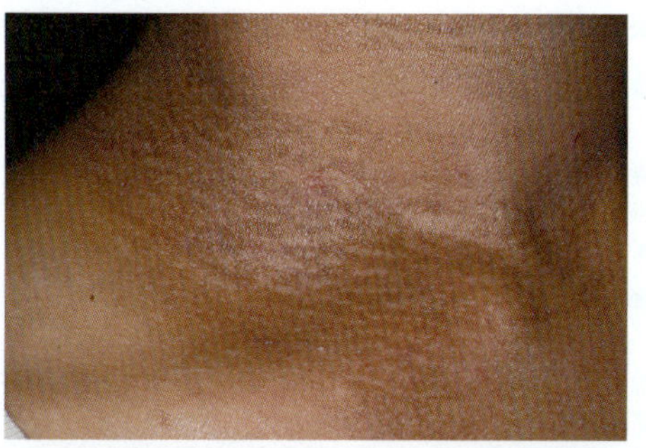

図 7-28 アトピー性皮膚炎（さざ波模様の色素沈着）

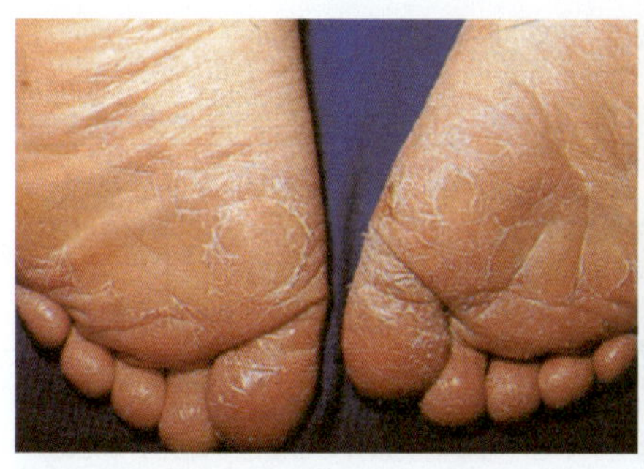

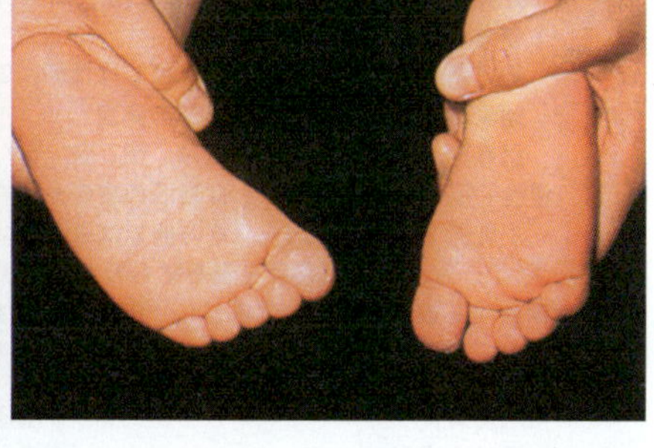

図 7-29 アトピー性皮膚炎（ズック靴皮膚炎）

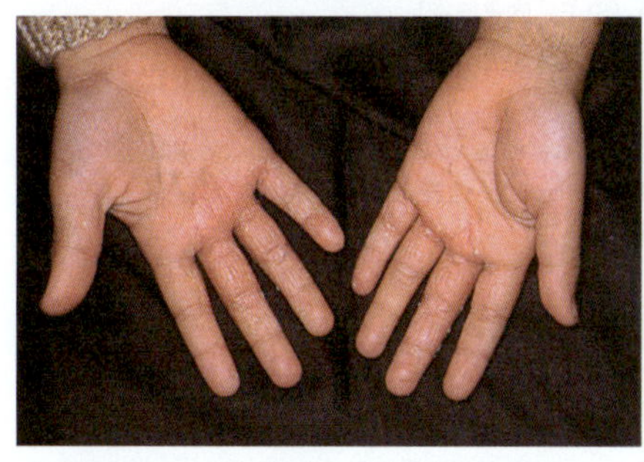

図 7-30 アトピー性皮膚炎（砂かぶれ皮膚炎）

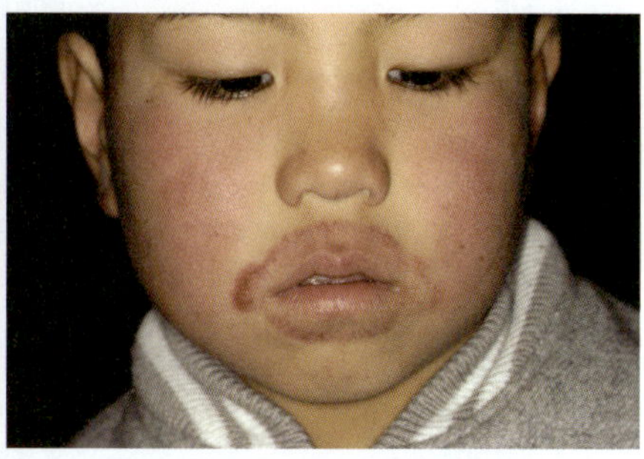

図 7-31 刺激性皮膚炎（舌なめずり皮膚炎）

合併症

アトピー性皮膚炎皮膚では，皮膚のバリア機能，皮膚免疫能が低下しており，感染症としてウイルス感染症（伝染性軟属腫，カポジ水痘様発疹症）や細菌感染症（伝

表 7-3　アトピー性皮膚炎の定義・診断基準（アトピー性皮膚炎診療ガイドライン，日本皮膚科学会，2021）

アトピー性皮膚炎の定義（概念）	
アトピー性皮膚炎は，増悪・寛解を繰り返す，瘙痒のある湿疹を主病変とする疾患であり，患者の多くはアトピー素因を持つ. アトピー素因：①家族歴・既往歴（気管支喘息，アレルギー性鼻炎・結膜炎，アトピー性皮膚炎のうちいずれか，あるいは複数の疾患），または② IgE 抗体を産生しやすい素因.	
アトピー性皮膚炎の診断基準	
1．瘙痒 2．特徴的皮疹と分布 ①皮疹は湿疹病変 ・急性病変：紅斑，湿潤性紅斑，丘疹，漿液性丘疹，鱗屑，痂皮 ・慢性病変：湿潤性紅斑・苔癬化病変，痒疹，鱗屑，痂皮 ②分布 ・左右対側性 好発部位：前額，眼囲，口囲，口唇，耳介周囲，頸部，四肢関節部，体幹 ・参考となる年齢による特徴 乳児期：頭，顔にはじまりしばしば体幹，四肢に下降. 幼少時期：頸部，四肢関節部の病変. 思春期・成人期：上半身（頭，頸，胸，背）に皮疹が強い傾向. 3．慢性・反復性経過（しばしば新旧の皮疹が混在する） ：乳児では２カ月以上，その他では６カ月以上を慢性とする. 上記 1，2，および３の項目を満たすものを，症状の軽重を問わずアトピー性皮膚炎と診断する．そのほかは急性あるいは慢性の湿疹とし，年齢や経過を参考にして診断する.	
除外すべき診断（合併することはある）	
・接触皮膚炎 ・脂漏性皮膚炎 ・単純性痒疹 ・疥癬 ・汗疹 ・魚鱗癬 ・皮脂欠乏性湿疹	・手湿疹（アトピー性皮膚炎以外の手湿疹を除外するため） ・皮膚リンパ腫 ・乾癬 ・免疫不全による疾患 ・膠原病（SLE，皮膚筋炎） ・ネザートン症候群
診断の参考項目	
・家族歴（気管支喘息，アレルギー性鼻炎・結膜炎，アトピー性皮膚炎） ・合併症（気管支喘息，アレルギー性鼻炎・結膜炎） ・毛孔一致性の丘疹による鳥肌様皮膚 ・血清 IgE 値の上昇	
臨床型（幼少児期以降）	
・四肢屈側型 ・四肢伸側型 ・小児乾燥型 ・頭・頸・上胸・背型	・痒疹型 ・全身型 ・これらが混在する症例も多い
重要な合併症	
・眼症状（白内障，網膜剝離など）：特に顔面の重症例 ・カポジ水痘様発疹症	・伝染性軟属腫 ・伝染性膿痂疹

出典：日本アレルギー学会，アレルギー誌第 70 巻 10 号.

染性膿痂疹）を合併しやすい．また，思春期以後，重症例の10%ほどに円錐角膜，白内障，網膜剝離などの眼合併症が起こりうる．この場合，眼瞼部皮疹の搔破・圧迫といった機械的因子も一因と推測されている．

予後

慢性かつ再発性であるが，早ければ乳児期のみ，多くは小児期すなわち15歳頃までに自然寛解する．しかし，近年思春期・成人期になっても軽快しないものや成人発症型が増加している．

治療と注意

短期間に根治する治療法はないが，湿疹病変や痒みを軽減，除去するように対症的に治療する．瘙痒→搔破→皮疹悪化の悪循環を断ち切る工夫や保護者に疾患の本態・経過についてよく説明し，理解させることが大切である．

①**外用療法**：炎症の抑制にステロイド外用が必要．ステロイド外用薬による副作用の生じないように，病変部にのみ外用する，部位や経過により使用薬剤を替えるなど，きめ細かい配慮が必要．タクロリムス（免疫抑制薬軟膏プロトピック）は顔頸部の皮膚炎を中心に奏効するので，ステロイド薬と上手に使い分けて治療する．プロトピック軟膏には一過性の刺激がある．新規非ステロイド系外用剤としてJAK阻害薬軟膏デルゴシチニブやPDE4阻害薬軟膏ジファミラストが上梓され，アトピー性皮膚炎外用療法の選択肢が広がっている．炎症がごく軽度で乾燥症状が主体であれば，保湿薬などによるスキンケアを励行する．

②**内服療法**：抗ヒスタミン薬投与による止痒治療を主体とし，時に睡眠導入薬や自律神経安定薬を投与．ステロイド薬は原則として全身投与しないが，広範囲の急性増悪時に短期間用いることがある．既存治療で十分な効果が得られない難治・重症例（16歳以上）に対しては免疫抑制薬シクロスポリンやJAK阻害薬の内服治療も選択肢である．

③光線療法：PUVA療法（汎発型にはPUVA浴）ないしnarrow band UVB療法．エキシマライト療法．

④生物学的製剤：既存治療で十分な効果が得られない難治・重症例に対して抗IL-4R抗体製剤デュピルマブが用いられる．

⑤**食餌療法**：原則として行わない（特異的IgE抗体と皮疹発生の関係は低い．3歳以下では経験的に食餌が増悪因子と想定されるときに，RAST法・内服試験で確認しつつ食事制限・除感作を行うこともある．成人期ではほとんど関与なし．起痒性食餌は控える）．

⑥温度（室温が高すぎないように）・発汗（夏は湿度の低く涼しい部屋に）に注意．

⑦接触原（家屋塵・化学物質）に注意.
⑧入浴は普通に行ってよい（ナイロンタオルなどの強い機械的刺激はよくない. 石鹸でごしごし洗うのは避けたほうがよい).
⑨予防接種（百日咳・インフルエンザ・ジフテリア・破傷風）は皮疹軽快まで延期（不必要との考えもある).
⑩単純性疱疹を有する者より離す（カポジ水痘様発疹症の予防).
⑪温泉（特に硫黄泉）は避ける.「温泉の素」なども避ける.
⑫不眠・精神的緊張の緩和.

3. 脂漏性皮膚炎 seborrheic dermatitis, 脂漏性湿疹 eczema seborrhoicum (Unna 1887)

頭部・顔面・腋窩・陰部などの脂漏部位・間擦部位に淡褐黄色の落屑を伴う紅斑局面が生じる疾患. 脂漏体質が基礎にあり, 長期にわたり軽快・増悪を繰り返す.

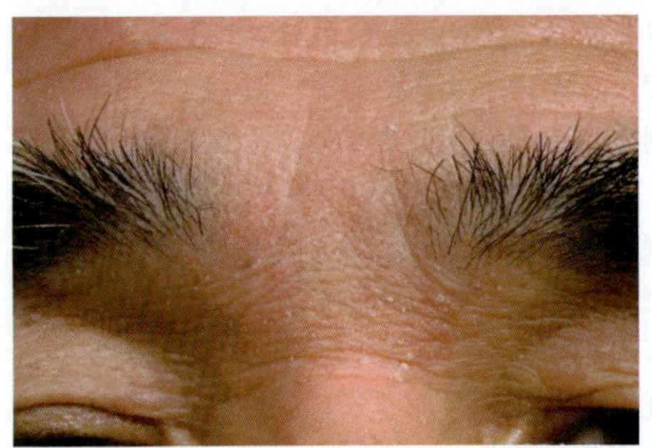
図 7-32　脂漏性皮膚炎

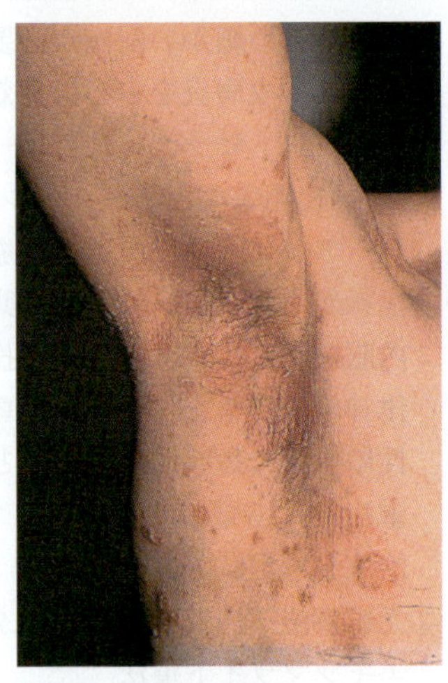
図 7-34　脂漏性皮膚炎

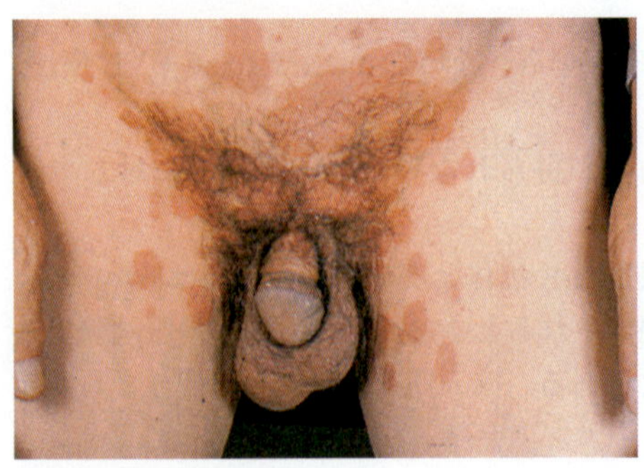
図 7-33　脂漏性皮膚炎

症状（図 7-32〜34）

脂漏部位に生じ紅斑と落屑を主体とする．原発疹は毛包性である．毛包性に丘疹を生じ油脂性の落屑を示し前胸および背の正中部に好発する型，斑状に淡褐黄色の紅斑局面で，脂漏性の落屑を有する型などがある．間擦部では湿潤傾向を示す．頭部では軽度ならば粃糠性落屑（頭部粃糠疹），高度のときには厚く脂漏性痂皮が固着する．瘙痒は必発ではない．

病因

皮膚分泌機能異常（dysseborrhoea）（皮脂成分の質的異常）が基底にある．トリグリセライドが *Propionibacterium acnes* などのリパーゼで分解されて刺激性の遊離脂肪酸となり，あるいは *Malassezia* 感染（*M. globosa*，*M. restricta* など）の関与が考えられている（AIDS に本症が好発するのは，この日和見感染）．

組織所見

表皮肥厚・表皮突起延長が主で軽度の海綿状態，表皮内単核球遊走，不全角化がこれに加わる．乾癬と区別しがたいこともある．

鑑別診断

乾癬，バラ色粃糠疹，局面状類乾癬．

治療

①ステロイド外用，②ケトコナゾール外用，③ビタミン B_2・B_6，止痒薬内服，④洗顔・洗髪（ケトコナゾール含有シャンプー）．

4. 乳児脂漏性湿疹 infantile seborrheic dermatitis

新生児期から乳児期初期には生理的に脂腺機能が亢進する．軽度のものに乳児脂漏（脂漏性痂皮）があり頭部・眉毛部に生じる（結痂型脂漏とほぼ同じ）．典型は頭顔部・おむつ部をはじめ，体幹脂漏部位に生じる落屑性紅斑で，アトピー性皮膚炎と区別しがたいものもある．外陰臀部に限局するときはおむつ部乾癬（☞ p.383）と鑑別が難しい．2 歳頃までに治癒．

5. 貨幣状湿疹 nummular eczema（Devergie 1854）

主として形態的特徴から診断される湿疹の一病型である．類円形から円形（貨幣

7章

状）の境界明瞭な湿疹病変で，しばしば湿潤化して，浸出液を伴い，瘙痒が強い．

症状（図 7-35）

形は境界明瞭な貨幣状すなわち円形で，皮疹の中央は湿潤性紅斑，辺縁には漿液性丘疹と落屑がある．下腿伸側に多く，前腕伸側・手指背（主婦手湿疹），体幹にも生じる．若年者に好発するが，老人の乾皮症に併発することも多い．冬期にやや多い．

病因

皮脂欠乏，乾皮症，アトピー素因，細菌感染が発症に何らかの関係をもつ．また，搔破により悪化し，自家感作性皮膚炎の原発巣になりやすい（図 7-36）．

治療

ステロイド外用，抗ヒスタミン薬内服．浸出・湿潤が強い場合は，ステロイド外用に加え，亜鉛華単軟膏の重層療法．

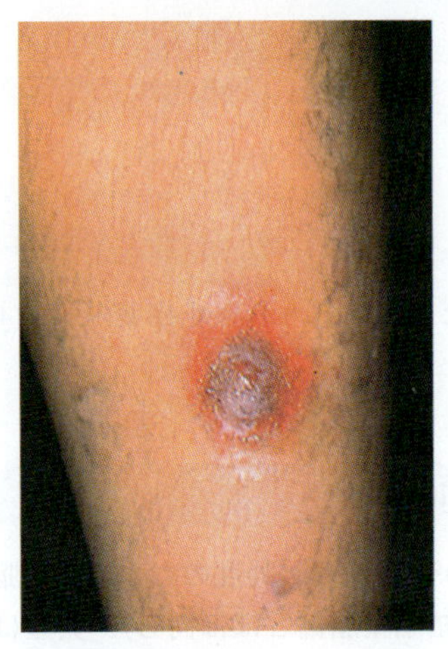

図 7-35　貨幣状湿疹

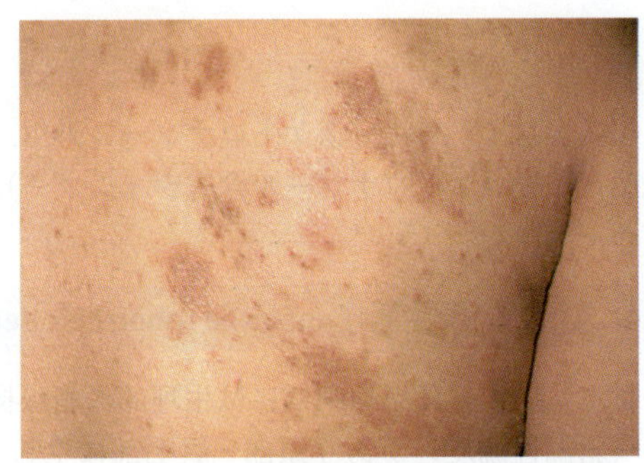

図 7-36　左図と同一症例の自家感作性皮膚炎（撒布疹）

6. 自家感作性皮膚炎 autosensitization dermatitis

ある湿疹様病変（原発巣）が何らかの原因で急性増悪し，そのとき，一種の内来性アレルギー性接触皮膚炎が惹起され（id 反応），他の皮膚に撒布性に小さな発疹（撒布疹）が急に多発する状態をいう．

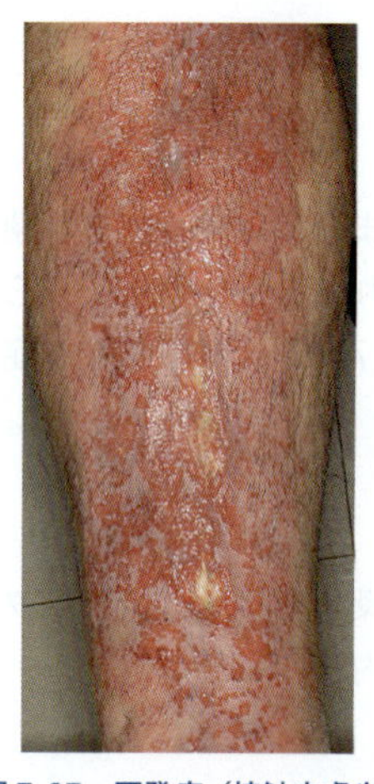

図 7-37 原発疹（接触皮膚炎）

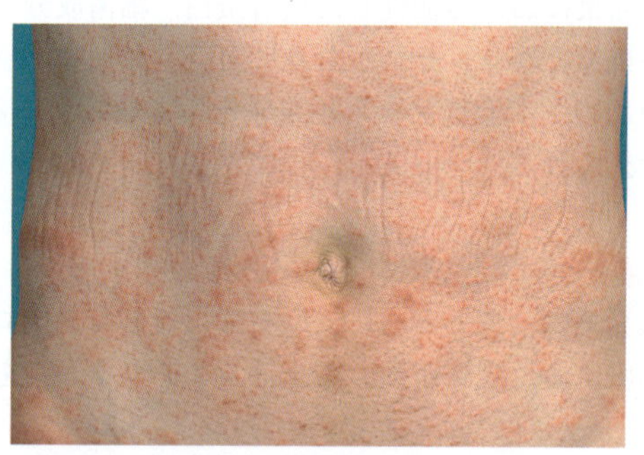

図 7-38 左図と同一症例の撒布疹

症状

①**原発巣**（図 7-37）：圧倒的に下腿に多い（50〜60%）．接触皮膚炎，貨幣状湿疹がほとんどで，次いで熱傷・アトピー性皮膚炎・うっ滞性湿疹が原発巣を形成する．原発巣は，発赤・腫脹・滲出などが顕著で活動性が高い．この急性増悪した原発巣から散布疹発生までの期間は２週〜数週である．

②**撒布疹（id 疹）**（図 7-38）：粟粒大〜米粒大の小丘疹・紅斑・小膿疱あるいは漿液性丘疹が急速に散在性，対称性かつ播種状に多発する．四肢・体幹・顔面に多く，頭部・四肢末端に少ない．瘙痒激甚であり，時に悪寒・発熱・精神的不安・

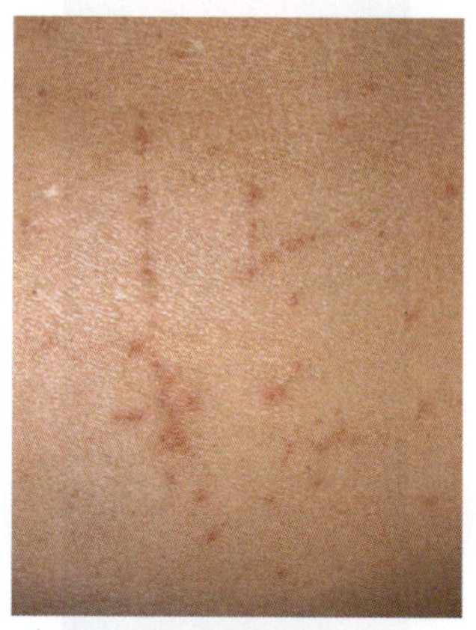

図 7-39 自家感作性皮膚炎（散布疹）
ケブネル現象陽性

食思不振などの全身症状を伴うことがある．

病因

原発巣における変性した皮膚蛋白，細菌成分・毒素または皮膚蛋白＋細菌の複合物が抗原となり，それが全身に血行性に散布，感作されて発症すると考えられる．そのため，本症はケブネル現象を示すことがある（図7-39）．白癬疹も本症の一型と考えられる（☞ p.902）．

治療

原発巣の治療とともに，撒布疹に対してステロイド薬を外用し，抗ヒスタミン薬を内服する．症状が強い場合は，ステロイド薬を少量内服する．

7. うっ滞性湿疹 stasis dermatitis

下肢静脈瘤や静脈還流障害，うっ滞を基礎に，下腿に紅斑浮腫，湿疹局面を生じる疾患である．

症状（図7-40）

静脈瘤のある下肢，特に下腿下1/3に潮紅の強い湿潤性，あるいはヘモジデリン沈着による褐色調強く，光沢ある落屑浸潤性の局面を生じ，長く経過する．刺激に弱くしばしば増悪して自家感作性皮膚炎の原発巣となる．潰瘍を併発することがあ

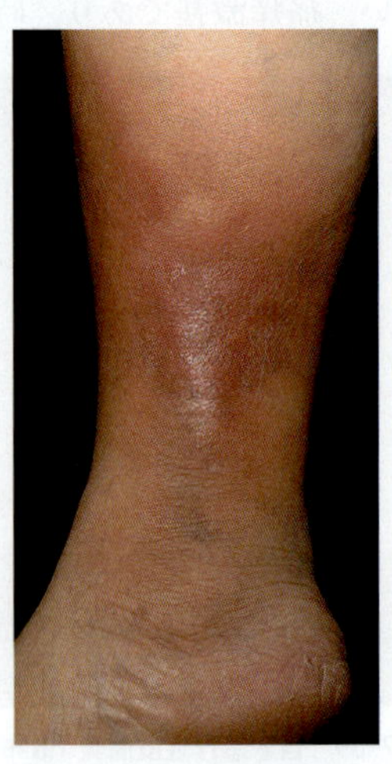

図7-40　うっ滞性皮膚炎

る．局面上に小豆大あるいはそれ以上の円～楕円形のやや陥凹した白色小斑をみることもあり，**白色萎縮**（atrophie blanche）（☞ p.254）と称し，深部に動脈狭窄，静脈拡張像をみる．なお，皮膚のみならず皮下脂肪織炎症性変化が強く，硬化性病巣を呈することもある（うっ滞性皮下脂肪織炎）．

病因

静脈還流障害，うっ滞と湿疹発症の因果関係の詳細は不明であるが，静脈出血，局所の浮腫，低酸素状態による皮膚障害が，湿疹病変，皮膚潰瘍の発症に関与していると考えられている．

治療

湿疹病変に対してステロイド薬を外用するが，根本治療は静脈瘤およびそれに随伴する血行の改善を図る．下肢挙上に努め，長時間起立を回避し弾性包帯や弾性ストッキングを着用する．潰瘍形成や下肢疼痛，倦怠感が高度な場合は，硬化療法，ストリッピング術，血管内レーザー治療などの外科的治療を考慮する．

8. 皮脂欠乏性湿疹 asteatotic dermatitis

皮表脂質の減少により皮膚が乾燥した状態（乾皮症）に湿疹性炎症をきたしたものをいう（☞ p.751）．

7章

症状（図 7-41，42）

乾皮症の症状として皮膚は乾燥粗糙化し，粃糠様落屑・亀裂をきたし，しばしば瘙痒がある．外気が乾燥する冬季に老人の下腿に著明で，掻破により湿疹化し，さざ波様・亀の甲様に亀裂を生じ，浸出を伴うことがある．

病因

皮表脂質の減少に起因する皮膚が乾燥した状態（乾皮症）では，表皮バリア機能低下，痒み閾値低下をきたし，繰り返す掻破により容易に湿疹病変を形成する．

治療

入浴時のタオルによる擦過や石鹸の使い過ぎ，あるいは部屋の過度の乾燥などをやめて皮脂欠乏状態を促進する生活習慣を改善する．保湿薬によるスキンケアに努め，ステロイド薬外用により湿疹病変を治療する．

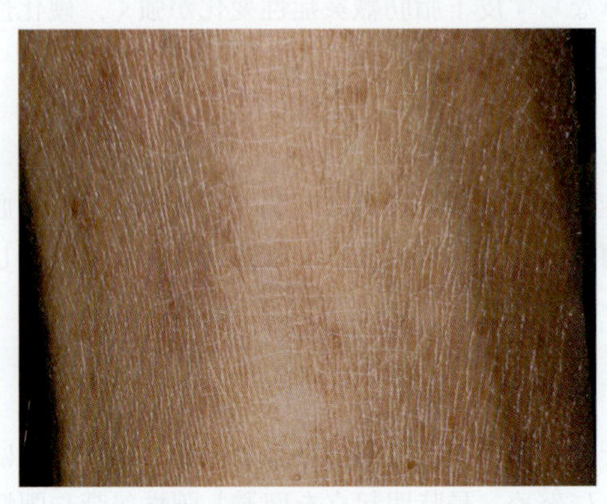

図 7-41　乾皮症（老人性乾皮症）

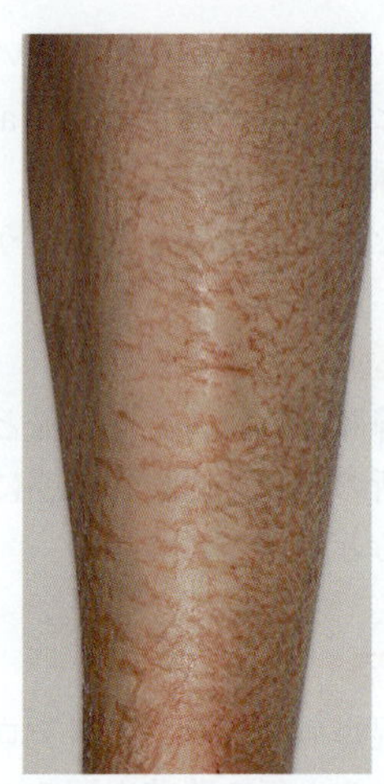

図 7-42　皮脂欠乏性湿疹

9. しいたけ皮膚炎 shiitake mushroom dermatitis

加熱不十分な生しいたけを摂取後数時間から2〜3日以内に強い瘙痒とともに体幹，四肢に掻破痕に一致したやや浮腫性の線状の紅斑・紫斑を生じる（図 7-43）．しいたけを十分加熱して摂取すれば起こらない．

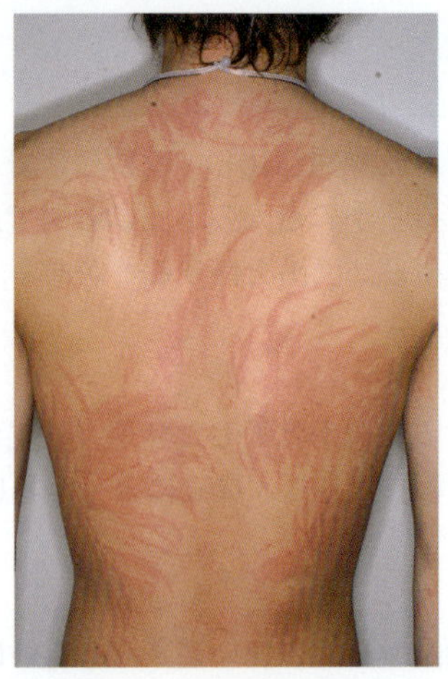

図 7-43　しいたけ皮膚炎

コラム：自己炎症性疾患について
autoinflammatory diseases（1999 Kastner）

自己炎症性疾患とは，自然免疫系の異常による炎症性疾患である．自己抗体や自己反応性T細胞などの獲得免疫系の異常が発症に関与する自己免疫疾患と対比される概念である．

ただし，自己免疫のautoは「自分」を意味するのに対して，自己炎症のautoは「自動（automatic）」の意味合いと解釈される．狭義には，自然免疫に関わるパターン認識受容体やそのシグナル伝達系などの遺伝子異常に原因する先天性疾患をいうが，広義には，成人Still病，Behcet病，Schnitzler症候群など，類似した病態が推測されるが遺伝子変異は明らかでない疾患を含める考え方もある．

ここでは，狭義の自己炎症性疾患について解説する．

自己炎症性疾患は，乳児期から青年期に発症し，発熱をはじめとし，皮膚粘膜，眼，関節，胸膜・腹膜などに種々の炎症を生じ，多くは反復性，進行性の経過をとる．

皮膚症状は，疾患によって蕁麻疹様紅斑，丹毒様紅斑，壊疽性膿皮症，嚢腫性痤瘡，苔癬様丘疹，結節性紅斑，凍瘡様紅斑，脂肪萎縮，膿疱性乾癬などの特徴的なものを示す．

原因遺伝子はインフラマソームに関連する分子とそれ以外に大別でき，遺伝子検査により診断する．

以下，皮疹を呈する代表的な自己炎症性疾患を示す（表）．

それぞれの自己炎症性疾患については，表内に示した各章を参照していただきたい．

表　皮疹を呈する代表的な自己炎症性疾患（狭義）

1．インフラマソーム関連
● クリオピリン関連周期熱症候群（CAPS）（☞第8章「じんま疹・痒疹・皮膚瘙痒症」参照） 家族性寒冷蕁麻疹 Muckle-Wells症候群 CINCA症候群 ● 家族性地中海熱（☞第9章「紅斑症・紅皮症」参照） ● 高IgD症候群（メバロン酸キナーゼ欠損症） ● 化膿性関節炎・壊疽性膿皮症・痤瘡症候群（PAPA症候群）（☞第14章「水疱症・膿疱症」参照）
2．インフラマソーム以外
● TNF受容体関連周期性症候群（TRAPS）（☞第9章「紅斑症・紅皮症」参照） ● Blau症候群／若年発症サルコイドーシス（☞第20章「肉芽腫症・脂肪織疾患」参照 ● 中條－西村症候群（☞第9章「紅斑症・紅皮症」参照） ● IL-1受容体アンタゴニスト欠損症（DIRA） IL-36受容体アンタゴニスト欠損症（DITRA）（☞第16章「炎症性角化症」参照） ● CARD14異常症，● ADA2欠損症，● NLRC4異常症，● A20ハプロ不全症 ● ADA2欠損症，● NLRC4異常症，● A20ハプロ不全症

第 8 章　じんま疹・痒疹・皮膚瘙痒症

1　じんま疹 urticaria　◎

一過性，限局性の皮膚浮腫を主徴とする疾患である．膨疹（浮腫性紅斑）を呈し，多くは痒みを伴う．多様の病型があり，また重症度も様々である（図 8-1，2）．

頻度

人口の 15～25％が一生のうちに一度は発症するともいわれるが，一般人口の罹患頻度は 1～5％と報告されている．

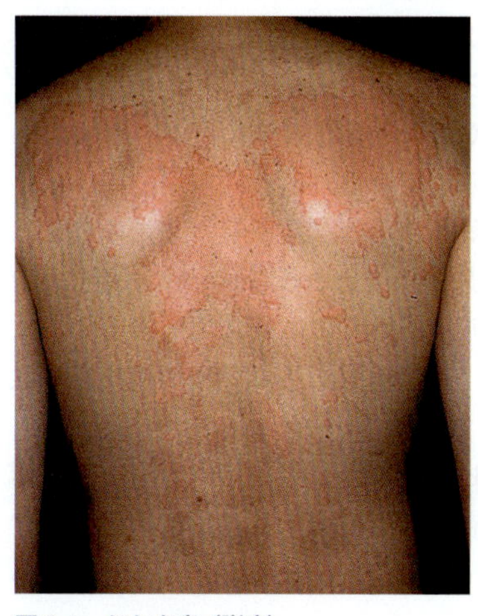

図 8-1　じんま疹（膨疹）

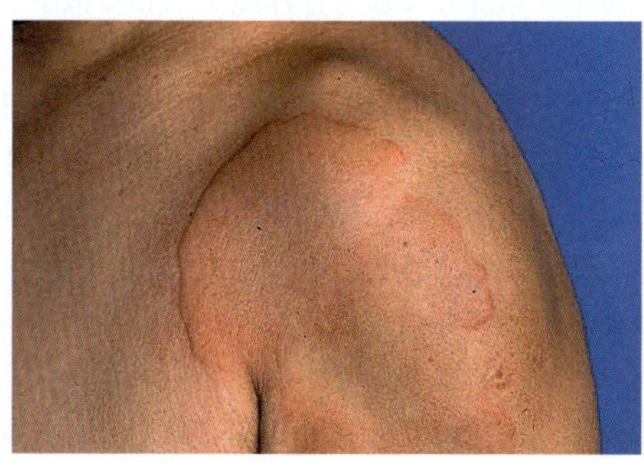

図 8-2　じんま疹（膨疹）

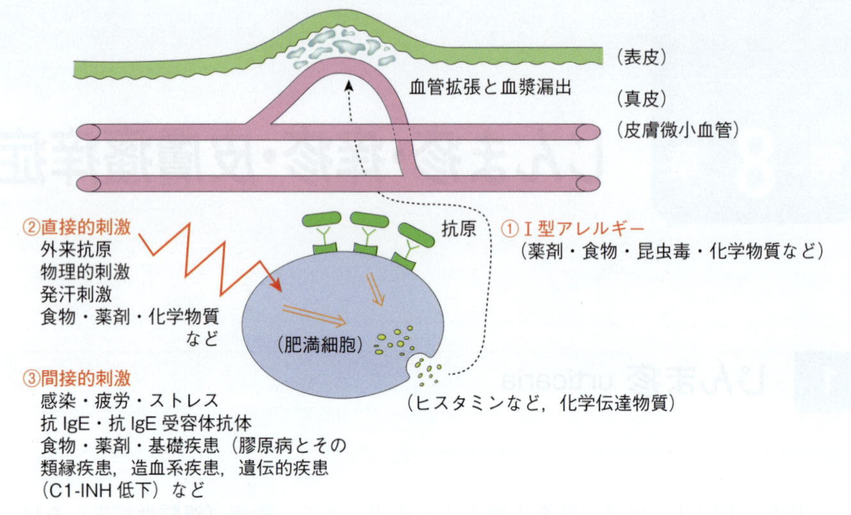

図8-3　じんま疹の発症と病態

病因・病態（図8-3）

じんま疹では，皮膚肥満細胞の脱顆粒によりヒスタミンをはじめ，ロイコトリエン，サイトカイン，ケモカインなどの化学伝達物質が放出されて，末梢毛細血管が拡張し，その透過性が亢進し，血漿が組織内へ流出して紅斑・膨疹を生じ，また神経に作用して痒みが起こる．①肥満細胞の活性化・脱顆粒はIgE抗体の関与する1型アレルギー機序によることが知られているが，実地診療上で特定の原因物質・抗原を明らかにできる機会は少ない．そのほか，②物理的刺激，薬剤，運動，体温上昇，感染症などによる，ないし関与するもの，③明らかな原因・誘因不明の特発性なども挙げられる．一方，一部の血管浮腫では薬剤や遺伝的因子によってブラジキニンの産生が増加して血管性浮腫を生じる機序が知られている．

じんま疹の原因（直接的誘因や背景因子）は多様であり（表8-1），またそのような誘因や因子を特定できないことも多い．日本皮膚科学会の『蕁麻疹診療ガイドライン』にしたがって特発型，刺激誘発型〔特定刺激・負荷により誘発できるじんま疹（アレルギー性，非アレルギー性，その他）〕，血管浮腫，じんま疹関連疾患に大きく分類する（表8-2，☞ p.181）.

③非アレルギー性ではヒスタミン遊離物質（オピオイド，造影剤，クラーレ，ツボクラリン）によるもの，仮性アレルギー（不耐症，アラキドン酸代謝に影響するアスピリン，NSAIDs，Cox1阻害薬や食品添加物）によるものなどが考えられている．

表 8-1 じんま疹の病型と特徴

病　　型	特　　徴
〔特発性〕	(明らかな誘因なくほぼ毎日出没する)
急性じんま疹	発症 1 か月以内のじんま疹．感染が背景にあることも．
慢性じんま疹	発症 1 か月以上経過したじんま疹．
〔刺激誘発型〕	(特定刺激または負荷により誘発できるじんま疹)
アレルギー性	食物・薬剤などに含まれる抗原物質に対する特異的 IgE を介した即時型アレルギー反応．
食物依存性運動誘発性アナフィラキシー	小麦など特定食物摂取後 2～3 時間以内に運動負荷が加わるとアナフィラキシー症状を生ずる．
非アレルギー性	造影剤注射，豚肉・サバ・タケノコ摂取など．
不耐症	アスピリンじんま疹．食物着色料・防腐剤でも．Cox1 阻害作用による．
〔物理性〕	(じんま疹は数分～2 時間で消褪する)
①機械性じんま疹	皮膚描記症．
遅延性圧じんま疹	数時間～2 日程度持続する．
振動じんま疹	振動で誘発される皮膚深部の浮腫（血管浮腫）．
②寒冷じんま疹	局所性と全身性とがある．
③温熱じんま疹	
④日光じんま疹	
⑤水じんま疹	水に触れた範囲に毛孔一致性の紅斑と膨疹．
コリン性じんま疹	入浴・運動・精神的緊張など発汗を生じるような刺激で，粟粒～小豆大の膨疹・紅斑が散在・多発する．
接触じんま疹	特定物質が接触した皮膚・粘膜とその周囲に膨疹．
〔血管性浮腫〕	(皮膚・粘膜の限局性深部浮腫．2，3 日持続する．
①特発性	直接的誘因などは不明．数日間の間隔をあけて出没．
②刺激誘発性	NSAIDs，アンギオテンシン転換酵素阻害薬など．
③ブテジキニン起因性	遺伝性（HAE），自己免疫性血管性浮腫，造血器系腫瘍の合併など．
④遺伝性	
〔じんま疹関連疾患〕	
①じんま疹様血管炎	皮膚微細血管炎を伴うじんま疹．出血性で 1 日以上持続．
②色素性じんま疹	肥満細胞症．ダリエー徴候を呈する．
③自己炎症症候群	クリオピリン関連周期性症候群，Schnitzler 症候群．

(病型は蕁麻疹診療ガイドライン，秀 道広ら，日皮会誌，2018 に沿った)

8章

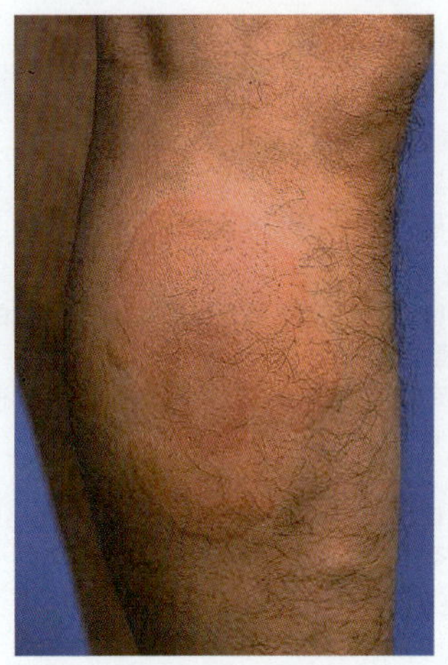
図 8-4　出血を伴うじんま疹

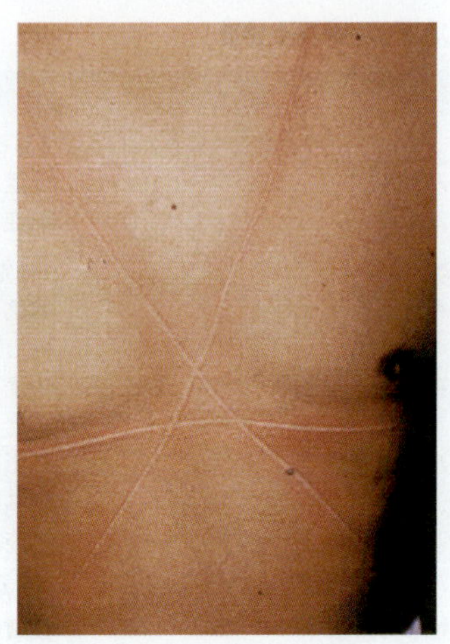
図 8-5　人工じんま疹

症状

突然，境界明瞭な円形～楕円形～地図状のわずかに隆起した膨疹を生じ，瘙痒が強い．紅色，白色，水疱性，出血性，環状，迂回状，蛇行状，図画状，連圏状，地図状などの発疹を呈する．このような個々の膨疹は一過性で，24 時間以内に繰り返し出没するのがじんま疹の大きな特徴である（図 8-4）．

皮膚を強くこすることにより生じるものを人工じんま疹（urt. factitia）（図 8-5）または皮膚描記症（dermographia）といい，発赤のみのものを dermogr. rubra，膨疹を形成するものを dermogr. elevata と称する．重症では嗄声，腹痛，呼吸困難，ショック症状をきたす．

病型と特徴

じんま疹は原因・誘因不明の特発型が多く，病因と病型，あるいは経過を一元的に結び付けて分類することは難しい．特発型の多くは実際にはしばしば急性・慢性じんま疹として経過の面から分類されている．

1．急性じんま疹 acute urticaria，慢性じんま疹 chronic urticaria

じんま疹の大部分を占めるともいわれる．一過性で経過の短い急性じんま疹と経過が 6 週間を越す慢性じんま疹とに分けている．感染・食物・疲労・ストレスなどが悪化因子となりうる．膨疹の多くは数十分～数時間で消褪するが，時に 2，3 日持続する．

急性じんま疹：特定の原因はわからないが，適切な治療で1ヵ月以内に治癒する．一部に急性感染性じんま疹（acute infectious urticaria）があり，軽度発熱を伴い，汎発性に生じるじんま疹で抗ヒスタミン薬などに反応せず，抗生物質が有効．上気道感染とともに白血球・好中球増多，CRP上昇を伴う（小児に多い）．

慢性じんま疹：夕刻や夜間に膨疹・痒みが出たり，あるいは悪化することが多い．一部に自己免疫性じんま疹（autoimmune urticaria）（Hide 1993）があり，抗IgE自己抗体や抗高親和性IgE受容体自己抗体が検出でき，自己血清が肥満細胞の脱顆粒，ヒスタミン遊離作用を持つ．

2. 刺激誘発型のじんま疹（特定刺激ないし負荷により皮疹を誘発できるじんま疹）

特定の刺激や条件が加わったときにのみじんま疹が出現する．出没頻度は刺激や条件の加わる頻度に応じて変化する．遅延性圧じんま疹の個疹は数時間〜2日ほど持続するが，他は数十分〜数時間で消褪する．

1）アレルギー性のじんま疹

食餌，薬剤，吸入物，昆虫の毒素などによるI型アレルギー反応で，抗原曝露後数分から数時間以内にじんま疹を生じ，消褪後は再度抗原に曝露されない限り症状は出ない．プリックテスト，RAST法などで抗原物質を絞るが，現病歴，負荷試験，除去試験などを加味して総合的に抗原物質を判断する．IgE抗体の関与するI型アレルギー，補体の関与する反応（血管浮腫，じんま疹様血管炎）がある．I型アレルギーは肥満細胞上のIgE抗体に抗原が反応して，肥満細胞よりヒスタミン・セロトニンなどのchemical mediatorが放出され，これがヒスタミン受容体（H_1）を持つ血管内皮細胞に作用して透過性を高める機序が主体と考えられている．抗原が特定できるじんま疹は多くはないが，抗原としては食餌（卵・豆・里芋・貝・カニ・エビ・青魚・食品添加物など），薬剤（ペニシリンを主とする抗生物質・サルファ剤・抗結核薬・抗ウイルス薬・NSAIDsなど），吸入物（花粉・羽毛・塵埃・香料など），昆虫の毒素がある．食餌アレルギーは，感作経路により腸管で感作されるものをクラス1，気道や皮膚など腸管以外で感作されたものをクラス2として分類する．クラス2食餌アレルギーは，気道感作の花粉抗原と果物・野菜抗原の交差反応により生じる口腔アレルギー症候群（oral allergy syndrome：OAS）が代表的である．その他に，マダニと獣肉の共通抗原（galactose-α-1, 3-galactose；α-Gal）によるα-Galアレルギー，クラゲと納豆の共通抗原（poly-γ-glutamic acid：PGA）によるPGAアレルギーなどが経皮感作のクラス2食餌アレルギーとして知られている．また，同じ小麦アレルギーでも，腸管感作でグルテンやω-5

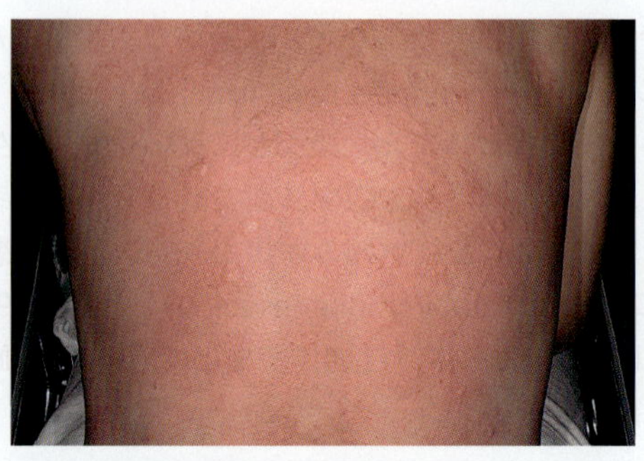

図8-6　FDEIAに伴うじんま疹

グリアジンを抗原とするクラス1小麦アレルギーと経皮感作で加水分解コムギを抗原とするクラス2小麦アレルギーがあり，予後も異なる．クラス1小麦アレルギーが寛解しにくいのに対し，クラス2小麦アレルギーの多くは自然寛解すると考えられている．

2）食物依存性運動誘発性アナフィラキシー food-dependent exercise-induced anaphylaxis（FDEIA）（Kidd 1983）（図8-6）

特定の食物（小麦製品・エビ・イカ・カニなど）摂取後2〜3時間以内に運動すると発症するアナフィラキシー症状（顔面・四肢端の発赤腫脹・咽頭浮腫・不快感・血圧低下）で，アスピリンなどNSAIDs摂取が増悪因子となりうる．食物抗原をI型アレルギー検査や患者血清から検出する．プリック試験・スクラッチ試験・摂取後運動負荷試験．治療・予防には特定食物，運動，アスピリンなどの加重負荷を避ける．

3）外来物質による非アレルギー性のじんま疹

造影剤の静注，豚肉・サバ・タケノコなどの摂取によることが多い．アレルギー機序を介さず，抗原を検索しても同定できない．

4）不耐症（intolerance）によるじんま疹

仮性アレルギーともいわれ，即時型反応に類似する非免疫学的反応で用量依存性を示す．アスピリンが有名で，その他に酸性NSAIDs，アセチルサリチル酸を含む食品添加物，防腐剤，人工色素などを長期内服・摂取した後でじんま疹・血管浮腫が生じる．アスピリンがシクロオキシゲナーゼ1（COX1）を阻害してPGE2産生を抑制，ロイコトリエン系代謝が活性化して，じんま疹が発症すると考えられているが，詳細な機序は不明である．他の病型のじんま疹の増悪因子として作用することも多い（食物依存性運動誘発アナフィラキシー・原因不明の慢性じんま疹）．

5）物理性じんま疹

①機械性じんま疹 urt. mechanica，人工じんま疹 urt. factitia，皮膚描記症 dermographism, dermographic urt.（図 8-5）：物理性じんま疹の中で最も多いじんま疹で，全じんま疹の 8～9%を占めるという．圧迫・摩擦部に一致して数分後に膨疹出現，1～2 時間後には消褪．血清因子は明らかではないが，IgE と推定されている．通常の機械性じんま疹とは異なるが，遅発性で持続時間の長く深在性浮腫を呈する圧じんま疹（pressure urt.）や振動により深在性浮腫を生じる振動じんま疹（vibratory angioedema）（Patterson 1972）も稀にある．

②寒冷じんま疹 cold urticaria：寒気・冷水にさらされたときに生じる．膨疹が寒冷刺激曝露部位に限局する局所性のものと，全身に及びショック症状をきたす恐れもある全身性寒冷じんま疹とがある．物理性じんま疹の 15%弱を占める．クリオグロブリン・クリオフィブリノゲン血症が背景にあることがある．血清因子（IgE，稀に IgM，IgG）によるヒスタミンの遊離．氷片ないし冷水試験管テスト陽性．抗ヒスタミン薬・抗アレルギー薬，寒冷に対する減感作療法，冷水・寒気を避ける．

③温熱じんま疹 heat urticaria（Duke 1924）：温熱負荷部に一致して膨疹・紅斑を生じる．運動，発汗，興奮では誘発されず，コリン性じんま疹とは異なる．物理性じんま疹の 1%程度で稀．

④日光じんま疹 solar urt.：日光照射後 15 分以内に照射部に瘙痒・軽い灼熱感のある紅斑，次いで膨疹を生じる．稀にショック症状．作用波長（可視光線から UV まで）と病態により 6 病型に分けられる（Harber 1963）．皮膚または血清中の物質が作用波長を吸収して抗原となる（即時型アレルギー），あるいは生成された物質が肥満細胞に直接作用してヒスタミンを遊離する作用などが考えられる．遮光，反

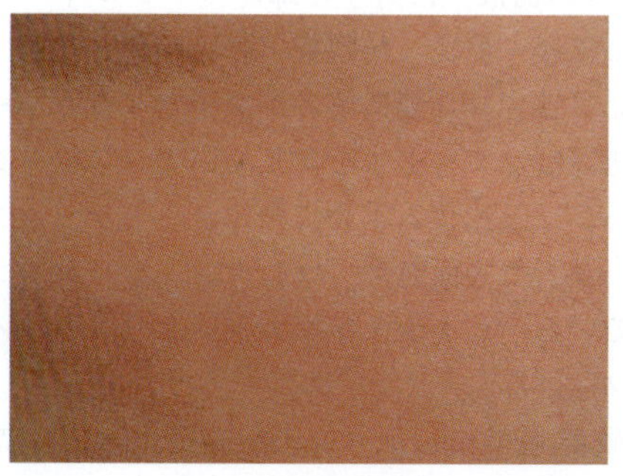

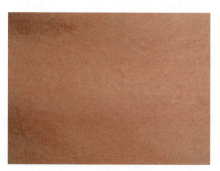

図 8-7 コリン性じんま疹（多発する小型の膨疹）

復少量日光照射，PUVA，プラスマフェレーシス，ベータカロチンの内服（☞ p.279）.

⑤水じんま疹 aquagenic urt.（Shelly 1964）：水と接触後2分程度で接触部に痒みを伴って紅斑・小丘疹を生じ，2時間以内に消褪．極めて稀．寒冷じんま疹やコリン性じんま疹などと鑑別する．

6）コリン性じんま疹 cholinergic urticaria（図 8-7）

温熱・疲労・精神的緊張のようなストレスにより，痒みの強い小型（直径1 cm以下）の紅暈を有する膨疹が多発する．同時に発汗を伴うことが多い．大脳皮質安静時の夜間には生じない．コリン作働性神経線維終末から遊離するアセチルコリンの関与が考えられているが，発汗時の汗の成分に毛包周囲の肥満細胞からヒスタミンを遊離させる物質が存在するという説もある．物理性じんま疹の1/3程度，全じんま疹の4～5%を占める．比較的神経質な青年に多い．夏季増悪，冬季軽快．約1/3がアセチルコリンの皮内反応に陽性を示すが，ヒスタミン皮内反応は正常．他に特別な所見はない．治療は抗ヒスタミン薬内服，運動誘発性ではβ遮断薬が有効なことも．

7）接触じんま疹 contact urticaria

接触した化学物質・植物により該部に生じるじんま疹．アレルギー性（接触後10～15分で膨疹，通常2時間以内に消褪．ラテックス・クロルヘキシジン・アボカド・マンゴ・レタス・ニッケル・プラチナ・にんにく・卵・エビ・香料・防腐剤など）・非アレルギー性（接触後やや時間を経て膨疹．香料・防腐剤・エタノール・プロピレングリコール・ホルマリンなど）あり．

アレルギー性で気管支喘息・ショックなど全身症状を伴うものを接触じんま疹症候群（contact urticaria syndrome）（Mainbach 1975）という．

①**ラテックス・アレルギー** latex allergy：天然ゴム製品の成分ラテックス（ゴムの木 Hevea brasiliensis の樹液）に対する即時型アレルギー反応による接触じんま疹症候群．接触じんま疹・鼻炎・結膜炎・呼吸困難・アナフィラキシー・ショックをきたす．医療従事者・ゴム製造業者がアナフィラキシー・ショックを起こす事例があった．予防にはラテックスを含まないプラスチック手袋・ノンラテックス手袋を用いる．現在は天然ゴム手袋に含まれるラテックスに対し，熱水処理・酵素処理で除蛋白，塩素で表面処理，ウレタン・シリコンゴムでコーティングなどの対策がとられている．バナナ・アボカド・クリ・キウイと交叉反応あり（ラテックス・フルーツ症候群）.

②**口腔アレルギー症候群** oral allergy syndrome（Amlot 1987）（OAS）：特定の食物を摂取後，口腔刺激感や咽頭閉塞感を示し，時にじんま疹，喘息，アナフィラ

キシーなどの全身症状を起こす．リンゴ，モモ，メロン，ナシ，ビワ，サクランボ，キウイ，トマトなどの果物，野菜などが原因となる．花粉症，喘息，アトピー性皮膚炎患者に多い．口腔粘膜の接触じんま疹・同症候群であり，口腔粘膜に始まり全身症状を起こしうる即時型食物アレルギーである．

診断・治療・対応

まずは，①病歴をよく聴取することが重要．特に誘因・原因の有無や，随伴症状や随伴疾患・基礎疾患についてよく検討する．アレルギー性のじんま疹を疑診する場合は，②血清 IgE（RAST・ELISA）などで，次いで，③皮膚反応〔オープン貼付試験・クローズド貼付試験・スクラッチ貼布試験・スクラッチ（プリック）試験〕をみて診断する．物理性じんま疹や接触じんま疹では，④原因，誘因と疑診される負荷，または物質との接触でじんま疹を誘発できれば診断できる．コリン性じんま疹は時に，⑤アセチルコリン皮内テストでその過敏性を診断できる．多くの刺激誘発型のじんま疹は既往時のエピソードと同様の負荷を加えて皮疹の再現をみる以外に確定診断する方法がない．この負荷自体が明確でないじんま疹が多いのが現状である．

治療は，①抗原および誘因の除去・忌避，②抗ヒスタミン薬（第 1，2 世代）投与，③重症（声門浮腫など）ではステロイド薬内服，時に静注，④難治性特発性じんま疹には生物学的製剤（抗 IgE 抗体製剤）．

3. 血管浮腫 angioedema，血管神経性浮腫 angioneurotic edema，クインケ浮腫 Quincke's edema（1882） ◎

病因

血管作動性ペプチド，ブラジキニンによって血管浮腫が生じる機序が明らかにされつつある．

①**非遺伝性**：本態性後天性の C1 エステラーゼインヒビター（C1 INH）低下・欠損（リンパ増殖性疾患，C1 エステラーゼインヒビター自己抗体，SLE），薬剤（ACE 阻害薬・ペニシリン・アスピリンなど），運動誘発性（振動じんま疹 vibratory-angioedema）などがある．作用部位はじんま疹（真皮）より深く皮下組織．

②**遺伝性**（図 8-8，9）：hereditary angioneurotic edema（HANE）（Osler 1888）．常染色体性優性遺伝．C1 エステラーゼインヒビター（C1 INH）の欠損（I 型，症例の 85〜95％を占める）と機能異常（II 型，5〜15％：C1 INH は低下していないが，その活性が低下）がある．原因遺伝子は第 11 染色体長腕にある C1 INH 遺伝子．他に伴性遺伝性で女性にのみ発症するIII型（活性低下もない）がある．

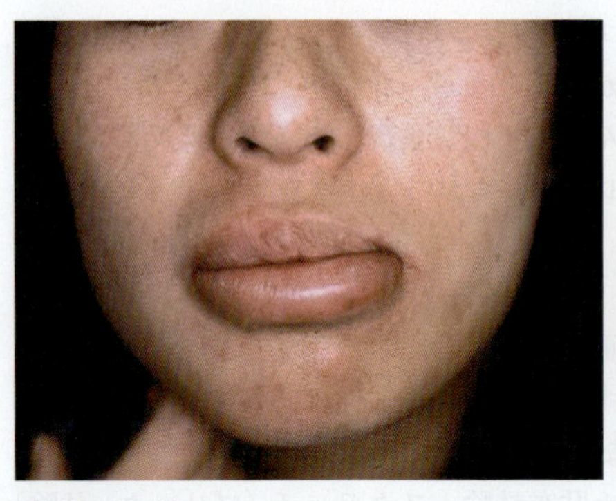

図 8-8　HANE

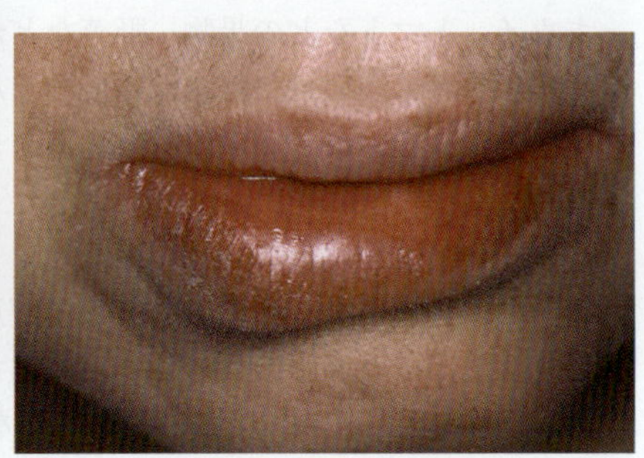

図 8-9　HANE

症状

急に限局性の浮腫を生じ，数時間～数日持続する．食思不振・胃腸障害・頭痛などを前駆症とすることもある．通常皮膚色～淡紅色～蒼白色で少し硬く，豌豆大～手掌大で，時に熱感・瘙痒を伴う．顔面（眼瞼・口唇・頬）に好発し，稀に粘膜（咽喉頭～呼吸困難）にも発する．かかる発作が年余にわたり反復する．

予後

①非遺伝性は原因・誘因の除去・治療で軽快，②遺伝性は軽快傾向なく，声帯浮腫の危険性がある．

治療

①はステロイド薬，抗ヒスタミン薬，エフェドリンに反応．②はメチルテストステロン，抗プラスミン薬，C1-インアクチベーター製剤（点滴），選択的ブラジキニン B2 受容体ブロッカー（皮下注），時に気管切開．

4. じんま疹関連疾患

1）じんま疹様血管炎

紫斑を伴うじんま疹様皮疹が，2，3 日間あるいはより長期に持続する．組織学的に血管炎を伴う．血管炎の項に記述した（☞ p.218）．なお，じんま疹でも血球が血管外に漏出することがある．

2）色素性じんま疹

肥満細胞の腫瘍性，母斑性増殖が本態であり，別項に記述した（☞ p.698）．

3）自己炎症症候群（コラム：自己炎症性疾患について，☞ p.167）

①**クリオピリン関連周期性症候群** cryopyrin-associated periodic syndrome (CAPS)：小児期より，①じんま疹・じんま疹様皮疹，②悪寒・発熱，③全身倦怠感，関節痛を繰り返す．④ cryopyrin 蛋白の遺伝子（*CIAS1*）が変異し，NF-κB が恒常的に活性化して IL-1β 産生が亢進．寒冷じんま疹主体の家族性寒冷じんま疹，小児・思春期より発症する Muckle-Wells 症候群（Muckle, Wells 1961），新生児期に発症し重症型の CINCA（chronic infantile neurological cutaneous articularsyndrome）がある．

②**Schnitzler 症候群** urticrial vasculitis with monoclonal gammopathy（Schnitzler 1974）：①持続性の慢性じんま疹・じんま疹様血管炎，②関節痛，③時に発熱・体重減少・リンパ節腫脹，④モノクローナル IgM 増加を特徴とする．自己炎症症候群に含まれるとする考えもある．

4）その他のじんま疹関連疾患

episodic angioedema with eosinophilia（Gleich 1984）：血管浮腫，じんま疹，発熱を周期的に繰り返し，末梢血の白血球増多・好酸球増多をきたす．皮疹出現時に血中 IL-5 あるいは IL-6 増加を伴うこともあるが，肺・心などの内臓侵襲なく，予後良好．下腿に多い．日本では症状が一過性で軽症な例も多く，non-episodic angioedema with eosinophilia と呼ばれる．

2 痒疹 prurigo ◎

痒疹は丘疹やじんま疹様丘疹を主体とする急性型と，小結節を中心に苔癬化など慢性皮膚病変を伴う慢性型に分けられる．虫刺・掻破などが原因・誘因となりうるが，不明のことも多い．痒疹は疾患単位としての定義，分類のあり方など議論の余地が多い．

1．急性痒疹 prurigo acuta，ストロフルス strophulus

病因

虫刺に対するアレルギー・異常反応，食餌（卵・大豆・豚肉）に対する過敏症と考えられている．

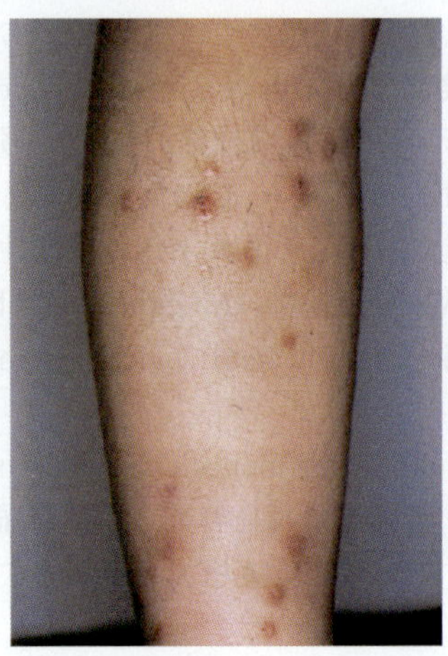

図 8-10　急性痒疹

症状 (図 8-10)

多くは小児で（小児ストロフルス strophulus infantum，小児じんま疹様苔癬 lichen urticatus infantum），四肢伸側・体幹にじんま疹様丘疹，充実性丘疹を生じる．掻破により小水疱・小痂皮を頂点に有し，さらに二次感染をきたし，膿痂疹・癤・リンパ節炎を続発することもある．比較的急性に経過する．夏季に多い．成人は虫刺によることが多い（じんま疹様苔癬）．

治療

①ステロイド薬外用，②抗ヒスタミン薬．

2. 亜急性痒疹

主として成人の四肢伸側を侵し，瘙痒のあるじんま疹様小丘疹（じんま疹様苔癬）で，掻破により痂皮を頂点に生じ，数日で痂皮は脱落し，色素沈着や小瘢痕を残しつつ，出没する．

3. 慢性痒疹 prurigo chronica

病因

表 8-2 にみるような疾患が基礎にあることも．掻破が病変形成に大きく寄与．

表 8-2 痒疹

臨床病型	特　徴
急性痒疹	小児ストロフルス
亜急性痒疹	成人にじんま疹様苔癬がやや持続性に
慢性痒疹	
多形慢性痒疹	痒疹と苔癬局面から成る多彩な像
結節性痒疹	痒みの強い，硬い丘疹・小結節が多発
特別な痒疹	
アトピー性痒疹	アトピー性皮膚炎に伴う
妊娠性痒疹	妊娠３～４ヵ月頃，四肢伸側に
PUPPP	妊娠後期，じんま疹様局面と丘疹が混在
autoimmune progesterone dermatitis	月経周期に伴う多彩な皮疹（月経疹）
黒色痒疹	肝障害に伴う暗褐色色素沈着
色素性痒疹	思春期女性に多い発作性じんま疹様皮疹，網目状色素沈着を残す

症状

①多形慢性痒疹（pr. chr. multiformis Lutz 1957）（図 8-11）は中高年者の体幹・大腿に多く，痒疹小結節と苔癬化局面・湿疹様局面とが混在して多様な像を呈する．
②結節性痒疹（pr. nodularis）は中高年者の四肢に好発し，虫刺様丘疹で始まり，搔破によってびらん化，痂皮を形成，次第に暗褐色の硬い丘疹・結節となり，瘙痒が強い．個疹は孤立性に散在・多発する（図 8-12～14）．

鑑別診断

①虫刺症，②疥癬，③アトピー性皮膚炎，④自家感作性皮膚炎，⑤壊死性血管炎，⑥水痘，⑦扁平苔癬，⑧急性痘瘡状苔癬様粃糠疹．

治療

①ステロイド外用・テープ貼付，②抗ヒスタミン薬内服，③冷凍療法，④ PUVA，⑤基礎疾患の治療．

4. その他の痒疹

1）色素性痒疹 prurigo pigmentosa（Nagashima 1971）（図 8-15）

思春期女子の背・項・上胸部に好発．発作性にじんま疹様膨疹，次いで紅色丘疹が反復出現し，あとに粗大網目状色素斑を残す．時に小水疱・漿液性丘疹を初発とする．衣類の刺激・発汗，さらに代謝障害（糖尿病・極端なダイエットなど飢餓状態・ケトン体の増加）の関与が考えられている．治療はミノサイクリン・DDS 内服，

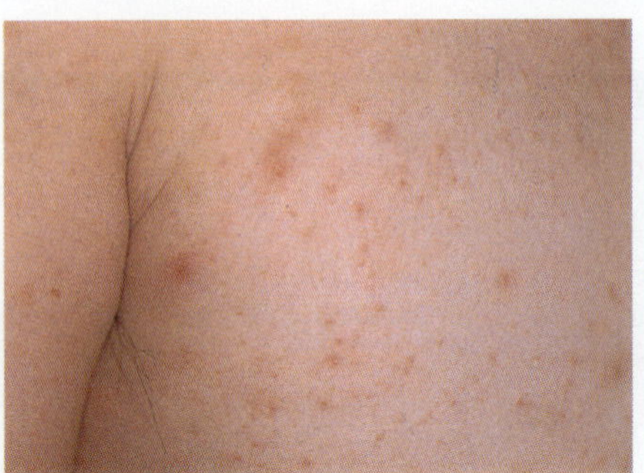

図 8-11　多形慢性痒疹

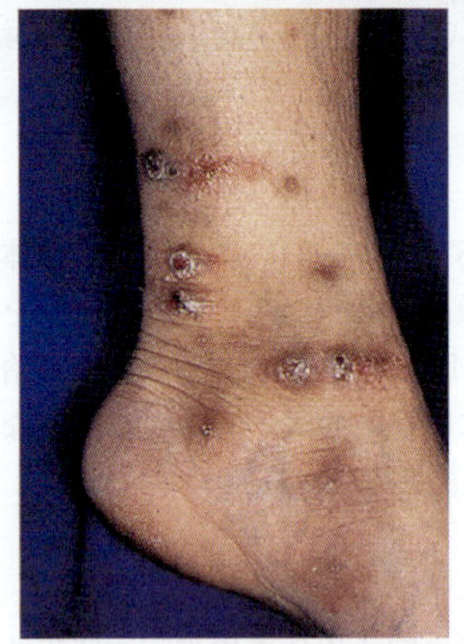

図 8-12　慢性痒疹（結節性痒疹）

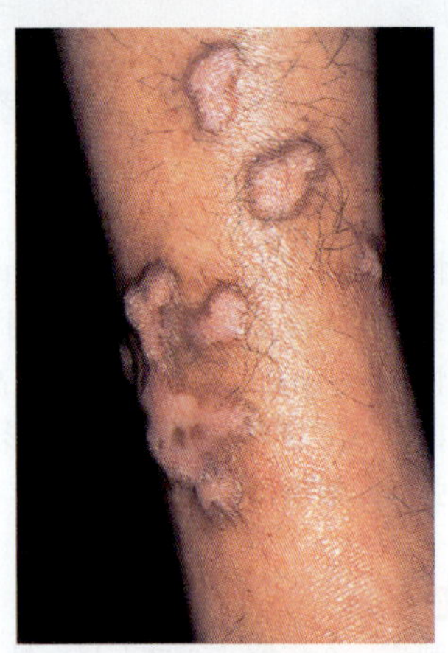

図 8-13　結節性痒疹

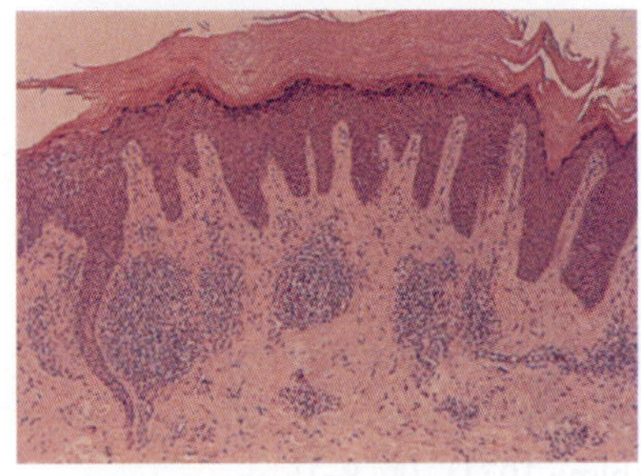

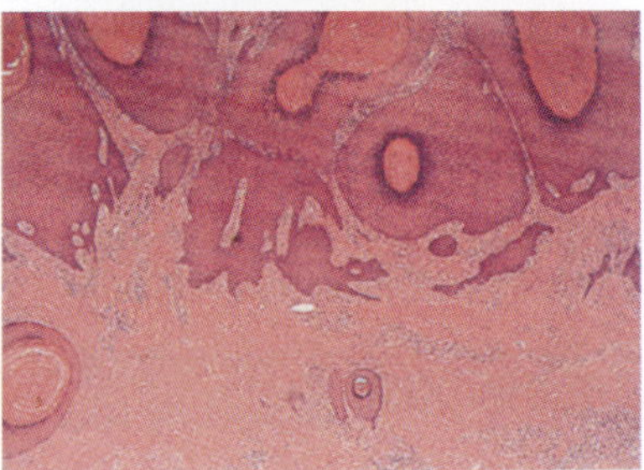

図 8-14　慢性痒疹（角化と表皮肥厚）

一般にステロイド薬の外用や抗ヒスタミン薬の内服には反応しない．

2）妊娠性痒疹 prurigo gestationis（Besnier 1904）

妊娠 25〜30 週頃，腹部や四肢伸側に瘙痒，次いで丘疹を生じ，搔痕・小潰瘍・結痂あり，痒疹性皮膚反応（図 8-16）．分娩とともに消褪．2 回以後の妊娠で発し，妊娠ごとに発生する．

3）pruritic urticarial papules and plaques of pregnancy（PUPPP）（Lawley 1979）

主として初産婦（1/3 は経産婦）の妊娠後期（時に分娩後 1 週以内）に生じる瘙痒の強い紅斑性じんま疹局面，丘疹の混在で稀に水疱を生じる．妊娠線条に沿って初発しやすい．腹（妊娠線部）・臀部・大腿・四肢を侵し，分娩後急速に消褪し再発はない．全身状態良好．病因は不明であるが，急激な体重増加と過度の腹部伸展などが推測されている．polymorphous eruption of pregnancy（Holmes 1982）とほぼ同義．

4）autoimmune progesterone dermatitis（Bierman 1973）

月経の数日前に急に発症し数日後までじんま疹，湿疹，多形紅斑などの紅斑を主徴とする多彩な皮疹が出現する．しばしばプロゲステロン製剤の摂取歴がある．プロゲステロンに対しての皮内テスト，血中抗体で診断．排卵抑制して血中プロゲステロンが低下，かつ症状が消褪すれば本症の可能性が高い．

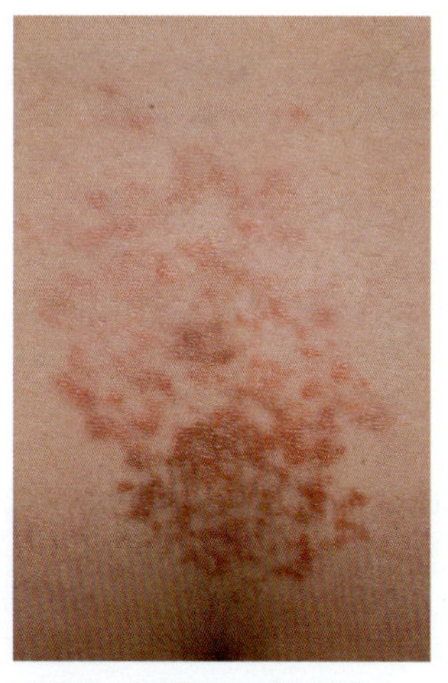

図 8-15　色素性痒疹（発作時）

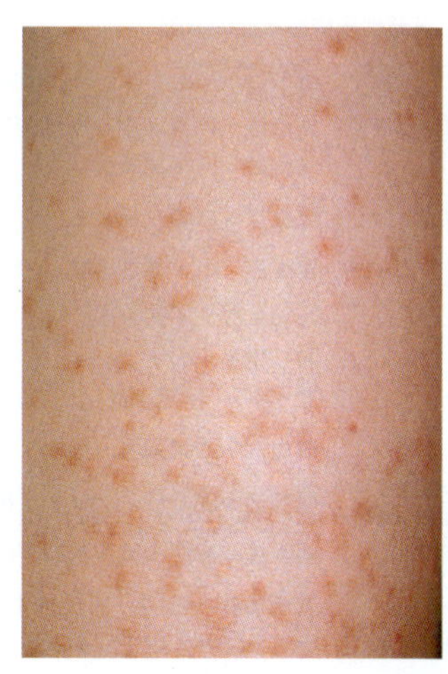

図 8-16　妊娠性痒疹

5）黒色痒疹 prurigo melanotica（Pierini-Borda 1947）

肝疾患に併発．上背・胸・上肢・側頸に瘙痒性小結節が多発．進行とともに暗褐色色素沈着がびまん性ないし網目状に発生，搔痕，白色小瘢痕を混在する．

3　皮膚瘙痒症 pruritus cutaneus

皮膚にはっきりした発疹を認めず，瘙痒感のみある状態を皮膚瘙痒症（pruritus cutaneus）という．しかし瘙痒は必然的に搔破を引き起こして二次的に搔破痕・搔破湿疹・苔癬化・膿痂疹化をきたし，これら軽度の苔癬化までを本症の部分現象として含める人もある．汎発性・限局性および特殊なものとして老人性の3つがある．

1. 汎発性皮膚瘙痒症 pr. c. universalis

全身皮膚に瘙痒のあるもので原因として表8-3のようなものがある．

2. 限局性皮膚瘙痒症 pr. c. localis

外陰部・肛囲部が多く，男性外陰部では尿道狭窄・前立腺肥大症，女性外陰部で

表8-3　汎発性皮膚瘙痒症の原因

代謝内分泌疾患	糖尿病・黄疸・肝炎・肝硬変・胆囊炎・胆道閉塞性疾患・慢性腎炎（特に透析患者）・尿毒症・痛風・甲状腺機能亢進（特にバセドウ病）・粘液水腫・尿崩症・妊娠・妊娠中毒症・更年期障害
悪性腫瘍	悪性リンパ腫（特にホジキン病・菌状息肉症）・慢性白血病・ATLL・癌
血液疾患	多血症（水・湯と接触して生ずる．aquagenic pr.）・貧血（特に鉄欠乏性）
薬　剤	コカイン・モルヒネ・ピリン・インスリン・抗生物質・サルファ剤・アルコール・精神安定薬（ジアゼパム）・バルビタール系・経口避妊薬・降圧利尿薬（クロロサイアザイド）・抗結核薬（リファンピシン）・ヒドロキシクロロキン
寄生虫症	回虫・十二指腸虫・鉤虫・住血吸虫・フィラリア・オンコセルカ
心因性	精神的不安・ヒステリー・精神衰弱・ストレス
皮　膚	老人性乾皮症・乾皮状態
その他	胃腸障害・過労・病巣感染・食餌（コリン含有：サバなど魚介類・豚肉・ソバ・イモ・トマト・ホウレンソウ，ヒスタミン遊離物質：魚介類・卵白・トマト・イチゴ）・低蛋白血症・高血圧症

は白帯下（カンジダ症・トリコモナス症），肛囲では便秘・下痢・蟯虫・痔・脱肛などの基礎疾患がしばしば潜在．ウォシュレットトイレの使用も肛囲に瘙みを起こす．糖尿病でも汎発性よりも外陰肛囲限局性の痒みを生じることが多い．外耳道・眼瞼・鼻腔・頭部・手掌足底に限局することもある．

3. 老人性皮膚瘙痒症 pr. c. senilis

高齢者の皮膚は乾燥化（特に冬季，老人性乾皮症 xerosis senilis, asteatosis）し，また外来刺激に対する抵抗力が低下して瘙痒症が起こりやすい（図 8-17，18）．下腿に好発．搔破により湿疹・貨幣状湿疹を続発しやすい（乾皮症性湿疹，皮脂欠乏性皮膚炎）．

老人性乾皮症の成因

①皮表脂質・角層間脂質の減少（皮脂腺由来のトリグリセリド，角層細胞間脂質セラミド），②天然保温因子（natural moisturizing factor；NMF）である遊離アミノ酸の減少，③角層 turnover time の延長による角層の堆積，④発汗低下など．

治療・予防

①基礎疾患の発見と治療，②保湿軟膏・ローション外用，③ステロイド薬外用，④精神安定薬・抗ヒスタミン薬，⑤脱脂性の強い石鹸などを避け，タオルで強くこすらない，⑥低刺激性下着（木綿）の着用．

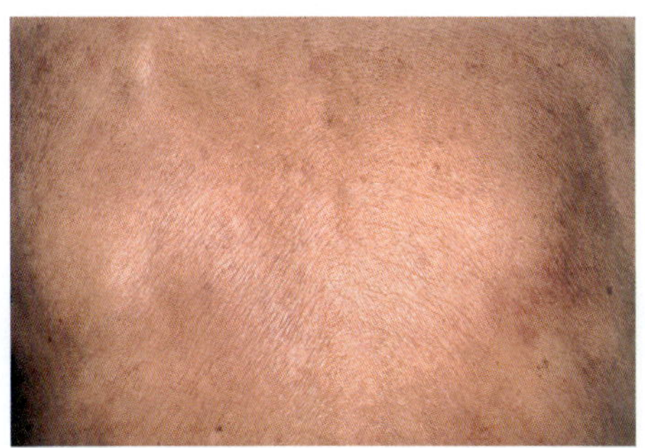

図 8-17　老人性乾皮症

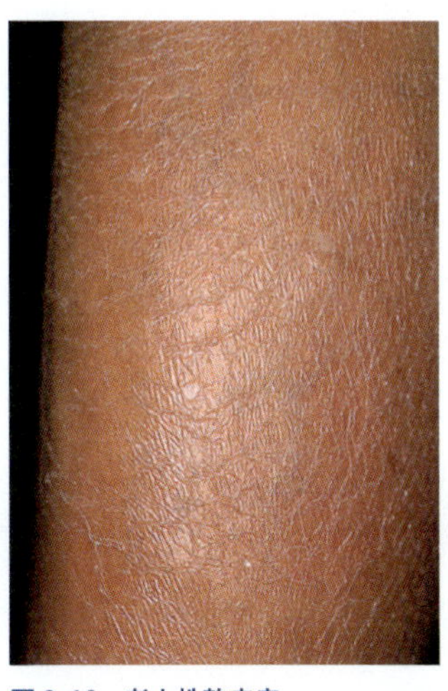

図 8-18　老人性乾皮症

8章

第9章 紅斑症・紅皮症

紅斑を呈する皮膚疾患は数多いが，その中で紅斑を主症状とする疾患を一括して紅斑症という．

1 いわゆる紅斑症

1. 多形滲出性紅斑 erythema exsudativum multiforme（EEM）（Hebra 1860）◎

滲出傾向のある特徴的紅斑が，両側性に手背など四肢に出現する疾患．若年女性に多い．ウイルスや薬剤などによる免疫・アレルギー反応が推定されている．重症型の粘膜皮膚眼症候群（Stevens-Johnson 症候群）と TEN とは一連のスペクトラム上にあるとの考え方が強い．

病因

多病因的（polyetiologic）であり，症例ごとに病因の追求が必要．

①**感染アレルギー**：マイコプラズマ症・溶連菌の病巣感染（扁桃炎）・クラミジア・リケッチア・ヒストプラズマ．

②**ウイルス**：単純ヘルペスウイルスによるものが多く（herpes-associated erythema multiforme/postherpetic EM），HSV に対する免疫反応と考えられ，① HS 発症 1～3 週（平均 10 日）に生じ，②青成年に多く，③一過性・再発性，④ I，II 両型 HSV いずれでも生じ，⑤症状は一般に軽い（粘膜はほとんど侵されない）．稀に EB ウイルス・B，C 型肝炎ウイルス・サイトメガロウイルス・水痘帯状疱疹ウイルス．

③**薬剤性**：薬疹の EEM 型．抗生物質・抗けいれん薬・NSAIDs・抗腫瘍薬など（☞ p.289）．

④**その他**：膠原病（特に SLE），内臓悪性腫瘍（特に造血系），食物など．

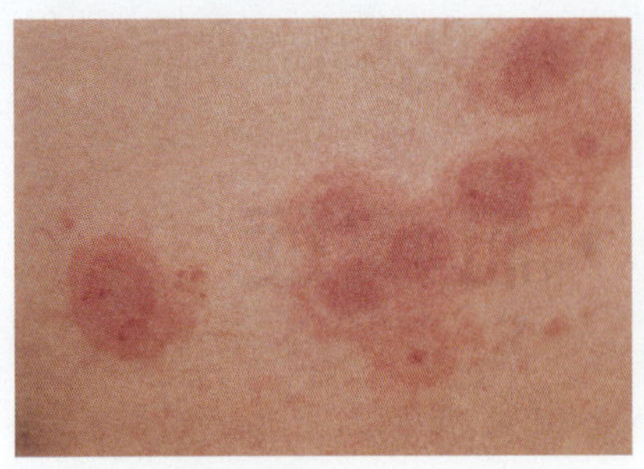

図 9-1　多形滲出性紅斑

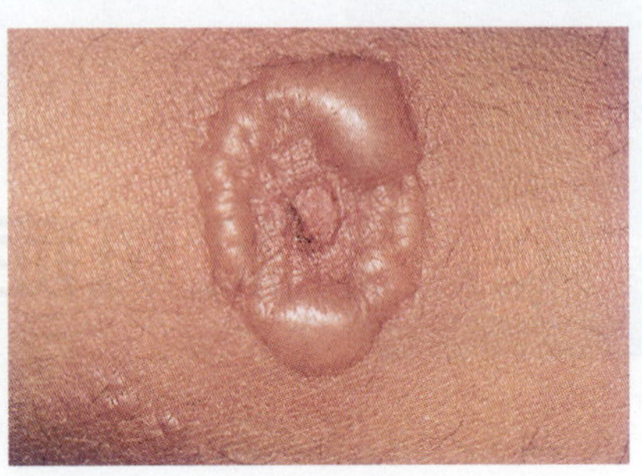
図 9-2　多形滲出性紅斑（水疱性）

症状（図 9-1，2）

前駆症状（頭痛・発熱・関節痛・倦怠感など）が出ることもある．手足指趾背・肘頭・膝蓋など主として四肢伸側に，左右対側性に小紅斑を生じ，遠心性に拡大，米粒大～指頭大（時に小児手掌大）のほぼ円形の浮腫性紅斑となる．境界明瞭で辺縁はわずかに堤防状に隆起，中央は色淡くやや陥凹する（**虹彩状 iris lesion，標的状 target lesion**）．鮮紅色で滲出傾向があり，新旧入り混じって多形，時に水疱性・出血性を呈する．伸側好発の原則に反して手掌のような屈側のみに発することがある（反対型：typus inversus）．中央褪色して辺縁のみ残った環状紅斑，これが融合して花環状，蛇行状を呈することもある．紅斑を生じず，充実性丘疹を多発するものを丘疹型（papular form）という．軽度の瘙痒を伴う．稀に粘膜にも生じる．春夏に多い．女性に多く，男女比（1：3）．

全身症状の比較的軽い軽症型（EEM minor）と広範な粘膜病変と高度の全身症状を伴い，時に予後不良な重症型（EEM major）に分けることができる（☞ p.196）．

組織所見

組織像には血管炎の像はなく，T 細胞の関与する遅延型過敏反応を思わせる．

①**真皮型（斑状・丘疹型）**：血管周囲性単核球（好酸球）浸潤，真皮浅層の浮腫，時に表皮内浮腫・細胞侵入．軽症型の組織像．

②**表皮型（虹彩型・重症型）**：真皮上層から表皮内に $CD8^+$ の T リンパ球が浸潤．表皮細胞の好酸性壊死とリンパ球の接着（衛星細胞壊死 satellite cell necrosis）．重症型の組織像．

③**混合型（斑状・丘疹・虹彩型）**：血管周囲性単核球浸潤，液状変性，時に表皮好酸性壊死．

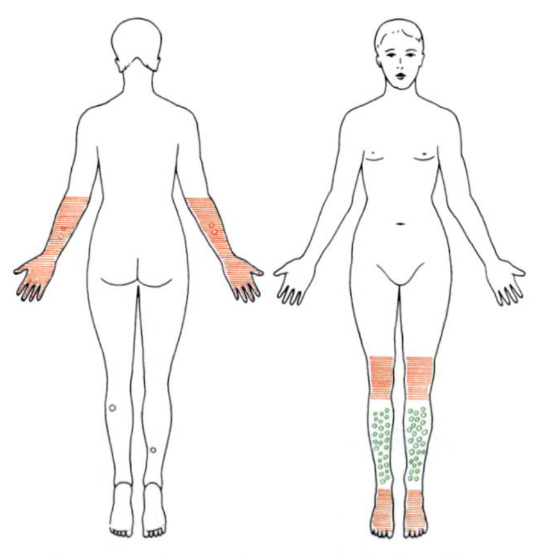

図 9-3　多形滲出性紅斑（EEM），結節性紅斑（EN）の好発部位

検査所見

特異的所見はない．重症型では赤沈促進，中等度の白血球増多，CRP 陽性など．単純ヘルペスや溶連菌感染ではウイルス抗体価や ASLO 値の上昇など．

表 9-1　紅斑症の特徴

	EEM	EN	EI*
年　齢	若年～成人	成人	中年
性　別	やや女性に多い	女性に多い（2～6 倍）	女性に多い
季　節	春秋	春秋	特にない
前駆症状	頭痛，発熱，食欲不振，さほど強くない	発熱，関節痛，食欲不振，頭痛，全身違和感，全般に強い	潜行性
好発部位	手足背，肘頭，膝蓋，前腕 反対型…手掌・足底	下腿伸側 稀に前腕	下腿
皮　疹	紅斑（環状，虹彩状） 異型…巨大型，水疱型，丘疹型	紅斑，硬結	紅斑，硬結 軟化→潰瘍化
色　調	鮮紅～紅色	鮮紅～紅褐色	紅褐色→暗紅褐色
自覚症	時に瘙痒	自発痛，圧痛	ない
全身症状	発熱，関節痛 全身違和感：軽度	発熱，関節痛 全身違和感：大	（他に結核症）
粘　膜	眼瞼，口腔，外陰	（眼）	ない
病　因	細菌感染アレルギー，ウイルス，薬疹	細菌感染アレルギー，結核性，らい性，薬疹	結核疹，循環障害

＊ バザン硬結性紅斑

9 章

治療

①病因に応じて抗生物質投与，原因薬の除去など．
②抗ヒスタミン薬内服とステロイド薬の外用．重症時はステロイド薬の全身投与（パルス療法を含む），血漿交換療法（DFPP を含む），免疫グロブリン大量療法．

予後

2～4 週で軽い色素沈着を残して治癒するが，再発しやすい．

2. 結節性紅斑 erythema nodosum（EN）　◎

真皮の炎症を伴う脂肪織炎（小葉間結合織炎）が主体で両側下腿に有痛性紅色結節を生じる．急性型と慢性型とがある．感染アレルギーを含めて原因は多様で，時に基礎疾患がある．

病因・基礎疾患（表 9-2）

細菌，ウイルスなどの感染アレルギーが知られている．薬疹（サルファ剤・ヨード・ブロム・経口避妊薬・エストロゲン・サリチル酸）のこともあり，また結核（この場合は硬結性紅斑とほぼ同じ）・ハンセン病（ENL ☞ p.873）・真菌症・エルシニア属（*Yersinia enterocolitica*・*Y. pseudotuberculosis*）などの感染症，ベーチェット病・潰瘍性大腸炎・サルコイドーシス・クローン病・悪性腫瘍（白血病・リンパ腫・骨髄異形成症候群）に伴うものなどあり．EEM と同様多病因性である．

表 9-2　結節性紅斑の原因・基礎疾患

a．感染症
　溶連菌感染症に伴う咽頭炎・扁桃炎
　エルシニア属：*Yersinia enterocolitica*・*Y. pseudotuberculosis*
　ウイルス感染症：風疹・流行性耳下腺炎・B 型肝炎
　真菌：ケルスス禿瘡後に出現することあり
　ハンセン病：らい性結節性紅斑
b．薬疹
　サルファ剤・テトラサイクリン・セフェム系抗生剤・ヨード・ブロム・経口避妊薬
c．Behçet 病
d．Sweet 病
e．サルコイドーシス
f．潰瘍性大腸炎
g．Crohn 病
h．悪性腫瘍：慢性骨髄性白血病・ホジキン病
i．膠原病

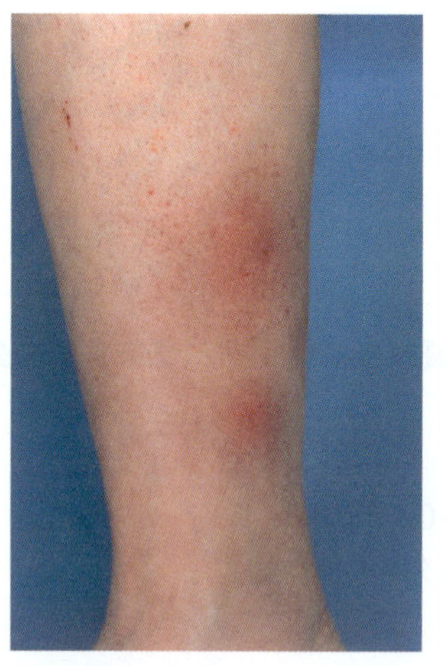

図 9-4 結節性紅斑

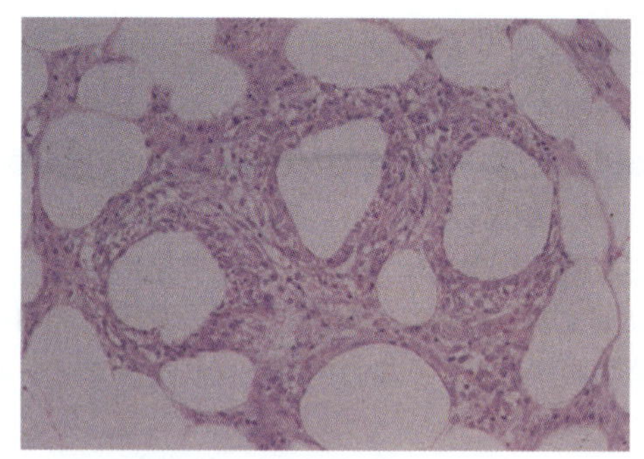

図 9-5 結節性紅斑（脂肪織炎）

症状（図 9-4）

①**急性結節性紅斑**：しばしば扁桃炎などの急性炎症に続発する．発熱，全身倦怠感，関節痛などの全身症状を伴って，両側下腿伸側（稀に下腿後面・前腕伸側・手背・大腿）に豌豆大より鳩卵大の潮紅と局所熱感とを伴う皮下結節～硬結を生じ，圧痛，時に自発痛がある．潮紅は境界不明瞭で，周囲を含めて浮腫状に腫脹する．自潰はしない．数週で消褪する．

②**慢性結節性紅斑**：寛解・再発を繰り返すが，時に1つの病変が長く続いて数ヵ月に及ぶ．全身症状はないか，あっても軽微．循環障害により潰瘍・瘢痕を形成することもある．

③春秋に好発，若年～中年女性に多い．

組織所見（図 9-5）

初期には皮下脂肪組織の分葉間隔壁・脂肪細胞間にリンパ球・好中球（わずかに組織球・好酸球）の浸潤（septal panniculitis），小血管壁の炎症性細胞浸潤，内皮細胞肥厚，出血，脂肪壊死，次いで異物巨細胞を含む組織球性肉芽腫をきたす．

検査所見

急性型のC反応性蛋白（CRP）が上昇，病勢を反映する．白血球数増加やASLO値上昇なども．バザン硬結性紅斑との鑑別にツベルクリン反応検査，サルコイドーシスとの鑑別に胸部X線像や血清ACE値測定．

9章

予後

1〜3 週で消褪するが，再発を繰り返す例もある（慢性型）.

治療

①安静，立業・歩行の忌避，下肢を高挙.
②局所熱感・発赤・腫脹が大なら冷湿布.
③原因に対応：細菌感染が証明されれば抗生物質投与，休止期に感染病巣の処理（扁摘・齲歯根治など），その他原病の治療.
④関節痛に NSAIDs・ヨードカリ有効例あり.
⑤コルヒチン，稀にステロイド薬全身投与（0.4〜0.5 mg/kg/ 日）.
⑥消化器病変を伴う場合，インフリキシマブやエタネルセプト.

3. 環状紅斑 annular erythema, erythema annulare

浮腫性の環状の紅斑で，真皮血管周囲へのリンパ球主体の炎症細胞浸潤像を呈する．皮膚限局性と悪性腫瘍や膠原病などの全身疾患に随伴するものとがある.

1．皮膚限局性

1）遠心性環状紅斑 erythema annulare centrifugum（Darier 1916）（図 9-6）

壮年男女の体幹・四肢伸側に浸潤を触れる紅斑性膨疹が遠心性に拡大するととも

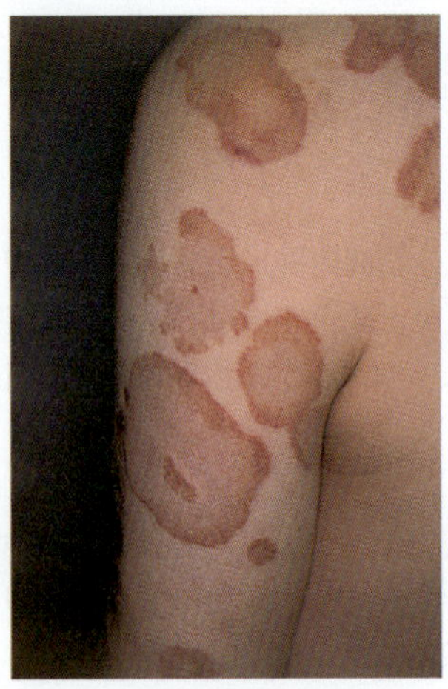

図 9-6　遠心性環状紅斑

に中央部が褪色して環状堤防状紅斑，あるいは融合して地図状を呈する．時に瘙痒あり．個疹は2週間ほど拡大，やがて色素沈着を残して消褪する．繰り返し再発，年余にわたることもある．組織像は真皮中層の血管周囲性の密なリンパ球浸潤で，表皮の変化はない．近年，真皮の中層にリンパ球が浸潤する深在型と浅層，あるいは表皮に変化をみる表在型を区別する考え方もある．原因不明例が多いが，再発性，難治性の環状紅斑では感染病巣，悪性腫瘍，自己免疫疾患など基礎疾患検索が重要である．

2）血管神経性環状紅斑 erythema annulare angioneuroticum（Dohi 1923）

環状～地図状の細い線状紅斑が突然生じ数日で消褪．自覚症状・全身症状なく，年余にわたり再発．女性四肢に多い．じんま疹の亜型とも考えられている．

3）家族性環状紅斑 familial annular erythema

常染色体優性の遺伝性疾患．新生児から小児期にかけて環状紅斑が慢性に繰り返し出没する．極めて稀．

4）好酸球性環状紅斑 eosinophilic annular erythema

瘙痒を伴う環状紅斑が多発し，病理組織学的に真皮内から脂肪織にかけて多数の好酸球浸潤を特徴とする．好酸球性脂肪織炎（Well's syndrome）の亜型とも考えられるが，flame figure は必ずしも認めない．

2．全身性疾患に随伴する環状紅斑

表 9-3 のように感染症，膠原病，悪性腫瘍などに随伴する．

表 9-3　環状紅斑の分類

a．皮膚限局性の環状紅斑		
	遠心性環状紅斑	血管神経性環状紅斑
	家族性環状紅斑	
b．全身性疾患に随伴する環状紅斑		
	感染症：慢性遊走性紅斑	
	膠原病：Sjögren 症候群に伴う紅斑，新生児エリテマトーデスの紅斑	
	亜急性皮膚エリテマトーデス（環状連圏型）	
	リウマチ性環状紅斑	
	悪性腫瘍：壊死性遊走性紅斑，匍行性迂回状紅斑	

1）慢性遊走性紅斑 chronic migratory erythema, erythema chronicum migrans, Lyme 病

マダニに寄生するスピロヘータの一種 *Borrelia burgdorferi* 感染の皮膚症状．マダニ刺咬後数日〜1ヵ月後に刺咬部に一致して環状紅斑が生じて急速に拡大する．スピロヘータが血行性に散布すると発熱などの全身症状とともに環状紅斑が多発する（☞ p.933）．

2）シェーグレン症候群に伴う環状紅斑 annular erythema associated with Sjögren syndrome（加茂・長島 1976）

浸潤性紅斑が顔面・四肢・体幹上部に好発する．1〜2ヵ月で自然消褪するが，長年にわたり出没する．病理組織像は真皮全層の血管，毛包，汗腺周囲のリンパ球主体の細胞浸潤．抗 Ro/SS-A 抗体，抗 Ro/SS-B 抗体が高率に検出される（☞ p.437）．

3）亜急性皮膚型エリテマトーデス subacute cutaneous lupus erythematosus（SCLE）

（☞ p.425）

4）新生児エリテマトーデス neonatal lupus erythematosus（NLE）（Hammar 1977）

（☞ p.432）

5）リウマチ性環状紅斑 rheumatic annular erythema

リウマチ熱（発熱・心炎・神経症状・環状紅斑）の10％前後に環状紅斑が出現する．体幹・四肢の紅斑が遠心性に拡大して環状・多環状を呈する．個疹は2〜3日で消褪するが，数週間出没する．

6）壊死性遊走性紅斑 necrolytic migratory erythema（Becker 1941）

肛門周囲，陰部など刺激を受けやすい間擦・開口部位に紅斑が出現，膿疱・びらん・痂皮化，色素沈着をきたす．この過程で不規則環状，地図状の紅斑を形成する．表皮上層の細胞内浮腫・壊死が特徴で真皮血管周囲に軽度の円形細胞浸潤を伴う．**グルカゴノーマ**（膵の α 細胞の腫瘍でその75％が悪性，膵外の異所性のものもある）の皮膚表現で，しばしばその初発症状となる．高グルカゴン血症・糖尿病・体重減少・下痢・貧血・低アミノ酸血症・口角炎・舌炎を呈する．皮膚症状は血中アミノ酸低下によると推定され，グルカゴノーマ以外の**低栄養状態**（消化吸収不良状態・消化器手術後 kwashiorkor・飢餓・膵嚢胞性線維症など）でも起こりうる．腫瘍切除，アミノ酸投与．

7）匍行性花環状紅斑 erythema gyratum repens（Gammel 1952）

じんま疹様小丘疹・浸潤性紅斑が遠心性に拡大するとともに中央部が消褪して環状となり，互いに接して木目様・蛇行状・縞馬状・英国刺繍（broderie anglaise）様となり，消褪・再発を繰り返す（典型疹）．同時に頭顔・下腿・手足に浮腫性紅斑（非典型疹）．瘙痒が強い．80％に**内臓悪性腫瘍**（肺・食道・乳・子宮・胃癌など）を合併，その治療により消褪する．

4．その他の紅斑症

1）新生児中毒性紅斑 erythema toxicum neonatorum（Leiner 1912）（図 9-7）

生後1～3日，体幹（胸・背・殿）に，大小，境界不明瞭な紅斑が多発，時に融合，これに黄白色丘疹（紅斑中央に，漿液性でやや硬い），粟粒大膿疱（紅斑上に無菌性，内容は好酸球100％で診断価値あり，10％に出現）が混在する．1～3日で自然消褪．出生後の外界刺激に対する一過性好酸球反応か．新生児の30～70％にみられる．放置．ブドウ球菌感染症・カンジダ症・汗疹・新生児痤瘡（生後1～3ヵ月）などと鑑別．

2）手掌紅斑 erythema palmare et plantare（Lane 1929），red palm

主として母指球・小指球を中心に紅斑，時に全手掌足底に及ぶ．肝硬変などの肝障害に随伴するものが大部分で，時に神経性・内分泌性に生じる．しばしば vascular spider を合併．

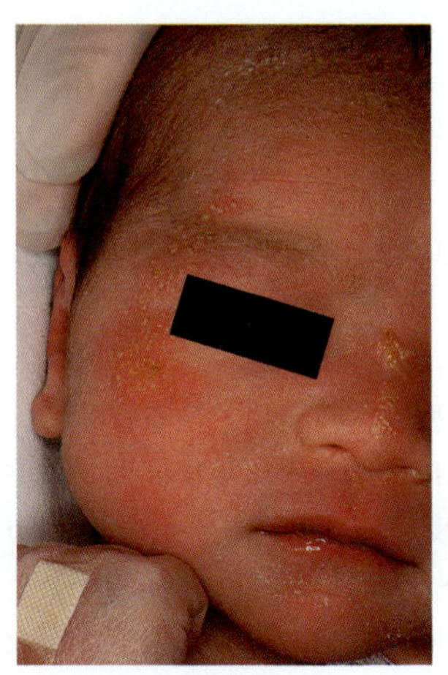

図 9-7　新生児中毒性紅斑

3）点状紅斑（樋口 1943）erythema punctatum

春〜秋にかけ，四肢・体幹の自覚症状のない半米粒大の紅斑で著明な白暈を伴う．血管運動神経異常・蚊刺症・薬疹（？）など．

4）いわゆる脊椎麻酔後紅斑 so-called erythema after anesthesia

脊椎麻酔手術（時にミエログラフィー・硬膜外麻酔）後，主として仙骨部に生じる紅斑・浮腫・硬結，時にびらん．褥瘡の初期段階として対応する．麻酔時の体位変換，除圧で減少している．

2 いわゆる紅斑症を主体とする症候群・全身性疾患

多形滲出性紅斑（EEM）や結節性紅斑（EN）が皮膚や粘膜を侵し，種々の程度に全身症状を伴う疾患群がある．

1. スティーブンス・ジョンソン症候群 Stevens-Johnson syndrome (SJS), 粘膜皮膚眼症候群 mucocutaneous ocular syndrome ◎

古く Hebra（1860），Fuchs（1876）の頃から種々の名称で呼ばれている．EEM 重症型（EEM major）にほぼ相当し（異同について議論がある），近年は水疱・びらんが体表面積の 10％以下が SJS，30％以上が TEN（中毒性表皮壊死症）と考えられてきている（☞ p.289）．

病因

半数は薬疹として発症し（抗てんかん薬・鎮痛解熱薬・抗生物質・分子標的薬など），他にマイコプラズマや単純ヘルペスなどの感染症に伴う場合がある．

症状（図 9-8，9）

EEM（☞ p.188）の重症型（粘膜症状・全身症状を伴う）で，高熱・関節痛・筋痛・胃腸障害とともに眼・口腔・鼻・気道・肛囲・外陰粘膜が侵され，食事摂取・排尿・排便障害をきたす．皮膚には EEM 様発疹（紅斑・水疱・びらん）が多発する．びらん面が全身皮膚の 10〜30％に及ぶと overlap SJS，30％を超えると TEN と呼称する．眼では結膜炎や癒着，角膜の混濁・潰瘍をきたし，視力障害・失明の危険性がある．死亡率 6〜20％．

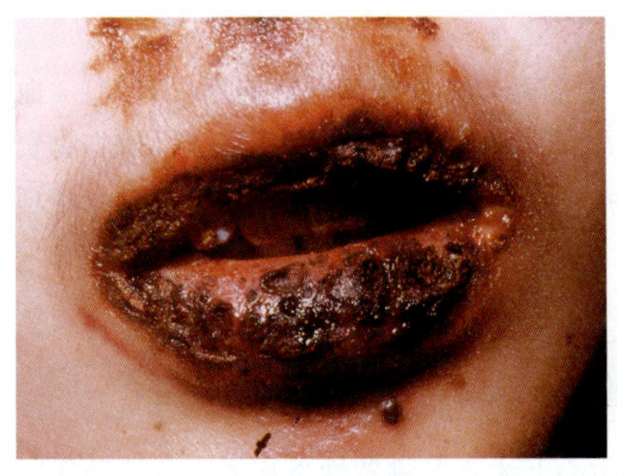
図 9-8 スティーブンス・ジョンソン症候群

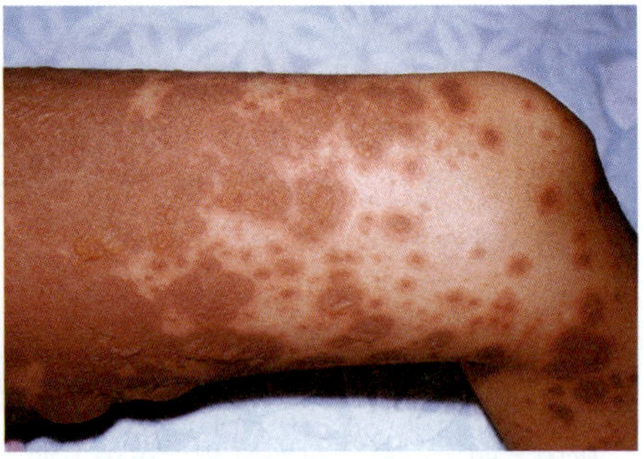
図 9-9 スティーブンス・ジョンソン症候群

組織所見

①EEMの表皮型と基本的に同じ，②表皮の壊死と表皮・真皮間の裂隙形成（表皮下水疱），**表皮細胞のアポトーシス**，satellite cell necrosis，③真皮の炎症性細胞浸潤は軽度．

診断

厚生科学研究班の診断基準を表 9-4 に示す．

表 9-4 スティーブンス・ジョンソン症候群（SJS）診断基準

概　念	熱と眼粘膜，口唇，外陰部などの皮膚粘膜移行部における重症の粘膜疹を伴い，皮膚の紅斑と表皮の壊死性障害に基づく水疱・びらんを特徴とする．医薬品のほか，マイコプラズマやウイルスなどの感染症が原因となることもある．
主要所見（必須）	①皮膚粘膜移行部（眼，口唇，外陰部など）の広範囲で重篤な粘膜病変（出血・血痂を伴うびらんなど）がみられる． ②皮膚の汎発性の紅斑に伴って表皮の壊死性障害に基づくびらん・水疱を認め，軽快後には痂皮，膜様落屑がみられる．その面積は体表面積の 10%未満である．ただし，外力を加えると表皮が容易に剝離すると思われる部位はこの面積に含まれる． ③発熱がある． ④病理組織学的に表皮の壊死性変化を認める． ⑤多形紅斑重症型〔erythema multiforme（EM）major〕を除外できる．
副所見	①紅斑は顔面，頸部，体幹優位に全身性に分布する．紅斑は隆起せず，中央が暗紅色の flat atypical targets を示し，融合傾向を認める． ②皮膚粘膜移行部の粘膜病変を伴う．眼病変では偽膜形成と眼表面上皮欠損のどちらかあるいは両方を伴う両眼性の急性結膜炎がみられる． ③全身症状として他覚的に重症感，自覚的には倦怠感を伴う．口腔内の疼痛や咽頭痛のため，種々の程度に摂食障害を伴う． ④自己免疫性水疱症を除外できる．

＊ただし中毒性表皮壊死症（Toxic epidermal necrolysis；TEN）への移行がありうるため，初期に評価した場合には，極期に再評価する．
＊主要項目の 3 項目すべてを満たす場合スティーブンス・ジョンソン症候群と診断する．

（重症多形滲出性紅斑に関する調査研究班，2016）

9章

治療

①薬剤の場合はその中止と変更，ステロイド薬の全身投与（病初期に有効），血漿交換療法，免疫グロブリンの大量投与など，②マイコプラズマ感染では抗生物質（テトラサイクリン・マクロライド），③ウイルス感染では抗ウイルス薬や全身管理，④眼の保護など．

2. ベーチェット病 morbus Behçet，Behçet disease（1937） ◎

原因不明の口腔・外陰粘膜，皮膚と眼を中心とする多臓器性炎症で，急性発作と寛解とを繰り返しながら慢性に経過する．日本・中近東・地中海沿岸に多い．近年減少して稀．

病因・病態

遺伝的因子（HLA-B51，保有率約60%）に外的環境因子〔ウイルス感染・細菌感染アレルギー・免疫や自己免疫・環境汚染（農薬や微量金属）〕が加わる．好中球機能亢進・易血栓性・補体増加．

症状（図9-10～13）

20代に初発し，長年にわたって症状を繰り返し，日本では女子にやや多い．「口腔粘膜→皮膚→外陰→眼」という病変発現の順をとることが多い．これら4病変が出現するのを完全型，欠ける場合を不全型と呼ぶ．

1）発熱・頭痛・関節痛のような前駆症とともに（あるいはこれを欠き），口腔（口唇・舌・頬）粘膜にアフタ（aphtha）が生じる．境界明瞭な豌豆大までの潰瘍で，紅暈を有し疼痛が激しい．約10日で治癒するが，繰り返し再発する．アフタをもって始まるものが60%以上．

2）**皮膚症状**

①**結節性紅斑**：下腿次いで前腕に生じ，5～6日で消える．皮疹のうち最も頻度が高い．

②**血栓性静脈炎**：有痛性皮下索状硬結として触れ，1～3週間ほど続く．下腿の他，大腿・上肢，時に体幹をも侵す（移動性ないし遊走性静脈炎）．

③**毛包炎～痤瘡様発疹**：体幹・顔面に毛包一致性または非一致性小膿疱が多発，特に注射部位に一致して小膿疱を形成する（**針反応**）．非毛包性のものは診断価値が高い．20～40%にみられる．

3）**外陰部症状**

男性で陰嚢を主とし，陰茎・大腿内側に紅暈を伴う小膿疱を発し，それは直ちに

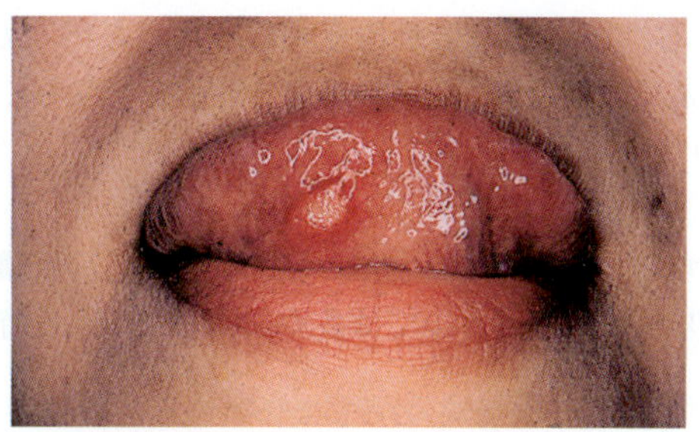
図 9-10　ベーチェット病（アフタ）

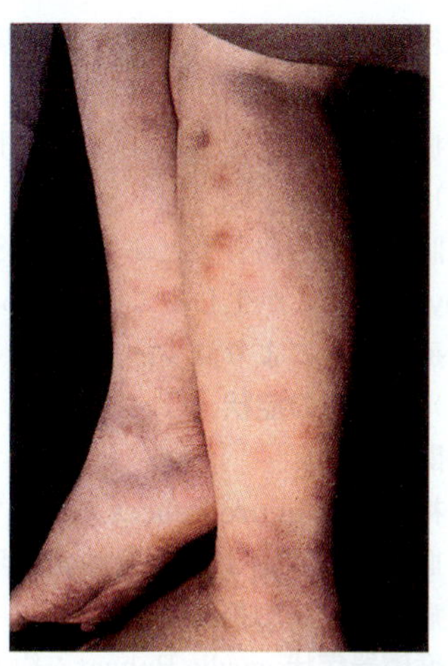
図 9-11　ベーチェット病（結節性紅斑）

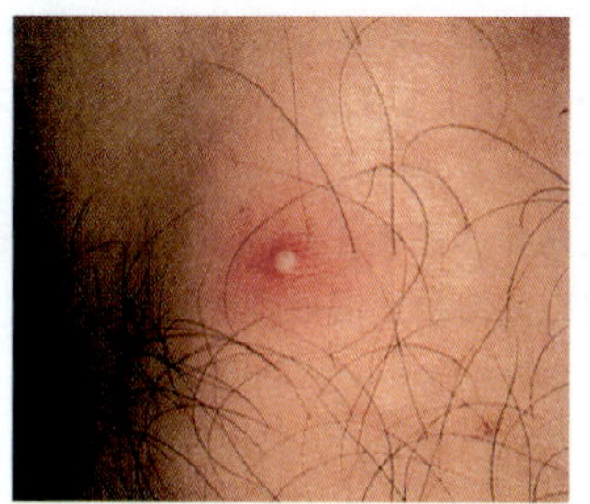
図 9-12　ベーチェット病（膿疱）

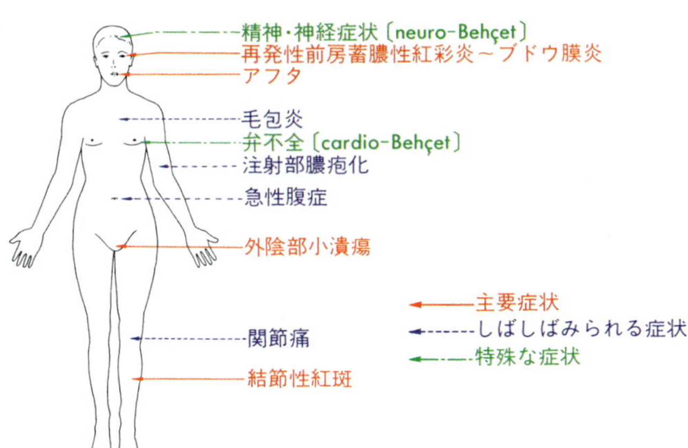

図 9-13　ベーチェット病の症状

9章

米粒～大豆大の深くえぐれた潰瘍と化し，1～2週で瘢痕治癒する．激痛あり．女性では大陰唇内側・小陰唇・腟・子宮頸部に粟粒～鳩卵大の潰瘍を生じ疼痛激しく，瘢痕をもって治癒する（急性陰門潰瘍）．稀に肛囲に生じる．

4）**眼症状**

眼底網膜の血管炎とぶどう膜炎（かすみ眼・眼痛）を主体とし，後者は**前房蓄膿**（**hypopyon**）が生じることがある．90%が両側性，かつては多く失明したが，近時治療の進歩により減少．

5）**その他の症状**

①**関節痛**

②**神経症状** neuro-Behçet：約14%の患者にみられる．頭蓋内圧亢進・眩暈・うっ血乳頭・眼および顔面神経麻痺・運動失調・嘔吐・てんかん発作・抑うつ・頭痛・不眠・幻視．

③**循環器症状** cardio-Behçet：約8%の患者に大血管の閉塞や動静脈瘤が生じる．

④**消化器症状**：約25%の患者に，急性腹症，回盲部潰瘍，潰瘍性大腸炎．

検査所見

疾患特異的所見はない．急性期に好中球増加・CRP上昇・赤沈亢進・フィブリノーゲン増加・補体上昇・血小板凝集能亢進．

組織所見

①EN様皮疹：皮下組織上層のneutrophilic septal panniculitis，②血栓性静脈炎：血栓を生じた太い静脈は玉ねぎ状に解離，好中球リンパ球浸潤，血管周囲性の円形細胞・多核球・組織球性浸潤，出血傾向あり，また時に類上皮細胞性肉芽腫様変化を示す．

診断

特異な経過，注射部の膿疱形成（針反応：針を刺し24～48時間後に発赤を生じ，その中心に膿疱が生じる．40%陽性）．アフタの時期にあっては，その後の経過に注意して診断する．

治療

①安静，②発熱，関節痛などにNSAIDs，③白血球遊走抑制薬（コルヒチン），④免疫抑制薬（シクロスポリン：眼症状の抑制），⑤ステロイド薬（神経型のように生命に関与する場合や眼症状の進行例），⑥血管型や血栓性静脈炎には抗血栓・抗凝固薬（ワーファリン），⑦病巣感染の処置，抗生物質，⑧インフリキシマブ（難

治性網膜ぶどう膜炎)，⑨ PDE4 阻害薬（アプレミラスト）.

〔付〕**急性陰門潰瘍** ulcus vulvae acutum（Lipschütz 1913）
思春期女子の小陰唇・前庭に小潰瘍が急に多発して疼痛が激しい．現在，ベーチェット病の外陰部病変と考えられているが，一部に EB ウイルスやサイトメガロウイルスが分離され同ウイルス感染の可能性も示唆される.

3. スイート病 Sweet's disease，acute febrile neutrophilic dermatosis（Sweet 1964） ◎

発熱とともに好中球が浸潤する有痛性の浸潤性浮腫性紅斑が顔面，頸部，四肢に好発する．末梢血好中球増加．造血器系の悪性腫瘍などがしばしば合併する．ステロイド薬によく反応する．ベーチェット病との異同，鑑別が問題.

病因

細菌（連鎖球菌）に対する過敏反応（hypersensitivity）との考えもあるが，不明．また白血病・MDS（myelodysplastic syndrome）（特に RAEB，RAEB-t）・MPD（myeloproliferative disorders）・内臓癌（悪性腫瘍合併 20％）・自己免疫性疾患（SjS・RA・SCLE・潰瘍性大腸炎）・ベーチェット病が先行・合併したり，G-CSF（granulocyte colony-stimulating factor）による加療中に発症する例もあり，白血球の機能異常が発症に関与している可能性もある．遺伝的素因（Bw54）.

症状（図 9-14，15）

①中年に好発し，やや女性に多い（男女比 1：1.1）.
②**前駆症状**：1〜4 週前に発熱（39℃）・頭痛・上気道感染症状.
③**皮疹**：大小の暗赤〜紫紅色の滲出性紅斑で皮面より隆起して浸潤あり，表面にしばしば小水疱・膿疱がみられ，時にびらん・潰瘍化する．自発痛ないし圧痛あり．漸次拡大，融合傾向を示す．顔・頸・項・前腕・手背に好発，時に体幹を侵す．下肢に結節性紅斑が生じることあり.
④**その他**：関節痛・筋痛・口内炎（アフタ）・眼症状（充血・結膜炎・上強膜炎；一過性で視力障害はない)，肝脾腫など.
⑤**検査所見**：白血球増多（15,000）・好中球増多（＞70％）・赤沈促進・ASLO 高値・CRP 高値.

組織所見（図 9-16）

真皮上層浮腫，血管・付属器周囲性細胞浸潤（主として好中球，その他リンパ・

9章

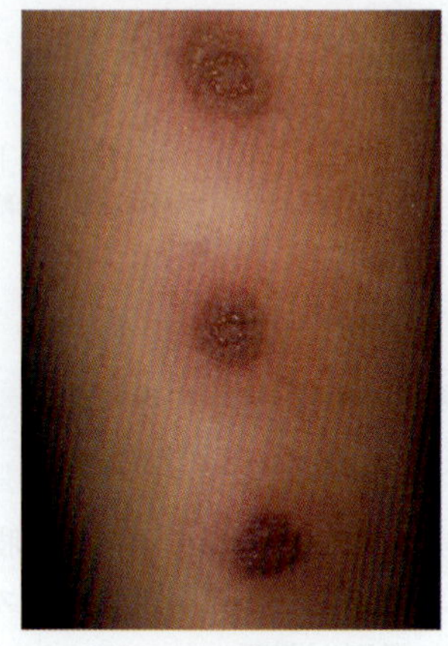
図 9-14 スイート病

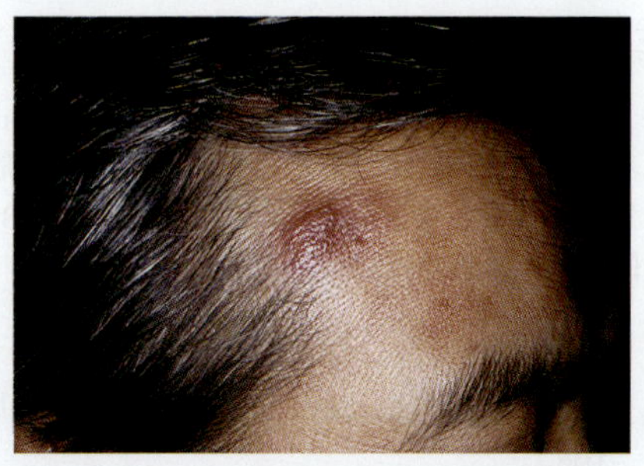
図 9-15 スイート病

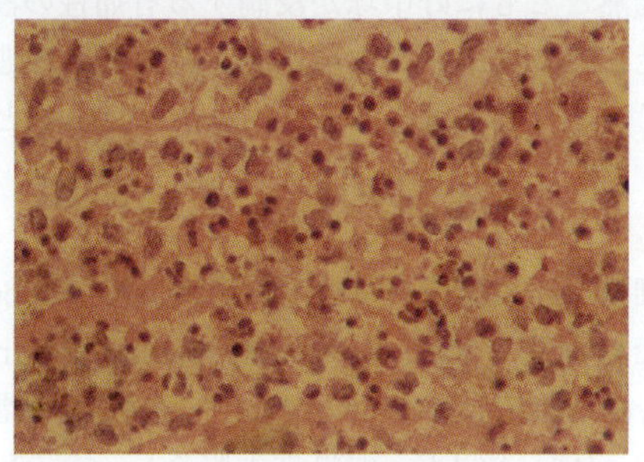
図 9-16 スイート病（好中球の浸潤）

好酸球・組織球），核破片．

鑑別診断

多形滲出性紅斑・持続性隆起性紅斑・ベーチェット病・結節性紅斑・壊疽性膿皮症．

治療

ステロイド薬の全身投与が著効，コルヒチン，ヨードカリ．

4. 成人スチル病 adult Still's disease (Bywaters 1971)，アレルギー性亜敗血症 subsepsis allergica，ビスラー・ファンコニ症候群 Wissler (1944)-Fanconi (1946) syndrome ◎

若年性リウマチ類似の症状が16歳以上の成人に出現．サーモンピンクのリウマトイド疹・間歇性弛張熱・関節痛が3主徴．フェリチン高値．

病因

Still病（juvenile rheumatoid arthritis）の成人型といわれるが，なお不明．成人スチル病の12%が小児期に発している．各種ウイルス（風疹・EB・ヘルペス・インフルエンザ）抗体価上昇がみられることあり．網内系の炎症反応と考えられている（フェリチン上昇）．

症状（図9-17，18）

男女比1：2，若年者（16～35歳）に多い．

①**発熱**：長期（1週以上）間歇的弛張熱〔39～40℃（evening spike），夕方～夜間に多いが，一般状態は比較的良い〕で抗生物質に反応しない．

②**関節痛**：主として大関節（手・膝・足・肘）の2週を超える関節炎症状で100%に出現．手根骨・手根中手関節の非破壊性融合・強直をきたすことあり（スワンネック変形）．

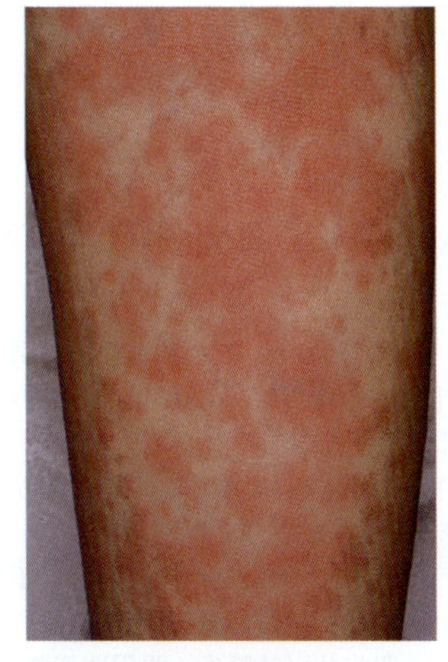

図9-17　成人スチル病（じんま疹様紅斑）

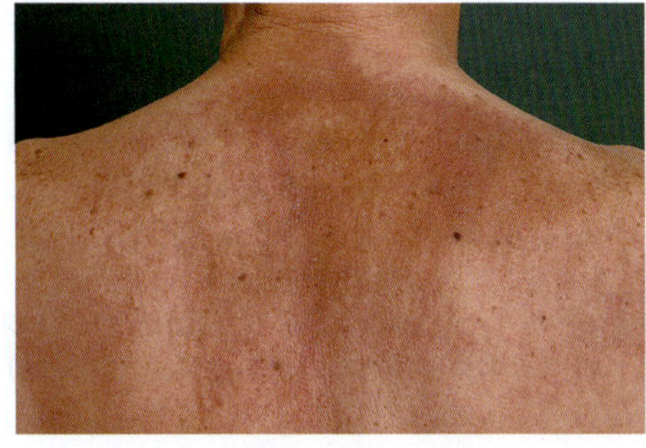

図9-18　成人スチル病（scratch dermatitis様）

③**皮疹**：体幹・四肢・顔に径1〜2 cmまでのサーモンピンクの紅斑・丘疹・じんま疹（融合して地図状）が発熱と並行して出没する（**リウマトイド疹**）．80〜90%に出現するが見逃されやすい．痒みは通常ない．稀に皮下出血，水疱，膿瘍，粘膜疹，scratch dermatitis様皮疹（Köbner現象）．薬剤アレルギーがみられるともいう．

④**その他：脾腫・リンパ節腫脹**・心外膜炎・筋痛，稀に心内膜炎・心膜炎，消化管壊死性血管炎，急性腹症，肝障害（ALT・AST・ALP・LDH上昇），**咽頭痛**（発熱に並行，特徴的），胸膜炎，間質性肺炎，腎症，体重減少．

以上が数〜十数年にわたって反復．予後は比較的良いが，関節障害が残ることが多い．

合併症

①DIC，②血球貪食症候群，③間質性肺炎，④アミロイドーシス．

検査所見

フェリチン高値（正常値の5倍以上，比較的特徴的でしばしば病勢と相関）・赤沈亢進・CRP（+++）・貧血・白血球増多症（80%以上，15,000〜30,000）・好中球増多症・核左方移動・自己抗体陰性・RA因子陰性・IgGやや増加・補体値上昇・流血中細菌陰性・肝機能異常・低アルブミン症・高ガンマグロブリン症．

鑑別診断

感染症（敗血症・伝染性単球症）・悪性腫瘍（特に悪性リンパ腫）・膠原病（結節性多発動脈炎・悪性関節リウマチ）．

治療

ステロイド全身投与（30〜40 mg/日），NSAIDs（関節痛），免疫抑制薬（MTX，CyA），生物学的製剤（抗IL-6R抗体製剤）．

〔付1〕**家族性地中海熱**（☞ p.167）：常染色体劣性遺伝．インフラマソームを抑制性に制御するピリン（pyrin）をコードするMEFV遺伝子変異．半日から3日続く38℃以上の発熱を2〜6週間の間隔で周期的に繰り返す．漿膜炎に伴う症状（激しい腹痛・胸痛），関節痛を伴う．丹毒様の紅斑が足関節周囲や足背に好発する．発作時にCRP・血清アミロイドAが著明高値となり，間歇期には劇的に陰性化する．コルヒチンが有効．抗IL-1β抗体．

〔付2〕**TNF受容体関連周期性発熱症候群（TRAPS）**（☞ p.167）： 常染色体優性遺伝．I型TNF受容体遺伝子（TNFRSF1A）変異．3日から数週間（平均5日以上）と比較的長い発熱発作を数週間から数年の間隔で繰り返す．移動性筋痛，眼症状（結膜炎，眼周囲浮腫），胸痛，腹痛，関節痛を伴う．皮膚症状は，圧痛，熱感を伴う体幹や四肢の紅斑が多く，筋痛部に一致して出現し，遠心性に移動する．合併症にアミロイドーシス（15%）．成人 Still 病に似るが，フェリチンは上昇しない．発作時にステロイド内服．抗 IL-1 β 抗体が有効．

〔付 3〕**中條–西村症候群**：常染色体劣性遺伝．PSMB8 遺伝子変異により，細胞内で蛋白質分解を行うプロテアソーム複合体の機能が低下する．慢性反復性の炎症と進行性のるいそう・消耗を特徴とする．凍瘡様紅斑，結節性紅斑が出没し，長く節くれだった手指と顔面や上肢の脂肪萎縮を特徴とする．

5. ライター病 Reiter's disease (1916) ◎

多発性関節炎・尿道炎・結膜炎の 3 主徴に手掌・足底の角化性紅斑などの皮膚症状を伴う．20 代の男性に多い．

病因

クラミジア・エルシニア・シゲラ・サルモネラ感染と遺伝因子（HLA-B27 と相関）．膿疱性乾癬の類縁疾患とも考えられる．

症状（図 9-19，20）

①多発性関節炎様症状（関節腫脹・疼痛，非対称的，膝・足関節に多い），②結膜炎（両側性，虹彩毛様体炎・角膜炎・強膜炎・視神経炎を伴うことあり），③尿道炎・頸管炎，④皮疹・粘膜疹（膿疱性角化性紅斑・手掌足底・指趾の角化・膿疱・小水疱，爪囲発赤腫脹，爪変形，連環状亀頭炎，口腔潰瘍）．

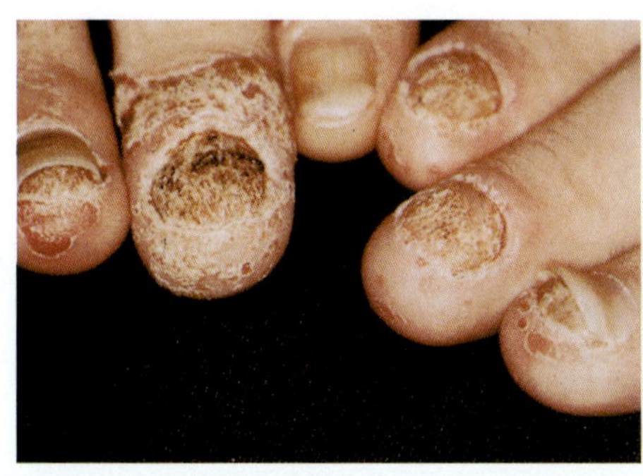

図 9-19　ライター病

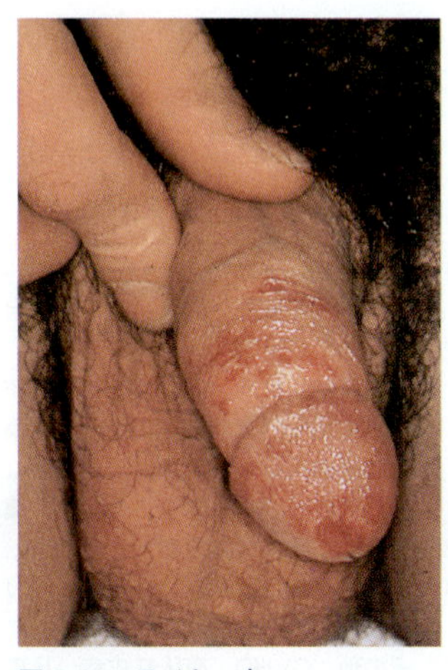

図 9-20　ライター病

鑑別診断

淋菌性・非淋菌性尿道感染症，強直性関節炎，関節症性乾癬．

治療

NSAIDs，抗生物質（エリスロマイシン・テトラサイクリン・ドキシサイクリン），免疫抑制薬，抗 TNF-α 薬．

3　紅皮症

紅皮症（erythroderma）は剝脱性皮膚炎（exfoliative dermatitis）ともいわれ，全身皮膚が潮紅し，落屑（落葉状または粃糠様）を伴った状態で，しばしば瘙痒とともに脱毛・爪変形・リンパ節腫脹を伴う．長期間続くと色素沈着が強くなり黒色紅皮症（melanoerythroderma）を，あるいは皮膚萎縮・色素沈着脱失・毛細血管拡張などを混じて多形萎縮性紅皮症（poikiloerythroderma）を呈する．皮膚症状以外に，しばしば発熱・悪寒・全身倦怠感を伴う．

本症は単一疾患ではなく，湿疹・薬疹などの中毒疹・炎症を伴う角化症・リンパ腫などの悪性腫瘍など種々の原因によって起こる．診断には原因と基礎疾患の検索が重要である．原因より次のように分類する（表 9–5）．

表 9–5　紅皮症を呈する皮膚疾患

1．湿疹続発 　アトピー性皮膚炎，脂漏性皮膚炎，自家感作性皮膚炎，汎発性湿疹 2．その他の疾患続発 　1）角化症：乾癬，毛孔性紅色粃糠疹，先天性魚鱗癬様紅皮症，魚鱗癬症候群 　2）水疱症：落葉状天疱瘡，類天疱瘡，ジューリング疱疹状皮膚炎 　3）膠原病：紅斑性狼瘡，皮膚筋炎 　4）感染症：ブドウ球菌性熱傷様皮膚症候群，疥癬，白癬，カンジダ症 3．中毒型：薬疹（紅皮症型），猩紅熱，麻疹・風疹などのウイルス感染症 4．腫瘍性紅皮症：菌状息肉症，セザリー症候群，成人Ｔ細胞白血病・リンパ腫，その他のリンパ腫，白血病 5．その他：GVHD，術後紅皮症，丘疹－紅皮症症候群

1. 湿疹続発型（図 9-21） ◎

湿疹が汎発化したもの（erythroderma posteczematosa）で，紅皮症の中では頻度が高い．十分な治療をせずに放置して汎発化する例や，誤った治療法や民間療法によって悪化・汎発化する例もある．

全身が潮紅し，落屑が顕著で，浮腫を伴う．次第に浸潤・肥厚・色素沈着，時には皮膚萎縮をきたす．瘙痒が激しく，しばしば表在リンパ節が腫脹する．全身症状として，発熱・悪感・全身倦怠感・るいそうなどがあり．高齢男性に多く，これを老人性紅皮症ともいう．アトピー性皮膚炎による紅皮症は小児・成人ともに多い．

入院．湿疹に準ずる軟膏療法．抗ヒスタミン薬．重症のときはステロイド内服，

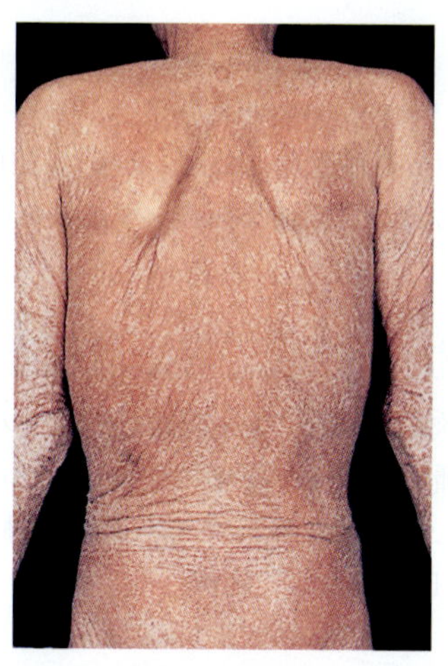

図 9-21 湿疹続発性紅皮症

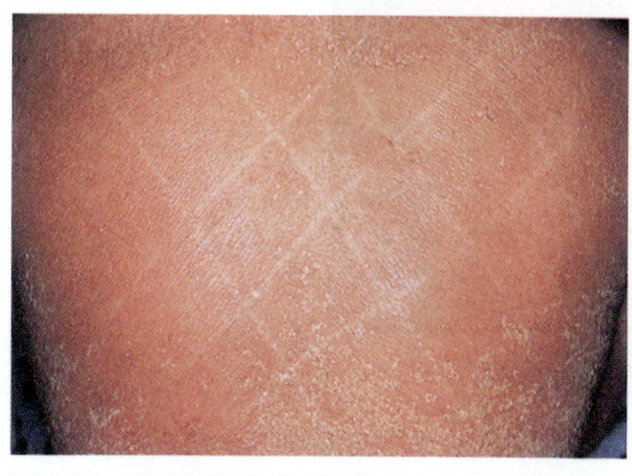

図 9-22 乾癬性紅皮症（紅皮症では白色皮膚描記症がしばしば陽性）

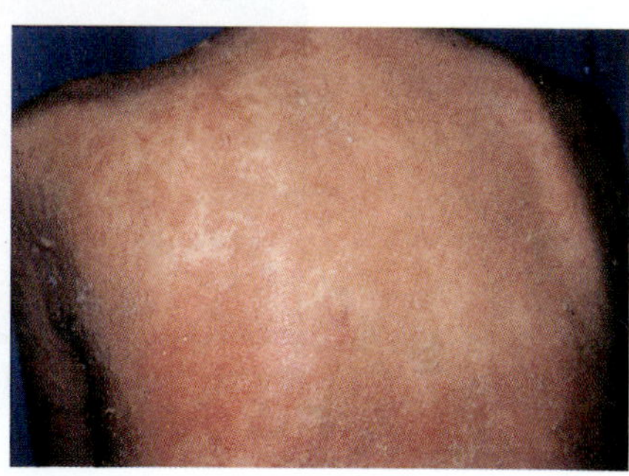

図 9-23 膿疱性乾癬による紅皮症

PUVA，narrow band UVB.

2. 各種疾患続発型（図 9-22，23）◎

原疾患が汎発化し，全身の潮紅と落屑とをきたしたものをいう．中でも乾癬が多い（乾癬性紅皮症 psoriatic erythroderma）．他に，毛孔性紅色粃糠疹・落葉状天疱瘡・疥癬・白癬・カンジダ症・ブドウ球菌性熱傷様皮膚症候群〔staphylococcal scalded skin syndrome（SSSS）〕が紅皮症を呈する．水疱型・非水疱型先天性魚鱗癬様紅皮症はこれ自体が通常紅皮症を呈する．また，魚鱗癬症候群（Netherton，Sjögren-Larsson，Rud，KID の各症候群）も紅皮症を呈する．

3. 中毒型 ◎

薬剤によるものが多い（紅皮症型☞ p.291，薬疹）．細菌（毒素）の猩紅熱，ウイルスの麻疹・風疹などもあるが，これは細菌・ウイルスの項で扱う．

4. 腫瘍性紅皮症（図 9-24）◎

菌状息肉症（特に前息肉期），セザリー症候群，リンパ腫，白血病などにみられるもので，多くリンパ節腫脹を伴う．腫瘍細胞の皮膚への浸潤による特異疹と，反応性の非特異疹とがある．治療はステロイド薬・抗腫瘍薬・広範囲 X 線照射・PUVA・narrow band UVB.

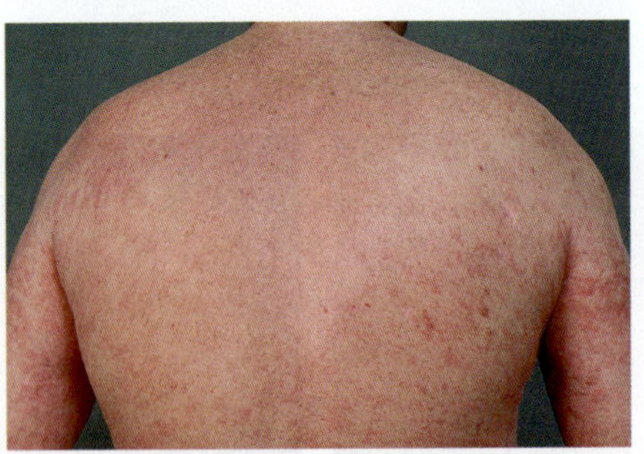

図 9-24　腫瘍性紅皮症（セザリー症候群）

5. 丘疹–紅皮症症候群（太藤 1979）papulo-erythroderma syndrome, 苔癬様続発性紅皮症（小嶋 1981）（図 9-25） ◎

①高齢男性に好発し，苔癬状丘疹に始まり，融合して紅皮症となる．顔面・四肢関節窩・腹部のしわの部分は侵されない（deck-chair sign）．
②瘙痒あり，全身違和感なし．無痛性リンパ節腫脹をきたすことあり．
③組織像：真皮上層の血管周囲性単核球浸潤と好酸球の混在．末梢血に好酸球増多．
④慢性経過，軽度再燃あるも徐々に消褪．
⑤ステロイド外用の既往なし．湿疹続発性の一型か．
⑥時に内臓悪性腫瘍を合併．ステロイド外用・内服に比較的よく反応し，1～数年で治癒しうる．

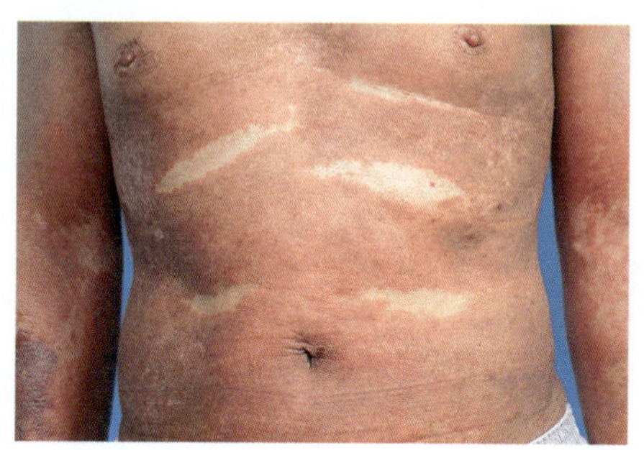

図 9-25　丘疹－紅皮症症候群

第10章　血管炎とその類症

血管炎（vasculitis，angiitis）は血管壁を標的に炎症，変性，壊死などの破壊が生じる疾患群である．血管の閉塞や動脈硬化などで起こる二次的炎症による血管炎は含まれない．

血管壁のフィブリノイド壊死，核破砕を伴う好中球浸潤，出血などの病理組織像が特徴である．しかし，真皮上層の壁の薄い細小血管が侵されることも多く，これではフィブリノイド壊死がはっきりせず，白血球核破砕性血管炎（leukocytoclastic vasculitis；LCV）としばしば呼称される．①免疫複合体沈着によるⅢ型アレルギー機序，②抗好中球細胞質抗体の関与など，病態がある程度明らかな血管炎とそうでないものとがある．

血管炎には全身の血管に及ぶものと，皮膚限局性とがあるが，移行，重複する場合もある．1994年に発表されたChapel Hill Consensus Conferenceの国際的分類は罹患血管の径や解剖学的位置を基本とし，2012年の改訂を経て，世界的に定着してきた．一方で，皮膚に限局する血管炎が，本分類に網羅されているわけではない．本書では本分類に沿って記載し，それ以外を追加・補充している．ただし，結核が本態である結節性結核性静脈炎，あるいは膠原病に伴う血管炎など，それぞれの項に入れたものも多い．なお，血管壁の炎症が一次的変化ではない，栓塞形成が主体の栓塞性血管炎やその他の血管炎は血管炎の類症としてまとめてみた．

皮疹は紅斑・丘疹・紫斑・小水疱・硬結・小潰瘍が多く，侵される血管の太さや部位にある程度対応している．

1　小血管の血管炎

1. IgA 血管炎，アナフィラクトイド紫斑 anaphylactoid purpura（AP）〔Schönlein（1837）-Henoch（1874）〕，Schönlein-Henoch 紫斑病 ◎

真皮上層の細小血管の壊死性血管炎で，IgA 免疫複合体が関与する免疫複合体血管炎でもある．

表 10-1　血管炎の分類（Chapel Hill Consensus Conference 2012）

大血管の血管炎
高安動脈炎
巨細胞性動脈炎
中血管の血管炎
結節性多発動脈炎
川崎病
小血管の血管炎
抗好中球細胞質抗体関連小型血管炎
顕微鏡的多発血管炎
多発血管炎性肉芽腫症
好酸球性多発血管炎性肉芽腫症
免疫複合体性小型血管炎
抗糸球体基底膜抗体病
クリオグロブリン血症性血管炎
IgA 血管炎
低補体血症性蕁麻疹様血管炎
様々な血管を侵す血管炎
ベーチェット病
コーガン症候群
単一臓器の血管炎
皮膚白血球破砕性血管炎
皮膚動脈炎
原発性中枢神経系血管炎
孤発性大動脈炎
全身性疾患に関連した血管炎
ループス血管炎
リウマトイド血管炎
サルコイド血管炎

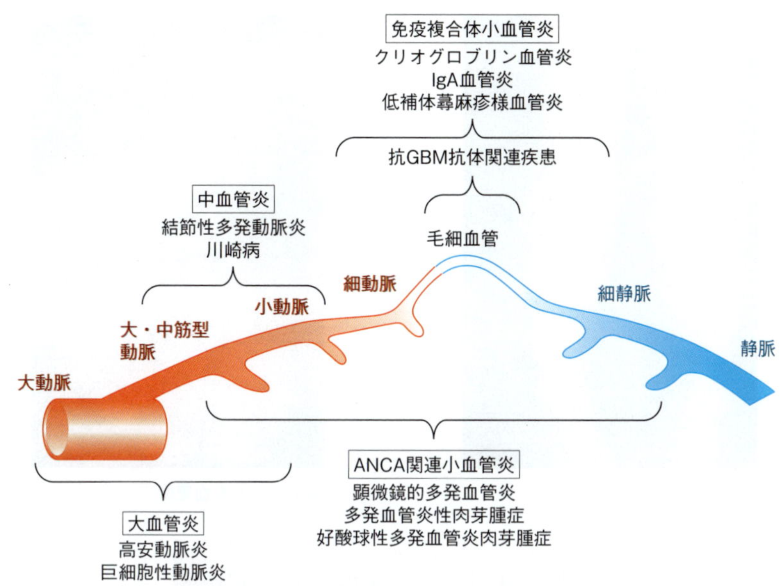

図 10-1　Jennette による血管炎症候群の分類（Jennette JC ら，2012）

病因

細菌（特に溶連菌）・ウイルス・薬剤（ペニシリン・アスピリン）を抗原として IgA 主体の抗体と結合した免疫複合体（IC）が沈着した leukocytoclastic vasculitis と推測されている．病因を特定できないこともしばしばある．

症状（図 10-2，3）

小児に多く，成人は 5〜10%．

①**前駆症状**：頭痛・発熱・倦怠感・関節痛（足・膝）．

②**皮疹**：主として下腿・足背に，点状〜爪甲大の紫斑が多発，硬く，わずかに隆起した紅色丘疹，**浸潤性紫斑（palpable purpura）**を呈する．稀に小水疱が混在．経過とともに，鮮紅→紫紅→紫青→黄色と変ずる．時に大腿・上肢，さらには口腔（口蓋・歯肉・頰粘膜）・鼻腔をも侵す．

③**全身症状**：ⓐ腹部症状（腹痛・嘔吐・下痢），ⓑ関節症状（膝・足関節痛・局所熱感），ⓒ腎症状（蛋白尿・血尿），ⓓその他：発熱・けいれん．

分類（表 10-1）

①**単純型 purpura simplex**：皮疹のみ．全身症状を欠く軽症．若い女性に多い．

②**Schönlein 型 p. rheumatica**：関節症状（腫脹・疼痛）が強く皮疹も多形．

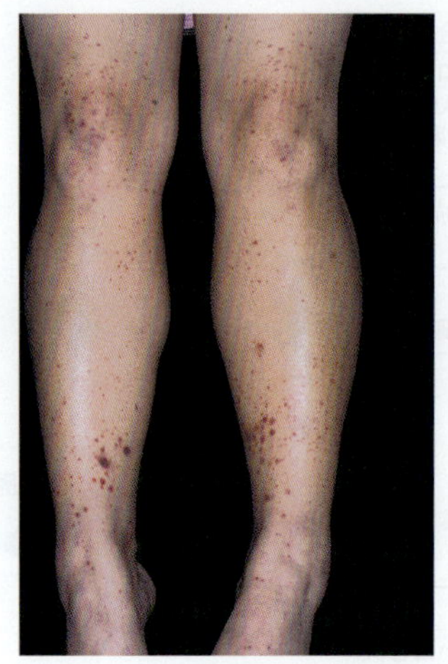
図 10-2　IgA 血管炎

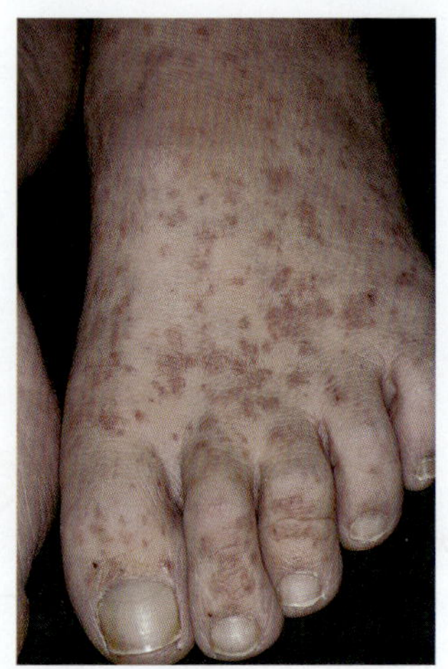
図 10-3　IgA 血管炎

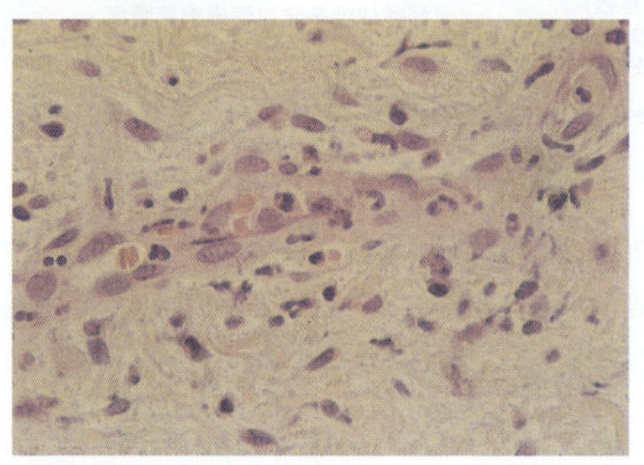
図 10-4　IgA 血管炎（組織）

③Henoch 型 p. abdominalis：腹痛，下痢，下血，嘔吐など腸症状が強い．稀に腸穿孔，出血性ショック．

検査所見

血小板正常，凝固系正常，赤沈促進，γ-グロブリン上昇，好酸球増多，血中 IgA・IgA 免疫複合体上昇，CRP 陽性，ASLO 値上昇，血管壁・腎糸球体メサンギウムに IgA・C3 の沈着．

組織所見（図 10-4）

真皮浅中層の浮腫と小血管壁の内膜膨化・多核白血球浸潤・出血，白血球核崩壊など壊死性血管炎の像．IgA・C3 沈着．

予後

反復することはあるが一般に良好．腎炎（メサンギウムにIgA沈着）併発に注意し，必要に応じて腎検査．

治療

①安静，②血管強化薬・止血薬・抗プラスミン薬，③重症にはステロイド薬・免疫抑制薬・第XIII因子製剤，④感染病巣の処置（抗生物質投与・摘除），⑤腎炎発生のチェックと処置．

2. 皮膚白血球破砕性血管炎 Cutaneous leukocytoclastic angiitis

皮膚の小動脈～毛細血管～細静脈，すなわち小血管の血管炎で，全身臓器病変を伴わず皮膚限局性である．成人に多い．従来，皮膚アレルギー性血管炎（Ruiter 1953）と称された皮膚血管炎の多くはこれに属すると思われるが，Ruiterはより深部の，径の太い血管にも連続性に血管炎像をみるともいわれる．

症状

浸潤を触れる紫斑（palpable purpura）が主要病変で，じんま疹様紅斑，出血，小水疱，浅い潰瘍などが混在することもある．

組織所見

真皮小血管に核破壊を伴った好中球が浸潤し，周囲に出血とともにフィブリンが析出する．組織像で血管壁にIgG/M，C3の沈着．IgAは沈着しない．

診断・鑑別

血中にクリオグロブリンを認めない．血中に抗好中球細胞質抗体（ANCA）もない．他臓器の血管炎，膠原病に伴う血管炎，ウイルスなどの感染症や薬剤および癌に伴う血管炎などを除外する．

経過

1週間程度で消褪するものから年余にわたって出没するものまで様々である．多くは数ヵ月の経過をたどる．

治療

安静，DDS，コルヒチン，ステロイド内服．

3. 顕微鏡的多発血管炎 microscopic polyangitis (Davson 1948) (図 10-5)

全身の小血管を炎症の場とするANCA関連血管炎で，血管壁への免疫複合体の沈着はないか，あってもわずか（pauci-immune）．結節性多発動脈炎から分離・独立した疾患単位である．

全身，特に腎と肺の小血管の壊死性血管炎により急速進行性糸球体腎炎，間質性肺炎・肺胞出血を主徴に，発熱，体重減少，易疲労感などとともに皮膚，神経の多発性単神経炎，その他あらゆる臓器に病変を生じる．皮膚症状は20〜60％ともいわれ，紫斑，紅斑，丘疹，皮下結節，リベド，水疱，血疱などを呈する．組織像では肉芽腫形成がない壊死性血管炎で，PNより径の細い血管，皮膚では細動脈〜毛細血管〜細静脈の小血管が侵される．ミエロペルオキシダーゼ（MPO）を抗原とするperinuclear ANCA（P-ANCA/MPO-ANCA，抗好中球細胞質抗体）が陽性（約60％），あるいはproteinase-3を抗原とするcytoplasmic ANCA（C-ANCA/PR3-ANCA）が陽性（約40％）．多発血管炎性肉芽腫症，好酸球性多発血管炎性肉芽腫症と同様にANCA関連血管炎．中高年に発症し，男女比はほぼ1：1．ステロイドとシクロホスファミドの併用療法，臓器限局型や発症早期例ではステロイドとメトトレキサートとの併用療法も推奨される．臓器障害の程度や合併症によりステロイドの単独投与，あるいはステロイドパルス療法，リツキシマブ，血漿交換療法など．

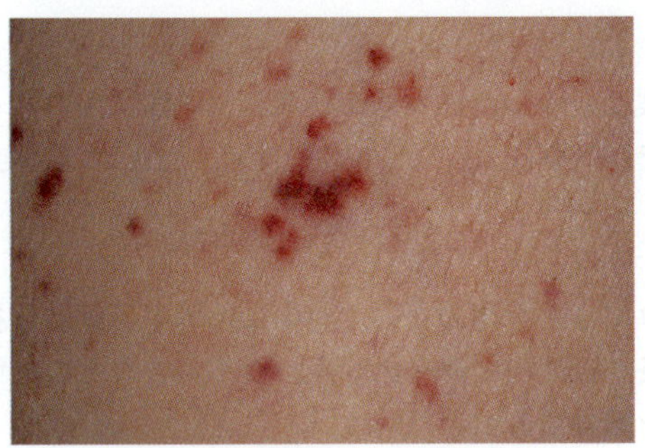

図 10-5　顕微鏡的多発動脈炎

4. クリオグロブリン血症性血管炎 cryoglobulinemic vasculitis (図 10-6)

クリオグロブリンが免疫複合体を形成して細小血管に沈着，壊死性血管炎像を示す．皮膚では下腿，四肢末端，耳介，鼻など寒冷曝露部位に点状・斑状の紫斑，網状皮斑，血疱，潰瘍をきたし，しばしば全身倦怠感，多発性関節痛，多発性単神経

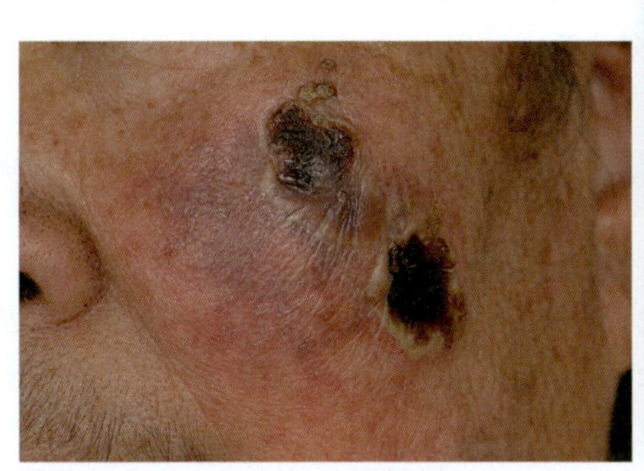
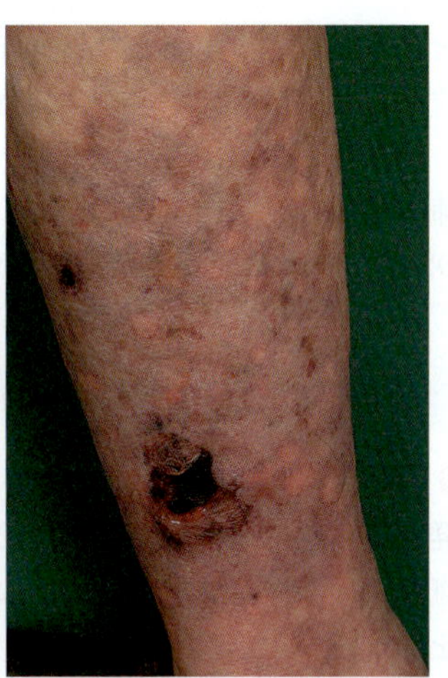

図 10-6 クリオグロブリン血症性血管炎

炎や糸球体腎炎を伴う（☞ p.448）．クリオグロブリン血症の約 30％が基礎疾患のない特発性といわれる．

5. 持久性隆起性紅斑 erythema elevatum diutinum（図 10-7）

中年以降，四肢伸側，特に関節周囲に好発する．紅褐～紫紅色の扁平隆起性浸潤性紅斑が両側性に生じ，後にケロイド様に硬くなり，また潰瘍化する．多くは自覚

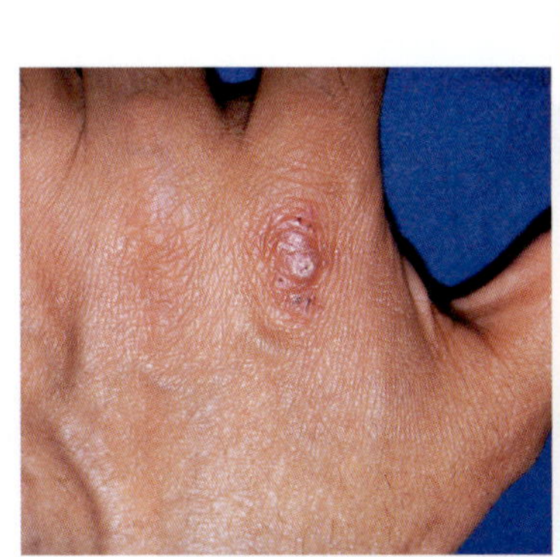
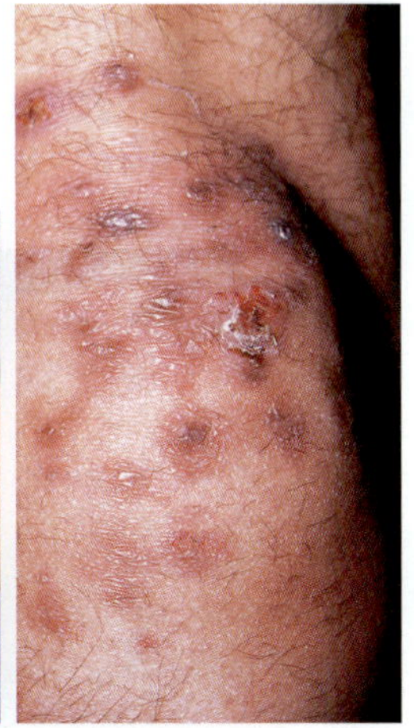

図 10-7 持久性隆起性紅斑

症状を欠くが，時に圧痛あり．真皮細小血管の壊死性血管炎で，初期は血管周囲に核破片を混じて好中球が浸潤，血管内皮肥厚，壁はフィブリノイド変性を示す．その後，線維化をきたす．赤沈促進・CRP 上昇．IgA・IgG の単クローン血症・骨髄腫・肺線維症を合併することがある．再発を繰り返しながら慢性に経過する．治療は DDS が第一選択．80％以上に奏効する．

6. じんま疹様血管炎 urticarial vasculitis (McDuffe 1973)（図 10-8）

症状

①**再発性持続性じんま疹様発疹**（24 時間以上持続）で，膨疹の中央または辺縁に紫斑を伴い，環状や木目状にもなる．しばしば後に色素沈着を残す．灼熱感や疼痛を伴う．

②関節炎（関節痛）・腹痛・胸痛・発熱・リンパ節腫脹，稀に軽度の糸球体腎炎．

検査所見

補体が正常の場合と低下する場合があり，正補体血症性と低補体血症性に分類される．

①低補体値（18～40％．C1q の低下・低値と症状の並行・抗 C1q 抗体陽性），血中免疫複合体，赤沈亢進，ANA 陰性．

② SLE に似るがその診断基準を満たさない（抗 DNA 抗体・LE 現象陰性，腎病変軽度）．

組織所見

leukocytoclastic vasculitis，表皮真皮境界部・乳頭血管への免疫グロブリン・補体の沈着．

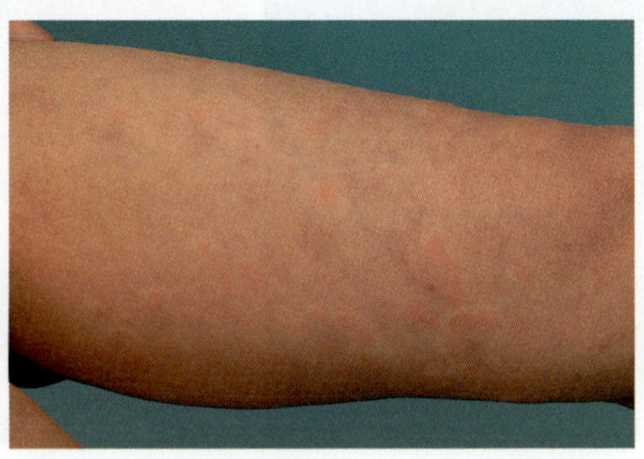

図 10-8　じんま疹様血管炎

病因

①症候性（続発性，二次性）：基礎疾患にSLE・SS・RA・ウイルス（HBV・HCV）・薬剤・日光・リンパ腫．特徴的な全身症状を伴うものは低補体血症性蕁麻疹血管炎症候群（hypocomplementemic urticarial vasculitis syndrome；HUVS）といわれる（蕁麻疹様皮疹と低補体血症，他に皮膚細静脈炎・関節炎・糸球体腎炎・上強膜炎かぶどう膜炎・反復する腹痛・抗C1q抗体のうち2項目）．

②**特発性（一次性）**：基礎疾患のないもの．

治療

①抗ヒスタミン薬はほとんど無効．②ステロイド内服・インドメタシン・コルヒチン・DDS内服．

2 小～中血管の血管炎

1. 多発性血管炎性肉芽腫症 Granulomatosis with polyangiitis (GPA), ウェーゲナー肉芽腫症 Wegener's granulomatosis (1936) ○

上気道と肺の壊死性肉芽腫，小～中血管の壊死性肉芽腫性血管炎，腎の壊死性半月体形成腎炎が特徴で，**ANCA関連血管炎**．成人，中高年に発症する．

病因

不明．抗好中球細胞質抗体（ANCA）（対応抗原 proteinase-3，C-ANCA/PR3-ANCA）が特異的に高く，病勢と並行する．欧米では活動性のある患者の90％以上，非活動性の患者の12％に陽性．日本人患者の陽性率は欧米より低く約60％．

症状（表10-2，図10-9）

男性は成人，女性は中高年に発症する．3期に分かれる．

①**上気道炎症期**：90％が鼻炎（壊疽性鼻炎→壊死性肉芽腫；鼻閉・鼻漏・出血など）をもって始まる（rhinogenous granulomatosis）．他に鞍鼻・副鼻腔炎，口内炎，咽喉頭症状（嗄声・嚥下困難など），肺症状（呼吸困難・咳・胸痛など）．

②**全身撒布期**：眼症状（視神経炎・結膜角膜炎・強膜炎・乳頭水腫などによる眼球突出・視力障害），耳炎，口腔症状（潰瘍），皮膚症状（紅斑・紫斑・中心潰瘍性

表10-2　多発血管炎性肉芽腫症（旧Wegener肉芽腫症）の診断基準（厚生省難治性血管炎分科会，1988）

1．主要症状

(1)上気道（E）の症状

E：鼻（膿性鼻漏，出血，鞍鼻），眼（眼痛，視力低下，眼球突出），耳（中耳炎），口腔・咽頭炎（潰瘍，嗄声，気道閉塞）

(2)肺（L）の症状

L：血痰，咳嗽，呼吸困難

(3)腎（K）の症状

K：血尿，蛋白尿，急速に進行する腎不全，浮腫，高血圧

(4)血管炎による症状

①全身症状：発熱（38℃以上，2週間以上），体重減少（6ヵ月以内に6kg以上）

②臓器症状：紫斑，多関節炎（痛），上強膜炎，多発性単神経炎，虚血性心疾患，消化管出血，胸膜炎

2．主要組織所見

①E，L，Kの巨細胞を伴う壊死性肉芽腫性炎

②免疫グロブリン沈着を伴わない壊死性半月体形成腎炎

③小・細動脈の壊死性肉芽腫性血管炎

3．主要検査所見

Proteinase-3（PR-3）ANCA（蛍光抗体法でC-ANCA）が高率に陽性を示す

4．判定

①確実（definite）

(a)上気道（E），肺（L），腎（K）のそれぞれ一臓器症状を含め主要症状の3項目以上を示す例

(b)上気道（E），肺（L），腎（K），血管炎による主要症状の2項目以上および，組織所見①，②，③の1項目以上を示す例

(c)上気道（E），肺（L），腎（K），血管炎による主要症状の1項目以上と組織所見①，②，③の1項目以上およびC（PR-3）ANCA陽性の例

②疑い（probable）

(a)上気道（E），肺（L），腎（K），血管炎による主要症状のうち2項目以上の症状を示す例

(b)上気道（E），肺（L），腎（K），血管炎による主要症状のいずれか1項目および組織所見①，②，③の1項目を示す例

(c)上気道（E），肺（L），腎（K），血管炎による主要症状のいずれか1項目とC（PR-3）ANCA陽性を示す例

5．参考となる所見

①白血球，CRPの上昇

②BUN，血清クレアチニンの上昇

6．鑑別診断

①E，Lの他の原因による肉芽腫性疾患（サルコイドーシスなど）

②他の血管炎症候群：顕微鏡的多発血管炎，アレルギー性肉芽腫性血管炎（Churg-Strauss症候群）など

7．参考事項

①上気道（E），肺（L），腎（K）のすべて揃っている例は全身型，上気道（E），肺（L），腎（K）のうち単数または2つの臓器に止まる例を限局型とよぶ

②全身型はE，L，Kの順に症状が発現することが多い

③発症後しばらくすると，E，Lの病変に黄色ぶどう球菌を主とする感染症を合併しやすい

④E，Lの肉芽腫による占拠性病変の診断にCT，MRIが有用である

⑤PR-3ANCAの力価は疾患活動性と平行しやすい

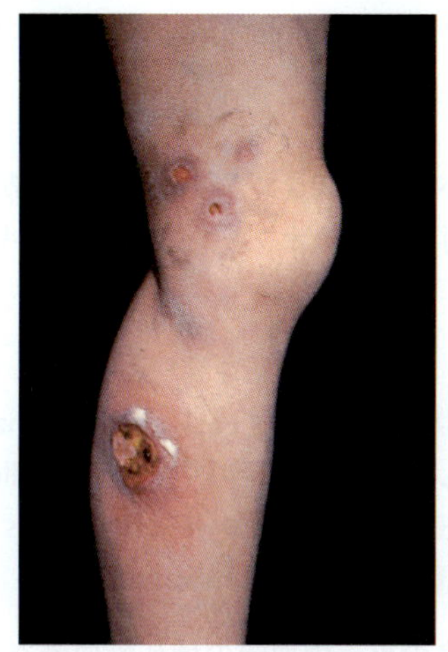

図 10-9 多発血管炎性肉芽腫症

丘疹ないし結節・潰瘍・腫脹），全身症状（頭痛・発熱・疲労感・関節痛）を呈する．

③**末期**：尿毒症（壊死性半月体形成性腎炎），肺炎，脳出血などで死亡．上気道 E，肺 L，腎 K の順に進行，ELK を侵す全身型，K を欠き E，L，EL を侵す限局型があり，全身型は適切な治療開始が遅れると予後が悪い．

検査所見

低色素性貧血・白血球増多・好酸球増多・赤沈亢進・高グロブリン血症・CRP 陽性・RF 陽性・BUN 上昇・C-ANCA 陽性・蛋白尿・血尿・頭蓋，副鼻腔および肺に陰影・細胞性免疫低下・ANA は陰性．

組織所見

小〜中血管と毛細血管の壊死性血管炎（好中球リンパ球浸潤・フィブリノイド変性・血管壁破壊・血栓）を生じ，次いで巨細胞を混じ，好中球・リンパ球・形質細胞・好酸球から成る壊死性肉芽腫を形成．時期により種々の像を呈す．

10章

鑑別診断

侵される血管が小動静脈であること，壊死性肉芽腫を生じる点で PN と異なる．

予後

従来は不良（腎不全で死亡）であったが，早期診断と治療により完全寛解もありうる．腎障害を伴わない限局型（limited form）の予後は良い．

治療

寛解導入法と維持療法がある．ステロイド薬，免疫抑制薬（寛解導入期：シクロホスファミド，寛解維持期：アザチオプリン・メトトレキサート），リツキシマブ，血漿交換．

2. 好酸球性多発血管炎性肉芽腫症 Eosinophilic granulomatosis with polyangiitis（EGPA），アレルギー性肉芽腫性血管炎 allergic granulomatosis and angitis，Churg-Strauss 症候群（Churg-Strauss 1951）（Zeek 1952），アレルギー性肉芽腫症 allergic granulomatosis（図 10-10，表 10-3） ○

喘息，好酸球増加と全身の小～中血管の壊死性血管炎が主徴の ANCA 関連血管炎．

喘息・好酸球増多症（末梢血で 10％以上）で始まり，3～8 年以後に全身性血管炎による症状（発熱・体重減少・多発性単神経炎・消化管出血・関節痛・筋炎）が生じる．皮疹は紫斑が最も多く，じんま疹・紅斑（浮腫，浸潤を伴う）・丘疹・結節・水疱・潰瘍・壊死・リベドと多彩．組織像は壊死性血管炎と肉芽腫反応，好酸球浸潤の 3 徴，毛細血管や細動静脈の小血管とともに中型筋動脈をも侵すのが特徴．

赤沈促進・好酸球増多・白血球増多・血小板増多・IgE 上昇・RF 陽性・MPO-ANCA 陽性（40～50％）．

通常ステロイド薬の全身投与によく反応する．重要臓器症状（心，消化器，中枢神経，肺）を伴う場合は予後がよくないのでシクロホスファミドの併用やパルス療法．免疫グロブリン大量静脈療法．抗 IL-5 抗体．

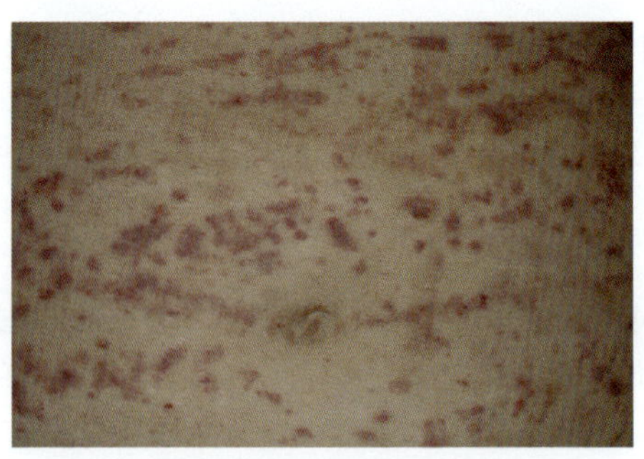

図 10-10 好酸球性多発血管炎性肉芽腫症

表 10-3 好酸球性多発血管炎性肉芽腫症の診断基準（厚生省特定疾患難治性血管炎分科会，1998）

1．診断基準項目
1）主要臨床所見
①気管支喘息あるいはアレルギー性鼻炎
②好酸球増加
③血管炎による症状：発熱（38℃以上，2週間以上），体重減少，（6ヵ月以内6kg以上），多発性単神経炎，消化管出血，紫斑，多関節痛（炎），筋肉痛，筋力低下
2）臨床経過の特徴
主要所見①，②が先行し，③が発症する．
3）主要組織所見
①周囲組織に著明な好酸球浸潤を伴う細小血管の肉芽腫性またはフィブリノイド壊死性血管炎の存在
②血管外肉芽腫の存在
2．判定基準
1）確実（definite）
①主要臨床所見のうち気管支喘息あるいはアレルギー性鼻炎，好酸球増加および血管炎による症状のそれぞれ1つ以上を示し同時に主要組織所見の1項目以上を満たす場合（アレルギー性肉芽腫性血管炎）
②主要臨床項目3項目を満たし，臨床経過の特徴を示した場合（Churg-Strauss症候群）
2）疑い（probable）
①主要臨床所見1項目および主要組織所見の1項目を満たす場合（アレルギー性肉芽腫性血管炎）
②主要臨床項目3項目を満たすが，臨床経過の特徴を示さない場合（Churg-Strauss症候群）
3．参考となる検査所見
①白血球増加（1万/μL以上）
②血小板数増加（40万/μL以上）
③血清IgE増加（600U/mL以上）
④MPO-ANCA陽性
⑤リウマトイド因子陽性
⑥肺浸潤陰影（これらの検査所見はすべての例に認められるとは限らない）
4．鑑別診断
肺好酸球増加症候群，他の血管炎症候群（Wegener肉芽腫症，結節性多発動脈炎）との鑑別を要する
5．参考事項
①ステロイド未治療例では末梢血好酸球数は2,000μg/mL以上の高値を示すが，ステロイド投与後は速やかに正常化する
②気管支喘息はアトピー型とは限らず，重症例が多い．気管支喘息の発症から血管炎の発症までの期間は3年以内が多い
③胸部X線所見は結節性陰影，びまん性粒状陰影など多様である
④肺出血，間質性肺炎を示す例もみられる
⑤血尿，蛋白尿，急速進行性腎炎を示す例もみられる
⑥血管炎症候寛解後にも，気管支喘息は持続する例がかなりある
⑦多発性単神経炎は後遺症が持続する例が多い

3 中血管の血管炎

1. 結節性多発動脈炎 polyarteritis nodosa (PN) (Kussmaul and Maier 1866) ◎

皮膚，腎臓，心臓，消化管，肝臓，脳など全身を侵して予後もかなり悪く，**中小動脈にフィブリノイド変性**がみられる血管炎である．最初結節性動脈周囲炎（periarteritis nodosa）と称されたが，中小動脈は外膜のみでなく動脈全層が侵され，かつ多発性であるため，近年は結節性多発動脈炎（polyarteritis nodosa），あるいは多発動脈炎（polyarteritis）と呼称されている．なお，顕微鏡的多発血管炎，Wegener 肉芽腫症，Churg-Strauss 症候群は本症から分離して独立疾患とされたものである．人口 10 万に 0.2〜0.7 と推定され，50〜60 代に好発する．

病因

免疫複合体性血管炎〔細菌・薬剤（サルファ剤・ペニシリン）・HB ウイルス・自己免疫（ANCA)〕.

症状 (表 10-4，図 10-11)

①**皮膚症状**：下肢特に下腿の分枝状皮斑（livedo racemosa ☞ p.248）で始まり，結節を伴ってくる．紅斑・紫斑・潰瘍や趾指尖の壊疽を生じることもある．20〜25％程度に出現するが，診断の契機や根拠になるので重要である．

②**全身症状**：発熱（4 週以上，38℃以上）・体重減少・高血圧症・筋痛・筋力低下・関節痛・多発性関節炎・多発性単神経炎・脳梗塞・肺症状（肺炎・線維症・喘息）・腹痛・腎症（蛋白尿・血尿・高尿素窒素血症・特有の組織像）・心不全（虚血性変化・心包炎）・疲労感など．

③**検査所見**：赤沈促進（> 60 mm/ 時）・CRP 陽性・貧血（< 10 g/dL）・白血球増多（> 10,000/mm^3）・好酸球増多（> 300/mm^3）・血小板増多（> 40 万 /mm^3）・蛋白尿・赤血球尿・高 γ グロブリン血症・RF 陽性．

組織所見 (図 10-12)

皮下・真皮深層の小動脈の中膜フィブリノイド膨化と核破片を伴う多核球浸潤（壊死性血管炎），小動脈瘤を生じ，これが破れて出血をきたし，また一方血栓・栓塞も生じ，のちに類上皮細胞性肉芽腫や線維化をきたす．他の諸臓器では中・小動脈が侵される．

表 10-4　結節性多発動脈炎（PN）の診断基準（厚生労働省特定疾患難治性血管炎研究班，2006 改訂）

1．主要症候
①発熱（38 ℃以上，4 週以上），体重減少（6 ヵ月以内に 6 kg 以上），②高血圧，③急速に進行する腎不全，腎梗塞，④脳出血，脳梗塞，⑤心筋梗塞，虚血性心疾患，心膜炎，心不全，⑥胸膜炎，⑦消化管出血，腸閉塞，⑧多発性単神経炎，⑨皮下結節，皮膚潰瘍，壊疽，紫斑，⑩多関節痛（炎），筋痛（炎），筋力低下

2．組織所見
中・小動脈フィブリノイド壊死性血管炎の存在

3．血管造影所見
腹部大動脈分枝，特に腎内小動脈の多発小動脈瘤と狭窄，閉塞

4．判定
①確実（definite）：主要症候 2 項目以上と組織所見のある例，
②疑い（probable） a）主要症候 2 項目以上と血管造影所見のある例， b）主要症状のうち①を含む 6 項目以上ある例

5．参考となる検査所見
①白血球増加（10,000/μL 以上），②血小板増加（400,000/μL 以上），③赤沈亢進，④ CRP 強陽性

6．鑑別診断
①顕微鏡的多発血管炎，② Wegener 肉芽腫症，③アレルギー性肉芽腫性血管炎，④川崎病血管炎，⑤膠原病（SLE，RA など），⑥紫斑病血管炎

7．参考事項
①組織学的にⅠ期：変性期，Ⅱ期：急性炎症期，Ⅲ期：肉芽期，Ⅳ期：瘢痕期の 4 つの病期に分類される．
②臨床的にⅠ，Ⅱ病期は全身の血管の高度の炎症を反映する症候，Ⅲ，Ⅳ期病変は侵された臓器の虚血を反映する症候を呈する．
③除外項目の諸疾患は壊死性血管炎を呈するが特徴的な症候と検査所見から鑑別できる．

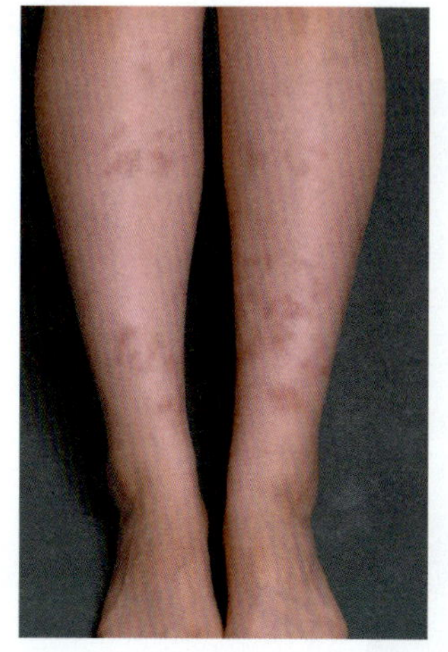

図 10-11　結節性多発動脈炎

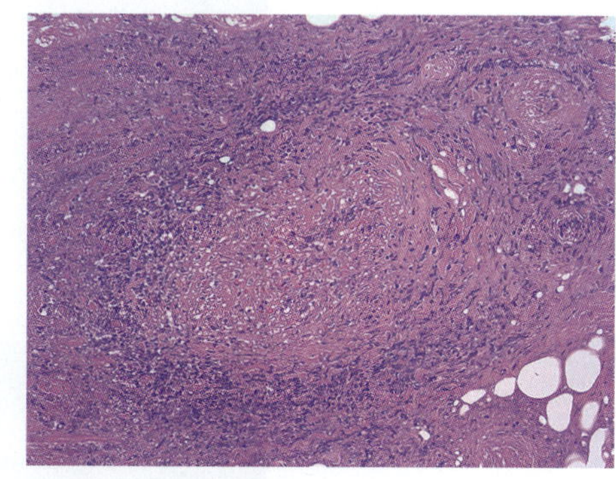

図 10-12　結節性多発動脈炎（真皮・皮下組織境界の小動脈炎）

治療

発症早期（＜3ヵ月）の治療が重要．パルス療法を含めたステロイド薬の大量療法にシクロホスファミドやアザチオプリンなどの免疫抑制薬の併用が基本．その他傷害臓器に対応した治療．

予後

ステロイド薬と免疫抑制薬併用による5年生存率は80％程度，死因は呼吸不全，腎不全，心不全，臓器梗塞，感染症．

2. 皮膚動脈炎 cutaneous arteritis，皮膚結節性多発動脈炎 polyarteritis nodosa cutanea（PNC）　○

PN が皮膚のみに限局するものを Lindberg（1931）は皮膚型（periarteritis nodosacutanea＝polyarteritis nodosa cutanea；PNC）とした．全身性 PN へ移行する例もあり，その異同が問題にされている．

病因

免疫複合体性血管炎と考えられているが，不明．

症状（図 10-13）

①**全身症状**：時に軽い発熱・関節痛・疲労感・赤沈促進．一般に無症状．

②四肢特に下腿の分枝状皮斑（livedo racemosa ☞ p.248）で始まり，次いで紅斑・

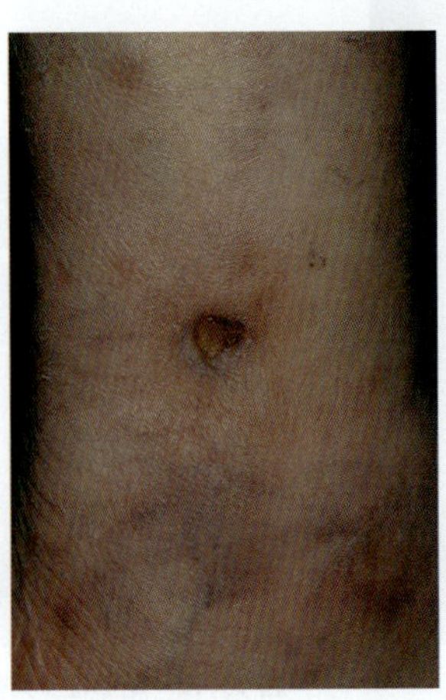

図 10-13　皮膚動脈炎

紫斑・EN 様小結節を生じ，慢性に経過，再発を繰り返す．時に潰瘍や趾指尖の壊疽が生じる．稀に大腿・上肢・臀部も侵される．

組織所見

皮下・真皮深層の小動脈を中心にフィブリノイド変性を伴う壊死性血管炎．

治療

下肢の安静，血行改善薬・NSAIDs・DDS・コルヒチン，時にステロイド薬の全身投与，PN への移行を慎重に観察．

3. 川崎病（1967），急性熱性皮膚粘膜リンパ節症候群 acute febrile mucocutaneous lymph-node syndrome（MCLS）

発熱，皮膚粘膜病変，リンパ節腫脹と冠動脈などの中型血管炎を主徴とする原因不明の小児疾患．

病因

病因は不明であるが，川崎は「感染症と膠原病の中間型」と表現している．流行することがあり，溶血性連鎖球菌，ブドウ球菌，Epstein-Barr ウイルスなどの関与が推測されている．病理学的には全身性の血管炎である．

症状（図 10-14）

85％が 4 歳以下で男女比 1.4：1.

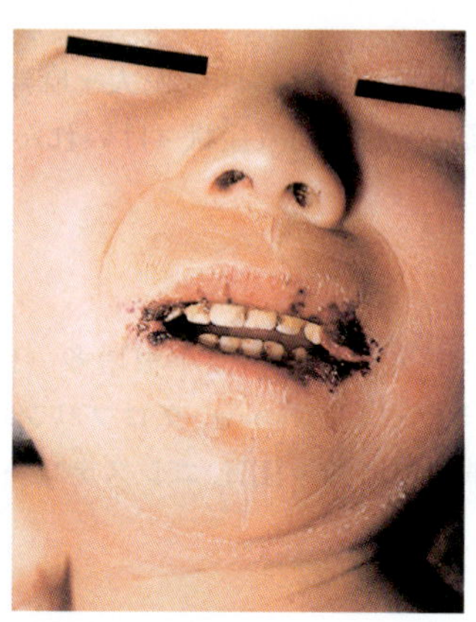

図 10-14　川崎病

①原因不明の39℃前後の発熱が5日以上持続（通常1～2週），抗生物質に反応しない．発熱が11日以上続くと冠動脈瘤を発生しやすい．
②両側眼球結膜充血（85～90%，毛細血管拡張のみで炎症症状はない）．ウサギの眼のように赤くなり，診断価値が高い．
③急性頸部リンパ節腫脹．発熱とともに初期に生じる．しばしば片側性．母指頭大～鶏卵大，圧痛大，化膿自潰なし．60～70%．
④口唇の発赤・乾燥・亀裂（90%），口腔咽頭粘膜のびまん性発赤（90%），苺状舌（77%）．
⑤四肢末端の変化：急性期に手掌足底・指趾先端の紅斑（90%）と手足のテカテカ・パンパンと腫れた硬性浮腫（75%，圧痕を生じない），回復期（第10～15病日）に指趾尖の爪皮膚移行部より膜様落屑を生じ（95%），手袋・靴下が脱げるように剝げおちる．浮腫消褪とともに皺を生じ，約1ヵ月で治癒．1，2ヵ月後，爪に横溝をみる（90%）．
⑥第2～4病日より体幹・顔・四肢に不定形発疹（多形紅斑様・麻疹様・猩紅熱様・風疹様・じんま疹様）が出没し，大きく地図状となることもある．水疱・痂皮の形成はない．皮疹出現率90%以上．BCG接種部位（特に接種後4～6ヵ月）に発赤，時に水疱が生じる．

以上①～⑥が主要症状．

⑦心血管障害：急性期に70～80%に心障害．微弱心音・奔馬調律・心雑音・心電図変化（PR・QTの延長・異常Q波・低電位傾向・ST-Tの変化）・不整脈など心筋炎・心膜炎の徴候，冠動脈炎を発し，25%に冠動脈瘤を生じる．冠動脈瘤の半数以上は自然に消褪し，一部に虚血性心疾患を発症，心筋梗塞発作（1.9%）や突然死（0.8%）をきたすこともある．心電図・心エコー・動脈撮影などでのチェックを続ける．
⑧その他．消化器（下痢・嘔吐・腹痛・胆囊肥大・麻痺性イレウス・軽度黄疸），蛋白尿，咳・鼻汁，関節痛，髄膜刺激症状（けいれん・意識障害・四肢麻痺・顔面神経麻痺）．

検査所見

赤沈促進・白血球増多・核左方移動・血小板増多（100～150万）・CRP（+）・ASLO（+）・トランスアミラーゼ上昇・α_2グロブリン増加・低アルブミン症・軽度貧血・蛋白尿・髄液の単核球増加・HDLコレステロール低下．

組織所見

全身性の血管炎で，主に小型，中型，時に大型動脈を侵す急性の壊死性血管炎像を示す．冠動脈がしばしば侵される．乳頭層浮腫，血管周囲性リンパ球浸潤．

予後

比較的良い．心障害の後遺症は約7%に残るが，最近10年間の致死率は0.11%と改善している．

治療

アスピリンを主体とした抗炎症，抗血小板療法，γ-グロブリン大量点滴（冠状動脈瘤抑制）併用．冠状動脈瘤の残った場合は抗血栓療法を続ける．冠状動脈瘤は半数以上が1，2年で治りうる．

4 大血管の血管炎

大動脈とその主要な分枝の肉芽腫性血管炎で側頭動脈炎，高安動脈炎がある．

巨細胞性動脈炎 giant cell arteritis, 側頭動脈炎 temporal arteritis（Horton 1932） ○

浅側頭動脈を中心とする巨細胞性肉芽腫性血管炎で，拍動性頭痛と索状硬結が特徴．

症状（図 10-15）

欧米白人（特に北欧）に多く，50歳以上に好発．男女比は1：1.7．激しい頭痛・倦怠感・発熱・筋痛をもって始まり，側頭部（片側または両側性）に圧痛・発赤とともに索状硬結を生じ，紅斑・紫斑・小水疱・血疱・壊死をきたす．眼症状（眼痛・複視・視力低下・視野障害・失明：網膜動脈炎）・脳症状（頭痛・精神症状：脳動脈炎）・顎関節痛（外頸動脈分枝の顔面動脈閉塞による咬筋虚血）・筋肉痛・体重減少・赤沈亢進（＞50 mm/時）・心症状（虚血性心不全）・間歇性跛行などを伴うことがある．約3割にリウマチ性多発筋痛症を合併．

組織所見（図 10-16）

動脈の肉芽腫性血管炎で，巨細胞浸潤が多い．内弾性板の変性，巨細胞・リンパ球・好中球・好酸球の浸潤，フィブリノイド変性による内膜肥厚・線維化，内腔閉

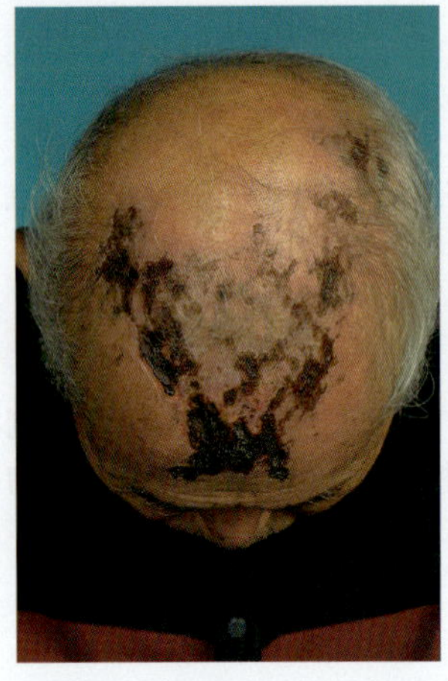

図 10-15　巨細胞性動脈炎（側頭動脈炎）

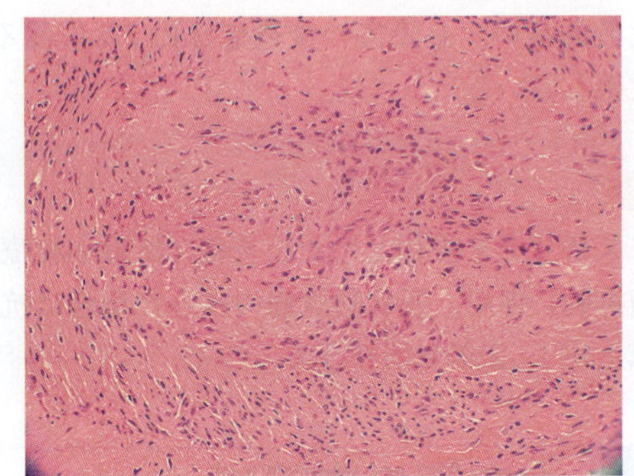

図 10-16　巨細胞性動脈炎（側頭動脈炎）（組織）

塞．内弾性板に IC・IgG 沈着．

検査所見

赤沈促進，CRP 値上昇，動脈造影：頭蓋外動脈の分節の狭窄・閉塞．FDG-PET 検査．

治療

ステロイド薬の全身投与．

5　血管炎の類症

1. バージャー病 Buerger's disease，閉塞性血管炎 thromboangitis obliterans（TAO），特発性壊疽 spontaneous gangrene ◎

四肢小中動脈の血栓性血管炎で喫煙との関連性が強い．

病因

動脈の閉塞で，喫煙が大きく影響する．自己免疫説（抗動脈抗体，エラスチンⅠやⅢ型コラーゲンに対する自己免疫）・補体やプロスタサイクリン内分泌障害の関

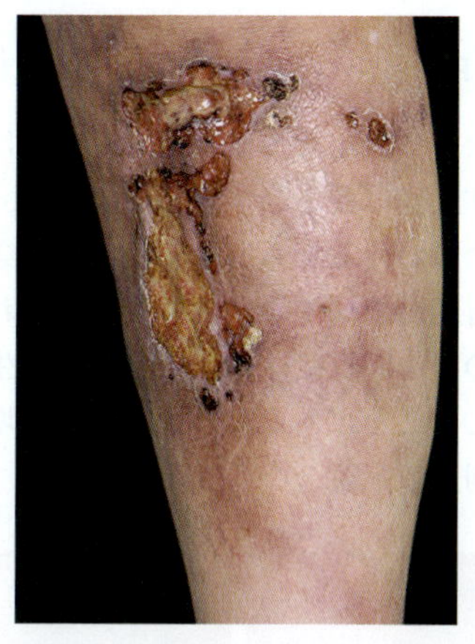

図 10-17 バージャー病

与もいわれている．HLA-A9，Bw52，B5にリスクが高い．

症状（図 10-17）

25〜45歳の男性を侵し，女性・老人には稀（女性10%，最近高齢化）．下肢（時に上肢も）片側性に倦怠感・冷感・蒼白化あり，次いで間歇性跛行が生じる．患肢末端に疼痛が反復，有痛性皮下結節（遊走性血栓性静脈炎 thrombophlebitis migrans：表在静脈に沿って発赤・腫脹・索状硬結・疼痛，部位を変え再発性，約30%に）の先行・反復もあり，完全血管閉塞では疼痛のため横臥できない（起立によりやっと血行がみられる）．患肢末端にチアノーゼ・紅斑・小出血をきたし，やがて壊死に陥り回復しない．壊死は趾・足・踵，時に下腿に及ぶ．

組織所見

四肢遠位部の中・小動脈の高度の内膜肥厚・内腔狭小化，内弾性板の迂曲・断裂．

検査

動脈造影で遠位動脈の多発性分節性の閉塞，近位血管でもときどき非連続性限局性の壁不整像や狭窄病変（skip lesion）．

治療

喫煙厳禁，寒気を避け局所を清潔にする．血管拡張薬・抗血小板薬・抗凝固薬（PGE_1 など）投与，バイパス手術などの血行再建，神経ブロック・交感神経切断，断趾・肢．

2. 悪性萎縮性丘疹症 papulose atrophiante maligne (Degos 1942) (図 10-18)

皮膚にわずかに隆起した黄赤色小丘疹が多発し，中央は白色に萎縮性に陥凹．体幹・四肢に多く顔面・手掌足底は侵されず，男性に多い．眼球結膜や口腔粘膜にも同様粘膜疹が生じる．年余にわたるうち，急に腹痛，腸穿孔を生じて死亡することが多いが，長年，皮膚に病変が限局する良性型も指摘されている．真皮深層小動脈の内膜炎・塞栓によるもので，同様変化は小腸粘膜にも生じて穿孔をきたす．脳・腎・心にも同様変化を生じることがある．小動脈の内膜増殖・塞栓による楔状壊死．自己免疫・ウイルス・薬剤過敏症説．

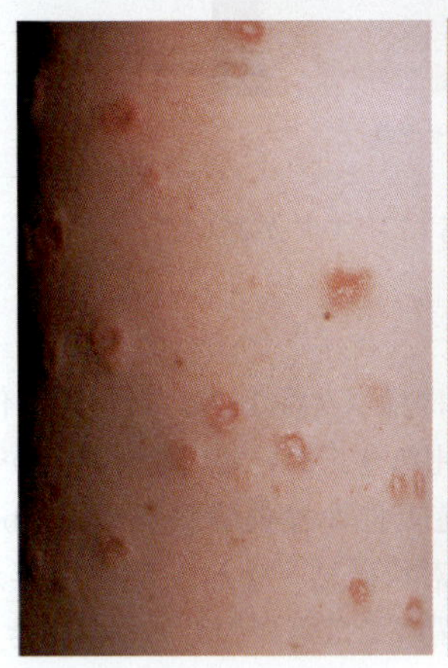
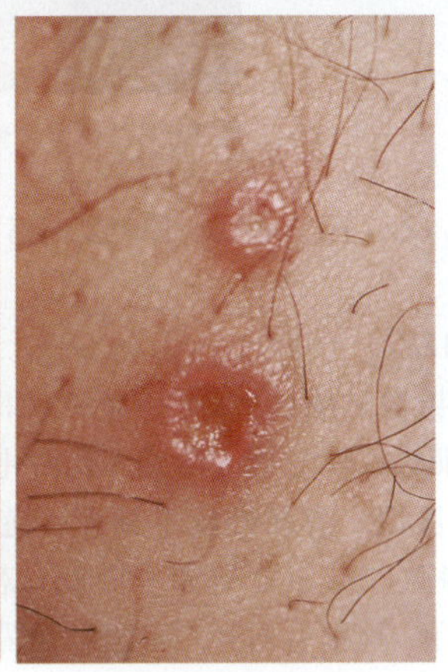

図 10-18　悪性萎縮性丘疹症

3. リベド様血管症 livedoid vasculopathy，リベド血管症 livedo vasculopathy，リベド血管炎 livedo vasculitis (Bard & Winkelmann 1967)，livedo reticularis with summer ulcerations (Feldaker 1955) (図 10-19) ◯

成人，特に若い女性の下肢，特に下腿・踵・足背に不規則なリベド症状を主徴に小潰瘍が多発する．潰瘍治癒後は白色調の瘢痕（atrophie blanche）を残すことが多い．発熱・関節痛などなく，また下肢にも冷感や知覚障害などを伴わない．通常季節に関係なく生じるが，夏に増悪し，冬に軽快するのを livedo reticularis with summer ulcerations と称する．組織学的に血管炎はなく，真皮中深層の小血管壁肥厚と血栓形成・内膜増殖をみる．免疫複合体沈着（外界温度上昇で亢進）・血小板機能が関与か．下肢の安静・挙上，プロスタグランジン製剤・血小板凝集抑制薬・NSAIDs など．

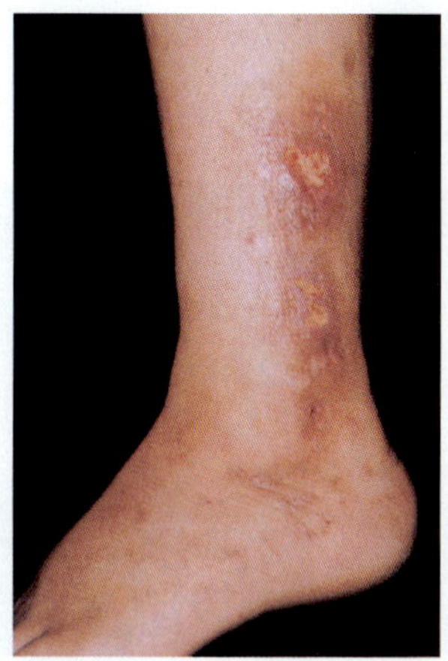

図 10-19 リベド様血管症

4. モンドール病 Mondor diseae (1939) (図 10-20〜22)

リンパ管または静脈の増殖性閉塞性炎症である．主として女子の前胸・腹壁に縦走する索状皮下硬結で牽引痛がある．長さは数 cm 〜20 cm．その付近の外傷・炎症（粉瘤化膿）・手術（乳房切断・開腹術）・急激な運動に続発し（sclerosing periphlebitis of the chest wall），男性の冠状溝・陰茎背に発することもある（nonvenereal sclerosing lymphangitis of the penis Hoffmann 1923）．多くは1〜3ヵ月で自然消褪．

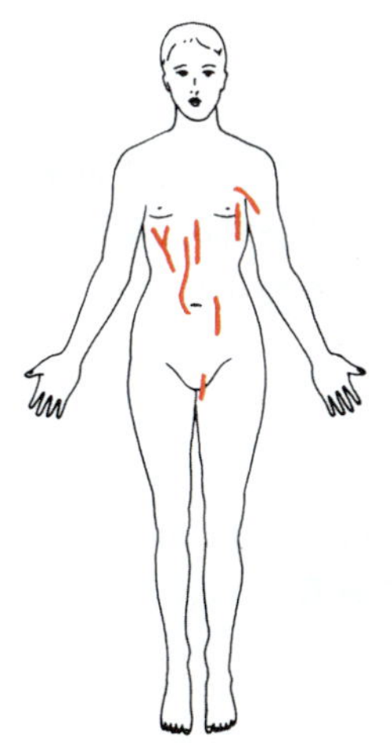

図 10-20 モンドール病好発部位

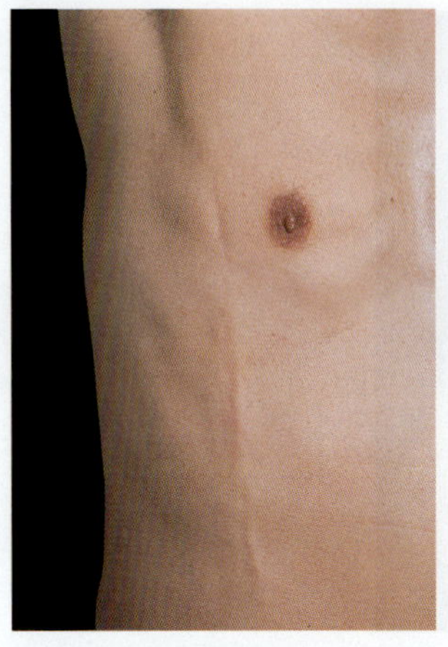

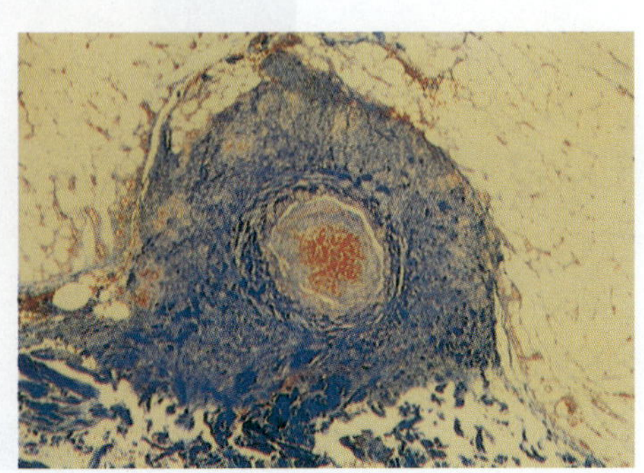

図 10-21　モンドール病

図 10-22　モンドール病（組織）

5. 急性苔癬状痘瘡状粃糠疹 pityriasis lichenoides et varioliformis acuta (PLEVA) (Mucha-Habermann 1925)

病因・病態

本症の病態は lymphocytic vasculitis（リンパ球性血管炎）として捉えられるが，滴状類乾癬（☞ p.386）の重症型という考えもある（本症を pityriasis lichenoides acuta，滴状類乾癬を p. l. chronica と称する）．本症では血管変化・赤血球漏出が強いのに対して滴状類乾癬には血管変化がほとんどない．

症状（図 10-23）

軽度発熱・倦怠感とともに，紅暈を有する黒色痂皮で覆われた丘疹が体幹・四肢屈側に多発，痂皮を除去すると中央臍窩状に陥凹する小潰瘍をみる．色素沈着ないし小瘢痕を残して治癒するが再発を繰り返す．

組織所見

真皮浅層血管のリンパ球浸潤，赤血球管外遊出，内皮浮腫による管腔狭小など，いわゆるリンパ球性血管炎（lymphocytic vasculitis）を示し，表皮内浮腫およびリンパ球表皮内侵入，表皮壊死をみる．

治療

ステロイド薬外用，DDS，NSAIDs，抗生物質（病巣感染）．

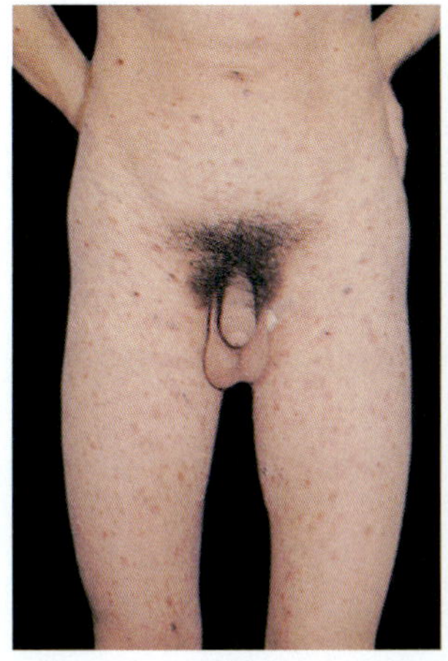
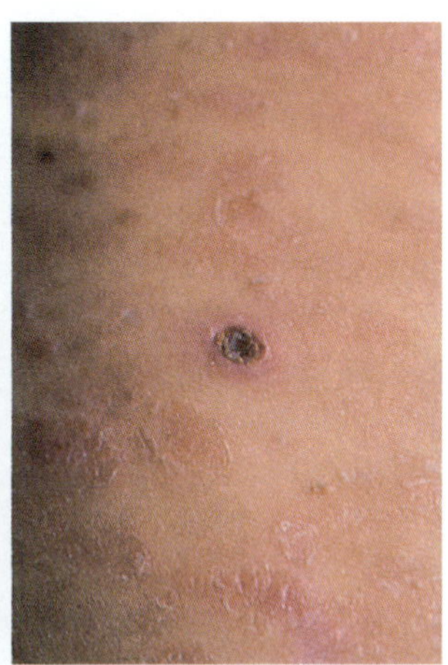

図 10-23　急性苔癬状痘瘡状粃糠疹

6. 顔面肉芽腫 granuloma faciale（Wigley 1945）

顔面に生じる紅褐色，軟らかい浸潤局面が単発，多発する．中年男性に多い．好酸球・好中球の浸潤，核破片・フィブリノイド変性を伴う血管炎，出血があり表皮・毛包との間には侵されない一帯を持つ．leukocytoclastic vasculitis の慢性型か．末梢血で好酸球増加．慢性に経過し，治療に抵抗するが，予後は良好．

7. 敗血症性血管炎 septic vasculitis, infectious vasculitis

敗血症に伴って細菌菌体が小血管内に血栓を形成，紫斑，水疱，潰瘍などが生じる．好中球が浸潤するが，好中球の核破砕像はない．

紫斑病・末梢循環障害

1 紫斑病

紫斑病は，皮内・皮下・粘膜下の出血，すなわち**紫斑**（purpura）を主体とした疾患で，**点状出血**（petechia）から，**斑状出血**（ecchymosis）まで種々の形をとる．血液（血小板・凝固因子・異常蛋白），血管壁，血管支持組織，血管内圧，血管炎などの種々の因子により発症，組織学的には，それぞれの特徴的変化の他に，初期には赤血球の血管外溢出（extravasation），末期にはヘモジデリン沈着（haemosiderosis）が特徴である．

1．血小板性紫斑

1．血小板減少性紫斑

1）症候性血小板減少性紫斑 symptomatic thrombocytopenic purpura

薬剤・化学物質（抗腫瘍薬・NSAIDs・バルビツール・サルファ剤・重金属など），**放射線，感染**（敗血症・猩紅熱・麻疹・肝炎など），SLE，白血病・多発性骨髄腫・骨髄線維症・再生不良性貧血・腫瘍転移，脾腫，DIC 症候群，Kasabach-Merritt 症候群によって血小板の産生が低下，破壊・消費が亢進して血小板数が低下（表 11-1）．血小板数が 5〜10 万 / μL で外傷や手術時に出血量が増し，5 万以下，特に 2〜3 万 / μL 以下になると紫斑，出血がしばしば観察される．

○2）特発性血小板減少性紫斑 purpura idiopathica thrombocytopenica（ITP），出血性紫斑 purpura haemorrhagica（Werlhof）

自己免疫・アレルギー機序によって血小板が減少，紫斑を生じる．

表 11-1　症候性血小板減少性紫斑の原因・原因疾患

1．血小板の産生低下
　1．薬剤・化学物質（抗腫瘍薬など）
　2．放射線照射
　3．感染症
　4．再生不良性貧血・白血病・癌浸潤
2．血小板の破壊・消費亢進
　1．膠原病
　2．DIC・溶血性尿毒症症候群・血栓性血小板減少性紫斑病
　3．脾機能亢進
　4．感染症
　5．薬物アレルギー
　6．大量輸血（希釈による）

病因

抗血小板抗体（接着因子受容体の GPⅡb/Ⅲa，GPIb/Ⅸ/Ⅴ，GPⅣ，GPIa/Ⅱa などに対する自己抗体）による自己免疫機序が考えられている．女性に多く多年にわたって寛解・再発を繰り返し，血小板数低下が続く（慢性型）．小児に多く上気道感染・ウイルス感染症に続発して一過性の急性型は感染アレルギーか．

症状（図 11-1）

①**前駆症状**：頭痛・発熱・全身倦怠感．

②**皮疹**：突然発し大小の出血斑が混在するが，比較的大きい．下腿伸側・上胸部に

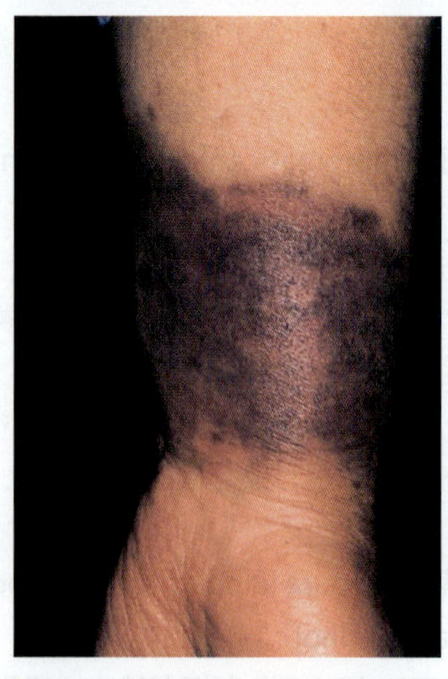

図 11-1　特発性血小板減少性紫斑

多いが，部位は一定しない．しばしば粘膜を侵し，結膜・口腔・鼻腔（鼻血）・腎（血尿）・腸（下血）・呼吸器・女性性器に出血する．

③**検査所見**：血小板数減少（10 万以下）と寿命短縮，出血時間延長（3 分以上），凝固時間正常，Rumpel-Leede 陽性．

予後

良好，しばしば再発．

治療

まずステロイド薬の全身投与，時に免疫抑制薬，血小板輸血．慢性例には脾摘．

◎2．DIC 症候群（播種性血管内血液凝固症候群 disseminated intravascular coagulation），消費性凝固障害 consumption coagulopathy

様々な基礎疾患により凝固系活性化（→血管内小血栓形成→血小板・フィブリノーゲン消費）と二次的な線溶系の亢進が同時に起こって出血傾向を示す症候群．

表 11-2　播種性血管内血液凝固症候群（DIC）の原因疾患

1．感染症
　a．グラム陰性菌感染症
　b．重症グラム陽性菌感染症
　c．重症ウイルス感染症
2. ショック
3. 悪性腫瘍
　a．白血病
　b．癌・肉腫の浸潤および播種性転移
4. 産科的疾患
　　胎盤早期剝離，羊水栓塞，死胎停留，胞状奇胎，妊娠中毒
5. 血管内溶血
6. 組織損傷
　a．大手術後（肺，前立腺，膵，副腎の手術，長時間にわたる体外循環）
　b．広範囲の外傷
　c．広範囲の熱傷
7. 血管病変
　a．Kasabach-Merritt 症候群
　b．心臓瘤，大動脈瘤
　c．血栓性血小板減少性紫斑病，溶血性尿毒症症候群
　d．膠原病
8. その他
　　重症呼吸窮迫症候群，移植臓器の拒絶反応，毒蛇咬傷，電撃性紫斑など

（三輪史郎ら，1995）

11章

基礎疾患

悪性腫瘍，感染症（toxic shock-like syndrome，敗血症），重症熱傷，ハチなど刺傷，薬物中毒，手術，異常分娩，不適合輸血，幼小児では外傷，巨大血管腫（カサバッハ・メリット症候群 ☞ p.681）．

皮膚症状

創面からの出血，圧迫・注射・手術部からの出血，皮下の巨大な硬結（中心壊死）．

その他の症状

血圧低下性ショック，意識低下，肝・腎・消化器・心・副腎・精巣・脳も侵され乏尿・呼吸困難など．

検査所見

①血小板減少（<5万），②フィブリノーゲン減少（1.0 g/L 以下），③血清 FDP 上昇（20～40 mg/mL 以上），トロンビン / プロトロンビン時間延長，D-D ダイマー高値，アンチトロンビンⅢ低下，トロンビン / アンチトロンビンⅢ複合体高値，α_2- プラスミンインヒビター減少，プラスミン / α_2- プラスミンインヒビター複合体高値．

治療

抗凝固療法と基礎疾患の治療が基本．出血傾向があれば補充療法や抗線溶療法を追加する．①ヘパリン（5,000～20,000 単位点滴），② FOY（メシル酸ガベキサート，1 日 2,000～2,500 mg），③アンチトロンビン製剤，④新鮮血・血小板輸血，⑤トラネキサム酸（1 日 1～2 g，感染症合併には禁忌）．

3．血小板機能異常によるもの

①血小板無力症（フィブリノーゲン受容体 GPⅡb/Ⅲa の異常，血小板凝集異常，新生児から小児の皮膚・粘膜出血，常染色体劣性遺伝）．
② Bernard-Soulier 症候群（GPIb/Ⅸ/Ⅴ 複合体欠如による粘着能障害，巨大血小板と血小板減少，幼小児の皮下・粘膜出血，常染色体劣性遺伝）．
③コラーゲン不応症（血小板のコラーゲン受容体 GPIa/Ⅱa や GPⅥ欠損による出血傾向）．
④Hermansky-Pudlak 症候群（☞ p.541）．
⑤Wiskott（1937）-Aldrich（1954）症候群

⑴伴性劣性遺伝で男児のみを侵す免疫不全症.⑵湿疹(頭・顔・殿・屈側,アトピー性皮膚炎・脂漏性皮膚炎に似る),⑶血性下痢,⑷血小板減少(紫斑・血性下痢・脳出血),⑸反復する感染症(IgM 低下・IgA・E 高値・細胞免疫低下),⑹肝脾腫,⑺多くは 10 歳以下で死亡,⑻10%に悪性リンパ腫の合併.リンパ球・血小板の細胞膜の骨格構築の異常が基礎にある.

2. 凝固異常による紫斑

血液凝固因子の異常による出血傾向で,皮下や関節内など深部出血を起こしやすい.凝固時間が延長する.

1) 血友病 haemophilia

伴性劣性遺伝(ほとんど男性のみ).凝固因子のⅧ因子またはⅨ因子の欠乏によりそれぞれ血友病 A,血友病 B を生じる.軽微外傷で出血斑・血腫を生じ,関節内出血は関節強直をきたす.

2) von Willebrand 病

常染色体優性(一部劣性)の遺伝性疾患.von Willebrand 因子(高分子糖蛋白)の量的・質的異状による.

3) ビタミン K 欠乏症

新生児メレナなど.プロトロンビン時間,活性部分トロンボプラスチン時間延長.出血時間やトロンビン時間は正常.

4) フィブリノーゲン欠乏症

先天性(フィブリノーゲン構成鎖の遺伝子異常),重篤な肝疾患,薬剤(アスパラキナーゼ,ステロイド大量投与),蛇咬症などで生じる.

5) 電撃性紫斑 purpura fulminans

幼児を侵し,広範な紫斑が電撃的に出現し,DIC を呈する.高熱・脳症状・多臓器不全に至り,死亡することも多い.急性感染症(ブドウ球菌・連鎖球菌・Neisseria meningitidis),先天性・後天性プロテイン S,C 欠乏症,抗リン脂質抗体症候群,全身性血管炎などに続発.

3. 蛋白代謝異常による紫斑

クリオグロブリン血症，高グロブリン血症，マクログロブリン血症，クリオ蛋白血症（クリオグロブリン・クリオフィブリノーゲン）などによる（☞ p.448）.

4. 毛細管支持組織脆弱化による紫斑

◎1）老人性紫斑 purpura senilis（図 11–2）

老人の手背・前腕伸側の萎縮皮膚に，気付かないくらいのごく軽微な外傷で斑状の出血が生じ，紫紅色より褐色に転じ，反復する．弾力線維変性など支持組織の脆弱化により血管が破れやすく，粗な結合組織の間に広く拡大．新旧紫斑が入りまじり，吸収も悪いので数週に及ぶ.

○2）ステロイド紫斑 steroid purpura（図 11–3）

ステロイド薬長期投与中（内服または強い外用剤）に生じる紫斑で，女性や高齢者に多い．点状出血（上肢・前胸）と斑状出血（四肢末梢および関節背面）とがあり，ごく軽い圧迫で生じる．ステロイドによる膠原・弾力線維（支持組織）の変化，小血管壁の変化に由来する．内臓出血合併の有無に注意．老人性紫斑と病因も症状もよく似て区別しがたいこともある.

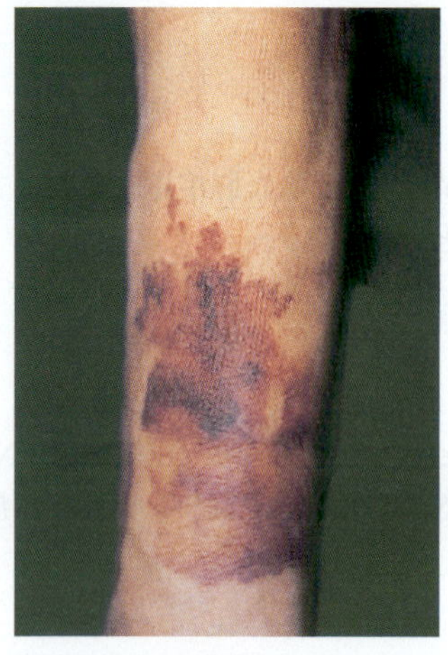

図 11–2 老人性紫斑

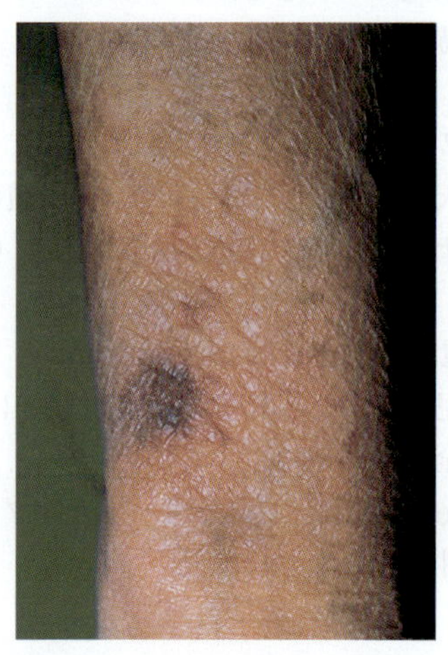

図 11–3 ステロイド紫斑

3）エーラス・ダンロス症候群 Ehlers-Danlos syndrome （☞ p.494）

4）壊血病 scurvy

ビタミンC（アスコルビン酸）の慢性欠乏で，コラーゲン合成に支障をきたし，血管壁が脆弱化し透過性が高まる．下肢伸側・鼻背などに，主として毛孔中心性に出血，歯肉出血腫脹・食思不振・全身倦怠感を伴い，幼児では骨端離脱をきたす（Möller-Barlow 病）．放置すれば貧血・衰弱死する．ビタミンC・新鮮野菜摂取．現在は稀．

5）デビス紫斑 purpura Davis

女子（再発性）深在性紫斑（多少異なるとの説もある）や遺伝性家族性単純性紫斑とほぼ同義．

症状

成人女性の四肢，特に膝蓋部を中心に生じる紫青～紫褐色の小豆から指頭大の紫斑で，数個生じ，1 週間ほどで消失．全身違和感・軽度関節痛を伴うことが多い．遺伝関係が認められ，毛細血管抵抗減弱以外に顕著な検査所見はない．

6）その他：悪液質・急性感染症など．

5. 血管内圧上昇による紫斑

1）うっ血性紫斑 stasis purpura，purpura orthostatica（Schultz 1918）

大部分が静脈瘤性症候群あるいは動静脈瘻の一部分現象として，静脈内圧上昇により下腿下 1/3 に生じる．

症状

下腿（時に前腕）に小出血斑が多発，ヘモジデリンが沈着し，融合して黄褐～暗褐色斑となり，浮腫・硬化を伴い，時に乳頭状に隆起，潰瘍を形成する．

組織所見

毛細血管増殖・血管壁肥厚・出血・ヘモジデリン沈着・血管周囲性リンパ組織球浸潤・膠原線維増殖．

治療

基礎疾患の治療.

2）怒責性紫斑（坂本 1981）

激しい咳込みや嘔吐，排便時の力み，分娩，怒鳴るなどの際に上半身に生じる点状出血.

3）陰圧による紫斑（図 11-4）

接吻，心電図検査など皮膚吸引による紫斑．子どもがコップを口に当て，強く吸引して口囲に生じる環状紫斑など.

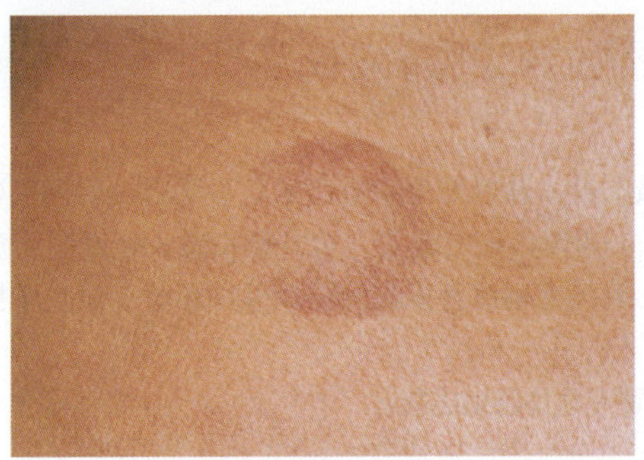

図 11-4　陰圧による紫斑（心電図検査）

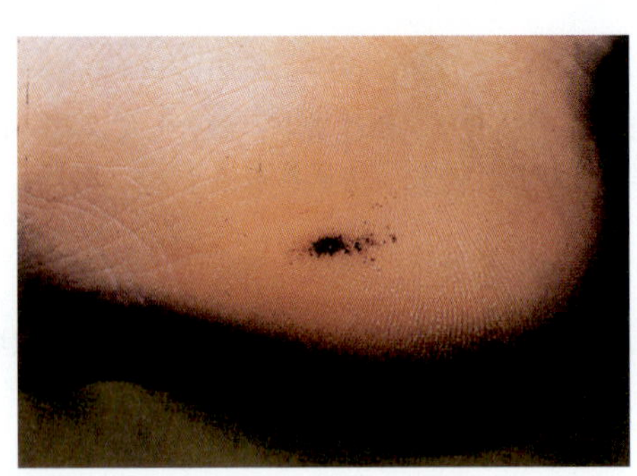

図 11-5　black heel

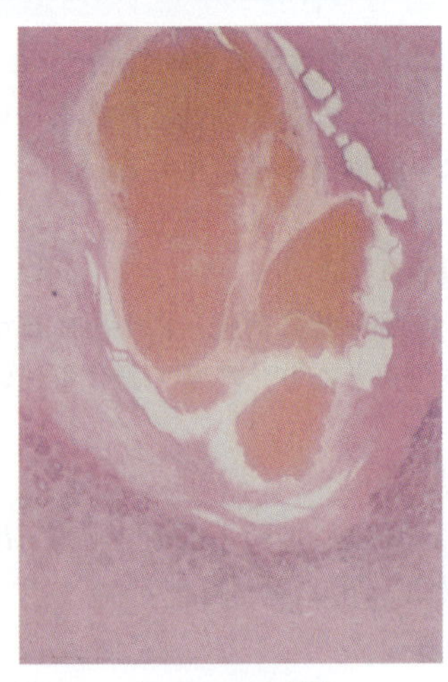

図 11-6　black heel（組織）

4）black heel（Kirton 1965）（図 11-5，6）

運動選手の足底，特に踵にみられる小出血点，角層内出血で，急激な停止（バスケットボール・テニス）により踵の皮膚が後方に水平に押され出血し，これが角層に出る．ダーモスコピーでは皮丘優位で，悪性黒色腫に似たパターン．

6. 壊死性血管炎による紫斑

IgA 血管炎（アナフィラクトイド紫斑）・結節性多発動脈炎など（☞ 10 章 血管炎とその類症）．

7. 特発性色素性紫斑 idiopathic pigmentary purpura ○

慢性色素性紫斑（purpura pigmentosa chronica）あるいは**angiodermatitis（血管皮膚炎）**ともいう．慢性に経過する紫斑・色素斑を主徴とする次の 3 者を総括する概念である（表 11-3）．

- マヨッキー血管拡張性環状紫斑 purpura annularis teleangiectodes Majocchi（1895）（M）
- シャンバーグ病 progressive pigmentary dermatosis Schamberg（1901）（S）
- 紫斑性色素性苔癬様皮膚炎 dermatite lichénoide purpurique et pigmentée（Gougerot-Blum）（G）

この他，瘙痒性紫斑（itching purpura）や黄色苔癬（lichen aureus）もこの概念に含まれる．

病因

多くは原因不明．静脈性循環障害・病巣感染・薬剤など．

表 11-3 特発性色素性紫斑

	血管拡張性環状紫斑	シャンバーグ病	紫斑性色素性苔癬様皮膚炎
年齢	20～50 歳	40 歳以降の中年	40～60 歳
性別	女性にやや多い	男性に多い	男性にやや多い
発症	徐々	徐々	急性
初発症状	点状血管拡張	点状出血	出血性小丘疹
皮疹の特徴	環状，中央褪色	不規則な紅褐色斑	褐色調湿疹様
病理組織	血管拡張・内皮細胞腫脹	血管壁肥厚・血管増殖	滲出性変化

症状（図 11-7〜9）

①M：下腿の点状毛細血管拡張として始まり，次いで出血点と化し，これが遠心性に拡大して環状となり，ヘモジデリン沈着により色素沈着をきたし，中央はむしろ褪色・萎縮する．慢性に経過．下腿を主とし，時に膝・腰殿・前腕に及ぶ．自覚症状なし．血液所見正常．

②S：最も多く，慢性色素性紫斑の半数を占める．男性下腿に好発．点状出血が集簇して卵円形の局面を形成し，その境界は不明瞭である．のちにヘモジデリンが沈着して紅褐色斑となる．稀に瘙痒．褪色とともに末梢部に新しい点状紫斑がみ

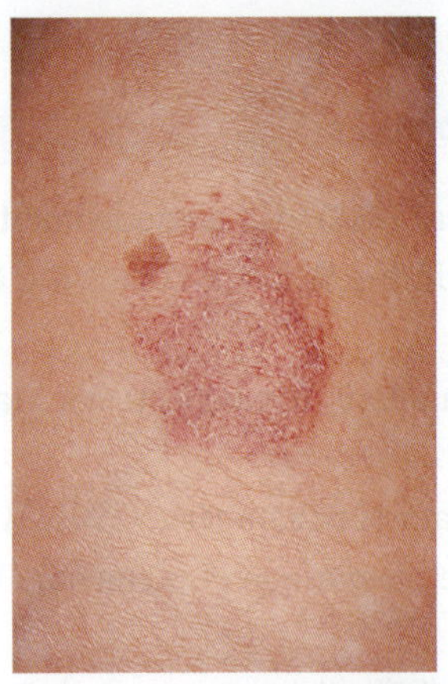

図 11-7　マヨッキー紫斑

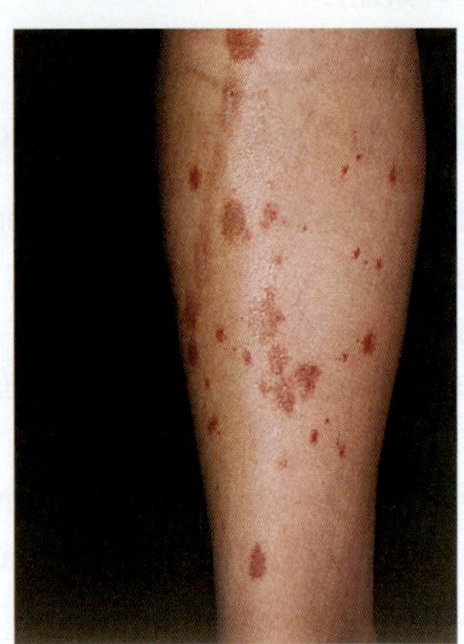

図 11-8　シャンバーグ病

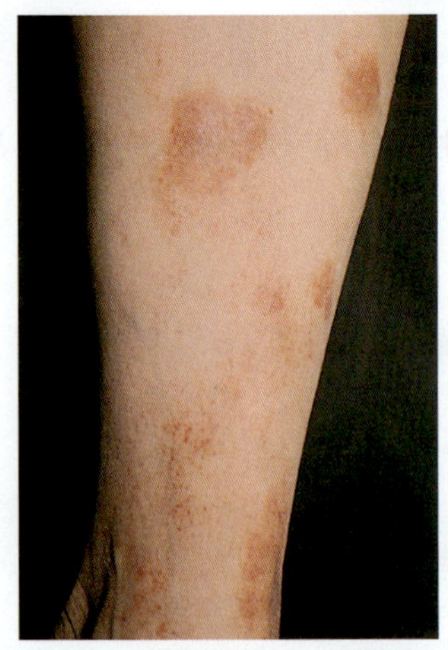

図 11-9　紫斑性色素性苔癬様皮膚炎

られる．静脈瘤のような循環障害が基礎にあることがある．経過は緩徐で長い．
③G：下腿に対側性に出血性小丘疹が発し，増大して扁平隆起性小局面となり，しばしば瘙痒を伴い，鮮紅色→褐色→セピア褐色と変色，落屑して湿疹様になる．大腿・腰臀部に及ぶこともある．数年にわたる．

組織所見

真皮上層のリンパ球を主とする慢性炎症性細胞浸潤と出血．M では血管拡張・内皮細胞腫脹，S では血管壁肥厚・血管増殖，G では滲出性変化をみる．

治療

下肢安静・挙上，ステロイド薬外用，血管強化薬（ビタミン C など），止血薬，抗プラスミン薬，感染病巣の処置．

2 末梢循環障害

血行障害とリンパ管障害とによる．

1. 網状皮斑（livedo 疾患） ◎

皮膚末梢循環障害に基因する網目状の紫紅色斑を主徴とする病変を livedo と呼ぶ．

臨床像から①大理石様皮膚（cutis marmorata），②細網状皮膚（cutis reticularis），③分枝状皮斑（livedo racemosa）に分けられる．

1）大理石様皮膚 cutis marmorata（図 11-10）

大理石紋理様の紫紅色斑が網状に連なり，のちには褐色調を伴う．その**網工は閉じている**．多くは長期温熱にさらされる部分に生じ，こたつ・あんか・ストーブ・かいろ・湯たんぽの接する下腿や腹部に多い（**温熱性紅斑** erythema ab igne, cutismarmorata calorica）．職業性（溶鉱炉・硝子工・火夫）のものは露出部に広汎に生じる．いわゆる「ひだこ」．乳幼児や女性が寒冷刺激で生理的大理石皮斑を生じることもある．真皮皮下境界部**小血管の機能的障害**（細小動脈側緊張・静脈側拡張）によるもので，**一過性**（暖かい季節に消褪）．なお先天性血管拡張性大理石様皮斑は母斑症の一つである（☞ p.579）．

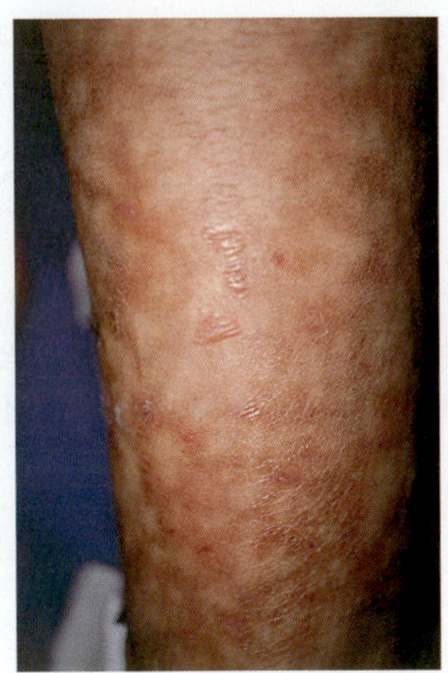

図 11-10　大理石様皮膚（ひだこ）

2）細網状皮膚 cutis reticularis（図 11-11）

大理石様皮膚と分枝状皮斑との中間型にあたり，環を閉じた臨床像は大理石様皮膚に近いが**持続性**であり，**機能的障害**のほか，小静脈閉塞のように，多少とも器質的変化を伴い，分枝状皮斑と明確に区別できないことも多い．温熱のほか，中枢神経系障害，急性膵炎などでも生じる．組織学的には小静脈拡張・血管壁浮腫・血流うっ滞・フィブリン析出など．

3）分枝状皮斑 livedo racemosa（Ehrmann 1907）（図 11-12）

四肢伸側，稀に体幹にも生じる赤褐色斑で，樹枝状～蔓状に連なって，大理石様

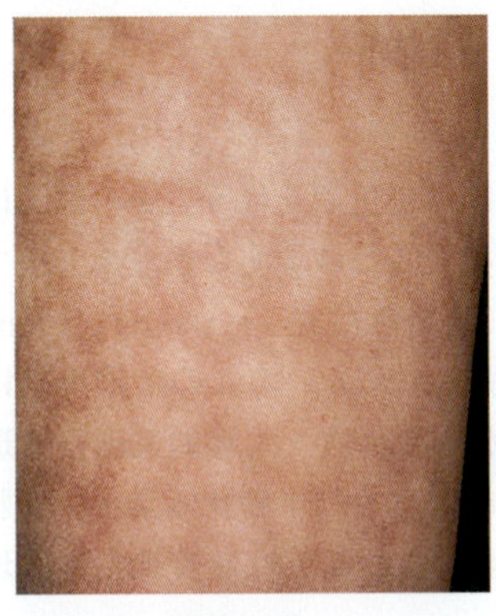

図 11-11　細網状皮膚

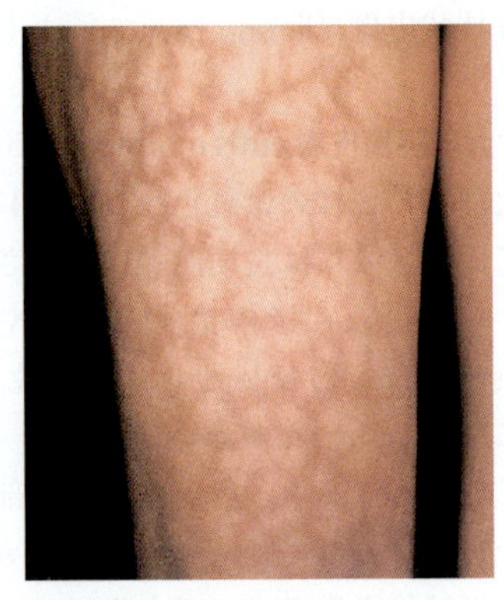

図 11-12　分枝状皮斑

皮膚と異なり**環を閉じない**．斑の幅も大理石様皮膚に比してやや広くわずかに隆起し，またその中に小硬結を触れる．寒冷や人工的うっ血で増悪するが，温暖で消失せず，**持続性**である．小動脈が閉塞性となり，静脈側がうっ血拡張する（**器質的変化**）．内膜下フィブリノイド沈着・組織球性肉芽腫様増殖・血管周囲性リンパ球浸潤をみる．特発性あるいは寒冷による他，結節性多発性動脈炎・循環器障害（心内膜炎・冠動脈不全・動脈硬化症・高血圧）・リウマチ・皮膚筋炎・SLE・抗リン脂質抗体症候群・dysproteinemia（特にクリオグロブリン血症）・慢性腎不全・中枢神経系障害などに合併する．

2. 肢端紫藍症 acrocyanosis, acral cyanosis

若い女性の四肢末端，時には耳朶・鼻尖・殿・乳房が寒冷によって紫藍色を呈する．色調は一様ではなく，濃淡部が敷石状，斑状に配列する．時に蟻走感あるいは疼痛を，しばしば多汗症を伴う．通常左右対称性に生じ，手・足挙上で症状が軽減する．自然治癒が多い．低温に対する末梢皮膚血管の機能異常であり，全身性疾患との関連性に乏しい．時に先端巨大症，パーキンソン病，悪性貧血などを伴って生じる．マッサージ，禁酒，難治のときは交感神経切断術．

3. 女子下腿うっ血性紅斑 erythrocyanosis crurum puellarum s. feminarium (Klingmüller 1925)

肥り目の若い女性の下腿下 1/3 に紫藍紅色の硬性浮腫が生じ，触れると冷たい．毛孔性角化・鱗屑形成，浅い小潰瘍を伴うこともある．冬期増悪．スカートの長さと関係し，ミニでは大腿内側にも及ぶ（寒冷の影響）．近時肥満男児の大腿・臀部にもみられる．erythrocyanosis cutis symmetrica ともいう．寒冷による動脈収縮，静脈弛緩など末梢循環障害による．治療はマッサージ・下肢挙上・弾性包帯・ビタミン E 内服・肥満対策など．

4. 皮膚紅痛症 erythromelalgia, erythermalgia (Smith and Allen 1938)（図 11-13）

四肢，特に下肢末端が発作性に潮紅腫脹し，灼熱痛，触痛を生じ，皮膚温が上昇する．冷却・安静によって軽快．入浴，運動などの温熱（27〜36℃以上）によって誘発される．特発性（小児では平均 10 歳で家族内発症，成人では 50〜70 代で男性に多い）と続発性（キノコ中毒・自律神経失調・多血症・血小板血症・糖尿病・高血圧・SLE・痛風・腎障害）あり．日本ではドクササゴ（ヤブシメジあるいはヤケドタケ Clitocybe acromelalga，毒成分は clitidine）によることが多く，摂取後数日で手足に疼痛が起こり，約1ヵ月続く．治療：安静，患肢挙上，冷却，アスピリン，ロキソニン．

5. 閉塞性動脈硬化症 alteriosclerosis obliterans（ASO）（図11-14）

動脈壁の硬化肥厚により血管狭窄をきたし，各臓器を侵すが皮膚では下肢（腸骨・大腿・膝窩動脈）が多い．50歳以上の男性に多く，冷感・しびれ感→間歇性跛行→安静時疼痛→潰瘍・壊疽と進行する．しばしば高血圧・糖尿病・高脂血症を伴う．ドプラ聴診器で足関節部の動脈圧を測定，上腕動脈圧との比（ankle brachialpressure index；ABI）を算出すると下肢動脈の閉塞の程度を推定できる〔ABI：0.90～1.30（健常人），0.7＞間歇性跛行，0.2＞安静時疼痛〕．外傷防止・血管拡張剤・血栓除去・血管バイパスなど．Buerger病（TAO）との比較を表11-4に示す．

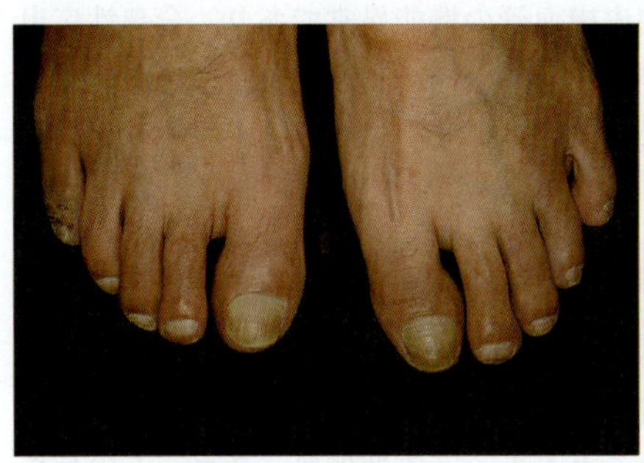

図11-13　皮膚紅痛症

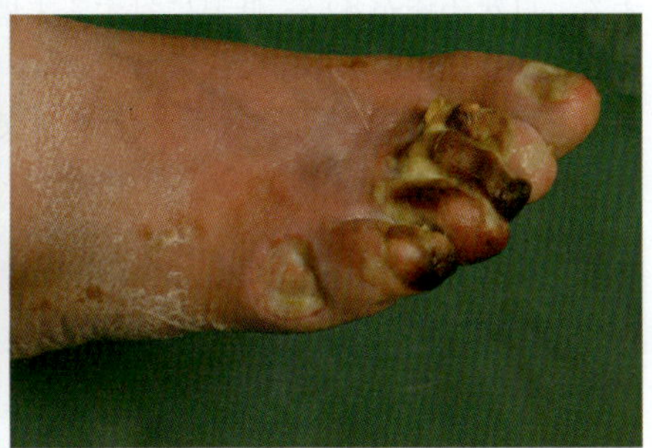

図11-14　閉塞性動脈硬化症

表11-4　閉塞性動脈硬化症（ASO）と閉塞性血栓血管炎（TAO）

	ASO	TAO
年，性	高齢者，男	30～50歳，男
閉塞部位	腸骨・大腿動脈	上下肢末梢動脈
上肢病変	稀	多い
趾（指）虚血症状	比較的稀	多い
糖尿病・高血圧・高脂血症の合併	多い	稀
血管造影所見	虫食い不整像 石灰化	分節性，滑らかな途絶 先細り，コルク栓抜き像
その他	ABI低下	時々血栓性静脈炎

6. コレステロール結晶塞栓症 cholesterol crystal embolization, blue toe syndrome（Karmody 1976）（図 11-15～17） ○

動脈硬化の粥状硬化巣より剝離したコレステロール結晶が皮膚・腎・脾臓・消化管・肝などの血管に塞栓．皮膚症状（30～50％）は網状皮斑（下肢）・壊疽・チアノーゼ・潰瘍（趾尖）・紫斑・下肢疼痛（blue toe），皮膚症状以外に発熱・脳梗塞症状・脳充血・錯乱・視野欠損・心筋梗塞・狭心症・腹痛・悪性嘔吐・筋痛などがある．血管心カテ・抗凝固薬・頸部マッサージなどで誘発されることが多い．高血圧・糖尿病・心疾患（血管撮影・PTCA 後）はリスクファクター．腎障害の高度の場合は予後不良．凍結標本の偏光顕微鏡検査で血管内にコレステロール結晶をみる．

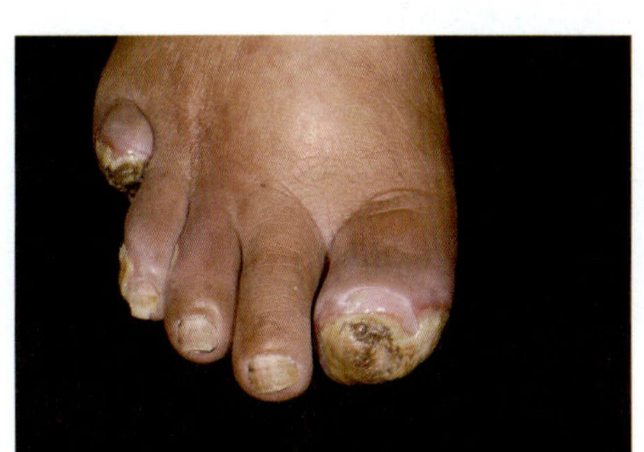
図 11-15 コレステロール結晶塞栓症

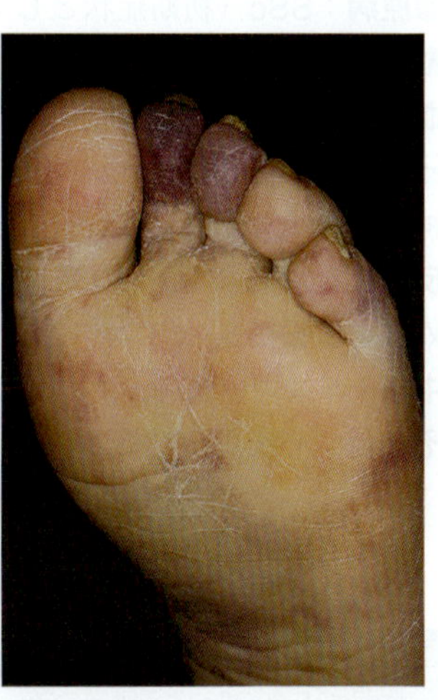
図 11-16 コレステロール結晶塞栓症

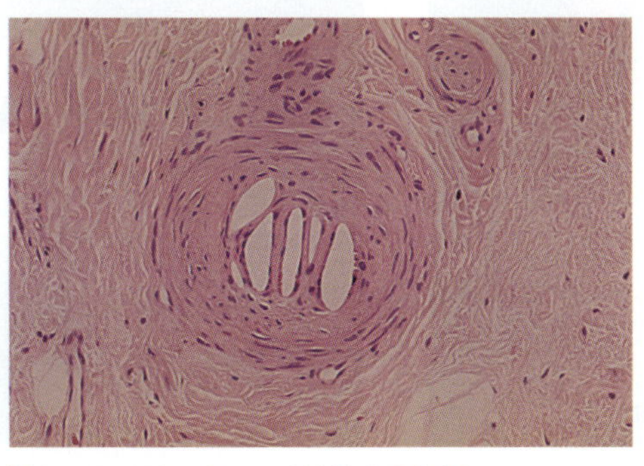
図 11-17 コレステロール結晶（HE 染色）

プロスタグランジン注射・ステロイド全身投与・HMG-CoA 阻害薬.

7. レイノー症候群 Raynaud syndrome, レイノー現象 Raynaud's phenomenon (Raynaud 1862) (図 11-18) ◎

症状

指趾の動脈・小動脈の発作性攣縮. 指趾は蒼白→紫藍→潮紅と変化し (triphasic reaction), これが長期間反復し, 進行すると点状壊死, 次いで壊疽を生じる. 冷感, しびれ感, 疼痛を伴う. 数分から30分の発作で, 温めると正常に戻る. 以下の基礎疾患の一症状としてみられる.

①**膠原病**：**SSc** (初期症状として重要)・MCTD・SS・SLE・皮膚筋炎・RA.
②**動脈閉塞**：動脈塞栓・特発性壊疽・閉塞性動脈硬化症.
③**血液疾患**：骨髄増殖性疾患・発作性ヘモグロビン尿症・多血症・dysglobulinemia (cryoglobulinemia・macroglobulinemia・hyperviscosity 症候群).
④神経疾患・脊髄空洞症・脊髄炎・頸肋などによる神経圧迫.
⑤**反復運動 (職業性)**：白蠟病 (電気鋸 chain saw, 圧搾空気による鋲打ちや地固めによる振動), ピアニスト, タイピスト, キーパンチャー.
⑥**中毒**：エルゴタミン・ニコチン・重金属・ブレオマイシン.
⑦**その他**：心疾患・粘液水腫.

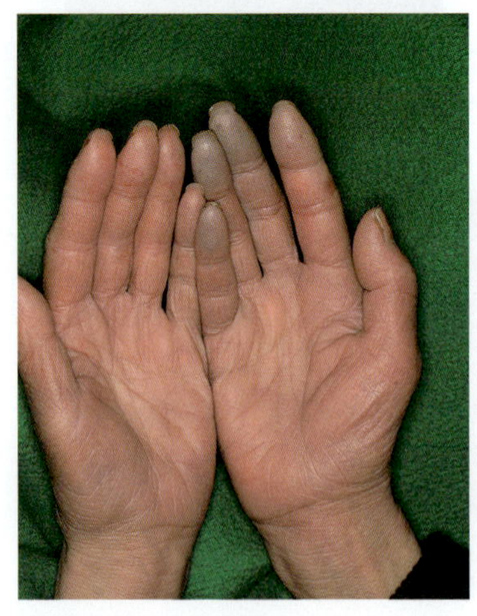

図 11-18　レイノー現象

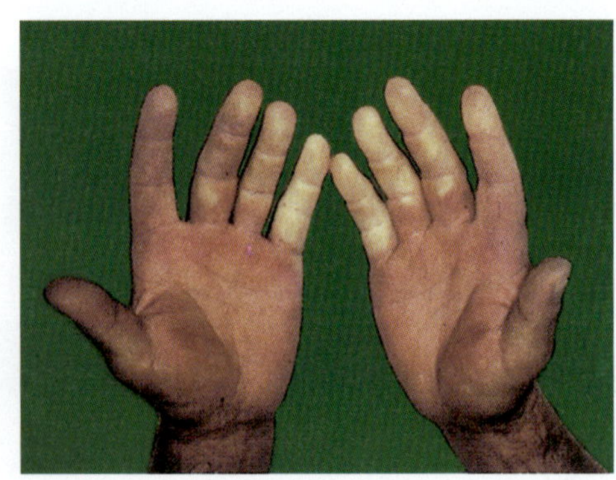

図 11-19　ライル死指

治療

①原病治療，②血管拡張薬（交感神経 α 遮断薬・ノルアドレナリン抑制薬・カルシウム拮抗薬・プロスタグランジン），③交感神経節ブロック，④血漿交換療法．

8. レイノー病 Raynaud's disease

基礎疾患なしに上記レイノー現象が生じる．レイノー現象を示す患者の約50％はレイノー病である．寒冷・精神的ストレスが誘因となり，20～40歳の女性に多い．ライル死指〔Reil's dead finger（Reil）〕（図11-19）もレイノー病の一つと考えられている．

寒冷を避け，温浴し，血管拡張薬，抗血小板薬，精神安定薬などを投与する．

9. 静脈瘤 varix，静脈瘤性症候群 varicose symptome complex ◎

症状

下肢浅在静脈（大伏在静脈 v. saphena magna，小伏在静脈 v. s. parva など）がホース状，結節状，嚢状に拡張して蛇行し，表面からは青黒くみえる．通常自覚症はないが，時に焼けるような，また刺すような痛みがある．

成因

①静脈弁機能不全（表在静脈・穿通枝）．
②静脈壁・静脈周囲支持組織の先天性脆弱．
③深在静脈の狭窄・閉塞．
④動静脈瘤．
⑤妊娠（内腸骨静脈弁不全），長期立位．
⑥表在静脈の過形成（スポーツマン）．

以上のいずれかによって表在静脈の内圧が上昇して拡張・蛇行する．はじめのうちは深部静脈が健全で循環は良く保持されている（primary varicosis）．深在静脈が静脈炎・塞栓をきたすと，代償がなくなり，静脈性求心性血行が障害される（secondary varicosis）．

以上の変化に引き続いて起こる病変を一括して静脈瘤性症候群と呼ぶ．

静脈瘤性症候群（図11-20～22）

①足背から下腿下半分に浮腫および倦怠疲労感（だるい・重い）を生じ，朝方軽減するが夕方に増強する．かかる水力学的圧のため赤血球が管外に出（うっ血性紫

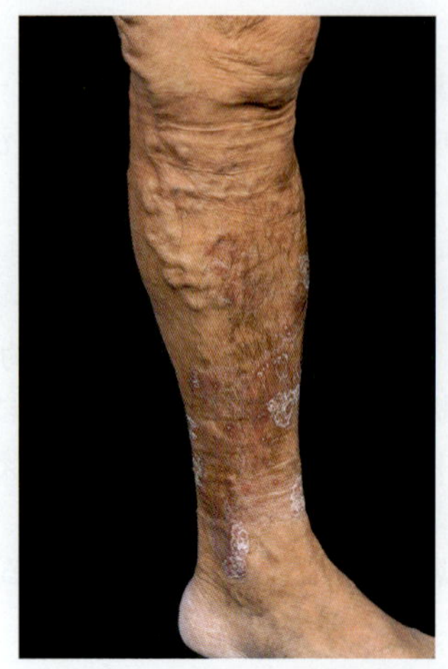

図 11-20　静脈瘤とうっ滞性皮膚炎（静脈瘤症候群）

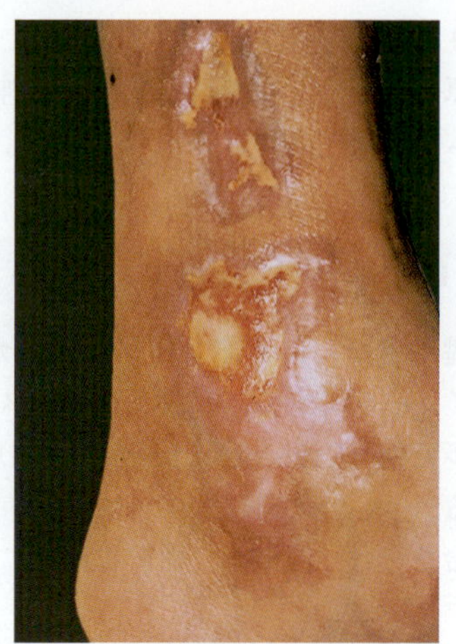

図 11-21　下腿潰瘍（うっ滞に伴う）

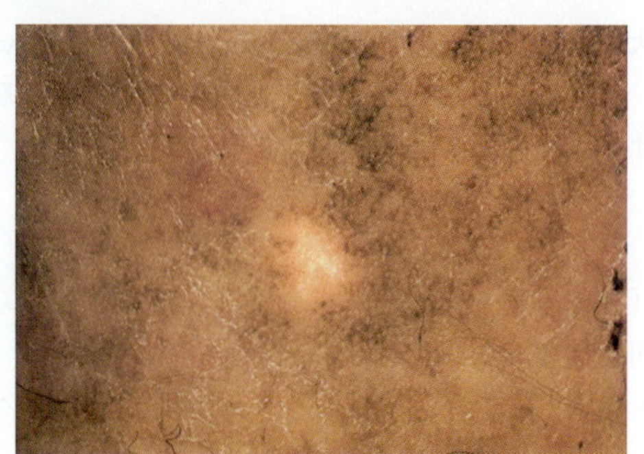

図 11-22　白色萎縮（atrophie blanche）

斑 purpura orthostatica ☞ p.233），栄養障害・血漿成分遊出により結合組織の硬化を生じ，ここにヘモジデリン沈着が混じて皮膚は板状に硬く黒褐色を呈し（siderosclerosis），にぶく光沢を有し，下腿末梢は緊縛状にやや細くなることが多い．

②刺激に対して抵抗が弱く，びらんし，また湿疹化する（うっ滞性湿疹 stasis dermatitis ☞ p.164）．

③わずかの外傷・感染で潰瘍化しやすく（下腿潰瘍 ulcus cruris varicosum），潰瘍は大小種々，しばしば融合し，時に円周状に下腿を取り巻くに至る．境界は明瞭で，断崖状の辺縁を有し，底部は肉芽状，難治化する．

④**白色萎縮**〔atrophie blanche（Milton 1929）〕は，この硬化局面上に生じる大小の

萎縮性白色斑で，やや陥凹し，疼痛あり，毛細血管の塞栓性炎症のために小潰瘍を反復する．

治療

①長時間の起立や歩行を避ける，外傷・感染からの保護・足高挙，②弾性包帯，③交互浴・マッサージ，④静脈瘤の外科的療法（stripping，拡張静脈高位結紮，逆流交通枝結紮）・硬化療法〔sclerotherapy：高張食塩水・ポリドカノール（エトキシスクレロール）など硬化剤注入〕，⑤末梢循環促進薬，⑥血栓性静脈炎には抗凝固薬・消炎鎮痛薬，⑦合併症（湿疹・潰瘍など）にはそれぞれの治療．

10. リンパ管の障害

○1）リンパ浮腫 lymphedema（図 11-23）

リンパ管の狭窄・閉塞によりリンパ流が障害されてリンパ浮腫が起きる．リンパ浮腫が続くと感染を繰り返すことが多く，しばしば蜂巣炎をきたす．長期に及ぶと結合組織が増殖して組織が増大，表皮は肥厚して，凹凸が顕著となり，皮膚は硬化して象皮様を呈する．

原発性と続発性に大別され，後者は悪性腫瘍リンパ節転移，リンパ節郭清術後などに起こりやすい（表 11-5）．稀に慢性リンパ浮腫から**脈管肉腫（Stewart-Treves 症候群）**が発生する．

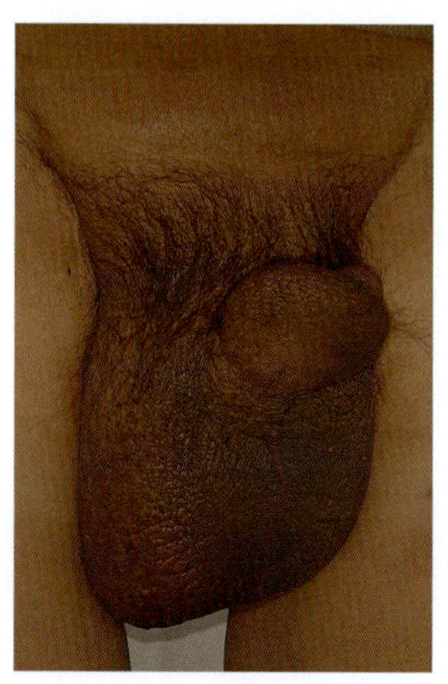

図 11-23　リンパ浮腫

表 11-5 リンパ浮腫の分類

1．特発性リンパ浮腫
1）先天性家族性リンパ浮腫 Nonne-Milroy 病
2）早発性リンパ浮腫 女性がほとんど，35 歳以前に発症，足・足関節の腫脹と倦怠感
3）遅発性リンパ浮腫 35 歳以降に発症，早発性と本質的には同様病変
2．続発性リンパ浮腫
1）悪性腫瘍のリンパ管，リンパ節への転移
2）リンパ節郭清術などによるリンパ節の切除
3）非感染性リンパ管炎・リンパ節炎
4）感染性リンパ浮腫 フィラリア
5）外傷性リンパ浮腫

治療

患肢挙上・マッサージ・弾性包帯やストッキングによる圧迫などの理学療法，リンパ誘導術・リンパ管静脈吻合術などの外科手術，交感神経節ブロック，マイクロウェーブ療法など．

第12章 物理的および化学的皮膚障害

1 加圧や外力による皮膚障害

1. 褥瘡 decubitus, pressure sore ◎

長時間，同一部位に持続性圧力が加わり，それに摩擦，ずれ応力（shearing force），湿潤（失禁）も重なって血行障害を生じ，組織が限局性に壊死に陥った状態．低栄養（低アルブミン血症・貧血）や老化とともに，脳神経系（脳梗塞・脊髄損傷），骨関節系（RA・骨折），循環器系（心不全）の各種疾患による意識障害，麻痺，関節拘縮など，寝返りや座り直しができなくなるような状態で，圧迫されやすい仙骨部，大転子部，腸骨縁部，坐骨部，肩甲骨部，後頭部などに好発する．創傷治癒が遷延して骨髄炎，敗血症，壊死性筋膜炎など生じることも稀ではない．創面の状態（症状と経過参照）や深達度（表12-1）により分類される．

症状と経過（図12-1）

①**初期**：(a) 紅斑のみ：深度分類1度．(b) 一部びらん～潰瘍：深度分類2度．圧迫部に潮紅を生じ，やや腫脹する．硝子圧でも褪色しない持続性紅斑．水疱やびらんをきたし，びらん・潰瘍が治りにくくなってくる．

②**黒色期（炎症期）**：(c) 深度分類2～3度．皮膚・皮下組織が変性・壊死に陥り，潰瘍面は黒褐色の固い痂皮状壊死塊で覆われる．その下は膿性滲出液．周囲皮膚

表12-1 深達度

Ⅰ度	圧迫を除いても消褪しない発赤，紅斑
Ⅱ度	真皮にとどまる皮膚傷害（水疱，びらん，浅い潰瘍）
Ⅲ度	皮下脂肪織に及ぶ傷害
Ⅳ度	筋，腱，関節包，骨に及ぶ傷害

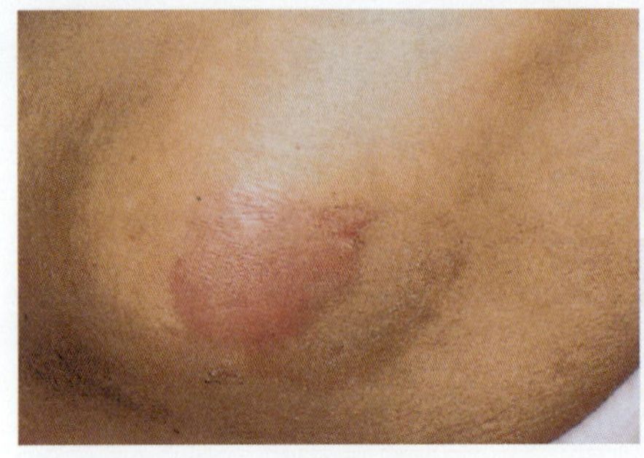

（a）初期（紅斑のみ：深度分類 1 度）

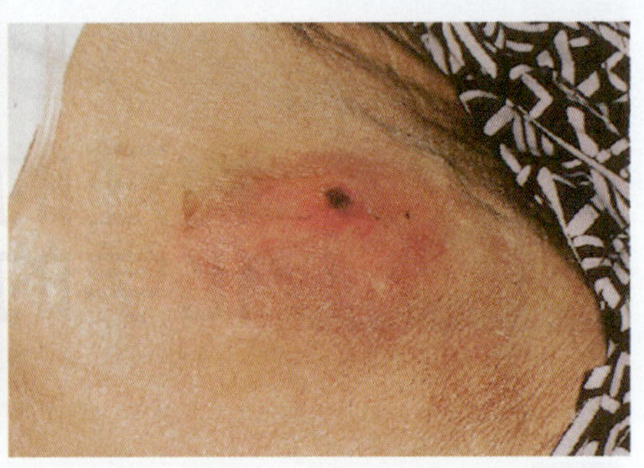

（b）初期（一部びらん～潰瘍：深度分類 2 度）

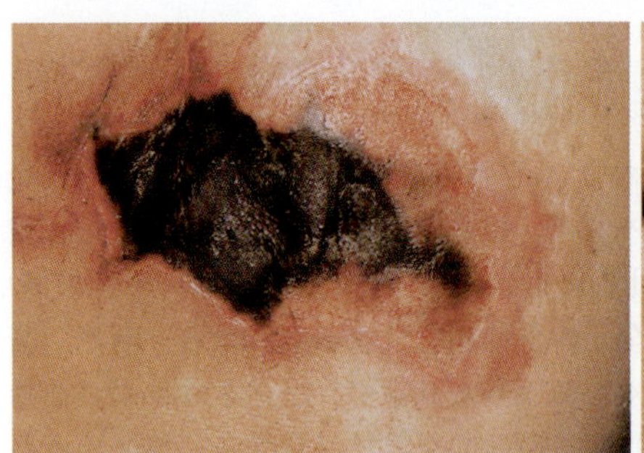

（c）黒色期（深度分類 2～3 度）

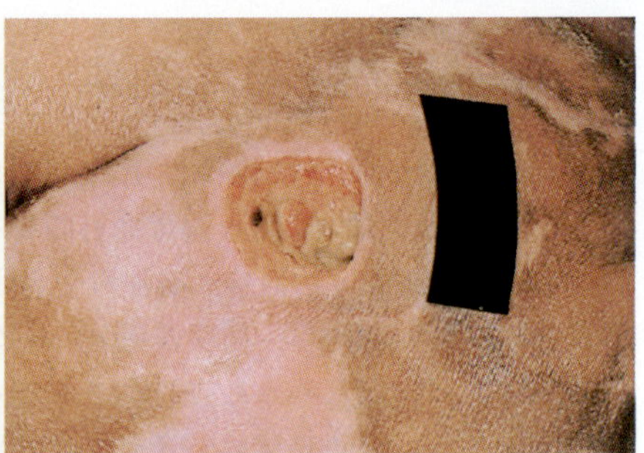

（d）黄色期（深度分類 2～3 度）

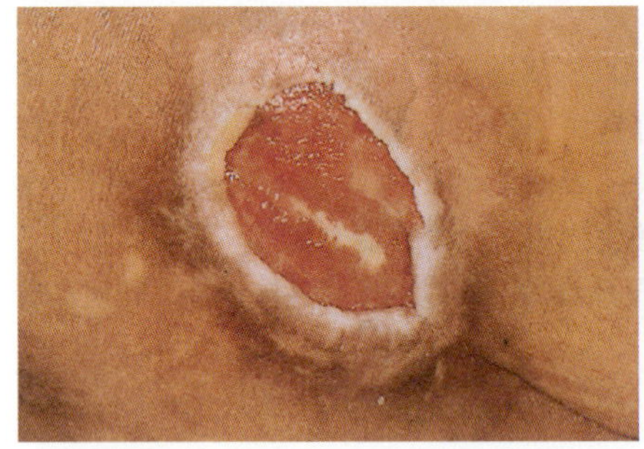

（e）赤色期

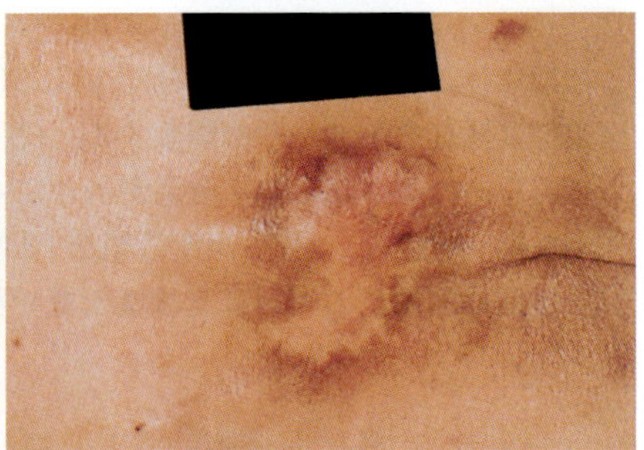

（f）白色期〔上皮形成期〕

図 12-1　褥瘡（村木良一博士提供）

は発赤する．

③**黄色期（滲出期）**：（d）深度分類 2〜3 度．黒色壊死塊が取れ，黄緑色の苔状底面が露出する．漿液性ないし膿性の滲出液あり．感染を起こしやすい．

④**赤色期（肉芽形成期）**：（e）急性炎症がとれ，紅色の軟らかい肉芽腫様の底面となる．

⑤**白色期（上皮形成期）**：（f）肉芽の上が再上皮化し，白色の瘢痕状を呈する．壊死が深く及ぶと，筋膜・筋・骨が露出し，蜂巣炎，骨髄炎（骨折・脱臼）をきたす．また辺縁に向かってポケットを形成し，滲出液は貯留して二次感染をきたして難治化する．

以上の褥瘡の重症度と経過の評価に日本褥瘡学会の DESIGN-R がよく用いられる（表 12-2）．

予防

①全身状態を良好に保つ．栄養補給．

②同一部位に過大な持続性圧力が加わらないように体圧分散，体位変換，浮腫の治療を心がける（エアマット・ウォーターマット，寝衣やシーツがしわにならないように，便器挿入で傷つけないように）．

③失禁などに対応し，体表の清潔を図る．

治療

①**黒色期**：壊死組織の除去と感染防御が主目標．壊死塊除去は外科的・化学的デブリドマン．

抗菌外用薬〔イソジンゲル（ポビドンヨード），ユーパスタ（精製白糖・ポビドンヨード），テラジアパスタ，ゲーベンクリーム（スルファジアジン銀）〕．

生食水洗浄．壊死塊下にしばしば膿瘍あり，排膿と抗生物質の投与．

②**黄色期**：膿苔・壊死組織の除去．化学的デブリドマン（酵素：バリダーゼ・ブロメライン）．生食水洗浄．ユーパスタ．吸水性ポリマービーズ（カデックス・デブリサン・デクラート：多孔質の細かいビーズで滲出液を吸収，壊死組織・細菌を吸着する）．

③**赤色期**：肉芽の促進．トラフェルミン（フィブラストスプレー），トレチノイントコフェリル（オルセノン），塩化リゾチーム（リフラップ），アルプロスタジルアルファデクス（プロスタンディン軟膏），ソルコセリル軟膏，ブクラデシンナトリウム（アクトシン軟膏），アズノール軟膏，ドレッシング材（ハイドロコロイド系・アルギン酸塩系）．

④**白色期**：上皮化の促進．アクトシン軟膏，プロスタンディン軟膏，ソルコセリル

表 12-2　DESIGN-R® 褥瘡経過評価用（日本褥瘡学会，2020）

DESIGN-R®　褥瘡経過評価用

カルテ番号（　　　　　）
患者氏名（　　　　　　　）

					月日	/	/	/	/	/	/
Depth　深さ　創内の一番深い部分で評価し，改善に伴い創底が浅くなった場合，これと相応の深さとして評価する											
d	0	皮膚損傷・発赤なし	D	3	皮下組織までの損傷						
				4	皮下組織を越える損傷						
	1	持続する発赤		5	関節腔，体腔に至る損傷						
				DTI	深部損傷褥瘡（DTI）疑い*2						
	2	真皮までの損傷		U	壊死組織で覆われ深さの判定が不能						
Exudate　滲出液											
e	0	なし	E	6	多量：1日2回以上のドレッシング交換を要する						
	1	少量：毎日のドレッシング交換を要しない									
	3	中等量：1日1回のドレッシング交換を要する									
Size　大きさ　皮膚損傷範囲を測定：［長径（cm）× 短径*3（cm）］*4											
s	0	皮膚損傷なし	S	15	100 以上						
	3	4 未満									
	6	4 以上　16 未満									
	8	16 以上　36 未満									
	9	36 以上　64 未満									
	12	64 以上　100 未満									
Inflammation/Infection　炎症 / 感染											
i	0	局所の炎症徴候なし	I	3C*5	臨界的定着疑い（創面にぬめりがあり，滲出液が多い。肉芽があれば，浮腫性で脆弱など）						
				3*5	局所の明らかな感染徴候あり（炎症徴候，膿，悪臭など）						
	1	局所の炎症徴候あり（創周囲の発赤・腫脹，熱感，疼痛）		9	全身的影響あり（発熱など）						
Granulation　肉芽組織											
g	0	創が治癒した場合，創の浅い場合，深部損傷褥瘡（DTI）疑いの場合	G	4	良性肉芽が，創面の 10%以上 50%未満を占める						
	1	良性肉芽が創面の 90%以上を占める		5	良性肉芽が，創面の 10%未満を占める						
	3	良性肉芽が創面の 50%以上 90%未満を占める		6	良性肉芽が全く形成されていない						
Necrotic tissue　壊死組織　混在している場合は全体的に多い病態をもって評価する											
n	0	壊死組織なし	N	3	柔らかい壊死組織あり						
				6	硬く厚い密着した壊死組織あり						
Pocket　ポケット　毎回同じ体位で，ポケット全周（潰瘍面も含め）［長径（cm）× 短径*3（cm）］から潰瘍の大きさを差し引いたもの											
p	0	ポケットなし	P	6	4 未満						
				9	4 以上 16 未満						
				12	16 以上 36 未満						
				24	36 以上						
部位［仙骨部，坐骨部，大転子部，踵骨部，その他（　　　　）］					合計*1						

＊1　深さ（Depth：d/D）の点数は合計には加えない
＊2　深部損傷褥瘡（DTI）疑いは，視診・触診，補助データ（発生経緯，血液検査，画像診断等）から判断する
＊3　“短径”とは“長径と直交する最大径”である
＊4　持続する発赤の場合も皮膚損傷に準じて評価する
＊5　「3C」あるいは「3」のいずれかを記載する。いずれの場合も点数は3点とする

軟膏，アズノール軟膏，トラフェルミン（フィブラストスプレー），ドレッシング材（ハイドロサイト）．

⑤ポケットはよく洗浄し，生食水ガーゼを詰め，切開を加えて肉芽化を図る．潰瘍が難治性のときは植皮を含めての外科的療法も考慮．

全身的治療

栄養管理・脱水防止・感染予防．精神身体的ケアにより寝たきり状態（特に同一姿勢での）からの脱出を図る．

〔付〕**神経原性壊疽** neuropathic gangrene：中枢または末梢の神経病変に由来する四肢末端の壊疽と潰瘍で，脊髄空洞症・脊髄癆・脊髄外傷・ハンセン病・アミロイドーシス・肢端潰瘍欠損症（acropathie ulceromutilante：家族性 Thèvenard 型，非家族性 Bureau-Barrière 型）・末梢神経外傷などが基礎に存在する．しばしば外傷・熱傷・感染が誘因．限局性紅斑・浸潤，時に水疱で始まり，深い潰瘍を形成する（足穿孔症 malum perforans pedis）．

2. 自己損傷症 artefact，多発性神経症性壊疽 multiple neurotic gangrene，ヒステリー壊疽 hysteric gangrene，neurotic excoriation，dermatitis artefacta ○

症状（図 12-2～4）

突然，紅斑・びらん・潰瘍・壊疽などが発生する．手の届く範囲（四肢・胸部・顔面）に多く，背中央を避ける．右利きの人には左側に多発する．女性では月経周期と一致することもある．爪・刃物・薬物（酸・アルカリ・腐食剤）・タバコの火など使用材料や方法により，種々の異なった皮疹を示す．稀に着色・異物沈着・異物塗布のこともある．**抜毛狂**（trichotillomania）（☞ p.755），**咬唇症**（cheilophagia），

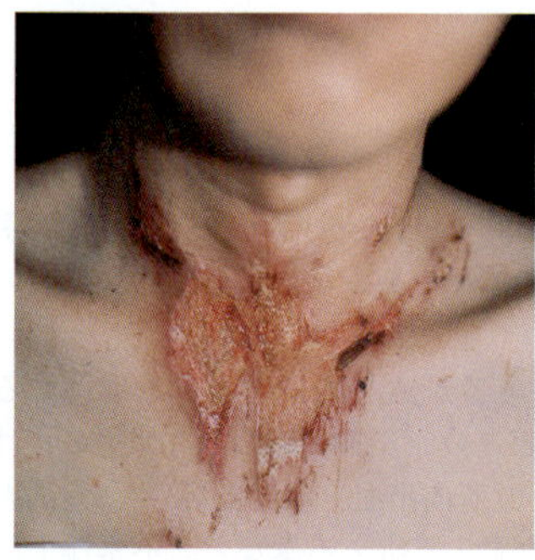

図 12-2 自己損傷症

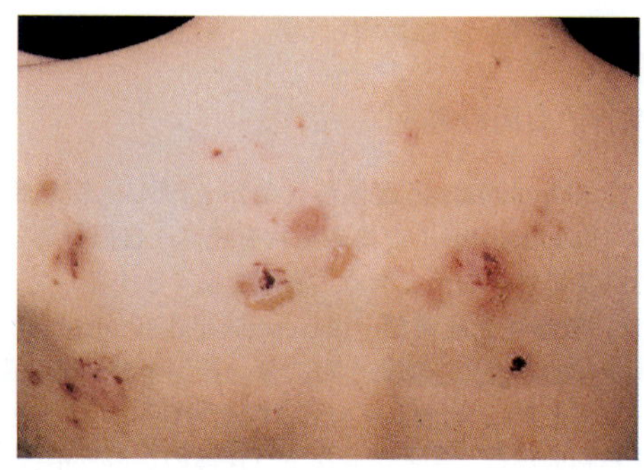

図 12-3 自己損傷症

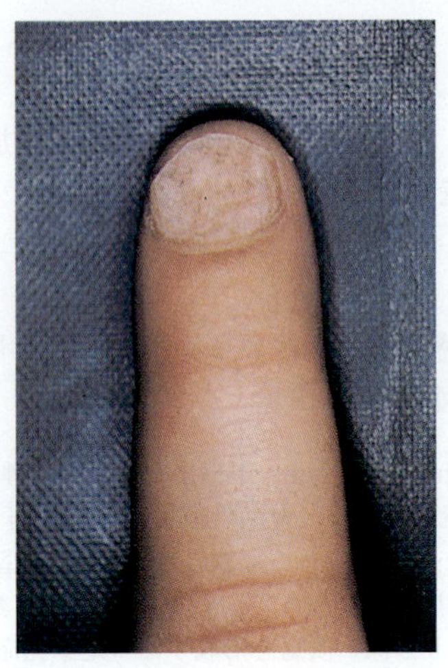

図 12-4　咬爪症

咬爪症（**onychophagia**）（☞ p.784）などの特殊型もある.

病因

統合失調症やうつ病，知的障害，ヒステリー，学校へ行きたくない，仕事をしたくない，退院したくない，戦線より離脱したい，人にかまってもらいたい，医療担当者（医師・看護師）に会いたいといった欲求などを背景に自らを傷害する.

診断

①個人の環境・精神状態の問診と解明，②自己損傷の器物と行為の発見，③皮疹の経過の観察，④精神的基盤の解決による皮疹発生の停止.

治療

精神的要因の解決.

〔付 1〕**Münchhausen 症候群**（Asher 1951），**空想虚言症**（pseudologia phantastica），**病院放浪**（hospitalism）：虚偽の症状を述べ，自傷行為により種々の奇妙な病状を生じ，過度の治療（特に外科的）を求め，病院を転々とする.

〔付 2〕**被虐待児症候群**（battered child syndrome）：保護者が意識的に子どもを虐待する.
①身体的虐待：ⓐ切傷・打撲傷・挫傷・擦過傷・歯型痕・皮下出血（新旧混在，思いがけない部位と形），ⓑ熱傷・凍傷，ⓒその他（骨折・脱臼・頭蓋内出血・臓器破裂），②性的虐待，③精神的虐待，④ネグレクト（保護の怠慢と拒否）：放置・飢餓・不潔など. 不審な上記症

状をみたときは小児虐待も疑診する必要あり．

2 温度・化学物質・電撃による皮膚障害

1. 熱傷 burn, combustio ◎

高熱の気体（火炎を含む）・液体・固体に触れて生じる皮膚および粘膜の障害で，軽症例から全身症状を呈し，あるいは生命の危険性の高い重症例まで軽重の幅が大きい．熱は皮膚・粘膜の組織，特に血管内皮細胞を障害して血栓を形成，局所のうっ血と浮腫を起こす．細胞障害に伴って炎症反応が起こり，血管の透過性が亢進，水疱形成や組織の壊死へと進行する．広範囲熱傷では全身の血管の透過性が亢進して血漿成分の血管外漏出を起こし，循環血液量が低下する．

受診時にはまず，①年齢，性別，体重，職業，②基礎疾患や内服薬の有無，③受傷時間，原因，部位（気道や粘膜傷害の可能性を含めて），④応急処置の有無と方法を確認する必要がある．熱傷の治療と予後推測には重症度の把握が極めて重要で，熱傷の深さと受傷面積を基準に重症度を判断する．

深さについて

熱傷の深さ，深達度は「温度×時間」で決まる．湯タンポによる熱傷は低温ではあるが接触時間が長いので，真皮深層ないし皮下に及ぶことも多く，火炎のような高温でも瞬間的であれば，真皮浅層熱傷にとどまりうる．熱傷の深さは先端鋭利な注射針などで受傷部位を刺して痛みを感じるかどうかである程度判断できる．痛みを感じれば末梢の神経が温存されている．

深さと病変（図 12-5，6，表 12-3）

①**表皮熱傷（Ⅰ度）**：紅斑と浮腫．灼熱感や軽度のひりひりした疼痛がある．数日で治癒．一時的な色素異常の他，後遺症はない．

②**真皮浅層および深層熱傷（Ⅱ度）**：浅層熱傷は紅斑・浮腫が著明で，24 時間以内に水疱を形成，内容は漿液性→ゼリー状と変ずる．破れてびらん面を呈し，分泌液が多く，痛みを伴う．2～3 週以内に結痂乾燥して治癒する．深層熱傷はしばしば潰瘍化して遷延し，上皮化に長期間を要する．その後も長く色素異常が残り，瘢痕（萎縮性・肥厚性）をきたす．

③**皮下熱傷（Ⅲ度）**：壊死となり，黒褐色の焼痂（eschar）で覆われ，知覚が消失

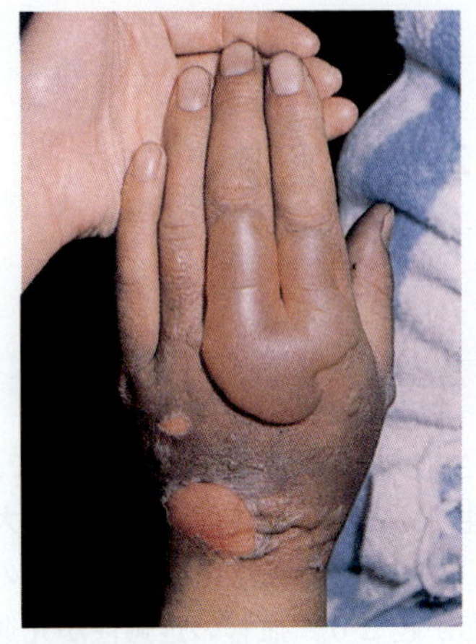

図 12-5　真皮熱傷

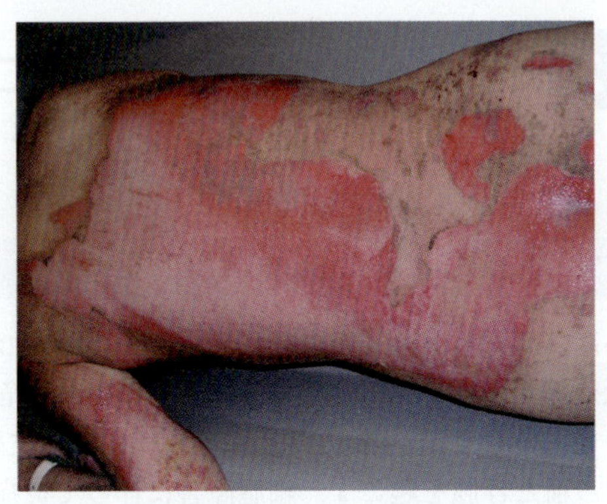

図 12-6　広範囲の熱傷

表 12-3　熱傷の深度

分　類	組織学的分類	主症状	後　遺　症	治療
epidermal burn（表皮熱傷）	表皮	紅　斑	一時的な色素沈着および脱失，瘢痕（−）	保存的療法
superficial dermal burn（真皮浅層熱傷）	真皮	水　疱	色素沈着および脱失が数週〜数ヵ月続き，瘢痕（−）	保存的療法
deep dermal burn（真皮深層熱傷）	真皮	潰　瘍	瘢痕を残す	植皮
deep burn（皮下熱傷）	皮下組織	壊　死（炭化）	瘢痕を残す 難治性潰瘍	植皮

する．1〜2週で分界線を生じ，焼痂は脱落，肉芽組織が生じて，上皮化してもしばしば高度の瘢痕・瘢痕ケロイドを残す．関節は拘縮して機能障害をきたす．熱傷瘢痕は10〜30年後に有棘細胞癌（**熱傷瘢痕癌**）を生じることがある．

受傷面積（図 12-7〜9，表 12-4）

① **9の法則** rule of nines（Wallace）：身体の主な部位を9を単位として分割したもの（成人で）．最も簡単であり，救急の場合にはこれで概算し，加療しながら，次のBerkowの数で修正して精度を高める．

② **Berkowの数**（Lund-Browder 修正）：①より詳しく判定するにはこのほうがよい．A，B，Cの部位は年齢的差異が大で成長とともに脚の比率が高く，頭顔部の比

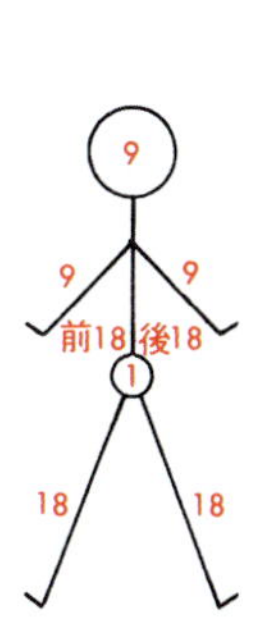

図 12-7　9の法則
（数値は%を示す）

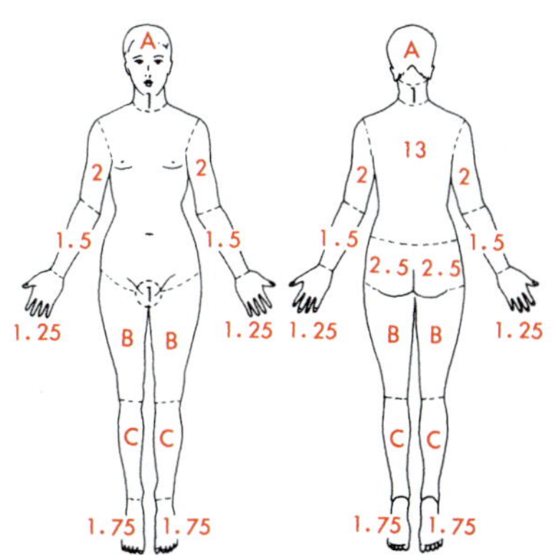

図 12-8　Berkow の数

表 12-4　Berkow の数

部位＼年齢	0	1	5	10	15	成人
A　½ 頭顔	9.5	8.5	6.5	5.5	4.0	3.0
B　½ 大腿	2.75	3.25	4.0	4.25	4.5	4.75
C　½ 下腿	2.5	2.5	2.75	3.0	3.25	3.5

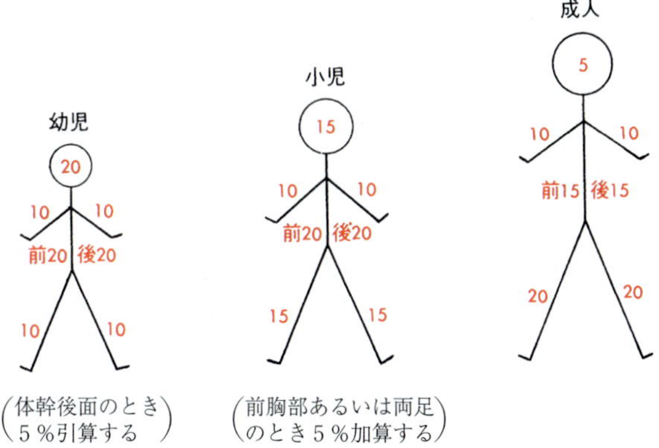

図 12-9　5の法則（数値は%を示す）

率が低くなる．

③**5 の法則** rule of fives（Lynch）：Berkow の数はやや複雑であるので，年齢差を考慮してより簡単にしたもの．

④**手掌法**：受傷面積が小さいときは受傷した人の手掌面積がおおよそ1%に相当するので，これを利用して受傷面積を概算できる．

重症度

1）面積（burned body surface area；%BSA）・深度より決定する（Artz の基準）．

①**重症熱傷**：30%以上の第 2 度熱傷，10%以上あるいは顔・手・足・外陰部の第 3 度熱傷，呼吸器障害・骨折あるいは大きな軟部損傷を合併するもの，電撃傷，深い化学熱傷．入院して専門的加療．

②**中等度熱傷**：15～30%の第 2 度熱傷，顔・手・足・外陰部を除く部位の 10%以下の第 3 度熱傷．入院加療．

③**軽症熱傷**：15%以下の第 2 度熱傷，2%以下の第 3 度熱傷．外来加療．

2）**熱傷指数**（burn index；BI）とは第 3 度熱傷% + 1/2 第 2 度熱傷%の数値をいい，これが 10～15 以上になると，重症熱傷として取り扱う．

3）BI に年齢を加えたものが**熱傷予後指数**（prognostic burn index；PBI）で，PBI ＜ 70 は大部分救命可能，70～100 は半数が救命可能，100 以上では救命は極めて困難となる．気道熱傷の併存で致命率は 20～50%上昇し，特殊部位（顔・手背・会陰肛囲・足背など）は整容的・機能的予後に関与する．

重症熱傷の全身症状

体表面積 10%以上では，多少にかかわらずショック症状を起こしうる．

①**1 次ショック**：1～2 時間後に起こる．血管運動神経の反射による血行障害．

②**2 次ショック（熱傷ショック）**：血漿減少・蛋白喪失・電解質平衡の乱れなどを起こす低容量性ショック（hypovolemic shock）．2～48 時間で発する．発熱・蒼白・四肢冷感・頻脈～徐脈・口渇・血圧降下・乏尿・あくび・精神的興奮・けいれん・嘔吐などの症状を伴う．

③**感染**：受傷後 1～4 週に起こりやすく，常に創傷部感染・呼吸器感染・尿路感染・敗血症・カテーテル部の（血栓性）静脈炎の発生に注意する．創傷感染菌としては，ブドウ球菌・MRSA・緑膿菌・腸球菌・エンテロバクター・プロテウス・アシネトバクター菌などが多い．敗血症はショック・心内膜炎・多臓器不全（MOF）をきたす危険性がある．

④**諸臓器の障害**：浮腫による気道閉塞・肝（うっ血・混濁腫脹・肝細胞変性）・腎（lower nephron nephrosis）・脳（水腫・軟化）・心（心筋変性）病変を生じ，後

期死因となる．

・受傷後のショックと急性腎不全は輸液療法などでコントロールされるようになった．しかし，皮膚粘膜のバリア機能障害，各種免疫能の低下，挿管・カテーテル留置など易感染状態が持続するので常に綿密な全身管理が望まれる．

治療

重症度と受傷後の時期によって治療法を選択する．軽症例は局所療法が主体，広範囲重症例では輸液によるショック対策，多臓器障害や感染症に対する処置を含む全身の管理と病巣被覆の手術治療など順次多岐にわたる対応が必要である．

1）**局所療法**：受傷直後の急性時には流水などによる冷却（30～60 分）が重要，創部洗浄の効果もある．清潔なガーゼやタオルを当てて医療機関へ．その後は基本的に，ⓐ感染源となる壊死組織を除去し，ⓑ損傷部を修復し，ⓒ感染の防止を図る．

①**第 1 度熱傷**：放置してもよいが，紅斑・疼痛が強ければステロイド軟膏，ワセリンの塗布．

②**第 2 度熱傷**：水疱が大きく，破損していなければ内容吸引または水疱を剪去．小さい水疱はそのまま．感染の徴候がなければ創傷被覆剤あるいは生体包帯（biological dressing）（アロアスク D・ライオデルム・メイパック・バイオブレン）を用いる．感染徴候があれば消毒，抗生物質軟膏・シルバーサルファダイアジンなどを塗布する．一方，開放療法（exposure method）として消毒後無菌的に露出乾燥させ，痂皮下に治癒を待つ方法もある．特に顔面・外陰部で用いられる．真皮深層熱傷で付着する壊死組織は外科的デブリドマン（débridement）し，上皮化が遅れたり，難しい場合は植皮術を行う．

③**第 3 度熱傷**（図 12-10）：デブリドマンと植皮術をなるべく早期に行う．熱傷創面を閉鎖することにより感染・体液漏出・瘢痕拘縮を防止，治療期間を短縮できる．植皮面が広いときは通常の sheet graft に替えて mesh graft や patch graft などもよく使われる．広範囲熱傷に培養皮膚植皮も試行されている．創面閉鎖前には感染（MRSA・緑膿菌）予防，焼痂の除去，局所化学療法（topical chemotherapy；シルバーサルファダイアジンなど），減張切開（incisional decompression）（組織圧 40 mmHg 以上のとき）．

2）**全身療法**：広範囲熱傷では重症度を判定，滅菌シーツへ臥床させる．①バイタルサイン確認，②気道確保・酸素投与，③鎮痛・鎮静薬投与，④血液検査（Hb・Ht・血球数・蛋白量・尿素窒素・Na・K・Cl・ガス分析・血液型），尿検（量・蛋白，留置カテーテル），⑤静脈確保と補液（後述），⑥胃サクション挿入（急性胃拡張防止），⑦感染防止（壊死塊は細菌感染の培地となりやすく，敗血症を続

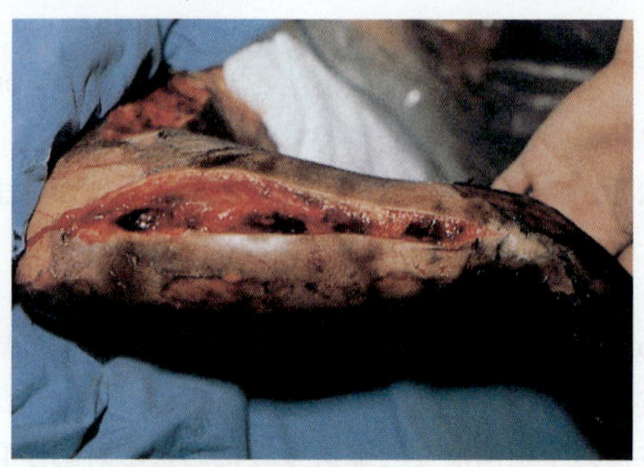

図 12-10　重症熱傷（減張切開）

発する危険あり，状況に応じて破傷風予防），⑧心電図・胸部 X 線その他，⑨強心薬（ジギタリスなど），酸塩基平衡保持．

3）**補液法**：細胞外液補充によりショックを防止するのが主目的で，Parkland（Baxter）法が広く用いられている．

・Parkland（Baxter）法（電解質液のみによる）
乳酸加リンゲル液 4 mL ×体重（kg）×受傷面積（%），最初の 8 時間に 1/2 量，さらに次の 16 時間に 1/2 量を投与する．総蛋白量が 3 g/dL 以下であればヒト血漿製剤を追加する．24 時間以後はヒト血漿製剤 500〜1,000 mL ＋ブドウ糖 2,000 mL 前後を投与する．

・①尿量（1〜0.5 mL/kg/h，小児では 40 mL/ 体表 /h），②バイタルサイン（血圧 100 mmHg，脈圧 30 mmHg，脈拍 120 以下），③中心静脈圧（1〜5 cmH_2O），④電解質・Hb・Ht などを指標とする．

2. 化学熱傷（薬傷）chemical burn　○

産業災害や化学物質取り扱いミスにより起こる皮膚傷害．以下の化学物質によることが多い．

①**酸**：硫酸・硝酸・塩酸・酢酸・リン酸・シュウ酸・フッ化水素酸．

②**アルカリ**：水酸化ナトリウム・水酸化カリウム・水酸化カルシウム・アンモニア．

③**腐食性芳香族**：フェノール・クレゾール・ベンゼン・トルエン・フェニルヒドロキシアミン・フェニルヒドラジン．

④**脂肪化合物**：灯油・石油ベンジン・ホルムアルデヒド・イソシアネート・パラコート・酸化エチレン・エチレンイミン・三塩化酢酸・塩化メチル．

⑤**金属とその化合物**：ナトリウム・酸化カルシウム（生石灰）・炭酸ナトリウム・

次亜塩素酸ナトリウム・塩化亜鉛・四塩化チタン・クロム酸・硝酸銀・硫酸銅.
⑥**非金属とその化合物**：リンとその化合物・硫化水素・塩化硫黄・二酸化硫黄・過塩素酸・フッ素化合物・四塩化炭素.

症状

①**酸**：収斂・腐食・凝固をきたす（凝固壊死）. 発赤・水疱より壊死・結痂にいたる. 痂皮の色は酸により特徴あり（濃硫酸＝白→黒褐色，硫酸＝黄色，塩酸＝汚穢灰白色，硝酸＝黄褐色，酢酸＝白色）. フッ化水素酸は最も強い酸で疼痛強く，進行性に深い潰瘍を形成する（図 12-11）.
②**アルカリ**：蛋白を溶解する（溶解壊死）. 痂皮は軟らかく褐色でゼラチン状. 酸より疼痛は少ないが深達しやすい.
③芳香族化合物は蛋白変性作用があり，高濃度で凝固壊死を起こす. 脂肪族化合物は脱脂作用，蛋白変性作用により腐食を生じる. 金属とその化合物は多く水と反応して発熱，酸，アルカリとして組織に作用する. 非金属とその化合物は反応性に富み，酸化して強酸として作用するものが多い.

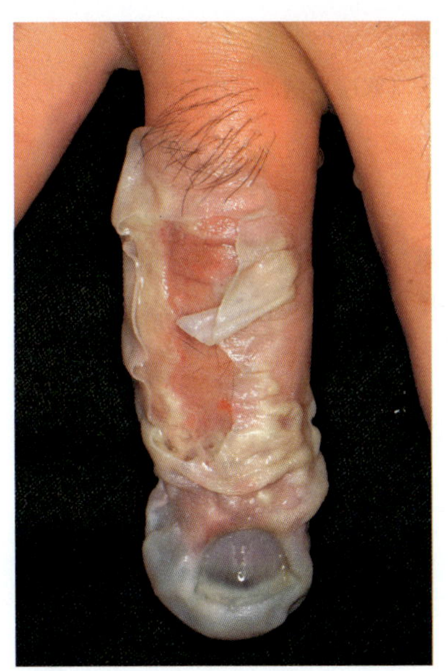

図 12-11　フッ化水素酸による化学熱傷

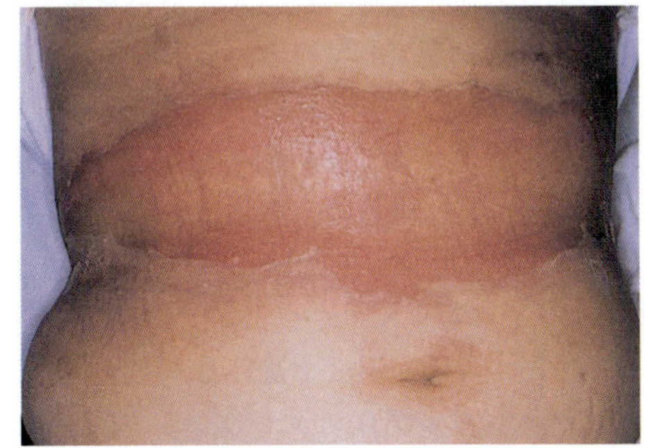

図 12-12　灯油皮膚炎

治療

できるだけ早く十分に流水で洗い流す．中和剤はかえって皮膚障害をきたすことがあるので使わない．あとは熱傷処置に準ずる．眼受傷の有無に注意．なお，フッ化水素酸による場合はグルコン酸カルシウムの皮下注射，時に動注する．クロム酸は皮膚からの吸収が速やかで毒性が強いので，組織の除去，時に血液透析を要する．生石灰を含むナトリウム・カリウム化合物は水と反応して高熱，強アルカリとして作用するが，大量流水での洗浄が基本．

〔付 1〕**灯油皮膚炎**（図 12-12）：暖房用灯油による．長時間接触，すなわち灯油のしみ込んだ衣類に接していた部位に発する．幼児に多い．熱感・潮紅・浮腫があり，これに小水疱（角層下水疱・有棘層内海綿状態）やびらんを伴い，第 2 度熱傷に類似．ステロイド軟膏外用で治癒する．

〔付 2〕**garlic burn**：ニンニク（Allium sativum）をすり下ろして関節痛・虫刺症・切傷などに外用する民間療法あり．刺激により紅斑・びらん，時に潰瘍を生じる．

3. 凍瘡 chilblain，pernio　○

いわゆる「しもやけ」で，慢性の寒冷刺激による小動静脈収縮とそれに続くうっ血性炎症と考えられている．

病因

個体の素因（末梢循環・発汗）の他，環境因子（寒冷・湿潤）がこれに加わり，局所的血行障害（うっ血・滲出・浮腫）をきたす．

症状（図 12-13，14）

寒冷に曝露しやすい末梢部（指趾尖・耳朶・鼻尖），時に頬・膝蓋・前腕などに，腫脹・うっ血・水疱・びらん・潰瘍を生じ，瘙痒を伴う．全体が紫藍色うっ血性に腫脹する樽柿型（T 型）と，多形滲出性紅斑型（M 型）とに分けるが，その中間型もある．

初冬・終冬に多く，気温 4～5℃で日差 10℃以上の時期に頻発．かつて学童期に多かった．時に中壮年，高齢者に出現する．

治療

①予防：保温，湿気を避ける，マッサージ．②凍瘡軟膏外用（ビタミン E 含有）．③ビタミン E・プロスタグランジン製剤内服．暖かくなっても軽快しないときは SLE などを疑診，検査する．

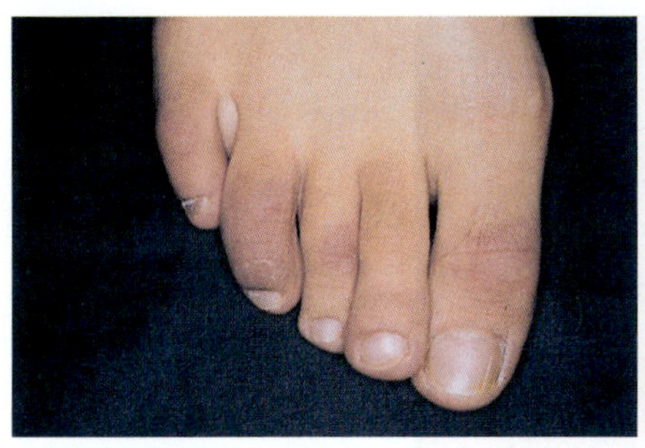
図 12-13　凍瘡

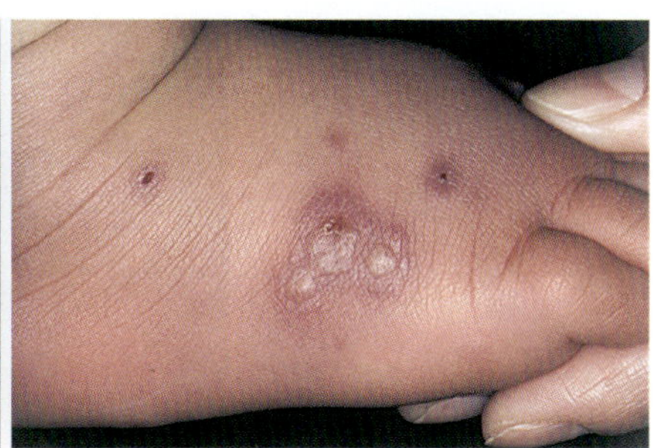
図 12-14　凍瘡

4. 凍傷 frostbite, congelatio　◎

寒冷による組織凍結と末梢循環障害とにより起こる皮膚組織傷害である.

疫学

防寒具の発達により登山（登山者の指趾切断例）・スポーツなどによるものは減少している. 泥酔して寒中屋外にて睡眠して受傷する例などがある.

病因

低温により血流が停滞し, 血栓を形成, 組織が滲出・浮腫・水疱化, これに組織液・細胞自体の凍結が加わって壊死に陥る. 温度（－20℃以下が危険）＋風力により冷凍力が規定される. －26℃以下では無風でも発症しうる.

凍力（無風時相当温度）＝外気温（℃）＋〔外気温（℃）－36〕/10 ×風速（m/sec）

症状（図 12-15）

①**第 1 度凍傷**（**紅斑性凍傷** c. erythematosa）：貧血, 次いで充血, さらに進むとうっ血して紫藍色となり浮腫性に腫脹し, 瘙痒, 軽いしびれ感, 疼痛を訴える.

②**第 2 度凍傷**（**水疱性凍傷** c. bullosa）：水疱, 血疱を生じ, びらんして結痂する. 知覚が鈍麻する. これで止まれば瘢痕なく回復する.

③**第 3 度凍傷**（**壊死性凍傷** c. escharotica）：壊死に陥って潰瘍化, 指趾端は分界線を現して脱落, 感覚はなくなる. 骨・筋に及ぶと指趾は離断する（これを特に第 4 度凍傷と呼ぶことがある）. 全身冷却し, 長時間に及べば嗜眠状態となり凍死する.

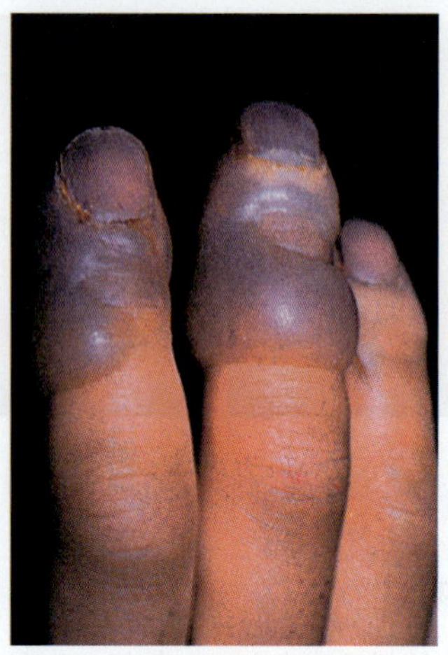

図 12-15　凍傷（水疱）

治療

①徐々に加温（乾布で丁寧に摩擦，凍結指趾を折らぬように，凍結が溶けたら微温湯へ）．40℃温湯で急速に温めたほうがよいという考えもある．

②第 1 度は凍瘡軟膏，第 2 度には軟膏貼布，第 3 度の壊死部は軟膏処置・壊死塊除去で経過をみて，回復の望めないときは切断．

③二次感染の予防．

④全身凍傷のときは，徐々に外界の温度を上げ，乾燥タオルで摩擦し，皮膚潮紅をみたら毛布で保温する．浴槽（40～42℃）も用いられる．急激な加温は血流が皮膚に集中して，かえってショックをきたすので注意．温かいコーヒー，レモン汁，ウイスキー，適宜強心剤・補液を与える．直腸温 30℃以下のものはかなり予後が悪い．

5. 電撃傷 electric burn，electrical injury ◎

通電による直接損傷と，電気火花による熱傷とがある．

原因

直流 60V 以上で起こりうる．交流のほうが危険．落雷でも生じる（雷撃傷 lightening injury）．

症状

①**ショック**：意識喪失，重要臓器内を流れると即死．

②**電流斑**：電流入出部に境界明瞭な，線状～点状の，白色光沢性～黒色の隆起ないし陥凹を，特に高圧のときは皮膚欠損して潰瘍を形成，樹枝状紋理を示すこともある（電撃斑）．

③**電撃性鉱性変化**：電導子の金属分子が高熱で鎔化，気化して，表皮に沈着する．

治療

熱傷に準ずる．症状に応じて人工呼吸・心マッサージなど．

3 光線性皮膚症

光線が大きな因子として作用し，皮膚障害をきたすとき，これを光線性皮膚症(light eruption）と称する．過剰の日光曝露によるのが日光皮膚炎（日焼け）であり，曝露エネルギー以上に過剰反応を生じるのが光線過敏症である．

真空紫外域（100～190 nm）以外の**紫外線**（UV）は UVC（190～290 nm），UVB(290～320 nm)，UVA（320～400 nm）に分けられる．UVC はオゾン層で吸収されて，波長約 300 nm 以上の紫外線・可視光線・赤外線の連続スペクトルが地表に到達する．地表に到達する太陽光のうち UVB・UVA・可視光線・赤外線が 0.5，6.3，38.9，54.3％を占める．波長により皮膚への深達度が異なり，UVB は表皮から真皮浅層，UVA は真皮深くまで到達する．通常の窓ガラスを UVA は通過するが，UVB は通過しない．

UVB は sun burn，UVA は sun tanning を起こし，細胞の DNA 傷害（ピリミジン 2 量体・6-4 光生成物など）は主に UVB によって惹起される．紫外線（UVB・UVA）はフリーラジカルや活性酸素種を生成，DNA の酸化的傷害，蛋白異常，脂質の酸化を引き起こして細胞・組織を傷害する．DNA の酸化的傷害である 8-hydroxy-2'-deoxyguanosine（8-OHdG）は変異原性の強い損傷である．

主に UVB が「日焼け」などの皮膚障害〔DNA 傷害→日焼け細胞（sunburn cell），発癌〕に，UVA や可視光線（400～780 nm）が光線過敏症に関与する．

1. 日光皮膚炎 solar dermatitis，sunburn（図 12-16） ○

過度の日光曝射により生じる紫外線の急性皮膚障害で，海水浴・アウトドアス

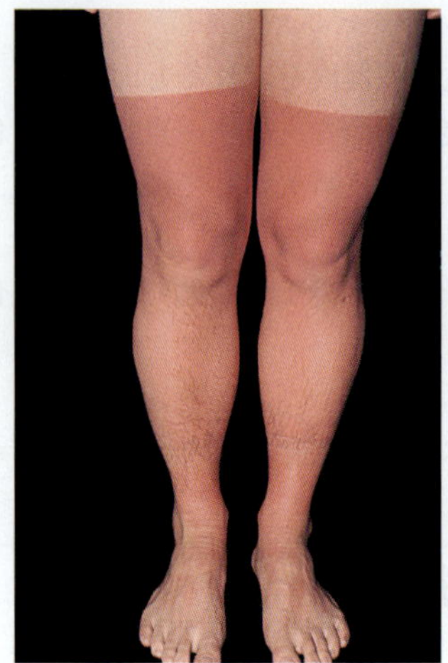

図 12-16　日光皮膚炎

表 12-5　光線と波長

100 nm	190	290 320		400	780 nm	0.1 cm
電離線 γ，X	紫外線（ultraviolet light）			可視光線	赤外線	電波
	真空紫外域	C	B	A		

（nm＝mμ＝10 Å＝10^{-7} cm）

表 12-6　光線障害と光線過敏症

A．光線障害
　1．日光皮膚炎
　2．慢性光線皮膚症
　ⓐ項部菱形皮膚
　ⓑ日光角化症
　ⓒ日光性口唇炎

B．光線過敏症
　1．光接触皮膚炎
　2．光線過敏型薬疹
　3．多形日光疹，慢性光線性皮膚炎
　4．日光じんま疹
　5．色素性乾皮症
　6．Cockayne 症候群，Bloom 症候群，Rothmund-Thomson 症候群
　7．ポルフィリン症
　8．Hartnup 病
　9．ペラグラ

C．光線により誘発・悪化する疾患
LE，皮膚筋炎，多形滲出性紅斑，扁平苔癬，Darier 病，毛孔性紅色粃糠疹，Senear-Usher 症候群，単純性疱疹，肝斑

ポーツ・戸外労働などでみられる．いわゆる「日焼け」．作用波長は主としてUVB，一部UVAも関与．ヒスタミン・プロスタグランジン・ロイコトリエン・IL-1，IL-6などがケミカル・メディエーターとして関与する．

数時間後には紅斑（日光紅斑 erythema solare）を生じ，6〜24時間でピークに達する．次いで浮腫・水疱化し，灼熱感・疼痛がある．水疱膜は薄く，落屑と化し，色素沈着ないし脱失を残して治癒する．長時間曝射では，熱射病を合併し，高熱・意識混濁をきたす．組織学的にsunburn cell（アポトーシスをきたした好酸性・核萎縮の表皮細胞）をみる．局所治療は表皮〜真皮浅層熱傷に準ずる．

2. 光線過敏性皮膚症 photosensitive dermatitis ◎

生理的範囲の光線が作用して皮膚に炎症を生じる疾患の総称で，薬剤などの外因性と遺伝などの内因性とに大別する．

1．外因性光線過敏性皮膚症（図12-17，18）

外的・内的に皮膚に到達した化学物質が日光（多くはUVA）と反応して発症する．薬剤によることが多く，毒性・アレルギー性の機序で発症するが，両者を明確に区別できないこともある．

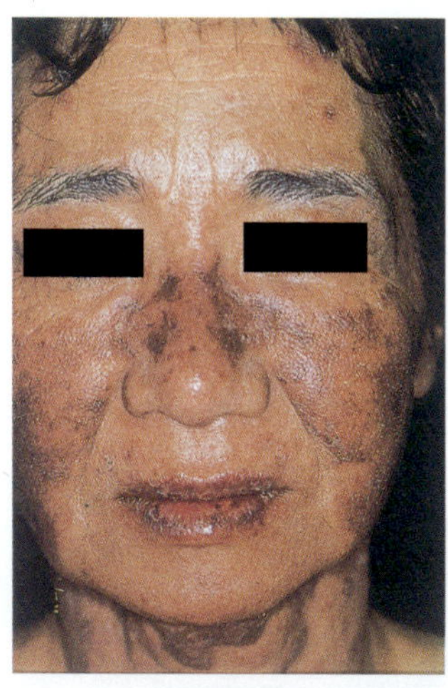

図12-17 光線過敏性皮膚症（薬剤性）

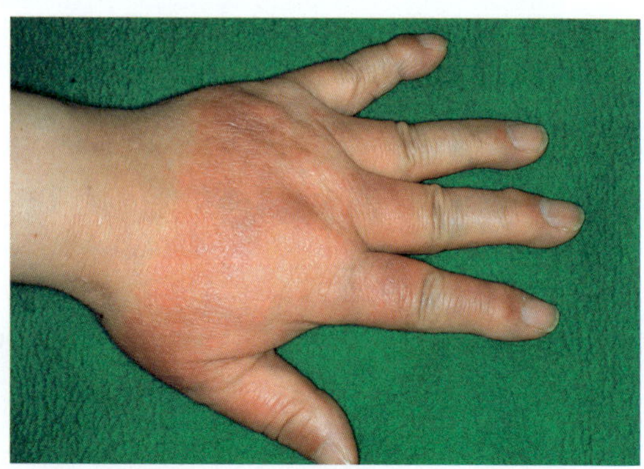

図12-18 光線過敏性皮膚症（薬剤性）

1）光毒性 phototoxicity

皮膚に存在する物質が，特定波長（その物質の吸収波長）〔ほとんどがUVA（>320 nm），一部可視光線〕の光線を吸収して励起され，ラジカル反応や一重項酸素反応を起こして細胞成分へエネルギーが移動して傷害を生じる．物質により傷害部位が異なる（ソラレンはDNA，アントラセンは細胞小器官，プロトポルフィリンは細胞膜）．十分な量の光毒性物質と，十分な量の特定波長の光線があれば，すべての人に生じうる．したがって1回の照射で起こり，潜伏期もない．光毒性物質として，ソラレン・テトラサイクリン・コールタール・アントラセン・スルホンアミド・サイアザイド剤，色素類（アクリジン・ピリジン）などがある．臨床的に紅斑と浮腫が主症状で，次いで落屑・色素沈着をきたす（サンバーン様）．組織学的に表皮壊死・変性，真皮多核好中球浸潤．

2）光アレルギー性 photoallergy

皮膚に存在する物質が，特定波長の光線（多くはUVA，一部可視光線）を吸収して化学変化して抗原となるか，ハプテンとなって生体蛋白と結合して完全抗原となる，あるいは励起状態の物質が生体蛋白と光化学反応を起こして抗原を形成する機序が推測されている．新しくできた抗原物質（光抗原 photoallergen）による感作成立には一定の期間が必要で，その後に，同物質存在下に光線に曝露するとそこにアレルギー反応を生じる．この皮膚反応は多彩であり，紅斑，丘疹，小水疱，苔癬様皮疹などを呈する．アレルギー反応なので一部の人にのみ起こるが，その際は感作物質・光線ともにごく少量で容易に炎症反応を生じる．

表 12-7　光毒性・光アレルギー性の比較

反　　応	光　毒　性	アレルギー性
最初の曝露で反応	あ　り	な　し
最初の曝露後の潜伏期	な　し	あ　り
光感作物質の化学変化	な　し	あ　り
キャリア蛋白との結合	な　し	あ　り
臨床症状	サンバーン型	多様（湿疹型）
頻　　度	高　い	低　い
反応に必要な薬剤濃度	高　い	低　い
作用波長	通常吸収スペクトルに同じ	通常吸収スペクトルより長波長（320～400 nm）
以前発症した遠隔部位の再燃	な　し	あ　り
構造類似物による交叉反応	稀	多　い
受動試験・リンパ球幼若化・MIF	陰　性	可　能

光感作物質としてスルホンアミド・テトラサイクリン・ニューキノロン・サイアザイド・フェノチアジン（クロルプロマジン）・経口糖尿病薬（スルホニル尿素）・鎮痛薬（ケトプロフェン）・抗ヒスタミン薬などがある．

この光感作物質は，次の2経路によって皮膚に達する．

①**皮膚外面より**：外用薬（軟膏・貼布薬），化粧水（オーデコロン）・香料・香油（ベルガモット油：ベルロック皮膚炎）・果汁（イチジク・セロリ）・タール・色素（アクリジン系・エオジン系）によることが多く，これを光接触皮膚炎（photo-contact dermatitis）という．

②**体内部より**：薬剤（サルファ剤・サイアザイド系利尿薬・抗菌薬など），食品（ソバ・アカザ）などが体内に摂取され，皮膚に到達して生じる．

3）検査

①**光貼布試験** photo-patch test（☞ p.111）

②**内服照射試験** photo-drug test（☞ p.111）

2．内因性光線過敏性皮膚症

1）多形日光疹 polymorphous light eruption（PLE）（Haxthausen 1929）

若い女性に多い．春・夏に露出部（顔・頸・項・手背・前腕・上胸）に日光曝露後，数時間以内に生じる．湿疹型（日光湿疹），小丘疹および痒疹型（夏季痒疹），局面型（爪甲大までの苔癬化局面，DLE に似るが瘙痒あり），紅斑型（顔頸部に多く，滲出性紅斑），環状肉芽腫型，脂漏性皮膚炎型など多彩な皮膚病変あり．日光曝露を避ければ皮疹は通常1日～2週で消褪する．薬剤など原因の明らかなものを除いた原因不明の光線過敏症の一つである．UVB・UVA に対する MED は正常域のことが多いが，UVB を反復照射，UVA を大量あるいは反復照射すると皮疹が再現できることもある．家族内発症もしばしばで遺伝的素因が関与している可能性も十分ありうる．治療は遮光とステロイド薬外用が基本．PUVA が奏効することもある．

以下の①，②は独立疾患，あるいは本症の類縁疾患として報告されてきたが，近年はその亜型と考えられている．

① **papulovesicular light eruption**（Elpern 1985），**小丘疹性日光疹**（堀尾 1986）micropapular light eruption：夏季日光照射後小丘疹を多発して瘙痒あり．秋に自然消褪．作用波長は UVA．

②**光線痒疹** prurigo actinica（López-González 1961）：幼児期（特に女児）に，鼻尖・耳介・下口唇など顔面・手背・四肢伸側（時に被覆部位にも）に浮腫性紅斑・痒疹・湿疹様病変を生じる．比較的長く皮疹が持続し，瘢痕をきたすこともある．

日光曝露時に増悪．思春期頃から軽快する．アメリカン・インディアンでは家族発症例が多く，イギリス人にはHLA-DR4が関連する．

2）慢性光線性皮膚炎 chronic actinic dermatitis（Norris and Hawk 1990）（図12-19）

光線性類細網症 actinic reticuloid（Ive 1969），persistent light reaction（Wilkinson 1961），photosensitive eczema（Ramsay 1973），photosensitive dermatitis（Frain-Bell 1974）などを総括した概念．露光部皮膚に持続性の紅斑・丘疹・苔癬化局面の急性～慢性湿疹性変化を生じ瘙痒あり，非露光部に拡大することもある．高齢男子に多い．UVBのMEDが低下するのが特徴であるが，UVAや可視光にも過敏性を示す例もある．低線量の光に過敏性を示し，長期間続くために患者も光線が原因と気づかないことが多い．真皮・皮下組織に広くリンパ球（一部異型性を有す）・好酸球・

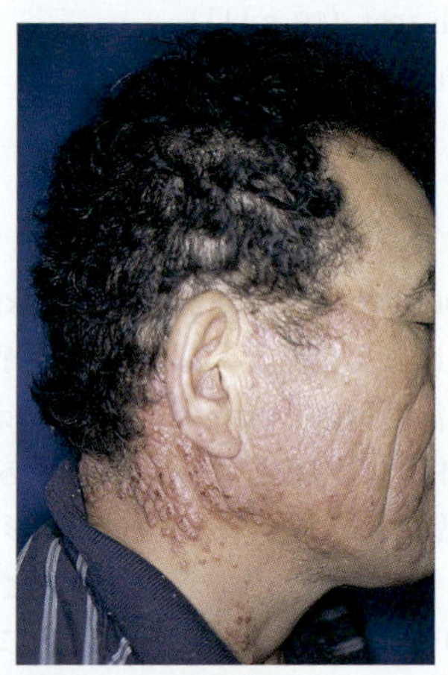

図12-19　慢性光線性皮膚炎

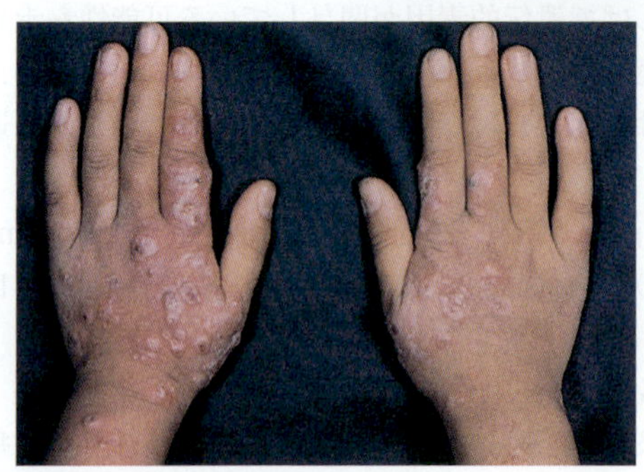

図12-20　種痘様水疱症

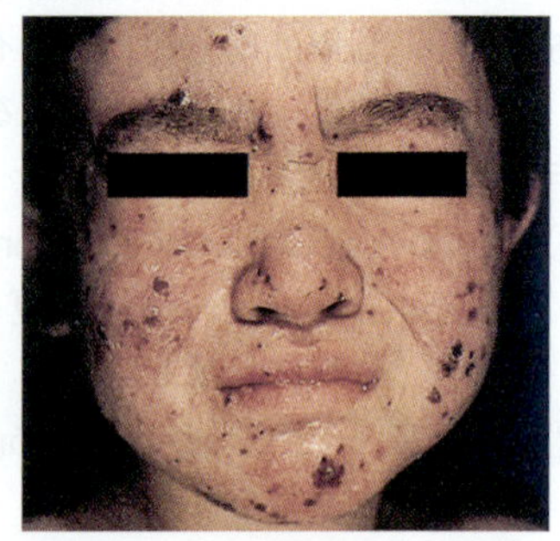

図12-21　種痘様水疱症

組織球の浸潤，一部表皮内に入る（Pautrier 微小膿瘍に似る）．治療は長期にわたる光線の遮断・ステロイド軟膏・タクロリムス軟膏・サイクロスポリン内服．

3）日光じんま疹 urticaria solaris

日光照射 15 分以内に曝露部位にじんま疹を生じ，1〜2 時間で消える．広範囲に生じると頭痛やめまいを訴える．女性にやや多い．285〜320 nm（アレルギー性），320〜400 nm（原因不明，以下同じ），400〜500 nm，280〜600 nm，400 nm（protoporphyrin）の波長域に 6 病型を区別できる．日本では可視光域に原因波長のある日光じんま疹が多い．反復照射・曝露により生じなくなることがある（☞ p.175）．

◎4）種痘様水疱症 hydroa vacciniforme（Bazin 1862）（図 12-20，21）

小児の日光裸露部に生じる小水疱とその後に瘢痕を伴う慢性日光過敏症で，皮膚における EB ウイルス関連のリンパ球増殖症と考えられる（☞ p.717，798）．

病因

原因不明の（先天性）光線過敏症の一種（作用波長は UVA 330〜360 nm）とされてきたが（古典型），慢性 EB ウイルス感染による発症例が指摘されている（欧米より日本で）．数年〜数十年を経てリンパ腫を発生するものがある．これは皮疹の症状が強く，発熱・肝障害を伴い，年齢的軽快傾向も少なく，真皮・皮下のリンパ球に異型性もみられる（重症型）．

症状

①日光照射後紅斑，次いで中心臍窩を有する水疱を生じ，やがて結痂して瘢痕治癒する．顔面（特に鼻尖・頬・耳翼），手背，前腕伸側のような露出部に多い．眼症状（結膜炎・角膜炎・虹彩炎）を伴うことあり．
② 3〜4 歳に始まり思春期頃に自然寛解．男子にやや多く，春より夏にかけ増悪，のち瘢痕のため醜形を残す．夏日水疱症（hydroa aestivale）はこの軽症．

治療

ポルフィリン症を除外する．日光直射を避け，遮光クリームを使用．皮疹にはステロイド外用も有効．

◎5）色素性乾皮症 xeroderma pigmentosum（XP）（Kaposi 1870）

紫外線過敏症と皮膚癌が頻発する高発癌性遺伝性疾患の一つで，紫外線誘発性の DNA 損傷を修復できないために生じる．原因遺伝子が同定され，病態に関する分子機構が急速に解明されている（図 12-22）.

分類

XP は遺伝的に異質性があり，ヌクレオチド除去修復（nucleotide excision re-

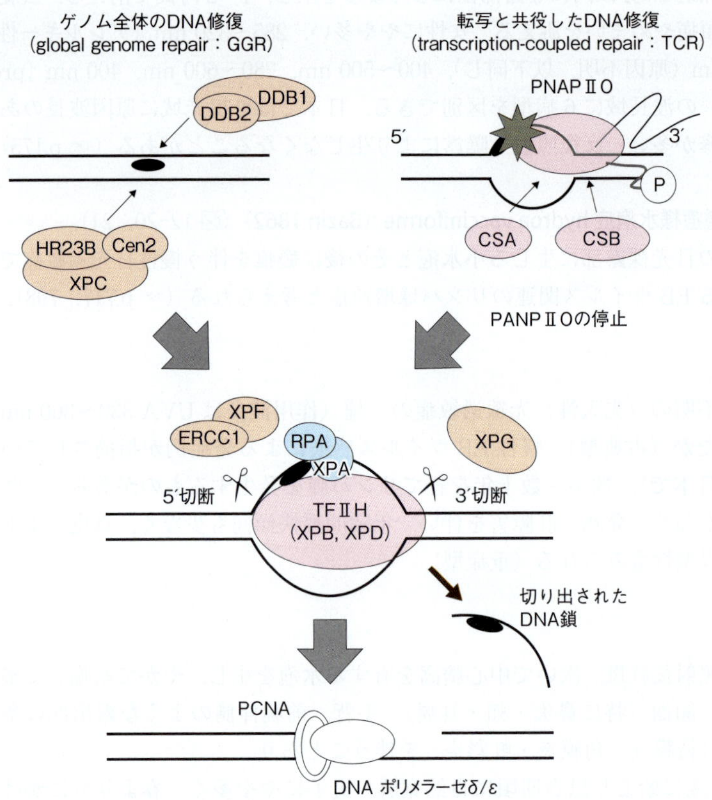

転写鎖上の DNA 損傷は転写伸長中の高リン酸化型 RNA ポリメラーゼⅡ（RNAP Ⅱ O）を阻害し，それが TCR 開始の引き金となり迅速に修復される．一方，非転写鎖上や非転写領域の DNA 損傷は GGR 機構でゆっくりと修復される．CSA と CSB は TCR の，XPC と DDB2（XPE）は GGR の損傷を特異的に認識する．TFⅡH（XPB，XPD）はヘリカーゼ活性をもち，損傷部を 1 本鎖に巻き戻して，XPA と 1 本鎖 DNA 結合蛋白質 RPA がそのバブル構造を安定化する．XPG と XPF-ERCC1 複合体が DNA を切断し，損傷ヌクレオチドを除去する．1 本鎖のギャップは DNA ポリメラーゼにより埋められ，最後に DNA リガーゼが DNA 鎖を連結して修復が完了する．

図 12-22　ヌクレオチド除去修復（伊藤伸介ら，原図：蛋白質 核酸 酵素 2007）

DDB: UV-damaged DNA binding protein（p48 と p125 の subunit より成るヘテロ二量体），HR23B: human homologs of RAD 23B, CSA・CSB: Cockayne syndrome, RPA: replication protein A, ERCC1: human excision repair cross-complementation gene 1, PCNA: proliferating cell nuclear antigen

pair；NER）に異常のある A，B，C，D，E，F，G の計 7 群の遺伝的相補性群（genetic complemental group）および NER は正常に機能するが複製後修復に異常のあるバリアント群（XP-variant）の合計 8 群に分けられる．

疫学

人口 10 万人当たり 1～1.5 人．30％に血族結婚あり．日本では A（53％），variant（25％）が多く，欧米で多い C 群（4％）は少ない．D 群（8％），E 群，F 群（6％）も少ない．G 群は稀．B 群の報告例はない．

病因

常染色体性劣性遺伝で，同胞発生や血族結婚が多い．A ～ G 群は UV 曝露後の DNA 損傷（ピリミジン 2 量体・6-4 光生成物）を除去し修復する機構（nucleotide excision repair）に異常があり，損傷部分を除去できない．通常は修復のために除去した DNA 断片部分を合成する不定期 DNA 合成（UDS）が起こるが，XPA-G ではこれが低下する．XPA-G の遺伝子や遺伝子産物の機能が明らかにされている（表

表 12-8　XP 相補性群と遺伝子

相補性	日本の頻度	責任遺伝子	UDS（%）	紫外線感受性	神経症状	発癌年齢	蛋白の機能
XP-A	約半数	*XPA*	＜5	+++	+	若年	損傷 DNA に結合
XP-B	0	*XPB*	3～7	++	±		3′-5′ヘリカーゼ，ATPase（TFⅡH）
XP-C	少ない	*XPC*	10～25	+	−	若年	損傷認識
XP-D	少ない	*XPD*	25～50	++	±	30 代半ば	5′-3′ヘリカーゼ，ATPase（TFⅡH）
XP-E	少ない	*DDB2*	40～60	±	−	40 代前半	損傷認識，ユビキチンリガーゼ
XP-F	少ない	*XPF*	10～20	+	−	40 代後半	5′エンドヌクレアーゼ
XP-G	稀	*XPG*	＜5～25	++	±	30 代前半	3′エンドヌクレアーゼ
Variant	25～35%	*pol*η	100	±	−	40 代前半	DNA ポリメラーゼ η

・UDS: unscheduled DNA synthesis（不定期 DNA 合成）．
・TFIIH: transcription factor IIH（基本転写因子の一つ）．
・XPB と XPD はそれぞれ TFIIH のサブユニットを形成している．
・XP-B, D, G は Cockyane 症候群（CS）を合併することがある．
・XPG と XPD の変異は TTD（硫黄欠乏性毛髪発育異常）の原因でもある．

12-8).

Variant 群はこのDNA 損傷の除去修復能は正常であるが，損傷を乗り越えてDNA 合成のできるポリメラーゼηに異常がある．A～G群，variant 群患者由来の培養細胞はUV 照射の致死感受性が高く，A群で著しく，variant 群で最も弱い．除去修復やポリメラーゼηが機能しないために複製に誤りが起こりやすく，それが体細胞突然変異を起こし，発癌につながると考えられている．一方，XP では紫外線曝露皮膚でランゲルハンス細胞が著しく減少，免疫能も低下しており，発癌に関与している可能性が高い．

症状

① **XP-A 群**（図12-23，24）

ⓐ光線過敏：幼児期より日光照射により，露出部（顔面・手背・前腕伸側）に紅斑，時に小水疱が強く持続性に生じ反復する．次第に雀卵斑様小色素斑が多発，さらに乾燥粗糙化し，斑状の色素沈着・脱失，毛細血管拡張が混合し，汚穢な外観となる（poikiloderma）．UV 紅斑は経時的に増強して3日目に極期となり（正常人では翌日に極期），消褪も遷延する．MED は正常人の1/3～1/8で窓ガラス透通日光にも，UVA にも比較的少量で反応する．

ⓑ皮膚腫瘍の発生：幼児・学童期より露出部皮膚の上に日光角化症，有棘細胞癌，基底細胞癌，悪性黒色腫，ケラトアカントーマなどを生じる．

ⓒ眼症状：初期に羞明・流涙・結膜炎，末期に眼瞼外反，眼裂に一致して球結膜に色素沈着と毛細血管拡張，失明．

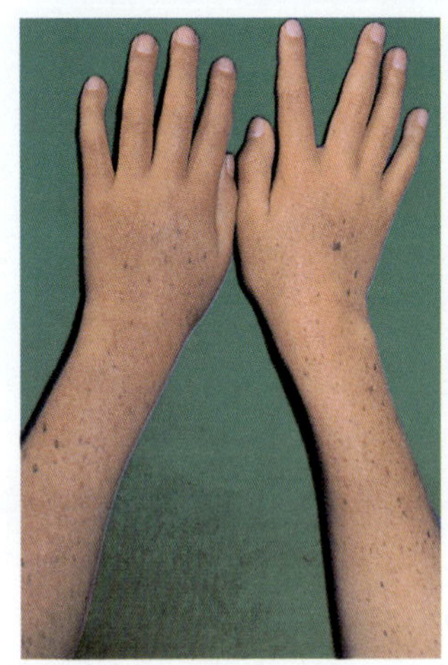

図12-23　色素性乾皮症（A群）

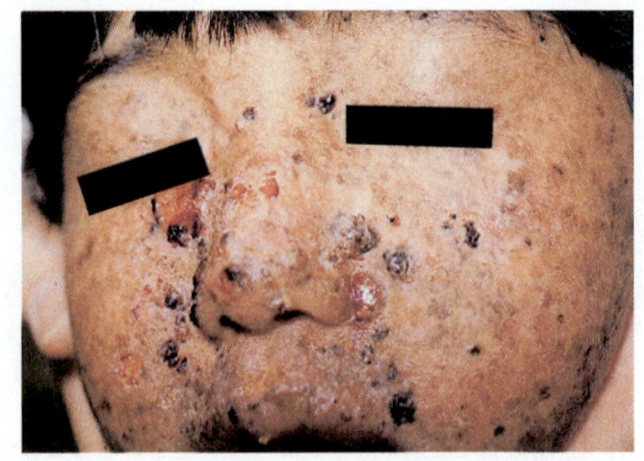

図12-24　色素性乾皮症（A群，多発する腫瘍）

ⓓ神経系障害：1歳頃より生じ進行性．末梢神経・脳神経・錐体路・錐体外路・大脳が侵される．構音・歩行．嚥下・聴力・知能障害が起こる．脳波（αリズム抑制・徐波・棘波）・CT（脳室・脳溝拡大）の異常所見，聴性脳幹反応消失，末梢神経（運動・知覚）伝導速度遅延．

② **XP-variant**（図 12-25）：小児期には紫外線過敏症状は目立たず，MEDも正常範囲のことが多い．発症も遅く，5～7歳頃から，日光曝露部に雀卵斑様小色素斑が生じる．加齢とともに多彩皮膚状となり，各種皮膚腫瘍を生じる．皮膚症状の進行も緩徐，発癌年齢も20歳以降，時に40～50歳と遅い．眼症状も遅発し軽度．

③ **XP-B群**：世界的にも稀．Cockayne症候群と合併．

④ **XP-C群**：乳児期に強い紫外線過敏反応を示し，5～6歳にはXPの定型的皮膚症状を呈する．皮膚癌も多発するが，神経症状を欠く点がA群と大きく異なる．

⑤ **XP-D群**：紫外線過敏反応はA群より軽いが，E群より強い．皮膚腫瘍，悪性化を生じる．神経症状はないことが多いが，あることも．

⑥ **XP-E群**：乳幼児期の紫外線過敏反応は様々であるが，一般にA，D群に比べ軽い．皮膚癌も出現するが遅発性．

⑦ **XP-F群**：日本で初めて報告された．紫外線過敏反応，色素斑などの皮膚症状は軽く，皮膚癌も遅発性で，神経症状はない．

⑧ **XP-G群**：欧米，日本ともに稀．日光過敏症が経年的に軽快することも．神経症状がある例とない例とがある．Cockayne症候群の合併例は重症．

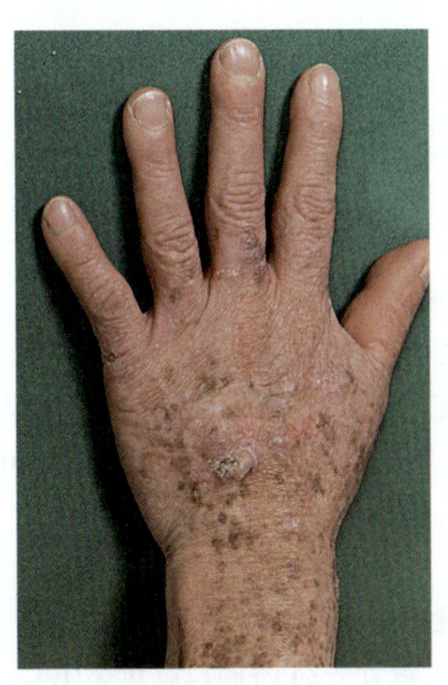

図 12-25　色素性乾皮症
（バリアント，ケラトアカントーマを併発）

治療・予防

①日光を避ける（日中外出制限，衣類・長いつばの帽子・UV 遮断レンズ眼鏡・窓にUV 遮断フィルム貼布・褪色防止用蛍光灯（美術館などで用いられている）・紫外線防御服・SPF の高いサンスクリーン剤外用），②定期的聴覚検査・言語訓練・日常生活の指導・運動機能の保持訓練，③腫瘍の早期治療，④カウンセリング・遺伝相談．

6）Cockayne 症候群

光線過敏性を示す常染色体性劣性遺伝性の早老症の一つ．裸露部の水疱・紅斑・色素沈着・萎縮・老人体格・網膜変性・知能障害．ヌクレオチド除去修復の一つである転写と共役したDNA 修復（transcription-coupled repair）の特異的因子として機能するCSA，CSB 蛋白をコードする *CSA* と *CSB* 遺伝子に異常がある．高発癌性ではない．

7）Bloom 症候群

光線過敏性を示す常染色体性劣性遺伝性の早老症の一つ．顔面の紅斑と毛細血管拡張・発育不全・白血病やリンパ腫発生・姉妹染色分体交換頻度の上昇．RecQ ヘリカーゼ遺伝子の一つ（*BLM*）が原因．

8）その他：ポルフィリン症（☞ p.473），ペラグラ（☞ p.479）．

4　放射線障害

X 線，放射性物質，粒子線などによる障害で，線源は異なっても，本質的に同一の障害をきたす．初期に生じる急性皮膚炎と，のちに生じる晩発障害とを区別する．それぞれレントゲン皮膚炎（X-ray dermatitis），ラジウム皮膚炎（radium dermatitis）などと呼ぶが，総括して放射線皮膚炎（radiodermatitis）という．

照射による反応

1 回線量 3～6Gy（紅斑量の約 60%）照射後．

①**初期反応** early reaction：数分～24 時間に紅斑を生じ，2～3 日で消褪する（初期紅斑 early erythema）．

②**主紅斑** main erythema：8～10 日目より再び紅斑を生じ 20 日ほど続く（28 日目

まで）．21日頃より色素沈着がオーバーラップし，数週～1年続く（軟かい線ほど強い）．

症状（図12-26，27）

○1）急性放射線皮膚炎

紅斑・浮腫・水疱・びらんのような強い反応を示し，灼熱感・疼痛があり，数週～数ヵ月後に色素異常・毛細血管拡張・萎縮・永久脱毛を残して治癒．10Gyを超えると急速に難治性の潰瘍を形成する可能性がある．

2）亜急性放射線皮膚炎

紅斑・色素沈着がより強く，1ヵ月30Gyでは落屑し（乾性放射線皮膚炎 radiodermatitis sicca），後遺症は目立たないが，50Gyとなるとびらん化し（湿性放射線皮膚炎 r. exudativa），萎縮・色素異常などを残す．

◎3）慢性放射線皮膚炎（放射線皮膚）

少量長期間照射後に多い．

①**萎縮期**：皮膚乾燥・小皺・光沢・色素異常・毛細血管拡張・永久脱毛・爪変化．
②**角化期**：肥厚硬化・疣状角化（放射線角化症 Radiation Keratosis）．
③**潰瘍期**：自然に，あるいはわずかの外傷で難治性潰瘍となる．

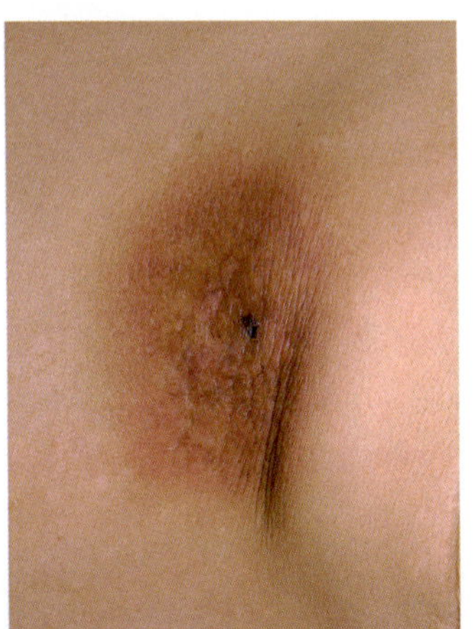

図12-26　急性放射線皮膚炎
（心カテーテル検査時の放射線照射による）

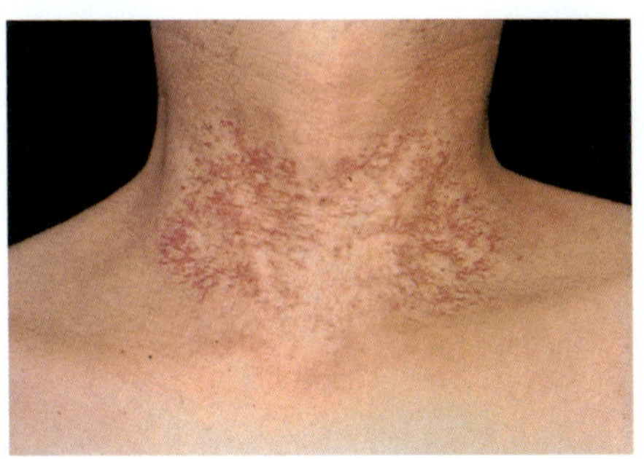

図12-27　慢性放射線皮膚炎

④**癌化期**：角化症，潰瘍，時に萎縮皮膚が癌化（多くは有棘細胞癌，時に基底細胞癌）．癌化は放射線皮膚が発生してから平均15～20年後に発する．稀に肉腫を発生．

治療

①**急性期**：熱傷に準じた局所療法．
②**慢性期**：外的刺激より保護，油性軟膏塗布，整容・機能障害の外科的除去，癌化の予防．
③**癌化期**：外科的療法，抗腫瘍薬（全身的または局所的）．

第13章 薬疹・薬物皮膚障害(中毒疹を含む)

体外性物質が体内に入り，あるいは体内で産生された物質が，生体を障害して発疹を生じたものを**中毒疹**（toxicoderma, toxic eruption）という．薬剤が原因であれば**薬疹**（drug eruption）といい，それ以外の食物，感染症，虫刺などによる狭義の中毒疹と区別する（表 13-1）．しかしながら，原因不明の場合も多く，また薬疹とウイルス発疹症などの非薬剤性の中毒疹との鑑別もしばしば難しい．中毒疹が診断の“waste basket”になっている側面もある．一方，薬疹は近年，多種の薬剤が使用されるにつれてその頻度が増加，多様化する傾向にあり，原因薬剤の同定と治療の重要度が増している．

1 発症機序

遺伝的，あるいは薬理遺伝学的要因が薬疹・中毒疹の発症に関係する．薬剤の代謝に重要なチトクローム P-450 の多型が抗癌剤などの効果や有害事象と関連する．HLA 型と薬疹の関係も，人種による差異があるものの，金皮膚炎，ペニシラミン毒性作用をはじめ，カルバマゼピンによる重症型薬疹（SJS/TEN）などで報告されている．

◎1．アレルギー性

アレルギー性過敏反応であり，通常低濃度の薬剤などで感作され，その成立後に惹起相としての皮疹が生じる．薬剤など摂取者の一部にのみ生じうる．薬剤・抗血清・ワクチン．アレルゲン特異的免疫グロブリン抗体が関与する薬疹としてはIgE抗体伝達型（即時型，Ⅰ型）によるじんま疹やアナフィラキシーが知られるが，Ⅱ型（細胞融解型）やⅢ型（免疫複合型，Arthus 型，血管炎など）のアレルギーが証明される薬疹は少ない．一方，T 細胞が関与する場合，湿疹型，光線過敏症型の一部，真皮型紅斑反応は遅延型過敏反応（Ⅳ型）で生じ，固定薬疹，扁平苔癬型，

表 13-1　薬疹・薬剤障害とその発症因子・機序

アレルギー性	Ⅰ型（即時型）	IgE を介する．多くは抗原曝露 2 時間以内に．じんま疹，アナフィラキシー．
	Ⅱ型（細胞傷害型）	特異抗体と補体の活性化．溶血，血小板減少．
	Ⅲ型（免疫複合型）	免疫複合体による補体の活性化，組織傷害．血清病，血管炎．
	Ⅳ型（遅延型）	感作された T 細胞による．反応に 24～48 時間を要する．紅斑丘疹型薬疹など多くの薬疹．
非アレルギー性	目的以外の薬理作用	抗癌剤の脱毛，エトレチナートの落屑，生物学的製剤・分子標的薬の副作用など．
	薬剤濃度異常上昇	誤認過剰投与，排泄障害，相互作用．
	蓄積	長期投与による蓄積（銀，砒素）．
	二次的副作用	抗生剤の菌交代現象，ステロイド薬による多毛，痤瘡など．
	人体側の条件	特異体質，代謝異常，不耐症など．
	薬剤の漏出	抗癌剤の血管外漏出による潰瘍など．
薬疹の誘発・悪化と関連するウイルス感染症・疾患	薬剤過敏性症候群	特定の薬剤がヘルペスウイルスを再活性化し，それが薬疹を悪化，遷延させる．
	伝染性単核症	EV ウイルス初感染でアンピシリン疹がよく出る．
	HIV 感染症	薬疹が多い．
	SLE	薬疹が多い．
	シェーグレン症候群	薬疹が多い．

皮膚粘膜眼症候群型，中毒性表皮壊死症（TEN）型，GVHR 型の薬疹は細胞毒性型過敏反応（cytotoxic type hypersensitivity reaction）で生じると考えられている．通常，低分子量の薬剤はハプテンと結合して抗原として認識される．T 細胞受容体は抗原提示細胞の MHC（組織適合性抗原）と鍵と鍵穴のような関係で特定の HLA 結合性抗原ペプチド（ハプテン結合薬剤）のみを認識して（HLA 拘束性），強固に結合する．近年は MHC と抗原が非共有結合でゆるく結合し，薬剤が T 細胞受容体のある部分と親和性を持つとき，多くの T 細胞が活性化されうる機序（pharmacological interaction concept：p-I concept）が推測されている．抗原認識，薬疹の発症に後者のような機序が働いている可能性がある．

○2．薬理学的ないし中毒性

非アレルギー性の薬疹・中毒疹・薬剤障害も各種の機序によって生じうる．

①目的外の薬理作用による発疹（ニコチン酸アミド→潮紅，ポルフィリン→光毒性）で一定量以上であれば誰にでも生じうる．多くの生物学的製剤・分子標的薬

による薬剤障害，薬疹・中毒疹も薬物が有する薬理作用が治療目的外の形で発現して生じる．免疫チェックポイント阻害薬は免疫系を非特異的に活性化し，多彩な非アレルギー性薬疹が生じる．

②薬剤濃度の上昇（誤認過剰投与，排泄障害，代謝障害，薬剤相互作用），薬剤相互作用（drug interaction）は単独の薬剤では発症しないが，複数投与によるもので薬剤の相互作用により血中濃度が高まったり，遷延することにより有害事象，薬疹・中毒疹が出現しうる．高齢者には多種薬剤が投与されることが多く，このような薬疹，有害事象も危惧される．

③蓄積作用（銀皮症など），④特異体質，代謝障害など，また⑤薬剤の血管外漏出などによって薬剤障害が出現する．

○3．ウイルス感染症，特定疾患と関連する薬疹

特殊な薬剤による薬疹はHHV-6などのウイルスを再活性化して中毒疹様症状を発症することもあり〔薬剤性過敏症症候群（DIHS)〕，逆にウイルス感染時に薬疹が生じやすくなる（伝染性単核球症のペニシリン薬疹，HIV感染症で薬疹が出やすい）などの現象も知られている．膠原病のSLEやシェーグレン症候群でも薬疹頻度が高まるといわれている．

薬剤以外を原因に発症する中毒疹の多くは，それぞれ感染症・紅斑症などの項目で記載している．以下本項では薬疹を中心に述べる．新薬の開発に伴う薬剤の変遷とその使用頻度の変化によって薬疹の病型やその頻度も変化している．

2 分類と症状

薬疹には特徴的発疹があるわけではなく，あらゆる炎症性発疹を呈しうる点が特徴とも言える．発疹の形や分布のみから薬疹と診断することは容易ではない．しかし，以下のような臨床病型を分類でき，それぞれにある程度起こしやすい薬剤がある．薬剤歴をよく聴取して原因薬剤の推測に役立てることができる（表13-2)．

1. 紅斑丘疹型 maculopapular type drug eruption（図13-1）○

薬疹の中で最も頻度の高い発疹型で，投与薬剤に対する遅延型過敏反応の関与が考えられている．薬剤摂取後数日で大小の紅斑，半米粒大までの丘疹が全身に左右

対側性に発生し，瘙痒と灼熱感とを伴う．粘膜疹を伴うこともある．発熱・倦怠感・関節痛・リンパ節腫脹・好酸球増多，造血器障害のような全身症状が種々の程度にみられる．麻疹様（融合性），風疹様（孤立性），猩紅熱様，ジベル様ともいわれる．原因薬剤は多彩．

表 13-2 薬疹：発疹型と主な原因

臨床型	好 発 薬 剤
播種状紅斑丘疹型（麻疹・猩紅熱型）	ペニシリン（アモキシシリン）・非イオン性造影剤（イオパミドール・イオヘキソール）・セフェム・バルビタール・アセトアミノフェン・カルバマゼピン・フェニトイン・金製剤
紅皮症型（剝脱性皮膚炎型）	抗生物質（ペニシリン・セフェム）・カルバマゼピン・フェニトイン・シアナミド・アロプリノール・イソニアジド・金製剤
多形紅斑型	メチル酸イマチニブ・カルバマゼピン・フェニトイン・抗生物質（ペニシリン・セフェム）・解熱鎮痛薬・シアナミド
皮膚粘膜眼症候群型	抗生物質（ペニシリン・セフェム）・解熱鎮痛薬（ジクロフェナクナトリウム・アセトアミノフェン）・抗てんかん薬（カルバマゼピン・フェニトイン）・アロプリノール・バルビタール
中毒性表皮壊死症（TEN）型	抗生物質（ペニシリン・セフェム）・解熱鎮痛薬（ジクロフェナクナトリウム・アセトアミノフェン），抗てんかん薬（カルバマゼピン・フェニトイン）・アロプリノール・バルビタール・金製剤
固定薬疹	アリルイソプロピルアセチル尿素・メフェナム酸・エテンザミド・アセトアミノフェン・バルビタール・塩酸ミノサイクリン
扁平苔癬型	シアナミド：マニジピン塩酸塩・チクロピリジン塩酸塩・ニフェジピン・イマチニブメシル酸塩・エタンブトール塩酸塩・降圧薬（カプトリル）・インターフェロン α・金製剤・シアナミド
じんま疹型（アナフィラキシー）	抗生物質（セフェム・ペニシリン・ミノサイクリン）・アスピリン・解熱鎮痛薬・β 遮断薬・ACE 阻害薬・造影剤・抗 TNF 阻害薬・リツキシマブ
紫斑型	血小板減少・機能異常（インドメタシン・金製剤・抗生物質・サルファ剤），血管炎（プロピルチオウラシル・GCSF・GMCSF・ペニシリン・サルファ剤・フェニルブタゾン・経口避妊薬）
痤瘡型	副腎皮質ステロイド薬・経口避妊薬・フェニトイン・イソニアジド・炭酸リチウム・ハロペリドール・ヨウ素
膿疱型（AGEP）	β ラクタム系ペニシリン・タキサン系抗腫瘍薬・カプトリル・カルシウム拮抗薬・塩酸テルビナフェン
DIHS	カルバマゼピン・フェニトイン・フェノバルビタール・サラゾスルファピリジン・DDS・アロプリノール・メキシレチン
光線過敏症型	ニューキノロン系抗菌薬・解熱鎮痛薬（ピロキシカム・アンピロキシカム・チアプロフェン）・抗腫瘍薬（テガフール・フルタミド・ダカルバジン）・サイアザイド系降圧利尿薬・アフロクァロン・生薬（クロレラ・センノシド・ドクダミ）
水疱型	D-ペニシラミン・アセトアミノフェン・チオプロニン・カプトリル

2. 紅皮症型（剥脱性皮膚炎型）erythroderma-type drug eruption

全身皮膚が潮紅・浸潤・落屑を生じ瘙痒が強い．しばしば発熱やリンパ節腫大を伴い，重症型薬疹の一型である．紅斑丘疹型から移行するものもある．原因薬剤は多種．

3. 多形紅斑型 erythema multiforme-type drug eruption（図 13-2，3）

薬剤摂取数日～数週で，四肢末梢，特にその伸側に標的状ないし虹彩状の多形滲出性紅斑が多発する．T 細胞による細胞毒性型過敏反応が主体と考えられており，真皮乳頭の浮腫・表皮基底層の液状変性・リンパ球浸潤・表皮ケラチノサイトのアポトーシスなどの組織所見をみる．

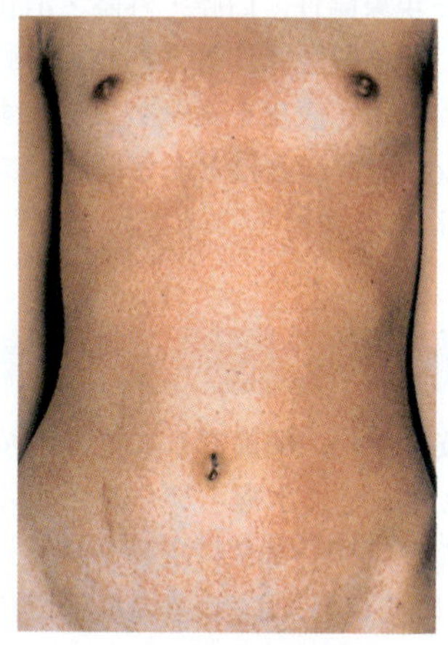

図 13-1 播種状紅斑丘疹型薬疹

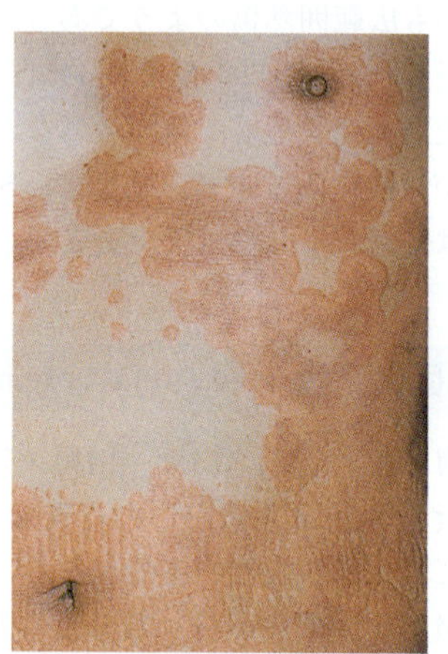

図 13-2 多形紅斑型薬疹

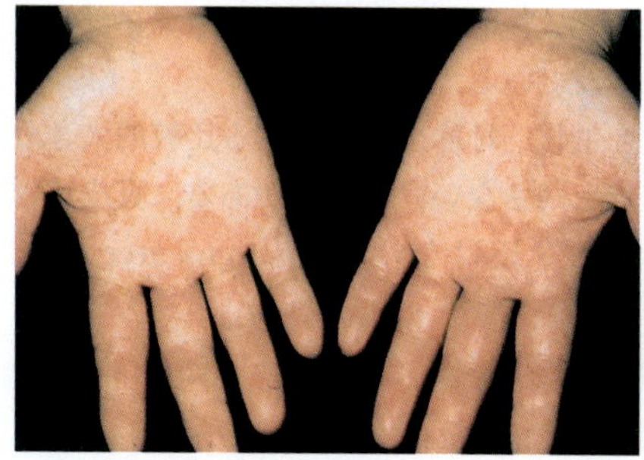

図 13-3 多形紅斑型薬疹

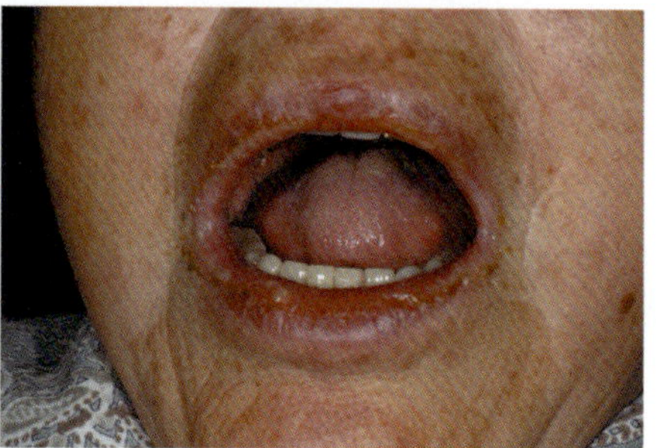

図 13-4 Stevens-Johnson 症候群

4. 皮膚粘膜眼症候群型 mucocutaneous-ocular syndrome type, Stevens-Johnson 症候群（図 13-4）　◎

多形紅斑型に粘膜症状が加わったタイプで，薬疹の重症型である．高熱・倦怠感・関節痛・結膜炎・口腔粘膜病変・外陰部肛囲びらん・気道消化管症状を伴う．時に死亡する．抗けいれん薬，抗生物質が多い．Stevens-Johnson 症候群と TEN は一連の病態と考えられつつあり，前者から後者へ移行することがある（☞ p.196）．

5. 中毒性表皮壊死症型 toxic epidermal necrolysis（TEN）（図 13-5，6）　◎

原因薬摂取後，高熱・全身皮膚灼熱感とともに鮮紅色の有痛性びまん性紅斑が生じ，2〜3 日中に大水疱が多発し，べろりと皮がむけたような広範なびらん面を生じ，あたかも広範囲熱傷のようである．ニコルスキー現象陽性．口腔・外陰・消化管粘膜も侵される．時に予後不良（死亡率 20〜30％）．治癒後色素沈着・稗粒腫・脱毛・爪甲変形・結膜癒着・角膜潰瘍などを残すことがある．表皮をターゲットにする T 細胞が活性化して生じる病態で，Stevens-Johnson 症候群とほとんど同様であるが，本症は経過がより急激で，表皮が急速に壊死に陥る．

6. 固定薬疹 fixed drug eruption（図 13-7，8）　◎

皮膚粘膜移行部（口囲・口唇・外陰部），四肢（手足，関節部）に好発．境界明瞭な貨幣〜手掌大の円形の紅斑で，中央紅紫色で，時に水疱・びらんとなる．瘙痒・ピリピリ感などの疼痛がある．薬剤摂取のたびに同一部位に皮疹を繰り返すのが特徴．原因薬内服後，数分から数時間のうちに発症し，2〜5 週の経過で色素沈着を残して治癒するが，再発毎に色素沈着は増強する．組織像は苔癬反応でメラニン色素が真皮に滴落して色素沈着を生じる．かつてはピラゾロン（アンチピリンなど）・サルファ剤・バルビツール剤が固定薬疹の半数近くを占めたが，現在は固定薬疹の頻度自体が低下し原因薬剤も変化してきている．

なお，鼠径・腋窩・臀部その他どこにでも生じ，対称性に分布する比較的大きな，圧痛・灼熱感のある紅斑で，あとに色素沈着を残さない固定薬疹がある．真皮は浮腫性で，好中球・好酸球が浸潤するが，苔癬反応はない（non-pigmented fixed drug eruption, Shelly-Shelly 1987）．

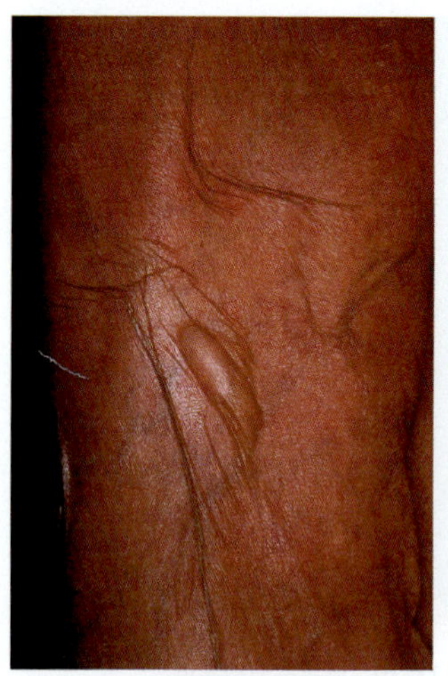

図 13-5　TEN 型薬疹

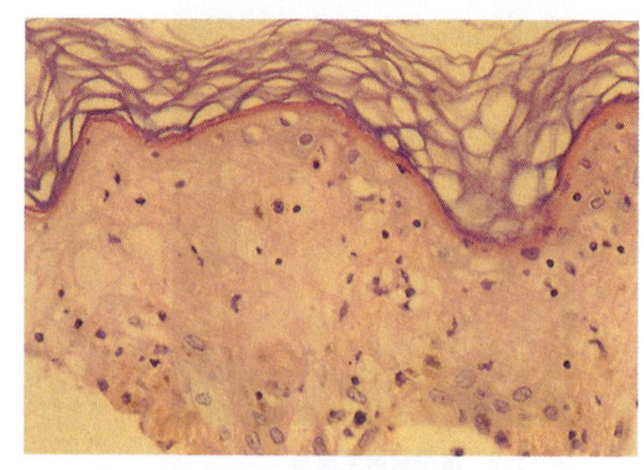

図 13-6　TEN（表皮内への T 細胞浸潤）

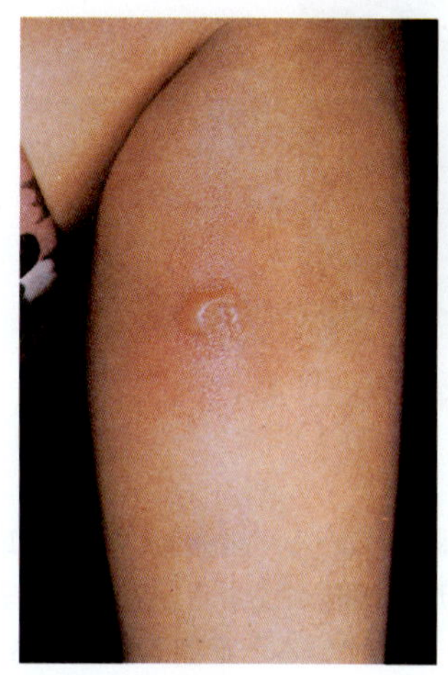

図 13-7　固定薬疹

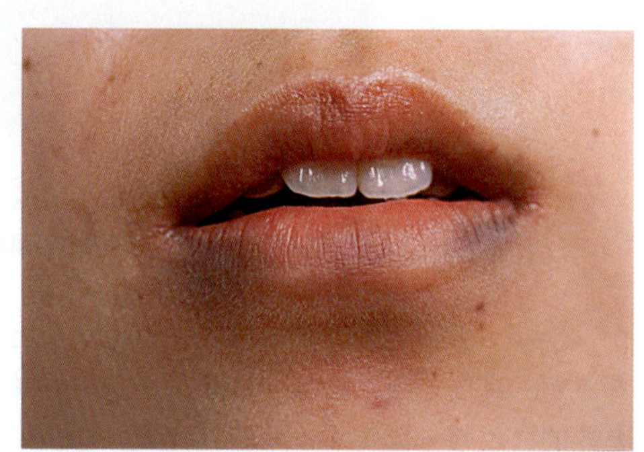

図 13-8　固定薬疹

7. 扁平苔癬型 drug-induced lichen planus, lichenoid drug eruption（図 13-9〜11）　○

通常の扁平苔癬に比べて，広範囲に，かつ対側性に紫紅色調の扁平隆起性皮疹が生じる．薬剤投与から発症までに長期間を要し，多くは1ヵ月以上，時に数年に及ぶことがある．かつてはシンナリジン，チオプロニン，塩酸ピリチオキシンなどが

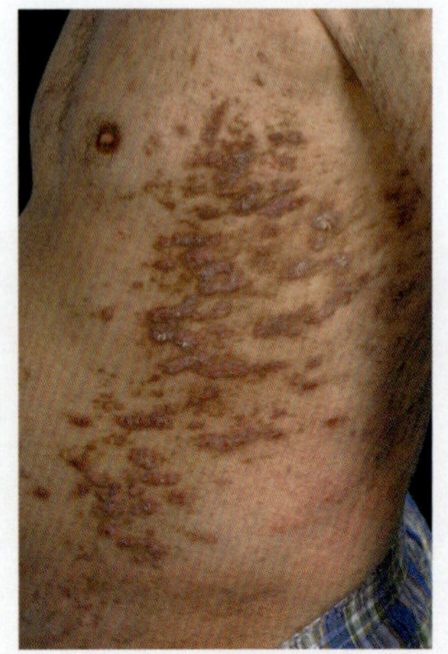

図 13-9　扁平苔癬型薬疹

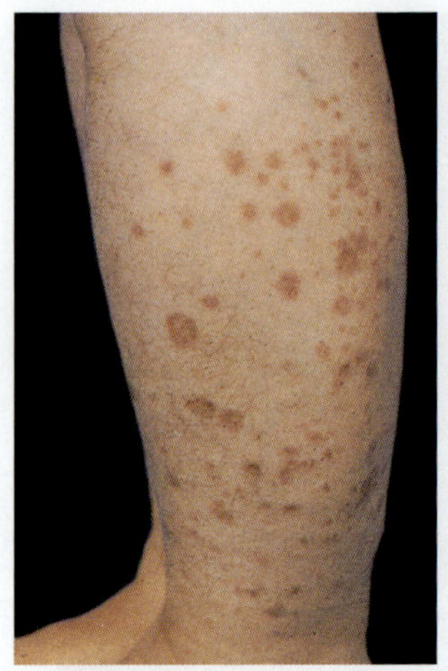

図 13-10　扁平苔癬型薬疹

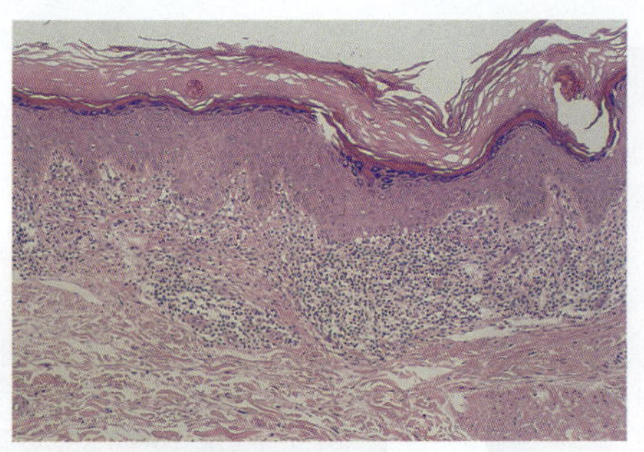

図 13-11　扁平苔癬型薬疹（苔癬反応）

多かったが，現在では循環器系疾患治療薬などに替わっている．組織像は苔癬反応であるが，真皮上層に浸潤するリンパ球に好酸球や形質細胞が混ずる．T 細胞が表皮を標的に攻撃・傷害する GVHR に近い反応により生じていると推測されている．

8. じんま疹型 urticaria-type drug eruption（図 13-12）

急性じんま疹の症状（☞ p.172）を呈し，全身症状（発熱・呼吸困難・胸内苦悶・腹痛・嘔吐）を伴うこともある．全身症状が強く出てアナフィラキシーショックを起こすこともある．アナフィラキシーは内服より注射で起こりやすい．

アレルギー性の多くは IgE を介する I 型反応，稀にⅢ型反応によるといわれる．アスピリンなど NSAIDs のシクロオキシゲナーゼ（COX）-1 阻害作用によりアラ

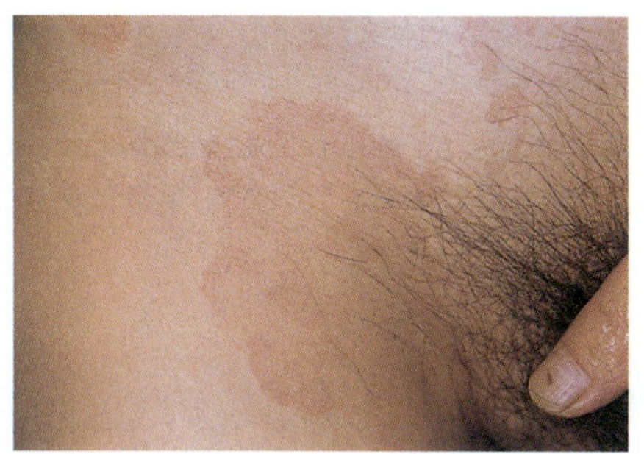

図 13-12 じんま疹型薬疹

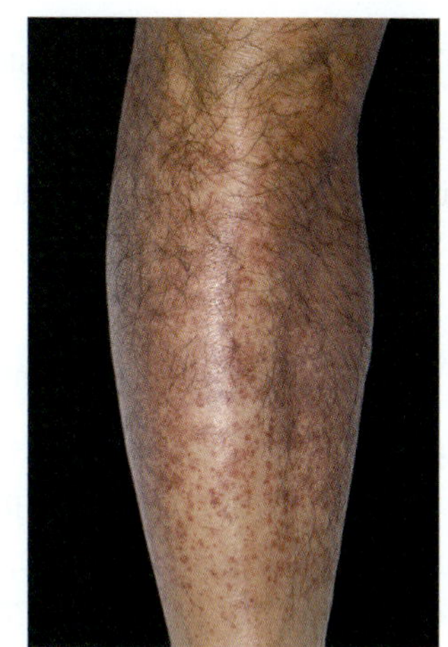

図 13-13 紫斑型薬疹

キドン酸カスケードがリポキシゲナーゼ系にシフト，肥満細胞や好塩基球に作用して脱顆粒→じんま疹を呈する「アスピリン不耐症」も知られている．

9．紫斑型 purpura-type drug eruption（図 13-13）

小紫斑が四肢（特に下肢）・体幹に左右対側性に多発し，丘疹・紅斑が混在．また血液障害（血小板減少および機能異常）・蛋白尿・関節痛・発熱・胃腸障害・心血管症状・神経症状を伴うこともある．Ⅱ型アレルギーによる血小板減少とⅢ型アレルギーによる血管炎の機序とがある．高齢者に多い．

10．痤瘡型 acneiform drug eruption

丘疹・膿疱を主体とし体幹（肩甲・殿・胸）・上肢伸側に汎発し，年代を問わない．面疱形成少なく，丘疹・膿疱が主体で，原因薬中止で比較的早く消褪する．ステロイド・ACTH によるものをステロイド痤瘡（acne steroidica）といい，ヨード・ブロム剤によるものは膿疱性で炎症が強い．油症（yusho）は PCB（polychlorbiphenyl）の経口摂取によるヨード痤瘡の集団発症である．近年は分子標的薬（キナーゼ阻害薬）によるものが増加している．

11. 膿疱型 pustular drug eruption

発熱とともに全身に小膿疱を多発するもの（acute generalized exanthematous pustulosis；AGEP）で，末梢血液中に好中球が増加する．AGEPの半数は薬疹として生じ，原因薬剤は抗生物質が多い．

12. 光線過敏症型 photosensitive drug eruption（図 13-14，15）　○

露出部（顔頸・前腕伸側・手背・前胸三角部）に，①びまん性紅斑・腫脹をきたすひやけ型（光毒性）と，②紅斑・丘疹・漿液性丘疹と多彩な像を示す湿疹型（光アレルギー性）とがあり，時に，白斑黒皮症（leucomelanodermia）を残す．高齢者に多い（☞ p.275）．近年はチアジド系利尿薬によるものが増加している．

13. 薬剤性過敏症症候群 drug-induced hypersensitivity syndrome（DIHS）　○

薬剤アレルギーとウイルス感染症の複合状態で，一定の薬剤（カルバマゼピン・フェニトイン・フェノバルビタールなどの抗けいれん薬・サラゾスルファピリジン・アロプリノールなど）による薬疹により，HHV-6，サイトメガロウイルスなどの再活性化が起こり，それにより薬疹症状が遷延・重症化する．厚生労働省研究班の判別基準（2005）を掲げる（表 13-3）．

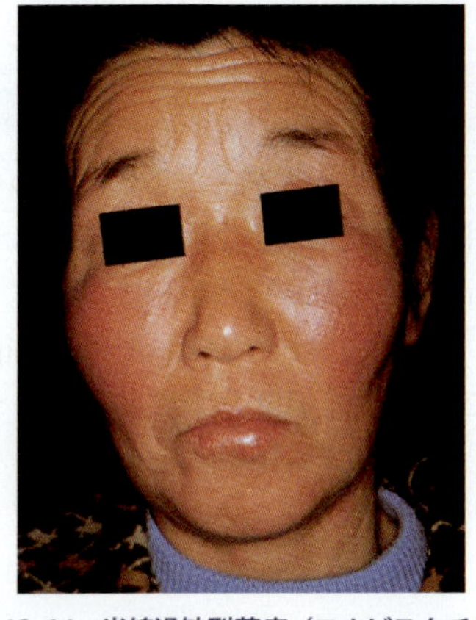

図 13-14　光線過敏型薬疹（フルビスタチン）

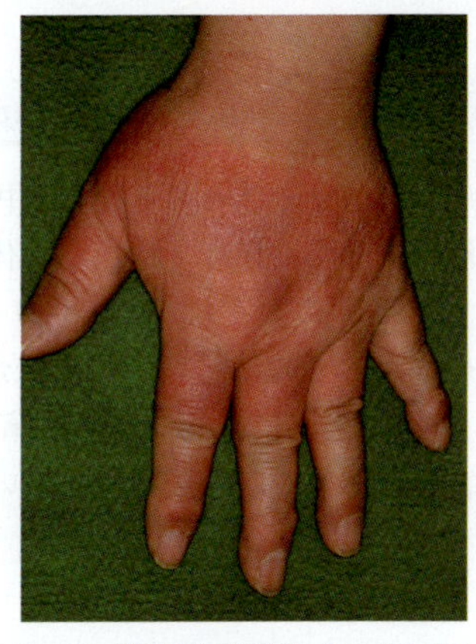

図 13-15　光線過敏型薬疹（サイアザイド）

表 13-3 薬剤性過敏症症候群の診断基準（2005）

概念

高熱と臓器障害を伴う薬疹で，薬剤中止後も遷延化する．多くの場合，発症後2～3週間後にHHV-6の再活性化を生じる．

主要所見

1. 限られた医薬品投与後に遅発性に生じ，急速に拡大する紅斑．しばしば紅皮症に移行する．
2. 原因医薬品中止後も2週間以上遷延する．
3. 38℃以上の発熱
4. 肝機能障害
5. 血液学的異常：a, b, cのうち1つ以上
   a. 白血球増多（11,000/mm^3 以上）
   b. 異型リンパ球の出現（5％以上）
   c. 好酸球増多（1,500/mm^3 以上）
6. リンパ節腫脹
7. HHV-6の再活性化

・典型 DIHS：1～7すべて．
・非典型 DIHS：1～5すべて，ただし4に関しては，その他の重篤な臓器障害を持って代えることができる．

参考所見

1. 原因医薬品は，抗てんかん薬，ジアフェニルスルホン，サラゾスルファピリジン，アロプリノール，ミノサイクリン，メキシレチンであることが多く，発症までの内服期間は2～6週間が多い．
2. 皮疹は，初期には紅斑丘疹型，多形紅斑型で，後に紅皮症に移行することがある．顔面の浮腫，口囲の紅色丘疹，膿疱，小水疱，鱗屑は特徴的である．粘膜には発赤，点状紫斑，軽度のびらんがみられることがある．
3. 臨床症状の再燃がしばしばみられる．
4. HHV-6の再活性化は，
   ①ペア血清でHHV-6 IgG抗体価が4倍（2管）以上の上昇
   ②血清（血漿）中のHHV-6 DNAの検出
   ③末梢血単核球あるいは全血中の明らかなHHV-6 DNAの増加
   のいずれかにより判断する．
   ペア血清は発症後14日以内と28日以降（21日以降で可能な場合も多い）の2点で確認するのが確実である．
5. HHV-6以外に，サイトメガロウイルス，HHV-7，EBウイルスの再活性化も認められる．
6. 多臓器障害として，腎障害，糖尿病，脳炎，肺炎，甲状腺炎，心筋炎も生じうる．

「薬剤性過敏症症候群診断基準 2005」から引用
（厚生労働科学研究補助金 難治性疾患克服研究事業）

14. 薬剤性ループス drug-induced SLE

降圧薬（ヒドララジン・メチルドーパ）・抗不整脈薬（プロカインアミド・キニジン）・向精神薬（クロルプロマジン）・抗菌薬（INAH・ミノサイクリン・ペニシリン）・抗けいれん薬（ヒダントイン）・D-ペニシラミン・経口避妊薬などにより

SLEと類似の症状を発する．男性にも生じ，また高齢者に多い．近年使用されるようになった抗TNF-α阻害薬も頻度は低いものの薬剤誘発性ループスを起こすことが報告されている．TNF-α阻害薬誘発性ループスは，皮膚病変の出現頻度や抗dsDNA抗体陽性頻度が他の薬剤誘発性ループスに比して高いなどの特徴がある．

通常の薬剤性ループスは関節痛（80%，多発対側性，骨破壊なし）・筋痛・高頻度の胸膜炎・発熱（1/2の症例に）・心膜炎などの症状が強く，腎臓障害は少ないのが特徴．皮疹は出ないことも多く，非特異的でじんま疹，多形滲出性紅斑，麻疹様，亜急性エリテマトーデス様皮疹，時に蝶形紅斑や円板状皮疹を呈する．ANA陽性・抗ssDNA抗体陽性頻度が高く，抗dsDNA抗体陽性頻度が低い・白血球減少・高γ-グロブリン血症・貧血・BFPなどSLEに合致する所見を示すが，軽症であることが多く，また薬剤中止により治癒する点で，SLEと異なる．

15. 乾癬様皮疹 psoriasis-like eruption

インターフェロン，Ca拮抗薬，β遮断薬，ACE阻害薬，リチウム薬，インドメサシン，ロキソプロフェン，テトラサイクリンなど．一方，これら薬剤は既存乾癬病巣の増悪をきたすことも知られている．なお，近年乾癬治療に使われる抗TNF-α製剤で乾癬様皮疹や掌蹠膿疱症が生じる（逆説的反応 paradoxical reaction）．

16. 潰瘍

ハイドロオキシウレア（HU，DNA合成阻害性抗腫瘍薬）内服や注射薬の血管外漏出による壊死・潰傷：注射薬に抗腫瘍薬（マイトマイシンC・アクチノマイシンD・ビンブラスチン・オンコビン）・ノルアドレナリン・カテコラミン製剤・高張ブドウ糖・メシル酸ガベキサート（FOY）などが挙げられる．

17. 手足症候群 hand-foot syndrome（図13-16）

抗腫瘍薬（5-Fu・シタラビン・ドキソルビシン・ドセタキシルなど）や分子標的薬（ソラフェニブ・スニチニブなどのマルチキナーゼ阻害薬）で手，足，爪囲に紅斑，色素沈着，腫脹，時に水疱，びらん，角化をきたす．疼痛や知覚過敏を起こして日常生活に支障をきたすことも多い．

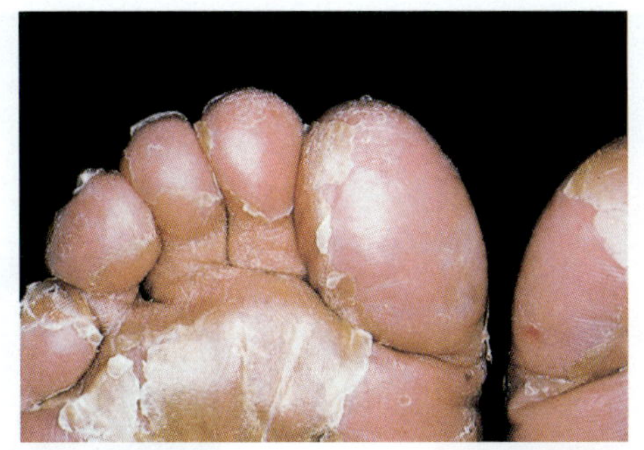

図 13-16　フトラフ - ル疹（Hand-Foot syndrome）

18. 免疫関連有害事象 immune-related adverse effect；irAE

ニボルマブなどの免疫チェックポイント阻害薬では，免疫関連有害事象（immune-related adverse effect；irAE）と呼ばれる過剰免疫反応が種々の臓器に出現する．皮膚においては，白斑，播種状紅斑丘疹型皮疹，多形紅斑，紫斑，乾癬様紅斑，苔癬型皮疹，類天疱瘡，皮膚粘膜眼症候群，中毒性表皮壊死融解症などの軽症から重症まであらゆる皮疹がみられる．皮膚 irAE が生じた症例のほうが，原疾患の予後がよいことが知られている．

19. その他の型

①**結節型**：ヨード・ブロム剤によるものが多い（結節型ヨード疹・結節型臭素疹 iododerma et bromoderma tuberosum）．最近はほとんどみることがない．

②**水疱・褥瘡型**：睡眠薬自殺，バルビタール昏睡の際，長期圧迫された踵・外果・膝蓋・腰・肩・肘・後頭部に水疱・潰瘍が生じる．しばしば神経麻痺性障害を伴う．近時はバルビタール・ブロムペリドールなどの薬剤，脳疾患・代謝性疾患などによる長期昏睡，全身麻酔による比較的短期圧迫などで生じるものを coma blister と称する．薬疹というより，薬物と関連する物理的圧迫による褥瘡型病変である．

③**結節性紅斑**：サルファ剤・サリチル酸薬・経口避妊薬・ヨード剤・金剤．

④**脱毛症**：抗腫瘍薬・ヘパリン・タリウム・クロルプロマジン強化麻酔時の圧迫部．

⑤**多毛症**：ステロイド薬・フェニトイン．

⑥**歯肉腫脹**：フェニトイン（頻度：50％）・シクロスポリン（30％）・Ca 拮抗薬（10％）．

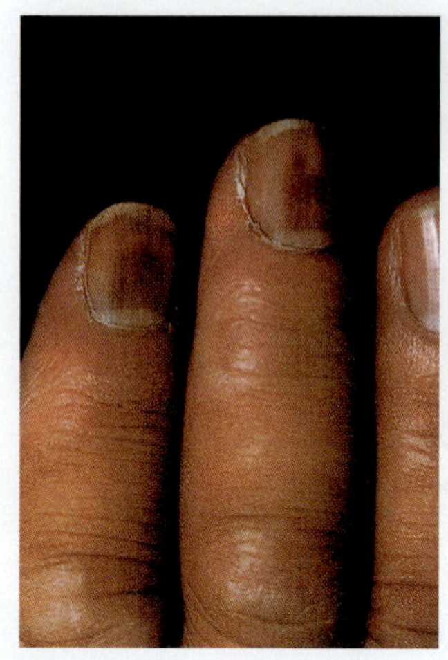

図 13-17　ブレオマイシン黒爪

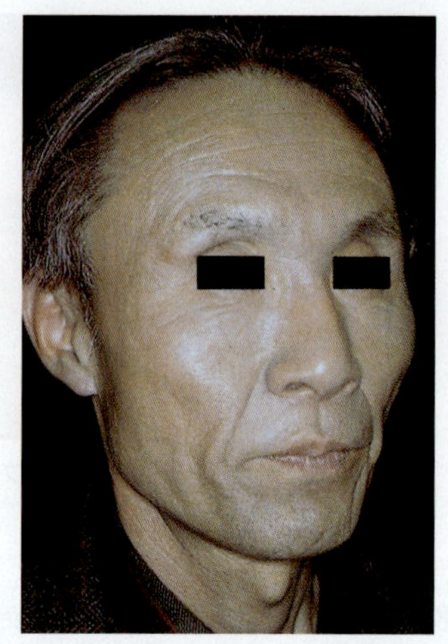

図 13-18　銀皮症

⑦**爪変化**（図 13-17）：テトラサイクリン（爪甲剝離・黄色化）・抗腫瘍薬（5Fu・シクロホスファミド・アドリアマイシン・ブレオマイシンによる黒色化，5Fu による爪甲剝離）・β 遮断薬（乾癬様混濁・凹窩）・エトレチナート（爪囲炎・脆弱化）・ソラレン（色素沈着・爪甲剝離）・D-ペニシラミン（黄色爪）.

⑧**角化症**：砒素（砒素角化症，手掌足底に好発，時に悪性化）.

⑨**脂肪織炎**：poststeroid panniculitis. INFα・INFβを皮下注射すると脂肪織炎を生じ，時に潰瘍を形成する.

⑩**色素沈着**：ミノサイクリン：びまん性～限局性に青黒色～汚穢暗青色～暗灰褐色に．皮膚・粘膜・爪甲・歯牙などに生じる．ミノサイクリンの沈着または鉄とのキレート化合物の沈着．抗腫瘍薬（シクロホスファミド・塩酸ドキソルビン・ブレオマイシン・5-FU・ドセタキセル）・クロルプロマジン色素沈着．慢性砒素中毒も灰褐色色素沈着を起こすが，現在はほとんどない.

⑪**薬剤沈着**

ⓐ**銀皮症** argyria（図 13-18）：かつては含銀口腔清涼剤の多量愛用者にみられたが，現在は稀．鍼治療（銀針留置），銀製縫合糸，刺青（アマルガム）など局所的要因によることもある．蒼褐色～スレート色の色素沈着で特に裸露部（顔・頸・手背），粘膜（眼球結膜・歯肉），爪に生じる．自覚症状なし．組織学的に汗腺周囲・結合組織間・立毛筋・粘膜固有層に銀粒子が沈着（黒色粒子），暗視野で輝き，電顕的 X 線微量分析で確認できる．アジソン病・ヘモクロマトーシス・ウィルソン病などと鑑別.

ⓑ**金皮症** chrysiasis：稀．金剤注射により露出部に灰青色の着色.

ⓒ **polyvinylpyrrolidone 沈着症**：代用血漿・解毒剤の PVP（特に中分子製剤）は，時として皮膚および内臓に沈着し，総量 100 g を超すと起こりやすい．瘙痒が先行し，やがて眼瞼に浮腫性腫脹をきたす．その他，無疹部皮膚にも組織学的には見出される．組織所見は，血管・付属器周囲に，好塩基性の泡沫状顆粒が多数みられ，内臓では細網系臓器・肺・腎に多い．

⑫**ペラグラ様皮疹** drug-induced pellagra-like eruption：メルカプトプリン（6-MP）やイソニアジド（INAH）などのヌクレオチド合成阻害，非アレルギー性機序により生じる．

⑬**水疱型** pemphigus- & bullous pemphigoid-like eruption：D-ペニシラミン・ペニシリン・カプトプリル（そのプロドラッグのチオプロニン）・フェニルブタゾン・フェノバルビタール・フロセマイド・オーラノフィン．抗表皮細胞間抗体を発現することがある．DPP-4 阻害薬による類天疱瘡型薬疹は通常の類天疱瘡に比して紅斑形成が少なく，全長 BP180 に対する自己抗体が検出される．

〔注〕**新しい医薬品（生物学的製剤・分子標的薬）による薬疹**：近年，生物学的製剤や分子標的薬の開発，臨床応用が著しく進んでいる．皮膚科領域でも多様な薬剤が使われるようになってきている．その効能とともに特徴的な有害事象に注意が必要である．有害事象は本来の薬理効果が強く表現されて出現する場合もあり，通常の薬疹とは異なる対応を要することも多い．

20. 食餌性中毒疹

①しいたけ皮膚炎（中村 1977）（☞ p.166）．

②カロチンによる柑皮症（☞ p.543）．

③ドクダミ茶・クロレラによる苔癬型薬疹・光線過敏症．

④L-トリプトファンによる eosinophilia-myalgia syndrome（1,000/mm^3 以上の好酸球増加，全身の筋肉痛）．

3 薬疹の動向

創薬技術の進歩により，多くの分野で新薬開発が相次いでおり，薬剤の使用頻度も時代により変化している．それにつれて，薬疹型や原因薬剤も大きく変遷している．光線過敏型薬疹の原因薬剤として知られていた下熱鎮痛薬ピロシキカム，ニューキノロン系抗菌薬スパルフロキサシン，抗腫瘍薬テガフールなどは使用頻度の低下とともに，薬疹の報告数が減少している．一方，チアジド系利尿薬は，一旦報告数は減ったが，近年降圧剤との配合薬が広く使用されるようになり，光線過敏型薬疹の報告数も増加している．また，近年免疫チェックポイント阻害薬，分子標的薬，生物学的製剤など新薬が開発されたことで治療法が大きく変わった領域（悪性腫瘍・乾癬・アトピー性皮膚炎，糖尿病など）では，従来なかった新たな薬疹型がみられている（表 13-4）．

表 13-4　生物学的製剤・分子標的薬と薬疹・皮膚障害

生物学的製剤・分子標的薬	薬疹・皮膚障害
1．上皮成長因子受容体（EGFR）阻害薬 ゲフィチニブ・エルロチニブ・ラバチニブ・セツキシマブなど	①痤瘡様・膿疱・脂漏性皮膚炎，②乾皮症・亀裂，③爪囲炎・化膿性肉芽腫，④間質性肺炎．
2．マルチキナーゼ阻害薬 イマチニブ・スニチニブ・ソラフェニブなど	①手足の発赤・腫脹・角化・亀裂・水疱，②多形紅斑型薬疹・苔癬型薬疹．
3．抗 TNF-α 阻害薬 インフリキシマブ・エタネルセプトなど	①乾癬様皮疹，②薬剤性ループス，③結核・ウイルス感染症．
4．リツキシマブ 抗 CD20 モノクローナル抗体 B 細胞リンパ腫の治療	①紅斑型・苔癬型薬疹・SJS・TEN，②点滴時のアナフィラキシー，③腫瘍崩壊症候群，④ B 型肝炎キャリアーの肝炎重篤化．
5．モガリブマブ 抗 CCR4 抗体 ATL の治療	① SJS/TEN の頻度が高い，②血球減少・B 型肝炎ウイルス再活性化．
6．免疫チェックポイント 抗 PD-1 抗体，抗 CTLA4 抗体阻害薬 悪性腫瘍の治療	immune-related adverse event（irAE）①間質性肺炎，②肝機能・甲状腺機能障害，③ infusion reaction.
7．ベムフェラニブ B-RAF 阻害薬 悪性黒色腫の治療	①角化細胞系腫瘍（ケラトアカントーマ，有棘細胞癌），②メラノサイト母斑，異型母斑，③痤瘡様．
8．ボリノスタット ヒストン型アセチル化酵素阻害薬，CTCL の治療	①肺梗塞，②血栓症，③血小板減少．
9．G-CSF	① Sweet 病・壊疽性膿皮症様病変．
10．IL-2	① vascular leakage syndrome，②乾癬の悪化，③固定薬疹・TEN，④皮膚瘙痒症．
11．インターフェロン α	①注射部の皮膚潰瘍・壊死・硬結，②乾癬の悪化，③乾癬・苔癬・紅斑丘疹型薬疹，④浮腫性紅斑・点状紫．
12．ヒト免疫グロブリン製剤	①汗疱・汗疱様皮疹．

4　診断のプロセスと検査

1．薬疹の疑疹

薬疹の診断はまず疑診することから．薬剤投与中，後に生じる皮疹は薬疹を疑うことが重要．

2．薬歴・既往歴の聴取と把握

薬剤名，投薬期間，発疹との時間的関係，アレルギー歴や既往歴などの患者背景を聴取・調査する．なお，OTC系薬剤，サプリメント，民間医食品（薬草・漢方・自然食品）など多岐にわたる「薬物」にも注意する必要がある．

3．重症度と他臓器障害

病型，皮疹の範囲，粘膜疹の有無，全身症状（発熱，乏尿，腹痛，下痢など），一般検査（血算・生化学・尿検査）で重症度・他臓器障害の有無を判断する．

4．薬剤中止後の経過

薬疹はすぐには軽快しないが，薬剤中止・変更後の経過をみる．

5．上記所見から原因薬剤をしぼる．

6．薬疹治癒後，原因薬剤を確定のために検査する （☞ p.108〜109）．原因薬剤が確定すれば，患者に必ずその情報を伝える（薬剤カードなど）．

①最も確実なのは再投与試験（常用量の1/5〜1/50）．重症型薬疹例では危険性を考慮．

②**貼布試験**：遅延型過敏反応による薬疹，紅斑丘疹型，紅皮症型に有用．固定薬疹，苔癬型，多形紅斑型などでは皮疹部で検査すると陽性率が上がる．

③**プリックテスト**：即時型薬疹にまず行う．

④**皮内反応**：即時型薬疹に．1万倍溶液0.02 mL．ショックの危険あり．掻破・単刺・乱刺・粘膜反応などの変法．

⑤**薬剤 RAST**：即時型のじんま疹に時に有用．

⑥**薬剤添加リンパ球刺激試験** drug-induced lymphocyte stimulation test（DLST）：薬剤と患者末梢血単核球を混合培養して，リンパ球の増殖率を測定することにより末梢血中に薬剤感作リンパ球が存在するか否かをみる試験である．

5　治療と対応

1. 原因薬を使用しない

原因薬剤が明らかならば，該当薬剤を中止し，原病に必要ならば他剤に切り換える．多剤投与（高齢者で特に多い）の場合は，必要な薬剤以外はすべて中止する．

2. 光線過敏型では遮光

服装・サングラス・長髪・サンスクリーン．

3. 一般の治療

①ステロイド薬外用と抗ヒスタミン薬の内服．重症例はステロイドの全身投与．
②口腔病変：含嗽・粘膜用外用薬，眼病変：眼科受診，特に角膜病変に注意，補液，栄養補給などにも留意．

4. 重症型薬疹（TEN, SJS など）の治療

①**免疫低下や重症感染症のないとき**：高用量ステロイド全身投与（パルス療法を含む）．シクロスポリンの併用や単独投与．
②**免疫低下や重症感染症のあるとき**：高用量免疫グロブリン静注療法（プラスマフェレシスの併用，または単独療法を含む）．
③びらん面を熱傷治療に準じて管理し，並行して補液，感染症の治療など．
④重症例の一部には①に②を併用することも考慮．

6　移植片対宿主病 GVHD (graft-versus-host disease) ◎

骨髄・造血幹細胞などの移植，輸血後に移植細胞中の免疫担当細胞が宿主の組織抗原に対して免疫反応を起こして生じる病態である．皮膚・肝臓・消化管が主に侵される．

急性・慢性に大別される．急性 GVHD は急性型の症候を示し，移植 100 日以内に発症する古典型，100 日以降も持続する持続型，一旦軽快するが 100 日以降再燃する再燃型，100 日以降に発症する遅発型がある．慢性 GVHD は慢性型の症候を示すが，発症時期によらず，古典型と非典型的急性 GVHD の症候を伴う重複型に分類される．

1）急性 GVHD

骨髄・幹細胞・臓器の移植，放射線未照射大量輸血後などにドナー細胞がレシピエント細胞を攻撃して生じる病態．移植後 2～3 週に好発，皮膚は角化細胞のアポトーシスが特徴．発熱・下痢・肝障害が 3 主徴．

症状（図 13-19）

移植後 100 日以内に，①発熱とともに播種状紅斑丘疹が手掌，足蹠，四肢末梢，前胸部などに発症，毛孔一致性のことも，また瘙痒を伴うこともある．重症例で水疱やびらんを形成，紅皮症化，TEN に発展することもある．②胆汁うっ滞性肝炎などの肝障害・嘔気，嘔吐，下痢，下血，イレウスなどの消化管症状をきたし，進行すると，③骨髄無形成と汎血球減少を生じて死亡する．

病理組織（図 13-20）

表皮細胞の個別好酸性壊死（アポトーシス），表皮細胞の HLA-DR 陽性，ICAM-1 陽性，苔癬組織反応，すなわちリンパ球（CD8 陽性細胞傷害性 T 細胞）表皮内遊走，リンパ球浸潤，ランゲルハンス細胞消失．

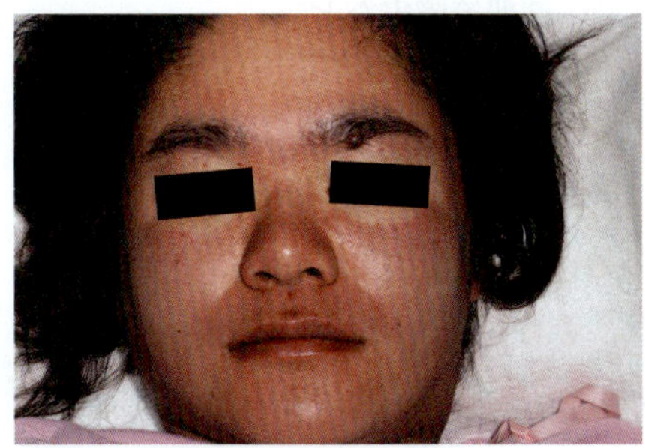

図 13-19　急性 GVHD（播種状紅斑）

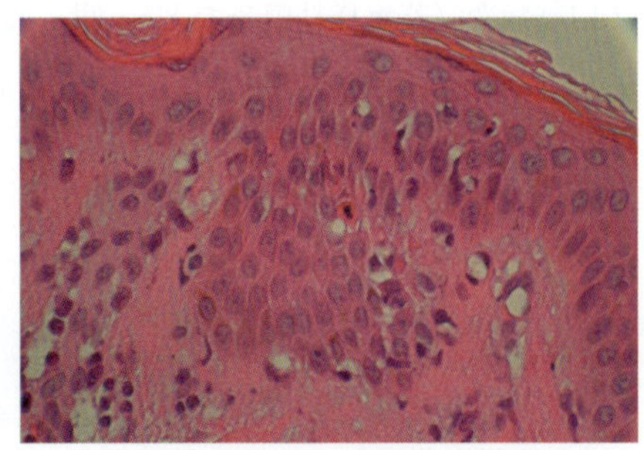

図 13-20　急性 GVHD（リンパ球の表皮内浸潤と個細胞壊死）

診断

患者リンパ球のキメリズムの証明（HLAの患者型からドナー型への変換・女性患者ではY染色体を有するリンパ球の検出）．病理組織像と免疫組織学的迅速診断（抗HLA-ABC，抗HLA-DR，CD1a，CD8，ICAM-1モノクローナル抗体）．

治療と予防

ステロイドの全身投与，シクロスポリンまたはタクロリムスにメトトレキサートを併用（予防），無菌室・抗生物質など感染対策，造血因子（G-CSF）など．近年は移植免疫反応に伴う抗腫瘍効果を確保しつつGVHDの発症をいかにして予防するかが重視されている．

〔付〕**輸血後GVHD**：1950年代，大手術後に予後不良の紅皮症が生じ，術後紅皮症（霜田1955）と呼ばれていた．輸血による急性GVHDである．新鮮血輸血をしない，放射線照射血液を用いるなどで現在は発症ほとんどなし．組織適合性抗原（HLAなど）ホモ接合体AAの血液をヘテロ接合体ABに輸血すると，ABに含まれる免疫担当細胞（T細胞）は自己と同じハプロタイプAのみを持つAAを非自己と認識せず，ドナーに生着・増殖する．増殖したAAのT細胞はABを非自己と認識し，宿主組織を攻撃してこの病態が生じる．

2）慢性GVHD

移植後の安定したキメラ状態で，自己反応性T細胞により生じると考えられている膠原病様ないし扁平苔癬類似の多彩な皮膚病変を呈する．

症状（表13-5）

①**皮膚病変（30～70%）**：多形皮膚萎縮や多発する扁平苔癬様皮疹をみるが，水疱・潰瘍を形成することもある．強皮症様の皮膚硬化は体幹に多いが強指症やレイノー症状を欠く．関節の可動域が制限されることもある．
②口腔病変（苔癬様粘膜疹など）・眼・肺・肝・筋関節障害など．

病理組織

苔癬組織反応（正常角化，顆粒層肥厚，有棘層肥厚を伴う），エクリン汗導管炎，脂肪織炎．

治療

ステロイドとシクロスポリンの併用．タクロリムスやPUVA療法．JAK阻害薬やBTK阻害薬，ステロイド外用．

表 13-5 慢性 GVHD の臨床徴候

臓器	診断的徴候	特徴的徴候	他の徴候	共通徴候
皮膚	多形皮膚萎縮症 扁平苔癬様皮疹 硬化性変化 斑状強皮症様変化 硬化性苔癬様変化	色素脱失 鱗屑を伴う丘疹性病変	発汗異常 魚鱗癬様変化 色素異常（沈着・脱失） 毛孔性角化	紅斑 斑状丘疹性紅斑 瘙痒疹
爪		爪形成異常・萎縮・変形 爪床剝離，翼状片 対称性爪喪失		
頭皮，体毛		脱毛（瘢痕性，非瘢痕性），体毛の減少，鱗屑	頭髪減少，白髪化	
口腔	扁平苔癬様変化	口腔乾燥症，粘膜萎縮，粘膜囊胞 偽膜形成，潰瘍形成		歯肉炎，口内炎 発赤，疼痛
眼球		眼球乾燥症，疼痛，乾燥性結膜炎 融合性の点状角膜障害	眩光症，眼球周囲の色素沈着，眼瞼浮腫と発赤	
生殖器	扁平苔癬様，硬化性苔癬 女性：膣瘢痕形成・狭窄陰核，陰唇の癒合 男性：包茎，尿管・尿度口の瘢痕形成・狭窄	びらん，潰瘍，亀裂		
消化器	食道ウェブ 上部食道の狭窄		膵外分泌能の低下	食欲不振，嘔気，嘔吐
肝				総ビ，ALP, ALT/AST >2×ULN
肺	生検で確定した BO BOS	肺機能検査や画像による BO	COP 拘束性肺障害	
筋，関節	筋膜炎，関節拘縮	筋炎，多発筋炎	浮腫，筋痙攣，関節痛，関節炎	
造血・免疫			血小板減少，好酸球増多，リンパ球減少，低・高ガンマグロブリン血症，自己抗体（AIHA, ITP），レイノー症状	
その他			心囊水・胸水，腹水，末梢神経障害，心筋障害・伝導障害，ネフローゼ症候群，重症筋無力症	

診断的徴候：単独で慢性 GVHD と診断できる所見.
特徴的徴候：特徴的ではあるが，臨床所見だけでは診断価値がなく，組織学的，画像所見により証明され，他疾患が否定できる場合に診断できる所見.
他の徴候：慢性 GVHD と確定診断できた場合その一症状として取り上げることができる所見.
共通徴候：急性，慢性 GVHD どちらでもみられる所見.
BO：閉塞性細気管支炎，BOS：閉塞性細気管支炎症候群，COP：特発性器質化肺炎.
（日本造血移植学会造血細胞移植ガイドライン GVHD, 2018 を一部改変）

第14章 水疱症・膿疱症

水疱症（bullous dermatoses）：水疱形成を主体とする疾患を総括し（ウイルス性疾患・熱傷などを除く），自己免疫性および先天性遺伝性に大別する．近年，前者では抗原蛋白が，後者では原因遺伝子が明らかにされている．

膿疱症（pustulosis）：疱疹状膿痂疹，掌蹠膿疱症，稽留性肢端皮膚炎および角層下膿疱症．無菌性膿疱を主体とする．掌蹠膿疱症を除けばいずれも稀な疾患である．

1 自己免疫性水疱症

表皮細胞間物質のデスモソーム，ヘミデスモソームや表皮・真皮接合部の構成蛋白に対する自己抗体出現によって生じる疾患群．水疱形成部位により，天疱瘡群（表皮内）と類天疱瘡群（表皮真皮間）に大別される．

1. 天疱瘡群（表皮細胞間接着障害）（表14-1）

表皮内に水疱を形成する．抗デスモソーム自己抗体ができ，棘融解の病理組織像を示す．尋常性天疱瘡と落葉状天疱瘡に大別し，さらにIgA天疱瘡，腫瘍随伴性天疱瘡を区別できる．

◎1）尋常性天疱瘡 pemphigus vulgaris

病因

カドヘリン型細胞間接着分子である**デスモグレイン**に対する自己免疫（皮膚粘膜型はDsg1と3，粘膜型はDsg3）で，細胞接着が障害され水疱を形成する．橋本病・バセドウ病などと合併することあり．薬剤（ペニシラミン・カプトプリル）で誘発されることもある．

表 14-1　天疱瘡群の特徴

	尋常性天疱瘡	増殖性天疱瘡	落葉性天疱瘡	紅斑性天疱瘡	腫瘍随伴性天疱瘡
年　齢	中～高年	中～高年	中年	中～高年	高年
好発部位	全身（背・殿・腋窩・鼠径），粘膜	眼・口・鼻孔・腋窩・肘窩・陰股	全身	顔面・体幹正中部	口腔・眼など粘膜を中心に全身
病変 皮膚	水疱・びらん	小水疱・増殖面・膿疱・滲出液・悪臭	小水疱・落屑・紅皮症	紅斑・脂漏性落屑・水疱	口内炎・びらん・潰瘍・水疱・多形紅斑
粘膜	＋＋＋	＋	－	－	＋＋＋
Nikolsky 現象	＋	＋	＋	＋	±
Tzank 細胞	＋	＋	＋	＋	±
組織所見（棘融解）	表皮内水疱（基底層直上）	表皮肥厚・表皮内水疱・小膿疱（基底層直上）	表皮内水疱（角層下・顆粒層内・有棘層上層）	表皮内水疱（角層下・顆粒層内・有棘層上層）	尋常性天疱瘡・多形滲出性紅斑・扁平苔癬様の組織像，炎症が強い
抗　原	Dsg 3のみまたはDsg3とDsg1	Dsg3（デスモコリン・ペリプラキン）	Dsg1	Dsg 1	Dsg 3・Dsg 1・プレクチン・デスモプラキンⅠ・BP230など多彩
蛍光抗体法所見	表皮細胞間に IgG・C_3				
治　療	ステロイド全身投与・免疫抑制薬・血漿交換療法・γグロブリン大量療法				原病の治療

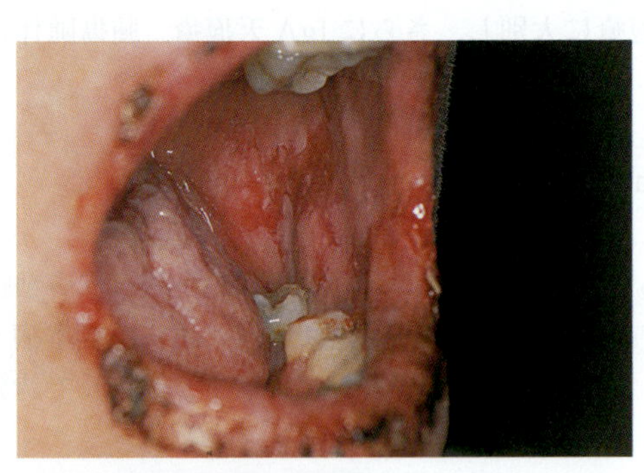

図 14-1　尋常性天疱瘡（粘膜疹）

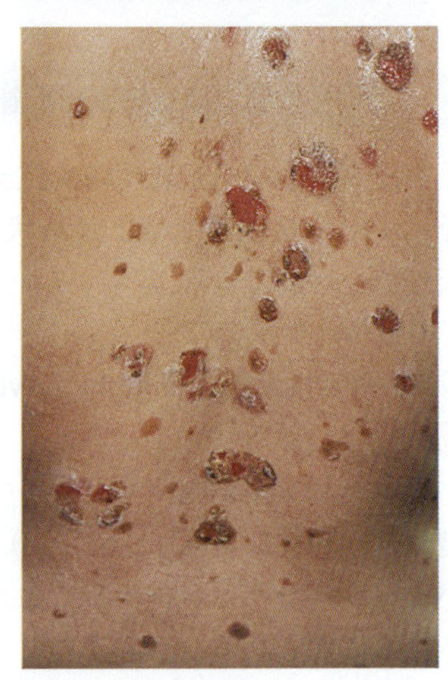

図 14-2　尋常性天疱瘡

症状（図 14-1，2）

①日本の患者数は，6,000 人程度．30〜60 代に多く，10 歳以下の小児は稀．

②**粘膜症状**：半数以上で初発症状である．口腔粘膜・口唇はほとんどの例で侵され，咽喉・食道に及んで嗄声・嚥下困難・摂食障害をきたすこともある．口腔などの粘膜のみの症例（粘膜優位型）と口腔と皮膚の両方の症例（粘膜皮膚型）の 2 型がある．

③**皮膚症状**：突然健常皮膚に大小種々の水疱が発生し，最初は緊張性であるが，大きくなると弛緩性となり，破れてびらん面を呈し，滲出性で出血しやすく，表皮形成が遅く，しばしば血痂，痂皮に覆われ，触れると疼痛がある．健常皮膚を摩擦すると同じような水疱を形成する（**ニコルスキー現象 Nikolsky phenomenon**）．また水疱を破れないように圧すると，液が周囲皮膚側に押し込まれ，水疱が周囲に拡大する（水疱拡散現象 bulla-spread phenomenon，偽性ニコルスキー現象 pseudo-Nikolsky phenomenon）．

④**部位**：どこにでも生じるが，圧迫・摩擦の多い背・臀部・足・腋窩・鼠径部に好発．

⑤**全身症状**：広範囲の病変で低蛋白血症，電解質異常，二次感染（気管支肺炎・敗血症）を起こすことがある．

組織所見（図 14-3，4）

表皮細胞間結合の解離（**棘融解**）→細胞間浮腫→裂隙形成→水疱形成（**suprabasal acantholytic bulla**）．水疱内および真皮に好酸球浸潤，浮腫．棘細胞（acantholytic cell；ツァンク細胞 **Tzanck cell**）は変性して丸くなり，細胞質は細胞膜側に濃縮し，核側で淡染する．棘融解の起こる前に好酸球の表皮内浸潤の強くみられることもある〔好酸球性海綿状態 eosinophilic spongiosis（Emmerson and Wilson-Jones 1969)〕．

診断・検査（図 14-5）

①慢性水疱反復，②組織所見で表皮細胞間に IgG 沈着の証明，③ ELISA/CLEIA 法で**抗 Dsg3 抗体**の存在（抗体価は病勢と平行する），粘膜優位型では抗 Dsg3 抗体のみ，粘膜皮膚型では抗 Dsg3 抗体と抗 Dsg1 抗体の両者が陽性，④ツァンク試験（水疱底を掻いて塗沫標本を作りギムザ染色で同細胞を鏡検），⑤検査所見：時に好酸球増多，貧血，低蛋白血症，A/G 比低下．

鑑別診断

疱疹状皮膚炎（多彩な皮疹，瘙痒，環状配列性小水疱，全身状態良好，DDS 有効，

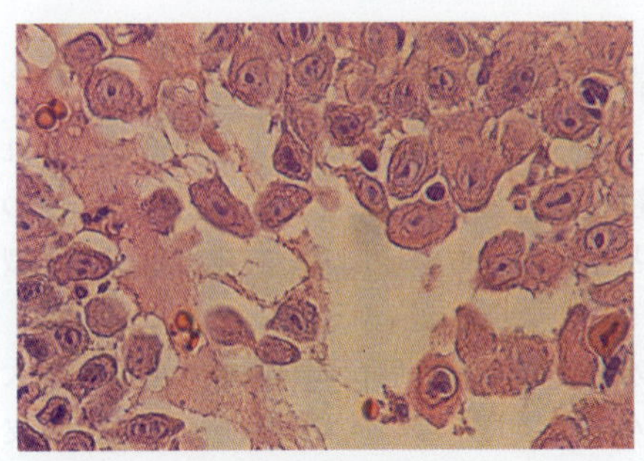
図 14-3　尋常性天疱瘡（棘融解）

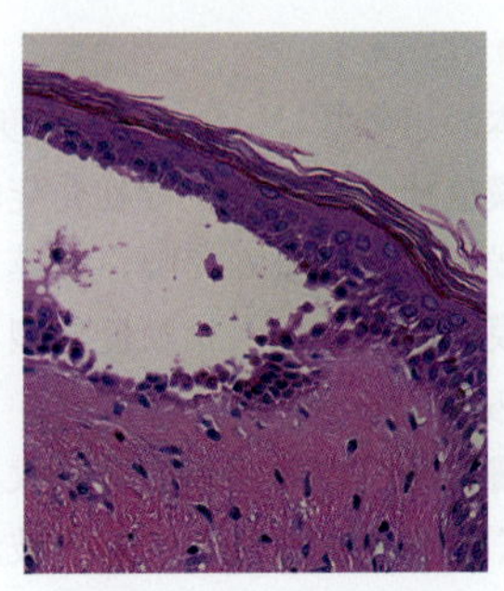
図 14-4　尋常性天疱瘡（基底層直上の水疱）

図 14-5　尋常性天疱瘡
（抗表皮細胞間物質 IgG 抗体）

真皮上層に IgA 沈着），類天疱瘡（表皮下水疱，基底膜部に IgG の沈着），膿痂疹，熱傷，ライエル病（急激，薬物中毒），水疱型薬疹，水疱型多形滲出性紅斑，皮膚粘膜眼症候群，先天性表皮水疱症．

予後

治療法の進歩・改善により予後は著しく改善しているが，難治例がある．

治療

①ステロイド〔早期に大量（プレドニゾロン 1 mg/kg/ 日），漸減，離脱ないし維持量，時にパルス〕，②免疫抑制薬（シクロホスファミド・アザチオプリン・メトトレキサート・シクロスポリン），③血漿交換療法（二重濾過），④大量免疫グロブリン療法，⑤抗 CD20 抗体，⑥局所療法（抗生物質・ステロイド軟膏・亜鉛華軟膏・含嗽液），⑦二次感染の注意，⑧補液および栄養補給，⑨薬歴を調べる（ペニシラミンなど）．

○2）増殖性天疱瘡 pemphigus vegetans（Neumann 1876）

尋常性天疱瘡の亜型で増殖傾向の強い臨床像を呈する．稀．

病因（表 14-1）

デスモグレイン 3（Dsg3）に対する自己抗体が主病因と考えられている．表皮増殖因子（EGF）受容体が表皮全層に発現すること，表皮にトランスフォーミング増殖因子（TGF）-α が過剰発現することなどが増殖性変化と関連すると指摘されている．

症状（図 14-6）

小水疱で始まるが弛緩性でびらん面は再上皮化することなく，次第に増殖隆起してくる．表面乳頭状，しばしば小水疱，小膿疱を有する．悪臭大．腋窩・陰股部などの間擦部位や臍窩・眼鼻孔口周囲に好発．初め水疱で疣贅状増殖局面を形成して尋常性天疱瘡に移行する Neumann 型と膿疱で初発し，増殖性変化を生じて比較的良性の経過を示す Hallopeau 型（pyodermite végétante Hallopeau 1889）とを分ける．

組織所見

棘融解（suprabasal acantholytic bulla）あり．表皮肥厚，乳頭腫症を呈し，表皮索は長く真皮内に延長し，この表皮内に小膿疱があって好酸球が充満する．Neumann 型では表皮内好酸球性膿疱は小型で数も少ないが，Hallopeau 型は棘融解像が少ないものの表皮内好酸球性膿疱は大型で数も多い．

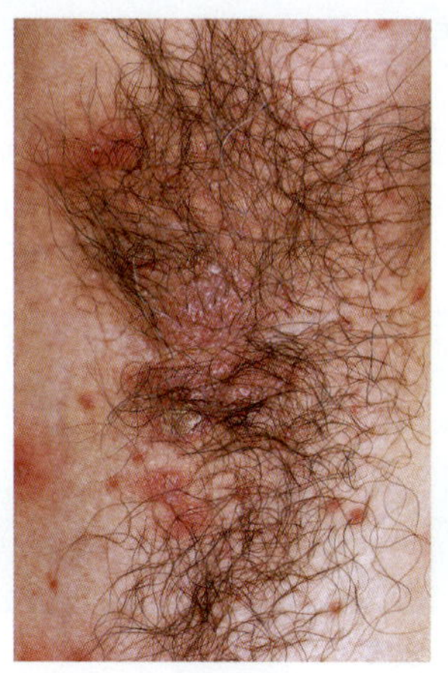

図 14-6　増殖性天疱瘡

鑑別診断

扁平コンジローマ，尖圭コンジローマ，増殖性慢性膿皮症，真菌性肉芽腫．

治療

尋常性天疱瘡に準ずる．

◎3）落葉状天疱瘡 pemphigus foliaceus（Cazenave 1850）

病因（表14-2，図14-7）

細胞間接着分子**デスモグレイン1**（Dsg1）に対する自己免疫．

症状（図14-8～10）

一般に尋常性天疱瘡に比し軽症．40～50代に多い．小さい弛緩性の水疱を生じ，これが乾燥して葉状の落屑となり，次々と剝離する．顔面中央に初発することが多く，次第に頭部，胸部，背部などの脂漏部位を中心に侵し，数ヵ月で汎発化して剝脱性紅皮症の外観を呈するに至る．粘膜は侵されない．ニコルスキー現象陽性．

組織所見

棘融解は表皮浅層（角層下・顆粒層内・棘細胞上層）に限局する．蛍光抗体直接法で病変部，その辺縁正常部の表皮細胞間にIgG，C3沈着．

表14-2　抗デスモグレイン抗体と天疱瘡群

	落葉状天疱瘡	尋常性天疱瘡（皮膚粘膜型）	尋常性天疱瘡（粘膜型）
抗Dsg1抗体	+	+	
抗Dsg3抗体		+	+

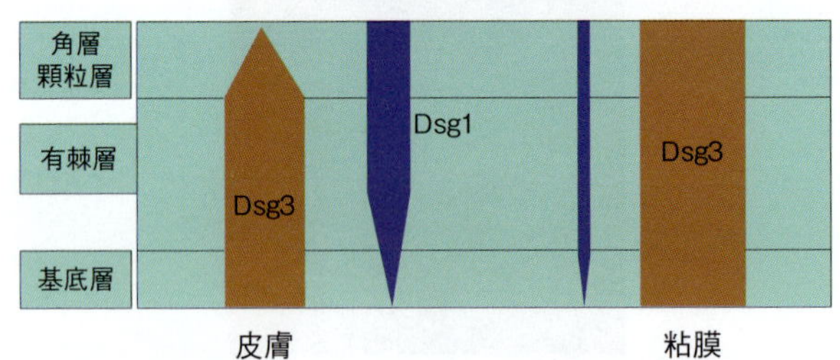

図14-7　皮膚と粘膜におけるデスモグレインの分布

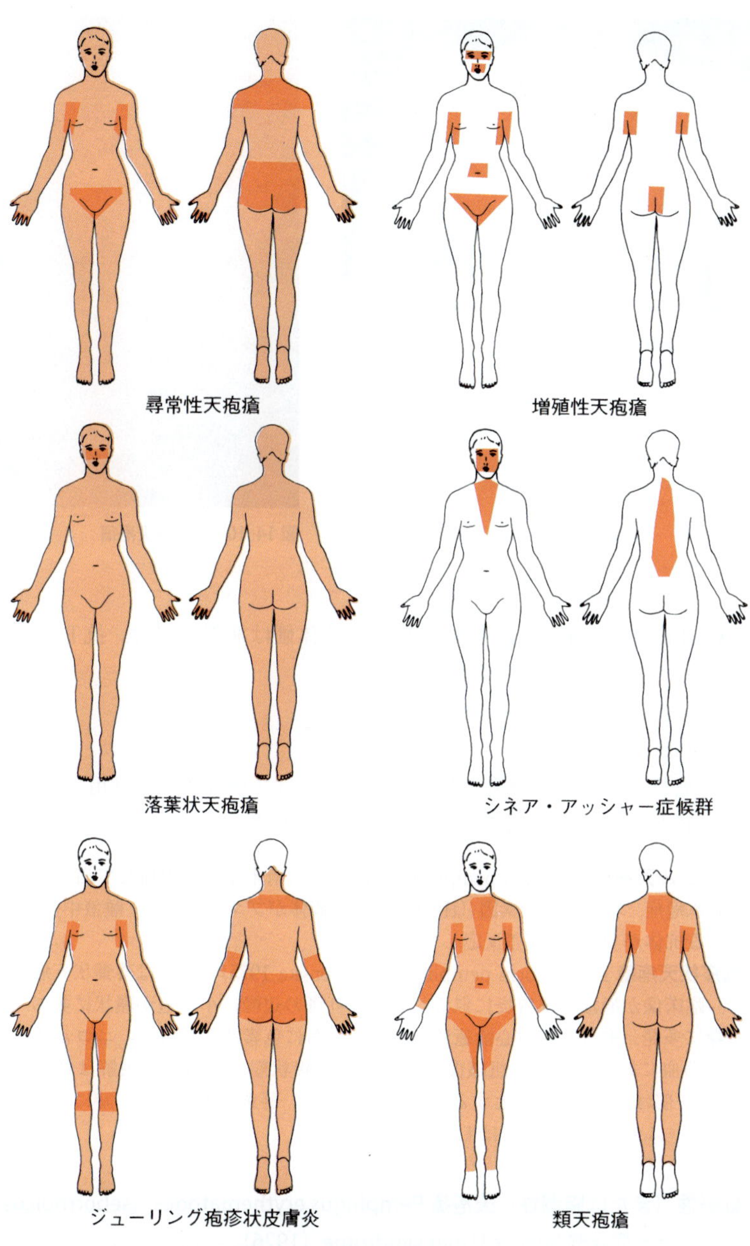

図 14-8 天疱瘡，疱疹状皮膚炎，類天疱瘡の好発部位

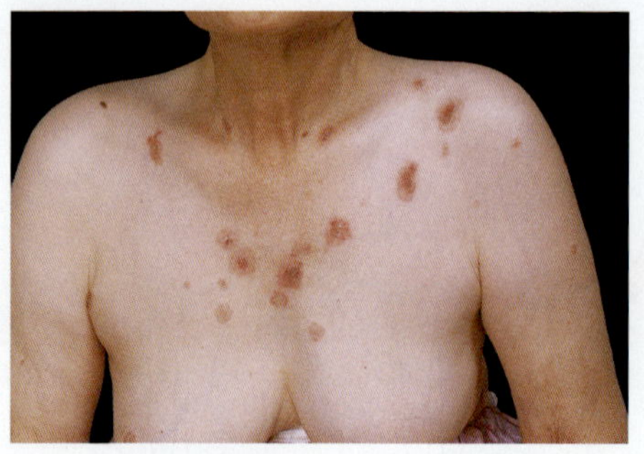

図 14-9　落葉状天疱瘡

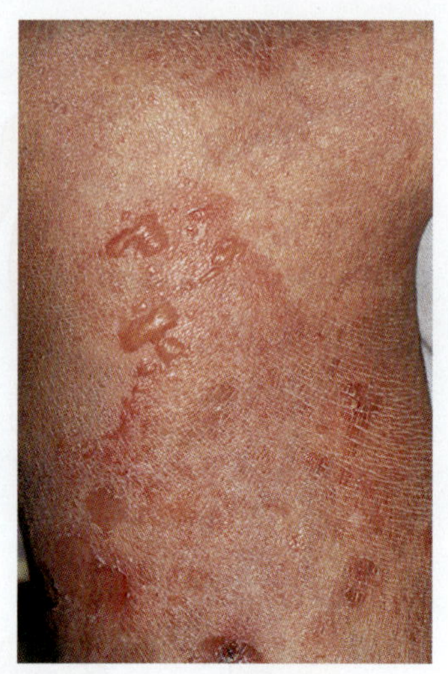

図 14-10　落葉状天疱瘡

検査

ELISA/CLEIA 法で抗 Dsg1 抗体の検出，抗体価は病勢と平行．抗 Dsg3 抗体は陰性．

治療

一般に尋常性天疱瘡より経過が良好．軽症例ではステロイド薬外用・少量のステロイド全身投与・DDS．症例では尋常性天疱瘡に準ずる．

〔付 1〕**ブラジル天疱瘡** Brazilian pemphigus foliaceus：南米などに限局して出現する風土病としての水疱症．特定の遺伝素因（HLA）のある個体がブユに刺され，唾液中の LJM11 蛋白に対する抗体が Dsg1 と交差反応して発症する．

〔付 2〕**疱疹状天疱瘡** herpetiform pemphigus（Jablonska 1975）：多くは落葉状天疱瘡の初期病変で．臨床像が疱疹状皮膚炎に似る．瘙痒性紅斑の辺縁に小水疱が環状に並ぶ．大小の斑が全身に多発，融合し，中心治癒傾向あり，のちに色素沈着を残す．ニコルスキー現象陰性．末梢血に好酸球増多．組織像は好酸球性海綿状態が主体で棘融解は軽度．多くは Dsg1 に，一部は Dsg3 を抗原とする自己抗体を有し，落葉状天疱瘡に．時に尋常性天疱瘡に移行する．ステロイド薬または DDS の内服．

○4）紅斑性（または脂漏性）天疱瘡 Pemphigus erythematodes（seborrhoicus），シネア・アッシャー症候群 Senear-Usher syndrome（1926）

落葉性天疱瘡の限局型もしくは不全型．

症状

顔面は正中部を中心にエリテマトーデスまたは脂漏性皮膚炎様皮疹（蝶型，鱗屑・結痂・紅斑），体幹（胸骨部・背中央部）には小水疱を主体とする天疱瘡様皮疹．粘膜は稀．SLE の合併は他の天疱瘡や自己免疫性疾患と同頻度で関連性は否定的．

病態・予後

抗デスモグレイン抗体（Dsg1）を有する．時に抗核抗体陽性．棘融解は顆粒層に起こる．他型に比べれば予後は良く，自然治癒もある．

治療

落葉状天疱瘡に準ずる．DDS，ステロイド軟膏 ODT も有効．

5）IgA 天疱瘡 IgA pemphigus，intercellular IgA dermatosis（Wallach 1982）

血清中の IgA 抗表皮細胞間抗体が原因と考えられる水疱性疾患で，好中球浸潤が特徴．体幹，四肢，間擦部に小水疱，膿疱が集簇して環状に配列，花弁状を呈する．落屑付着，痂皮形成をみるが，自覚症状はない．粘膜疹は稀．

角層下膿疱症（SPD）型と intraepidermal neutrophilic IgA dermatosis（IEN）型に大別できる．SPD 型では表皮上層に好中球が浸潤し，角層下に棘融解をみる．IEN 型では表皮中層に好中球が浸潤し，棘融解をみない．IgA 抗体は SPD 型で表皮上層に，IEN 型で表皮全層にわたって沈着する．SPD 型の IgA 抗体はデスモソーム成分のデスモコリン 1（Dsc1）に対する抗体である．なお，IgA 尋常性天疱瘡，IgA 落葉状天疱瘡とも言うべき IgA 抗 Dsg3 抗体，IgA 抗 Dsg1 抗体が検出できる IgA 天疱瘡もある．慢性に経過するが，予後は良好で，DDS が有効．

6）腫瘍随伴性天疱瘡 paraneoplastic pemphigus（Anhalt 1990）（図 14-11）

悪性腫瘍（特にリンパ球系増殖性疾患）に合併して生じる天疱瘡．

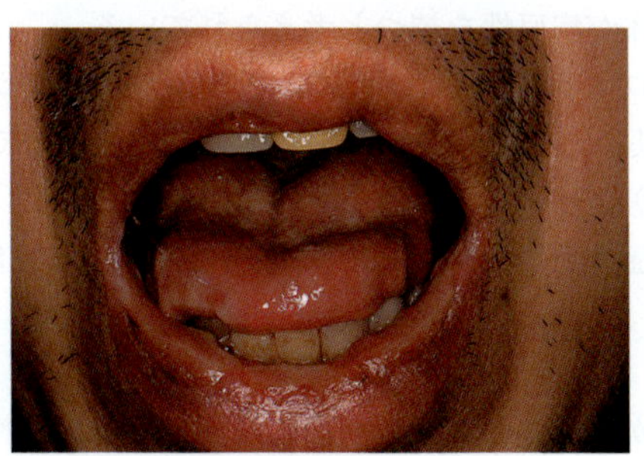

図 14-11　腫瘍随伴性天疱瘡

口腔・眼粘膜が強く侵され（時に鼻・外陰部粘膜も），皮疹は多形紅斑様，水疱，びらん，扁平苔癬様など多彩で限局性に生じる．

基底細胞の空胞化，表皮細胞の壊死，表皮・真皮境界部の炎症細胞浸潤が特徴で，裂隙形成や棘融解を認めることもある．蛍光抗体直接法で表皮細胞間にIgGとC3が沈着，表皮基底膜部にC3が線状，時に顆粒状に沈着．

血清中に500kD（プレクチン），250kD（デスモプラキンⅠ），230kD（BP230），210kD（デスモプラキンⅡとエンボプラキン），190kD（ペリプラキン），170kDの蛋白に対するIgG抗体とともに，ほぼ全例で抗Dsg3抗体が，60％に抗Dsg1抗体が陽性で，多彩な自己抗体が出現する．

悪性腫瘍と本症の活動度は一般に一致しない．随伴腫瘍の治療とともに尋常性天疱瘡に準じて治療するが，一般に難治で特に口腔粘膜病変は治療に抵抗することが多い．閉塞性細気管支炎を合併すると予後不良．

2. 類天疱瘡群（表皮細胞基質間接着障害）　◎

ヘミデスモソームや表皮・真皮接合部の構成蛋白に対する自己抗体によって表皮下水疱が生じる疾患群．

◎ 1）水疱性類天疱瘡 bullous pemphigoid（BP）（Lever 1953）

ヘミデスモソーム蛋白に対する自己抗体ができて表皮下水疱を形成する．高齢者に多い．

病因（表14-3）

血清中に2種の自己抗体〔IgG：抗原はヘミデスモゾームを構成する230kDと180kDの蛋白**BP230**（BPAG1），**BP180**（BPAG2）〕が存在する．BP180は17型コラーゲンであり，特にNC16a領域（C末端から数えて16番目の非コラーゲン領域）に対する自己抗体が病原性を持つと考えられている．

フロセミド・スピロノラクトン・スルファサラジン・ペニシリン・β遮断薬・ヘパリン・DPP4阻害薬などの薬剤．紫外線や紫外線療法などで誘発されることがある．神経疾患（脳梗塞など）との合併が多いとされる．DPP4阻害薬誘発性の場合，好酸球浸潤などの炎症に乏しく，しばしば抗BP180NC16a抗体陰性．

症状（図14-12）

大小の緊満性水疱が多発，しばしば周囲に痒みの強い浮腫性紅斑を伴う．大腿・上腕内側，臍，腋窩，鼠径，胸背部に好発．粘膜侵襲はないか，あっても軽度（口

表 14-3 類天疱瘡群の特徴

	水疱性類天疱瘡	瘢痕性類天疱瘡	妊娠性疱疹	線状 IgA 皮膚症	後天性表皮水疱症	疱疹状皮膚炎
年齢	高年，稀に乳幼児	成人以降	妊娠中期～分娩直後	小児，中年	成人以降	青～中年，時に小児，高年
好発部位	全身（四肢・体幹）	口腔・眼粘膜	体幹（腹部・臀部）・四肢	全身	四肢伸側・体幹，四肢	肘膝・四肢伸側・臀部
病変 皮膚	緊満性水疱・浮腫性紅斑・瘙痒	水疱・びらん・瘢痕	浮腫性紅斑・小水疱・瘙痒	小水疱・緊満性水疱・環状配列・瘙痒	水疱・びらん・瘢痕	紅斑・小水疱・膨疹・環状配列・瘙痒
粘膜	＋	＋＋＋	−	＋	＋	−
組織所見	表皮下水疱 好酸球浸潤	表皮下水疱	表皮下水疱 好酸球浸潤	表皮下水疱 好中球（好酸球）浸潤	表皮下水疱（強い多核白血球浸潤）	真皮乳頭部に好中球（好酸球）の微小膿瘍・表皮下水疱
抗原	BP180・B230	BP180 ラミニン 332	BP180	BP180 ラミニン 332	Ⅶ型コラーゲン	トランスグルタミナーゼ
蛍光抗体法 直接法	病変表皮基底膜部に IgG と C3 の線状沈着	病変表皮基底膜部に IgG の線状沈着	病変表皮基底膜部に C3 の線状沈着	病変表皮基底膜部に IgA，ときに C3 の線状沈着	病変表皮基底膜部に IgG と C3 の線状沈着	病変に隣接する無疹部真皮乳頭部に IgA の顆粒状沈着
間接法	抗基底膜 IgG 抗体	抗体価が低く検出できない	抗基底膜 IgG 抗体・HG 因子	抗基底膜 IgA 抗体	抗基底膜 IgG 抗体	抗皮膚自己抗体（−）
治療	ステロイド外用・内服（少量～パルス）・免疫抑制薬・テトラサイクリン＋ニコチン酸アミド・血漿交換・大量免疫グロブリン療法		ステロイド外用・内服	DDS・ステロイド	ステロイド・DDS	DDS・グルテン除去食

腔は 30％：desquamative gingivitis）．ニコルスキー現象陰性．全身状態は概して良好．高齢者（稀に乳幼児）に多い．悪性腫瘍を合併することがある．

組織所見（図 14-13）

好酸球浸潤を伴う表皮下水疱（subepidermal bullae）．基底膜部（lamina lucida）に IgG・C3 が沈着．

検査・診断（図 14-14）

抗 BP180 抗体・抗 BP230 抗体の検出，末梢血好酸球増多，表皮下水疱の病理組

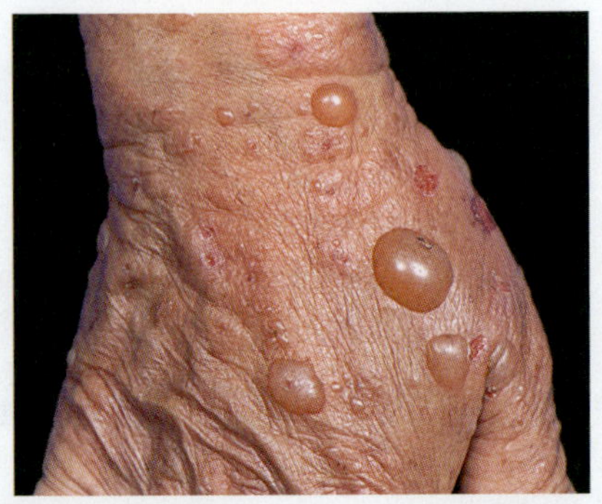

図 14-12　水疱性類天疱瘡

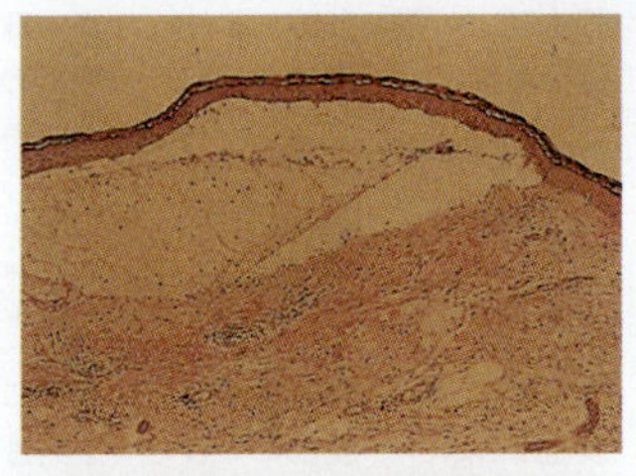

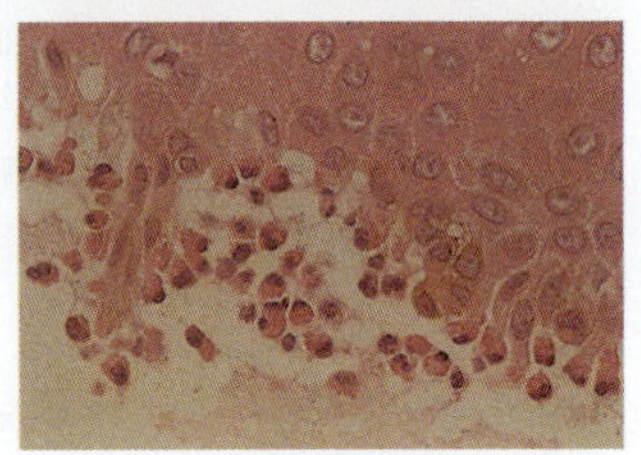

図 14-13　水疱性類天疱瘡
（表皮下水疱）と（好酸球浸潤）

図 14-14　水疱性類天疱瘡
（基底膜部の C3 沈着）

織，基底膜部の IgG・C3 の線状沈着.

鑑別診断

後天性表皮水疱症（表皮下水疱で IgG が病変部基底層部に線状に沈着）との鑑別：BP と異なり，290 kD の Ⅶ型コラーゲン（anchoring fibril）に対する自己抗体を検出する．1M NaCl 剝離表皮（ヘミデスモソームと anchoring fibril を分ける透明帯で切れる）の蛍光抗体法で anchoring fibril の存在する真皮側に抗体陽性，BP ではヘミデスモソームの存在する表皮側で陽性.

予後

多くは治療に反応してコントロール容易であるが，緩慢に経過することもある．各種合併症を有する高齢者で治療に難渋．時に予後不良に経過することもある．

治療

多くはステロイド薬によるが，大量を要しない（初回プレドニゾロン 0.4～0.8 mg/kg/ 日）．なるべく少量で寛解維持，離脱可能な場合もある．テトラサイクリン（100～200 mg/ 日）＋ニコチン酸アミドも有効．シクロスポリン・シクロホスファミドを補助的に使うこともある．軽症例ではステロイド外用も有効．重症例にはステロイドパルス療法・免疫抑制薬，血漿交換，免疫グロブリン大量静注療法など．高齢者が多いので合併症，脱水・栄養・二次感染に注意．

2）粘膜類天疱瘡 mucous membrane pemphigoid（MMP），瘢痕性類天疱瘡 cicatricial pemphigoid（図 14-15，16）

結膜・口腔など粘膜部に反復して水疱形成，瘢痕性に治り，外反瞼・睫毛乱生・角膜混濁（失明）・眼瞼癒着，口腔・咽喉・食道・尿道・膣・肛門に瘢痕性狭窄をきたす．1/3 に皮疹を発生．高年者に多い．

BP180 型〔自己抗体（IgG，IgG/IgA）は真皮側のより深い部位に位置する BP180 の C 末端部位に反応する〕，laminin 332 型〔抗 laminin 332（laminin 5, epiligrin とも呼ばれる）抗体（IgG），高率に胃癌などの内臓悪性腫瘍合併〕，眼型（眼症状が主体で皮疹は出ない，抗 α_6/β_4 インテグリン抗体がしばしば陽性）に分

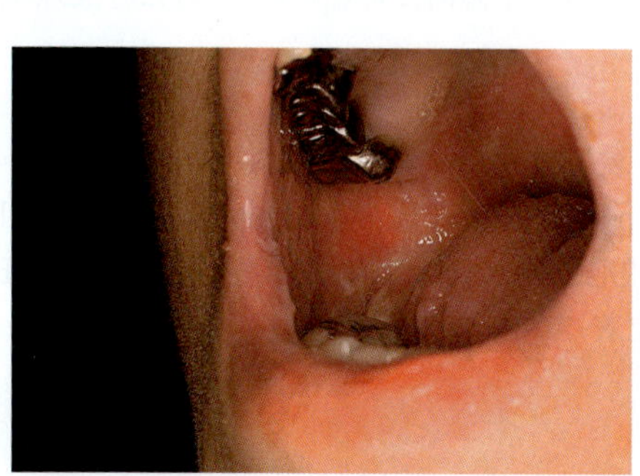

図 14-15　粘膜類天疱瘡（粘膜病変）

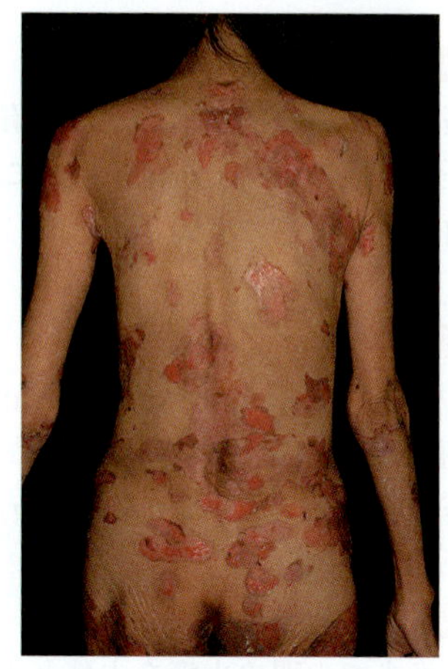

図 14-16　粘膜類天疱瘡（皮膚病変）

かれる.

〔付1〕**抗ラミニンγ1類天疱瘡** anti-laminin gamma 1 pemphigoid：水疱性類天疱瘡と同様に緊満性水疱を生じる．1M NaCl 剝離皮膚の真皮側に反応する抗ラミニンγ1抗体陽性．乾癬に高率に合併．

〔付2〕**結節性類天疱瘡** pemphigoid nodularis（Yung 1981）：中高年女性に多い．全身に結節性痒疹様皮疹を示し，瘙痒あり，水疱形成もある．基底膜部に IgG，C3 沈着．BP180 抗体価低値のために水疱を形成しにくいと推測されている．

〔付3〕**限局性類天疱瘡** localized bullous pemphigoid（Person 1976）：限局性の BP で，男性の頭頸部に限局し，治療に抵抗し，時に瘢痕治癒する Brunsting-Perry 型，女性の下腿に生じ治療によく反応する Eberhartinger-Niebauer 型，掌蹠に汗疱様の小水疱が生じる dyshidrosiform pemphigoid（Levine 1979）などがある．基底膜部に IgG，C3 沈着．BP180/230 抗体.

3）妊娠性疱疹 herpes gestationis（HG），pemphigoid gestationis

BP180 の非コラーゲン領域に対する自己抗体が原因で妊娠時に発症する.

本態（表 14-3）

本態は水疱性類天疱瘡と同じであるが，妊娠中から分娩直後に特異な臨床症状を呈する．血清中に抗 BP180 抗体（かつては HG 因子と呼ばれた）が存在する．基底膜部に IgG は 30〜50％程度に，C3 は 100％沈着する．全妊娠の 0.05％にみられ，比較的高齢の妊婦に多く，また妊娠ごとに反復し，重症化する．稀に出生児（出産直後〜10 日までに出現，2〜3 週後で消褪，低体重児に多い）に発症するが自然消褪.

症状（図 14-17）

瘙痒の強い，小水疱を辺縁に有する多形滲出性紅斑様紅斑，小水疱，漿液性丘疹が妊娠中期に生じ，分娩後急速に消褪（時に産褥期に再燃）する．時に好酸球増多・蛋白尿・血尿あり.

鑑別診断

①妊娠性痒疹，pruritic urticarial papules and plaques of pregnancy（PUPPP）（水疱形成なし），②疱疹状膿痂疹（膿疱主体，全身症状大），③多形滲出性紅斑，④疱疹状皮膚炎（HG 因子なし，IgA 沈着）.

治療

分娩までの間の止痒を主体とする対症的なものであってよい．重症例ではステロイド（胎盤移行性の低いプレドニゾロン）少量内服.

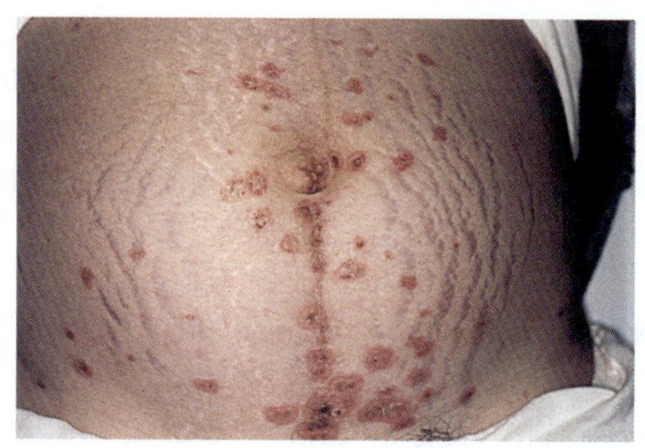

図 14-17 妊娠性疱疹

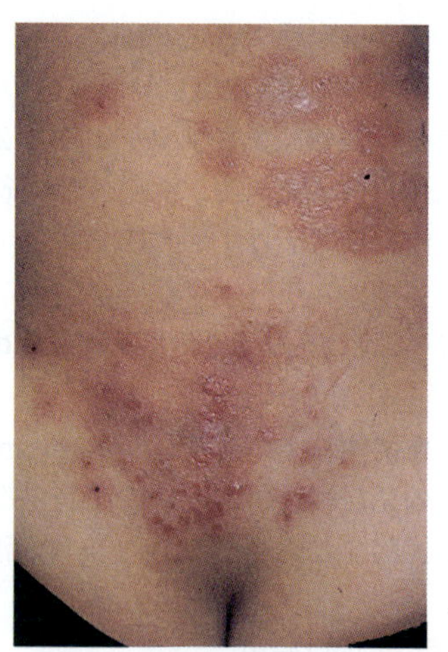

図 14-18 線状 IgA 水疱性皮膚症

4）線状 IgA 水疱性皮膚症 linear IgA bullous dermatosis（Chorzelski 1977）（図 14-18）

疱疹状皮膚炎（DH）に類似し，水疱性類天疱瘡・瘢痕性類天疱瘡と共通する臨床所見を呈する．小児型と成人型がある．顔・外陰部・臀部・下腹部．粘膜部に小水疱～水疱が多発し．びらん化し環状．連環状の膨疹様局面を形成することもある．小児では顔面．下腹・陰部に好発する．組織学的には表皮下水疱で．基底膜帯に IgA の線状沈着（および C3）あり，これはさらに基底板上型（lamina lucida type）と基底板下型（sublamina densa type），両者を併せ持つ鏡像型（mirror image type）に分ける．標的抗原は多様であるが，水疱性類天疱瘡抗原（BP180，17 型コラーゲン）のコラーゲン部分や基底膜部係留線維のⅦ型コラーゲンに対する IgA 抗体，一部 IgA/G 抗体．DH と異なりグルテン過敏性腸症はない．時にリンパ増殖性などの悪性腫瘍を合併．薬剤（バンコマイシン・サルファ剤・フェニトイン・ジクロフェナク）誘発性のことがある．DDS が第一選択，次いでステロイド内服．通常よく反応．小児例の予後はよい．

○5）後天性表皮水疱症 epidermolysis bullosa acquisita（EBA）

Ⅶ型コラーゲン（anchoring fibril の主成分）を標的抗原とする後天性の臓器特異的自己免疫性疾患．成人期に外傷を誘因として主として四肢末端伸側部に水疱・びらんを生じ，瘢痕・稗粒腫を残す．爪変形・脱毛あり．

四肢伸側を主とし，機械的刺激により水疱を．さらに瘢痕化を起こす classical type（非炎症型）と，水疱性類天疱瘡類似の紅斑・水疱が体幹・四肢に生じる non-classical type（炎症型，類天疱瘡様型）がある．

表皮下水疱で基底膜部にIgG，C3が線状に沈着．血中にIgG抗表皮基底膜部抗体を認め，1M食塩水剝離皮膚の真皮側に反応する．免疫電顕ではanchoring fibrilにIgG沈着，免疫ブロット法で290kDaの蛋白質（Ⅶ型コラーゲン）に対する自己抗体を検出できる．治療への反応は様々であるが，概して非炎症型は治療抵抗性，炎症型はステロイド・DDSによく反応する．一般には慢性に経過する．

○6）ジューリング疱疹状皮膚炎 dermatitis herpetiformis Duhring（DH）（1884）

病因（表14-3）

血清中にIgA型抗transglutaminase抗体（表皮型・組織型）があり，グルテンとの免疫複合体が皮膚に沈着することが病態と考えられている．また，グルテン過敏性腸症と関連してIgA抗体が消化管で産生と考えられている．

症状（図14-19）

欧米に比して日本人では極めて稀．日本では，①軽症例が多い，②グルテン過敏性腸症が少ない，③IgAの沈着様式の特徴などから欧米のジューリング疱疹状皮膚炎と異なる面があり，単に疱疹状皮膚炎と呼ぶことも多い．

①**前駆症状**：しばしば発熱・瘙痒・灼熱感が先行．

②**皮膚症状**：紅斑ないし，じんま疹様膨疹が発し，次いでその辺縁に環状に小水疱が発生する．小水疱は半米粒大から大豆大までで，健常皮面にも発する．水疱内容は黄色透明，時に混濁膿疱化し，破れると結痂（しばしば血痂）し瘢痕なく治癒する．その他，湿疹様・痒疹様皮疹の混在することあり，治癒後は色素沈着面を残し，多彩な皮疹を呈する．瘙痒は激しい．全身皮膚を対側性に侵すが，特に肘頭・膝蓋・殿・肩甲・項・被髪頭部に好発する．掌蹠・粘膜は通常侵されず，

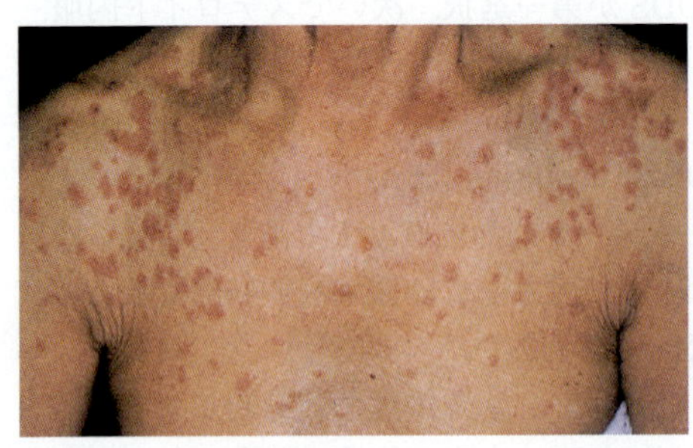

図14-19　疱疹状皮膚炎

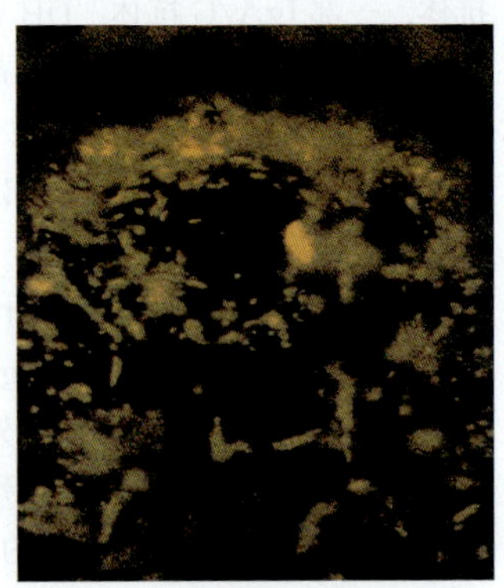

図14-20　疱疹状皮膚炎（真皮乳頭IgA顆粒状沈着）

全身状態も良い.

③**グルテン過敏性腸症** gluten-sensitive enteropathy：欧米ではほぼ全例にこれを伴うが，日本では少ない．空腸絨毛の萎縮性の変化（絨毛萎縮・固有板にリンパ球形質細胞浸潤）.

④HLA に相関し，欧米人に多く，日本では少ない．中年男性に多い．小児にも時にみられ，丘疹小水疱型をとる.

組織所見（図 14-20）

表皮下水疱（subepidermal bulla）．真皮上層は浮腫性で，好中球・好酸球が浸潤して微小膿瘍形成．真皮乳頭に IgA（および C3）が顆粒状ないし細線維状に沈着.

診断

①多彩な皮疹，②組織所見，③乳頭部への IgA の顆粒状ないし細線維状沈着（granular and fibrillar types）（日本では後者が多い），④ IgA 型抗 transglutaminase 抗体陽性，⑤小腸絨毛の萎縮，⑥ DDS 有効.

鑑別診断

①類天疱瘡（水疱大・IgG 沈着），②線状 IgA 水疱症（表皮・真皮境界部に IgA が線状に沈着，血清中に IgA 抗基底膜抗体），③多形滲出性紅斑（IgA 沈着なし）.

予後

慢性に経過し，病勢に消長あり．生命の予後は良好．時に甲状腺疾患（機能亢進症・機能低下症）・悪性貧血を合併.

治療

①サルファ剤（DDS，サルファメトキシピリダジン，サルファピリジン：IgA の関与する水疱症はステロイドより DDS が第一選択），②無グルテン食（日本の例ではほとんど不要）.

2 （先天性）表皮水疱症（Köbner 1886）

表皮真皮境界部の構成蛋白質をコードする遺伝子の異常により同部が脆弱化，軽微な外力によって表皮真皮の結合が解離して水疱が生じる疾患群である．水疱形成部位から単純型・接合部型・栄養障害型に大分し，特殊型としてKindler症候群がある．さらに責任分子・遺伝形式により亜型が分類されている（表14-4，図14-21）．

近年，各病型の遺伝子異常とともに，変異と症状の相関性も明らかにされつつある．遺伝子診断が可能になっている．日本では年間出産数当たり十数例の発生頻度と推定されている．

表14-4　先天性表皮水疱症（EB）

	遺伝	原因遺伝子 蛋白	発症時期 経過	臨床像	瘢痕	稗粒腫
〔単純型〕						
限局型 （Weber-Cockayne型）	AD	K5, K14	小児・成人 夏季・外力で悪化	手足のみに水疱	−	−
中等症汎発型 （Köbner型）	AD	K5, K14	生後半年以内 夏季悪化，思春期軽快	外力を受けやすい部位に水疱	−	−
重症汎発型 （Dowling-Meara型）	AD	K5, K14	出生時 成長とともに軽快	全身に水疱	−	−
筋ジストロフィー合併型	AR	プレクチン	成人後筋ジス発症	水疱形成は軽度	−	−
〔接合部型〕						
重症汎発型 （Herlitz型）	AR	ラミニン332	出生時 致死性（1年以内）	全身に水疱・びらん 全身に水疱，歯爪異常・脱毛など	−	−
中等症汎発型 （非Herlitz型）	AR	ラミニン332 BP180	出生時 生命予後はよい	全身に水疱	−	−
幽門閉鎖合併型	AR	$\alpha 6\beta 4$インテグリン	出生時 予後不良	広範な皮膚欠損，水疱，摂食・栄養不良	−	−
〔栄養障害型〕						
優性型	AD	Ⅶ型コラーゲン	出生〜乳幼児 加齢により軽快傾向	四肢に水疱，比較的軽症	＋	＋
劣性型						
重症汎発型 （Hallopeau-Siemens型）	AR	Ⅶ型コラーゲン	出生時 重症型	四肢・体幹に水疱出没，癒着障害	＋＋	＋
中等症汎発型 （非Hallopeau-Siemens型）	AR	Ⅶ型コラーゲン	出生時 皮膚限局型	H-S型より軽症 皮膚・粘膜のみ	＋	＋
Kindler症候群	AR	Kindlin-1	出生時	水疱，光線過敏，多形皮膚萎縮	＋	＋

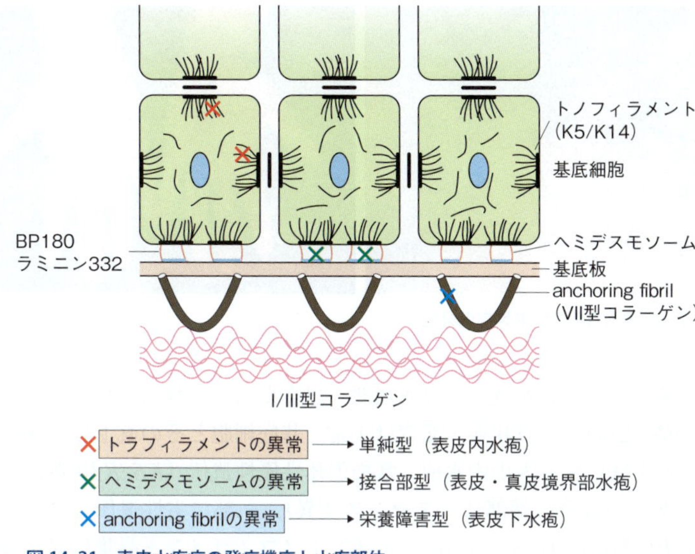

図 14-21 表皮水疱症の発症機序と水疱部位

1. 単純型表皮水疱症 EB〔epidermolysis bullosa（hereditaria）〕simplex（EBS） ◎

基底細胞のトノフィラメント異常により同細胞が変性融解して表皮内に水疱を形成する．水疱治癒後に瘢痕を残さない．単純型は通常他の病型より軽症．表皮基底細胞に発現する**ケラチン 5 と 14**（*K5/14*）遺伝子に変異を生じ，そのドミナントネガティブ効果により常染色体性優性の遺伝形式をとる．稀に劣性遺伝．

1）限局型 localized EBS〔Weber（1926）-Cockayne 型 1938 recurrent bullous dermatosis of feet and hands〕

単純型の軽症型．手足にのみ水疱形成，温熱で増悪（夏に悪化），生後，幼児期の運動・歩行時に発症．瘢痕を残さない．常染色体性優性遺伝．*K5/K14* 遺伝子の多くは非 α ヘリックス部分に，一部は α ヘリックス部にミスセンス変異．電顕では基底板に崩壊した基底細胞の細胞膜がヘミデスモソームとともに残存する．基底細胞内のトノフィラメント凝集に異常はない．

2）中等症汎発型 generalized intermediate EBS（Köbner 型 1886）（図 14-22）

生後半年以内（稀にそれ以後），手・足・肘・膝関節部のような外力を受ける部位，あるいは衣類でこすれる部位に大小の緊張性水疱を形成，破れてもすぐに治癒する

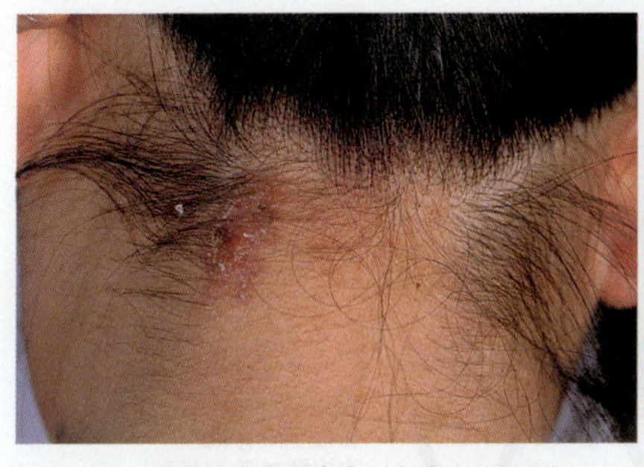
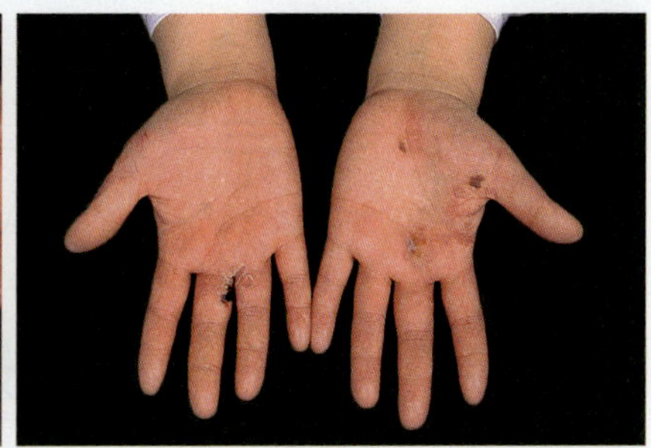

図 14-22　先天性表皮水疱症（中等症汎発型）

が，一部は瘢痕・稗粒腫を残す．夏季増悪，思春期に至り軽快．爪・毛は侵されず，粘膜侵襲も稀（2%），全身状態・発育は正常．基底細胞とその直上の有棘細胞が変性し，基底膜を底にする表皮内水疱，常染色体性優性遺伝（*K5/K14* 遺伝子の α ヘリックス部あるいはその端部にミスセンス変異），一部に劣性遺伝（早期終止コドンを持つ *K14* 遺伝子のホモ接合体）．電顕でトノフィラメント凝集に異常はみられないが，劣性型ではトノフィラメントが極めて少なくなっている．機械的刺激と温暖を避ける．

3）重症汎発型 generalized severe EBS（Dowling-Meara 型，EB herpetiformis）（Dowling and Meara 1954）

単純型の中では比較的重症．出生時水疱出現，次第に疱疹状水疱を形成．一般に成長と共に軽快する．常染色体優性遺伝．*K5/K14* 遺伝子の α ヘリックス両端部各20アミノ酸領域に変異．電顕で基底細胞内にトノフィラメントの異常凝集（多くは球状）を生じるのが特徴．

4）色素異常型（EB with mottled pigmentation）（Fischer 1979）

四肢の水疱，四肢・体幹の小型の色素斑・脱色素斑，手掌足底の角化．*K5* 遺伝子の非 α ヘリックス領域にミスセンス変異．遺伝性対側性色素異常症や Kindler 症候群と鑑別．

5）筋ジストロフィーを伴う型（EB with muscular dystrophy）

常染色体劣性遺伝．成人後進行性筋ジストロフィーが生じる．表皮内水疱を呈するが，比較的軽度．ヘミデスモソームとトノフィラメントが離開する．プレクチン（plectin，表皮真皮境界部と筋細胞膜，筋肉の Z line に発現する接着蛋白）の欠損・減弱．プレクチン遺伝子 *PLEC1* のナンセンス変異，フレームシフトをきたす変異が多い.

6）表在性表皮水疱症亜型（superficial EBS subtype）

角層直下に水疱を形成する表在性表皮水疱症の一群．いずれも稀.

①**表在性表皮水疱症**：角層下に裂隙が形成されて生じる表在型の水疱症．*K5/K14* の異常．びらん・痂皮が特徴．瘢痕・稗粒腫・色素沈着を残す.

②**致死性棘融解性表皮水疱症**（lethal acantholytic EBS）：常染色体劣性遺伝性の表皮水疱症で．出生時から全身にびらん面が多発する．全頭脱毛．爪欠損．歯牙異常．口腔粘膜のびらん．呼吸器症状を随伴する．*K14* 遺伝子変異が報告されている.

③**外胚葉形成不全・皮膚脆弱症候群 Ectodermal dysplasia-skin fragility syndrome**：出生時から極めて軽微な機械的刺激で水疱を形成，びらんを生じ，毛髪や爪の異常が顕著．掌蹠の角化や発汗低下あり．デスモソーム構成蛋白のプラコフィリン（plakophilin）1 の異常により，表皮細胞間が解離する．常染色体劣性遺伝．極めて稀.

2. 接合部型表皮水疱症 EB junctionalis（JEB）

基底細胞と基底板（lamina densa）間の透明層（lamina lucida）で表皮と真皮が解離して“junctional blistering”を示すのが接合部型である．重症汎発型（Herlitz 型），中等症汎発型（非 Herlitz 型），幽門閉鎖合併型の 3 亜型に分類する．単純型や栄養障害型に比べて頻度は低い.

1）重症汎発型 generalized severe JEB（Herlitz 型）EB hereditaria letalis Herlitz（1935）

出生時，既に全身（特に四肢）に水疱びらん面を形成，多くは 1 年以内に死亡．爪・骨（萎縮）・粘膜（口腔・気道など）も侵され，発育不良．瘢痕・稗粒腫を残さない．表皮下水疱で，透明層で表皮真皮が解離する．表皮基底膜の**ラミニン 332**（ラミニン 5）が特異的に欠損（モノクローナル抗体染色）．常染色体性劣性遺伝．ラミニン 332 を構成する α3 鎖，β3 鎖，γ2 鎖をコードする *LAMA3*，*LAMB3*，*LAMC2* 遺伝子のいずれかの変異で発症（早期終止コドンを持つホモ接合体）.

2）中等症汎発型 generalized intermediate JEB（非 Herlitz 型）（図 14-23）

出生時より全身に水疱，生命的予後は良い．頭部萎縮性脱毛・掌蹠角化・歯牙異常を伴い，膀胱・尿管障害が生じる．**類天疱瘡抗原**（BP180，17 型コラーゲン）の欠如で発症，一部はラミニン 332 の減少による．常染色体劣性遺伝．17 型コラー

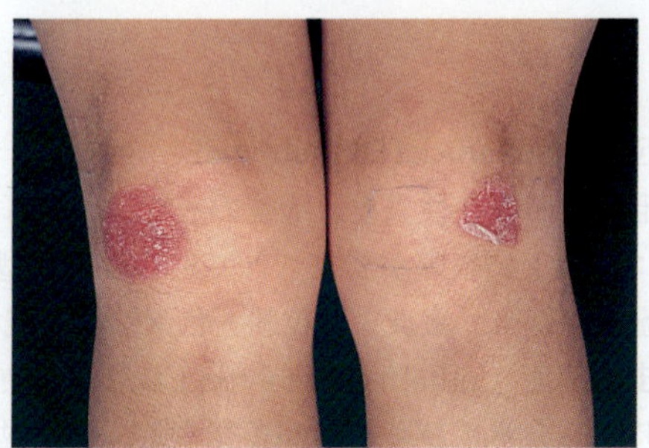
図 14-23　先天性表皮水疱症（中等症汎発型）

ゲン（BP180）遺伝子の変異，一部ではラミニン332遺伝子（*LAMB3*）の異常．

3）幽門閉鎖合併型 JEB with pyloric atresia

出生時より発症し，摂食不良・栄養不良で予後不良（生後1年，特に1ヵ月以内の死亡が多い）．ヘミデスモソームの低形成が顕著．**α6/ β4 インテグリン**の消失．α6（*ITGA6*）またはβ4（*ITGB4*）インテグリン遺伝子の変異．常染色体劣性遺伝．

3．栄養障害型表皮水疱症 EB dystrophica（Hallopeau 1898）　◎

係留線維（anchoring fibril）形成不全による dermolysis（基底板 lamina densa 直下の水疱形成）で，基底膜領域の**Ⅶ型コラーゲン**が減少，ないし消失している．Ⅶ型コラーゲン遺伝子（*COL7A1*）異常により発症．

1）優性型 EB dominant DEB

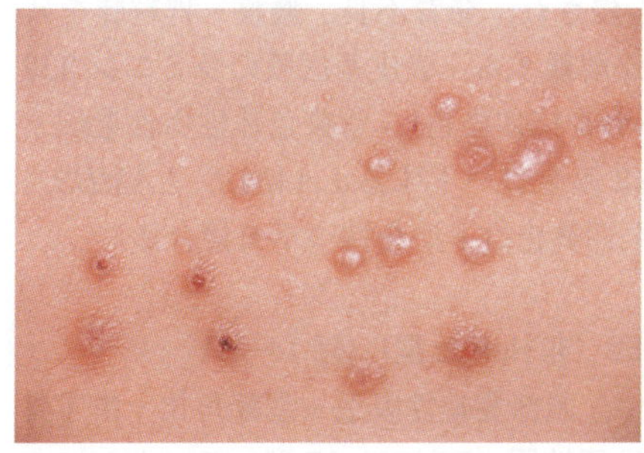
図 14-24　先天性表皮水疱症（優性栄養障害型：白色丘疹型）

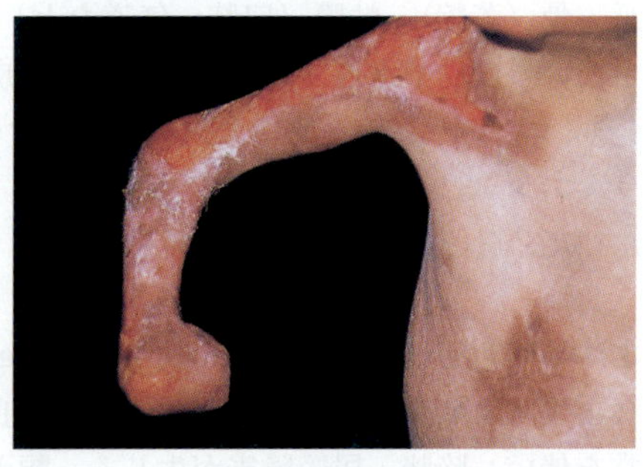
図 14-25　先天性表皮水疱症（劣性栄養障害型）

常染色体優性遺伝形式を示す．水疱は出生時〜乳幼児期に発し四肢に多く，あとに瘢痕・稗粒腫を残し，爪が変形，時に脱落するが，脱毛や手指癒着などは起こらない．水疱・びらんは加齢とともに減少・軽快する傾向を示す．粘膜も侵されるが（食事困難・嗄声），口腔以外は頻度が低く，一般に軽度．従来，白色丘疹型 EB albopapuloidea（Pasini 1928）（図 14-24），肥大型 EB hyperplastica Cockayne（1933）-Touraine（1942）など亜分類してきたが，近年は稀な亜病型として前脛骨型（前脛骨に水疱・瘢痕が限局）・痒疹型（痒疹結節が限局性に多発）・先天性限局性皮膚欠損（Bart 1966）・新生児一過性水疱形成型（水疱形成が一過性で予後良好）を分けている．いずれもⅦ型コラーゲン遺伝子（*COL7A1*）の Gly-X-Y 繰り返し構造のグリシンを他のアミノ酸に変えるグリシン置換型変異．グリシン置換分子により係留線維の強度が低下し発症すると推測されている．

2）劣性型 recessive DEB（図 14-25）

Ⅶ型コラーゲン遺伝子のホモ異常により係留線維が形成されず基底板直下で水疱形成．基底膜領域のⅦ型コラーゲンが減少，ないし消失するが優性型より臨床症状は重症で多彩．中等症汎発型と重症汎発型に分ける．Ⅶ型コラーゲン遺伝子（*COL7A1*）にも様々の異常が見出される．常染色体性劣性遺伝．

①**重症汎発型 generalized severe RDEB〔Hallopeau (1898)-Siemens (1921) 型**：出生時〜乳児期に，四肢・頭・体幹に，外力の有無にかかわらず水疱を形成し，加齢による自然治癒はない．高度の爪変形・脱毛・皮膚乾燥萎縮を伴い，粘膜の侵襲も高度で，嗄声・舌運動制限・食道狭窄をきたす．瘢痕（指趾の棍棒状癒合）・稗粒腫・色素異常を残す．成長障害も必発．若年期に死亡することもある．Ⅶ型コラーゲンを全く発現しない（係留線維を欠く）．Ⅶ型コラーゲン遺伝子（*COL7A1*）に早期終止コドンをきたす変異がホモ接合体を形成．

②**中等症汎発型 generalized intermediate RDEB（非 Hallopeau-Siemens 型）**：重症汎発型と同様の皮膚症状（著明な水疱形成・瘢痕形成）を呈するが，他臓器障害や成長障害がなく，手指の癒着や粘膜症状は比較的経度．基底板直下の係留線維が萎縮・減少．Ⅶ型コラーゲン遺伝子（*COL7A1*）の少なくとも一方は早期終止コドンをきたす変異以外の変異〔アミノ酸置換型（ミスセンス）・アミノ酸欠失/挿入の誘導〕．

③**特殊型**：反対型 EB inversa では水疱が腋窩・鼠径部に好発．食道狭窄・肛門びらんが強く，稗粒腫は欠除．

3）Kindler 症候群 Kindler syndrome

水疱・びらんとともに光線過敏症が合併する．成長に伴い水疱形成は目立たなくなり，網状紅斑・色素斑が出現して，多形皮膚萎縮を呈し，色素性乾皮症に似る．*kindlin-1*（*FERMT1*）遺伝子異常，常染色体劣性遺伝．

4. 先天性表皮水疱症の治療 ◎

特異的・有効な治療法はないが．外力の軽減．保護ケアなどに努める．①局所療法（水疱内容除去・ワセリン・非固着性創傷被覆材・指趾癒合予防），②補液・栄養管理，③ビタミンE大量療法，④フェニトイン内服（劣性栄養障害型），⑤外科的処置（植皮・悪性腫瘍切除など），⑥培養皮膚移植（自家培養表皮シート），⑦機械的外力・温熱を避ける，⑧遺伝子治療が研究されている．

3 膿疱症

無菌性膿疱（aseptic pustule）を主体とする疾患．膿疱には好中球が浸潤するが，一部で好酸球が混じたり，あるいは好酸球が主体のこともある．ほとんどは原因不明である．膿疱性乾癬との異同が論じられる膿疱症も多い．

化膿性無菌性関節炎・壊疽性膿皮症・痤瘡症候群（PAPA 症候群）は，常染色体優性遺伝．PSTPIP1 遺伝子の機能獲得型変異．幼児期に化膿性無菌性関節炎を発症し，思春期以降に壊疽性膿皮症，嚢腫性痤瘡を呈する．

1. 限局性膿疱症 ◎

◎1）掌蹠膿疱症 pustulosis palmaris et plantaris（PPP），chronic palmoplantar pustularpsoriasis

両側の掌蹠に無菌性膿疱が多発し，慢性に出没を繰り返す．

病因

欧米では膿疱性乾癬の限局型と位置づけられるが，日本では乾癬・悪化因子とは異なる膿疱症との考え方が主流．病巣感染（扁桃炎・齲歯）・喫煙などが誘因として重要である．TNF-α 阻害薬に誘発される例がある（逆説的反応）．

症状（図 14-26）

手掌足底に小水疱が多発，膿疱に転じ，（pustulo-vesicle），その周りに紅暈をめ

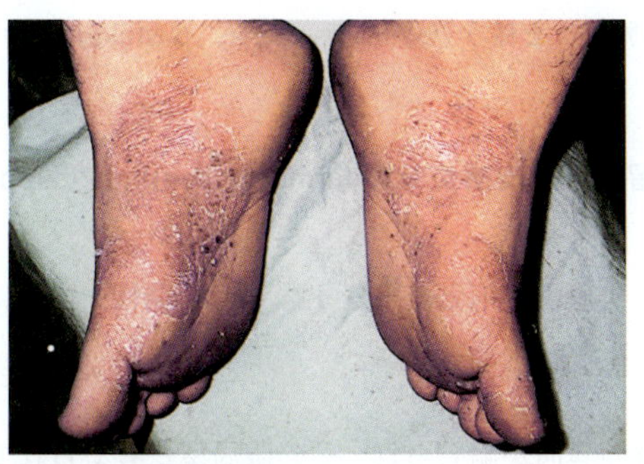

図 14-26 掌蹠膿疱症

ぐらし，やがて融合して紅斑落屑性局面上に多数の膿疱を有する皮疹を形成する．境界は明瞭，瘙痒の有無は種々，慢性に経過し，時々増悪する．爪甲に点状陥凹・横溝・変形．時には肘頭・膝蓋・足手背・下腿伸側に角化性紅斑，頭部に粃糠様落屑を伴う．また約10％に胸肋鎖骨・仙腸関節などの骨関節炎（掌蹠膿疱症性骨関節炎 pustulotic arthro-osteitis；PAO）を合併．成年に発症し，女性に多い（男女比1：2）．

組織所見

表皮内（角層下）単房性膿疱で，角層側中央部を中心に稠密な好中球浸潤．膿疱は変性した表皮細胞を含み，辺縁部に軽度の海綿状膿疱．真皮の反応性細胞浸潤は軽度．

鑑別診断

①足白癬：水疱・落屑，菌証明，②汗疱：小水疱，薄い環状落屑，③膿疱性乾癬：他に乾癬病巣あり，大きなマンロー微小膿瘍を有する乾癬の組織像．手掌足底に限局せず全身に汎発，④稽留性肢端皮膚炎：指尖から爪囲炎の形で始まり，多く外傷が先行する．中枢に向かって進行し全身皮膚を侵すことあり．

治療

①ステロイド軟膏，ビタミンD_3軟膏の外用，②紫外線照射，③病巣感染の処置（扁摘・抗生物質）が時に有効，④歯科・耳鼻科的治療，⑤サラゾスルファピリジン・DDS・コルヒチン，⑥エトレチナート（25～50 mg/日），⑦免疫抑制薬（シクロスポリン，メトトレキサート），⑧抗IL-23抗体．

〔付〕**SAPHO症候群**：掌蹠膿疱症，集簇性痤瘡に，前胸壁，脊椎，仙腸関節の骨硬化性病変

（骨肥厚・骨炎・滑膜炎）を伴う（synovitis, acne, pustulosis, hyperostosis, osteitis, SAPHO）.

○2）アロポー稽留性肢端皮膚炎 acrodermatitis continua（suppurativa）（Hallopeau 1897）

指趾末端に生じる無菌性膿疱と紅斑を主徴とし再発性，慢性に経過する．

病因

不明，膿疱性乾癬の異同が論じられ，その限局型と考えられている．

症状（図14-27）

指趾末端が発赤・腫脹，小膿疱を形成し（爪周囲炎様），やがてびらん・結痂する．反復するうちに皮膚は萎縮，爪が変形・脱落，指趾末端も変形する．病変が拡大，手掌足底・手足背にも及び，あるいは小膿疱が汎発化することがある．

組織所見

好中球を含む表皮上層のKogoj海綿状膿疱，不全角化，乾癬様表皮索延長．

治療

掌蹠膿疱症に準ずる．

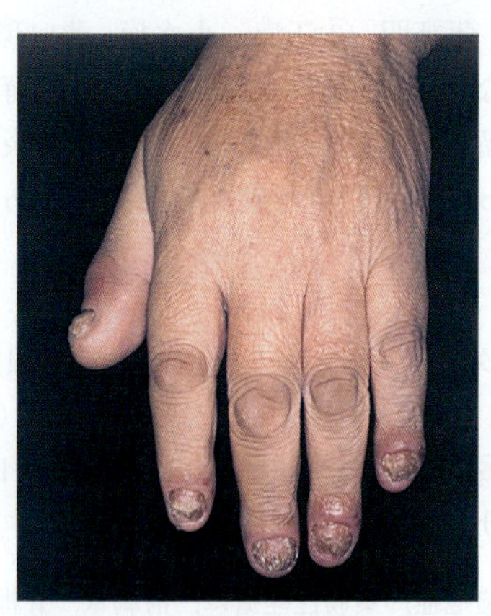

図14-27　稽留性肢端皮膚炎

3）小児肢端膿疱症 infantile acropustulosis（Jarratt 1979，Kahn 1979）

稀．乳幼児（2 歳以下）の掌蹠・手背・足背などに無菌性小膿疱，小水疱が反復性に出現する．瘙痒が強い．夏季に増悪する．疥癬に類似するので注意．また疥癬治療後に発症したとの報告もある．通常は 2 年程度で自然消褪する．

4）erosive pustular dermatosis of the scalp（Pye 1979）

高齢女性（稀に若年者，男性にも）頭部の膿疱・痂皮・びらん面，のち瘢痕化する．抗生物質は無効，ステロイドやタクロリムス外用に反応．難治例は DDS やシクロスポリン内服．しばしば外傷が先行する．

◎5）好酸球性膿疱性毛包炎 eosinophilic pustular folliculitis（Ofuji 1970）

主に顔面に好酸球性膿疱が集簇して紅斑局面を形成．インドメタシンが著効する．

病因

病因は不明だが，近年好酸球の集積はプロスタグランジン D_2 が脂腺細胞のエオタキシン産生を促すことによるといわれる．

症状（図 14-28）

瘙痒のある毛包一致性の丘疹や無菌性小膿疱が集簇して紅斑局面を形成，遠心性に拡大するとともに中心治癒をきたし，一定の大きさになると色素沈着を残して消褪する．辺縁で紅斑が強く，毛包一致性小膿疱が並ぶ．粘膜を除き全身に発するが，顔・胸・背・上腕伸側に好発．必ずしも毛包に一致せず浸潤性紅斑を形成，また手掌足底に生じることもあり（掌蹠膿疱症に類似）．周期的に再発を繰り返して慢性に経過する．末梢血好酸球増多症をみるが，通常全身症状はない．20 代に好発（40%），80%が男性．時に造血系悪性腫瘍や HIV 感染が背景にある．AIDS に合併する HIV-associated eosinophilic folliculitis（Rosenthal 1991）は，古典型に比して

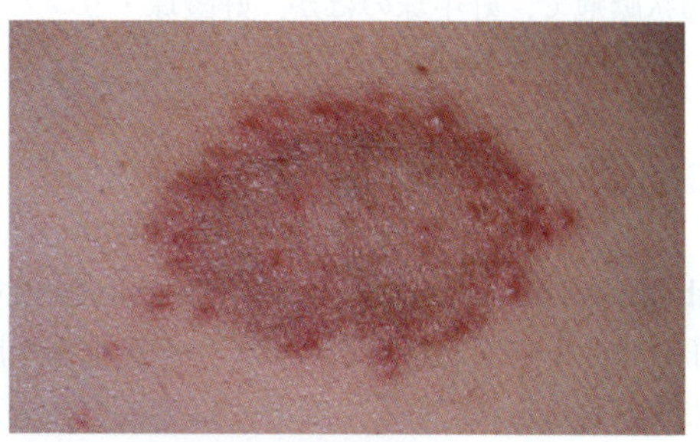

図 14-28　好酸球性膿疱性毛包炎

やや大きく，膨疹様紅色丘疹で膿疱に乏しく，瘙痒あり，慢性持続性である．

組織所見

外毛根鞘の変性，海綿状態，小水疱，好酸球・単球・好中球の浸潤．

治療

治療の第一選択はインドメタシン内服（シクロオキシゲナーゼ活性抑制による好酸球走化因子産生抑制）．他にインドメタシン外用，DDS・塩酸ミノサイクリン・エトレチナート・ステロイド薬の内服または外用，シクロスポリン内服，PUVA．

2. 全身性膿疱症 ◎

1）膿疱性乾癬 pustular psoriasis

（☞ p.384）．

2）疱疹状膿痂疹 impetigo herpetiformis（IH）

妊娠に伴って生じる全身性の無菌性膿疱を主徴とする．妊娠を引き金に発症した汎発性膿疱性乾癬（GPP）と考えられている（☞ p.384）．

症状

妊娠中期以降に，膿疱を環状に辺縁に有する紅斑が多発し連圏状～蛇行状に並ぶ．鼠径・臍囲・会陰・腋窩など間擦部位に初発し，全身に及ぶ．瘙痒あり，あとに色素沈着を残す．発熱・悪寒・嘔吐・下痢を伴うことも少なくない．分娩とともに治癒することが多いが，次の妊娠時再発する．稀に男性例や非妊娠女性例もある．

組織像

角層下 Kogoj 海綿状膿疱で，好中球のほか，好酸球・リンパ球を混ずる．

治療

妊娠を考慮して膿疱性乾癬に準じて治療．

3）角層下膿疱症 subcorneal pustular dermatosis（Sneddon and Wilkinson 1956）

角層下の無菌性好中球性小膿疱を特徴とする．IgA 天疱瘡や膿疱性乾癬との異同など疾患単位の独立性が論じられている．なお．抗デスモコリン 1 IgA 抗体が表皮に沈着する角層下膿疱症型の IgA 天疱瘡との考えもある．

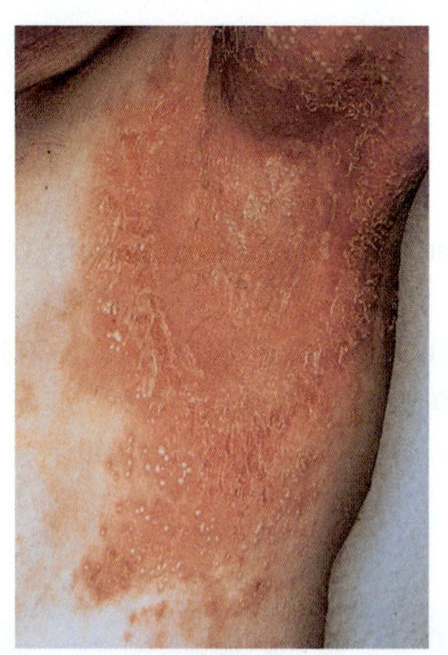
図 14-29 角層下膿疱症

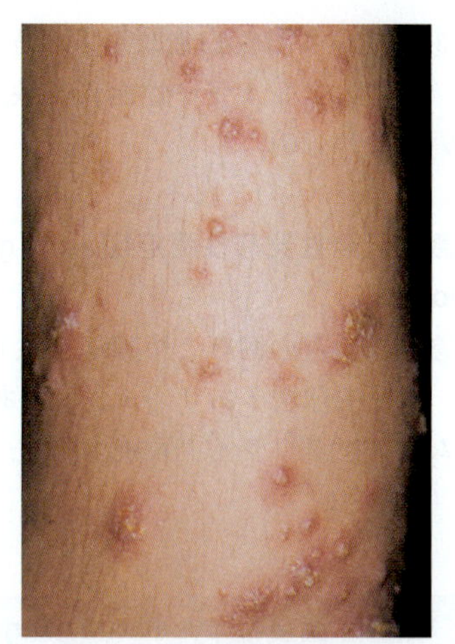
図 14-30 急性汎発性膿疱性細菌疹

症状（図 14-29）

紅暈を有する膿疱（小水疱）が環状〜蛇行状に，体幹・四肢中枢側，特に腋窩・乳房下・鼠径部などの間擦部に発し，数週〜2，3ヵ月の経過で色素沈着を残して消褪，これを反復し連圏状となる．粘膜侵襲なし．軽度の掻痒感のみで自覚症状少なく，全身症状もない．中年女性に多い．稀にIgA型骨髄腫などの悪性腫瘍を合併することあり．

組織所見

好中球，わずかの好酸球を含む角層下膿疱で，無菌的．表皮肥厚・海綿状態・血管周囲性細胞浸潤を伴う．

鑑別診断

IgA天疱瘡・落葉状天疱瘡・疱疹状膿痂疹・カンジダ症・膿疱性乾癬・疱疹状皮膚炎・伝染性膿痂疹．

治療

DDSが有効．エトレチナート，PUVAなど紫外線照射も．

4）急性汎発性膿疱性細菌疹 acute generalized pustular bacterid（Tan 1974）

中年男女で，①急性上気道感染（溶連菌）に引き続き，手足背・下腿・体幹に紅暈を伴う膿疱が集簇する．②軽度発熱・関節痛・結節性紅斑様皮疹を伴うことがあり，③ ASLO 上昇，白血球増多，赤沈促進．④膿疱は表皮内の好中球性膿疱で無菌性，⑤時にアレルギー性血管炎像，小血管に IgM・C3 の沈着．⑥一過性で再発しない（図 14-30）．

5）急性汎発性発疹性膿疱症 acute generalized exanthematous pustulosis（AGEP）(Beylot 1980)

①急速に全身の潮紅と小膿疱を生じ，② 38℃以上の発熱を伴い，③ 15 日以内に消褪．④好中球増多あり，⑤表皮内あるいは角層下膿疱で真皮に浮腫．薬剤（βラクタム系・マクロライド系抗生物質，その他）の薬疹の一型として出現することが多い（☞ p.296）．

3. 壊疽性膿皮症 pyoderma gangraenosum（Brunsting 1930）◎

小水疱，膿疱，血疱で始まり急速に壊疽性潰瘍を形成する．炎症性腸疾患，造血系悪性腫瘍を伴うことが多い．好中球性皮膚症の一つでもある．

病因

自己炎症説，細菌アレルギーなど．GM-CSF（顆粒球マクロファージコロニー刺激因子）投与や外傷（静脈穿刺・手術）に引き続いて発することも多い．好中球に機能異常，IL-8 や TNF-α などの高値などの関与も推測され，また PG をきたす常染色体性優性の遺伝病の自己炎症性症候群の一つである PAPA（pyogenic arthritis,pyoderma gangrenosum and acne）症候群では CD2BP1（CD2-binding protein 1）をコードする遺伝子の変異がみられ，これが pyrin 機能を抑制して発症に関与すると考えられている．

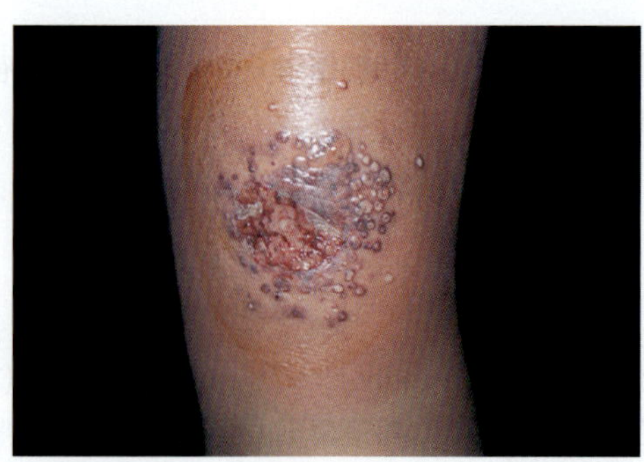

図 14-31　壊疽性膿皮症

症状 (図 14-31)

臨床像がやや多様で，臨床病型を潰瘍型，膿疱型，水疱型，表在（増殖）型，ストーマ周囲型などに分けることができる．潰瘍型が基本型である．

①**潰瘍型**：膿疱・小水疱・痤瘡様丘疹・小結節が単発ないし多発し，数日で潰瘍化，遠心状に拡大，融合して大きな噴火孔状潰瘍となる．辺縁は強く潮紅して堤防状に隆起し蚕食性潰瘍を呈し，潰瘍底は膿苔・壊死塊で被われ易出血性，圧痛・自発痛あり．表面がメッシュ様の瘢痕を残して治癒する．四肢，特に下腿伸側に好発し（その他，頭部・体幹），反復する．

膿疱型：体幹・四肢伸側に好発し，角層下膿疱や好中球性膿瘍で潰瘍化しにくい．

水疱型：有痛性の表皮化水疱で周囲に炎症を伴う．水疱はやがて潰瘍化する．

増殖型：superficial granulomatous pyoderma（Wilson and Jones-Winkelmann 1988）と同義．辺縁が隆起し，潰瘍は浅く穿掘性は少ない．成人体幹に好発し，合併症はない．慢性に経過．出血と好中球を囲んで組織球・巨細胞の肉芽腫性増殖，その他に好酸球・形質細胞浸潤．異常過敏症あり（針反応陽性・生検部増悪）．

ストーマ周囲型：ストーマ留置などの機械的刺激が原因・誘因でその周囲にPG病変が生じる．

②赤沈促進・好中球増多・細胞性免疫低下・針反応陽性．

③全身症状：発熱・関節痛などあるも軽い．肺・脾・腎などに無菌性膿瘍を伴うことあり．

合併症

①潰瘍性大腸炎（欧米に多い），②血液疾患（白血病・多血症・IgA 異常蛋白血症・MDS・骨髄腫・M 蛋白血症），③ RA，④クローン病，⑤大動脈炎症候群（合併症としては稀だが，日本で時にあり）．

組織所見

好中球浸潤・小膿瘍，血管壁の壊死・変性（壊死性血管炎様）をみることあり．

治療

ステロイド薬の全身投与が第1選択，免疫抑制薬（シクロスポリン），コルヒチン，DDS，ミノサイクリン，抗 TNF α 抗体など．

〔付 1〕 **慢性乳頭状潰瘍性膿皮症 pyodermia chronica papillaris et exulcerans**：中高年男性（主として農業従事者）の四肢，特に手背に丘疹・膿疱を生じ，皮膚は浮腫状に腫脹し，潰瘍・瘻孔を発する．皮表は乳頭状～疣贅状に増殖して膿汁を排出，徐々に拡大する一方，部分的に瘢痕治癒する．主として黄色ブドウ球菌による．外傷や虫刺に続発．スポロトリコーシス・皮膚疣状結核・有棘細胞癌などとの鑑別が必要．壊疽性膿皮症の類症という考え方もある．blastomycosis-like pyoderma は同症と考えられる．

〔付 2〕**壊死性痤瘡 acne necroticans**：中年男性の前額を主とし，頭頂・鼻・耳朶などに帽針頭大の紅色小丘疹を生じ，間もなく小膿疱となり，数日で中央壊死陥凹して痂皮を生じ，のちに痘瘡様小瘢痕となる．年余にわたり反復．痘瘡状痤瘡（acne varioliformis）．

第15章 角化症

角化症（keratosis）（角皮症 keratodermia）はケラチノサイトの増殖あるいは角質細胞の剝離障害によって生じた角層肥厚を主体とする一群の疾患をいう．遺伝性の角化症〔尋常性魚鱗癬・伴性遺伝性魚鱗癬・先天性魚鱗癬様紅皮症・魚鱗癬症候群（魚鱗癬に他臓器病変を随伴）・毛包性角化症・掌蹠角化症・ダリエー病など〕と，非遺伝性の角化症（後天性魚鱗癬・黒色表皮腫・胼胝・鶏眼など）とがある．遺伝性角化症では責任遺伝子が同定され，角化機序と角化異常との関連が明らかにされつつある．病態と関連する新しい診断，分類も提唱されている（2009，France Sorèze，表 15-1）．

1 魚鱗癬と魚鱗癬症候群

他臓器症状を伴わない非症候性魚鱗癬（いわゆる魚鱗癬）と他臓器症状を伴う魚鱗癬症候群の 2 つに大別される．前者には尋常性魚鱗癬，X 連鎖性劣性魚鱗癬，道化師様魚鱗癬，葉状魚鱗癬，先天性魚鱗癬様紅皮症などが含まれる．

1．尋常性魚鱗癬 ichthyosis vulgaris ◎

フィラグリン遺伝子異常により四肢伸側を中心とする乾燥皮膚と魚鱗様鱗屑を発症する．

病因

常染色体優性遺伝．しばしば家族内発生．**フィラグリン遺伝子**異常→プロフィラグリン合成低下→ケラトヒアリン顆粒の形成異常，フィラグリン低下→角層形成不全・保湿機能低下．時に遺伝子変異の homozygote や compound heterozygote の患者がみられ，臨床像はより重症で，四肢屈側が侵されることもある．

表 15-1　角化症とその原因蛋白・遺伝子

角化症	責任蛋白・遺伝子
尋常性魚鱗癬	フィラグリン
伴性遺伝性魚鱗癬	ステロイドサルファターゼ
水疱型先天性魚鱗癬様紅皮症	
表皮融解性魚鱗癬	K1, K10
表在性表皮融解性魚鱗癬（Siemens 型）	K2
Curth-Macklin 型豪猪皮状魚鱗癬	K1, K10
非水疱型先天性魚鱗癬様紅皮症	transglutaminase 1（*TGM1*），lipoxygenase-3（*ALOXE3*），12（R）-lipoxygenase（*ALOX12B*），ABCA12，*ichthyin*
先天性網状魚鱗癬様紅皮症	K10（このヘテロ変異が体細胞分裂時に健常ホモ遺伝子を有する細胞集団に置換し，増殖して健常皮膚が島嶼状に出現する）
White sponge nevus	K4，K13
魚鱗癬症候群	
Sjögren-Larsson 症候群	fatty aldehyde dehydrogenase（*FALDH*）
Netherton 症候群	Kazal 型 5 serine proteinase inhibitor（*SPINK5*）
Refsum 症候群	phytanoyl-CoA hydroxylase（*PHYH*，*PEX7*）
Conradi 症候群	Δ8-Δ7 sterol isomerase（*EBP*）
多発性サルファターゼ欠損症	サルファターゼ（steroid sulfatase, arylsulfatase A, arylsulfatase B）（*SUMF1*）
KID 症候群	コネキシン 26（*GJB2*）
CHILD 症候群	3β-hydroxysteroid dehydrogenase（*NSDHL*）
Dorfman-Chanarin 症候群	*CGI-58*
IBIDS 症候群	*XP-D*, *XP-B*, *TTD-A*
NISCH 症候群	claudin-1
Peeling skin syndrome	Transglutaminase5，コルネオデスモシン（*CDSN*）
掌蹠角化症	
Vörner 型（Unna-Thost 型）	K1, K9
線状型	デスモグレイン 1 またはデスモプラキン
点状型	α and γ adaptin binding protein p34（*AAGAB*）
Meleda 病	SLURP-1（*ARS*）
断指趾型	コネキシン 26（GJB2）：難聴随伴，ロリクリン（*LOR*），魚鱗癬随伴
食道癌合併型	*RHBDF2*
Olmsted 症候群	*TRPV3*
Papillon-Lefèvre 症候群	カテプシン C
Richner-Hanhart 症候群	チロシンアミノトランスフェラーゼ
Náxos 病	プラコグロビン（*Pk*）
Darier 病	SERCA2（*ATP2A2*）
Hailey-Hailey 病	SPCA1（*ATP2C1*）
変動性紅斑角皮症	connexin31，connexin30.3
進行性対側性紅斑性角皮症	ロリクリン
運動失調を伴う紅斑角皮症	長鎖脂肪酸生合成に関する遺伝子（*ELOVL4*）

症状（図 15-1）

生後数ヵ月頃に発症し，10 歳頃まで進行性で，多くは青年期以後軽快する．四肢伸側（特に下腿前面）が侵され，肘窩・膝窩・腋窩・鼠径・外陰を避ける．体幹の変化は軽く，背が主で胸腹は侵されない．皮膚は乾燥粗糙化し，粃糠様から葉状までの種々の程度の固着性落屑を示す．掌蹠の皮膚紋理が増強する．頭顔部の粃糠様落屑，爪甲変形，掌蹠の亀裂などは軽度．自覚症状はなく，皮脂と汗の分泌は低下，夏季軽快し冬季増悪．アトピー性皮膚炎（フィラグリン遺伝子変異が発症に関連する）と合併することもある．性差はない．

組織所見（図 15-2）

①角質肥厚（compact & basket weave-like），②顆粒層減少または消失，③表皮菲薄化・表皮突起減少，④しばしば毛包性角化，⑤汗腺・脂腺の萎縮．①～③からわかるように，角層増生ではなく角層脱落遅延（retention hyperkeratosis）．

鑑別診断

伴性遺伝性魚鱗癬（広範囲で屈側にも．出生後間もなく発症．通常男性に限られる），魚鱗癬様紅皮症，後天性魚鱗癬，小児乾燥型湿疹（アトピー素因，体幹好発，毛孔性丘疹，瘙痒）．

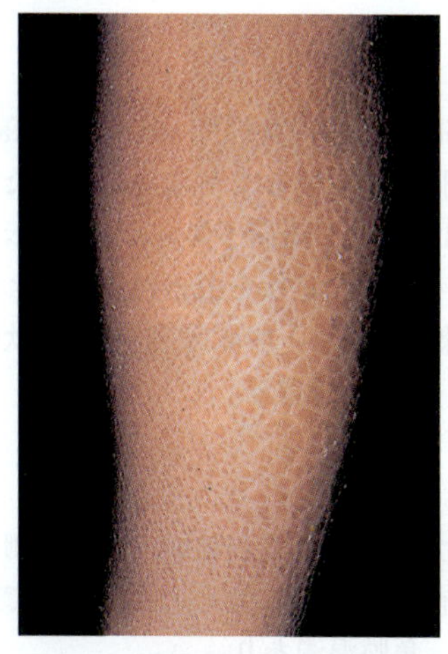

図 15-1　尋常性魚鱗癬

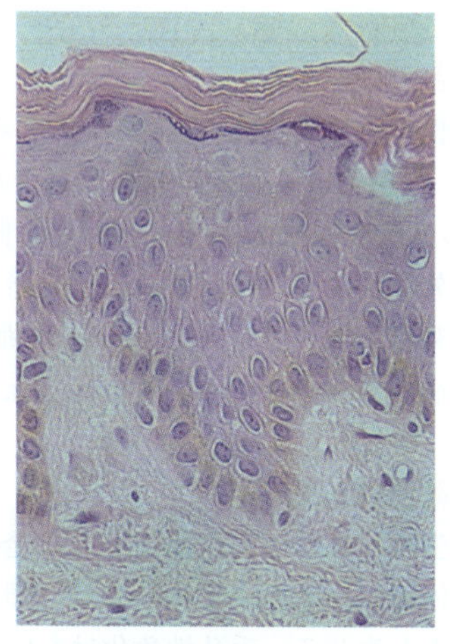

15-2　尋常性魚鱗癬
（貯留角化と顆粒層菲薄化）

15
章

表 15-2　魚鱗癬の比較

	尋常性魚鱗癬	伴性遺伝性魚鱗癬	水疱性魚鱗癬様紅皮症	非水疱性魚鱗癬様紅皮症
遺伝形式	常染色体優性	伴性劣性（男子のみ）	常染色体優性	常染色体劣性
発症時期	1～4 歳	出生後まもなく	出生時	出生時
部　位	四肢伸側・背	四肢（屈側も）・腹部など体幹にも及ぶ	全身汎発性	全身汎発性
皮　疹（鱗　屑）	小さく細かい	褐色調強く大きい	汚穢な過角化（疣状）・水疱形成	潮紅を伴う細かい白色鱗屑 褐色調の大きな鱗屑（LI）
組織所見	角層肥厚 顆粒層減少～消失	角層肥厚 軽度表皮肥厚	角層肥厚・表皮肥厚 顆粒変性	角層肥厚・不全角化（±）
経　過	成人期に軽快 夏季軽快冬季悪化	治癒することはない 夏季軽快冬季悪化	生涯にわたって持続	軽快傾向を示す例もあるが，経過は多様・LI は難治

治療

対症的．冬季に，ビタミン D_3 軟膏，ビタミン A 軟膏，白色ワセリン，尿素軟膏，サリチル酸ワセリン，瘙痒が強ければステロイド軟膏，ビタミン A・エトレチナート内服．

2. 伴性遺伝性魚鱗癬 X-linked ichthyosis（Wells and Kerr 1965）○

ステロイドサルファターゼ欠損による．尋常性魚鱗癬より症状が強く，四肢屈側も侵される．

病因

女性保因者を通じて男性に発する伴性劣性遺伝（稀に女性）．steroid sulfatase (SS) 欠損により硫酸コレステロールが角層細胞間に蓄積して剝離遅延をきたす．SS の遺伝子座は X 染色体短腕遠位側の Xp22.3 に存在．遺伝子異常は SS 遺伝子の完全欠失が多く，周囲の遺伝子を巻き込んで様々な随伴症状を引き起こすことがある〔隣接遺伝子症候群：Kallmann 症候群（性腺発育障害・嗅覚障害）・点状軟骨異形成症（chondrodysplasia punctata）・低身長・精神発達遅滞〕．

症状（図 15-3）

出生時，または出生後間もなく発症．鱗屑は大きく褐色調が強い．関節屈側も侵し，体幹では前面に変化が強い．顔面では，耳前・前額部に強く．頭毛は疎で瘢痕性脱毛も生じる．毛孔性角化はない．掌蹠正常．角膜混濁あり．

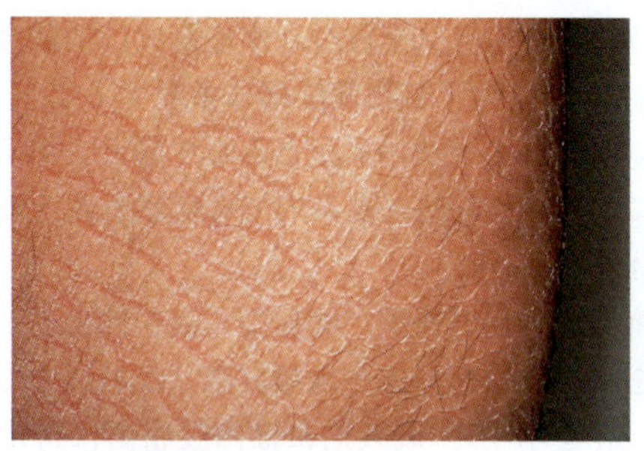

図 15-3　伴性遺伝性魚鱗癬

組織所見

特徴的所見を欠くが，角層肥厚，顆粒層正常または肥厚，有棘層肥厚．

検査

角層・白血球（リンパ球）・線維芽細胞の SS 測定．遺伝子診断．

治療

重症例にはエトレチナートの経口投与が有効．軽症例は尋常性魚鱗癬に準ずる．

3. ケラチン症性魚鱗癬 keratinopathic ichthyosis（Sorèze 2009）

従来の水疱型先天性魚鱗癬様紅皮症 bullous congenital ichthyosiform erythroderma（BCIE）（Brocq 1902, Lapiére 1951）であり，顆粒変性による表皮融解が特徴．Sorèze 2009 の新分類では，①表皮融解性魚鱗癬 epidermolytic ichthyosis と，②顆粒変性が有棘層最上層と顆粒層に限局する軽症型（Siemens 型）の表在性表皮融解性魚鱗癬 superficial epidermolytic ichthyosis とに分けている．

常染色体優性遺伝．角化型ケラチン K1，K10 の変異により正常の線維束を形成できず，細胞骨格の脆弱化とともにケラチンの異常凝集塊を生じる．変異はケラチン蛋白の棒状ロッドドメインと始めと終わりの部分に多い．K1 変異例では掌蹠の角化が強いという．また本症の亜型，軽症例は K2e の遺伝子変異がみられる（Siemens 型）．

症状（図 15-4）

出生時より全身皮膚がびまん性に潮紅し，水疱とびらん形成を反復し，鱗屑が次第に厚くなる．学童期頃より厚い角化は固定し，全身に及び，関節屈面では洗濯板状・煉瓦状となる．時に特有の臭気を放つ．水疱形成は加齢とともに減退する．稀に鱗屑を有する環状紅斑が体幹・四肢近位部に多発することがあり（annular epidermolytic ichthyosis），これを一つの亜型とみなす考えもある．毛・歯はほぼ正常，時に爪の変形．家系により，また同一家系内でも症状や重症度が大きく異なることあり．性差なし．生命予後は良好．

水疱型先天性魚鱗癬様紅皮症の亜型，軽症型（表在性表皮剝離性魚鱗癬）の臨床像：幼少児期に四肢を中心に水疱形成と角層剝離（軽い外力で表皮浅層が剝離，脱皮 molting phenomenon を示す），成人期には四肢屈側に角化局面．亜型では四肢を中心に水疱形成と角層剝離．

組織所見（図 15-5）

いわゆる顆粒変性（granular degeneration）が有棘層中層より顆粒層で，亜型，軽症型では有棘層最上層から顆粒層にかけて生じる．角化増生・表皮肥厚も伴う．ケラトヒアリン顆粒は大型で滴状．

鑑別診断

非水疱型先天性魚鱗癬様紅皮症，先天性表皮水疱症，伝染性膿痂疹，SSSS（ブドウ球菌性熱傷様皮膚症候群）．

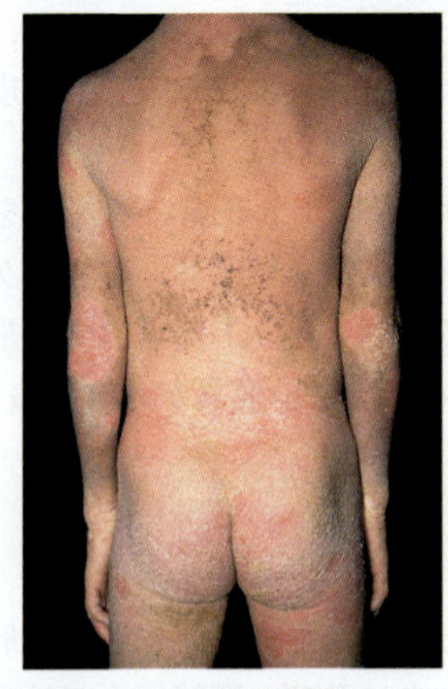

図 15-4　ケラチン症性魚鱗癬

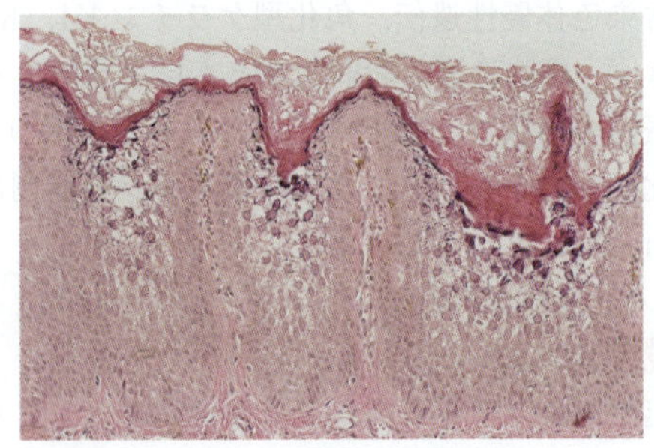

図 15-5　ケラチン症性魚鱗癬（顆粒変性）

治療

エトレチネート内服，尿素軟膏・ビタミン D_3 軟膏外用．

4. 非水疱型先天性魚鱗癬様紅皮症，先天性魚鱗癬様紅皮症 nonbullous congenital ichthyosiform erythroderma（NBCIE），葉状魚鱗癬 lamellar ichthyosis（LI），congenital ichthyotic erythroderma（Sorèze 2009）

①非水疱型先天性魚鱗癬様紅皮症，先天性魚鱗癬様紅皮症 nonbullous congenital ichthyosiform erythroderma（NBCIE）（Brocq 1902，Lapiére 1951），congenital ichthyosiform erythroderma（Sorèze 2009），②葉状魚鱗癬 lamellar ichthyosis，③道化師様魚鱗癬 harlequin-type ichthyosis の 3 種がある．全身の潮紅と微細白色鱗屑が特徴の常染色体劣性の遺伝性疾患．前記 3 者は病変の程度や重症度の違いのみとの考えもあるが，臨床症状・病因・遺伝ともに多彩であり，単一疾患ではない可能性も議論されている．LI は全身皮膚病変が顕著で，重症型．道化師様魚鱗癬 harlequin-type ichthyosis/fetus HI は極めて稀ではあるが，死亡率も高く最重症型ともいう．

15章

病因

常染色体劣性遺伝とされるが，優性遺伝を示すものもある．Lipoxygenase-3（*ALOXE3*），12（R）-lipoxygenase（*ALOX12B*），transglutaminase 1（*TGM1*），ATP-binding cassette transporter superfamily の *ABCA12* の遺伝子変異が病因として報告されている．

LI は transglutaminase 1（*TGM1*）遺伝子変異によることが多い．

道化師様魚鱗癬 harlequin-type ichthyosis/fetus HI は常染色体劣性遺伝．*ABCA12* 遺伝子変異により生じる．nonsense 変異で道化師様に，missence 変異で葉状魚鱗癬を呈するという．*ABCA12* は層板顆粒を介する脂質輸送に働いており，この障害により角層間脂質形成が妨げられて皮膚のバリア機能が低下する．

症状（図 15-6）

出生時全身皮膚は薄い膜で覆われており（collodion baby），2，3 日でこれがとれ，潮紅と白～明灰色の比較的小さい落屑がみられる．眼瞼反転をきたすこともある．成長とともに葉状鱗屑は辺縁が下床と離れ，中央が固着している．屈側も含めて全身を侵し，顔面・掌蹠も軽度ながら侵される．爪甲肥厚・鈎彎，爪下角質増殖があり，毛・爪の成長は速い．季節的変動少なく，性差もない．

葉状魚鱗癬は褐色調の大きい板状落屑が前身を覆う．紅皮症は目立たない．道化

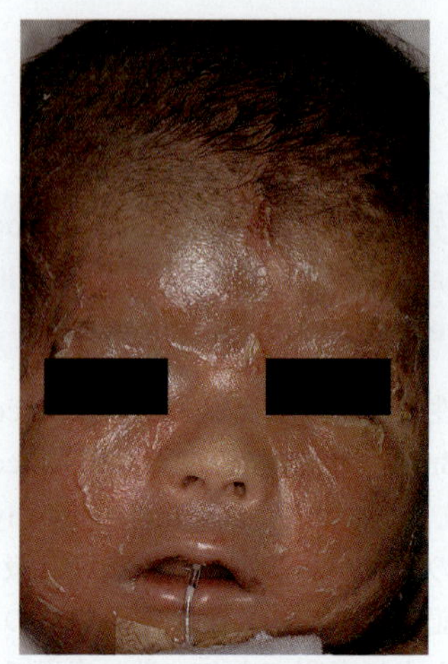

図 15-6　非水疱型先天性魚鱗癬様紅皮症（新生児）

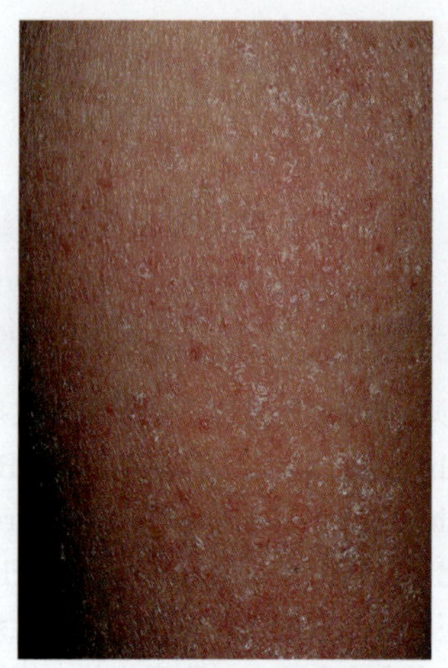

図 15-7　非水疱型先天性魚鱗癬様紅皮症（成人・大腿）

師様魚鱗癬は出生時から硬く厚い角質で覆われ，大きく亀裂しており，眼瞼外反・口唇粘膜外反，開口が強い．死亡率は 30％に達するという．

組織所見（図 15-7）

角質肥厚（＋角栓形成），顆粒層肥厚または正常，有棘層肥厚，角質細胞内コレステロールクレフト，周辺帯の形成不全．

予後

思春期頃までに徐々に軽快することもあるが，症状の推移は様々．葉状魚鱗癬は難治で，軽快傾向は通常みられない．

治療

皮膚を清潔にして感染を予防．エトレチナート内服．尿素軟膏・ビタミン D_3 軟膏・保湿薬．

〔付 1〕**口腔白色海綿状母斑** oral white sponge nevus（☞ p.549）

口唇，口腔粘膜に白色病変を生じる．粘膜苔癬，カンジダ症と鑑別する．粘膜型ケラチンの K4/K13 遺伝子に変異．粘膜有棘細胞は浮腫性でケラチン線維が凝集塊を形成している．ケラチン症性魚鱗癬の類縁疾患とも考えられる．

〔付 2〕**コロジオンベビー** collodion baby

出生時，全身が半透明の光沢あるコロジオン膜様の外観を呈する．コロジオン膜様の角化物質は数時間から1，2日で乾燥して剝がれ落ちる．眼瞼外反を伴うことが多い．葉状魚鱗癬を含む非水疱型先天性魚鱗癬様紅皮症で多く，シェーグレン・ラルソン症候群，道化師様魚鱗癬，neutral lipid storage disease などでも生じる．

〔付 3〕**豪猪皮状魚鱗癬** ichthyosis hystrix（Ollendorff-Curth 1951）

広範囲に高度の角質増殖をきたし「やまあらし（豪猪）」の外観を呈する．遺伝的に多様性が推定されている．Lambert 型（重症），Baefvertsted 型（汎発性外胚葉性形成異常症），Curth-Macklin 型（掌蹠角化症を伴い，K1/K10 遺伝子に変異），Rheydt 型などがある．

5. 魚鱗癬症候群 ichthyosis syndrome（Sorèze 2009）

魚鱗癬に他の臓器病変を随伴する遺伝性疾患で，いずれも稀．

1）シェーグレン・ラルソン症候群 Sjögren-Larsson syndrome（1951）

先天性魚鱗癬，四肢痙性麻痺，精神発達遅滞が 3 主徴．

病因

常染色体劣性遺伝〔fatty aldehyde dehydrogenase 遺伝子（*FALDH*，ALDH3A2）異常〕で稀．組織内に脂肪アルコールや脂肪アルデヒドなどが蓄積．

症状

①出生時，全身皮膚（特に臍囲・頸部・四肢屈側）の角化と潮紅．潮紅はやがて消褪し，顔・手掌足底を除き，屈側（特に腋窩など関節屈面）に高度の角化と鱗屑．爪甲・毛髪正常．②四肢痙性麻痺（特に下肢，歩行困難・筋萎縮・内反足）．③精神遅滞（IQ < 50）を 3 主徴．その他，視力障害（白内障・光輝性小斑点 glistening dots）・骨格歯牙異常・低身長・言語障害・てんかん・両眼裂隔離症．

2）ラッド症候群 Rud syndrome（1927）（図 15-8）

①葉状魚鱗癬様皮疹（全身皮膚落屑潮紅・頭部脂漏性皮膚炎様），②精神遅滞，③てんかん，④性的発育不全（停留睾丸・睾丸発育不全・二次性徴欠損）のほか，小人症，眼（色素性網膜炎・白内障・球状角膜・牛眼・眼振）・骨（くも状指・内反尖足・外反肘・外反膝・趾変形）・歯牙異常など．男性に多い．近年，本症の疾患概念の独立性が疑問視されている．

3）ネザートン症候群 Netherton syndrome（1958）（図 15-9）

①曲折線状魚鱗癬または先天性魚鱗癬様紅皮症などの先天性魚鱗癬，②陥入性裂毛（bamboo hair，trichorrhexis invaginata），③アトピー素因を 3 主徴とし，他に

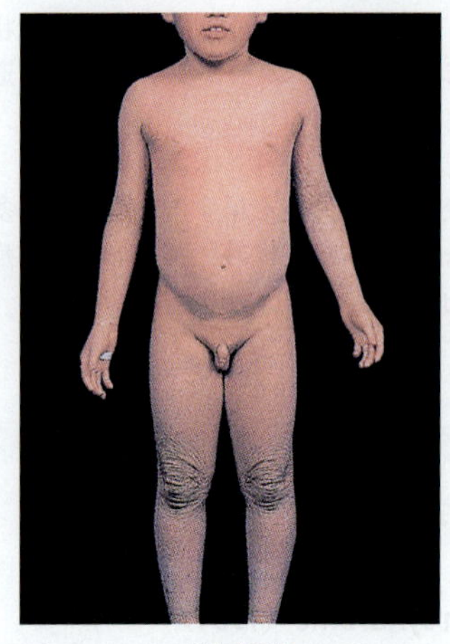

図 15-8　ラッド症候群

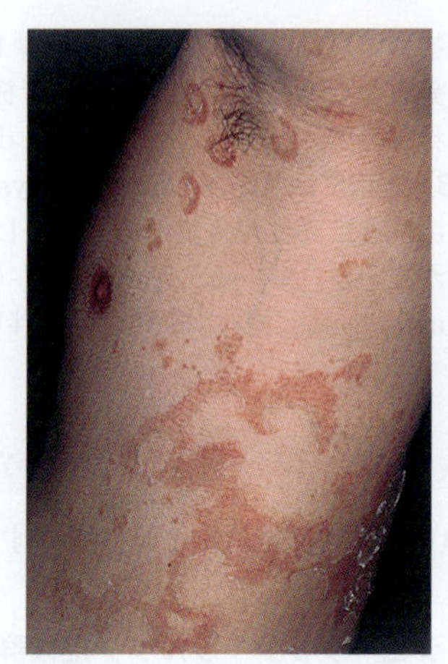

図 15-9　ネザートン症候群（曲折線状魚鱗癬）

成長障害・精神発達遅滞・再発性感染・てんかんなどを生じる．常染色体劣性遺伝．セリンプロテアーゼインヒビターの Kazal-type 5 をコードする遺伝子（*SPINK5*）異常が原因．これにより *SPINK5* は皮膚の角化と毛髪形成に関与することが判明．

4）その他の稀な魚鱗癬症候群

①**レフサム症候群** Refsum syndrome（1941）（図 15-10，11）

色素性網膜炎（→視力障害・夜盲），小脳性運動失調，多発性神経炎（→四肢麻痺），脳脊髄液の蛋白質増加が 4 徴．次いで白内障・視野狭小・内耳性難聴・無臭症，葉状魚鱗癬様皮疹を発生する．常染色体性劣性遺伝〔多くは phytanoyl-CoA hydroxylase 遺伝子（*PHYH*，*PEX7*）異常〕で，血中・皮膚組織中にフィタン酸が増量する．別名 heredopathia atactica polyneurotiformis，phytanic acid storage disease．*PEX1* または *PEX2* の変異による乳児 Refsum 症候群もある．日本での報告例はない．

②**コンラディ症候群** Conradi syndrome，Conradi-Hunermann-Happle syndrome，Chondrodysplasia punctata type 2（CDPX1）

伴性優性遺伝の軟骨内化骨障害症で，21％に皮膚症状をみる．ⓐ斑点状軟骨発育不全，ⓑ乳児期の渦巻き状の魚鱗癬様紅皮症（加齢で軽快），ⓒ白内障，ⓓ低身長が 4 主徴．他に上腕骨・指趾骨の短縮・骨端石灰化・脊柱後側彎・難聴・毛孔性萎縮・脱毛・掌蹠角化症・爪甲肥厚などの諸症状がある．コレステロール合成過程の酵素であるエモパミール結合蛋白質，すなわち Δ8-Δ7sterol isomerase をコードする遺伝子（*EBP*）に異常．血中 8（9）-cholesterol，8-dehydrochoresterol 値が上昇．

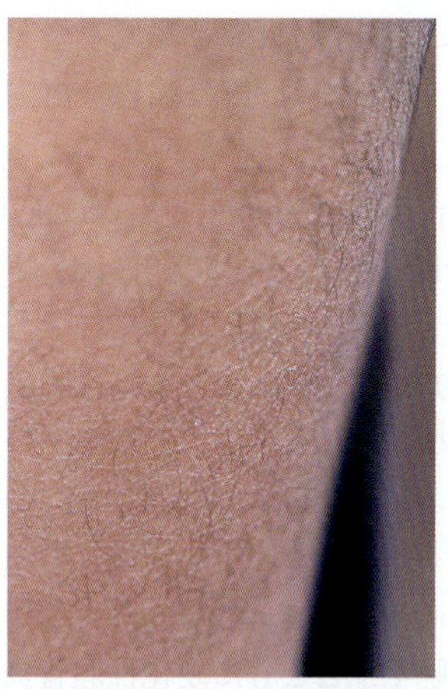

図 15-10 レフサム症候群

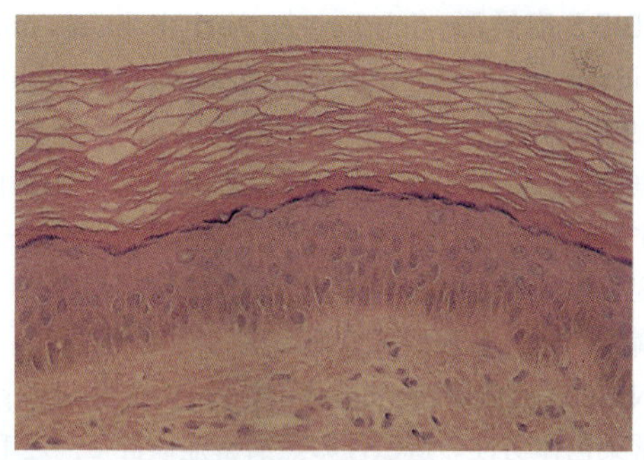
図 15-11 レフサム症候群（組織）

dihydroxyacetone phosphate acyltransferase の酵素活性を測定して出生前診断が可能.

③**多発性スルファターゼ欠損症** multiple sulfatase deficiency（Austin 1965）

Steroid sulfatase（SS）の欠失・低下による魚鱗癬，arylsulfatase A 異常による神経・腎のスルファチド沈着，arylsulfatase B 異常による酸性ムコ多糖症を合併する．少なくとも 7 種のスルファターゼが同時に異常を示す．10 代で死亡することが多い．sulfatase modifying factor 1 遺伝子（*SUMF1*）異常が原因.

④ **KID 症候群** KID（keratitis-ichthyosis-deafness）syndrome（Skinner 1981）

血管増殖性角膜炎（keratitis）・魚鱗癬様紅皮症（ichthyosis）・感音性難聴（deafness）を主症状とする先天性疾患．全身皮膚が潮紅と落屑，掌蹠舗石状角化，口囲亀裂，脱毛，乏汗症，爪変形，軽度皮膚易感染性．常染色体性優性遺伝．Gap junction 構成成分のコネキシン 26 をコードする *GJB2* の変異により生じる.

⑤ **CHILD 症候群** CHILD（congenital hemidysplasia, ichthyosiform erythroderma or nevus, and limb defects）syndrome

片側性の魚鱗癬様紅皮症・長管骨の形成異常（四肢の欠損・短縮）・爪の肥厚や変形・毛髪異常．主に伴性優性遺伝．男児は致死的で患者のほとんどは女性．コレステロール合成過程の酵素である 3β-hydroxysteroid dehydrogenase をコードする遺伝子（*NSDHL*）に変異.

⑥ **Dorfman-Chanarin 症候群**（Skinner 1981）

非水疱型魚鱗癬様紅皮症様の魚鱗癬と多臓器にわたる細胞内脂肪滴（中性脂肪）を特徴とする常染色体劣性の遺伝性疾患．Esterase/lipase/thioesterase subfamily

に属する蛋白をコードする遺伝子 *CGI-58* の変異により，層板顆粒形成不全と角層間脂肪の異常をきたす．肝障害，難聴，精神遅滞，運動失調，成長障害，白内障など種々の臓器に障害．

⑦ **IBIDS 症候群**（ichthyosis, brittle hair, impaired intelligence, decreased fertility and short stature），trichothiodystrophy with congenital ichthyosis（Pollitt 1961）

魚鱗癬，低イオウ性脆弱毛，精神遅滞，生殖能力低下，低身長，光線過敏症をきたす常染色体劣性の遺伝性疾患．大部分は *XP-D* の，一部 *XP-B*，*TTD-A* の遺伝子変異が同定されている．色素性乾皮症（XP）と trichothiodystrophy（TTD）に魚鱗癬が合併した病態である．

⑧ **NISCH 症候群** neonatal ichthyosis-sclerosing cholangitis syndrome

常染色体劣性の遺伝性の魚鱗癬症候群で，乏毛，脱毛症とともに硬化性胆管炎を伴う．タイトジャンクションの接着分子の一つ *claudin-1* 遺伝子変異が報告されている．

⑨ **Peeling skin syndrome（PSS）**

生涯にわたって皮膚の角層が薄い膜状に剥離して魚鱗癬様症候を呈する，稀な常染色体劣性遺伝性の魚鱗癬症候群である．

(1)手足など末端皮膚に限局する末端型（acral type）：単純型先天性表皮水疱症にも類似し，transglutaminase 5 遺伝子の変異が報告されている．

(2)汎発型（generalized type）：体幹，四肢，顔面など全身に及ぶ．コロジオンベビー症状は呈さない．非炎症性・無症候性の A 型，炎症性（紅斑・小水疱を伴う）の B 型を区別する．B 型は peeling skin disease（PSD）とも称され，コルネオデスモシン（CDSN）をコードする *CDSN* 遺伝子変異が原因と報告されている．

2　掌蹠角化症 keratosis palmoplantaris, palmoplantar keratoderma, keratosis palmaris et plantaris　○

手掌と足蹠の過角化を主症状とする疾患群で，先天性，後天性に分けられるが，掌蹠角化症と呼ぶときには一般に先天性の掌蹠角化症を指す．そのほとんどが遺伝性であるが，ケラチン，ロリクリンなどの角化因子・デスモグレインやデスモプラキンなどの表皮細胞結合因子，カテプシン C などの遺伝子の異常が多彩な掌蹠角化症を，また随伴症状を引き起こすことがわかってきている．

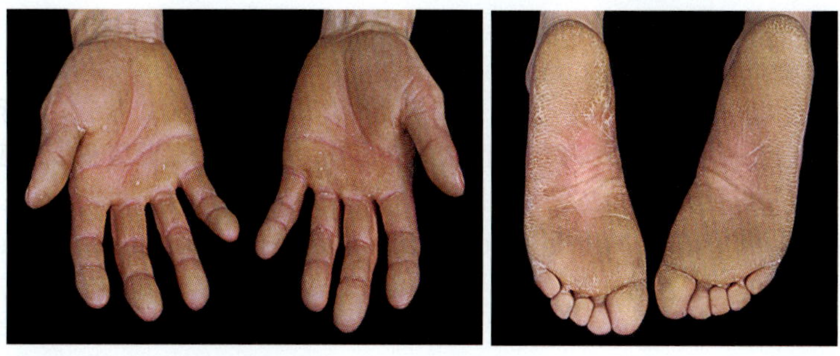

図 15-12 先天性掌蹠角化症

1. 掌蹠を主体とする角化症のみ

1）角化異常が掌蹠に限局する（図 15-12）

○ a）**Unna-Thost 型** non-epidermolytic diffuse palmoplantar keratoderma（1883），Vörner 型 epidermolytic palmoplantar keratoderma（1901）：両者は臨床症状がほぼ同一であり，現在では同一疾患と考えられている．常染色体優性遺伝．出生時，生後数週〜乳児期に発症．手掌足底にびまん性，ほぼ対称性に過角化を生じる．

軽度の潮紅を伴い，辺縁で強い．時に手足背に及ぶ．局所多汗症を伴うが，爪・毛髪には異常なし．不全角化を伴わない過角化で顆粒層は肥厚．Unna-Thost 型では顆粒変性はないが，Vörner 型では顕著．前者では多く，ケラチン K1 遺伝子の V1 領域に，後者では K9 の遺伝子に変異（ほとんどはミスセンス変異）が 1A helix initiation motif に集中し，一部は 2B helix termination motif に見つかっている．K1，K9 遺伝子は掌蹠皮膚に発現するが，前者ではその変異がごく軽微な顆粒変性を生じるか，あるいは全く生じないのに対し，後者では顕著に生じるという．治療はサリチル酸ワセリン・尿素軟膏・エトレチナートなどを用いる．

b）**線状型** striate keratoderma：常染色体優性遺伝．5〜20 歳に発し，指趾腹に線状角化を示す．1〜3 型の 3 亜型がある．デスモグレイン 1（1 型），デスモプラキン（2 型），またはケラチン 1（3 型）遺伝子変異が報告されている．胼胝などと鑑別する．

c）**点状型** punctate palmoplantar keratoderma：常染色体優性遺伝．15〜30 歳に多数の点状角化性小丘疹（1〜10 mm 径）を発し，これが脱落した後に噴火口状小陥凹を残す．時に爪甲異常を伴う．*AAGAB*（α and γ adaptin binding protein p34）遺伝子変異（1A 型），14 型コラーゲンアルファ1 遺伝子変異（1B 型），

2）角化異常が掌蹠を越えて手背・足背に及ぶ

a）**Greither 型掌蹠角化症** progressive palmoplantar keratoderma（1952）

常染色体優性遺伝．ケラチン1遺伝子変異による．小児期に発症，進行して，中年で進行が停止する．掌蹠の過角化は中程度，手足背，肘頭膝蓋にも連続性・非連続性に角化局面を生じる．掌蹠多汗を伴う．

b）**Meleda 病** mal de Meleda（Stulli 1826），keratoderma palmoplantaris transgrediens：常染色体劣性遺伝．小児期に始まり，病変は近位側に進行して手掌足底より手足背に及び，角化は高度でかつ潮紅を伴う．悪臭を伴い，多汗症・湿疹化あり．指趾に輪状陥凹を生じ，拘縮を伴うこともある．角化局面は手関節部・肘頭・膝蓋にも拡大する．近親結婚の多いメリダ島（アドリア海）の住民に多発するが，世界中で報告されている．組織学的に表皮肥厚，過角化，時に不全角化・真皮内の細胞浸潤をみる．8番染色体長腕の SLURP-1 蛋白質をコードする *ARS*（autonomously replicating sequence）が原因遺伝子．

c）**長島型掌蹠角化症**

常染色体劣性遺伝性で日本，アジア人に多い掌蹠角化症．Meleda 病に類似するが，臨床症状はやや軽度で，通常成人後に病変が拡大することもない．生後間もなく，あるいは1〜2歳までに掌蹠の潮紅と過角化で気づかれる．手指・足趾背側，手・足背，手関節やアキレス腱部，さらには肘，膝に及ぶこともある．掌蹠の多汗を伴い，悪臭を呈することが多い．足白癬をしばしば合併．絞扼輪はない．

SERPINB7（セルピンペプチダーゼインヒビタークレードBメンバー7）遺伝子の変異による．遺伝子変異の保因者は日本で50人に1人という．

d）**Bothnia 型掌蹠角化症**

常染色体優性遺伝．幼小児期より掌蹠にびまん性の角化が出現し，手指・足趾背，手・足背に拡大，多汗をみる．掌蹠を浸水すると短時間で浸軟・白色化してスポンジ状を呈する．しばしば真菌感染を合併する．アクアポリン5（AQP5）遺伝子の変異による．

e）**Sybert 型掌蹠角化症**

常染色体優性遺伝．乳幼児期に掌蹠から四肢に進行性に高度の過角化を生じる．指趾が断裂することも．フィラグリンの異常染色，角層内脂質沈着と粗大なケラトヒアリン顆粒．

2. 掌蹠角化症のほかに随伴症状を伴う

1）常染色体優性遺伝

a）**断指趾型** keratodermia hereditaria mutilans，Vohwinkel 症候群（Vohwinkel

1929)：掌蹠に蜂の巣状の角化性凹凸あり．重症例では指趾に絞扼輪（alinhum）を形成，指趾が絞窄・脱落する．手足背・肘頭膝蓋に不規則な星型の角化性丘疹〔star fish（ヒトデ様病変）〕を呈する．難聴を伴う場合はコネキシン26（*GJB2*），魚鱗癬を伴う場合はロリクリン（*LOR*）の遺伝子異常が確認されている．

b）**食道癌合併型**（Howel-Evans 1958）：足底，特に荷重部の過角化が特徴で，毛孔性苔癬や多発性表皮嚢腫もみられる．食道癌の発症率が高く，その他に悪性黒色腫・乳癌・直腸癌・慢性リンパ性白血病など．*RHBDF2* 遺伝子の変異が報告されている．

c）**先天性厚硬爪甲症** pachyonychia congenita（図 15-13）

下記2病型の他にも病型が分けられている（☞ p.781，厚硬爪甲症）．

・第1型（Jadassohn-Lewandowsky type）：爪甲肥厚，掌蹠角化・口腔・舌粘膜の白色角化・多汗・四肢の毛孔一致性角化性丘疹．*K6a/K16* のいずれかのケラチン遺伝子の異常．

・第2型（Jackson-Lawler type）：口腔の白色角化を欠き，掌蹠の角化も軽いが，生下時の歯牙・毛髪の異常，生後に表皮嚢腫・毛包脂腺嚢腫．*K6b/K17* 遺伝子の異常．

d）脱毛を伴う掌蹠角化症（Clouston 1929）：コネキシン26（*GJB2*）と同30（*GJB6*）の遺伝子に異常．

e）Huriez 症候群（1963）：有棘細胞癌を続発する指趾硬化型掌蹠角化症．

f）Olmsted 症候群（1927）：高度の掌蹠角化と口囲・肛門周囲の紅斑角化局面．*TRPV3*（温度で開くイオンチャネル transient receptor potential vanilloid）遺伝子に異常．

2）常染色体劣性遺伝

a）**Papillon-Lefèvre 症候群** palmoplantaris keratosis with periodontitis（1921）：

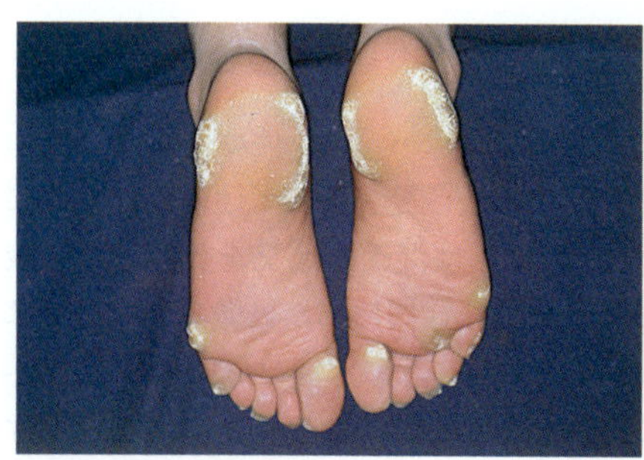
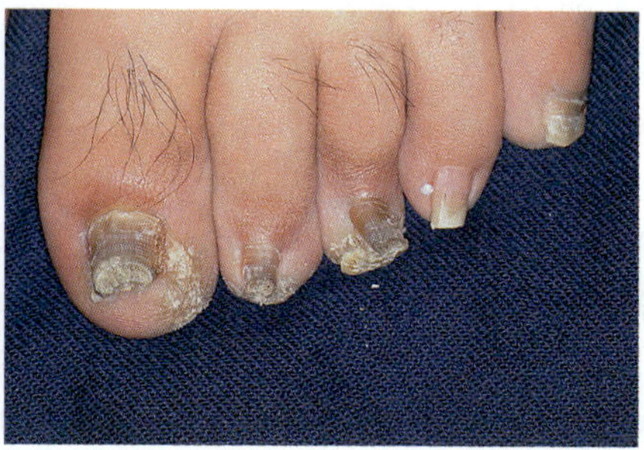

図 15-13　先天性厚硬爪甲症

乳幼児に発し，潮紅の強いメレダ病様皮疹で，多汗と悪臭あり．歯周炎（periodontitis），歯肉炎（gingivitis）のため乳歯は4，5歳で脱落し，永久歯もまた脱落しやすい．皮膚の易感染性・白血球貪食能低下・時に脳硬膜の石灰化などを伴う．カテプシンCの遺伝子異常により，カテプシンC酵素の欠失や活性が低下している．

b）**Richner-Hanhart 症候群**（1931）：チロシンアミノトランスフェラーゼの欠損によりチロシン血症を合併する．有痛性掌蹠角化症，両側性角膜炎，精神発達遅滞の3主徴．チロシンアミノトランスフェラーゼ遺伝子に変異．

c）**Náxos 病** palmoplantar keratoderma with woolly hair and cardiomyopathy：羊毛様の毛・右室心筋症・心肥大を合併．心筋細胞や表皮細胞の細胞間接着に関与するプラコグロビンの遺伝子（*Pk*）の変異．

3　その他の遺伝性角化症

1．ダリエー病 Darier's disease（1889），Darier-White disease，keratosis follicularis　◎

脂漏・間擦部位を中心に角化性丘疹が集簇，しばしば疣状局面を形成する．ヘイリー・ヘイリー病とともに皮膚カルシウムポンプ病の一つ．

病因

常染色体性優性遺伝で，多くは家族内に発症するが，突然変異でも起こる．やや男子に多い．細胞内カルシウム濃度を調節するSERCA2（sarco-endoplasmic reticulum calcium ATPase type 2 isoform）をコードする遺伝子*ATP2A2*（染色体12q23-24.1）に変異．

症状（図15-14）

幼児・青年期に発し，粟粒大の暗褐色角化性丘疹が多発・集簇，硬い角性痂皮に覆われ，これを除くとわずかに陥凹を示す．しばしば湿潤し悪臭を放つ．頸・腋窩・胸骨部・乳房下・腹・鼠径・陰股部のような発汗性間擦部に好発し，ここでは丘疹が融合して乳頭状〜コンジローマ様増殖をきたす．時に水疱を形成する（vesiculobullous Darier's disease）．徐々に進行，慢性に経過し，特に夏季に増悪．手背足背に疣贅状肢端角化症を合併することもある．稀に片側性線状に生じ，棘融解を

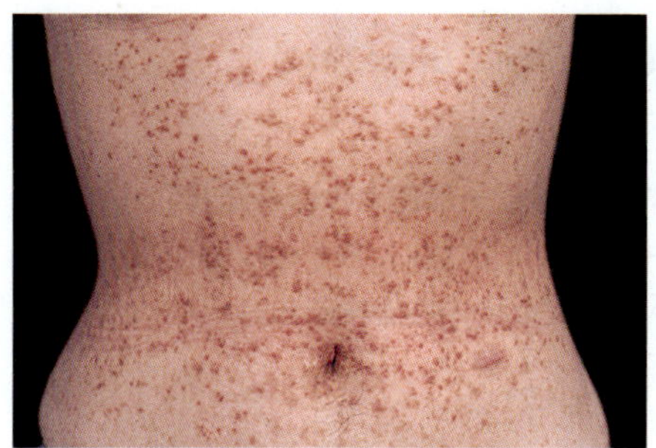

図 15-14 ダリエー病

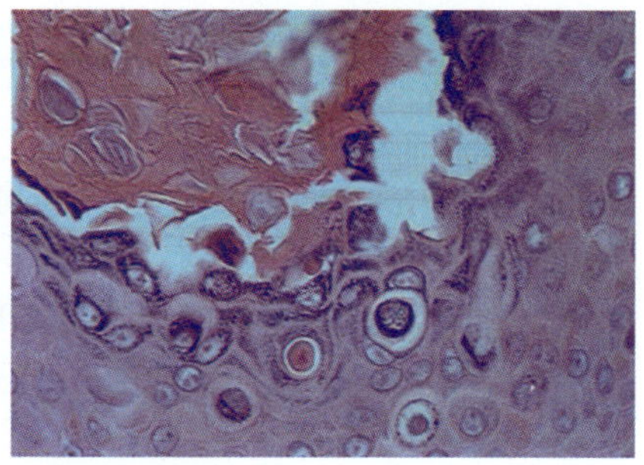

図 15-15 異常角化（corps ronds）（ダリエー病）

伴う列序性表皮母斑（acantholytic epidermal nevus）との異同が問題となる.

手掌足底の角化，爪甲変形（肥厚・脆弱化・爪下角質増殖），口腔粘膜・眼結膜に丘疹，舌の絨毛化，食道壁肥厚，精神神経症状（約 10%，精神発達遅滞・てんかん・双極性障害・統合失調症）を合併することが多い．二次的に細菌・ウイルス感染（Kaposi 水痘様発疹症）をきたすことがある．限局性，特に片側性に生じることあり（遺伝的モザイク）.

組織所見（図 15-15）

初期は毛包一致性のこともあるが，必ずしも毛包に限局しない．①**異常角化（dyskeratosis）：円形体（corps ronds）と顆粒（grains）**，②基底層直上の裂隙（lacunae）形成，③真皮乳頭が上方に伸び，間隙中に突出して絨毛（villi）形成．①～③を主体とし，これに乳頭様表皮増殖，角質増殖，不全角化を伴う.

鑑別診断

黒色表皮腫，家族性良性慢性天疱瘡，脂漏性湿疹.

予後

難治.

治療

エトレチナート，シクロスポリン，サリチル酸ワセリン，尿素軟膏，レーザー剝離術．生活指導（高温多湿を避け，清潔・乾燥を図る）.

2. 疣贅状肢端角化症 acrokeratosis verruciformis（Hopf 1931）

症状（図 15-16）

手足背に多発する，正常皮膚色〜淡褐紅色，粟粒〜米粒大の扁平隆起性丘疹で，青年性扁平疣贅に似る．しばしばダリエー病と合併し，むしろその一不全型（forme fruste）または一部分現象と考えられている（常染色体性優性遺伝）．

組織所見

初期は鋸歯状角質増殖（church spires），色素脱失にすぎないが，やがて裂隙形成，円形体，顆粒のようなダリエー病に特有の像を示す．

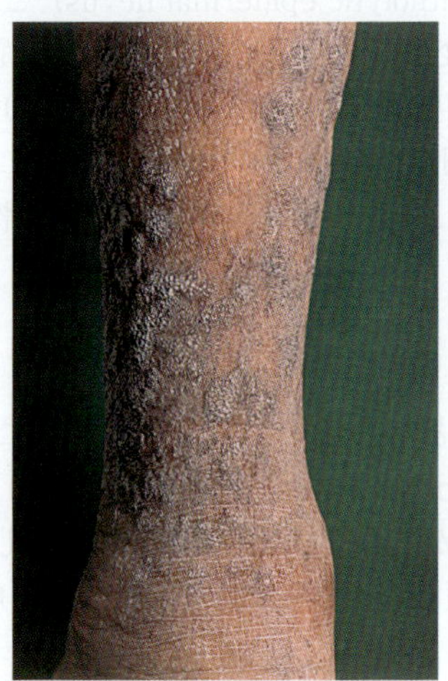

図 15-16　疣贅状肢端角化症

3. transient acantholytic dermatosis（TAD）（Grover 1971）

症状

一過性に丘疹・小水疱が体幹・四肢近位に生じ瘙痒あり．時にびらん，結痂をきたす．中年以降に多い．数週，時に数年にわたる．発汗・温熱・日光が誘因となることあり．

組織所見

限局性の棘融解あり．その像により天疱瘡型（suprabasal acantholysis），ダリエー型（acantholytic dyskeratosis，円形体），ヘイリー・ヘイリー型（suprabasal cleft，多くの棘融解)，落葉状天疱瘡型（superficial acantholysis)，海綿状態型（海綿状態の中に棘融解細胞）とに分ける．

4. 家族性良性慢性天疱瘡 familial benign chronic pemphigus, ヘイリー・ヘイリー病 Hailey-Hailey 病（Hailey-Hailey 1939）○

通常水疱症として扱われるが，カルシウムポンプをコードする遺伝子異常で発症する遺伝病（皮膚カルシウムポンプ病）であり，ダリエー病に近縁する疾患と考えて，この項目に入れた．

病因

常染色体性優性遺伝で，家族内同症が多い．先天性に tonofilament-desmosome complex，表皮細胞間物質の形成不全があり，外的刺激・感染が加わって裂隙を作る．ゴルジ体膜上の human secretory pathway Ca^{2+}/Mn^{2+}-ATPase protein 1（SPCA1）というカルシウムポンプをコードする遺伝子 *ATP2C1*（染色体 3q21-

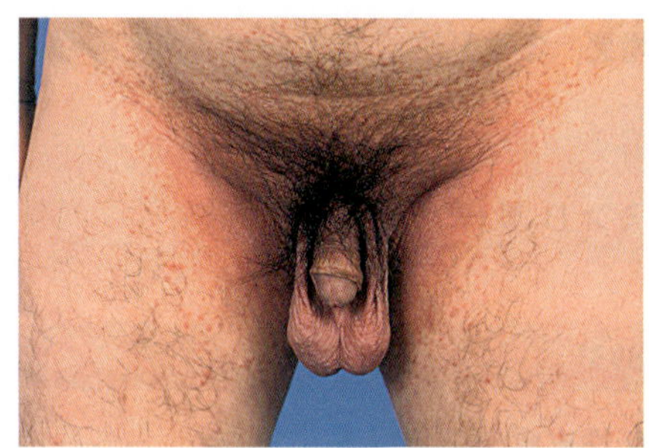

図 15-17 ヘイリー・ヘイリー病

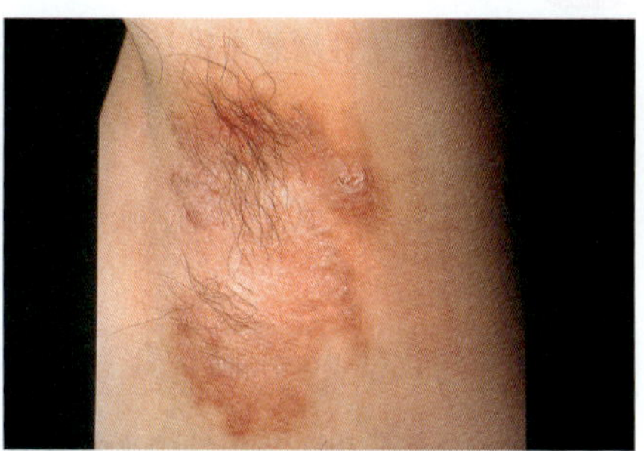

図 15-18 ヘイリー・ヘイリー病

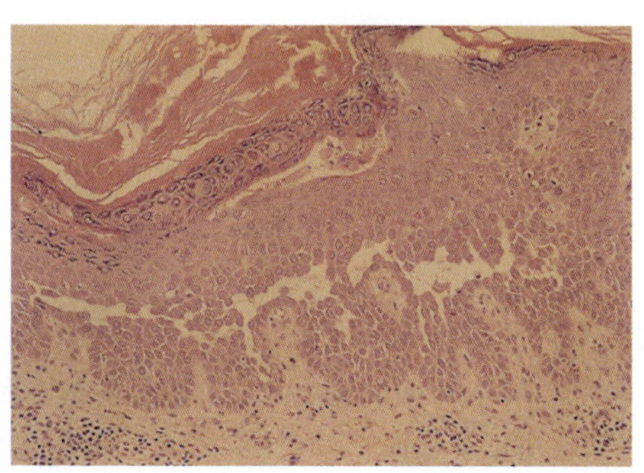

図 15-19 ヘイリー・ヘイリー病（表皮内間隙形成）

21）の変異が原因.

症状（図 15-17, 18）

主として項頸・腋窩・鼠径・陰股・肛囲部など，刺激を受けやすい間擦部に集簇性小水疱が紅斑上に生じ，これに結痂，膿疱，色素沈着が加わり，一見膿痂疹状を呈する．しばしば湿潤し，二次感染をきたす．瘙痒あり．色素沈着を残し，瘢痕化せずに治り，これを反復する．中年に多い．高温・多湿・紫外線・摩擦・感染（真菌・細菌）などで増悪.

組織所見（図 15-19）

デスモソーム形成不全による．①表皮内間隙（lacunae）形成（基底層直上 suprabasal のことが多い），②絨毛（villi）形成（延長した乳頭層とこれを覆う 1 層の基底細胞層，かかる突起が上記 lacunae 中に突出），③稀に異常角化細胞（dyskeratotic cell）（ダリエー病のように著明でない）.

予後

慢性に経過，急性増悪を繰り返す．夏季増悪，冬季軽快.

治療

エトレチナート・ステロイド軟膏・ビタミン D_3 軟膏，二次感染の予防.

5. 汗孔角化症 porokeratosis（Mibelli 1893）　○

孤発例の多い常染色体優性の高発癌性遺伝性皮膚疾患.

病因

常染色体性優性遺伝．表皮に腫瘍性クローンが存在し，限局性の異常角化を生じる．近年，線状型など本症の一部ではメバロン酸経路の遺伝子がヘテロに変異し，病変部皮膚にセカンドヒットが生じていると報告されている．発症誘因に免疫抑制薬（臓器移植後など）・紫外線曝露・照射など.

症状（図 15-20, 21）

四肢伸側・体幹（特に外陰）・顔面を主とし，円形〜楕円形の環状隆起を示す角化堤防状皮疹で，中央皮膚は萎縮性でわずかに凹む．黒褐色角化性小丘疹として発し，次第に遠心性に拡大．自覚症状なし．単発ないし多発.

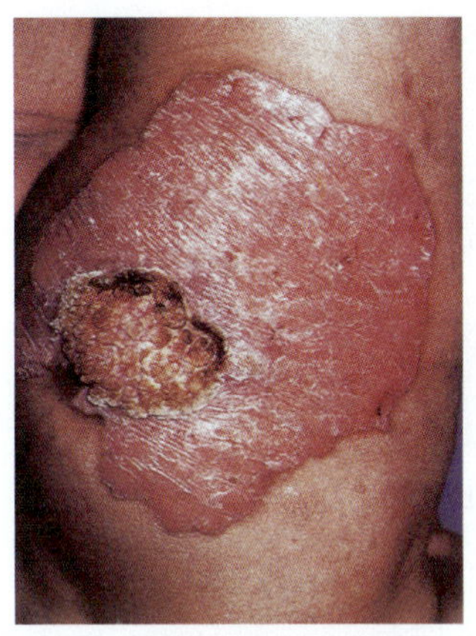

図 15-20　汗孔角化症（有棘細胞癌が続発する限局型）

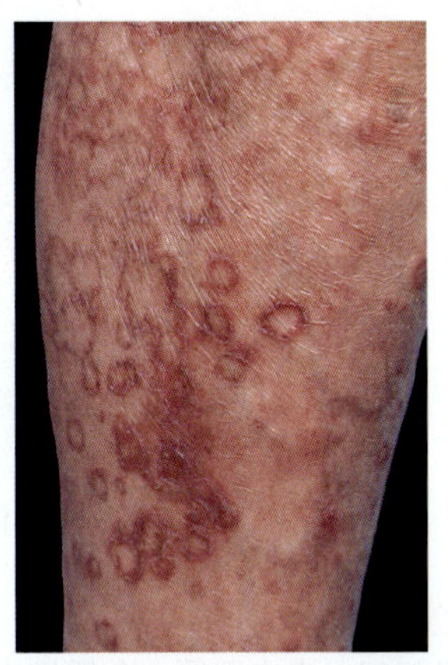

図 15-21　汗孔角化症（表在播種型）

分類

①**古典型** classical type，**Mibelli 型**：四肢，体幹，時には顔面に皮疹が散在する型．手掌足底では点状角化を示す．口唇・口腔・亀頭にも生じる．

②**限局型** localized type：少数個が限局性に生じる．単発巨大のことあり（径 5 cm 以上）．臀部・下肢に好発．

③**線状型** linear porokeratosis：出生時から幼少期に発し，下肢に圧倒的に多い．線状～帯状に配列する．時に融合して局面を形成する．

④**表在播種型** disseminated superficial porokeratosis：比較的小さい皮疹が全身に散布状に生じる（被覆部位にも生じる点で DSAP と異なる）．融合して巨大な局面を形成することあり．

⑤**日光表在播種型** disseminated superficial actinic porokeratosis（Chernosky 1967）（DSAP）：成人（30 歳以降）の日光裸露部に比較的小さい皮疹が多発．日光（PUVA を含む）で誘発される．男女比 1：1.

⑥**掌蹠播種型** porokeratosis palmoplantaris disseminata：掌蹠に播種する小角化性丘疹．

悪性化

約 10%が有棘細胞癌，ボーエン病，稀に基底細胞癌を続発する．放射線・冷凍療法・外傷・化学熱傷でも誘発される．悪性化率は表在播種型（29%），限局型（26%），線状型（17%）に高く，DSAP（5.8%）に低い．高発癌性遺伝性皮膚疾患．

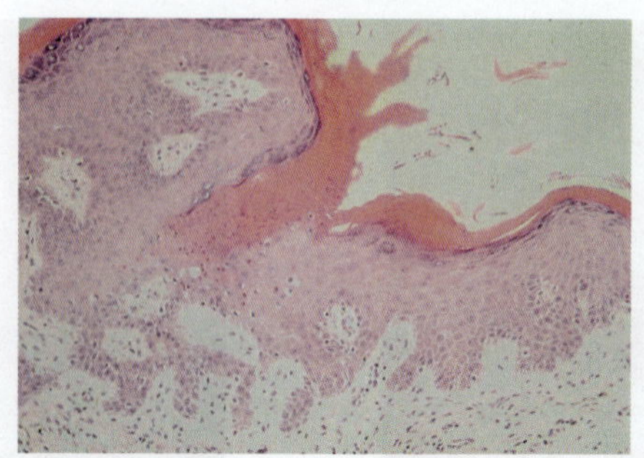

図 15-22 汗孔角化症（錯覚化円柱）

組織所見 （図 15-22）

辺縁隆起部：表皮肥厚・角質増生，その間に周囲角層より明るい不全角化円柱（cornoid lamella）が介在，その下で顆粒層は欠如し，核濃縮・核周囲浮腫・早期角化のための好酸性原形質などの変性や角化異常が認められ，真皮にリンパ球が浸潤する．中央陥凹部：表皮菲薄化，不全角化．病変は毛孔に一致していないことが多い．

予後

慢性で難治．稀に自然退縮．一部は癌化．

治療

切除，電気凝固，冷凍療法，皮膚削り術，イミキモド外用，サリチル酸ワセリン，インターフェロンβ局注，尿素軟膏，炭酸ガスレーザー，稀にエトレチナート．

6. 固定性扁豆状角化症 hyperkeratosis lenticularis perstans（Flegel 1958）

家族内発症例があり，常染色体優性の遺伝性疾患と考えられている．稀．中年以降両側の足背・足関節部・下腿（時に前腕・肘頭）に米粒大までの硬い角化性丘疹が扁平に隆起する．無理に角質を剝がすと小陥凹を残し中央より点状出血をみる．皮疹中央部は角質増生が顕著で，同部の表皮は菲薄化，顆粒層も菲薄化・消失する．慢性に経過するが，予後良好．液体窒素凍結療法が有効，エトレチナート内服やビタミン B_3・5-Fu 軟膏外用．

7. 紅斑角皮症 erythrokeratoderma

紅斑性角化性局面が短時間で形を変える変動性紅斑角皮症と，形を変えない進行に 2 大別する．

1）変動性紅斑角皮症 variable erythrokeratoderma（Mendes da Costa 1925）

病因

常染色体優性遺伝．表皮のギャップジャンクションの構成蛋白である connexin 31 および connexin 30.3 遺伝子に変異．

症状

幼児（1 歳未満）の，顔面・体幹・四肢（稀に掌蹠にも）に境界明瞭な対側性紅斑角化性局面が多発，徐々に拡大，融合し，数日内に出現・消褪と変動する．鱗屑は角化性・粃糠様・小葉状，辺縁は汚穢・黄褐色を呈し，境界は凹形の奇妙な融合局面を示す．自覚症はない．寒冷・圧迫・精神的ストレスで増悪する．半数で掌蹠に部分的，またはびまん性の角化．

組織

角質増殖・表皮肥厚・乳頭腫症．

治療

エトレチナート内服．

2）進行性対側性紅斑角皮症 progressive symmetric erythrokeratoderma

病因

常染色体優性遺伝．一部はロリクリン（loricrin）遺伝子の異常による（loricrin keratoderma）．

症状

幼児～成年期に境界明瞭な角化性紅斑面が四肢（手掌足底・肘頭膝蓋）・臀部に対側性に生じる．変動性はなく，徐々に進行する．

組織

角質増殖・顆粒層肥厚・表皮肥厚．

治療

エトレチナート内服.

3）先天性 LDH-M サブユニット欠損症

ミオグロビン尿，易疲労，四肢伸側（肘・膝・足背など）に辺縁落屑性紅斑を生じ，環状・地図状・蛇行状に拡大する．春に始まり秋に消褪．常染色体劣性遺伝.

4）運動失調を伴う紅斑角皮症

進行緩徐の脊髄小脳失調を合併．常染色体優性．長鎖脂肪酸の生合成に関与する *ELOVL4* 遺伝子の変異が報告されている.

5）Schnyder 症候群 progressive partially symmetric erythrokeratoderma with deafness

難聴を伴う進行性不完全対側性紅斑角皮症.

4　毛包性角化症

毛包性角化症は遺伝性，非遺伝性の角化症を含むが，その臨床上の特性から一つのまとまった疾患群と考えてここに取り上げた.

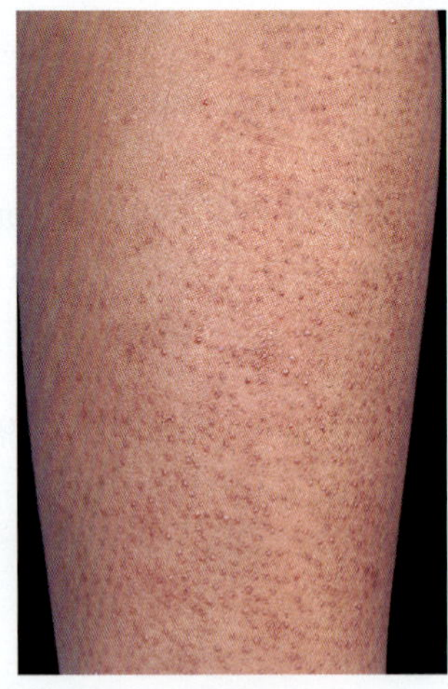

図 15-23　毛孔性苔癬

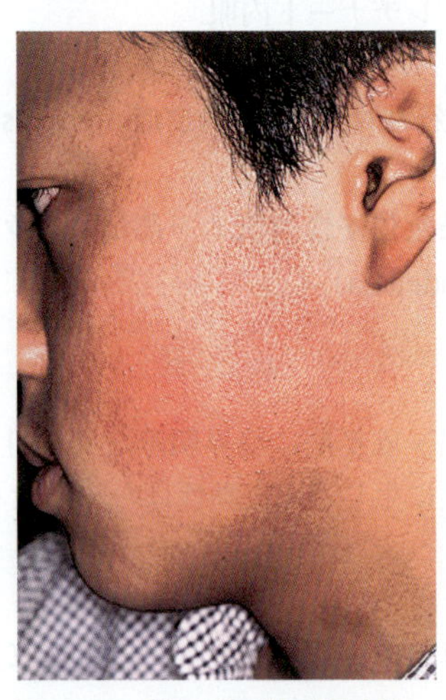

図 15-24　顔面毛包性紅斑黒皮症

1. 毛孔性苔癬 lichen pilaris，毛孔性角化症 keratosis pilaris ○

症状（図 15-23）

上腕伸側・肩部・臀部・大腿前外側に，粟粒大までの毛孔一致性の丘疹が多発する．時に潮紅や褐色調を伴う．自覚症状はない．小児期に出現，思春期に症状が強く，以後自然退縮を示す．ありふれた疾患で，常染色体性優性遺伝．尋常性魚鱗癬・アトピー性皮膚炎・肥満があると発症率が高い．

組織所見

毛包漏斗部開大と角栓．

治療

サリチル酸ワセリン・ビタミン A 軟膏・尿素軟膏・ビタミン D_3 軟膏・ステロイド軟膏の外用．

2. 顔面毛包性紅斑黒皮症 erythromelanosis follicularis faciei（Kitamura 1957）

症状（図 15-24）

青年男子の耳前・頬・側頸・項部に生じる比較的境界明瞭な紅褐色局面で，毛包性丘疹が密生する．しばしば毛孔性苔癬を合併し，稀に女子をも侵す．少年期から思春期に症状が強まるが，やがて自然治癒する．毛孔性苔癬の一異型か．遺伝形式不明．

組織所見

毛孔性角化，基底層色素沈着，血管拡張．

治療

尿素軟膏，サリチル酸ワセリン，ビタミン B_3 などの外用．

3. 棘状苔癬 lichen spinulosus（Payne）

症状

長い棘状の毛孔性丘疹が集簇して大小の局面を形成するのが特徴．幼児から青年期にかけての項頸・腰・四肢に好発．白癬疹・梅毒疹・腺病性苔癬・麻疹・風疹・脂漏性皮膚炎などに続発することあり．著明な層状角栓を容れる毛孔開大．慢性に経過するが，時に自然治癒.

4. 鱗状毛包性角化症 keratosis follicularis squamosa（Dohi 1903）

病因

不明. 時に家族内発生や他の角化症（毛孔性苔癬・棘状苔癬）を合併. 内分泌（妊娠）・機械的刺激（衣類）・毛包内細菌感染（ミノマイシン有効）. 東洋人（日韓中）に特有（時に白人例）か. 遺伝は確認されていない.

症状（図15-25～27）

腹・臀部，次いで下肢・胸・腰・背に好発. はじめ毛孔性黒色小角化点を生じ，これを中心に灰白色円形葉状鱗屑が生じる. 鱗屑の辺縁はわずかに皮面より剝離し，あたかも睡蓮の葉が池に浮かぶような感じがある. 鱗屑を剝ぐと下は白斑状. 散在ないし集簇性に多発，自覚症状はない. 10～30歳に発生，性差はほとんどなく，冬期に増悪するが次第に軽快する.

組織所見

毛孔性角化，角化は辺縁に向かい疎となり下層と遊離する. 毛包部中心の色素沈

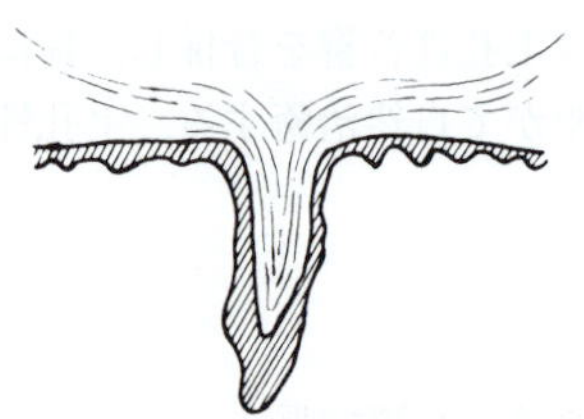

図15-25　鱗状毛包性角化症

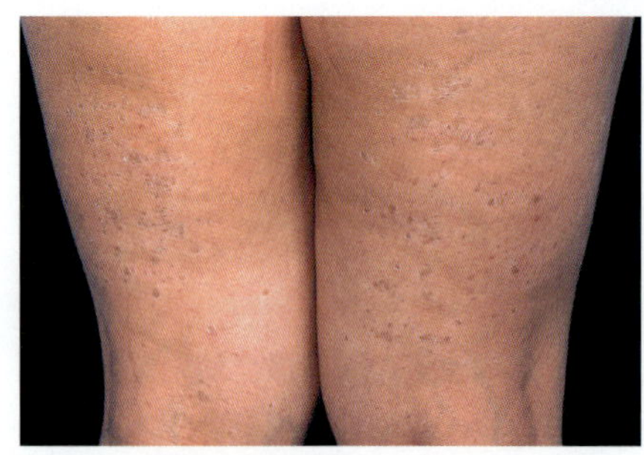

図15-26　鱗状毛包性角化症

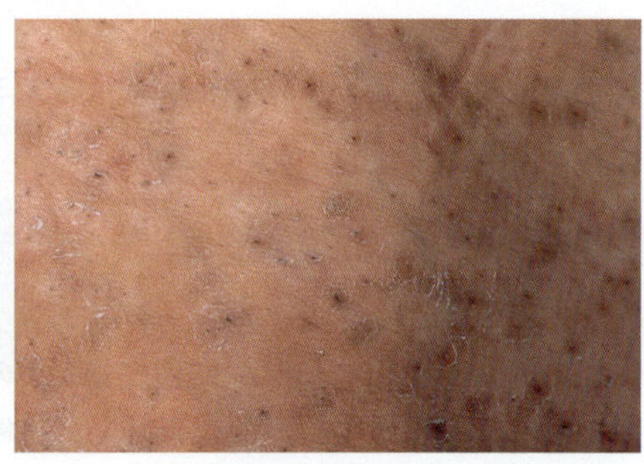

図15-27　鱗状毛包性角化症

着.

治療

サリチル酸ワセリン，尿素軟膏，ビタミン D_3 軟膏，エトレチナート，ミノマイシン.

5. 毛孔性扁平苔癬 lichen planopilaris

①扁平苔癬，②棘状，ないし尖圭の毛孔一致性丘疹，③瘢痕性脱毛を主徴とする. 腋窩や陰部でも毛が脱落する．毛包脂腺系に苔癬様反応．のち毛包消失し線維化. ステロイド・シクロスポリンが有効.

6. Noonan 症候群

両眼隔離症・眼角贅皮・眼瞼下垂・耳介変形・耳介低位・低身長・翼状頸・外反肘の他，眉毛瘢痕性紅斑・毛孔性角化・縮毛・肺動脈弁狭窄・四肢末端浮腫などの皮膚症状を示す．常染色体性優性遺伝．*PTPN11*，*RAF1*，*BRAF* 遺伝子に変異. RASopathy の一つ.

7. cardio-facio-cutaneous 症候群（Reynolds 1986）

①心奇形（肺動脈弁狭窄・心房中隔欠損など)，②身長に比し大きい頭部，前頭部突出，両側頭部陥凹，後方に傾いた耳輪など特異な顔貌，③筋緊張低下・亢進，脳萎縮，水頭症，眼振，精神遅滞，身体的発育不全，④皮膚変化；角化性皮膚・毛孔性角化・乾皮状態，掌蹠角化症，毛髪異常（縮毛，眉毛・睫毛の減少，疎毛)，爪・歯牙異常（爪萎縮・匙状爪・歯牙形成不全)．*BRAF*，*MEK1*，*MEK2*，*KRAS* 遺伝子に変異．RASopathy の一つ.

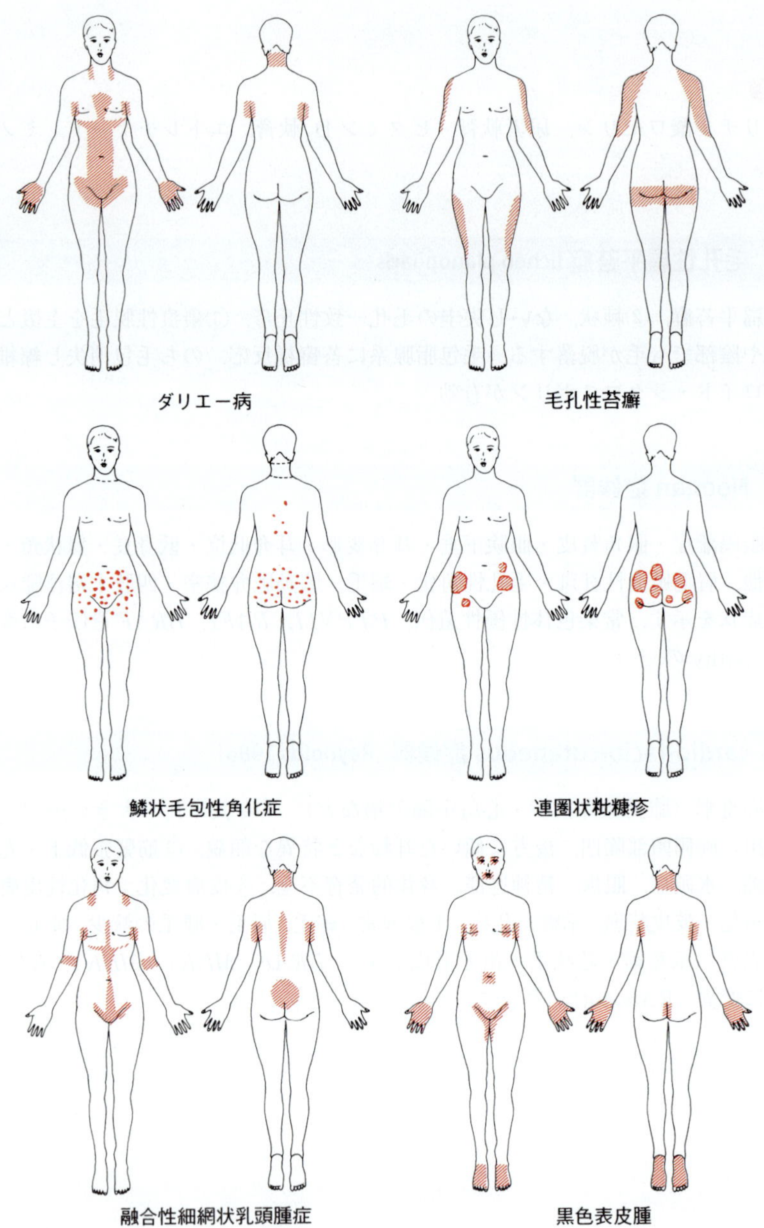

図 15-28　主な角化症の好発部位

5 その他の角化症

1. 胼胝腫（タコ）tylosis，callus

症状（図 15-29，30）

長期間にわたり外的刺激（圧迫・摩擦）の反復していた部位に，防御機転として起こる限局性の角質増殖で，時に真皮の肥厚も伴う．黄色調を帯びることが多い．労働者や運動選手の手掌・指腹・踵・足背などに生じ，下床に骨のある部分に多い．ペンだこ，坐りだこ，靴ずれだこ．仙骨部では，尾骨の変形や慢性機械的刺激（自転車など）により，瘤状に隆起することがある（coccygeal pad）．バイオリン・ビオラ奏者で顎当ての当たる左下顎・側顎に限局して生じる丘疹・苔癬化・硬結・色素沈着などの変化を fiddler's neck という．

治療

原因を避ける．スピール膏貼布後，削る．

2. 鶏眼（ウオノメ）clavus ○

症状（図 15-31，32）

下床に骨を有する部位に長期間，圧迫（不適当な靴・足の変形による）が加わって生じる限局性角質増殖．中央陥凹部は特に固く，やや半透明な芯となる．趾背・趾間・足底に多い．角化は下方に伸びるので，歩行に際して疼痛がある．

鑑別診断

足底疣贅（表面疣状，中央陥凹なし，多発，点状出血）．

治療

圧迫を避ける（穴あきパッド）．スピール膏貼布後削る（芯を剔出（てきしゅつ）する）．

3. 更年期角化腫 keratoderma climactericum（Haxthausen）

更年期女性の手掌足底にみられる限局性角化巣で，圧迫を受ける部位に生じやすい．時に潮紅・亀裂を伴う．稀に男子も侵される．更年期の性ホルモン失調に由来

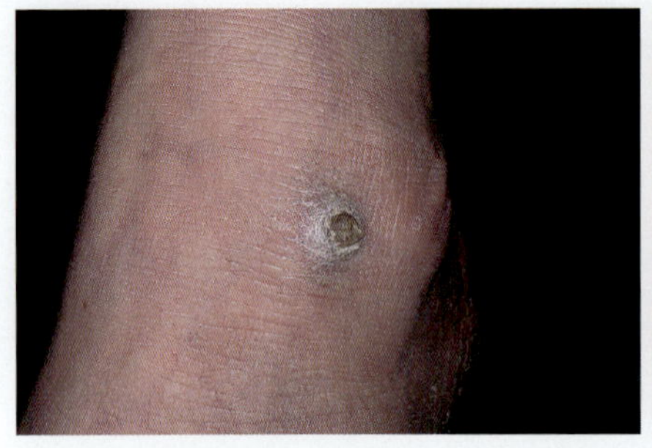

図 15-29　胼胝腫（坐りダコ）

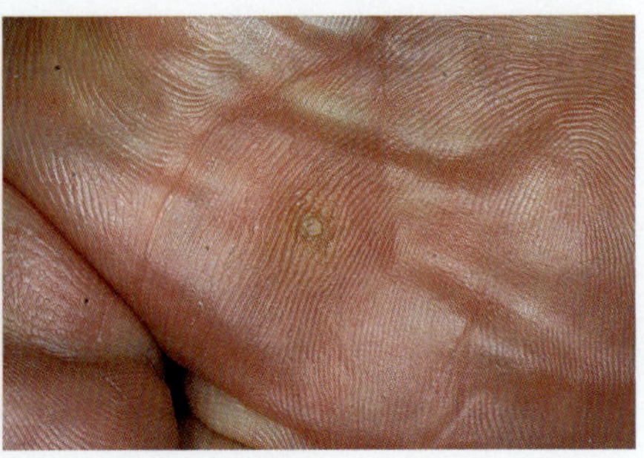

図 15-31　鶏眼（ウオノメ）

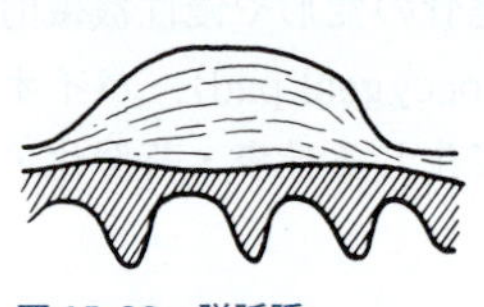

図 15-30　胼胝腫

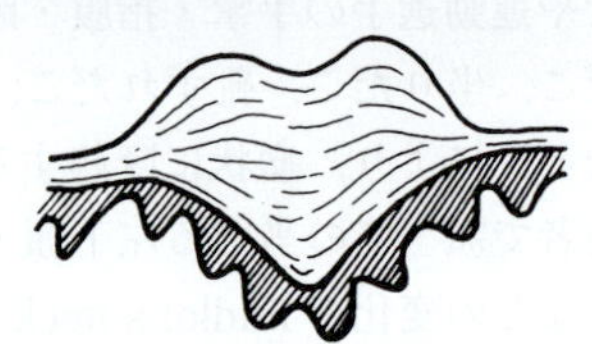

図 15-32　鶏眼

し，また甲状腺機能低下も関与する．

4. 連圏状粃糠疹 pityriasis circinata（Toyama 1906），正円形粃糠疹 pityriasis-rotunda（Matsuura 1906）

病因

病因は明らかではない．悪性腫瘍（特に肝癌）・栄養不良・結核・妊娠が背景にあることもある．多くは後天性に発症するが，稀に家系内発症例も認められる．東洋人に多いが，白人・アフリカ人の報告がある．

症状（図 15-33）

腰・腹・臀部を中心に，爪甲大から手掌大までの，ほぼ正円形で淡褐色の魚鱗癬様局面が多発，互いに融合して連圏状となる．境界は明瞭で，表面は乾燥性で細かい皺を有し，わずかに落屑する．自覚症状なし．やや女性に多い．

組織（図 15-34）

角質増殖・顆粒層減少・有棘層非薄化．

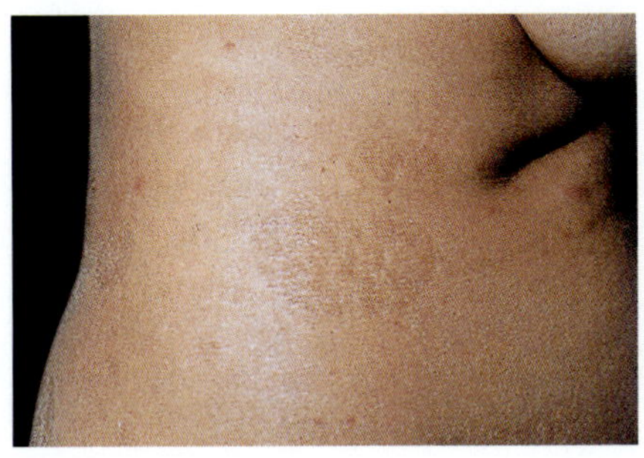

図 15-33　連圏状粃糠疹

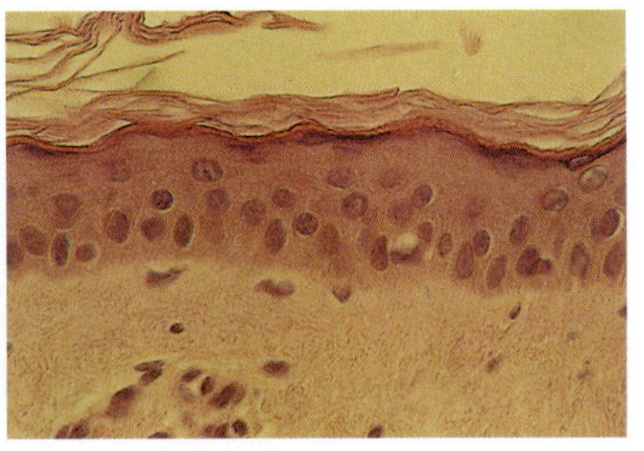

図 15-34　連圏状粃糠疹（組織）

予後

慢性に経過．看過されることも多い．

治療

尿素軟膏，ビタミン D_3 軟膏，5%サリチル酸アルコール，エトレチナート．

5. 融合性細網状乳頭腫症 papillomatose confluente et réticulée（Gougerot and Carteaud 1931）（図 15-35，36）

はじめ粟粒大円形丘疹として発し，次第に拡大して径 5mm ほどの淡褐色斑（癜風に似る）となり，これが互いに融合して網状局面を作る．乳房間部に初発することが多く，肩甲骨間（菱形）・肩部（肩章様・ズボン吊り型）・胸腹正中部（菱形）・乳房下・恥丘・鼠径・項・腰臀部・腋窩前後縁・肘窩などを侵す．思春期に好発し，慢性に経過．自覚症状なし．しばしば甲状腺機能低下・糖尿病・肥満を伴う．*Malassezia furfur*（*Pityrosporum orbiculare*）の病原性に関しては賛否両論，また細菌感染説あり．治療はミノサイクリン・尿素軟膏などを用いる．

6. 顔面単純性粃糠疹 pityriasis simplex faciei（図 15-37）

学童期の顔面に多発性に生じる拇指頭大までの境界不明瞭な不完全脱色斑で，粃糠様落屑あり．紅斑の先行することあり．数年で自然消褪する．男児に多い．

〔付〕**アカツキ病（坂本 1960）**（図 15-38）：精神障害を背景とした無為性，すなわち洗顔・清拭を長期間行わず垢の固着した状態で，坂本は「通常の日常生活を送っていさえすれば脱落，清浄化されるはずの物質が，主として心的規制によって局所的清浄化が妨げられて鱗屑痂皮として蓄積した状態」と定義している．表皮母斑・蠣殻疹のようにみえる．外用

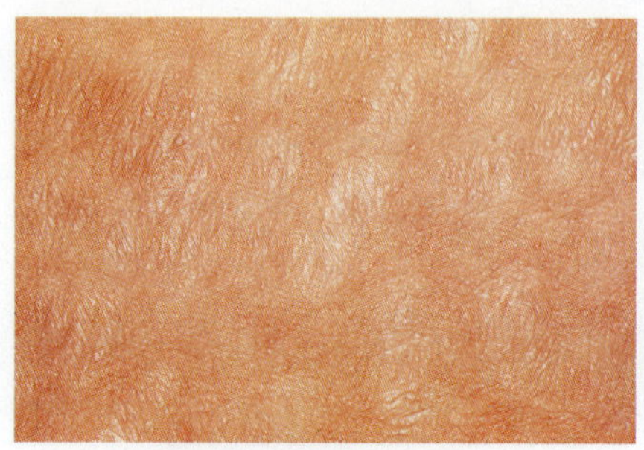

図 15-35 融合性細網状乳頭腫症

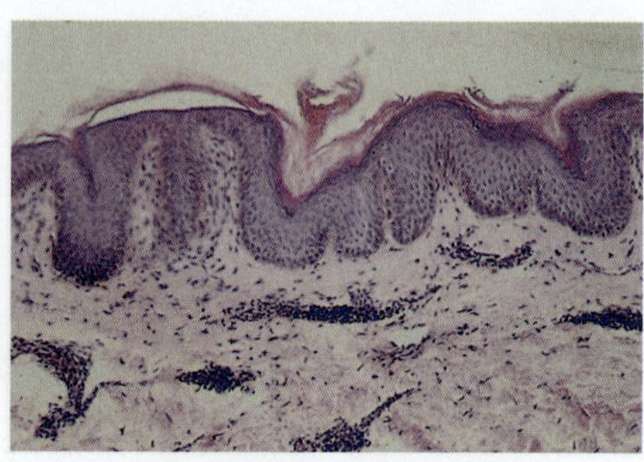

図 15-36 融合性細網状乳頭腫症（組織）

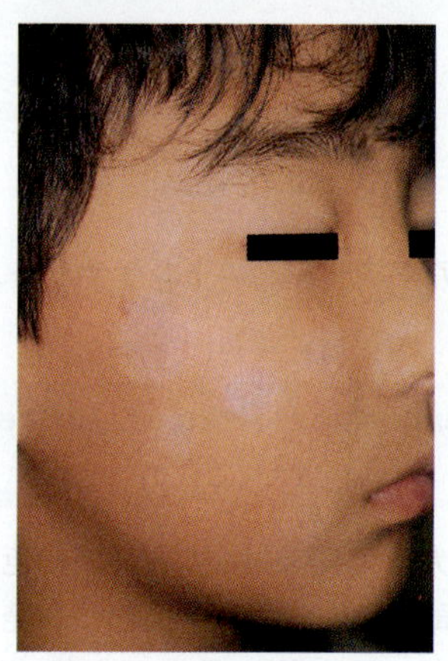

図 15-37 顔面単純性粃糠疹

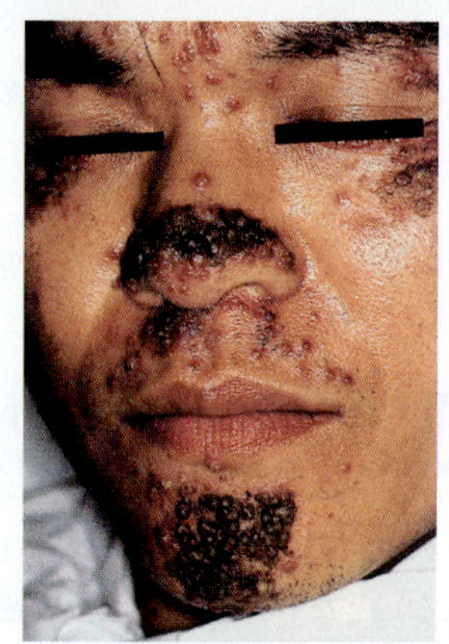

図 15-38 アカツキ病

剤の過剰使用により，これの蓄積する（inguinal/facial）pomade crust もこの一種といえる．

7. Circumscribed palmar hypokeratosis（Perez 2002）（図 15-39）

中年以降の女性の掌蹠，特に拇指球，小指球，足底内側に好発する単発性の紅色陥凹性局面で自覚症状を欠く．角層が階段に，また顆粒層も薄くなって，ケラトヒアリン顆粒が粗大化する．原因不明で後天性の角化異常か．ビタミン D_3 外用，液体窒素療法．

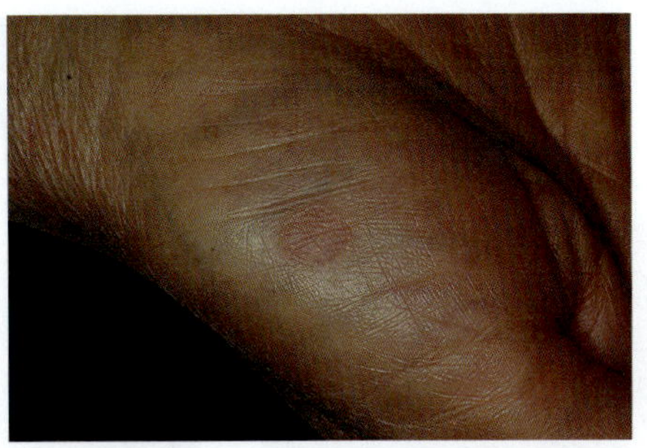

図 15-39　circumscribed palmar hypokeratosis

6　黒色表皮腫と類縁疾患

1. 黒色表皮腫 acanthosis nigricans　◎

分類

次の 3 型に分ける（図 15-40〜42）

①**悪性型** a. n. maligna（MAN）：種々の内臓悪性腫瘍を合併し，高齢者に多い．

②**良性型** a. n. benigna（BAN）：悪性腫瘍を合併せず，若年者に多い．

③**仮性型** pseudoacanthosis nigricans（PAN）：肥満とともに発症し，肥満の消褪とともに軽快するもの．良性型の一亜型．

病因

悪性型では，腫瘍細胞が EGF（epidermal growth factor）や TGF-α（transforming growth factor-α）を産生して，表皮角化細胞の増殖を促進・調節する作用が考えられている．良性型の耐糖能異常による高インスリン血症では IGF-I（insulin-like growth factor-I）受容体を介して表皮角化細胞の増殖を亢進する機序が示されている．仮性型は内分泌障害に加え，間擦部の摩擦という機械的因子も加わる．

良性・仮性型を一括し，原因別に次のように分けることもある．

①**症候性**：インスリン抵抗性と関連．ⓐ HAIR-AN：高アンドロゲン血症（HA）＋インスリン抵抗性（IR）＋黒色表皮腫（AN）．ⓑ自己免疫状態の関与（SLE・糖尿病・卵巣性男性化），ⓒ肥満・糖尿病・甲状腺機能低下・先天性汎発性脂肪萎縮症と合併．

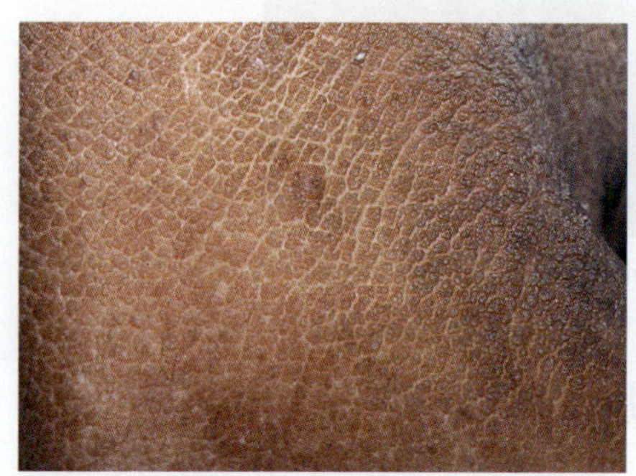

図 15-40　黒色表皮腫（悪性型）

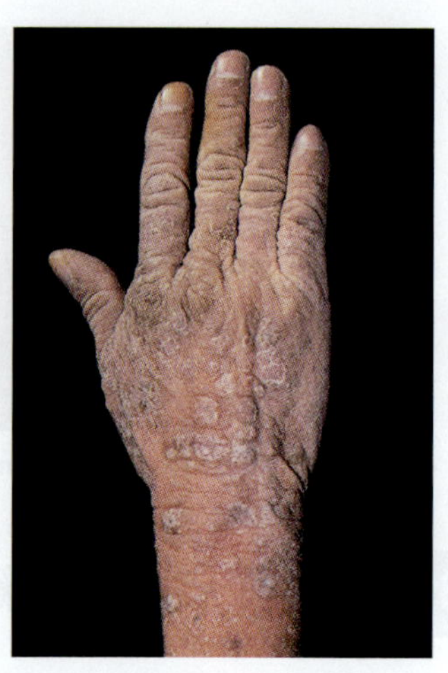

図 15-41　黒色表皮腫（悪性型）

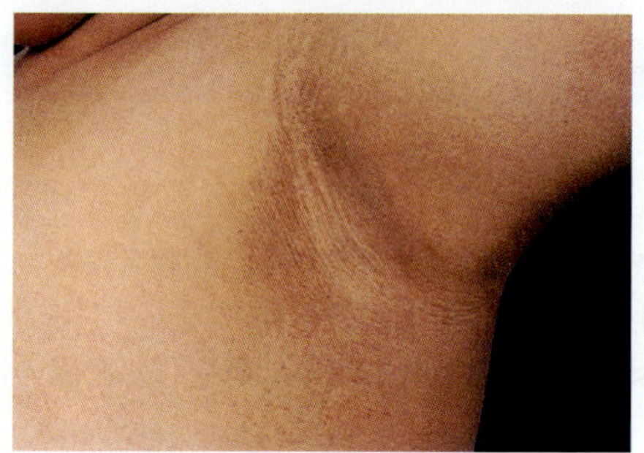

図 15-42　黒色表皮腫（仮性型）

表 15-3　悪性・良性・仮性黒色表皮腫と融合性細網状乳頭腫症（PCR）

	MAN（悪性型）	BAN（良性型）	PAN（仮性型）	PCR
年　齢	中年以降	若年者	若年～成人	思春期前後・以降
合併症	悪性腫瘍	先天異常 内分泌障害	肥満	時に甲状腺異常
好発部位	項頸部・腋窩・乳暈・臍窩・外陰・鼠径・殿裂・肛囲			乳房間部・背中央部・項部・鼠径部
粘膜侵襲	＋	±	−	−
臨床所見	黒灰色～灰褐色のビロード状あるいはおろし金状のざらついた局面．重症度：MAN＞BAN＞PAN			細網状の灰褐色調の粗糙化皮膚局面
組織所見	乳頭腫症・色素沈着・角質増生			乳頭腫症・角質増生（軽度）

②**薬剤誘発性**：ニコチン酸・経口避妊薬・葉酸拮抗薬.

症状

項頸・腋窩・乳暈・臍窩・外陰・鼠径・肛囲などに黒褐色色素沈着，角質増殖による皮野の著明化ないし乳頭状隆起をきたし，汚穢な外観を呈するに至る．手掌足底は絨毛様角化が高度で，ざらざらして「おろし金」をなでるような感がある．口囲・眼囲も侵されやすい．その他，瘙痒，脱毛（腋毛・恥毛），爪甲変形，小疣贅多発などを伴う．粘膜（口腔・口唇・鼻粘膜・結膜・直腸・食道・腟）にも乳頭状増殖と色素沈着が生じる．一般に悪性型は症状が強い．

①**悪性型**：全体の 30〜80％を占め，合併癌の 60〜90％以上が胃癌（腺癌）で，その他，腹腔内癌，胸部癌がこれに次ぐ．70％以上の症例で皮疹が癌症状に先行ないしは同時に出現しており，本症からしばしば癌を診断できる．

②**良性型**：種々の先天性異常（母斑・歯牙骨異常・中枢神経障害）や内分泌障害（糖尿病・下垂体・副腎系疾患，特にインスリン代謝）が合併することあり，また家族内発生（不規則常染色体性優性遺伝）の他，Bloom 症候群・Seip-Lawrence 症候群・Prader-Willi 症候群・Crouzon 症候群の一部分症状.

③**仮性型**：間擦部の色素沈着と粗糙化が主で，肥満者をよくみると多少ともこの型の傾向を認める.

組織所見（図 15-43，44）

①乳頭腫症（papillomatosis），②角層増殖（hyperkeratosis）および③色素沈着（hyperpigmentation）の 3 つを主体とする．表皮肥厚（acanthosis）はなく，したがって本病名は適当でない.

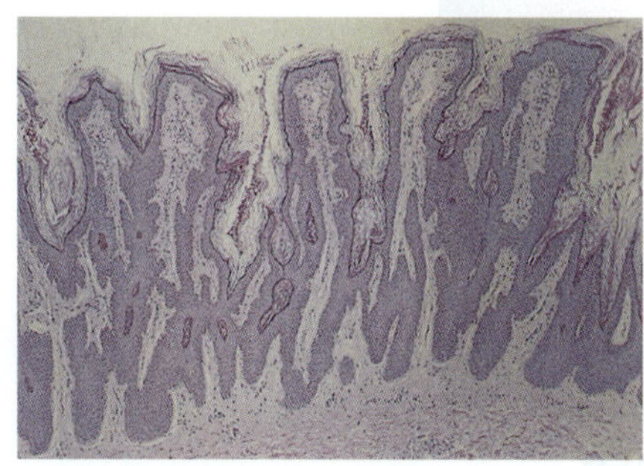

図 15-43 良性黒色表皮腫（組織）

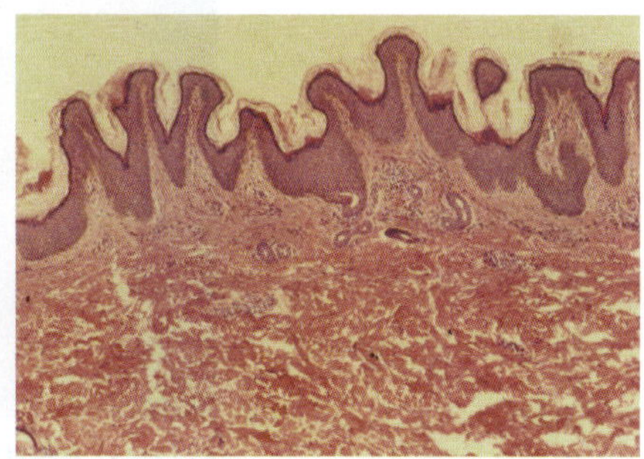

図 15-44 仮性黒色表皮腫（乳頭腫症）

治療

①**悪性型**：内臓悪性腫瘍を検出し，その治療に力を尽くす．治療により皮疹が軽快ないし治癒することも少なくない．

②**良性型**：内分泌系異常を検索し，治療を図る．

③**仮性型**：肥満の治療．

2. 悪性腫瘍と関連する後天性角化症

1）後天性魚鱗癬 ichthyosis acquisita（図 15-45）

病因

背景にホジキンリンパ腫を主とし，次のようなものがある．

①**悪性腫瘍**：ⓐ悪性リンパ腫（特にホジキン病）・白血病・多発性骨髄腫，ⓑ癌腫（乳癌・肺癌・子宮癌・膵癌・胃癌・卵巣癌）・肉腫（カポジ肉腫・平滑筋肉腫）．

②**全身性疾患**：サルコイドーシス・吸収不全症候群・甲状腺機能低下・ハンセン病・SLE・皮膚筋炎・MCTD・真正赤血球増多症・AIDS．

③**薬剤**：ⓐコレステロール形成阻害薬（トリパラノール・ニコチン酸・ブチロフェノン），ⓑその他：シメチジン・レチノイド・クロファジミン・アロプリノール．

症候

ほぼ尋常性魚鱗癬と同様であるが関節屈面も侵す．

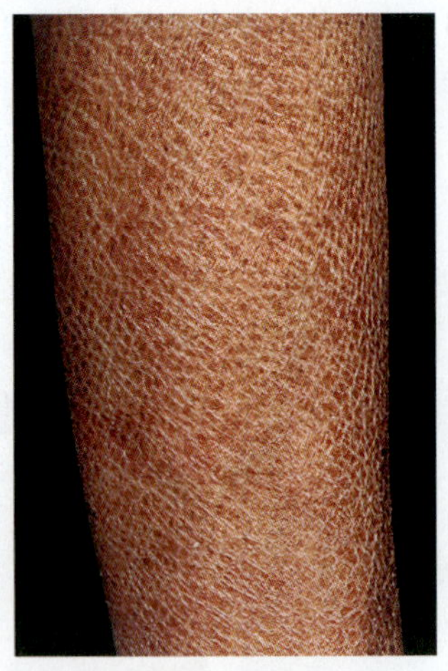

図 15-45 後天性魚鱗癬
（悪性リンパ腫における）

2）後天性掌蹠角化症

食道癌・気管支癌・肺癌・胃癌・結腸癌・菌状息肉症・セザリー症候群に併発して発する.

3）バゼー症候群 acrokeratosis paraneoplastica（Bazex and Griffiths 1965）

消化管・上気道・肝の悪性腫瘍（扁平上皮癌が多い）に関連して生じる四肢末端・鼻・耳介の乾癬類似の紅斑性角化局面. 臨床経過は腫瘍の病勢を反映する. 皮疹は以下の３期.

①手指，足趾に乾癬様紅斑が限局，爪の変化に生じる.
②指趾から手足全体に拡大して紫紅色調浮腫性角化局面が目立つ. 顔面（鼻・口唇・耳介）にも皮疹，足蹠に過角化が生じる.
③四肢近位，体幹に乾癬様皮疹，顔面や頭部に脂漏性皮膚炎様の皮疹.

第16章 炎症性角化症

炎症症状の著明な角化症，すなわち潮紅と角化を主体の角化症を一括して，炎症性角化症（erythrosquamatous dermatoses）と呼ぶ．

1 乾癬 psoriasis 

代表的な炎症性角化症であり，全身に特徴的な銀白色雲母状鱗屑を付着する紅斑が散布する．日本の人口の0.02～0.1％が罹患するが，欧米の2～3％に比して少ない．男女比は2：1と男性患者が多い．人種別の発症頻度はコーカシアン＞東洋人＞ブラックアフリカン＞アメリカインディアンの順といわれる．

病因

①病因は不明であるが，乾癬を発症しやすい遺伝的素因が基盤にあると考えられている．家族内発症頻度は約5％．*PSORS1*（*HLA-Cw6*），*IL12B*，*IL23R*，*IL23A* などの乾癬感受性遺伝子が報告されている．

②棍棒状表皮肥厚の特徴的病理組織所見や皮疹部ケラチノサイトの著明な増殖亢進などから，古くから表皮ケラチノサイトに乾癬の主たる原因があるとされてきたが，現在ではヘルパーT細胞や樹状細胞などの骨髄由来の免疫細胞が病態形成に中心的役割を果たしていると考えられている．IL-12で活性化されるTh1の役割が重要視されたが，最近ではIL-23で誘導，活性化されるTh17細胞の関与が乾癬の病態形成に重要であり，Th17の産生するIL-17，IL-22などがStat 3などを介してケラチノサイトを活性化し，表皮肥厚，角化を誘導すると考えられている．

③**発症・悪化因子**：病巣感染・HIV感染・糖尿病・高脂肪食などの代謝障害・薬剤（Ca拮抗薬・β遮断薬・抗マラリア剤・インドメタシン・ACE阻害薬・テトラサイクリン・ジゴキシン・IFN-α・リチウム剤・ロキソプロフェン・キニジ

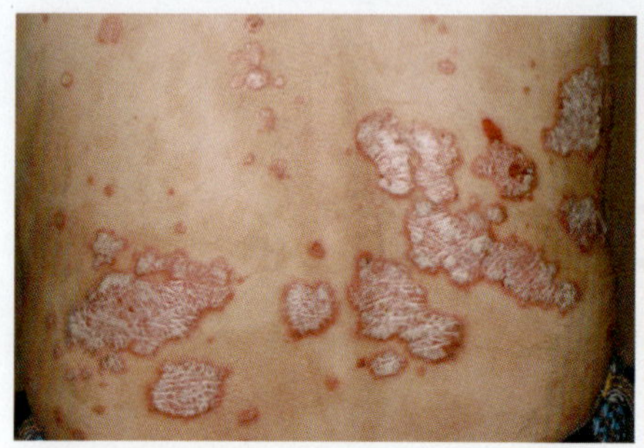

図 16-1　乾癬

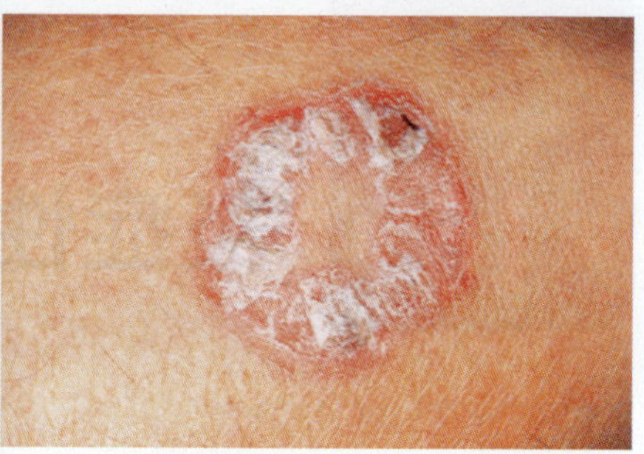

図 16-2　乾癬（環状）

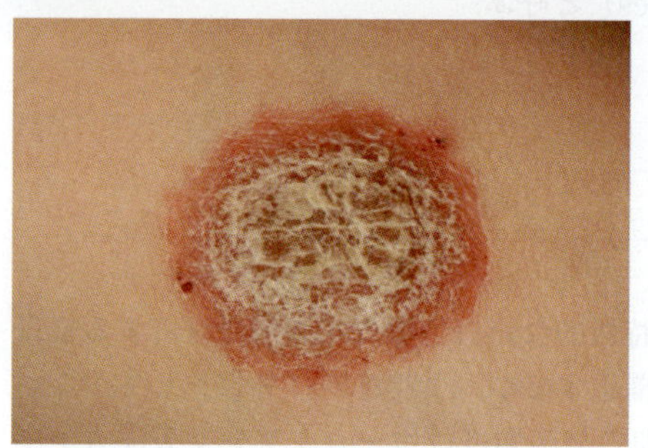

図 16-3　乾癬

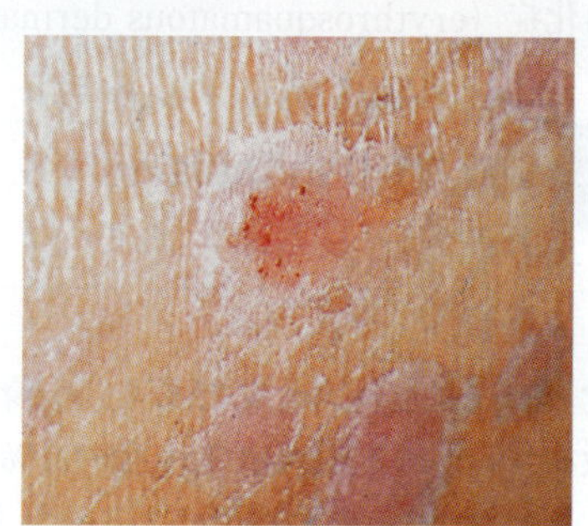

図 16-4　アウスピッツ現象

ン・サラゾピリン）・外傷などの物理的刺激・妊娠・ストレスが引き金となりうる.

症状（図 16-1～3）

①境界明瞭な紅斑と銀白色雲母状鱗屑が典型的皮疹.

②点状丘疹に始まるが急速に拡大，多発・融合し，点状，滴状，貨幣状，環状，蛇行状，花環状，地図状など，種々の形態をとる.

③鱗屑を鈍なメスで軽く擦ると，銀白色葉状の落屑が次々と剝げ落ちてくる（**蠟片現象**）.

④これをさらにつづけていくと，滲出性紅斑が現れ，そこに点状小出血点が湧き上がってくる〔**アウスピッツ（Auspitz）血露現象**〕（図 16-4）.

⑤摩擦，その他の刺激により，健常皮膚にも乾癬病変を生じる（ケブネル現象 Köbner phenomenon）.

⑥通常痒みはないが，時に伴うことがある.

⑦夏に軽快傾向あり．慢性，再発性に経過する.

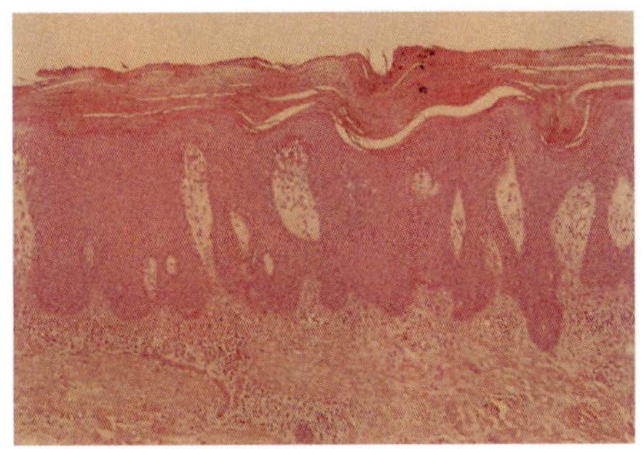

図 16-5　乾癬（組織）

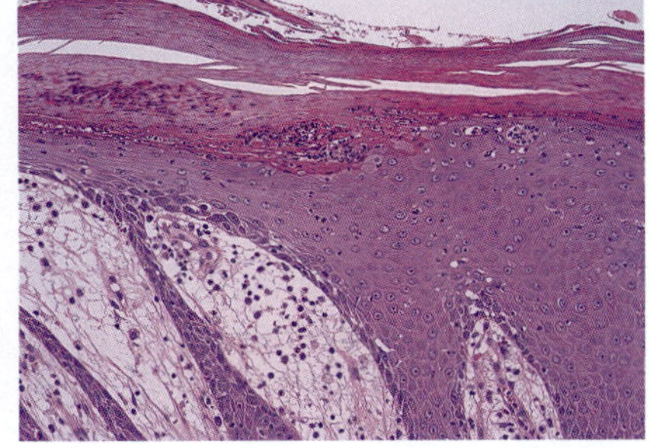

図 16-6　マンロー微小膿瘍（乾癬）

好発部位

四肢伸側（特に膝蓋・肘頭），被髪頭部，体幹（背・腰）を主として侵し，手掌足底・顔面・関節窩・粘膜には稀．手掌足底を侵すものを反対型，腋窩，臍囲・殿裂・鼠径・乳房下を侵すものを間擦疹型という．

組織所見（図 16-5）

①角質増生および顆粒層減少を伴う不全角化，②真皮乳頭の上方への延長，③表皮突起の下方への延長，④乳頭直上表皮の菲薄化，⑤乳頭における毛細血管拡張と浮腫，⑥**マンロー微小膿瘍**（Munro's microabscess，角層内または直下の好中球よりなる小膿瘍）（図 16-6），⑦膿疱性乾癬ではコゴイ海綿状膿疱あり．

病型

病態により，尋常性乾癬，急性滴状乾癬，乾癬性紅皮症，関節症性乾癬，膿疱性乾癬の 5 型に分ける（表 16-1）．

①**尋常性乾癬**：前述．

②**急性滴状乾癬** acute guttate psoriasis：幼年児に，上気道感染症（β 溶連菌）を

表 16-1　乾癬の病型

	臨床的特徴	病理組織学的特徴
尋常性乾癬	境界明瞭な紅斑・雲母状鱗屑アウスピッツ血露現象	過角化，棍棒状表皮肥厚，血管拡張，マンロー微小膿瘍
急性滴状乾癬	播種性小紅斑	
乾癬性紅皮症	全身潮紅	
関節症性乾癬	RF 陰性の関節痛・関節変形	
膿疱性乾癬	発熱，無菌性膿疱	コゴイ海綿状膿疱

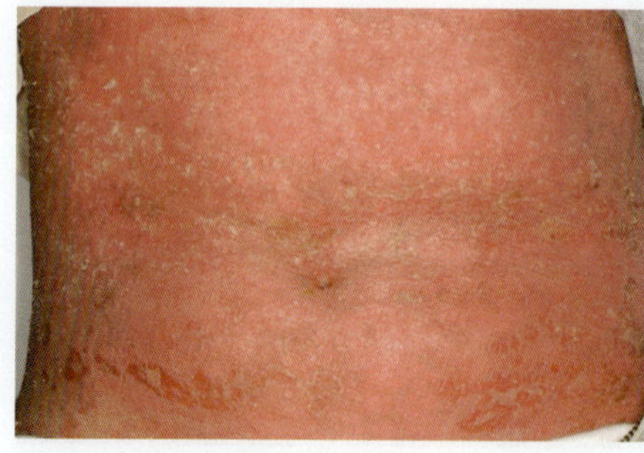

図 16-7　乾癬性紅皮症

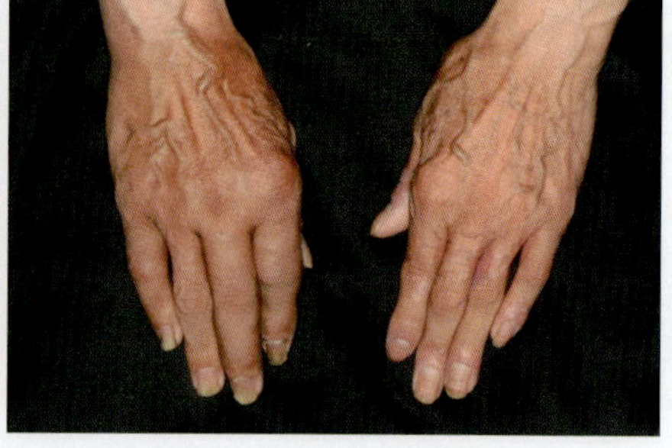

図 16-8　関節症性乾癬の手指関節腫脹

きっかけにして急性に全身播種性に，比較的小さい皮疹が多発．比較的治りやすい．ASLO 値上昇．発疹型（eruptive-exanthematic form）．

③**乾癬性紅皮症** psoriatic erythroderma（図 16-7）：全身に汎発して紅皮症化したもの（☞ p.207）．

④**関節症性乾癬** psoriatic arthritis（図 16-8）：非リウマチ性関節炎を合併する乾癬．皮疹はしばしば汎発化（紅皮症）する．爪変化も多い．関節症状は非対称性で，尺側偏位なく，遠位指関節（DIP・PIP）が多いが，大関節（肩・膝・肘・踵・仙腸）もしばしば侵される．指趾・手足・肘膝関節の腫脹・疼痛→関節変形強直・指趾末節崩壊を伴う．関節付近の骨粗鬆症・関節軟部組織の炎症あり．RA 反応陰性，HLA-B27 陽性（60〜70%），IgA 腎症・ぶどう膜炎を伴うことあり．乾癬全体の 10〜15%．男性に多い．

⑤**膿疱性乾癬** pustular psoriasis：後述．

特異な臨床像

1）ケブネル現象 Köbner's phenomenon

乾癬患者の健皮部に刺激（物理的・温熱的・化学的）を加えると，乾癬皮疹を生じる現象（人工乾癬 p. factitia）．その潜在性素因の存在を示す（☞ p.105）．

2）爪の変化（図 16-9）

①**点状陥凹**（p. punctata unguium）：爪母部の点状病巣による（☞ p.779）．

②**粗糙化**：爪母側から爪甲が脆弱となり粉末状に崩れる．

③**油滴状爪**：爪床が侵され，水上油滴のような黄褐色斑が現れる．

④**爪甲剥離症**（onycholysis psoriatica）：爪下鱗屑塊による．

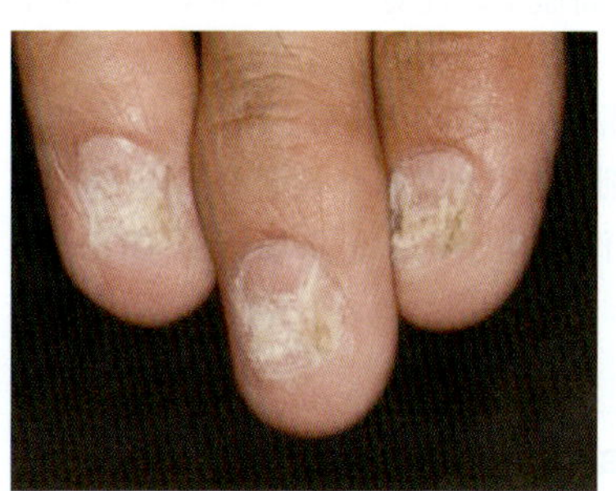

図 16-9　爪乾癬

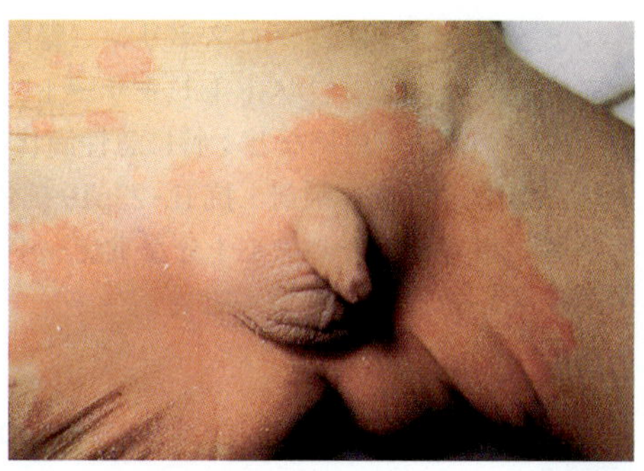

図 16-10　おむつ部乾癬

3）おむつ部乾癬 napkin psoriasis（Warin and Faulkner 1961）（図 16-10）

幼児のおむつ部に生じた乾癬様皮疹で，その本態は，脂漏性皮膚炎・カンジダで修飾された脂漏性皮膚炎・カンジダ症・乾癬・接触皮膚炎の諸説があるが，乾癬遺伝素因のある乳児の，外的刺激で修飾されたおむつ部の乾癬と考えられる．明らかに屎尿（特にアンモニア）の刺激による接触皮膚炎の場合には napkin dermatitis という．

診断

①雲母状鱗屑を有する紅斑，②蠟片現象，③血露現象，④組織所見．

鑑別診断

①頑癬（男子陰股部・臀部・夏季増悪・瘙痒・真菌陽性），②脂漏性湿疹（脂漏部位・落屑は細かく紅斑辺縁に多い），③ジベルばら色粃糠疹（急激な発生と治癒・割線方向配列），④類乾癬，⑤扁平苔癬，⑥毛孔性紅色粃糠疹．⑦膿疱性乾癬ではライター病，疱疹状膿痂疹，掌蹠膿疱症など．

予後

治療に反応し，軽快・増悪を反復しながら慢性に経過する．皮疹の完全消褪も稀ではなく，長期寛解例や自然消褪もあり得る．

治療

1）**局所療法**：①ステロイド軟膏，②活性型ビタミン D_3 軟膏（①との合剤もある），③ PUVA 療法（汎発型には PUVA 浴）ないし narrow band UVB 療法，④併用療法（①と②など各種バリエーション）．

2）**全身療法**：①シクロスポリン（腎障害，高血圧に注意），②エトレチナート（催奇形性に注意），③メトトレキサート，④アプレミラスト，⑤JAK 阻害薬，⑥感染病巣の除去（扁摘など：特に急性滴状乾癬），⑦生物学的製剤（TNFα阻害薬・抗 IL-12/23p40 抗体製剤・抗 IL-23p19 抗体製剤，抗 IL-17 抗体製剤など）（関節症性乾癬・既存治療で効果不十分な重症～中等症例に対して），⑧併用療法（RE-PUVA，ナローバンド UVB など）.

2 膿疱性乾癬 pustular psoriasis

全身または限局性に無菌性膿疱を生じ，尋常性乾癬に移行あるいは混在しうる乾癬の病型の一つである．感染症・ステロイド全身投与・妊娠・薬剤・ストレスなどが誘因となることがある．なお，家族性の汎発性膿疱性乾癬では IL-36 受容体阻害因子欠損（同遺伝子変異）が見出されていたが，非家族性汎発性膿疱性乾癬の発症者にも同遺伝子の変異が報告されている．受容体阻害因子欠損により炎症誘発性 IL-36 が受容体と結合，活性化して膿疱性乾癬が発症している可能性がある．

分類

1）汎発型 generalized type

①急性汎発性膿疱性乾癬 acute generalized pustular psoriasis（Zumbusch 1910）
②妊娠性汎発性膿疱性乾癬 generalized pp of pregnancy
③再発性環状膿疱性乾癬 circinate and annular pp
④その他：小児汎発型膿疱性乾癬，稽留性肢端皮膚炎の汎発化，掌蹠膿疱症の汎発化.

2）限局型 localized type

限局性膿疱性乾癬，急性掌蹠膿疱性乾癬（pustular bacterid of Andrews），稽留性肢端皮膚炎，尋常性乾癬皮疹の部分的一過性膿疱化.

病理組織（図 16-11）

共通の病理組織所見として，角層下好中球膿疱とコゴイ（Kogoj）海綿状膿疱（表皮細胞間隙に数個の好中球が集簇）.

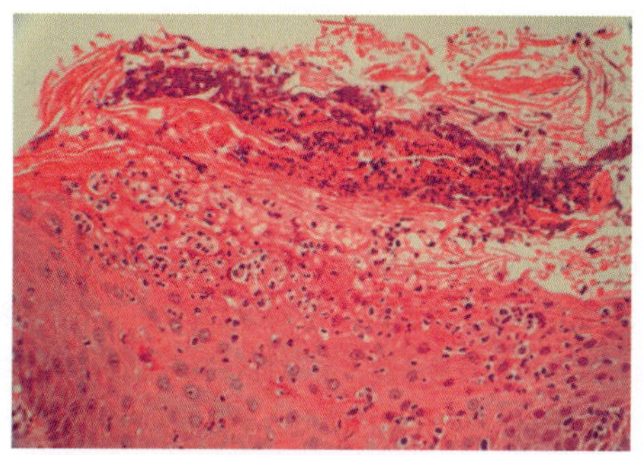

図 16-11 コゴイ海綿状膿疱

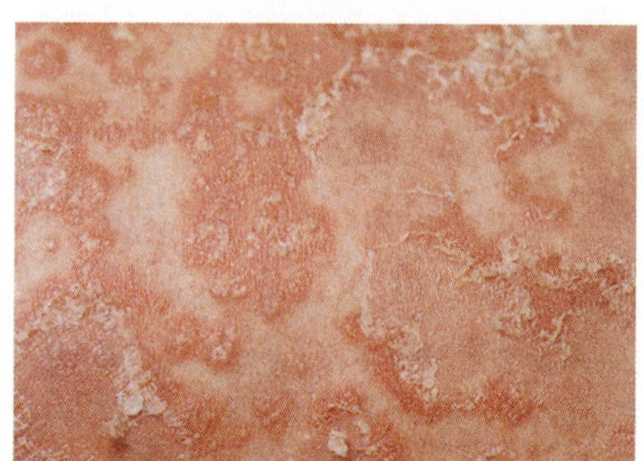

図 16-12 膿疱性乾癬

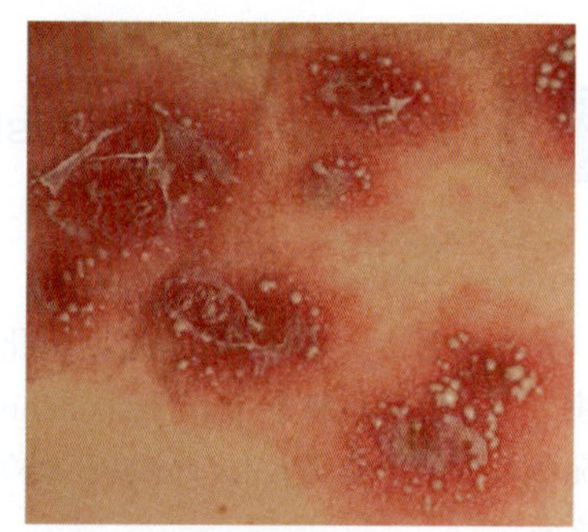

図 16-13 膿疱性乾癬

症状 （図 16-12，13）

1）急性汎発性膿疱性乾癬

女性にやや多い（男女比 1：1.2）．急激な発熱・全身倦怠感・関節痛とともに全身皮膚が潮紅し，そこに無菌性小膿疱が多発（さらに融合して膿疱化），膿疱消褪後に環状鱗屑を残す．爪下膿疱により爪甲混濁・剝離をきたす．粘膜症状（地図状舌・口内炎・結膜炎・亀頭包皮炎）をしばしば伴う．低カルシウム血症・低アルブミン血症・類白血病反応あり．

2）妊娠性汎発性膿疱性乾癬

疱疹状膿痂疹とほぼ同義（☞ p.336）．

3）再発性環状膿疱性乾癬

遠心性紅斑辺縁に小膿疱が環状に配列し，襟状鱗屑が付着する．亜急性・慢性に経過する．

治療

①**汎発型**：エトレチナート（妊婦には禁忌），シクロスポリン，内服ステロイド，メトトレキサート，生物学的製剤．顆粒球単球吸着除去療法．

②**限局型**：ステロイド軟膏，活性型ビタミンD_3軟膏，ナローバンドUVB，PUVA．

〔付〕**IL-36受容体アンタゴニスト欠損症（deficiency of interleukin 36 receptor antagonist：DITRA）**：汎発性膿疱性乾癬の一部はIL-36受容体アンタゴニスト欠損により生じる．急激な発熱とともに全身の皮膚が潮紅し，無菌性膿疱が多発する．尋常性乾癬を併発せず，家族性や小児発症などの特徴を有するもののほか，妊娠を契機に発症する例（疱疹状膿痂疹）や薬剤により誘発される例（急性汎発性発疹性膿疱症，AGEP）もある．

3　類乾癬 parapsoriasis

類乾癬とは，乾癬に類似した角化性紅斑が多発する疾患の総称であり，滴状類乾癬（＝苔癬状粃糠疹 pityriasis lichenoides）と斑状類乾癬に大別される（表16-2）．発疹の形態を基礎とした分類のため，病因論としては多種の病態を含む疾患概念である．

表16-2　類乾癬の分類

類乾癬の分類
1. 滴状類乾癬（苔癬状粃糠疹）
1）急性型（急性痘瘡状苔癬状粃糠疹）
2）慢性型
2. 斑状類乾癬
1）小斑状型
2）大斑状型
3. 苔癬状類乾癬

1. 滴状類乾癬 guttate parapsoriasis

1）急性型（Mucha-Habermann型）

症状（図16-14）

軽度発熱・倦怠感を伴い，皮疹は中心陥凹性（痘瘡状）で，小水疱・出血・壊死・潰瘍化をきたす．急性苔癬状痘瘡状粃糠疹（pityriasis lichenoides et varioliformis acuta；PLEVA）とも呼ぶ．

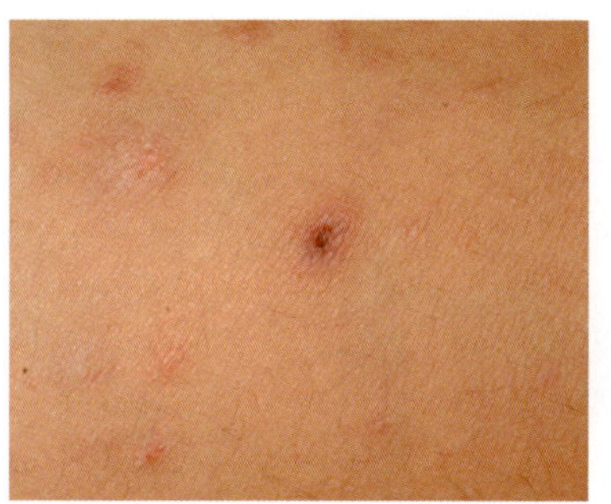

図 16-14 急性滴状類乾癬（中心壊死）

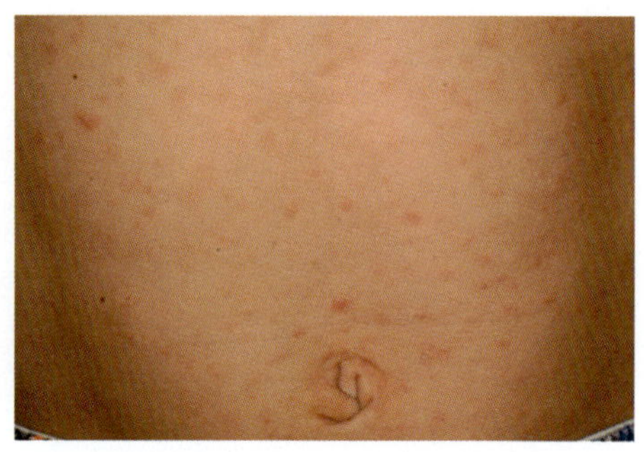

図 16-15 慢性滴状類乾癬（慢性苔癬状粃糠疹）

病理組織

基底層の液状変性に加えて表皮ケラチノサイトの壊死．また，血管内皮細胞の膨化，赤血球の血管外漏出がみられ，血管炎に属する（☞ p.234）とする考えもある．

2）慢性型

症状（図 16-15）

5〜10 mm 大の境界明瞭な隆起性紅斑→白色鱗屑を被むる丘疹〜小結節→色素沈着・脱失を残して消失．次々と新生して新旧の皮疹が混在する．顔面・手掌足底を除きほぼ全身に汎発．瘙痒なし．慢性に経過し数年に及ぶ．慢性苔癬状粃糠疹（pityriasis lichenoides chronica）とも呼ぶ．

病理組織

基底層の液状変性，真皮浅層の浮腫と血管周囲性リンパ球浸潤．

2. 斑状（局面性）類乾癬 p. en plaques（Brocq 病）

1）小斑型 small plaque type

症状（図 16-16）

体幹四肢に黄紅色の，軽く落屑した，径 5 cm までの円〜卵円形の斑が対側性に多発．菌状息肉症に移行しない．長軸 5 cm までの楕円形の紅斑が割線方向に多発し，鱗屑・瘙痒のあるものを digitate dermatosis（Hu 1973）といい，小斑型の亜型と考えられている．

病理組織

海綿状態・血管周囲性リンパ球浸潤などで湿疹に似る．

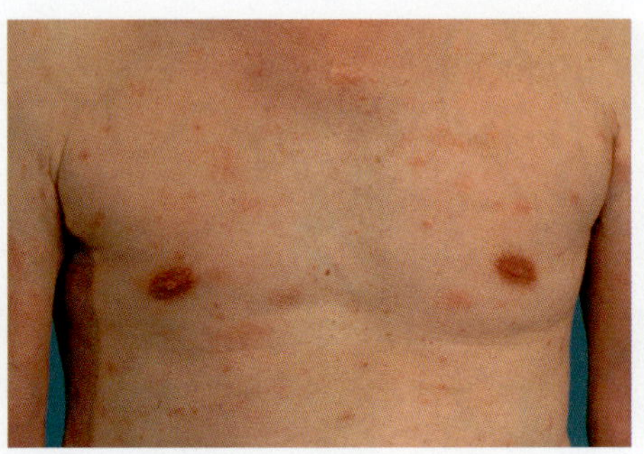

図 16-16　斑状類乾癬（小斑型）

2）大斑型 large plaque type

症状（図 16-17）

より大きく形も不規則で，血管拡張，網状色素沈着，萎縮を伴い，進行して融合し，紅皮症～多彩皮膚状を呈する．菌状息肉症への移行に注意が必要（本症が菌状息肉症の初期病変である可能性がある）．大斑型に次のような症状が起こったとき，菌状息肉症を疑う必要がある．①浸潤が急に強くなったとき，②炎症症状（潮紅落屑）が急に強くなったとき，③中央が治癒傾向を示し，馬蹄形～不規則形となったとき，あるいは発疹に何らかの動きの見えたとき，④色素沈着や多彩皮膚状になったとき，⑤瘙痒の出現したとき．

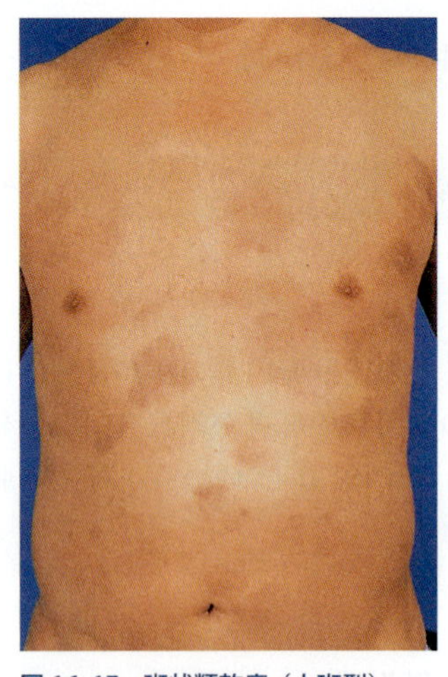

図 16-17　斑状類乾癬（大斑型）

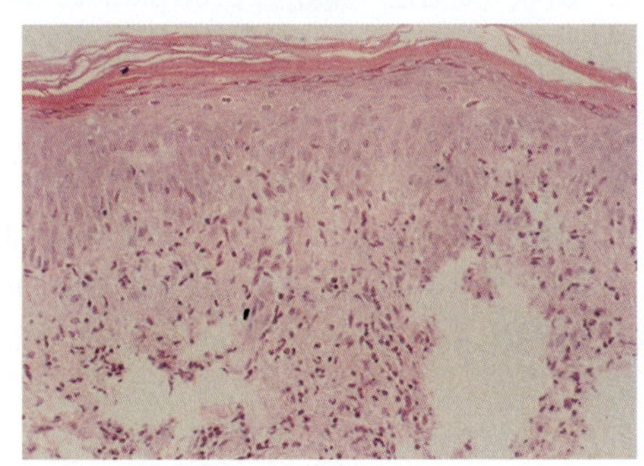

図 16-18　斑状類乾癬（組織）

病理組織 (図 16-18)

扁平化した表皮内に下方より虫蝕状に単核球が浸入し，液状変性，真皮上層帯状単核球浸潤をみる．

治療

ステロイド軟膏・ナローバンド UVB・日光浴・PUVA.

3. 苔癬状類乾癬 p. lichenoides（= parakeratosis variegata）

症状 (図 16-19)

体幹を主とし，紅褐色線状紅斑が網目状に並び，その上，特に交叉点に多少の鱗屑を有する苔癬様丘疹が存する．皮膚全体に色素沈着と脱失，萎縮がみられ，多形皮膚萎縮症の臨床像を示すことが多い．長期にわたり反復持続し，菌状息肉症へ移行しうる（本症も菌状息肉症の前駆病変の可能性がある）．網状紅斑・落屑はあるが，色素異常・萎縮の像を欠くものを異型苔癬〔lichen variegatus（parakeratosis variegata)〕として別症となす考えもあったが，最近では落屑性紅斑がゼブラ模様に体幹に生じる特殊な型を指す傾向にある．

治療

ステロイド外用．ナローバンド UVB．PUVA.

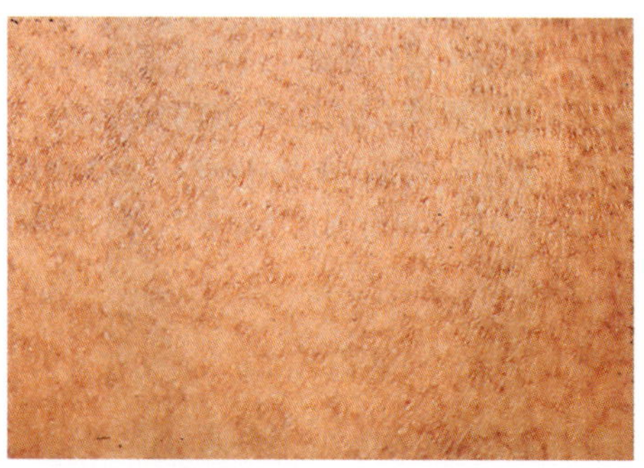

図 16-19 苔癬状類乾癬

4 扁平苔癬 lichen planus，扁平紅色苔癬 lichen ruber planus，紅色苔癬 lichen ruber 

紫紅色浸潤性紅斑を四肢・体幹に生じ，口腔内にはレース状白苔を付着し，組織学的には苔癬型反応（液状変性と真皮浅層の帯状リンパ球浸潤）を特徴とする疾患である．

病因・病態

諸説あり不定．感染説（ウイルス，特にHCV・細菌），免疫反応，循環障害説，金属アレルギーなどのアレルギー説，精神的ストレス・自律神経機能異常・糖代謝障害説など．最近は薬剤誘起性のものが多い〔降圧薬（ACE阻害薬・Ca拮抗薬・β遮断薬・交感神経中枢抑制薬・交感神経末梢遮断薬）・脳代謝促進薬（塩酸ピリチオキシン）・血管拡張薬（シンナリジン）・スルホニルウレア系経口糖尿病薬・PAS・ペニシラミン〕．GVHDや固定薬疹でも扁平苔癬型の組織反応がみられ，表皮細胞の何らかの抗原を認識したT細胞が活性化して表皮細胞を攻撃して基底層を傷害していると推測されている．

症状（図16-20～22）

①個疹は帽針頭大から豌豆大までの，多角形，扁平に隆起し，しばしば中央がわずかに陥凹した，淡紅～紫紅色の，表面光沢を有する小丘疹．集簇性または散在性，時に帯状に並ぶ．融合して局面を形成することもある．

②通常瘙痒を伴い，四肢関節部屈面・体幹・外陰部に好発，時に粘膜（特に口腔）にも浸潤性白斑びらんやレース状白苔として発する．青成年に好発．

③ケブネル現象陽性．

④爪変化（10%），菲薄化・縦溝・層状剝離・爪下角質増殖・翼状片形成・紫褐色調．

⑤稀に紅皮症化（苔癬型薬疹・慢性GVHDとの鑑別が必要）．

⑥ **Wickham線条**：油剤（オリーブ油・キシロール）を表面にたらしてルーペでみると灰白色の細い線がみられ，融合局面では網目としてみえ，扁平苔癬の一特徴とされている．

異型

①**線状扁平苔癬** l. p. striatus（s. linearis）：神経走行に一致して線状～帯状に配列．

②**疣状扁平苔癬** l. p. verrucosus：角質増殖し疣状．老人の下腿に多い．

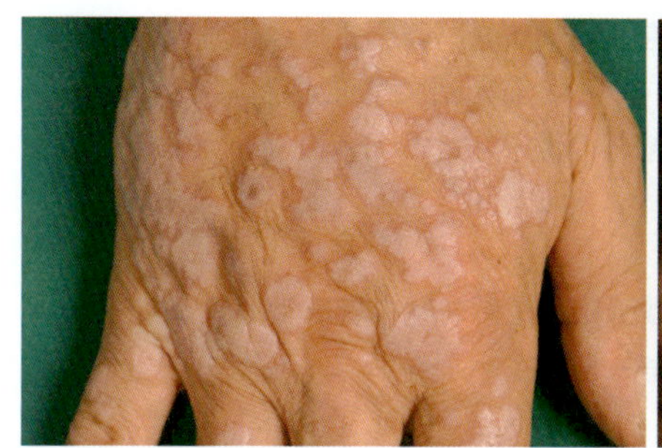
図 16-20　扁平苔癬（手背）

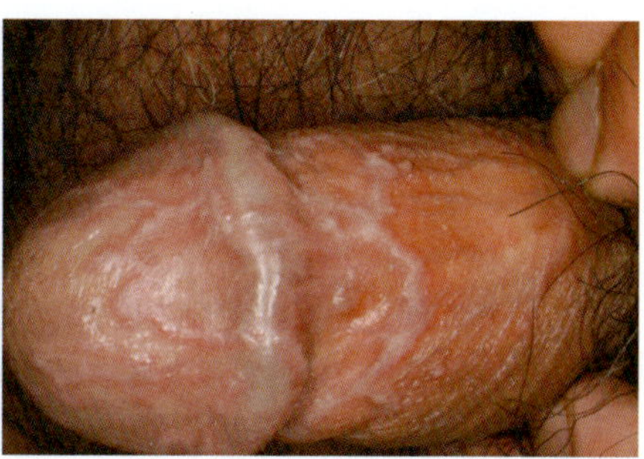
図 16-21　扁平苔癬（陰茎）

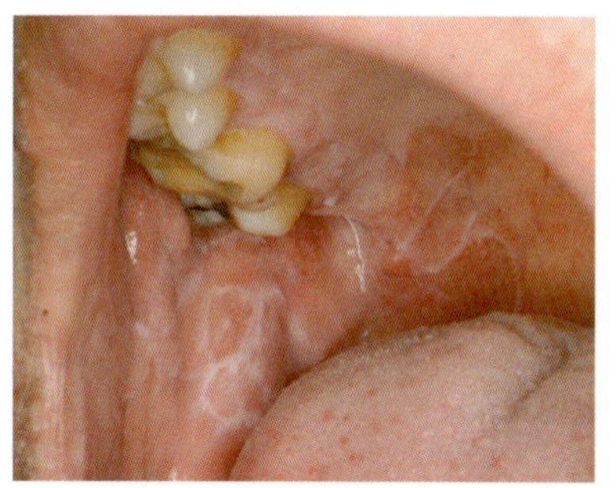
図 16-22　扁平苔癬（頬粘膜のレース状白苔）

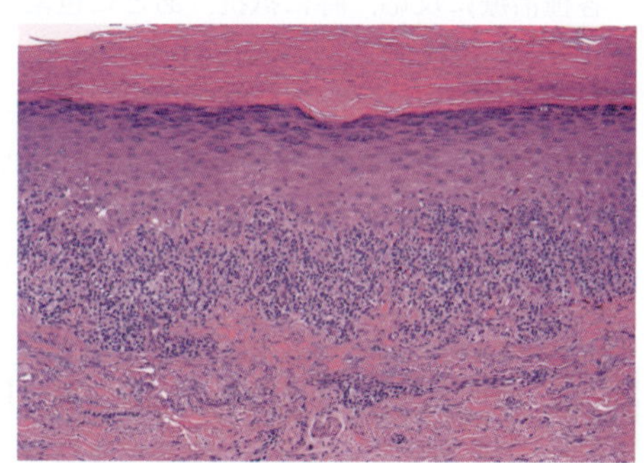
図 16-23　扁平苔癬（角質増生，顆粒層肥厚，液状変性，表皮直下の帯状細胞浸潤）

③**鈍性扁平苔癬** l. p. obtusus：大きく（1〜2 cm 直径），半球状に隆起．

④**水疱性扁平苔癬** l. p. bullous：液状変性が強く水疱を形成．ニコルスキー現象陽性．稀．

⑤**天疱瘡様扁平苔癬** l. p. pemphigoides：扁平苔癬の皮疹部以外にも水疱が出現する点で水疱性扁平苔癬と区別できる．抗基底膜抗体を検出し，ヘミデスモソームが破壊されて水疱を生じる．

⑥**急性扁平苔癬** l. p. acutus：激しい瘙痒，発熱とともに急性に多発．

⑦**色素性扁平苔癬** l. p. pigmentosus（Bhutani 1974）：あまり隆起せず，黒褐〜紫青色の色調の強い境界不明瞭な色素斑で組織学的に苔癬反応を示し，また 1/3 に扁平苔癬の典型疹を合併する．色素性ばら疹，erythema chronicum perstans，多発性斑状色素沈着症などと同一との論もある．

組織所見（図 16-23）

①角質増生，②**顆粒層肥厚**，③不規則な表皮肥厚，④**基底層の液状変性**，その下

の裂隙形成，⑤**乳頭・乳頭下層の帯状細胞浸潤**（リンパ球・組織球より成り，下縁は直線状），コロイド小体，色素失調，⑥免疫蛍光法で表皮細胞にHLA-DR，ICAM-1陽性像，表皮真皮境界部にIg，補体の沈着．

診断

①多角形紅色光沢性扁平小丘疹，②組織所見．③薬剤歴の聴取，④C型肝炎の有無，⑤口腔粘膜疹では歯科用金属アレルギーを考慮．

予後

各種治療に反応，時に抵抗．あとに色素沈着または脱失を残すことあり．

治療

(1)局所療法：①ステロイド軟膏，②タクロリムス軟膏．
(2)内服療法：①抗ヒスタミン薬，②シクロスポリン，③エトレチナート，④DDS．
(3)光線療法：①ナローバンドUVB，②PUVA．

5　光沢苔癬 lichen nitidus（Pinkus 1907）○

小児・若年者男子に多く生じ，均一な小丘疹が一様に分布する．病因は不明だが，扁平苔癬の亜型とする説が有力．

病因

扁平苔癬の一亜型（Civatte 1912），あるいはそれと関係ない独立疾患（肉芽腫性

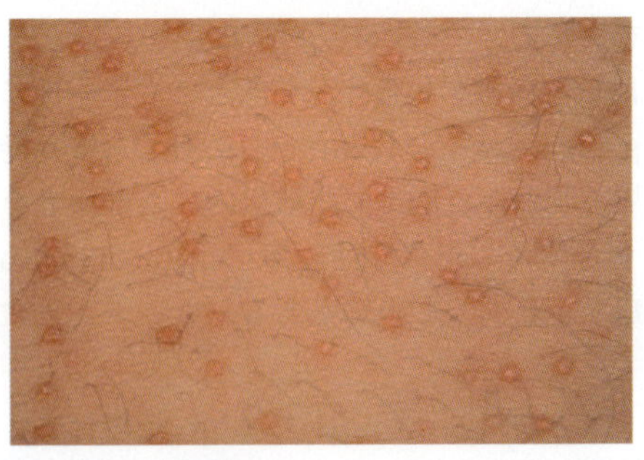

図16-24　光沢苔癬

疾患).

症状(図 16-24)

扁平苔癬よりやや小さく帽針頭大で,大きさのほぼ揃った小丘疹が集簇する.表面扁平で光沢を有し,黄白色,瘙痒はない.陰茎・亀頭に好発し,下腹・前腕屈側・項部をも侵す.頭顔・掌蹠は稀.50%にケブネル現象あり.

組織所見

扁平苔癬に似るが,浸潤細胞はリンパ組織球の他,類上皮細胞,ランゲハンス型巨細胞を混じ,小丘疹に一致して限局性に浸潤する.液状変性はあるが扁平苔癬と異なりIg沈着はない.

予後

自然治癒傾向もかなりある.

治療

ステロイド外用.

6 尖圭紅色苔癬 lichen ruber acuminatus

毛包性丘疹で(l. r. follicularis ともいう),密集融合し潮紅角化局面を形成,瘙痒を伴う.四肢・体幹に対側性に生じ,手掌足底の角化をも伴う.扁平苔癬の一亜型か.

7 線状苔癬 lichen striatus (Fantel 1914)

小児に好発し,角化性紅色局面が線状に配列する.病因は不明だが自然消褪傾向がある.

症状(図 16-25)

上肢(55%),下肢(22%),背部(7%),胸部(4%),顔面(4%)の片側にわず

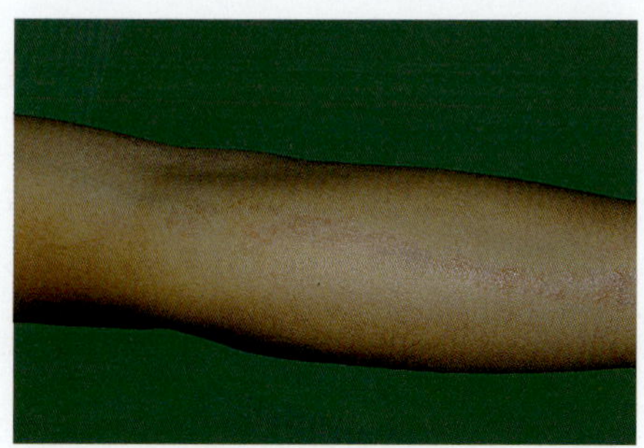

図 16-25 線状苔癬

かに鱗屑を有する紅色丘疹や小さい苔癬化局面が線状に配列して生じる．皮疹は扁平苔癬とは異なる．通常，瘙痒はない．数ヵ月で自然消褪することが多い．

病理組織

非特異的炎症像で，湿疹反応に似る．

8 毛孔性紅色粃糠疹 pityriasis rubra pilaris (PRP) (Devergie 1863)

粃糠様鱗屑を付着する毛孔一致性角化性紅色丘疹・紅斑を特徴とする炎症性角化症で，幼小児期と成人期に二峰性の発症ピークがあり，小児期のものは遺伝的背景が強い．

病因

①幼年者では常染色体優性遺伝で，一部は *CARD14* 遺伝子変異，②成人では遺伝なく，上気道感染や重症疾患に続発することが多い．AIDS にも続発しうる．

症状（図 16-26〜28）

①**毛孔性角化性丘疹**：手指背を主とし，四肢伸側・関節屈面・胸腹部に，粟粒大丘疹が集簇性から播種状に発生する．頂点は尖状，時に毛孔角栓を容れて臍窩状，周囲に紅斑を伴う．丘疹は硬く，触れば「おろし金」の感がある．

②肘頭・膝蓋・手足背などでは融合して乾癬に似た潮紅落屑面を形成，その周囲に上記，毛孔性丘疹が散在する．

③手掌足底では一面に潮紅しかつ角化し，亀裂や大きい落屑を生じる（keratoder-

表 16-3　毛孔性紅色粃糠疹（PRP）の分類（Griffiths 1980）

型	症　　状	発生率(%)	3年以内寛解率(%)
Ⅰ型（成人古典型）	半数がこれに属し，誘因なく急に発症．ときに瘙痒．	55	81
Ⅱ型（成人非典型型）	稀，長い経過，魚鱗癬様．鱗屑や湿疹化あり．	5	20
Ⅲ型（小児古典型）	2歳以前に発症．	10	16
Ⅳ型（小児限局型）	思春期前発症，紅斑角化性．局面が限局性に，肘膝に毛孔性角化，進行しない．	25	32
Ⅴ型（小児非典型型）	家族性，早期発症し慢性経過，角化が優位で紅斑は少ない．掌蹠硬化．	5	0

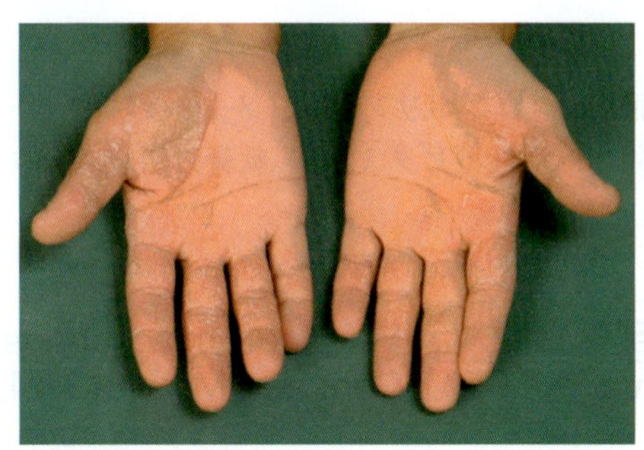

図 16-26　毛孔性紅色粃糠疹（手掌）

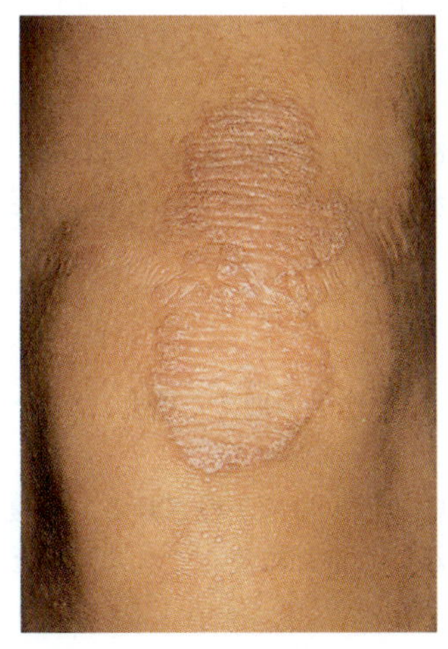

図 16-27　毛孔性紅色粃糠疹（膝）

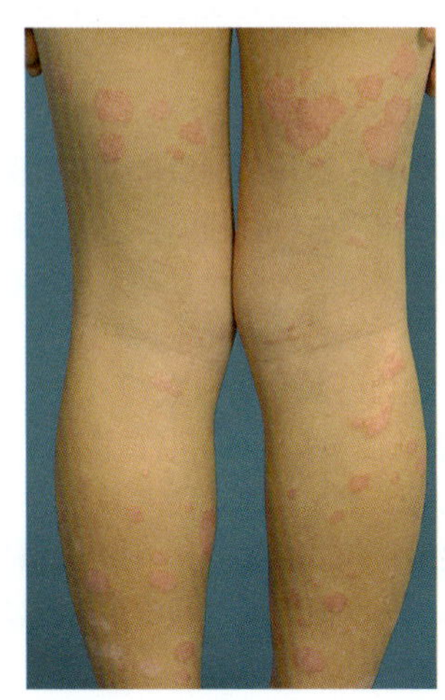

図 16-28　毛孔性紅色粃糠疹（下肢）

mic sandal).
④被髪頭部に粃糠様落屑，脱毛，爪甲は粗糙混濁化．時に眼瞼外反．
⑤暗順応障害・下瞼外反・爪変形を伴うこともある．

予後

成人型は2〜3年で治癒するが，幼年型（遺伝性）は難治．

組織所見

毛孔性角化，びまん性角質増生一部不全角化，不規則な表皮肥厚，基底層の液状変性，真皮上層の小円形細胞浸潤．

治療

エトレチナート内服，シクロスポリン内服，メトトレキサート内服，サリチル酸ワセリン・尿素軟膏外用，活性型ビタミンD_3軟膏外用，ステロイド軟膏外用，ナローバンドUVB，PUVA．

9 進行性指掌角皮症 keratodermia tylodes palmaris progressiva（KTPP）（Dohi and Miyake 1924） 

指腹・手掌の乾燥，角化性紅斑，亀裂，指紋消失などを主症状とする疾患で，日本では歴史的に独立疾患とみなされてきたが，欧米では手湿疹の一種とされている．

病因

水・洗剤・機械的刺激による．湿疹（主婦手湿疹）の一異型となす説も強い．基調に内分泌障害（月経障害・甲状腺機能失調）が重視されたが，今日では否定的．アトピー素質との関連も考えられる．

症状（図16-29，30）

①20歳前後の女性で，特に結婚・出産などで急に水仕事の増えた機会に発症する．その他，ピアニストやキーボードを頻用する職業と関係する．
②指尖端掌側に始まり，中枢方向に進行．特に中・示・母指が侵される．指腹が主であり，掌面も侵されるが前腕に及ぶことはない．指背に及んでも末節にとどまる．
③まず皮膚面が乾燥し粗糙となり，軽度に潮紅を伴い，粃糠様落屑，亀裂，特有の

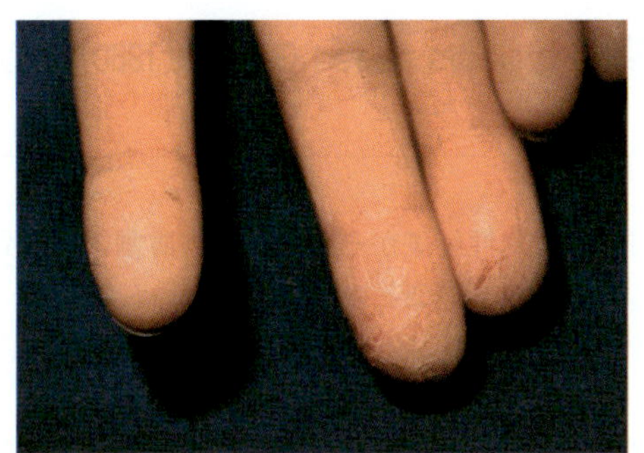
図 16-29 進行性指掌角皮症（亀裂）

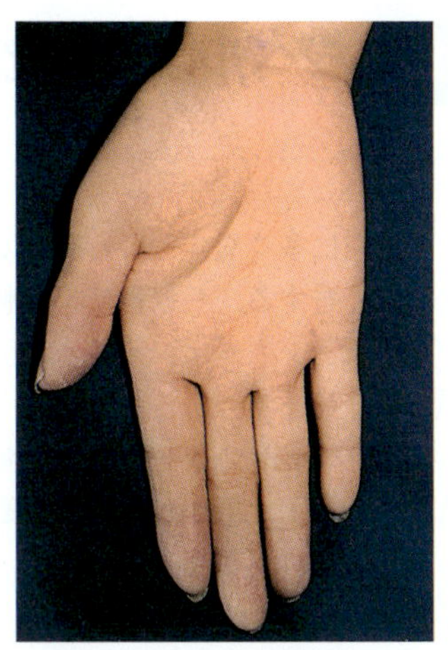
図 16-30 進行性指掌角皮症

光沢，指紋消失をきたすようになる．亀裂による疼痛はあるが，瘙痒はない．
④右利きの人は右手に，左利きの人は左手に，両側が侵されても利き手のほうが高度．
⑤冬増悪し，夏季は軽快して無症状化することが多い．

鑑別診断

①主婦手湿疹：湿疹としての多様性（小水疱・潮紅・浮腫・浸潤・落屑など），瘙痒，指手背も侵される．②掌蹠膿疱症：膿疱，手掌足底中央に多い．季節的変動なし．③先天性掌蹠角化症：先天性，手掌足底ともに，角化大で炎症症状なし．④汗疱性湿疹：水疱（汗疱）の存在，瘙痒，鱗屑輪．

治療

①外的刺激を避ける（家事制限・木綿布裏打ちゴム手袋の使用・微温湯の使用・外出時に手袋），②外用療法（5%サリチル酸ワセリン・尿素軟膏．亀裂大なら亜鉛華軟膏，炎症強ければステロイド軟膏）．これらで春季自然寛解を待つ．

10 ジベルばら色粃糠疹 pityriasis rosea Gibert (1860) ◎

青年期に多く発症し，特徴的な類円形の角化性紅斑がその長軸を皮膚割線に一致させて分布する．一過性で自然軽快し，ウイルス感染との関係も推測される．

病因

病巣感染アレルギー説，初発疹を原発疹とする自家感作皮膚炎説，ウイルス感染説（HHV-7），自己免疫説（抗変性ケラチノサイト）（高木）など．中毒疹に本症の型をとるものもあり（薬疹のジベル型），さらに脂漏性皮膚炎との近縁性もいわれている．

症状（図16-31）

①**初発疹 plaque primitive（herald patch）**：主として体幹に直径1〜3 cmの比較的大きい，卵円形の紅斑落屑局面が1（〜2）個生じる．辺縁は淡紅色で環状に鱗屑を有し（襟飾り collarette），中央はやや黄色を呈する．本症の2/3に見られる．

②7〜10日後，急激に体幹・四肢中枢側にかけ，卵円形，辺縁落屑性の紅斑が播種状に多発する．この紅斑は大小不同，長軸をほぼ皮膚割線の方向に一致させている（クリスマスツリー様）．手掌足底・頭部は侵されず，顔頸部・四肢末梢も侵されることは少ない．この二次疹は初発疹より常に小さい．全身状態よく（稀に不快感・微熱・食思不振），瘙痒はあってもわずかである．通常3〜6週の経過をもって退縮していく．

③毛包性小丘疹が混じ，あるいは主体となることがある（丘疹型）．時に小水疱・

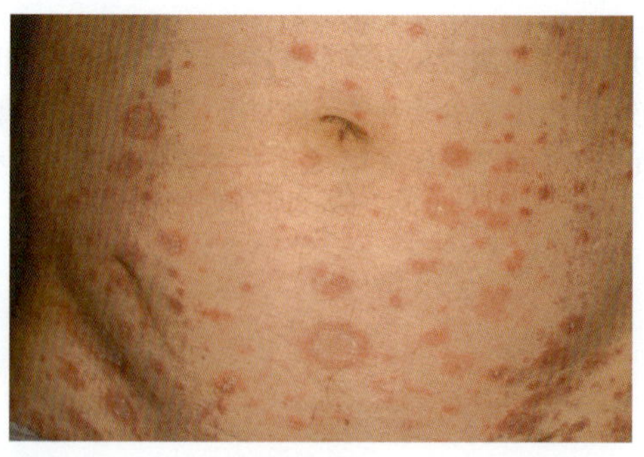

図16-31　ジベルばら色粃糠疹

じんま疹様膨疹・紫斑，稀に粘膜疹（口腔アフタ）が混ずる．
④ 20～30 代に多く，小児・老人には少ない．また春秋の候に多い．再発はまずない．

組織所見

非特異的で表皮肥厚，海綿状態など，ほぼ湿疹に似る．

鑑別診断

薬疹の一型でないか薬剤歴を調べる．①癜風：潮紅なし，徐々に進行し自然治癒せず，癜風菌陽性．②脂漏性湿疹：頭部に発して下降性，脂漏部位占位，③梅毒性ばら疹：鱗屑少ない，手掌足底侵襲，リンパ節腫脹，血清反応陽性．④乾癬：銀白色落屑，血露・蠟片現象．⑤斑状小水疱性白癬：中心治癒傾向，水疱，小丘疹・落屑が環状に，より大きくかつ多発しない．真菌陽性．

治療

ステロイド薬外用・抗ヒスタミン薬内服など適宜．

第17章 膠原病

膠原病は結合組織のコラーゲン線維の膨化とフィブリノイド変性を特徴とする疾患群に与えられた病理組織学的概念である（Klemperer 1942）．コラーゲン線維のみが侵されるわけではないので，欧米では結合組織病（connective tissue disease）（Ehrich 1952）と呼ばれることが多い．皮膚を含めた全身諸臓器に多彩な病変を生じ，各種自己抗体がしばしば出現するので，自己免疫病として理解される．強皮症，エリテマトーデス，皮膚筋炎などが代表的疾患である．

1 強皮症 scleroderma，sclerodermie

皮膚の硬化を主症状とするが，全身諸臓器に線維化をきたす全身性強皮症と皮膚のみに硬化の限局する限局性強皮症に大きく二分される．

1. 全身性強皮症 systemic sclerosis (SSc)，汎発性強皮症 sclerodermia diffusa，強皮症，硬皮症，鞏皮症 ◎

概念・疫学

皮膚硬化・レイノー現象を主徴として，食道・腸管・肺・腎などに線維化を起こす．日本の患者数は20,000人を超えると推定されている．男女比は1：7～10程度と女性に多く，発症は幼児から高年者に及ぶが，多くは30～50歳，平均約42歳である．

病因

不明であるが，下記の異常が相互に関連して複雑な病像が形成されると考えられている．①自己免疫（各種自己抗体の出現），②コラーゲン代謝障害（病変部線維芽細胞のコラーゲン合成増加），③細胞成長因子（TGF-βの活性化とCTGFの発現)，④血管病変（血管内皮障害)，⑤遺伝的背景など.

病型分類（表 17-1）

古くは，Barnett（1974）によるⅠ型（レイノー症状と強指症 Raynaud's phenomenon and sclerodactyly)，Ⅱ型（末端硬化症 acrosclerosis)，Ⅲ型（びまん性強皮症 systemic scleroderma with diffuse skin changes）の病型が用いられたが，近年はLeRoyとMedsger（1988）による **limited cutaneous SSc**（lcSSc，限局性皮膚硬化型：皮膚硬化が肘膝より遠位に限局)，**diffuse cutaneous SSc**（dcSSc，びまん性皮膚硬化型：皮膚硬化が肘膝より近位に及ぶ）とに分ける.

表 17-1　LeRoyとMedsgerによるSSc分類

	限局性皮膚硬化型（lc SSc）	びまん性皮膚硬化型（dc SSc）
皮膚硬化の範囲	肘関節を越えない	肘関節を越える
皮膚硬化の程度	軽度	高度
進行	緩徐	急速
内臓病変	肺高血圧，消化管	肺，腎，心，消化管
自己抗体	抗セントロメア抗体	抗トポイソメラーゼⅠ抗体（抗 scl-70 抗体)， 抗 RNA ポリメラーゼ抗体

症状

1）**初発症状**：レイノー症状（図 17-1）(60%)，関節痛（20～30%)，手指の浮

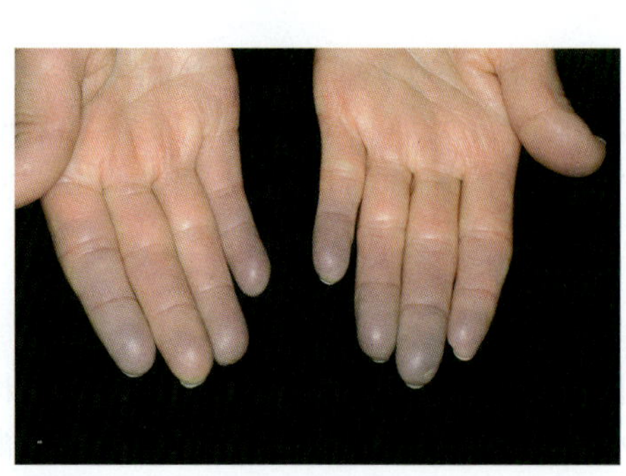
図 17-1　レイノー症状（紫紅色期）

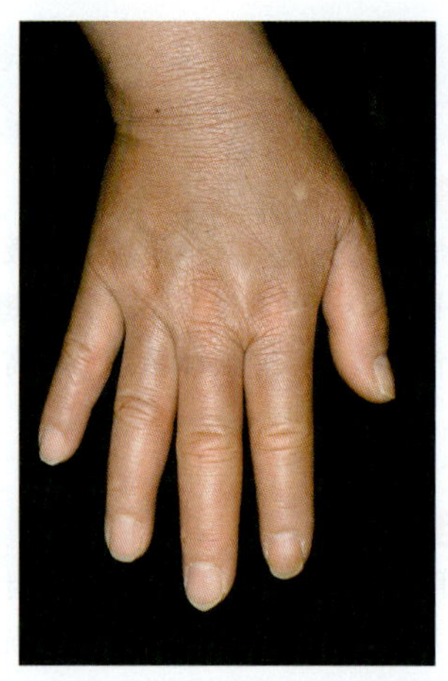
図 17-2　SSc 浮腫期（手指の硬性浮腫）

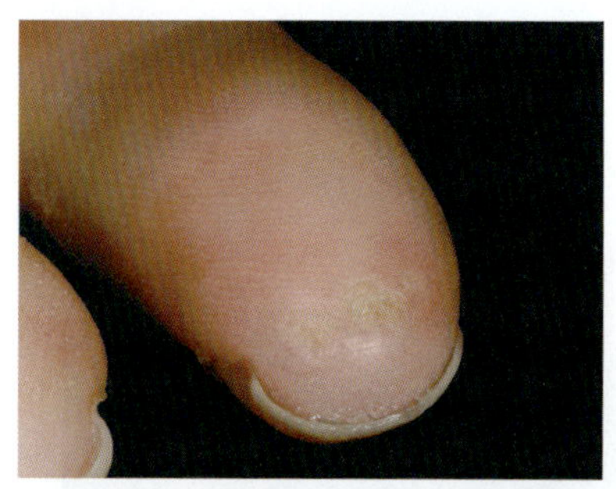

図 17-3 指尖部陥凹性小瘢痕

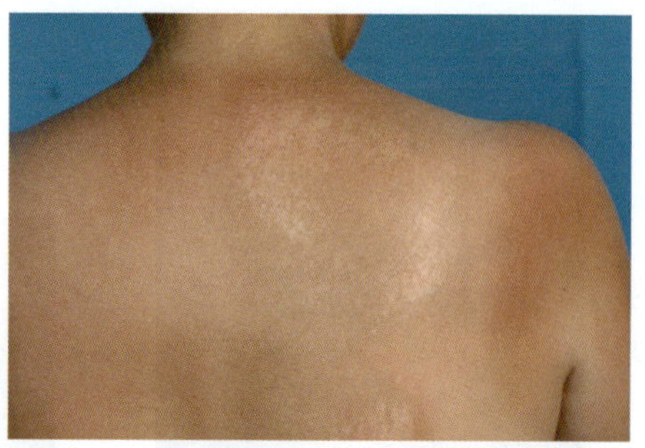

図 17-4 体幹の皮膚硬化，色素沈着，色素脱失

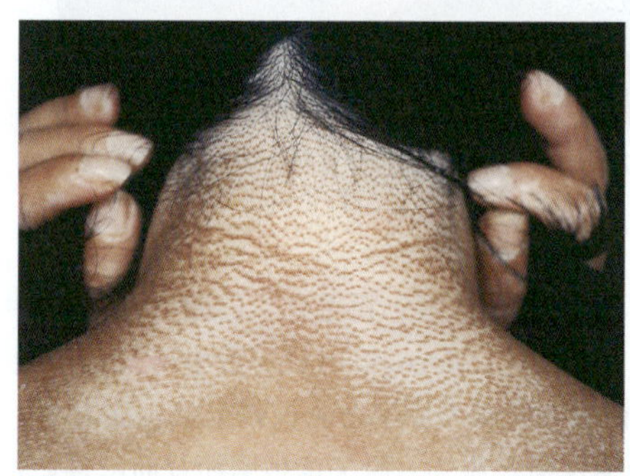

図 17-5 硬化皮膚の色素沈着と脱失

腫感やこわばり感（20～30％）にて大部分が発症する．時に，逆流性食道炎・嚥下困難・便秘・下痢・毛細血管拡張など．

2）**浮腫期**：四肢末端・顔面に，徐々かつ対側的にやや硬い浮腫が起こり，緊張感が生じる（図 17-2）．次第に増強するとともに中枢方向へも進行していく．

3）**硬化期**：浮腫性腫脹は次第に硬化し，一層中枢側に及び，特に四肢・顔面・前胸・項・背で著しい（図 17-3～5）．皮膚は平滑で光沢を帯び，皮溝・皮丘は消失，板状に硬く指でつまめず，また圧痕を残さない．関節部（指・腕・肘）の運動が制限され，また屈位にて強直．色素沈着あるいは脱失し（図 17-5），四肢末端は潰瘍化しやすく指尖部に陥凹性小瘢痕を生じ，断指趾も稀でない．皮下に石灰沈着が生じることもある．嚥下・呼吸障害などの全身症状を伴ってくることも多い．

4）**萎縮期**：硬化は皮下組織にも及び，その萎縮のため皮膚は骨上に接するようになり（がいこつ様），指趾・耳朶・鼻の萎縮，潰瘍の進行，筋力低下，粘膜の萎縮，呼吸・嚥下・運動障害が増強し，皮膚の色素異常（びまん性の色素沈着と斑状の色素脱失，色素脱失部には毛包に一致した色素残存）・毛細血管拡張症も強くなる．

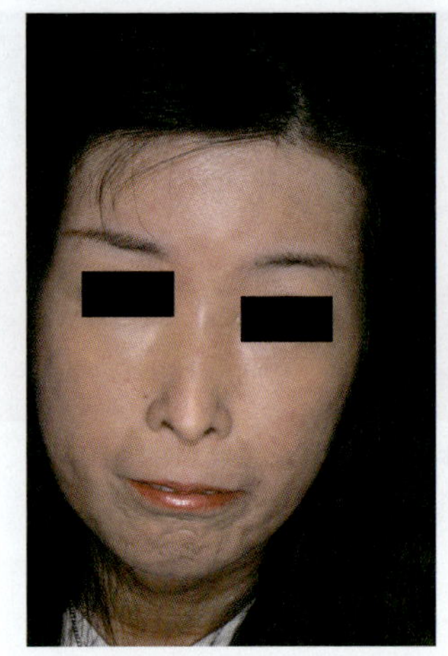
図 17-6　仮面様顔貌

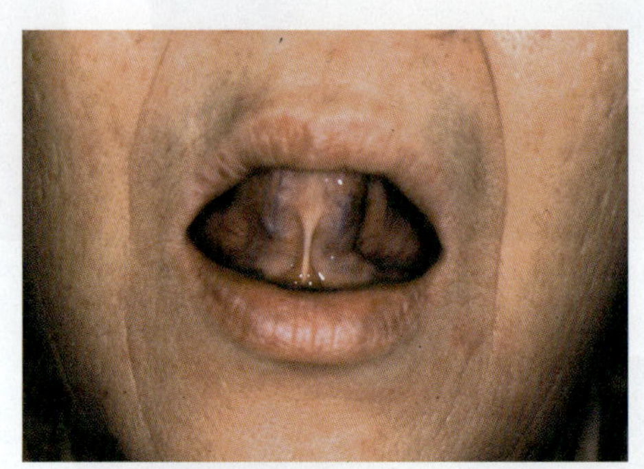
図 17-7　舌小帯線維化

5）**部位による特徴的変化**

①**顔**：表情消失，仮面様強直（図 17-6），毛細血管拡張，粗毛化，口囲のしわ，口唇縮小反転および小口症，歯の露出，舌萎縮（microglossia），**舌小帯短縮**（図 17-7），歯間解離，歯牙脱落，X 線にて歯槽硬化線の肥厚と歯根膜空隙の拡大．

②**四肢末端**：強指症（sclerodactylia），色素沈着と脱失（脱失は指関節背面に強い），毛細血管拡張（手指・手掌・オスラー病様），運動制限，屈曲位強直（拘縮は近位指関節に強い），尖状指（マドンナの指），爪上皮延長・爪上皮出血点〔nail fold bleeding（NFB），第 4 指に多い，その中枢側の**後爪郭に毛細血管ループ拡張**，診断価値高い（図 17-8）〕，潰瘍化（指尖に多い），指尖陥凹性瘢痕（digital pitted scar）．指趾短縮（末節が短縮し，指尖が急に縮小する：ソーセージ指），断指趾．

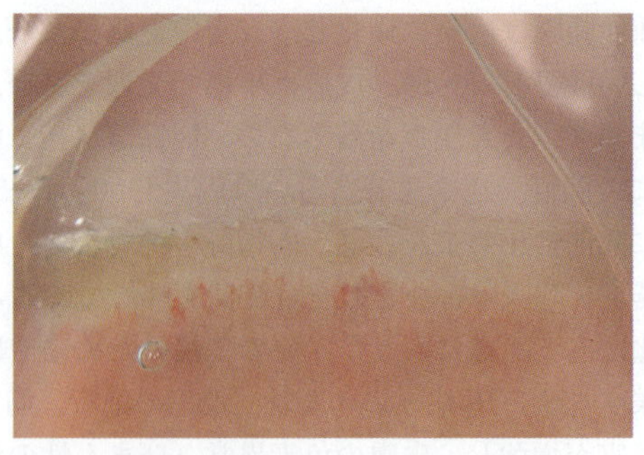
図 17-8　爪郭部毛細血管ループの拡張・蛇行
（ダーモスコープ像）

6）**皮膚以外の症状**

①**血管**：レイノー現象で始まる例が約半数，90%がレイノー現象を随伴する．末梢動脈の閉塞性変化により四肢末端の潰瘍や壊疽が生じる．全身性の血管炎は少ない．

②**肺：間質性肺疾患・肺線維症（強皮症肺）**で，本症の予後を左右する最大の因子である．抗トポイソメラーゼI抗体陽性例の80%以上に，抗セントロメア抗体陽性例の10%以下に生じる．労作時呼吸困難・乾性咳嗽を呈する．X線・CTで初期には両下肺野，肺底部に始まる網状陰影，進行すると全肺野に蜂窩状陰影．二次性肺高血圧症が高頻度に生じる．

③**肺動脈性肺高血圧**：肺血管病変により一次性肺高血圧症をみることもある．一次性肺高血圧症は抗セントロメア抗体陽性例に多い．

④**心**：刺激伝導系と心筋の線維化→心悸亢進・頻脈・不整脈・心拡大・心電図変化（不整脈・低電位・肺性P・右脚ブロック・心室性期外収縮・ST-T変化）・心外膜炎，心嚢液貯留（心タンポナーデ）．

⑤**食道**：粘膜下筋層の萎縮と置換性線維化により蠕動低下・拡張を生じ，逆流性食道炎・裂口ヘルニアをきたして嚥下困難・嘔気・胸痛・吐血などあり．

⑥**胃**：噴幽門部帯状硬化，無酸症，胃炎，胸やけ・嘔気・嘔吐・吐血．

⑦**腸**：レリーフ消失，壁硬化，通過遅延，十二指腸炎，嘔吐，腹痛，便秘，下痢．腸壁嚢胞状気腫（pneumatosis cystoides intestinalis；PCI），吸収不良症候群．筋障害と粘膜下層の線維化による．麻痺性イレウスをきたすこともある．

⑧**腎**：強皮症腎（悪性高血圧・急速に進行する腎不全）．急激に高血圧をきたし，急性腎不全に陥る（強皮症腎クリーゼ scleroderma renal crisis）．抗RNAポリメラーゼ抗体との相関が高い．かつては主要な死因であったが，アンギオテンシン変換酵素阻害薬の早期使用により救命可能となった．

⑨**筋**：筋炎様症状，硬化，萎縮，筋力低下．

⑩**関節**：拘縮（RAでは，指はDIPとMPで屈曲，PIPで背屈していわゆるスワンネック変形を示すが，SScでは屈曲位をとる）．

⑪**骨**：骨粗鬆症，指趾骨末端の吸収．

検査所見

γ-グロブリン上昇，赤沈中等度亢進．間質性肺疾患で，KL6やSP-D上昇など．下記のように一定の症状・病態と相関の高い自己抗体が出現することが多い．自己抗体は，①初期より出現，②経過中に陰性化したり，別の抗体に変化することはない，③2種類以上の抗体が陽性になることは稀で，1人の患者には通常1種類のみが陽性．

1）**抗セントロメア抗体**（諸井 1980）：SScの20～40％に陽性．lcSScに検出されるが，SScでない症例でも時に陽性となる．レイノー現象が長く続いた後に徐々に皮膚硬化が出現するが，硬化は手指や前腕などに限局することが多い．間質性肺疾患は稀で，予後も良好だが，肺高血圧症を合併した場合は予後不良．かつてCREST症候群と呼ばれた病型の症状，すなわちOsler病に類似した毛細血管拡張や石灰沈着がしばしばみられる．足趾に潰瘍・壊疽を生じると難治．

2）**抗トポイソメラーゼⅠ抗体**：核のDNA topoisomerase Ⅰを認識し，SScの20～40％に陽性で，抗Scl-70抗体（Tan 1976）と同義．dcSScに検出され，診断価値が高い．本抗体陽性例は皮膚硬化の範囲も広く，間質性肺疾患の頻度も高い．進行も比較的速い．予後不良の例も多い．

3）**抗RNAポリメラーゼ抗体**（Okano 1993）：SScの5～10％に検出され，びまん性皮膚硬化と強皮症腎クリーゼと相関する．

4）**その他の自己抗体**：①抗U1-RNP抗体：浮腫性硬化を主徴とし，発熱，関節炎，赤沈亢進，高γ-グロブリン血症など炎症所見が強い．肺動脈性肺高血圧症の頻度が高い．SScに特異的ではなく，MCTD，SLE，重複症候群などでも陽性になる．②抗Th/To抗体（抗7-2RNA抗体）：2～5％に検出され，限局型の皮膚硬化で抗セントロメア抗体陽性例に似るが，間質性肺疾患とも相関する．抗核小体型抗体の一つ．③抗U3-RNP抗体：抗核小体型抗体の一つで，SScに特異的．重症度は症例により様々だが，しばしば腸管病変あり．顔面に早期から毛細血管拡張が出現することがある．④抗セントリオール抗体：肺動脈性肺高血圧症が多い．

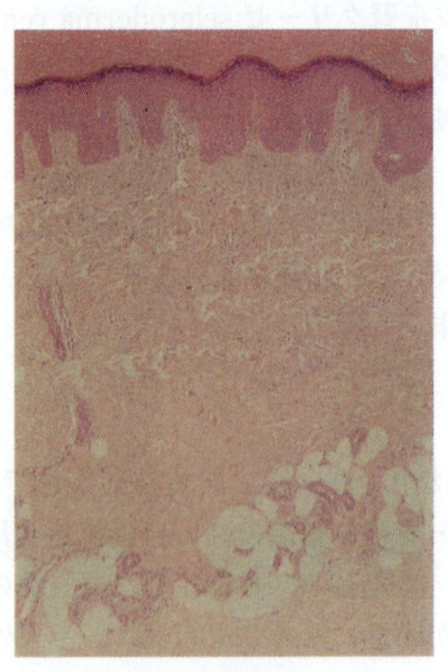

図17-9　SSc（病理組織）

組織所見（図 17-9）

前腕遠位 1/3 での皮膚生検が原則．初期に真皮深層の膠原束の膨化，間質性浮腫・リンパ球浸潤，血管壁の浮腫・硬化・内皮細胞増殖，次第に真皮全体にわたる膠原束のびまん性硬化（表皮に平行に走る）・酸性ムコ多糖類沈着（デルマタン硫酸）・表皮萎縮をきたす．

診断

手指の皮膚硬化が重要な所見である．厚生労働省調査研究班やアメリカリウマチ学会（表 17-2）により診断基準が示されている．

表 17-2　全身性強皮症の分類基準（ACR/EULAR，2013）

項目	スコア
両手指の MCP 関節より近位に及ぶ皮膚硬化	9
手指の皮膚硬化（スコアの高いほうのみ） 　手指腫脹 　強指症（MCP より遠位，PIP より近位に及ぶ）	 2 4
指尖病変（スコアの高いほうのみ） 　指尖部潰瘍 　指尖部陥凹瘢痕	 2 3
毛細血管拡張	2
爪郭部の毛細血管異常	2
肺動脈性肺高血圧症，および / または，間質性肺疾患	2
レイノー現象	3
全身性強皮症関連自己抗体 　抗セントロメア抗体，抗トポイソメラーゼⅠ（Scl70）抗体，抗 RNA ポリメラーゼⅢ抗体	 3

合計 9 点以上で全身性強皮症と分類する．

予後

間質性肺疾患・肺高血圧・強皮症腎・消化管病変などの臓器病変の重症度に左右される．皮膚硬化の発症から 4～5 年以内に前記病変が発症するが，この期間内に発症しなければ限局型の可能性が高く予後良好である．なお，慢性の末梢循環障害に悩む例は少なくない．予後不良例は間質性肺疾患（呼吸不全）・肺高血圧症・腎硬化症・二次感染．

治療

一般にステロイド薬，免疫抑制薬は著効せず，各臓器病変に対応する対症療法が主体である．

17章

①ステロイド薬：早期例・浮腫性硬化主体例・急速進行例など一定の症例に中等量を投与し，数ヵ月かけて減量する．大量投与は腎クリーゼを誘発しうる．
②免疫抑制薬（シクロホスファミド，ミコフェノール酸モフェチルなど）：早期例・急速進行例・進行性間質性肺疾患に投与．
③血行改善薬（カルシウム拮抗薬，プロスタグランジン E_1 や I_2 など）：レイノー症状，指尖潰瘍などに．
④アンギオテンシン変換酵素阻害薬：腎クリーゼに．
⑤エンドセリン受容体拮抗薬（ボセンタン），ホスホジエステラーゼ5阻害薬：指尖潰瘍や肺高血圧症に．
⑥プロトンポンプ阻害薬：逆流性食道炎に．
⑦安静・保温・マッサージ・温浴．

生活指導

①寒冷回避，②禁煙，③食後すぐ横にならない，④不要な不安感の払拭．

2. 限局性強皮症 localized scleroderma，sclerodermia circumscripta ○

限局性の皮膚硬化で，レイノー（Raynaud）現象や内臓病変を欠き，SSc とはその本体を異にする．小児から高齢者まで幅広い年齢層に発症（平均36歳）し，男女比は1：2〜3.3である．生命的予後は良いが難治．抗核抗体・抗1本鎖DNA抗体などの自己抗体が陽性のことも，また各種サイトカインや血管増殖因子などが上昇することもあって，自己免疫機序が推測されているが，原因不明．放射線照射により誘発されることあり（radiation-induced morphea）．

分類と症状

①**斑状強皮症（モルフェア）morphea，sclérodermie en plaques**（図17-10，11）：円形〜楕円形で指頭大から手掌大に及び，特に初期に発赤などの炎症症状を伴い，これは辺縁に強く（**ライラック輪 lilac ring**），本症の一特徴とされている．硬化の進行とともに光沢を生じ，のち萎縮・陥凹・色素沈着などを残す．しばしば多発する（multiple or generalized morphea）．萎縮型（淡褐色萎縮斑）・結節型（ケロイド様）・滴状型・皮下型（好酸球性筋膜炎とは異なる一型）などの亜型あり．
②**帯状強皮症 sclérodermie en bandes，線状強皮症 linear scleroderma**：四肢伸側・前額正中部・顎部などに帯状に光沢のある陥凹性皮膚硬化をきたす．ブラシュコ線に沿う．前額にくることが多く，剣で切られたようにみえるので特に**剣創状強皮症**（sclérodermie en coup de sabre）（図17-12）と称し，これは頭皮部

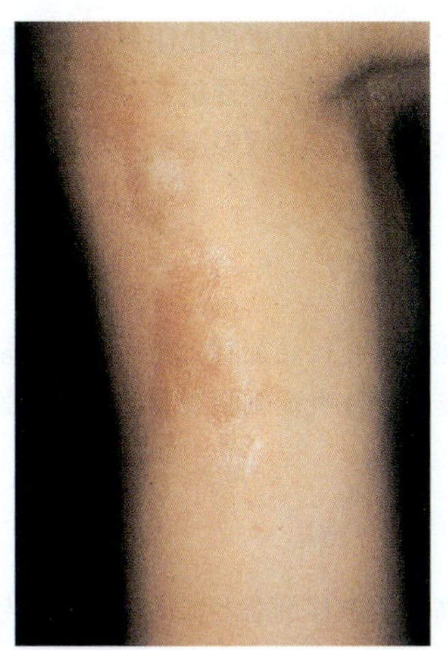

図 17-10 モルフェア

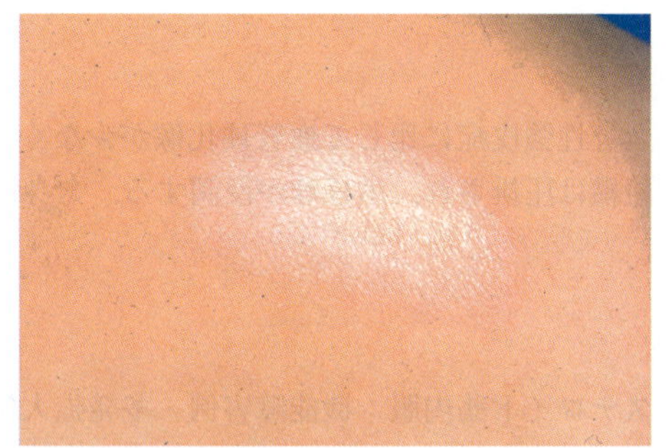
図 17-11 モルフェア

に及んで脱毛を合併する．四肢では罹患肢の皮下組織・筋の萎縮を伴い健肢に比して細くなり，また関節運動障害を含む機能障害をきたすことあり．顔面片側萎縮症も本症の一型と推測されている．

③**多発性モルフェア generalized/multiple morphea**（図 17-13）：モルフェアが多発するもので，体幹より四肢に及ぶ．関節痛・レイノー現象・強皮症を伴うことあり，また抗ヒストン抗体・抗 1 本鎖 DNA 抗体・RA 因子陽性のことも多い．

④**深在性モルフェア morphea profunda，皮下限局性強皮症**（Person-Su 1981）：

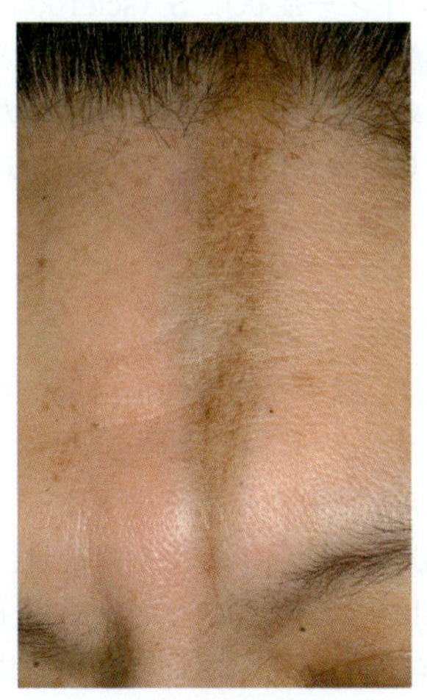
図 17-12 剣創状強皮症

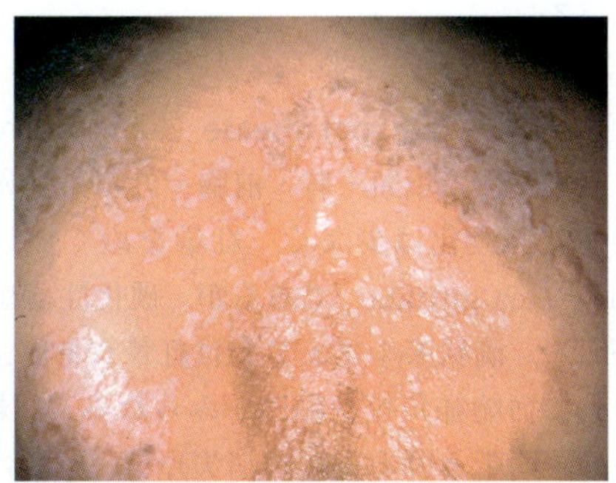
図 17-13 多発性モルフェア

皮膚表面には変化がないか，軽微で，炎症性変化と線維化が皮下に限局する病型．好酸球性筋膜炎とは異なる一型．皮下の平滑，またはびまん性硬結として触れる．皮下脂肪織にリンパ球・形質細胞・時に好酸球浸潤を伴って膠原線維が膨化・増生する．

組織所見

全身性強皮症に比して血管硬化像が少なく，硬化性変化は結節状に生じ，周囲結合組織は圧排され，単核球が浸潤する．全身性強皮症より炎症細胞浸潤の程度は強い．

治療

①ステロイド薬内服：機能障害例・多発拡大例・筋病変随伴例などに中等量を投与し，漸減する．
②PUVA など紫外線照射．
③ステロイド軟膏・テープ・外用．ステロイド局注．
④免疫抑制薬：シクロスポリン，メトトレキサートなど
⑤外科的治療：小型・少数・固定例に．

3. 特殊な強皮症

1）CRST 症候群（Winterbauer 1964）（図 17-14）

C（subcutaneous calcinosis 皮下石灰沈着症），R（レイノー症状），S（sclerodactylia 強指症）および T（multiple telangiectasia 毛細管拡張症）の 4 つを主症状とする．後に食道症状（E：esophagitis）を伴うものも含めて CREST 症候群とされた．**抗セントロメア抗体**が高率に陽性．歴史的な病名であり，現在は lcSSc に含められている．

2）白点病 white spot disease（Johnson-Sherwell 1903）

中年女性の項頸・肩・前胸・外陰・肘窩・膝膕などに，扁平な光沢性小白斑が多発する．硬化は少なく，紅暈をめぐらし，また融合する．限局性強皮症の一型（morphea guttata）であるが，硬化性萎縮性苔癬（LSA）でも白点病を呈することがある．滴状モルフェアでは紅暈があり，LSA（☞ p.488）は扁平でやや隆起性，中央に面皰様角栓や陥凹がみられる．組織学的に区別できるが（LSA では真皮上層の透明帯と弾力線維の消失），異同は今日でも論じられている．これと近い臨床像を示すものに epidermolysis bullosa albopapuloidea（☞ p.331）があるが，これ

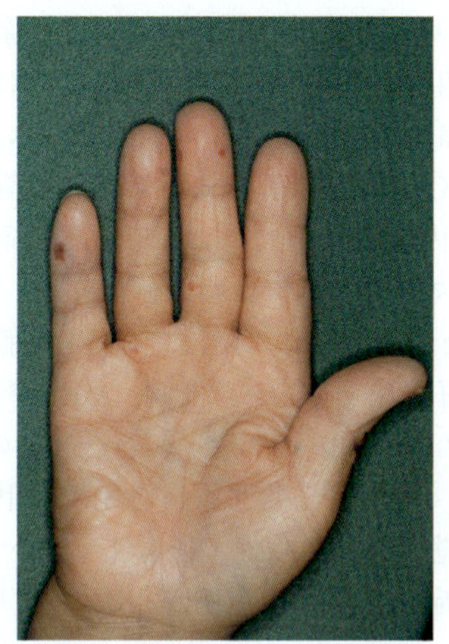

図 17-14 lcSSc（CRST 症候群）の毛細血管拡張

は全く別種のものである（長島 1996）.

3）薬剤などによる強皮症，強皮症様病変

各種薬剤，医療材料，化学物質が全身性強皮症，限局性強皮症様病変を招来する.

①医薬品：ブレオマイシンや抗がん剤投与により肺，皮膚などにびまん性の線維化が生じる．皮膚ヒトアジュバント病（human adjuvant disease；HAD）（三好 1964）としてシリコン・パラフィンなどの異物材料充填による美容外科術後に生じる膠原病様病態も知られていた．腎性全身性線維症（nephrogenic systemic fibrosis）は腎不全患者にガドリニウム含有造影剤投与で誘発される.

②化学物質による強皮症様変化：polyvinyl chloride，ドライクリーニングに用いる perchlorethylene・trichlorethylene，エポキシ樹脂を扱う職業（occupational scleroderma）に SSc とほぼ同様の皮膚症状，嚥下困難・肝脾腫・多発性筋痛・呼吸困難などの全身症状を伴うことあり.

4）好酸球性筋膜炎 eosinophilic fasciitis（Schulman 1974，Rodnan 1975）

30～60 代に発症し，男性にやや多い．四肢の皮膚が硬化・腫脹し，関節の運動制限をきたす．末梢血好酸球増多症や組織学的好酸球浸潤を伴わない症例も多数あり，**びまん性筋膜炎（diffuse fasciitis）**とも呼ぶ．傷害された筋膜に対する自己免疫反応と考えられている.

①しばしば強度の運動，外傷，高熱などに続発して比較的急性の発症（疼痛を伴

う腫脹→硬化)，ただし日単位で急激に発症する例と緩徐に発症する例とがある，②四肢の強皮症様硬化（四肢近位側・対称性）あり，時に体幹に及ぶが，顔面・指趾は侵されない．屈曲拘縮はあってもよい．舗石状あるいはオレンジ皮状（orange peel sign)，皮膚の陥凹（筋肉間陥凹 groove sign，血管走行に沿い陥凹 sunken vein)，③レイノー症状・内臓変化を欠く，④時に関節痛，手根管症候群，⑤末梢血好酸球増多症・高ガンマグロブリン血症・赤沈亢進，アルドラーゼ上昇，時にRF陽性・ANA陽性，SSc特異的抗体は陰性，⑥筋・筋膜・皮下組織における結合組織の増生，形質細胞・好酸球・リンパ球浸潤，MRIが有用，⑦ステロイド著効，時にシクロスポリン，シクロホスファミド，⑧morpheaの一亜型（皮下型）に近く，しばしばmorpheaを合併〔合併する疾患：自己免疫性甲状腺炎・シェーグレン症候群・SLE・RA・血液疾患（自己免疫性・腫瘍性)〕．かつてL-トリプトファン製剤摂取後，本症に類似の症状を呈する症例が相次いだ（eosinophilia-myalgia syndrome)．

2　皮膚筋炎 dermatomyositis

1. 皮膚筋炎 dermatomyositis

皮膚・筋肉の慢性炎症性疾患．日本の有病率は人口10万人当たり2〜5人で，男女比1：2.5と女性に多い．あらゆる年齢層に発症するが，小児期と成人期にピークを持つ2峰性分布を示す．

病因

自己抗体が出現すること，他の自己免疫疾患と合併すること，特定のHLAと相関があること，副腎皮質ステロイドが有効であること，皮膚や肺，筋組織にリンパ球などの浸潤があることなどから，自己免疫が関与すると考えられている．自己免疫惹起の要因として，ウイルス感染や悪性腫瘍などが想定されている．

分類

炎症性筋疾患には，従来から皮膚筋炎，多発性筋炎，封入体筋炎があり，近年，より細かい疾患単位として免疫介在性壊死性筋症，抗ARS（アミノアシルtRNA合成酵素 aminoacyl-tRNA synthetase）抗体症候群も用いられている．皮膚筋炎には，筋炎を伴う古典型（classic dermatomyositis）のほか，筋症状のない**無筋症性**

皮膚筋炎（amyopathic dermatomyositis ADM, dermatomyositis sine myositis）や，臨床的に筋症状がなく軽微な筋酵素上昇のみを示す乏筋症性皮膚筋炎（hypomyopathic dermatomyositis HDM）もあり，ADM と HDM を合わせて clinically amyopathic DM（CADM）と呼ぶこともある．**抗 Mi-2 抗体，抗 MDA5 抗体，抗 TIF1 抗体**，抗 NXP2 抗体，抗 SAE 抗体は皮膚筋炎に特異性が高く，抗 ARS 抗体を含めてこれらの筋炎特異的自己抗体はそれぞれが比較的均一な病像を呈する臨床的サブセットを形成する．

症状

1）**前駆症状**：全身倦怠感・頭痛・関節痛・軽度発熱．

2）**皮膚症状**：顔面・四肢伸側（特に肘頭・膝蓋）・体幹〔特に肩・上背部 shawl sign（図 17-15）・前胸三角部 V sign〕に対側性に好発．体幹では鞭打ち様の線状紅斑をしばしば伴う．顔面（眼瞼・上頬・眼窩縁）の**ヘリオトロープ様紫紅色腫脹**が特徴的（図 17-16）．脂漏性皮膚炎に似た頬部から鼻翼周囲の紅斑．指関節背面に角化性紅斑（**Gottron's sign**）ないし扁平隆起性舗石状の紫藍色丘疹（**Gottron's papule**）（図 17-17），爪小皮の粗糙化・めくれ上がり（ragged cuticles），爪囲の紅斑・爪郭部の毛細血管拡張と出血点（小児では歯肉にも）．手指関節屈側の鉄棒まめ様の丘疹 / 紅斑（Palmar papule）は俗に逆 Gottron 徴候とも呼ばれ，抗 MDA5 抗体陽性例にしばしば出現．浮腫性紅斑は，次いで落屑性乾燥性浮腫性紅斑（淡紅色～暗紅色）となり，慢性の経過ののち色素沈着および脱失・萎縮・落屑・毛細血管拡張症などを示す（**多形皮膚萎縮**）（図 17-18）．脱毛，皮膚潰瘍は，浮腫や水疱形成に続発してみられる場合と関節背面に穿掘性の深い潰瘍を見る場合があり，前者は悪性腫瘍合併例（抗 TIF1 抗体）に，後者は間質性肺疾患合併例（抗 MDA5 抗体）に多い．日光曝露による発症や増悪がみられることあり．時に石灰沈着（小児に多い）．口腔口唇粘膜病変（紅斑・びらん・潰瘍）．表情筋，肩・背の筋力低下のため，憂愁を帯びた表情で，肩が落ち，うなだれた疲れた姿勢を示す．

3）**筋症状**：筋力低下が基本症状で，時に自発痛・圧痛・握痛が生じる．四肢近位筋群，頸部屈筋群，咽頭・喉頭筋群に好発し，特に肩・上肢対側性に侵されやすく，手が上げにくく，首の支えが悪く，寝返り不能，立ち上がりおよび歩行困難を生じる（筋力低下が初発症状のことが多い）．咽頭・口蓋・上部食道の筋の障害による発声困難，嗄声，嚥下困難，肛門尿道括約筋の障害による失禁もある．筋電図（筋原性パターンが多いが神経原性パターンも混入する）・MRI（炎症・萎縮・変性の局在が明らかとなる）に変化．

4）**他臓器症状**：

①**肺**：10～50％に**間質性肺疾患**（肺線維症）を認め，重要な生命予後因子．労作性

17章

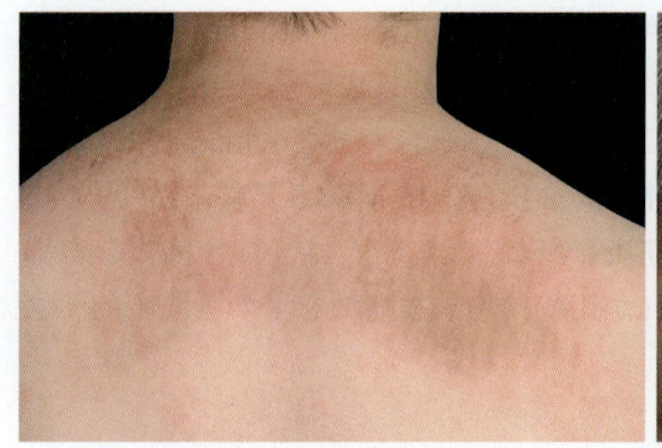
図 17-15　上背部のショール・サイン

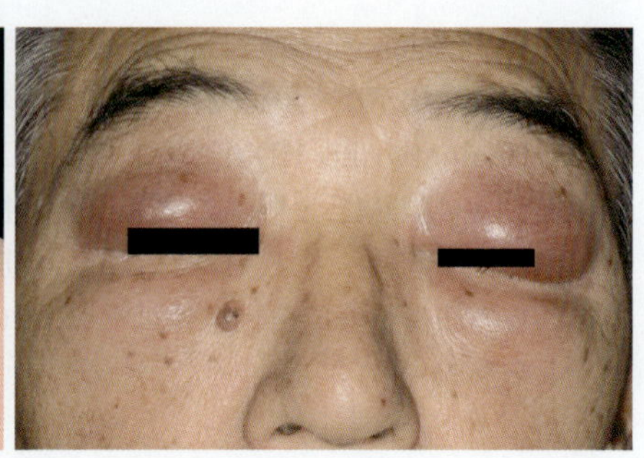
図 17-16　ヘリオトロープ疹

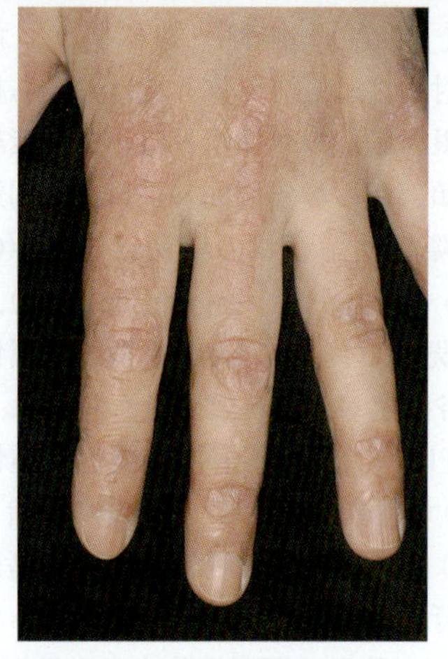
図 17-17　Gottron's sign

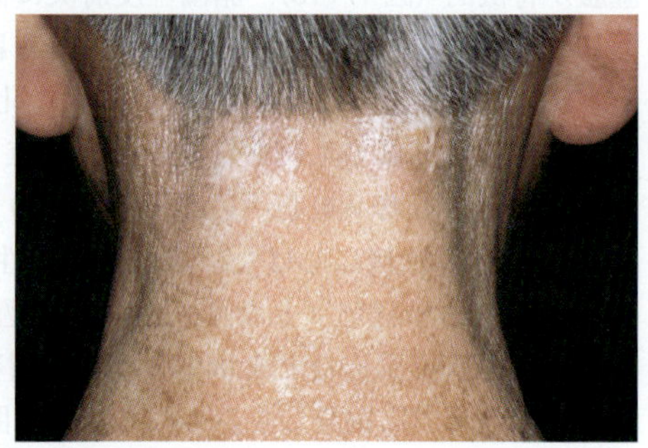
図 17-18　項部の多形萎縮皮膚

呼吸困難・咳嗽をきたす．抗 ARS 抗体陽性例では多くは慢性に経過．抗 MDA5 抗体陽性例では急性間質性肺疾患が急速に進行し，数ヵ月以内に死亡することが少なくない（病理像は diffuse alveolar damage；DAD）．

②**心**：予後因子として注意．時に伝導障害による不整脈・心筋障害による心不全，稀に心膜炎．

③**消化管**：嚥下障害（約 30％に，喉頭筋力低下・食道の蠕動低下），稀に小腸・大腸の蠕動低下，小児で血管炎による潰瘍・穿孔腹痛・下血．

④**関節痛**：多くは軽症，一過性，約 30％に．

⑤**レイノー現象**：軽症，約 30％に．

5）**内臓悪性腫瘍の合併**：合併頻度は 10～30％で，その検索は重要．抗 TIF1 抗体陽性が多い．合併例は皮疹（浮腫性紅斑）が高度で，瘙痒あり．皮膚症状に比して筋症状が軽度のことも多いが，嚥下障害は高頻度で難治．間質性肺疾患の合併頻度は低い．胃，乳腺，肺，大腸，卵巣，前立腺，子宮など臓器に特異性はなく，悪性リンパ腫，ホジキン病，悪性黒色腫も合併しうる．悪性腫瘍が根治的に治療できない例は皮膚筋炎を治療してもその反応が悪いことが多い．一方，悪性腫瘍を切除するなどの治療をすると皮膚筋炎が改善することがある．

検査所見

筋酵素（クレアチンキナーゼ・アルドラーゼ）やミオグロビンの上昇．CRP上昇やALT・AST・LDHが上昇することも．MRI画像で筋の炎症性浮腫（T2強調で高信号），筋電図の筋原性所見（低電位，低振幅）．胸部CTで間質性肺疾患の検索．血清KL6上昇．

筋炎特異的自己抗体として，抗Jo-1抗体などの抗アミノアシルtRNA合成酵素（ARS）抗体，抗Mi-2抗体（nuclear helicase），抗MDA5抗体，抗TIF1抗体，抗NXP-2抗体，抗SAE抗体．他に，抗Ro/SS-A抗体，抗U1-RNP抗体など．

①**抗Mi-2抗体**：抗核抗体強陽性．筋症状が比較的強い．間質性肺疾患や悪性腫瘍は低頻度で予後良好．

②**抗MDA5抗体**：無筋症性皮膚筋炎あるいは筋症状の軽微な例に多く，予後不良の急速進行性間質性肺疾患を高頻度に合併．

③**抗TIF1抗体**：皮疹が広範囲かつ高度．成人では悪性腫瘍を高率に合併．嚥下障害．

④抗NXP-2抗体：筋症状に比して皮疹は軽度だが，石灰沈着・皮下浮腫が多い．成人で悪性腫瘍は20～30%．dermatomyositis sine dermatitisからの病型をとることあり．

⑤抗SAE抗体：高度の皮疹と嚥下障害を伴い，臨床像は抗TIF1抗体陽性例に似る．間質性肺疾患が高頻度だが軽症．悪性腫瘍も時に合併．

予後

5年生存率は90%程度であるが，小児は一般に予後がよい．成人の死亡原因は間質性肺疾患（特に急速進行例）・悪性腫瘍・感染症・心不全．

組織所見（図17-19，20）

①**皮膚**：真皮浮腫・ムチン沈着・血管拡張・リンパ組織球性細胞浸潤・基底層液状変性，色素失調，石灰沈着．

②**筋**：近位筋（大腿四頭筋，三角筋）のMRIで異常のみられる部位より生検．浮腫・膨化・線維離開・横紋消失・変性，線維間の血管周囲$CD4^{+}$T細胞・マクロ

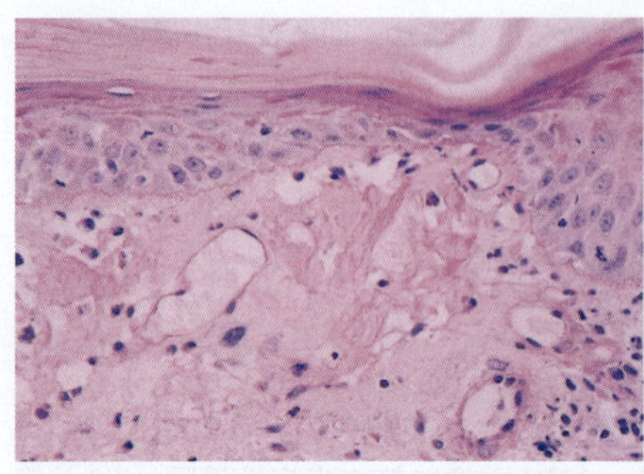
図 17-19　皮膚筋炎（液状変性，毛細血管拡張）

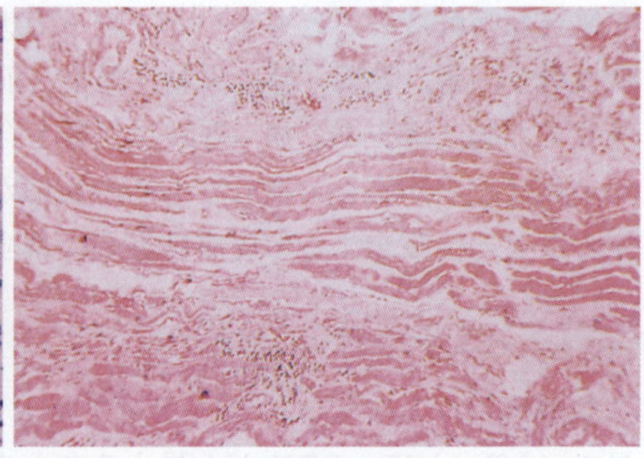
図 17-20　皮膚筋炎（筋組織の変性，萎縮）

ファージ浸潤・免疫複合体による血管障害，細血管の壊死性血管炎．線維化．末期に石灰沈着をきたすことあり．MxA の発現あり．

なお，多発性筋炎では筋線維に主として $CD8^{+}$T 細胞が直接浸潤して，皮膚筋炎とは異なる像を呈するとされてきたが，近年はこのような所見は極めて稀と考えられており，従来多発性筋炎とされた例の多くは，抗 ARS 抗体症候群，免疫介在性壊死性ミオパチー，封入体筋炎に診断されると考えられている．

診断（表 17-3）

特徴的な皮疹と筋症状，筋原性酵素上昇，筋電図，筋生検などの検査所見を総合して診断する．皮疹が先行し，筋症状が遅れて出てくる例（あるいはその逆）に注意する．厚生労働省調査研究班による診断基準を表 17-4 に示す．

治療

①ステロイド薬：プレドニゾロン 0.5～1 mg/kg より開始．ゆっくりと漸減．抵抗性の場合パルス療法．

②免疫抑制薬（アザチオプリン・シクロホスファミド・シクロスポリン・タクロリムス・メトトレキサート）：ステロイド抵抗例に併用．急速進行性間質性肺疾患はステロイド単独には反応不良のため初期から多剤併用．

③ガンマグロブリン（大量静注）：ステロイド抵抗例に併用．

④内臓悪性腫瘍の精査・治療．

⑤早期からリハビリテーション．

表 17-3 皮膚筋炎・多発性筋炎の診断基準（厚生労働省研究班，2020）

診断基準項目
(1) 皮膚症状 (a) ヘリオトロープ疹：両側または片側の眼瞼部の紫紅色浮腫性紅斑 (b) ゴットロン丘疹：手指関節背面の丘疹 (c) ゴットロン徴候：手指関節背面および四肢関節背面の紅斑 (2) 上肢または下肢の近位筋の筋力低下 (3) 筋肉の自発痛又は把握痛 (4) 血清中筋原性酵素（クレアチンキナーゼまたはアルドラーゼ）の上昇 (5) 筋炎を示す筋電図変化 若年性で筋電図の施行が難しい場合は，MRI での筋炎を示す所見（T2 強調 / 脂肪抑制画像で高信号，T1 強調画像で正常信号）で代用できる． (6) 骨破壊を伴わない関節炎または関節痛 (7) 全身性炎症所見（発熱，CRP 上昇，または赤沈亢進） (8) 筋炎特異的自己抗体陽性 抗 ARS 抗体（抗 Jo-1 抗体を含む），抗 MDA5 抗体，抗 Mi-2 抗体，抗 TIF1 γ 抗体，抗 NXP2 抗体，抗 SAE 抗体，抗 SRP 抗体，抗 HMGCR 抗体 (9) 筋生検で筋炎の病理所見：筋線維の変性および細胞浸潤
診断のカテゴリー
皮膚筋炎：18 歳以上で発症，(1) の皮膚症状の (a) ～ (c) の 1 項目以上を満たし，かつ経過中に (2) ～ (9) の項目中 4 項目以上を満たすもの． 若年性皮膚筋炎：18 才未満で発症，(1) の皮膚症状の (a) ～ (c) の 1 項目以上と (2) を満たし，かつ経過中に (4)，(5)，(8)，(9) の項目中 2 項目以上を満たすもの． 無筋症性皮膚筋炎：上記の項目数を満たさないが，(1) の皮膚症状の (a) ～ (c) の 1 項目以上を満たすものの中で，皮膚病理学的所見が皮膚筋炎に合致するか (8) を満たすもの． 多発性筋炎：18 歳以上で発症，(1) 皮膚症状を欠き，(2) ～ (9) の項目中 4 項目以上を満たすもの． 若年性多発性筋炎：18 才未満で発症，(1) 皮膚症状を欠き，(2) を満たし，(4)，(5)，(8)，(9) の項目中 2 項目以上を満たすもの． 抗 ARS 抗体症候群〔抗合成酵素（抗体）症候群〕，免疫介在性壊死性ミオパチーも含めてよい．

2. 若年性皮膚筋炎 juvenile dermatomyositis，小児皮膚筋炎

病態・症状

小児・若年者に皮膚炎と筋力低下を主症状として発症し，女児に多い．自己免疫性機序が考えられているが，病態や経過・予後が成人の皮膚筋炎と異なる面がある．ウイルス・細菌感染症，ワクチン接種，日光曝露などに続発，皮膚症状が筋症状に先行（86%），皮膚症状は成人と同じ．成人と同様に近位筋優位の筋力低下をきたすが，軽症から重度まで様々．時に無筋症性皮膚筋炎もある．比較的慢性に経過し，筋萎縮・関節拘縮・**皮膚石灰沈着**（40%以上，成人より高頻度）をきたす場合あり．

17 章

検査所見

CK・アルドラーゼなど筋酵素が上昇しANA陽性率は50～70%．抗TIF1抗体と抗NXP-2抗体が多く，それぞれ20～30%に検出．抗MDA5抗体陽性例は急速進行性間質性肺疾患のリスクがある．抗ARS抗体は小児では稀．石灰沈着は抗NXP2抗体と相関．

治療

ステロイド薬が治療の中心．時にパルス療法．難治例には成人と同様に免疫抑制薬，大量ガンマグロブリン療法など．予後も良好なものが多いが，稀に消化管多発性潰瘍（壊死性/血栓性血管炎）や間質性肺疾患で死亡することあり．また石灰化，筋萎縮，関節拘縮などにより機能障害を残すことがあるので発症早期より炎症抑制治療を十分に行う．

3. 抗ARS（aminoacyl-tRNA synthetase）抗体症候群，抗合成酵素抗体症候群 antisynthetase syndrome

アミノアシルtRNA合成酵素（ARS）に対する自己抗体が陽性となる自己免疫疾患で，多くの例は広義には皮膚筋炎・多発性筋炎に含まれる．主要徴候に筋炎，間質性肺疾患，関節炎，発熱，**レイノー現象**，**mechanics' hands**（機械工の手）．筋炎を欠くこともある．皮疹は皮膚筋炎としては非定型的のことが多く，mechanics' hands（拇指・示指内側面の角化性紅斑）を代表として鱗屑を付着するなど表皮の変化を伴う傾向があり，組織学的には個細胞壊死をしばしば見る．Gottron徴候，ヘリオトロープ疹や手指腫脹・硬化をみることもある．間質性肺疾患はほぼ必発し慢性型，ステロイドに反応するも減量に伴い再燃率が高い．

抗ARS抗体：抗Jo-1抗体（histidyl-tRNA合成酵素），抗PL-7抗体（threonyl-tRNA合成酵素），抗PL-12抗体（alanyl-tRNA合成酵素），抗OJ抗体（isoleucyl-tRNA合成酵素），抗EJ抗体（glycyl-tRNA合成酵素），抗KS抗体（asparaginyl-tRNA合成酵素），抗Zo抗体（phenylalanyl-tRNA合成酵素），抗Ha抗体（tyrosyl-tRNA合成酵素）．ZoとHaは極めて稀．

3 エリテマトーデス（紅斑性狼瘡）lupus erythematodes（LE）

慢性円板状型（erythematodes discoides chronicus；DLE）と，急性播種状型

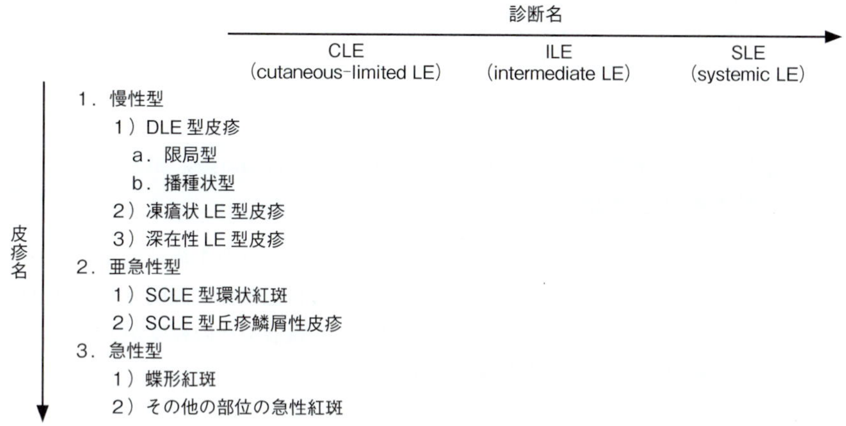

診断名 →

皮疹名 ↓	CLE (cutaneous-limited LE)	ILE (intermediate LE)	SLE (systemic LE)

1．慢性型
  1）DLE 型皮疹
    a．限局型
    b．播種状型
  2）凍瘡状 LE 型皮疹
  3）深在性 LE 型皮疹
2．亜急性型
  1）SCLE 型環状紅斑
  2）SCLE 型丘疹鱗屑性皮疹
3．急性型
  1）蝶形紅斑
  2）その他の部位の急性紅斑

図 17-21　LE の診断名と皮疹名の二次元的考え方（土田 1990）

表 17-4　LE 皮膚病変と鑑別疾患

急性 LE 皮膚病変 (SLE)	〔限局性〕 酒皶性痤瘡 皮膚筋炎 脂漏性皮膚炎 慢性光線性皮膚炎 光接触皮膚炎	〔汎発性〕 中毒性表皮壊死症（TEN） 薬剤過敏症症候群 日光過敏症 ウイルス発疹症 皮膚筋炎
亜急性 LE 皮膚病変 (SCLE)	〔丘疹鱗屑型〕 乾癬 日光過敏性薬疹 苔癬型薬疹	〔環状紅斑型〕 遠心性環状紅斑 環状肉芽腫 匍行性花環状紅斑
慢性 LE 皮膚病変 (DLE)	〔初期病変〕 皮膚 T 細胞リンパ腫 皮膚感染症（非定型抗酸菌症，深在性真菌症など） 慢性光線性皮膚炎 痤瘡 じんま疹 じんま疹様血管炎 サルコイドーシス 皮膚リンパ球種 ジェスナー皮膚リンパ球浸潤 尋常性狼瘡 顔面肉芽腫	〔成熟・肥厚性病変〕 皮膚 T 細胞リンパ腫 有棘細胞癌 日光角化症 ケラトアカントーマ 結節性痒疹 疣状扁平苔癬 深在性モルフェア 好酸球性筋膜炎 サルコイドーシス皮下型 その他の脂肪織炎

(erythematodes disseminatus acutus) または全身性型 (systemic erythematodes；SLE) との分類が長く用いられているが，土田は皮膚にのみ限局するのをCLE (cutaneous LE)，全身症状を有するのをSLE，その中間をILE (intermediate LE) と分け，DLEは皮疹名とした (図17-21，表17-4).

1. 全身性エリテマトーデス systemic lupus erythematosus (SLE)，全身性紅斑性狼瘡 ◎

皮膚を含む全身の臓器を侵す慢性炎症性疾患で寛解と増悪を繰り返す．病因は不明だが，ほとんどの患者に抗核抗体をはじめとする自己抗体が証明され，自己免疫的機序が考えられている．患者によって傷害される臓器やその程度が大きく異なり，症状，病態・症状が多様性に富む疾患である．

疫学

男女比はほぼ1：10で女性に多い．発症年齢は，男女とも10〜50代だが，20代にピークがある．人口10万人当たり6〜9人の有病率．

原因

不明であるが，SLEは多因子疾患であり，自己免疫を起こしやすい遺伝的背景 (素因) を持った人に，ウイルス感染，性ホルモン，紫外線，薬剤〔降圧薬 (ヒドララジン・αメチルドーパ)，抗不整脈薬 (プロカインアミド)，抗てんかん薬 (ヒダントイン)，抗精神病薬 (クロルプロマジン)〕などの環境因子が加わって，自己免疫の病態が引き起こされる．SLEではI型インターフェロンの産生増加，自己反応性T細胞の誘導，B細胞による自己抗体産生が起こると考えられている．

症状

ほとんどが思春期あるいはそれ以後の若年女性を侵すが，時に高齢者発症もみられる (50歳以上．男性は発症年齢にピークがなく，稀に高年発症．高年発症例は発症が緩徐，漿膜炎・SS合併，抗Ro/SS-A抗体陽性が多く，皮疹・低補体血症・抗DNA抗体陽性は軽度であるが非定型例もある．通常，治療によく反応し予後はよい)．時に，無疹型 (lupus sine lupo) (全身症状のみで，皮疹を欠くSLEの一型) がある．

1) **皮膚症状**：80%以上の症例に出現する．顔面は浮腫状で，両頬・鼻背・耳朶に**蝶形紅斑** (butterfly rash, malar rash) (図17-22)・小紅斑・毛細血管拡張・小出血点・稀に水疱 (vesiculobullous LE)．DLEが顔面，手背などの露光部に生じる

（図 17-23）．SCLE 型紅斑（顔面，四肢伸側に好発）．その他，脱毛（45%，前頭から頭頂にかけてびまん性に，細く乾いて折れやすい lupus hair）（図 17-24）・四肢の分枝状皮斑，指趾尖・辺縁の角化性暗紅色紅斑・萎縮性紅斑・小出血点・潰瘍，**手掌足底の小紅斑・凍瘡様紅斑**（図 17-25），爪の変形・変色，爪囲紅斑（periungual erythema），光線過敏症（40〜60%），ムチン沈着（☞ p.433）．

2）**粘膜症状**：口唇の紅斑・小出血点，硬口蓋の紅斑・毛細血管拡張・小出血点・びらん・潰瘍（図 17-26）．

3）**全身症状**

①**レイノー症状**：30〜40%にみられ，初発症状のことも多い．

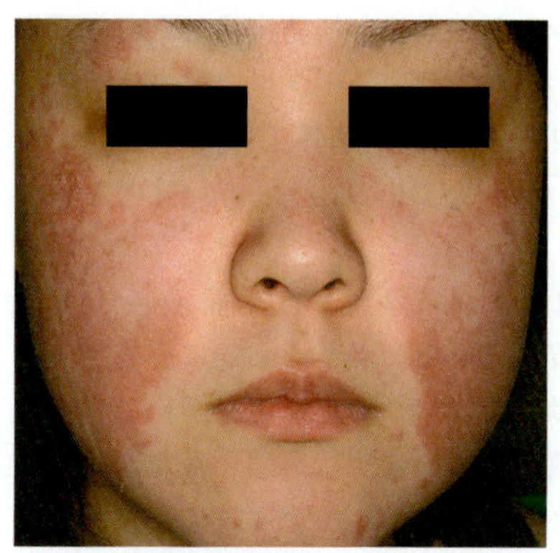

図 17-22　蝶形紅斑

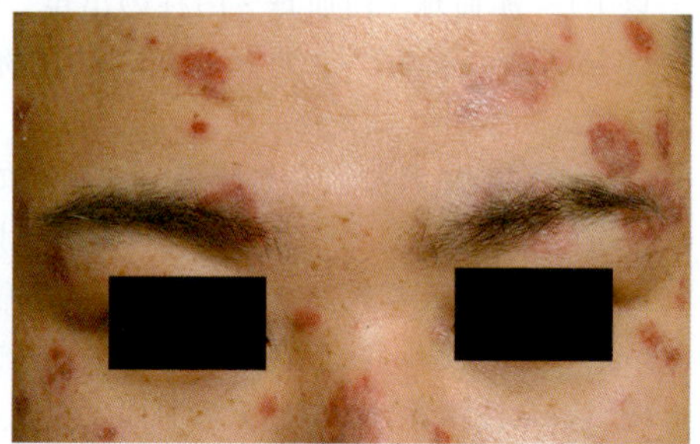

図 17-23　SLE に生じた DLE 型皮疹

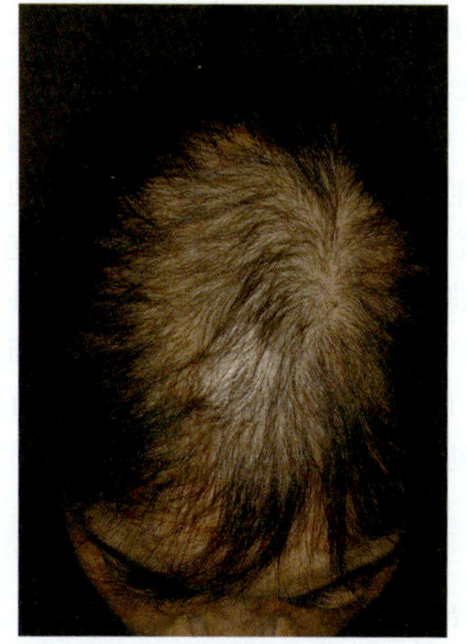

図 17-24　SLE のびまん性脱毛

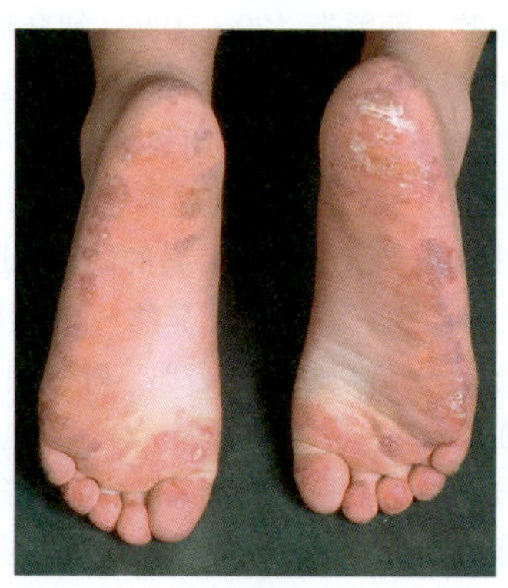

図 17-25　足底の紅斑

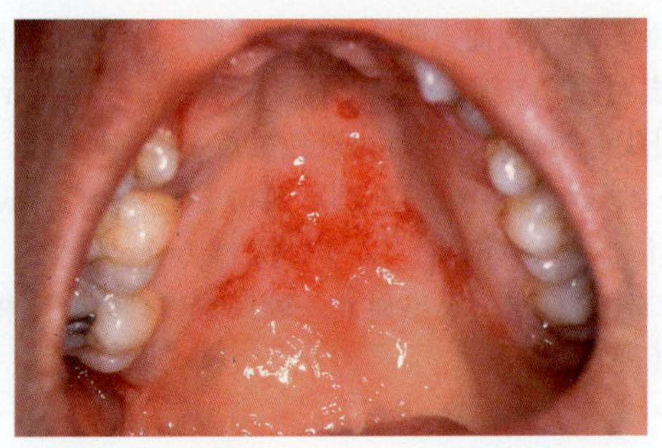

図 17-26　硬口蓋潰瘍

②発熱・頭痛・関節痛・全身倦怠感・体重減少などがあり，初発症状でもありうる.

③**腎**〔**腎炎**（lupus nephritis）・ネフローゼ〕：1/3～1/2 に発生．蛋白尿（1 日 0.5 g 以上），赤血球・白血球・円柱の出現．腎生検所見〔糸球体毛細管基底膜肥厚（wire-loop lesion），メサンギウム細胞増殖，免疫複合体の沈着〕．抗 dsDNA 抗体高値.

④**心**：20%の患者に．心外膜炎〔深呼吸で胸骨下部に疼痛：心膜痛（pericardial pain）を生じることが最も多く，心嚢液貯留も生じる〕が多く，他に心筋炎（持続性頻脈・伝導異常・心拡大）・心内膜炎・冠動脈病変など．時に，Libman-Sacks 症候群（僧帽弁・大動脈弁の弁膜の心室面に疣状増殖をきたしたもの．閉鎖不全性雑音，細菌感染の原因となることあり，また破片が塞栓症の原因となる）・虚血性心不全.

⑤**消化器**：特異的病変は少ない．口腔粘膜潰瘍，血管炎（出血・潰瘍・穿孔・腹痛・発熱：ループス腸炎），蛋白漏出性胃腸症（低アルブミン血症），腹膜炎（ループス腹膜炎），急性膵炎，肝障害（30%，自己免疫性肝炎，肝硬変）.

⑥**呼吸器**：胸膜炎（20～50%，初発症状のことあり，呼吸・体動時の胸痛，両側性，滲出液は少ない，胸水中に LE 細胞・ANA 陽性，ステロイド著効）が多く，他に，間質性肺炎〔通常型間質性肺炎（UIP）・器質化肺炎を伴う閉塞性細気管支炎（BOOP）・びまん性肺胞障害（DAD）・剝離性間質性肺炎（DIP）・リンパ球性間質性肺炎（LIP）・非特異的間質性肺炎を区別することが治療に重要〕・急性肺胞内出血（SLE に特有，発熱・呼吸困難・血痰，1%と頻度は低いが致命的）・日和見感染・肺高血圧症（1%，呼吸困難・胸痛・動悸・心拡大・右心室肥厚所見）・肺血栓.

⑦**内分泌系**：下垂体副腎系障害・月経障害.

⑧**眼底**：ドライアイ・結膜炎・強膜炎・網膜症（出血・白斑）.

⑨**中枢神経系**（**CNS-lupus**）：20～30%に経過中に精神症状（うつ状態・意識混濁・

幻覚・妄想・人格退行）・けいれん・てんかんなどを生じる．意識障害は予後不良のことが多い．抗リン脂質抗体症候群による場合を含めて，脳血管障害（小梗塞・多発性出血）もある．常に感染（髄膜炎）・薬剤（steroid-induced）によるものと鑑別する必要あり．

⑩**ループス膀胱炎**：悪心・嘔吐・下痢の消化器症状で始まり，頻尿・残尿感・水腎症をきたすことあり．無菌性間質性膀胱炎でステロイド薬有効．

⑪**表在性リンパ節腫脹**：30〜70％．

⑫**大腿骨頭壊死**：ステロイド誘発であるが，SLE でその頻度が高い．

検査所見

白血球減少症（4,000 以下，65％の患者に）・**リンパ球減少**（1,500 以下，75％の患者に）・貧血（80％以上に，10〜20％は溶血性貧血による）・血小板減少（10 万以下，約 30％に）・赤沈亢進（＞ 30 mm/ 時，CRP は赤沈に比較して上昇しないことが多い．ただし，血管炎や漿膜炎を合併すると CRP がかなり上昇する）・低アルブミン血症（＜ 3.5 g/dL）・γ- グロブリン増加・免疫グロブリン異常・**補体価低下**（C3・C4・CH_{50} などの初期成分，70〜80％の患者に）・**抗核抗体（ANA）**，特に **IgG 型抗 2 本鎖 DNA 抗体**（60〜70％陽性，特異度が高く，病勢とよく平行），**抗 Sm 抗体**（20〜30％陽性，SLE に特異性が高い），さらに抗 U1-RNP 抗体，抗リボソーム P 抗体，抗 PCNA 抗体，抗 Ro/SS-A 抗体など陽性・**抗リン脂質抗体**（10〜20％に起こる，抗カルジオリピン抗体，ループス抗凝固因子，梅毒反応生物学的偽陽性）・免疫複合体（IC）検出・細胞性免疫低下．LE 現象陽性．

抗核抗体（ANA）は間接蛍光抗体法でみると，次の 5 型が多い．①びまん型（homogenous type），②斑紋型（speckled type），③辺縁型 / 粗毛型（peripheral/shaggy type），④核小体型（nucleolar type），⑤散在斑紋型（discrete speckled type）．①と③は SLE，④と⑤は SSc に多い．膠原病で出現する抗核抗体の種類と各疾患との間には相関があり，相関度が特に高い場合は疾患標識抗体と呼ばれる．

組織所見

DLE とほぼ同じであるが，浮腫，血管および膠原線維のフィブリノイド変化はより高度．表皮真皮境界部に IgG・M・C3 沈着〔lupus band test（LBT），正常皮膚でも陽性を示し重症を示唆する〕（図 17-27）また leukocytoclastic vasculitis を伴うことあり（ループス血管炎）．

診断（表 17-5）

SLE は症例ごとに症状，侵される臓器，重症度，経過が大きく異なり，多様性に

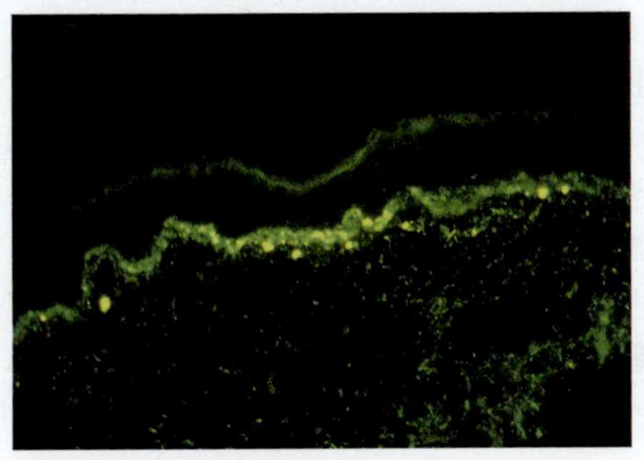

図 17-27　lupus band test

表 17-5　全身性エリテマトーデスの分類基準（ACR/EULAR, 2019）

<table>
<tr><td rowspan="18">臨床項目</td><td>全身症状</td><td>発熱（> 38.3℃）</td><td>2</td></tr>
<tr><td rowspan="3">血液</td><td>白血球減少（< 4000 / μL）</td><td>3</td></tr>
<tr><td>血小板減少（< 10 万 / μL）</td><td>4</td></tr>
<tr><td>自己免疫性溶血</td><td>4</td></tr>
<tr><td rowspan="3">精神神経</td><td>せん妄</td><td>2</td></tr>
<tr><td>精神障害</td><td>3</td></tr>
<tr><td>痙攣</td><td>5</td></tr>
<tr><td rowspan="4">皮膚粘膜</td><td>非瘢痕性脱毛</td><td>2</td></tr>
<tr><td>口腔内潰瘍</td><td>2</td></tr>
<tr><td>亜急性皮膚エリテマトーデスまたは円板状エリテマトーデス</td><td>4</td></tr>
<tr><td>急性皮膚エリテマトーデス</td><td>6</td></tr>
<tr><td rowspan="2">漿膜</td><td>胸水または心嚢液</td><td>5</td></tr>
<tr><td>急性心外膜炎</td><td>6</td></tr>
<tr><td>筋骨格</td><td>関節症状（2 関節以上）</td><td>6</td></tr>
<tr><td rowspan="3">腎臓</td><td>尿蛋白（> 0.5 g / 日）</td><td>4</td></tr>
<tr><td>腎生検でクラスⅡまたはⅤのループス腎炎</td><td>8</td></tr>
<tr><td>腎生検でクラスⅢまたはⅣのループス腎炎</td><td>10</td></tr>
<tr><td rowspan="4">免疫学的項目</td><td>抗リン脂質抗体</td><td>抗カルジオリピン抗体，または，抗β2GP1 抗体，または，ループスアンチコアグラント</td><td>2</td></tr>
<tr><td rowspan="2">補体</td><td>C3 か C4 どちらか低下</td><td>3</td></tr>
<tr><td>C3 と C4 両方低下</td><td>4</td></tr>
<tr><td>SLE 自己抗体</td><td>抗 dsDNA 抗体，または，抗 Sm 抗体</td><td>6</td></tr>
</table>

臨床項目一つを含み各項目の最高点の合計が 10 点以上で SLE と分類する．
エントリー基準：抗核抗体 80 倍以上（HEp-2 を用いた間接蛍光抗体法，または同等の検査）．

富む．

予後

通常，慢性・再発性に経過するが，長期寛解・維持も可能．早期診断と有効な治療法（ステロイド薬長期投与・各種臓器症状の治療など）により長期予後は良好で10年生存率95%を超える．

治療

治療の主体はステロイド薬とヒドロキシクロロキンであり，障害臓器とその重症度により，すなわちSLEの重症度に応じて対応する．

1）**ステロイド薬**：PSLで40〜60 mgより開始，漸減．

パルス療法〔ソルメドロール500〜1,000 mgを3日連続点滴（時に，これを反復）．①強力な抗炎症・免疫抑制作用，②通常のステロイド療法に抵抗する例にも有効，③極めて大量であるわりには副作用が少ない，④比較的少量の維持量へ持っていける，⑤通常のステロイドの作用と別の効果を示す可能性あり〕など．

2）**ヒドロキシクロロキン**：眼の副作用に注意．

3）**免疫抑制薬**：ミコフェノール酸モフェチル・タクロリムス・アザチオプリン，シクロホスファミド（パルス療法もあり）・ミゾリビン．

4）**分子標的療法**：BAFF・I型インターフェロンなどに対するモノクローナル抗体．

5）**血漿交換療法**：薬物治療無効例などに（IC除去・マクロファージ機能亢進・免疫能改善）．

6）**抗凝固療法**：抗リン脂質抗体症候群（APS）の血栓症．

7）**生活指導**：日光照射・寒冷・過労・ストレス・妊娠を避ける（安静・入院）．ANA（抗体価および型）・補体価・赤沈・尿所見などを指標に治療，生活の指導を．

8）**妊娠**：SLEの活動性が一定期間安定していることが必要である．SLEDAI：4を目安とすることも提唱されている．ループス腎炎の既往があると，妊娠中の増悪や合併症リスクが高い．妊娠禁忌の免疫抑制薬は多剤へ切り替え．出産後の活動性上昇に注意する．APS合併の可能性があれば低用量アスピリンを併用．抗Ro/SS-A抗体陽性例は先天性房室ブロックや新生児LEのチェック．

2. 亜急性皮膚型エリテマトーデス subacute cutaneous lupus erythematosus（SCLE）（Sontheimer 1979）

急性・全身型であるSLEと慢性・限局型であるDLEの中間に位置する疾患概念．SLEの診断基準を満たさないが，特有の皮疹を主な症状とするエリテマトーデスの一型．

原因

SLE と同様の遺伝的素因，環境的要因が想定されている．特に本症では紫外線曝露により表皮ケラチノサイト表面に Ro/SS-A 抗原が露出し，抗 Ro/SS-A 抗体と反応し，環状紅斑を惹起する．

症状

日光裸露部（顔・頸・上肢伸側・上背・肩）に対側性に多発性に生じ，再発性であるが瘢痕は残さない．数年にわたり反復．中年女性（男女比 3：7，平均 40 歳）に多い．落屑性紅色丘疹として始まり，拡大して乾癬様の丘疹鱗屑型（papulosquamous type）と，中央部の褪色する環状紅斑（時に鱗屑・小水疱を伴う）を呈する annular-polycyclic type〔旧自己免疫性環状紅斑 autoimmune annular erythema（Rekant 1973）はこれに包括される〕とに分けられ，日本では後者が多い（図 17-28, 29）．微熱・関節痛をみるが，腎症・中枢神経症状は SLE に比べて少なく，あっても軽症．日光過敏症・血管炎・DLE 様皮疹・脱毛・爪囲紅斑など．

検査

抗 Ro/SS-A 抗体陽性（ほぼ全例で），その他抗 La/SS-B 抗体（25％），HLA-DR3 高率．赤沈亢進・白血球数減少・補体低下・ANA 陽性（50％）・抗 DNA 抗体陽性（20～40％）・RA 因子陽性．

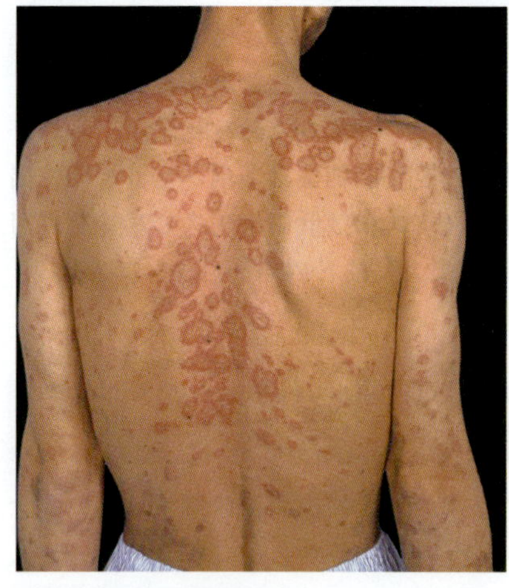

図 17-28 SCLE（背部）

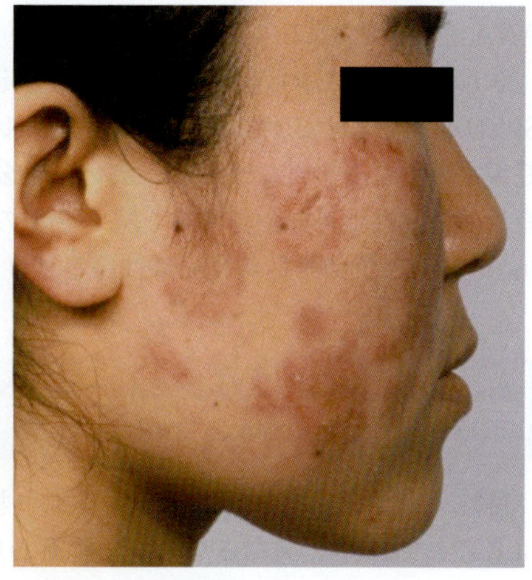

図 17-29 SCLE（顔面）

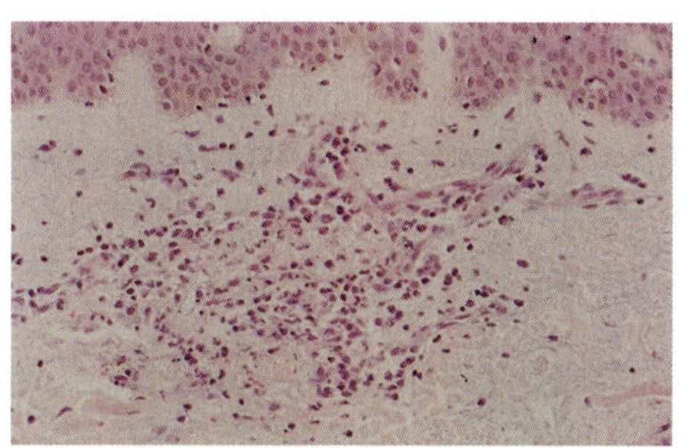

図 17-30 SCLE（組織像）

組織所見（図 17-30）

表皮萎縮・液状変性・血管周囲性細胞浸潤と DLE とほぼ同一であるが軽度. LBT は時に陽性.

鑑別診断

抗 Ro/SS-A 抗体陽性の SS でも環状紅斑を呈するが，表皮基底層の変化の有無で鑑別する．同一スペクトラムの変化と考えられている．

予後

全身症状は軽度で，生命的予後は良好である．皮疹は再燃を繰り返すことが多い.

治療

ステロイド外用に反応することが多い．ヒドロキシクロロキン内服．ステロイド少量内服・遮光.

3. 慢性円板状エリテマトーデス discoid lupus erythematosus（DLE） ○

皮膚に病変が限局する LE であり，DLE 型皮疹が限局性に生じる CLE としての DLE と，播種・多発して軽度の全身症状と自己抗体出現などの検査異常を認める SLE/ILE の要素を持つ DLE とがある．円板状皮疹を有して全身症状のない LE の診断名，円板状皮疹の皮疹名の 2 通りの意味に使われることがあり，注意が必要.

1）慢性円板状エリテマトーデス（DLE）（限局型）

原因

遺伝的素因を背景に，皮膚局所において紫外線などの環境刺激が誘因となって，自己反応性T細胞や自己抗体，サイトカイン異常産生などの要因が影響し合って発症すると考えられている．

DLE型皮疹を有するCLEはSLE（10～30代）に比べ平均年齢が高く（20～40代），男女差もはっきりしない．

症状（図17-31，32）

両頬部に左右対称性に蝶形に（butterfly-like, schmetterlingartig），その他，耳朶，鼻尖，上口唇，指趾背・側縁に好発（日光裸露部）（図17-33）．口唇・頬粘膜も侵される．個疹は限局性萎縮性ないし角化性の紅斑で，薄い雲母状の鱗屑を被り，爪甲大より手掌大に及び，中央皮膚は萎縮，脱色し，時にわずかに陥凹する．辺縁はむしろ色素増強し，しばしば紅暈あり．自覚症状はない．頭部では脱毛巣を残す．全身状態は良く，赤沈促進など多少の変化はあるが抗核抗体などは陰性．CLEの一型．

腕・手背・顔面など裸露部や圧迫を受けやすい部位に生じ台地状に隆起し，表面角化性・疣状となるものを肥厚性LE（verrucous LE, keratotic LE）と呼ぶ．

また，指趾背・尖，外足縁，耳朶などに寒冷刺激を受けることより生じるDLEを凍瘡状狼瘡（chilblain lupus）（Hutchinson 1888）と呼び，浮腫性から浸出傾向の強い暗赤色の紅斑で初発し，後に高度の角化性紅斑となり，中央陥凹して厚い鱗屑を有し（図17-34），時に潰瘍化する．秋冬期増悪・春夏期寛解する．

稀にCLE（またはDLE）がブラシュコ線に沿うことがあり，線状皮膚エリテマトーデス（linear CLE）（Abe 1998）と呼ぶ．小児に多い（図17-35）．

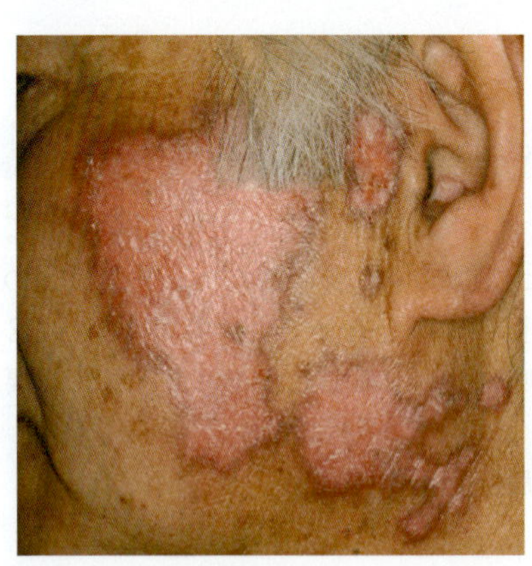

図17-31　DLE（頬部）

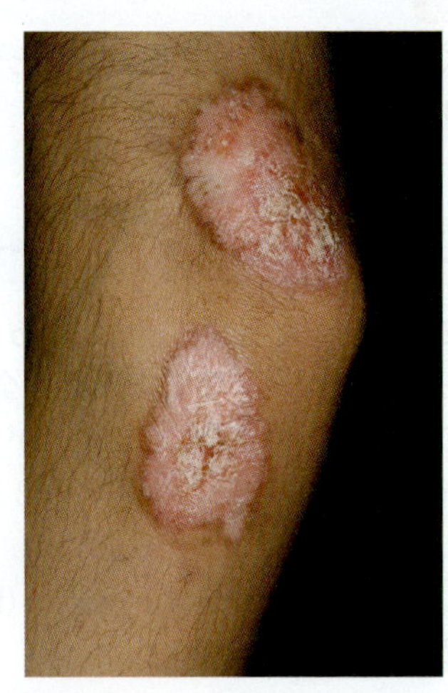

図17-32　DLE（肘部）

組織所見（図 17-36）

①毛孔性角栓を伴った角質増殖，②表皮萎縮，③基底層の液状変性，④リンパ球性血管周囲性ないし巣状細胞浸潤，⑤表皮内・真皮乳頭層のヒアリン小体，⑥真皮上層の浮腫・血管拡張・赤血球遊出・メラニン滴落，⑦LBT（lupus band test）陽性．

診断（図 17-37，38）

顔面の蝶形の紅斑萎縮局面，組織所見より容易である．落屑をはがし裏面をみると，多数の棘状突起（孔性角栓に一致）がみられる．

予後

頑症であるが，生命的予後は良い．多くは瘢痕治癒．稀に瘢痕上に有棘細胞癌が

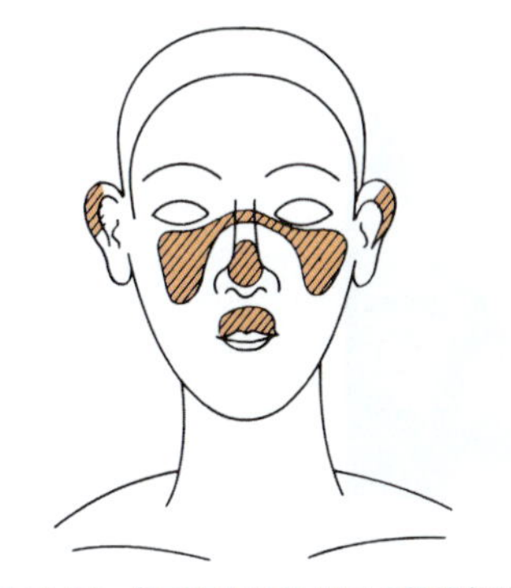

図 17-33　顔面における DLE の好発部位

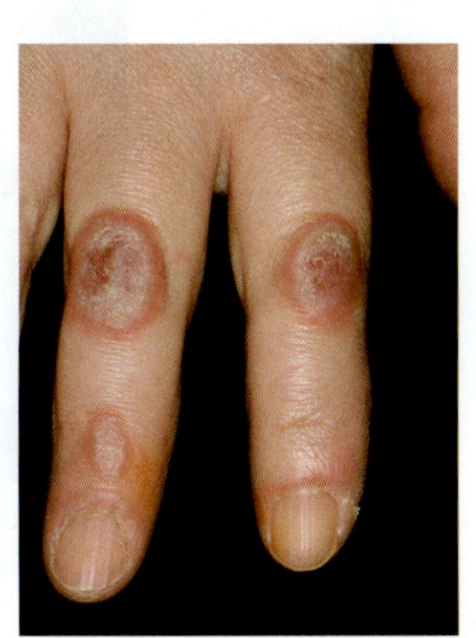

図 17-34　凍瘡状狼瘡

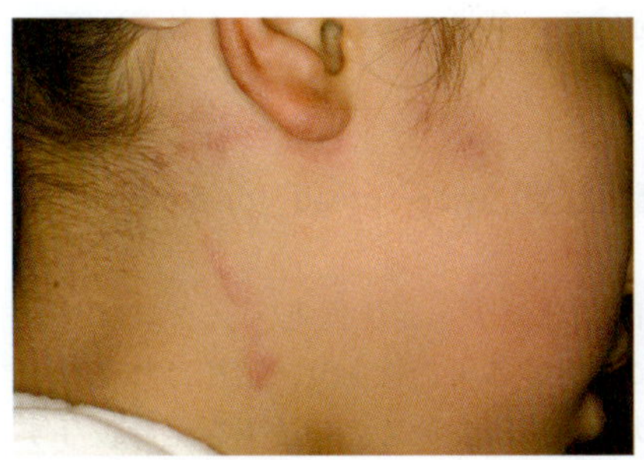

図 17-35　linear CLE

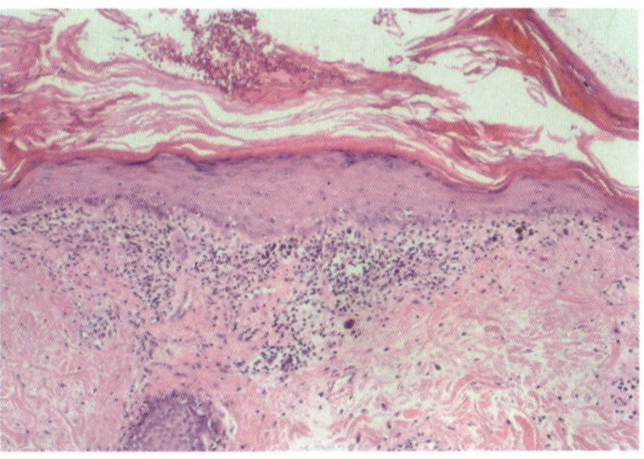

図 17-36　DLE 組織像

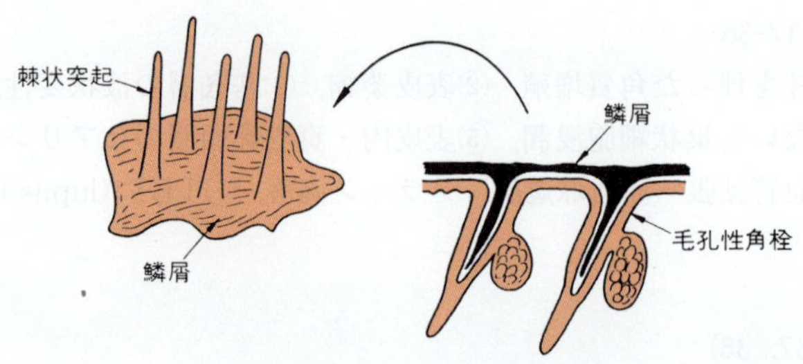

図 17-37　DLE の鱗屑の裏面にみられる多数の棘状突起＝毛孔性角栓

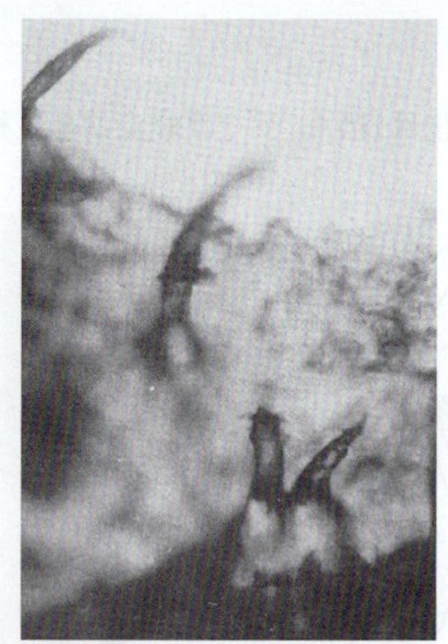

図 17-38　DLE の鱗屑の裏面にみられる棘

生じる.

治療

①ヒドロキシクロロキン，②日光曝露を避ける・禁煙，③ステロイド軟膏・テープ.

2）慢性円板状エリテマトーデス（DLE）（播種状型）wide-spread（disseminated）DLE

四肢・体幹にも多発し，微熱・関節痛・白血球減少・赤沈促進・γ-グロブリン上昇・抗核抗体陽性・倦怠感を伴う．SLE に移行する可能性あり．治療はヒドロキシクロロキン，ステロイドやタクロリムス軟膏，時に少量ステロイドを全身投与する.

4. 深在性エリテマトーデス LE profundus（Kaposi 1869–Irgang 1940）

病変の主体が皮下脂肪織にあるエリテマトーデスの特殊型である．DLE や SLE に伴う場合あり．表面に DLE 病変を伴う場合と DLE を伴わず脂肪織炎単独の場合があり，前者のみを深在性エリテマトーデス，後者はループス脂肪織炎と称することもある．

症状（図 17–39）

前額・頬・殿・上腕に好発．被覆表皮は正常または紅斑性で，皮下硬結を呈するが，経過中に脂肪織の変性・融解の程度に応じて種々の皮膚陥凹をきたす．症例によっては，萎縮・潰瘍化など DLE ないし SLE の皮疹を示す．顔面の皮膚陥凹が整容面で大きな問題となる場合もある．

組織所見（図 17–40）

表皮に LE 変化のあるときとないときがある．リンパ球・形質細胞・組織球から成る脂肪織炎（lupus lobular panniculitis）・脂肪壊死・脂肪肉芽腫．

予後・治療

生命予後は一般に良好であるが，不可逆的な皮膚陥凹をきたすため早期にステロイド内服・ヒドロキシクロロキン・DDS・シクロホスファミド．症状が安定したら

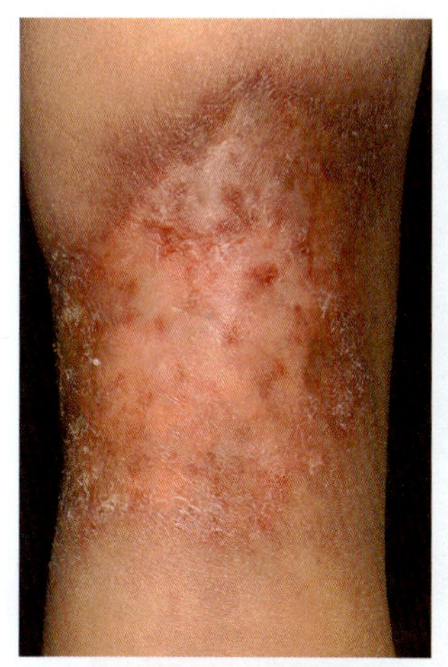

図 17–39　DLE を伴う深在性 LE（上腕部）

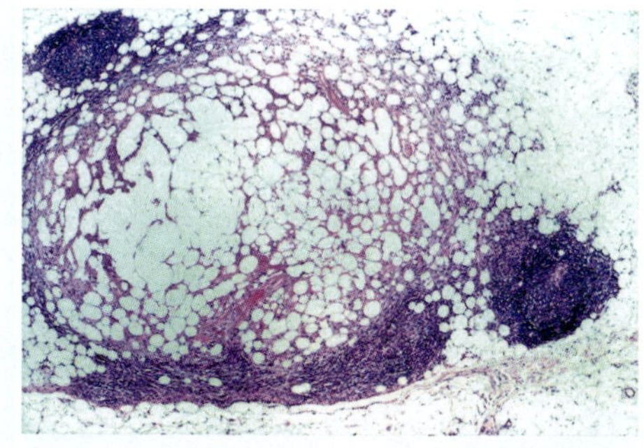

図 17–40　深在性 LE 組織

脂肪移植も．

5．新生児エリテマトーデス neonatal LE (McCuistion and Schoch 1954) (NLE)

母親の自己抗体（抗 Ro/SS-A 抗体）が経胎盤的に児に入り発症するエリテマトーデスの特殊型．環状紅斑などの皮疹を生じる型，先天性完全房室ブロック（congenital heart block；CHB）を生じる型，両者の併発する型がある（それぞれ72%，8%，3%）．母の疾患はほとんどが SLE，SS，subclinical SS，時に SCLE，DLE であるが無症状の場合も少なくなく，児が本症を発症して初めて母親の疾患が明らかとなることも多い．

症状（図 17-41）

女児にやや多く出生時から1ヵ月で環状紅斑，浸潤性紅斑を，主として顔面・体幹時に全身性に生じ，ほぼ6ヵ月で消褪する．この環状紅斑は SCLE・SS のそれに類似する．

検査所見

抗 Ro/SS-A 抗体が陽性．6ヵ月で消失．その他肝脾腫・貧血・発熱・白血球減少・血小板減少などを伴うことがある．

予後

CHB は妊娠 20 週前後に明らかになることが多いが，刺激伝導系の線維化による

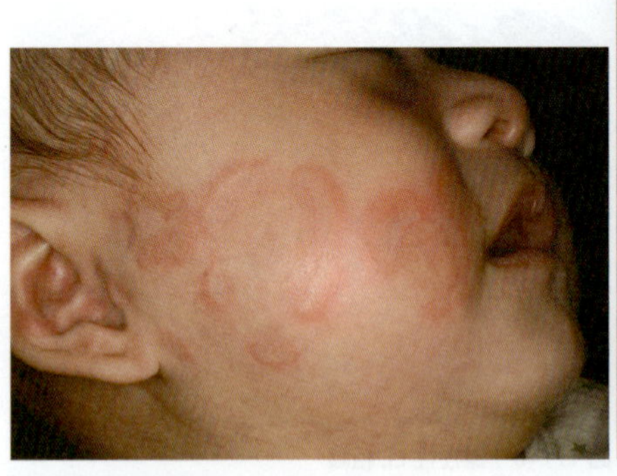
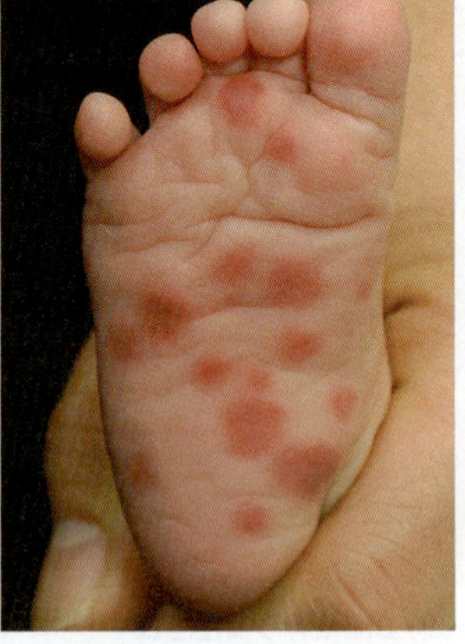

図 17-41 新生児エリテマトーデス

ものでで不可逆性であり，約半数はペースメーカーを必要とする．CHB 以外の予後はよいが，稀にのちに SLE を生じる．

6. 水疱性エリテマトーデス（図 17-42）

広義には SLE に生じる水疱性病変を指すが，基底層液状変性が進行して水疱を形成するものとⅦ型コラーゲンに対する自己抗体が血清中に証明できるものとに大別でき，後者を狭義の水疱性エリテマトーデスという．SLE の病勢の悪化に伴って出現することが多いが，水疱出現頻度は 0.04～5％以下と稀．Split skin を用いた蛍光抗体直接法による表皮・真皮側に存在する抗体沈着の有無の検索，免疫ブロット法による血中抗体の測定により診断する．

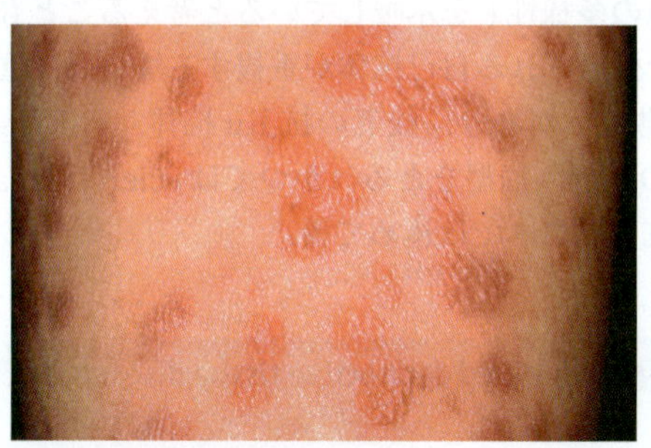

図 17-42　水疱性エリテマトーデス

7. 結節性皮膚ループスムチン症 nodular cutaneous lupus mucinosis（Nagashima 1985），papular and nodular mucinosis associated with LE（Rongioletti 1986），cutaneous mucinosis associated with LE（Gold 1954）

SLE の 2.5％程度にみられ，真皮のムチン沈着を主徴とする SLE の特異疹が多発する病態である．常色～淡紅色の小豆大から母指頭大の丘疹・結節・局面が上腕・前胸・背に好発，真皮上層にムチン沈着をみる．自覚症状なく，圧痛もない．やや男性に多い．真皮から皮下にかけてムチンが沈着し，膠原線維は離開する．免疫複合体や紫外線刺激により，線維芽細胞のムチン産生が亢進するとの考えがあるが，詳細は不明．これとは別に，露光部に紅色局面を呈することがあり，LE tumidus と呼ばれる．

4 その他の膠原病

1. 重複症候群 overlap syndrome ◎

SLE, SSc, PM（多発性筋炎）, RAなどが合併して生じた場合を重複症候群という．原則として，各々の診断基準を満たす場合に重複症候群と呼ぶ．自己免疫という共通基盤のもとに発生する膠原病は，自己抗体の種類，個体の反応の差，標的臓器の差，引き金の差などによって疾患entityという単位が（人工的に）設けられているともいえる．従って重複症候群は，病態発現が多様性，極端にいえば「自己免疫疾患という一疾患の多様性」を示唆していると考えることもできる．重複症候群では，単独の疾患で検出される自己抗体が重複する場合と，重複症候群に特有の自己抗体が出現する場合とがあり，後者の抗Ku抗体，抗Ruv-BL抗体，抗PM-Scl抗体はSScとPMの重複の病型をとる（かつてはsclerodermatomyositisとも呼ばれた）．抗PM-Scl抗体は日本では極めて稀．

2. 混合性結合組織病 mixed connective tissue disease（MCTD）, Sharp症候群（1972） 

血清抗U1-RNP抗体が単独強陽性となり，SLE・SSc・多発性筋炎にみられる症状が混在し，数年にわたって進行する疾患である．ほとんどが女性（94%）で中年に多い．その後の経過でいずれかの膠原病（特にSSc）に進展することも多いため，過渡期的な性格の疾患としてその独立性も議論されるが，特に日本ではその特有の病型から広く独立疾患と認識されている．

症状（図17-43）

関節炎（RA様・80%）・レイノー症状・ソーセージ様手指腫脹（硬い浮腫で硬化に進行しない）を主体とし，近位筋筋力低下・筋痛・リンパ節腫脹を伴う．皮疹としては脱毛，DLE・SLE様皮疹，SSc様の色素沈着・脱失，皮下結節（四肢末端・40%）など，その他発熱，漿膜炎（胸膜炎・心嚢炎），腎病変（糸球体腎炎特にメサンギウム増殖性），呼吸困難（肺線維症・間質性肺疾患），肺動脈性肺高血圧症（5%，死因），三叉神経痛（10%，MCTDに特異的），嚥下困難，肝脾腫，全身倦怠感．無菌性髄膜炎（10%），橋本病・SSを伴う場合もある．

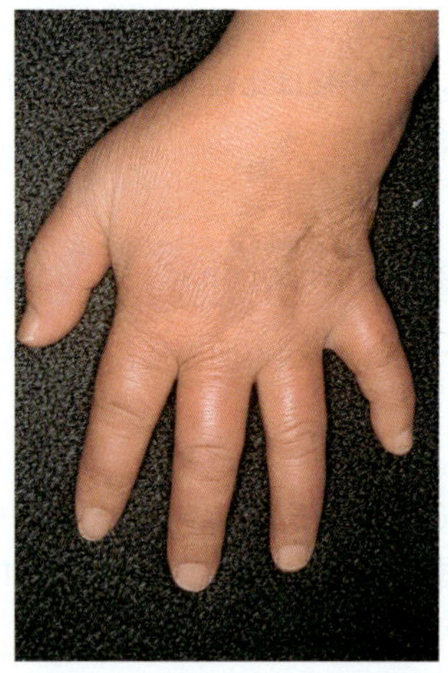

図 17-43 MCTD のソーセージ様指

検査所見

抗 U1-RNP 抗体強陽性（100%），高グロブリン血症，赤沈促進.

診断（表 17-6）

日本では厚生労働省調査研究班の 2019 年改訂診断基準が用いられる.

表 17-6 MCTD の診断基準（厚生労働省調査研究班，2019）

Ⅰ：共通所見
1．レイノー現象 2．指ないし手背の腫脹
Ⅱ：免疫学的所見
抗 U1-RNP 抗体
Ⅲ：特徴的な臓器所見
1．肺動脈性肺高血圧症 2．無菌性髄膜炎 3．三叉神経障害
Ⅳ：混合所見
A．全身性エリテマトーデス様所見：1．多発関節炎，2．リンパ節腫脹，3．顔面紅斑，4．心膜炎または胸膜炎，5．白血球減少または血小板減少 B．強皮症様所見：1．手指に限局した皮膚硬化，2．間質性肺疾患，3．食道蠕動低下・拡張 C．多発性筋炎様所見：1．筋力低下，2．筋原性酵素上昇，3．筋電図の筋原性異常所見

＊1 Ⅰの 1 所見以上が陽性，Ⅱの所見，Ⅲの 1 所見以上が陽性

＊2 Ⅳの A，B，C 項より 2 項目以上から，それぞれ 1 所見以上が陽性，Ⅰの 1 所見以上が陽性，Ⅱの所見が陽性，のすべてを満たす場合を MCTD とする．

治療・予後

ステロイド薬によく反応して予後は比較的良い．肺高血圧症合併例はかつては予後不良であったが近年は改善．

3. シェーグレン症候群 Sjögren syndrome (SS) (Sjögren 1933) ◎

涙腺，唾液腺などの外分泌腺に原因不明の慢性炎症が生じる自己免疫疾患である．

病因

遺伝的因子にウイルス（EB，時に HIV，HCV）あるいは細菌（エンテロトキシンによる T 細胞活性化）感染が引き金となり自己免疫的異常をきたす．すなわち B 細胞異常活性化による多彩な自己・非自己抗体産生，T 細胞異常による外分泌腺の系統的変性．

症状

30～50 歳の女性に多い（90%）．

1）**皮膚症状**：①**皮膚乾燥**（発汗減少，瘙痒を伴い，魚鱗癬様ともなる），②毛細血管拡張，③脱毛，④色素沈着 / 脱失，⑤紫斑（高 γ グロブリン血性紫斑で下肢に再発性点状．leukocytoclastic vasculitis 像），⑥慢性じんま疹，⑦**環状紅斑**（多発性，leukocytoclastic vasculitis 像）（図 17-44），⑧蝶形紅斑・凍瘡様紅斑・虫刺症様紅斑・結節性紅斑など．

2）**眼症状**：眼球乾燥（dry eye，乾燥感・異物感．Schirmer 試験・Rose-Bengal 試験・蛍光色素試験），眼瞼炎．

3）**口腔症状**：**口腔内乾燥症**（唾液減少し食事・会話に困難，舌は発赤・平滑

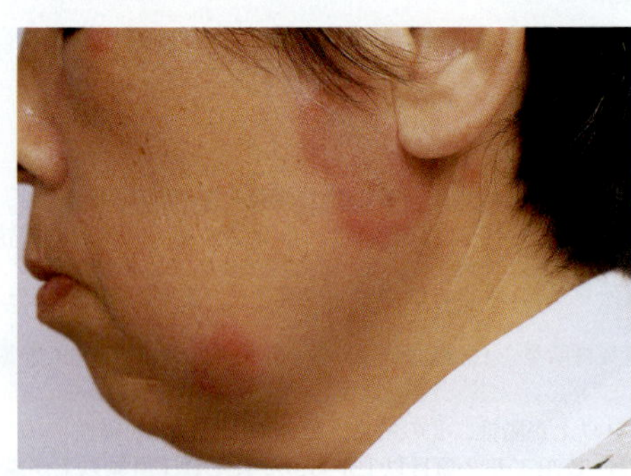

図 17-44　環状紅斑

化・乾燥，味覚変化）・口底嚢腫（mucocele）・唾液腺造影（sialogram）で appletree 像；唾液腺シンチ・エコー・MRI，ガム試験，小唾液腺生検（腺周囲 CD4$^+$T 細胞浸潤），口唇炎，口角びらん症．

4）**その他**：①レイノー現象・関節痛・発熱・倦怠感・筋痛・リンパ節腫脹・肝脾腫，②神経症状（CNS 症状・多発性神経炎・三叉神経障害），③乾燥性鼻・咽頭喉頭炎・肺病変（気管・気管支の気管支腺炎・リンパ球性間質性肺炎），④萎縮性胃炎・間質性肝炎，⑤悪性リンパ腫（特に B 細胞腫）・骨髄腫・癌（特に甲状腺癌）などを発症しやすい，⑥薬疹．

5）**subclinical SS**：乾燥症状の自覚はないが，検査で涙・唾液の分泌低下を認め，血清反応のみ陽性，あるいは環状紅斑を併発する．

検査所見

抗 Ro/SS-A・抗 La/SS-B 抗体陽性，抗 U1-UNP 抗体陽性・RF 陽性・高 γ グロブリン血症・血中アミラーゼ（唾液型）上昇．

組織所見

エクリン汗腺周囲にリンパ球浸潤．紅斑・紫斑は leukocytoclastic vasculitis 像を呈することが多い．

診断（表 17-7）

日本では厚生労働省調査研究班の 1999 年改訂診断基準が用いられる．

表 17-7 シェーグレン症候群の診断基準（厚生労働省調査研究班，1999）

1 生検病理検査で次のいずれかの陽性所見を認めること A）口唇腺組織でリンパ球浸潤が 4 mm^2 あたり 1focus（導管周囲に 50 個以上のリンパ球浸潤）以上 B）涙腺組織でリンパ球浸潤が 4 mm^2 あたり 1focus（導管周囲に 50 個以上のリンパ球浸潤）以上
2 口腔検査で次のいずれかの陽性所見を認めること A）唾液腺造影で Stage I（直径 1 mm 以下の小点状陰影）以上の異常所見 B）唾液分泌量低下（ガムテストで 10 分間 10 mL 以下，またはサクソンテストにて 2 分間 2 g 以下）があり，かつ唾液腺シンチグラフィにて機能低下の所見
3 眼科検査で次のいずれかの陽性所見を認めること A）Schirmer 試験で 5 mm/5分以下で，かつローズベンガル試験（van Bijsterveld スコア）で 3 以上 B）Schirmer 試験で 5 mm/5分以下で，かつ蛍光色素試験で陽性
4 血清検査で次のいずれかの陽性所見を認めること A）抗 Ro/SS-A 抗体陽性 B）抗 La/SS-B 抗体陽性
以上の 4 項目のうち，いずれか 2 項目以上を満たせば Sjögren 症候群と診断する．

治療

①角膜保護（人工涙液・保護用眼鏡・涙点閉鎖），②含嗽〔人工唾液（塩酸セビメリン）〕，メチルセルロース塗布，③皮疹：ステロイド外用・DDS内服，④NSAIDs薬，少量ステロイド薬，⑤大量ステロイド内服・パルス，エンドキサンパルス，⑥二次性SjSでは各膠原病にも対応．

〔付〕眼球・口腔・皮膚の乾燥のみの場合を**乾燥症候群**（sicca syndrome）といい，SSの初発ないし不全型と考え，検査，フォローする．

4. 再発性多発性軟骨炎 relapsing polychondritis（Pearson 1960）（図17-45）

全身軟骨に多発性軟骨炎をきたすものでtype Ⅱ collagenに対する自己免疫性疾患．特に両側耳介が反復性に発赤腫脹し，耳介変形に至る．鼻中隔炎（鞍鼻），多発性関節炎，気道軟骨炎（気道狭窄），前庭蝸牛障害，角膜炎・強膜炎あり．結節性紅斑・多形滲出性紅斑・血管炎・網状皮斑などの皮膚症状を伴うことあり．RA，SLE，SSの合併することあり．ステロイド内服．

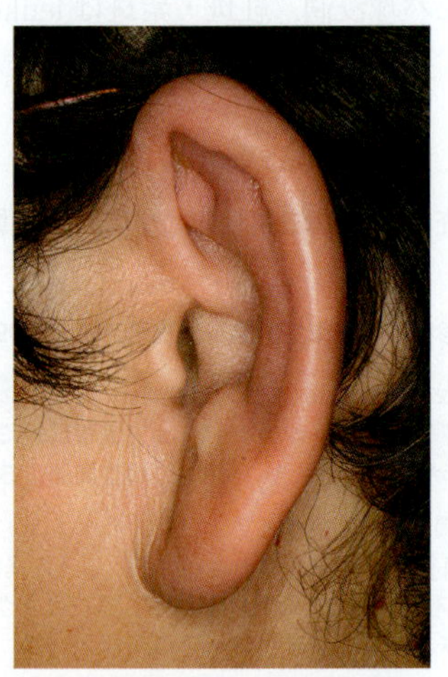

図17-45　再発性多発性軟骨炎

5. 播種性好酸球性膠原病 disseminated eosinophilic collagen disease

末梢好酸球増多症を伴う多臓器好酸球浸潤（肝・脾・肺・心・腎・筋・消化器・リンパ節）で，皮膚には紅斑・浮腫・アトピー性皮膚炎様皮疹・痒疹などを生じ，

RA・CRP陽性，IgE上昇，一部ANA陽性を示す．好酸球増加をきたす他の疾患との異同，鑑別に議論あり．

6. 好酸球増多症候群 hypereosinophilic syndrome（HES）（Hardy 1966）（図17-46）

特発性に末梢血液中の好酸球が増加し全身の結合組織を侵す疾患である．

①末梢血好酸球増多症（1,500/mmが6ヵ月以上続く），②好酸球増多症をきたす明らかな原因が除外される．③好酸球による臓器障害がある．すなわち末梢神経障害，心障害（心筋障害・弁膜症），呼吸器症状（喘息様発作），皮疹（瘙痒性紅色丘疹・結節，じんま疹様血管浮腫，水疱）をきたす．Loeffler症候群・Loeffler心内膜炎・播種状好酸球性膠原病など近縁疾患．予後は種々（死因は主に心病変），ステロイド薬投与．

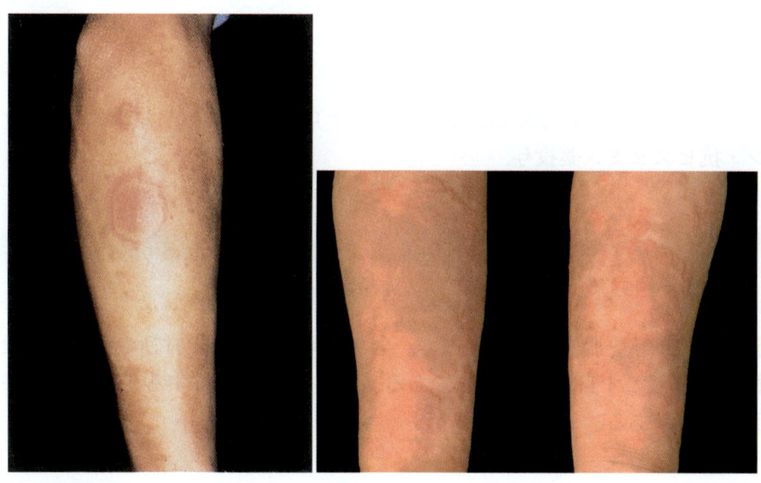

図17-46　HES

7. 好酸球性蜂巣炎 eosinophilic cellulitis，recurrent granulomatous dermatitis with eosinophilia，Wells症候群（Wells 1971）

蜂巣炎を思わせる浮腫性紅斑や浸潤性紅斑を主徴に，好酸球増多症を伴う．

病因

何らかの抗原に対する過敏反応と考えられ，感染・虫刺・手術・悪性腫瘍・薬剤アレルギーなどが引き金となる．

症状

①急性期：四肢に好発し，全身に及ぶ蜂巣炎を思わす瘙痒性急性浮腫性紅斑．真皮・皮下組織に強い浮腫・好酸球浸潤，②亜急性期：紅色調を減じ鉛色となり数週続く．flame figure*が特徴的．③退縮期：萎縮性．好酸球が減り，組織球・異物巨細胞が主体．数年反復し自然治癒．時に水疱・膿疱，環状肉芽腫様，丹毒様，虫刺症様皮疹を伴う．再発傾向あり．
(*flame figure：膠原線維を好酸性・好塩基性顆粒がとり囲み，火炎状にみえる像)

検査所見

末梢血白血球増多，末血・骨髄中好酸球増多．病理組織：flame figure．顆粒は好酸球由来のMBP（major basic protein）で，これにより組織障害が起こっている．のち組織球・巨細胞が取り囲み肉芽腫状となる．

治療

①ステロイド薬全身投与が通常著効，②ステロイド外用，③ミノサイクリン・ダプソン・抗ヒスタミン薬投与．

8. 抗リン脂質抗体症候群 antiphospholipid antibody syndrome（APS）（Hughes 1993）（図17-47）

自己抗体の抗リン脂質抗体が陽性で，全身諸臓器に凝固異常性の動静脈血栓症や習慣性流産を起こす自己免疫疾患である．SLEなどに合併する二次性と合併症のない原発性とがある．

皮膚病変

網状皮斑，指尖壊死・広範囲皮膚壊死，皮膚潰瘍，紫斑・出血など．

その他の病変

①脳梗塞，一過性脳虚血，心筋梗塞，四肢動脈閉塞，②深部静脈血栓症，肺梗塞，腎梗塞，副腎静脈血栓症，③習慣性流産，不育症，④てんかん，精神症状，片頭痛，多発性硬化症様症状，横断性脊髄炎，⑤急性多臓器不全（catastrophic APS）．

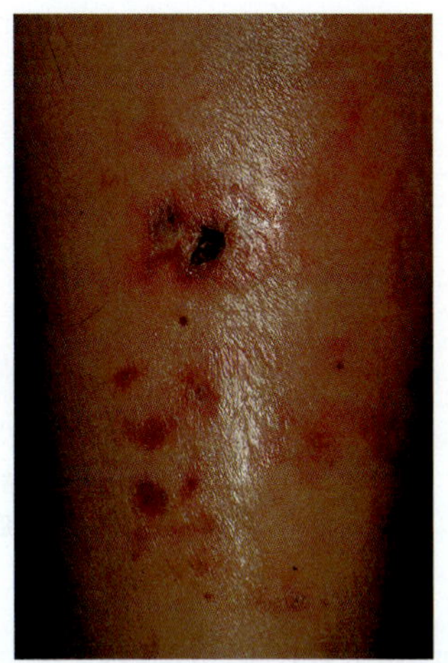

図 17-47　抗リン脂質抗体症候群

抗体検出

ループスアンチコアグラント，**抗カルジオリピン抗体**，**抗カルジオリピン・β_2 グリコプロテイン-1 複合体抗体**，抗ホスファチジルエタノールアミン抗体，抗ホスファチジルセリン抗体，抗アネキシン V 抗体などがある．
凝固時間の延長（過剰リン脂質添加で補正・短縮される）．

治療

①重篤血栓症急性期には強力な抗凝固療法・血漿交換療法，②予防，維持療法は抗血小板薬，抗凝固薬，③時にステロイド薬・免疫抑制薬．

9. 関節リウマチの皮膚症状（図 17-48，49）

関節リウマチ（rheumatoid arthritis）の関節外症状としての皮膚病変である．

①リウマチ結節 rheumatoid nodule：RA の 25%に．関節部（肘・膝・指・後頭・仙骨・圧迫のある部）に好発する硬い皮下結節で下床（腱・滑膜）と癒着．活動期に出現し，比較的長く続き，時に潰瘍化．中央に膠原線維の変性，これを組織球が柵状に囲む（palisading granuloma）．②指尖の小丘疹・萎縮・潰瘍．③リウマトイド血管炎（rheumatoid vasculitis）：紫斑・水疱・潰瘍（下腿・足関節部）・指趾梗塞・じんま疹・リベドなど．RA の 1～5%．④合併皮膚疾患：壊疽性膿皮症・スイート病・持久性隆起性紅斑．

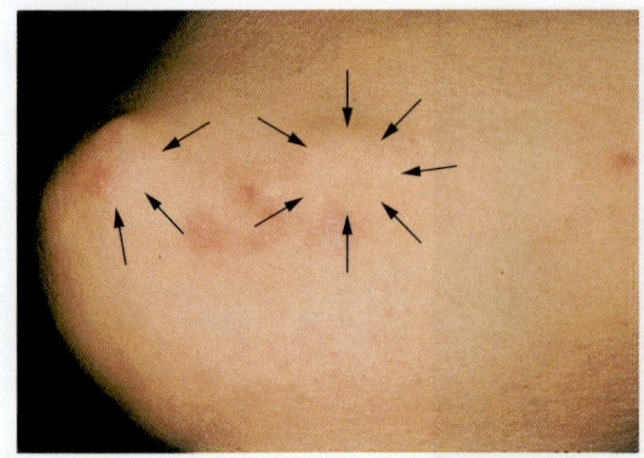
図 17-48　RA 結節

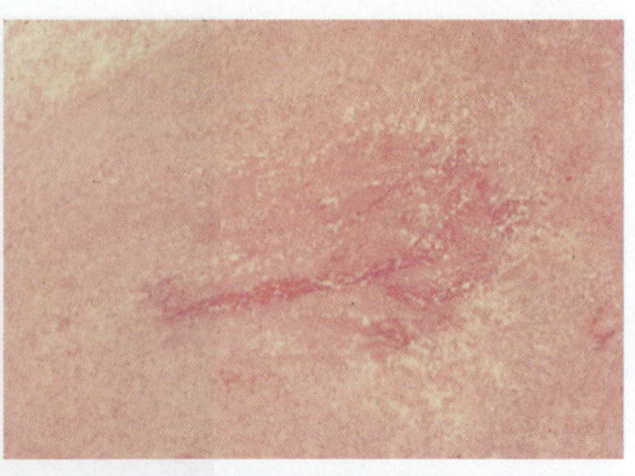
図 17-49　RA 結節（中央の好酸性膠原線維変性と周囲の炎症細胞浸潤）

10. リウマチ熱（rheumatic fever）の皮膚症状

小児に A 群溶連菌感染後 1～3 週して全身結合織に非化膿性炎症を生じる．関節，心臓，血管，神経などを侵すが，時に皮膚病変を生じる．Klemperer により当初膠原病に含められたが，現在は除外されている．

①輪状紅斑 erythema marginatum：小紅斑・小丘疹→急速に遠心性拡大，一過性かつ再発性，組織は leukocytoclastic vasculitis，②リウマチ結節 rheumatic nodule：骨突出部・関節部の骨表面・腱鞘などに多発する小結節で皮下に硬く触れる，③丘疹状紅斑 erythema papulosum：四肢伸側に 3～4 mm の暗紅色丘疹が生じ，1 週間ほどで消褪．

第18章 代謝異常症

①蛋白・アミノ酸代謝異常症，②ムコ多糖・糖代謝異常症，③脂質代謝異常症，④無機物質代謝異常症，⑤尿酸代謝異常症，⑥ポルフィリン代謝異常症，⑦ビタミン欠乏症などがある．

1 蛋白・アミノ酸代謝異常症

1. アミロイドーシス（類澱粉症）amyloidosis（表18-1） ○

アミロイドーシスは限局性と全身性に大別され，さらに種々のアミロイド蛋白（前駆蛋白）に対応する臨床病型に分類される．全身性アミロイドーシスの中では免疫グロブリン性アミロイドーシス（AL，L鎖）などが皮膚病変を生じる．反応性AAアミロイドーシスや透析アミロイドーシスでも皮膚病変を見ることがある．限局性アミロイドーシスの中に皮膚アミロイドーシス（AD，keratin線維）と限局性結節性アミロイドーシス（AL，L鎖）が含まれる．

アミロイドはβ折り畳み構造の微細線維蛋白で，全身諸臓器の細胞外に沈着してその機能を障害する．

特徴は，① HE染色で紅～淡紅色に染まる無構造物質，②コンゴ赤法で紅色に染まり，偏光顕微鏡で緑色複屈折を示す，③電子顕微鏡で8～15 mm幅の分枝しない細線維構造をとる．ダイロン染色（DFS染色）で橙色（黄緑色偏光・朱色蛍光），メチル紫・クリスタル紫染色で紫～紅色の異染性（青緑色偏光），チオフラビンT染色で黄～黄緑色蛍光を示す．

1．全身性アミロイドーシス systemic amyloidosis

免疫細胞性（AL），反応性，透析の各アミロイドーシスに皮膚病変を生じうる．

表 18-1　アミロイドーシスの分類（厚生労働省特定疾患調査研究班新分類）

アミロイドーシスの病型	アミロイド蛋白	前駆体蛋白
Ⅰ　全身性アミロイドーシス		
1．免疫細胞性アミロイドーシス		
1）AL アミロイドーシス	AL	L 鎖
2）AH アミロイドーシス	AH	H 鎖
2．反応性 AA アミロイドーシス	AA	アポ SAA
3．家族性アミロイドーシス		
1）FAP* Ⅰ	ATTR	トランスサイレチン
2）FAP Ⅱ	ATTR	トランスサイレチン
3）FAP Ⅲ	AApoA 1	アポ A 1
4）FAP Ⅳ	AGel1	ゲルソリン
5）家族性地中海熱（FMF）AA	アポ SAA	
6）Muckle-Wells 症候群	AA	アポ SAA
4．透析アミロイドーシス	Aβ_2M	β_2 ミクログロブリン
5．老人性 TTR アミロイドーシス	ATTR	トランスサイレチン
Ⅱ　限局性アミロイドーシス		
1．脳アミロイドーシス		
1）アルツハイマー型認知症（ダウン症候群）	Aβ	アミロイド前駆体蛋白
2）アミロイドアンギオパチー	Aβ	アミロイド前駆体蛋白
3）遺伝性アミロイド性脳出血（オランダ型）	Aβ	アミロイド前駆体蛋白
4）遺伝性アミロイド性脳出血（アイスランド型）	Acys	シスタチン C
5）プリオン病	Ascr	プリオン蛋白
2．内分泌アミロイドーシス		
1）甲状腺髄様癌	Acal	（プロ）カルシトニン
2）Ⅱ型糖尿病・インスリノーマ	AIAPP	LAPP（アミリン）
3）限局性心房性アミロイド	AANF	心房ナトリウム利尿ペプチド
3．皮膚アミロイドーシス	AD	ケラチン線維
4．限局性結節性アミロイドーシス	AL	L 鎖（κ, λ）

＊ FAP：家族性アミロイドポリニューロパチー

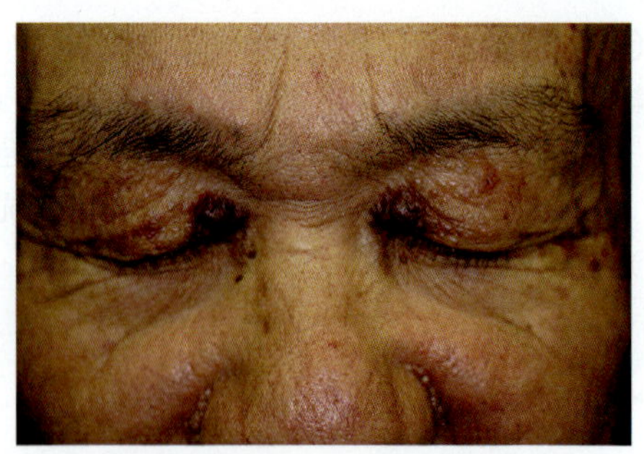

図 18-1　アミロイドーシス（多発性骨髄腫に伴う）

1）免疫細胞性アミロイドーシス（図 18-1）

多発性骨髄腫など形質細胞異常症（plasma cell dyscrasia）に伴うアミロイドーシスとこれを伴わない原発性全身性アミロイドーシス（primary systemic amyloidosis）とがあり，いずれも免疫グロブリンL鎖を前駆蛋白とするアミロイド（AL）が沈着する．前者が約20%，後者が80%を占めるが，骨髄腫患者からみると15%がアミロイドーシスを合併するにすぎない．血中M蛋白，尿中にBence Jones蛋白が出現するが，単なる過剰産生ではなく分解機構障害の可能性も考えられている．

皮膚症状

アミロイド沈着で血管が脆弱化して紫斑〔点状出血・斑状出血 amyloid purpura，顔面，特に眼瞼・眼囲に多い．小外傷でも生じる（pinch purpura）〕．丘疹（乳白～黄色，蠟様～半透明，黄色物質の圧出あり．眼瞼・頸・外陰肛囲に好発），結節（肩：shoulder pad sign），潰瘍，腫脹，浸潤局面，強皮症様硬化，色素沈着（メラニン・ヘモジデリン），脱毛，爪変化を示す．口腔粘膜は乾燥硬化．

その他の症状

平均発症年齢は65歳で，80%がネフローゼ症候群，20%が心不全で初発する．巨舌，便秘と下痢を繰り返す消化管障害，手根管症候群，多発神経炎などの他に，非特異的な全身倦怠感や体重減少，発声・嚥下困難などをきたす．

病理組織

心・胃・骨格筋・腎・肝・脾・皮膚にアミロイドL蛋白（AL，IgL鎖）が沈着．皮膚では真皮から皮下にかけ好酸性不均一なアミロイドが沈着し，裂け目をみる．血管周囲に出血．皮下では脂肪細胞をアミロイドが取り巻く（amyloid rings）．アミロイドリングなどの特徴的組織像で診断する．

予後

進行性の経過を辿り，多くは予後不良．心不全・腸出血・腎不全が死因となりうる．

近年，骨髄腫には化学療法や幹細胞移植などでの治療が進行して予後が改善しつつある．

2）反応性AAアミロイドーシス

肝合成の急性期蛋白血清アミロイドA蛋白（アポSAA）由来のAAアミロイドが肝・腎・脾・副腎に沈着する．関節リウマチなどの慢性炎症性疾患，慢性感染症，悪性腫瘍に続発する．診断時には，既に腎不全・ネフローゼ症候群に陥っているこ

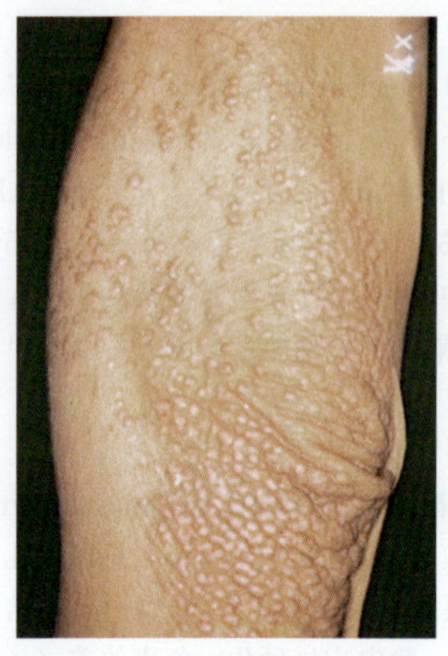

図 18-2　アミロイド苔癬

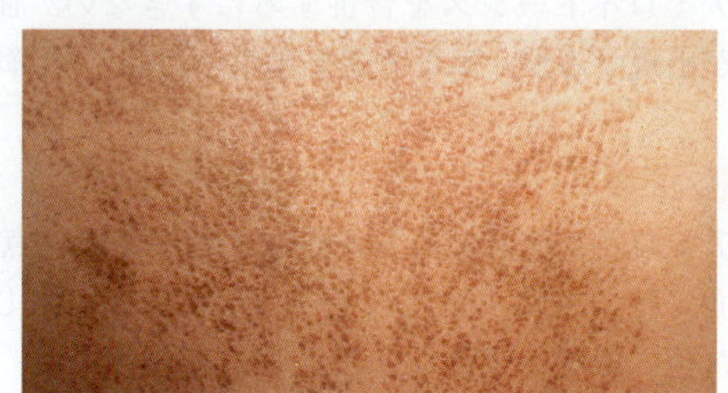

図 18-3　斑状アミロイドーシス

とが多い．皮疹は稀で，紅斑・落屑・皮下結節・脱毛など．

原疾患の治療，例えば関節リウマチの生物学的製剤やメトトレキサート薬などが有効．

3）**透析アミロイドーシス**

β_2ミクログロブリンが腎の尿細管上皮で再吸収・分解されず（透析膜でも排除されず），その血中濃度が上昇して各臓器，特に滑膜・関節滑膜・心臓・血管・消化管・腎に沈着する．皮膚では臀部・体幹に限局性に皮下結節・丘疹を生じる．

β_2ミクログロブリン濃度を低下させる透析膜が開発され，また時に腎移植が行われ，治療効果をあげている．

2．皮膚限局性アミロイドーシス amyloidosis cutis

A．皮膚アミロイドーシス amyloidosis cutis

皮膚に限局してアミロイド（変性した表皮ケラチン蛋白から形成されると推測されている）が沈着する病型．原発性，続発性に大別できる．

1）**原発性皮膚アミロイドーシス primary localized amyloidosis**

臨床症状の違いからいくつか病型が記載されているが，本態はほぼ同一と考えてよい．

①**アミロイド苔癬** lichen amyloidosis（図 18-2）：中高年者の下腿伸側・上背部・肩甲間部などに好発．灰褐色半米粒大の硬い丘疹が多発，あるいは密集して，下腿では「おろし金」様を呈する．痒みが強い．

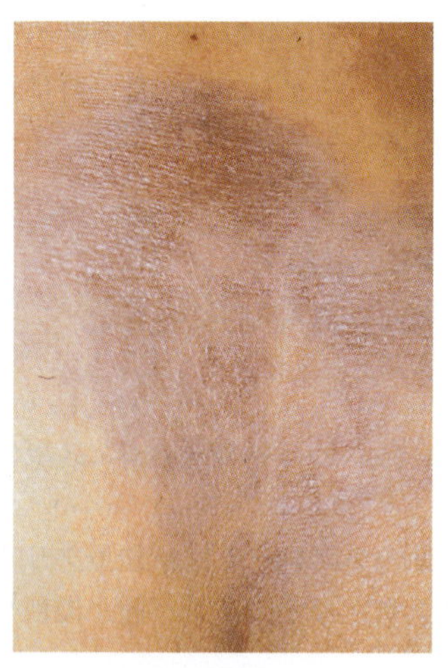

図 18-4 仙骨部皮膚アミロイドーシス

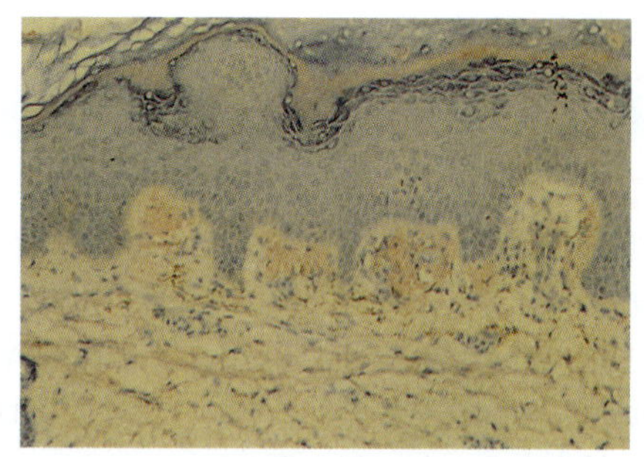
図 18-5 アミロイドーシス（組織 コンゴ赤染色）

②**斑状アミロイドーシス** macular amyloidosis（図 18-3）：肩・上背の灰褐色色素沈着で境界不明瞭，線状・さざ波模様（ripple pattern）あるいは斑状にみえる．中年女子に多い．アミロイド苔癬と併発することあり．時に摩擦黒皮症（friction melanosis）（☞ p.533）にアミロイド沈着をみる．

③**肛門仙骨部皮膚アミロイドーシス** anosacral cutaneous amyloidosis（Yanagihara 1981）（図 18-4）：高齢者の肛門仙骨部に左右対称性にやや角化性褐色斑を生じ，時に瘙痒．機械的刺激が関係する老人性変化か．

④他に多形皮膚萎縮症様皮膚アミロイドーシス，白斑アミロイドーシス，頭部白斑黒皮症アミロイドーシスなどがある．

⑤組織像と治療（図 18-5）：真皮乳頭に限局するアミロイド沈着．時に表皮直下にコロイド小体類似の球状構造（アミロイド小体）をみる．表皮が肥厚し，角質も増殖（苔癬）．色素失調あり．抗ケラチン抗体陽性．治療はステロイド外用・冷凍療法・レーザー照射・皮膚削り術・切除など．難治．

2）続発性皮膚アミロイドーシス secondary localized amyloidosis

既存皮疹にアミロイドが沈着するもので，このアミロイドもケラチノサイト由来．原疾患は脂漏性角化症・日光角化症・基底細胞癌・ボーエン病・円柱腫・毛母腫・脂腺母斑・尋常性疣贅・悪性黒子・菌状息肉症・乾癬・DLE・ビダール苔癬・日光皮膚炎など．

B．限局性結節性アミロイドーシス localized nodular amyloidosis

萎縮性結節性皮膚アミロイドーシス amyloidosis cutis nodularis atrophicans

(Gottron 1950) と結節性アミロイドーシスがある．前者は中年以降の女性の下腹部から大腿に好発するやや萎縮性の紅褐色結節で，シェーグレン症候群の合併が多い．後者は顔面に好発し，紅褐色〜黄褐色結節．両者とも免疫グロブリンL鎖を前駆蛋白とする．局所の形質細胞が関与か．

2. クリオグロブリン血症 cryoglobulinemia (Lerner and Watson 1947) 

病態

寒冷下で沈降し，37℃加温により再溶解するIgあるいは免疫複合体．3型に分かれる．

① **I型**：単クローン性IgM，IgG，時にIgAが成分の単クローン性単独型クリオグロブリン血症．多発性骨髄腫，マクログロブリン血症など，リンパ腫，慢性リンパ性白血病などで起こる．

② **II型**：混合型のクリオグロブリン血症で，単クローンIgM＋多クローン型IgGの成分から成ることが多い．C型肝炎，多発性骨髄腫，マクログロブリン血症など，リンパ腫で起こる．

③ **III型**：多クローン型IgM＋多クローン型IgGが成分の多クローン性混合型クリオグロブリン血症．感染症，自己免疫疾患，肝・腎疾患で起こる．従来基礎疾患のない本態性III型の大部分にC型肝炎が関連していた．

症状 (図18-6)

皮膚の寒冷曝露で，クリオグロブリンが小血管内に沈着，血管炎，通過不全ないし閉塞を生じて，発熱，関節痛，多発単神経炎，腎炎など種々の症状を呈する．

①指の壊死・壊疽を伴うレイノー症候群．②クリオグロブリン血症性紫斑：四肢の寒冷紫斑で，点状ないし小丘疹状，潰瘍化することもある（浸潤性紫斑）．鼻・

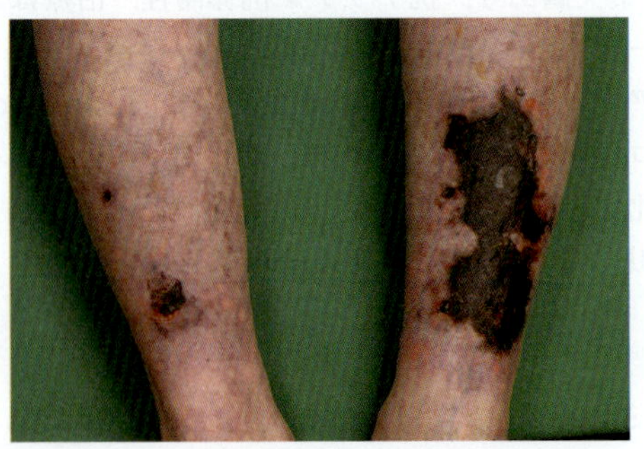

図18-6　クリオグロブリン血症（循環障害と潰瘍）

口腔粘膜の出血．③寒冷じんま疹．④分枝状皮斑．

治療

①ステロイドやシクロホスファミドの免疫抑制療法，血漿交換療法．②基礎疾患に対応．③寒冷を避ける．

3. クリオフィブリノーゲン血症 cryofibrinogenemia

血漿を低温に保つと白色絮状沈殿として析出し，温めると再融解するもので，フィブリノーゲン由来の分画と血漿フィブロネクチンとが低温下で複合体を形成したと考えられる．本態性と悪性腫瘍（癌・白血病・多発性骨髄腫など）・感染症（特にHCV）・膠原病・血栓症などで出現する場合とがある．皮膚症状は四肢末梢循環障害（網状皮斑・紫斑・水疱・壊死・潰瘍）を呈する．

4. M蛋白血症（単クローン血症）monoclonal gammopathy, マクログロブリン血症 macroglobulinemia（Waldenström 1940） ○

IgM分泌型の形質細胞の腫瘍性増殖によりモノクローナルIgMから成るパラプロテイン血症である．IgMは5量体構造，分子量100万の巨大蛋白で過粘稠症候群をきたす．ALアミロイドーシスの原因になることもある．他に，悪性腫瘍，慢性炎症，骨髄増殖性疾患，脂質代謝異常疾患に随伴する症候性単クローンIgM血症もある．

皮膚症状は，①マクログロブリン貯留丘疹（臀部など下肢の透光性の真珠様丘疹），② hyperviscosity syndromeに基づく出血とともに視力障害，耳鳴，頭痛など，③血管浮腫をみる．

〔付〕**遺伝性プロリダーゼ欠損症** hereditary prolidase deficiency：プロリダーゼ欠損により蛋白代謝異常（特にコラーゲン合成不全・分解促進，血管形成異常）を生じ，多臓器病変をきたす．①皮膚異常：小児期より反復する下腿の潰瘍・瘢痕化，毛細血管拡張症，痒疹様皮疹，毛孔性苔癬，乾皮症，肘頭膝蓋角化，白毛，脱毛，光線過敏症，②その他：耳鼻科的異常（聾・耳形成不全・鞍鼻・中隔欠損・高口蓋），老人性顔貌，関節過伸展，腹壁脆弱，骨粗鬆症，知能障害，細胞性免疫低下（易感染性）．ステロイドパルス療法，プロリン—グリシン軟膏塗布．

5. フェニルケトン尿症 phenylketonuria，フェニルアラニン血症 hyperphenylalaninemia

フェニルアラニン水酸化酵素（PAH）欠損による常染色体劣性の遺伝性疾患.

病態（図18-7，8）

フェニルアラニン水酸化酵素（PAH）欠損が高度であればフェニルアラニンの尿中排泄が起こり尿症をきたすが，比較的軽度であると血中濃度が上昇するのみにとどまる．PAHはフェニルアラニンをチロシンへ転化するのでその欠損はチロシン代謝障害をきたし，メラニン生成が低下する．PAH遺伝子に変異．発生頻度は日本で約8万人に1人.

症状

新生児期には無症状で，乳児期後半に発症する．フェニルアラニンの蓄積によりけいれん，知能障害などの中枢神経症状と，メラニン合成障害による皮膚や毛髪の色素低下を起こす．他に歯牙発育不全や鼠糞様体臭.

診断

新生児マス・スクリーニングが行われている.

治療

早期発見と，低フェニルアラニン食などの食事管理が重要.

6. ハートナップ病 Hartnup disease（1957）

常染色体劣性遺伝性のトリプトファン代謝障害．腸管でのトリプトファン吸収不全のためニコチン酸欠乏をきたして，ペラグラ様皮疹（光線過敏症，多彩皮膚，水疱形成など）・一過性小脳性運動失調を示す．夏季増悪．加齢とともに軽快．治療は遮光・ニコチン酸アミド投与・高蛋白食．稀．Na依存性，Cl非依存性中性アミノ酸トランスポーターをコードする遺伝子*SLC6A19*に異常.

7. 皮膚粘膜ヒアリン沈着症 hyalinosis cutis et mucosae，lipoid proteinosis，Urbach-Wiethe病

常染色体劣性の遺伝形式をとる稀な疾患である．若年性ヒアリン線維腫症は本症

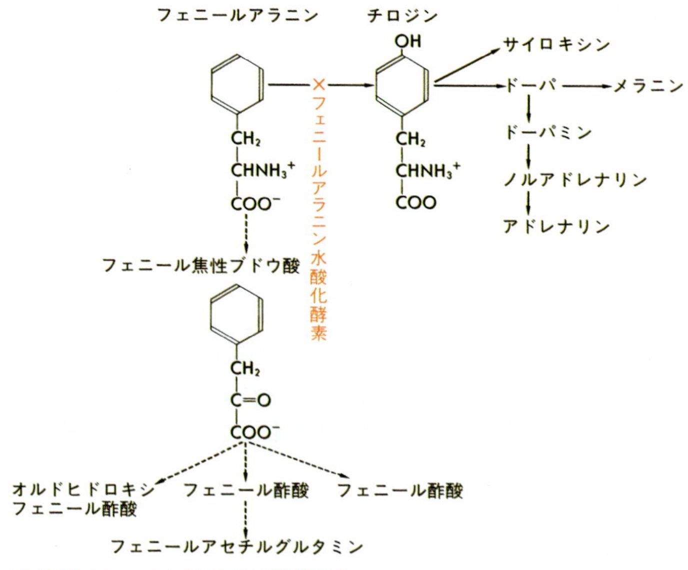

図 18-7　フェニルケトン尿症の発症機序

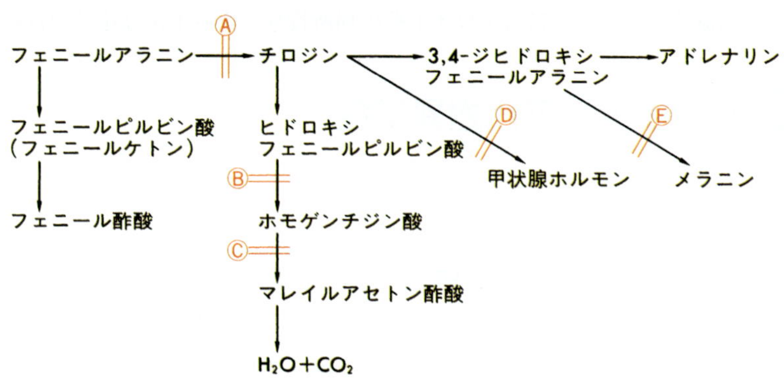

╫の部分に障害があるとそれぞれ次の疾患をきたす.
Ⓐフェニールケトン尿症　Ⓑチロジン症　Ⓒアルカプトン尿症
Ⓓクレチン病　Ⓔ先天性汎発性白皮症

図 18-8　チロジン代謝異常と皮膚疾患

の限局性軽症型と考えられている.

病因

ECM1（extracellular matrix protein 1，1q21）遺伝子の変異が報告されている. ECM1は各種蛋白質に結合するがその機能の詳細はよくわかっていない. 男女ほぼ同率で発症し，兄弟例や患者両親の近親婚例が多い.

症状

出生時あるいは幼児期より嗄声で始まり，やや遅れて顔面・頸・手・肘頭・腋窩に黄白色円形丘疹～結節を形成する. 表面に点状陥凹あり（豚皮様）. 眼瞼部では数珠玉様に並び，痒みを伴う（itchy eyes）. 摩擦により疣状となる. 肘頭・膝蓋・手では角化性浸潤局面を形成する. 歯牙形成不全・てんかん・糖尿病の合併.

組織

表皮直下真皮に無構造好酸性ヒアリン物質沈着. ジアスターゼ抵抗性PAS陽性，pH2.5アルシアンブルー陽性.

治療

有効な治療法はない. 時にステロイド薬の局所投与. 生命予後は比較的良好.

2　ムコ多糖・糖代謝異常症

1. ムチン沈着症 cutaneous mucinosis ◎

ムチンはムコ多糖類（グリコサミノグリカン：GAG）と蛋白との複合物で，細胞外マトリックスの基質を形成する. ヒアルロン酸，デルマタン硫酸，コンドロイチン硫酸，ヘパラン硫酸などがある. 甲状腺ホルモンと糖尿病などと関係する皮膚病変が多い.

1）汎発性粘液水腫 generalized myxedema

甲状腺機能低下による. 中年女性に多い. 全身に圧痕を残さない浮腫と多彩な臨床症状を呈する. 皮膚は発汗低下・乾燥・角化・蒼白化し，冷たい. 眉毛の脱毛（Hertoghe徴候）・爪菲薄化を伴う. 口腔粘膜・口唇は腫脹・乾燥し，巨大舌や眼

表 18-2　皮膚粘液沈着症

粘液沈着症	合併疾患など	部位など特徴
粘液水腫	甲状腺機能低下症	全身に汎発
脛骨前粘液水腫	バセドウ病	下腿前側面
丘疹性ムチン沈着症（粘液水腫様苔癬）	時に形質細胞異常症，肝障害，糖尿病	四肢伸側，顔面，頸，体幹
浮腫性硬化症	①先行感染，②糖尿病，③本態性	項頸，肩，上背
膠原病に伴うムチン沈着	LE，皮膚筋炎，強皮症	結節性皮膚ループスムチン沈着症
毛包性ムチン沈着症	①リンパ腫（中高年），②本態性（若年）	顔，頸（症候性は多発，本態性は単発が多い）
網状紅斑性ムチン沈着症	日光曝露，SLE，甲状腺疾患，糖尿病，内臓悪性腫瘍	胸背の露光部
皮膚限局性ムチン沈着症	①本態性，②結節性皮膚ループスムチン沈着症	

瞼腫脹が混在して特有の顔貌を呈す．全身倦怠・無力感・傾眠・記憶力低下・寒気敏感とともに，重症では精神症状，小児では心身発育障害をきたす．心拡大（心囊液貯留）・徐脈・血圧低下・性機能減退などを併発．真皮にムコ多糖類（ヒアルロン酸・コンドロイチン硫酸など）が沈着．甲状腺機能低下症の検査と治療が基本．

2）脛骨前粘液水腫（限局性粘液水腫）pretibial myxedema（localized myxedema）（図 18-9）

本症は**バセドウ病**に伴って発症するが，バセドウ病の一部が本症を発症するにすぎない．下腿前側面，時に顔面や上肢に，比較的境界明瞭な弾性硬の蠟様黄褐色局面～皮下硬結を生じ，毛孔が開大して蜜柑の皮のような外観（peau d'orange）を呈する．多毛症をきたす．真皮全層が浮腫性で膠原線維が離開しヒアルロン酸が沈着する．ステロイド薬外用・局注・内服，ヒアルロニダーゼ局注，血漿交換療法．

3）丘疹性ムチン沈着症 papular mucinosis，粘液水腫性苔癬 lichen myxedematosus（Neumann 1935）（図 18-10，11）

甲状腺機能には無関係で，成人から高齢の男女に生じる．四肢伸側・顔面・頸・体幹などに，豌豆大までの透明黄～赤色の蠟様丘疹が集簇，苔癬化局面を形成する．骨髄腫などの形質細胞異常症，原発性マクログロブリン血症，肝障害，糖尿病を伴うこともある．真皮上中層にヒアルロン酸を主とするムコ多糖が沈着し，浮腫状を呈する．ステロイド・メルファラン・シクロホスファミド，血漿交換，紫外線照射など．

18章

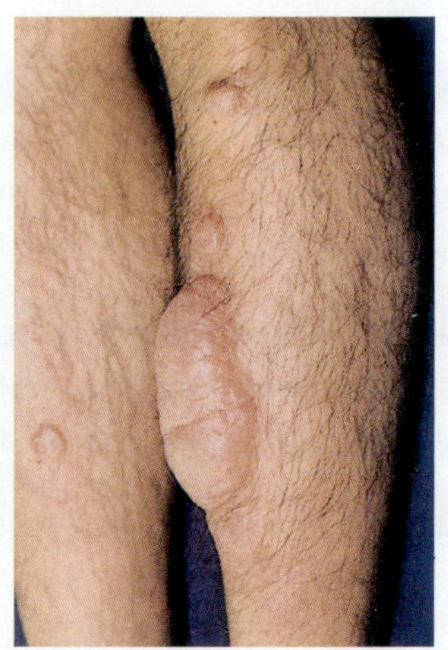

図 18-9　脛骨前粘液水腫

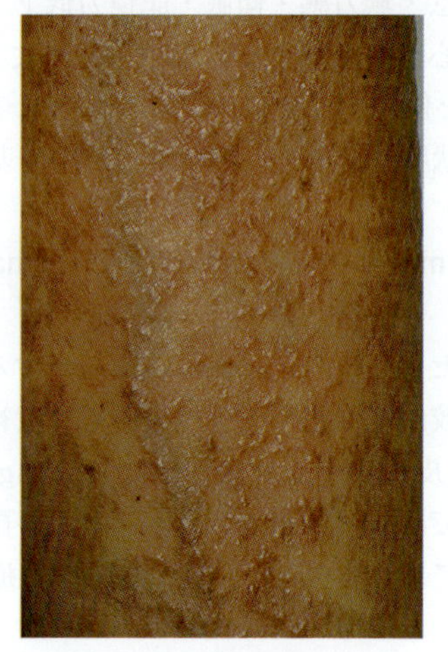

図 18-10　粘液水腫性苔癬

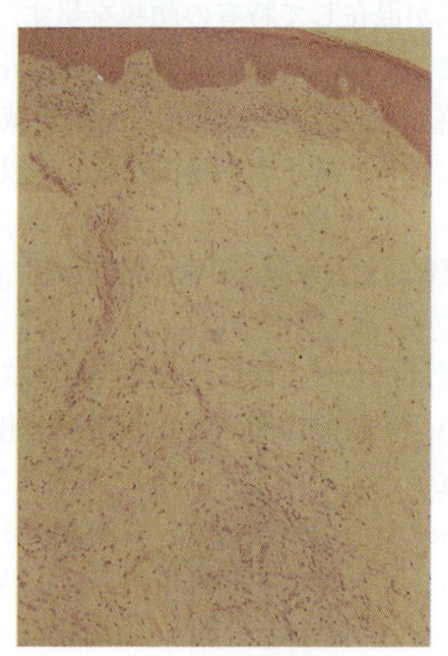

図 18-11　粘液水腫性苔癬
（ムコ多糖の沈着と浮腫）

硬化性粘液水腫（scleromyxedema）：丘疹性ムチン沈着症の一型．蒼白褐色で強皮症様肥厚をきたすが，周囲に常色～白色の小丘疹が多発・散在する．強皮症と異なり下床に対して移動しうる．

○4）浮腫性硬化症 scleredema，成年性浮腫性硬化症 scleroedema adultorum（Buschke 1900）

感染症や糖尿病に合併して，あるいは合併症なくして生じる皮膚硬化．若年者の発症例もあり，単に浮腫性硬化症と称することが多い．

病因

ヒアルロン酸沈着症で，連鎖球菌過敏症によるリンパ管閉塞，自己免疫説など．糖尿病合併との関連（☞ p.457）．

症状（図 18-12，13）

若年発症に先行感染が多い．糖尿病の合併例は成人男性，非合併例は女性に多いという．項頸・肩・上背に浮腫状硬化が生じ，次第に上腕・前胸・顔面・体幹と拡大（四肢末端は侵されず）．淡紅～蒼白色，光沢あり，指圧痕を残さず，皮膚にしわがなくなり（仮面様顔貌），また運動障害（首の回転・上腕挙上・眼球運動・咀嚼），舌腫脹，着甲感（鎧を着たような感じ）を訴える．心膜・胸膜・腹膜の滲出液，心筋障害もみられる．半年～数年の経過で自然治癒するもの（特に上気道感染に続発する急性発症型）と慢性に続くものとがある．

組織所見

真皮・皮下結合組織の浮腫性膨化，間隙形成（fenestration），線維間のヒアルロン酸沈着，血管周囲性細胞浸潤（リンパ球・形質細胞・肥満細胞）．

鑑別診断

丘疹性ムチン沈着症，強皮症，新生児皮膚硬化症，Cushing 症候群の buffalo hump.

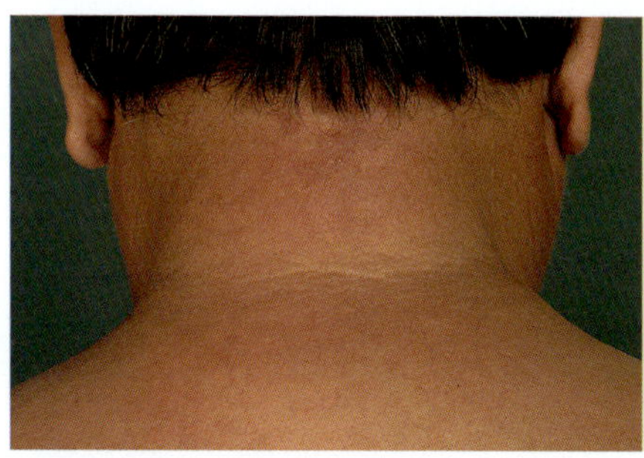

図 18-12　浮腫性硬化症

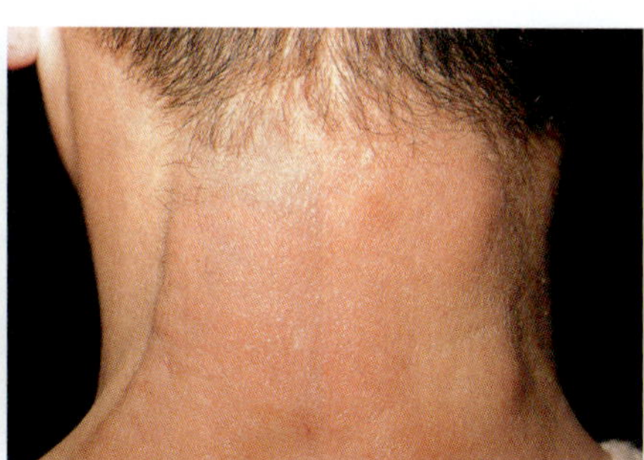

図 18-13　浮腫性硬化症

治療

原疾患の治療，マッサージ，温浴，抗生物質内服，ヒアルロニダーゼ局注，ステロイド外用・局注・内服．

5）膠原病に伴うムチン沈着症

SLEやDLE，皮膚筋炎，強皮症などでしばしばムチンが真皮に沈着する．多くは非特異的であるが，LEにおける結節性皮膚ループスムチン症（☞ p.433）や皮膚筋炎の浮腫性紅斑におけるムチン沈着のように特異な病像を呈するものもある．

○6）毛包性ムチン沈着症 follicular mucinosis，ムチン沈着性脱毛症 alopecia mucinosa（Pinkus 1957）（図18-14）

毛包性小丘疹・局面・結節状浸潤などの形態を示し，わずかに発赤，落屑し脱毛を伴う．若年者の主として頭顔部に生じて比較的治療に反応する型と，高齢者に生じて難治性で悪性リンパ腫（特に菌状息肉症）を合併する型があるが，前者から後者へ移行したり，また区別できないこともある．毛包脂腺上皮はムチンが沈着して空胞状，リンパ球・組織球・好酸球が毛包周囲や上皮内に浸潤．ムチンは毛包上皮由来．治療はステロイド外用・ダプソン・インドメタシン・インターフェロン・紫外線照射．

7）網状紅斑性ムチン沈着症 reticular erythematous mucinosis

中年女性に多く，前胸部や背部に網状ないしシート状の紅斑を呈し，通常痒みを伴わない．真皮にヒアルロン酸が沈着し，血管周囲性の小円形細胞の浸潤を示す．日光曝露が発症に関与する可能性も，また甲状腺機能亢進症・低下症，癌腫，血小板減少性紫斑病を伴うこともある．SLEに進展例が報告されている．ヒドロキシクロロキンが奏効する．

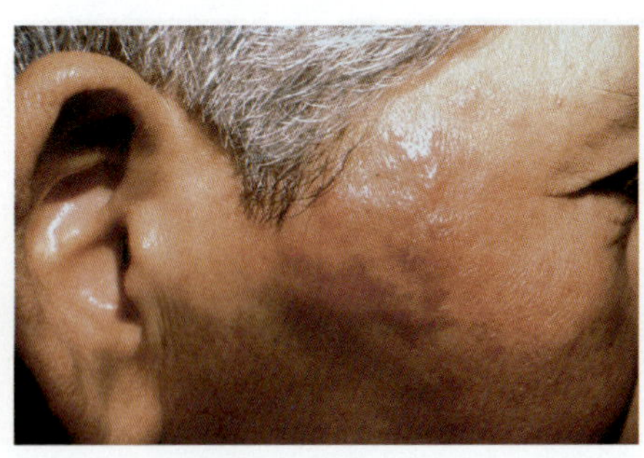

図18-14　毛包性ムチン沈着症

8）皮膚限局性ムチン沈着症 cutaneous focal mucinosis（Johnson and Helwig 1966）

径1 cm前後の丘疹～小結節で白～淡紅色を呈する．線維芽細胞の増殖とヒアルロン酸の過産生による．進行すると粘液腫（myxoma），さらに皮膚粘液嚢腫（cutaneous myxoid cyst）を形成する．

2. ムコ多糖症 mucopolysaccharidosis（表18-3）○

グリコサミノグリカン（GAG，ムコ多糖）を分解するリソソーム酵素の欠損・異常によるGAG蓄積症．全身組織（皮膚・軟骨・腱・骨膜・脳膜・角膜・心弁など）にGAGが沈着．血中・尿中GAG値上昇．Ⅰ型（Hurler症候群，Scheie症候群），Ⅱ型（Hunter症候群），Ⅲ型（Sanfilippo症候群），Ⅳ型（Morquio症候群），Ⅵ型（Maroteaux-Lamy症候群），Ⅶ型（β-グルクロニダーゼ欠損症）に分類，Ⅴ型は欠番．

①皮膚症状：肥厚し弾力性が低下する（肢端強皮症様皮膚）．多毛症，色素異常．Hunter症候群は象牙白色の小丘疹/小結節を生じ，上背部では融合して網状隆起（pebbling）を呈する．

②骨変化・怪奇顔貌（**ガーゴイル顔貌** gargoylism）：頭蓋骨大（舟状・長・尖頭）・鞍鼻・巨大唇・巨大舌・短頸・なで肩・指趾骨奇形・関節運動制限・外反脚．

③眼変化：角膜混濁・眼瞼狭小・広い眼間隔（hypertelorism）．

④その他：腹部膨隆・小人症・聾唖・肝脾腫・心奇形・知能発育不全．尿中に多量のGAG（デルマタン硫酸・ヘパラン硫酸・ケラタン硫酸）排泄，組織学的に，GAGを含む線維芽細胞（gargoyle cell），アルシアンブルー・コロイド鉄陽性，トルイジン青異染性．

3. 糖尿病における皮膚変化 ○

糖尿病は1型（インスリン依存性糖尿病IDDM）と2型（インスリン非依存性NIDDM）がある．皮膚障害は中小動脈狭窄・微小血管の循環障害と好中球機能障害による易感染性，線維芽細胞の結合織合成障害による創傷治癒遅延などによる．

1）糖尿病性壊疽・潰瘍 diabetic gangrene，ulcer

病因

中小動脈の循環障害（中小血管内膜肥厚・狭窄・閉塞）が基本で，これに糖尿病性神経障害が加わり，しばしば外的因子（外傷・熱傷・二次感染）をきっかけに潰瘍化する．急速に主幹動脈が閉塞すると壊死が起こる．

表 18-3 遺伝性ムコ多糖症の分類（大和田 1989，一部改変）

病型	病　名	皮膚症状	臨　床　症　状			遺伝	尿中ムコ多糖	欠損酵素
			角膜混濁	知能障害	そ の 他			
Ⅰ型	Hurler 症候群（IH 型）	粗で厚い皮膚．硬く弾力性に乏しく，色は浅黒い	＋	⧻	顔貌異常，骨変化，関節拘縮，肝脾腫，臍ヘルニア，低身長，小児期死亡	AR	DS, HS	α-L-iduronidase
	Scheie 症候群（IS 型）		＋	－	骨格，顔貌異常などの症状は軽い，低身長（－），予後良好			
	Hurler-Scheie 複合型	同上	＋	＋	同上，思春期まで生存	AR	DS, HS	同上
Ⅱ型	Hunter 症候群	上記の所見に加えて，結節状，溝状の皮膚の肥厚が腕や胸郭，背部に認められる．	－	＋	顔貌異常，骨変化，関節拘縮，肝脾腫，臍ヘルニア	XR	DS, HS	α-L-iduronate sulfatase
Ⅲ型	Sanfilippo 症候群 A型	＋	＋	⧺	身体症状は，Ⅰ，Ⅱ型に比べて軽いが，知能障害の程度は強い	AR	HS	heparan N-sulfatase
	Sanfilippo 症候群 B型	眉毛が濃く，毛髪が粗						α-N-acetyl-glucosaminidase
	Sanfilippo 症候群 C型							acetyl CoA-α-glucosaminide-N-acetyltransferase
	Sanfilippo 症候群 D型							N-acetyl glucosamine-6-sulfate sulfatase
Ⅳ型	Morquio 症候群	粗で厚い皮膚，弾力性の低下と緊張低下を認め，毛細血管拡張がみられる．	＋	－	骨格異常が強い，心疾患の合併，低身長（⧻），中年まで生存	AR	KS	N-acetylhexosamine 6-sulfate sulfatase
Ⅴ型	欠番（以前には Scheie が5型に分類されていた）							
Ⅵ型	Maroteaux-Lamy 症候群	軽度の多毛，緊密感のある皮膚	＋	＋	骨格異常，肝脾腫	AR	DS	N-acetyl galactosamine-4-sulfate sulfatase
Ⅶ型	β-glucuronidase 欠損症	軽度の多毛，歯肉肥大	＋	＋	骨格異常	AR	DS	β-glucuronidase

DS：デルマタン硫酸　HS：ヘパラン硫酸　KS：ケラタン硫酸
AR：常染色体性劣性遺伝　XR：伴性劣性遺伝

症状（図 18-15）

四肢冷感・肢端紫藍症・神経痛様疼痛・知覚麻痺に引き続き足趾・足底・手指に紅斑・水疱，次いで境界明瞭な壊死巣が発し，潰瘍化して難治，時に炭のように黒化する．

治療

まずは，糖尿病治療，創傷治癒促進薬（プロスタグランジン E_1 など），外傷回避，清潔，壊疽には外科的療法（デブリドマン・切断・血行再建）．

2）糖尿病性水疱 bullosis diabeticorum（図 18-16）

軽度の刺激によって，下腿に緊満性水疱を発生．微細血管障害が基盤にある．

3）前脛骨部色素斑 pigmented pretibial patches（PPP）（Bauer 1966）

下腿前面に生じる褐色萎縮性小斑．細小血管異常による．

4）糖尿病性潮紅（赤ら顔）rubeosis faciei diabética，diabetic rubeosis

顔面のびまん性潮紅．乳頭・乳頭下の細小静脈・毛細管の拡張と充血．

5）糖尿病性浮腫性硬化症 diabetic scleredema（Krakowski 1973）

項・上背，時に肩・腰部に生じる浮腫性硬化症で臨床像・組織像ともに浮腫性硬化症（☞ p. 455）に似るが，急性感染症の先行なく，糖尿病に合併し軽快傾向も少ない．

6）糖尿病性脂肪類壊死 necrobiosis lipoidica diabeticorum（Urbach 1932）

症状（図 18-17）

下腿伸側，稀に手や大腿に，不規則で境界明瞭な萎縮性板状局面を生じ，黄～黄褐色，周囲は紫～褐紫色を呈し，中央は硬化して毛細血管拡張を伴い，一見強皮症様にみえ，時に潰瘍化する．しばしば糖尿病を欠くので，糖尿病性という語を外すことが多いが，本症発生後数年して糖尿病を発することがある．時に高血圧症を合併し，外傷に続発することもある．

組織所見

真皮中下層の小動脈・細小動脈の内膜肥厚・線維化・閉塞をきたし（microangiopathy），これを中心に膠質線維は類壊死に陥り脂質が沈着する．この周囲をリン

表 18-4　糖尿病と皮膚病変

1．糖尿病に伴う血管病変と関連する皮膚病変	Kyrle 病
糖尿病性壊疽・潰瘍	反応性穿孔性膠原症
糖尿病性水疱	Dupuytren 拘縮
前脛骨部色素斑	澄明細胞汗管腫
糖尿病性潮紅	各種の感染症
2．糖尿病に合併しやすい疾患	3．その他の病変・疾患
糖尿病性浮腫性硬化症	その他の皮膚症状・関連皮膚疾患
糖尿病性脂肪類壊死	口腔症状
糖尿病性黄色腫	Glucagonoma 症候群
播種状環状肉芽腫	

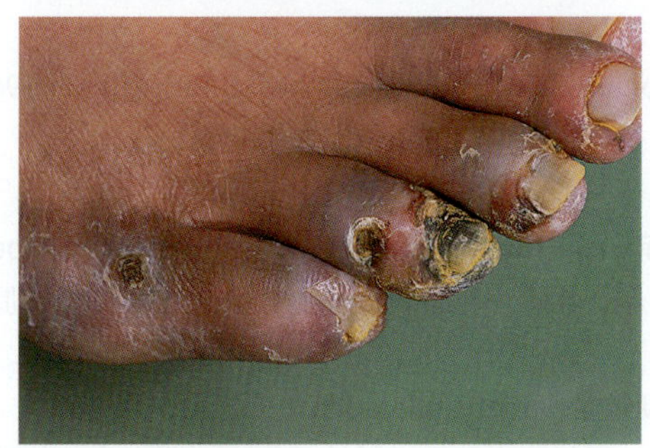

図 18-15　糖尿病性壊疽

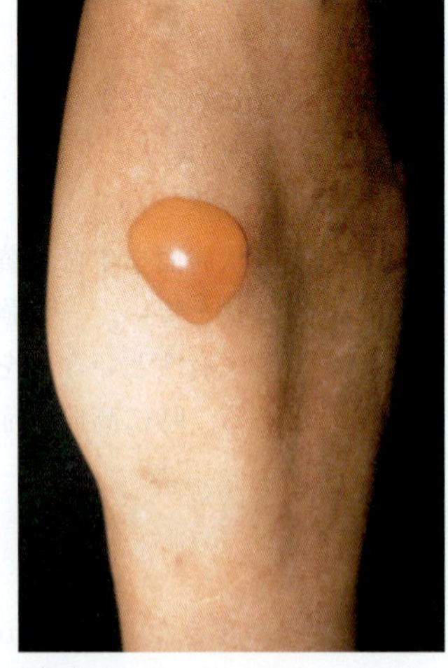

図 18-16　糖尿病性水疱

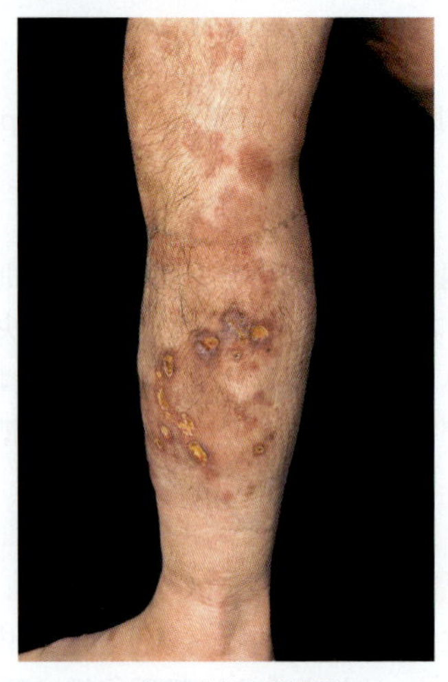

図 18-17　糖尿病性脂肪類壊死

パ球・組織球（一部泡沫細胞および巨細胞化）・線維芽細胞が取り巻く．

治療

原病があればその治療，血行促進薬，抗凝固薬（アスピリン）．

7）糖尿病性黄色腫 xanthoma diabeticorum

重症ないしコントロールのできていない糖尿病に出現する．発疹型黄色腫が急速に四肢伸側・臀部などに好発，男子に多い．続発性高脂血症を伴い，糖尿病の経過に並行する．糖尿病に続発する高脂血症はⅣ型（VLDL 増加）がほとんどで，時にⅤ型がみられ，いずれもトリグリセライド値が高い．

8）感染症（易感染性）

癤腫症・皮下膿瘍・蜂巣炎・化膿性爪囲炎・壊死性筋膜炎・紅色陰癬・非クロストリジウム性ガス壊疽（non-clostridial gas gangrene）・毛瘡・悪性外耳道炎（緑膿菌・髄膜炎への進行）・白癬・カンジダ症・癜風・帯状疱疹・単純性疱疹・ウイルス性疣贅・疥癬・口角びらん症・免疫低下・血管障害・神経障害・多核白血球機能低下などが関与する．

9）その他の皮膚症状

多発性環状肉芽腫・皮膚瘙痒症・湿疹・慢性じんま疹・角化（肘頭膝蓋）・糖尿病性紫斑（purpura diabetica）・丹毒様紅斑（erysipelas-like erythema，高齢者下腿の再発性紅斑）・下腿浮腫・皮膚硬化（関節強直）・黄色爪・皮膚黄色調・サルコイドーシス・ヘモクロマトーシス・Dupuytren 拘縮・反応性穿孔性膠原症・黄色腫．

10）口腔症状

口唇・口腔の乾燥・ひび割れ，口内炎，舌の乾燥・灼熱感・充血肥大・乳頭萎縮，唾液減少，歯肉の腫脹・膿瘍，歯周囲炎，歯根炎，歯槽骨吸収（歯動揺），齲歯．

11）糖尿病にある程度関係があると考えられる疾患

尋常性白斑・乾癬・壊疽性膿皮症・扁平苔癬・融合性細網状乳頭腫症．

12）糖尿病を一症状とする症候群

黒色表皮腫・Seip-Lawrence 症候群・Miescher 症候群・Werner 症候群・Turner 症候群など．

〔付〕**glucagonoma 症候群**（Mallinson 1974）：膵のグルカゴン産生細胞が腫瘍化して高グルカゴン血症を起こす．①軽度糖尿病，②高グルカゴン血症・低アミノ酸血症・貧血，③舌炎（疼痛大），④壊死性遊走性紅斑．治療：腫瘍摘出とアミノ酸投与．

3　脂質代謝異常症

①黄色腫症，②続発性黄色腫症，③局所脂質代謝異常，④糖脂質・リン脂質代謝異常．

1. 黄色腫症 xanthomatosis（図 18-18）◎

臨床像から，結節性黄色腫（x. tuberosum）（径5 mm 以上，比較的硬い結節で肘頭・膝蓋などに好発，高コレステロール血症が多い），扁平黄色腫（x. planum）（ほとんど隆起しない扁平黄色斑），腱黄色腫（x. tendinosum），眼瞼黄色腫（x. palpebrarum）（＝黄板症 xanthelasma，2/3 に高脂血症なし），発疹型黄色腫（eruptive. x）（比較的小さい丘疹が多発，高トリグリセライド血症が多い）などに分ける．リポ蛋白の代謝障害で生じる場合が多く，リポ蛋白異常症は Fredrickson（1967），WHO の 5 分類がある．

1）Ⅰ型高脂血症（家族性高カイロミクロン血症 familial hyperchylomicronemia，脂肪性高脂血症 fat-induced hyperlipidemia）

先天性リパーゼ欠如のため血中 chylomicron のみが増加．紅暈を有する帽針頭大小丘疹を主体とする発疹型黄色腫が全身皮膚（特に殿・大腿・上肢・背・胸・顔）

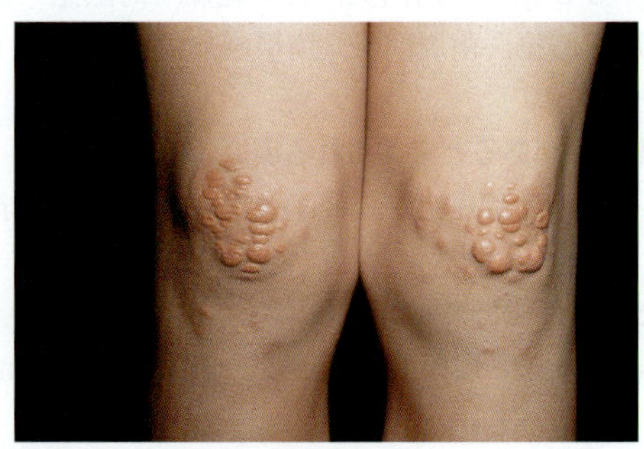

図 18-18　黄色腫（結節型）

表 18-5 黄色腫症の分類（Fredrickson）

		Ⅰ	Ⅱa	Ⅱb	Ⅲ	Ⅳ	Ⅴ
病態		リポ蛋白リパーゼ活性低下	βの異化障害		プレβ異化障害	トリグリセライド異化障害	リポ蛋白リパーゼ活性低下
遺伝		劣性	優性	優性	劣性（?）	優性	不明
静置血清		上層混濁 下層清澄	清澄	清澄 （まれに混濁）	混濁	混濁	上層混濁 下層清澄
コレステロール		+	++	++	+	+	正 or +
トリグリセライド		+++	正	+	+	+++	+++
カイロミクロン		+					+
LDL（β）			+	+			
VLDL（プレβ）				+		+	+
floating β					+		
糖代謝異常		−	−	−	+	++	+
肥満		−	−	−	+	++	+
心血管障害		−	++	++	+	++	+
眼	老人環		+	+			
	網膜脂血症	+				+	
腹症	肝脾腫	+					
	膵炎	+				+	+
臨床像	発疹型	+++			+	++	++
	結節型		++	++	++		+
	眼瞼型		++	++	+		
	腱型		++	++	+		
	手掌型				++	+	+
時期		小児	小児／成人		成人	成人	成人
食事療法		低脂肪	低コレステロール・低飽和脂酸・カロリー制限			低含水炭素 カロリー制限	低脂肪 低含水炭素 カロリー制限

に生じ，殿や肘頭では融合傾向がある．稀に口腔粘膜にも生じるが，手掌・眼瞼・腱には生じず，結節型を呈さない．小児期に発する．

2）Ⅱ型高脂血症（家族性高コレステロール血症 familial hypercholesterolaemia，高β-リポ蛋白血症 β-lipoproteinemia）

血中β-リポ蛋白・コレステロールが上昇し，小児～成人期に発する．先天性コレステロール代謝異常で，Ⅱa型とⅡb型とがある．紅暈を有する大小の結節が徐々に四肢伸側（特に肘頭・膝蓋），圧迫部（踵・殿），手掌掌紋部に生じ，腱黄色腫，眼瞼黄色腫も合併．心血管系のコレステロール沈着（アテローム形成）のため動脈硬化・冠状動脈障害（狭心症）・脳障害（血栓・出血）・間歇性跛行を生じ，しばしば死因となる．

3）Ⅲ型高脂血症（家族性高β-リポ蛋白血症，家族性高コレステロール血症兼高トリグリセライド血症，broad β-リポ蛋白血症）

高コレステロール血症性・高脂血症性の混合型で，Ⅱ・Ⅳ型の中間型ともいえ，成人に発する．結節型が常にあり，これに発疹型が加わる．掌紋部，眼瞼部，腱部などに多発する．肥満した人に多く，心血管障害・糖尿病の合併も多い．

4）Ⅳ型高脂血症（家族性高プレβ-リポ蛋白血症，家族性高中性脂肪血症，糖質性高脂血症 carbohydrate-induced hyperlipemia）

VLDLのみが上昇するが，糖尿病・慢性アルコール中毒・痛風・肝障害や，先天性因子（優性遺伝）が基盤にある．肥満した成人に生じる．

発疹型で，突然体幹・四肢伸側に小丘疹を多発するが，眼瞼・腱には生ぜず，また結節型にはならない．

5）Ⅴ型高脂血症（家族性高カイロミクロン血症兼高中性脂肪血症，家族性高カイロミクロン血症兼プレβ-リポ蛋白血症）

発疹型を呈し一部結節型もとる．成人に発し，動脈硬化・膵炎を合併する．

発症機序

泡沫細胞は，組織中に漏出したリポ蛋白をマクロファージが貪食した状態．頻度の高いⅡa型では，漏出して修飾されたリポ蛋白（LDL）が血管内皮細胞の単球遊走因子の産生を促進してマクロファージを導き，マクロファージはβ-VLDL受容体でβ-VLDL，VLDL分解産物を，スカベンジャー受容体でLDLを取り込み，リソゾームでコレステロールエステルを加水分解，遊離コレステロールは細胞質内で再エステル化され，主としてオレイン酸コレステロールとして脂肪小滴（lipid droplet）となり，いわゆる泡沫細胞（黄色腫細胞）を形成する．

治療

低脂肪食，低カロリー食などの食事療法，各種高脂血症治療薬．

2. 続発性（または全身性）黄色腫症 secondary (or systemic) xanthomatosis

基礎疾患に続発する高脂血症，黄色腫である．四肢伸側，特に関節背面に発疹型

(時に丘疹結節型）の黄色腫が好発する．基礎疾患として次のものがある．

①**肝疾患**：原発性胆汁性肝硬変・先天性胆管閉鎖・術後胆管閉鎖・ヘモクロマトーシス．肝癌．

②**腎疾患**：ネフローゼ症候群・腎不全．

③**全身性代謝疾患**：糖尿病・甲状腺機能低下症・Cushing 症候群・ポルフィリア．

④**その他**：骨髄腫・薬物（ステロイド・シクロスポリン，サイアザイド系利尿薬，レチノイドなど）・アルコール・妊娠．

3. 黄色腫症・続発性黄色腫症の黄色腫の組織所見

初期には好中球・リンパ球・組織球の炎症反応で，やがて脂質を貪食し泡沫状外観を示す組織球が密に浸潤する（foam cell，xanthoma cell）．これに異物巨細胞および**ツートン型巨細胞（Touton giant cell）**（核が中央に王冠状に集まり，まわりに原形質，そのまわりに泡沫状物質）が混ざる．古いものは線維化する．

〔付〕**脳腱黄色腫** cerebrotendinous xanthoma：腱黄色腫は高コレステロール血症に出現するが，コレスタノール代謝異常による脳腱黄色腫でもみる．高リポ蛋白血症を示さない腱黄色腫では脳症状の有無とともに本症を疑診する．

4. 局所脂質代謝異常症

血清脂質値は正常で，局所代謝異常により生じる．

1）眼瞼黄色腫 xanthoma palpebrarum

症状（図 18–19）

主として中年女性の上眼瞼中枢側の，対側性，時に片側性に，黄白色の小豆大局面が扁平に隆起する．より大きくなり，下眼瞼にまで及ぶことがある．自覚症状はない．

組織所見（図 18–20）

他の黄色腫と同様だが，巨細胞は少なく，線維化傾向も低い．

鑑別診断

血清脂質を測り，家族性高コレステロール血症性黄色腫を鑑別する．

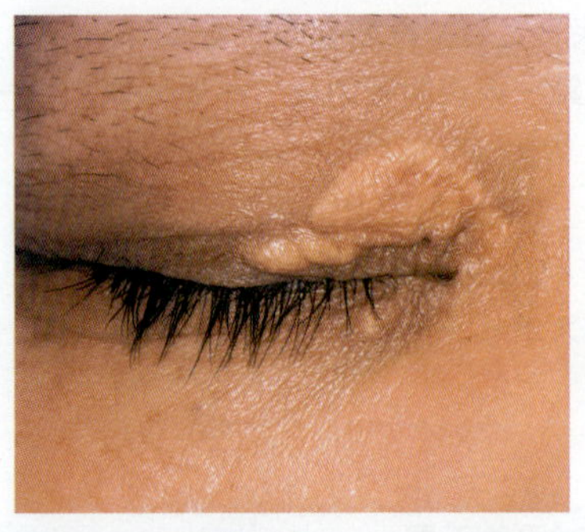

図 18-19 眼瞼黄色腫

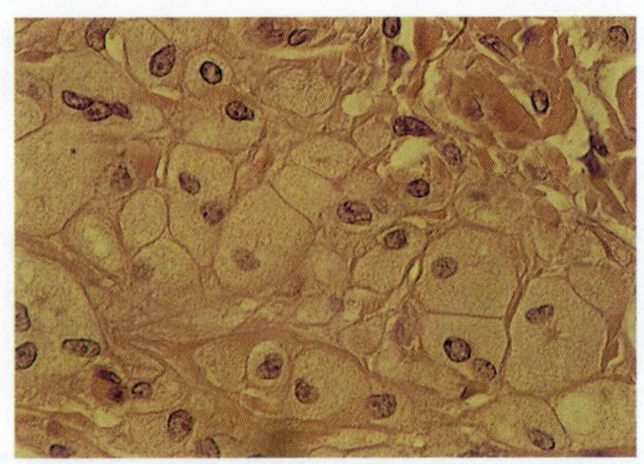

図 18-20 黄色腫（泡沫細胞）

治療

切除，炭酸ガスレーザー.

〔付〕**疣状黄色腫 verruciform xanthoma**（Shafer 1971）：単発性疣状丘疹 / 結節（時に有茎性）で，外陰部（陰嚢・陰門・陰茎）・口腔粘膜に好発．表皮突起の伸長と表皮直下の黄色腫細胞巣．発症病理：①何らかの刺激で乳頭状上皮増殖が起こり，変性した上皮の細胞膜脂質をマクロファージが貪食，②表皮下の脂質代謝異常，③表皮増殖と泡沫細胞の協同的増殖，④局所循環障害による表皮過形成とマクロファージの集積など.

2）続発性限局性扁平黄色腫

菌状息肉症を主とする皮膚 T 細胞リンパ腫・光線過敏性皮膚炎・光線性類細網症・紅皮症・SLE・酒皶様皮膚炎・慢性萎縮性肢端皮膚炎などの皮疹に続発して生じる．これらはリンパ球・組織球などの浸潤で傷害された部位であり dystrophic xanthomatosis，normolipemic plane xanthoma ともいう.

5. 糖脂質代謝異常症 sphingolipidosis ○

ライソゾーム酵素の遺伝的欠損によりスフィンゴ糖脂質（sphingoglycolipid）の分解過程にある脂質が蓄積する（ファブリー病，ゴーシェ病）.

○ 1）ファブリー病 Fabry disease，びまん性体幹被角血管腫 angiokeratoma corporis diffusum（Fabry 1898）（図 18-21）

α-galactosidase 欠損症で伴性劣性遺伝（男性のみ，遺伝子は Xq22 の *Gal*），ceramide trihexoside が血管壁（血管壁細胞の空胞）・網内系細胞その他に沈着する．幼児期は乏汗症や発熱，あるいは**四肢疼痛発作**が主で，次第に全身，特に腹腰部

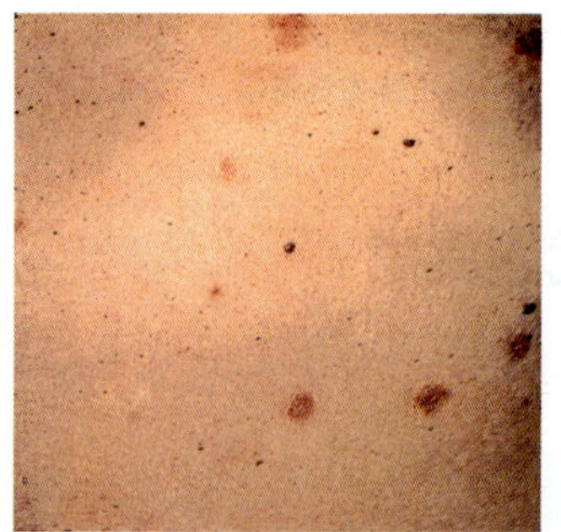

図 18-21 ファブリー病
（被角血管腫）

(bathing-trunk area) を中心に**多数の被角血管腫**を生じ，腎不全・脳血管損傷・心不全・呼吸困難などで40歳頃までに死亡することが多い．白血球・血漿中のα-galactosidase 活性の低下，細隙灯で角膜混濁（患者および女性保因者に）．リコンビナントヒトα-galactosidase を投与する酵素補充療法が試みられている．疼痛にはカルバマゼピンやジフェニルヒダントインが有効．

2）ゴーシェ病 Gaucher disease（1882）

β-glucosidase 活性低下（常染色体性劣性遺伝，*GBA* 遺伝子に変異）により網内系（肝・造血器）にグルコセレブロシドが蓄積．皮膚症状（出血傾向・びまん性色素沈着）は少ない．肝脾腫・リンパ節腫脹・貧血・骨痛・骨変形あり．Ⅰ型（成人型）は徐々に発生，神経系侵襲は少なく予後良好．Ⅱ型（幼児型）は急激で神経症状（項部強直・筋緊張・カタトニー・喉頭スパスムス）・肝脾腫が強く，予後不良．骨髄移植や酵素補充療法が試みられている．

〔付〕いわゆるびまん性体幹被角血管腫の症状をきたすリソソーム蓄積症

①**ファブリー病**

②**フコシドーシス**：リソソーム酵素のα-L-fucosidase 欠損により全身の臓器にフコース含有オリゴ糖が蓄積する．常染色体劣性遺伝．

③**β-マンノシドーシス**（β-mannosidosis）：β-mannosidase の欠損による．易感染性や精神遅滞．常染色体劣性遺伝．

④**アスパルチルグルコサミン尿症**（aspartylglycosaminuria）：aspartylglucosaminidase 欠損による尿症．乳幼児期に易感染性や下痢で発症．精神発達遅滞．常染色体劣性遺伝．

⑤**ガラクトシアリドーシス**（galactosialidosis）：β-galactosidase ＋ sialidase 欠損，脳・肝脾・骨などにガングリオシド（GM_1・GM_2）・ムコ多糖などが沈着．常染色体劣性遺伝．

⑥**β-ガラクトシドーシス**（β-galactosidosis）：β-galactosidase 欠損により中枢神経障害・骨格異常．常染色体劣性遺伝．

18章

⑦ **Kanzaki 病**：α-N-acetylgalactosaminidase 欠損によりびまん性体幹被角血管腫を中心に知覚神経障害・聴力低下など．常染色体劣性遺伝．

4　無機物質代謝異常

1．皮膚石灰沈着症 calcinosis cutis

カルシウム，リンの代謝障害により不溶性カルシウム塩が皮膚に沈着する疾患．以下の臨床型の他にカルシウム製剤の注射などによる医原性石灰沈着症もある．

1）転移性石灰沈着症 metastatic calcinosis

高カルシウム血症（副甲状腺機能亢進症，ビタミンD過剰症，アルカリの摂取過剰，骨転移・骨髄腫による骨破壊）または高リン酸血症（腎不全）の際に生じる．石灰化は主に血管，腎に生じるが，時に皮膚にも沈着する．

2）栄養障害性石灰沈着症 dystrophic calcinosis

血中 Ca，P 値は正常で全身性の代謝障害なく，主として皮膚・皮下，稀に筋・腱に沈着．皮膚筋炎・強皮症・SLE に併発することが多い．

3）特発性石灰沈着症 idiopathic calcinosis（図 18-22）

特発性陰嚢石灰沈着症（陰嚢に大小の黄褐色小結節）が代表的．陰嚢に多発性表皮嚢腫が先行し，炎症などで嚢腫壁が消失，石灰化を残したとの考えが強い．大関節周囲に好発して腫瘤を形成，組織像で偽嚢腫状を呈するものを tumoral calcinosis という．

〔付 1〕**表皮下石灰化小結節 subepidermal calcified nodule**（図 18-23，24）：主として眼瞼（その他顔面）に生じる灰白〜黄白色，扁平に隆起し，表面平滑ないし顆粒状の小豆大までの丘疹．若年者に好発．表皮直下に石灰沈着．

〔付 2〕**稗粒腫様特発性皮膚石灰沈着症 milia-like idiopathic calcinosis cutis in Down syndrome**：10 歳前後のダウン症児の，主として手背にみられる稗粒腫様白色小丘疹．血清カルシウム値正常．眼瞼に汗管腫を合併することあり．

〔付 3〕**尿毒症性細小動脈石灰化症 Calcific uremic arteriolopathy, calciphylaxis**：慢性腎不全で血管壁に石灰沈着を生じ，進行性の潰瘍や壊疽をきたす．高リン血症（$CaPO_4$）→血中 Ca 低下→二次的副甲状腺機能亢進症→多発性石灰沈着症．皮下組織に生じ，潰瘍化をきたすものを calcifying panniculitis という．透析患者の 1%ほどにみられる．副甲状腺摘出．

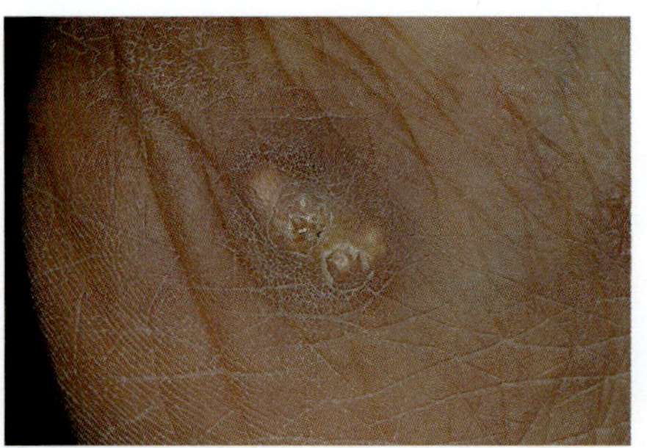

図 18-22 特発性石灰沈着症（踵）

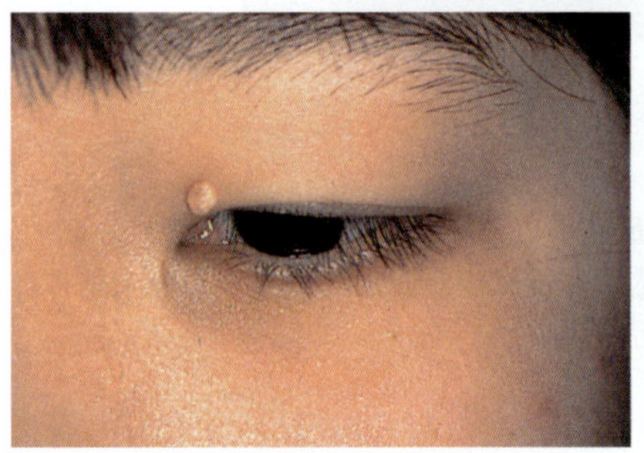

図 18-23 subepidermal calcified nodule

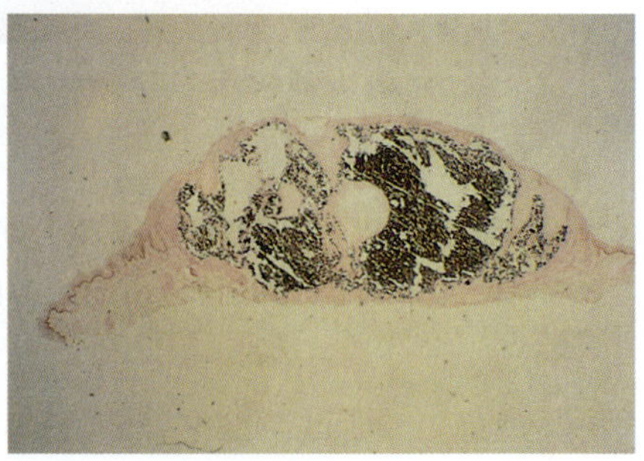

図 18-24 subepidermal calcified nodule（組織 Kossa 染色）

2. ヘモクロマトーシス（血色症）hemochromatosis（図 18-25），青銅糖尿病 bronzediabetes，iron storage disease

過剰鉄が鉄結合蛋白の形で全身組織に沈着する疾患．遺伝性の原発型と後天性の続発型とがある．

病因

鉄代謝異常症（実質性臓器，特に肝・膵・心筋線維への鉄沈着）．

①**先天性（常染色体性劣性）**：小腸の鉄吸収の亢進．*HTE* 遺伝子を中心に *hepcidin* など鉄代謝系遺伝子に変異が見つかっている．

②**続発性**：ⓐ鉄過剰摂取（鉄剤投与），ⓑ頻回の輸血など．

症状

①**皮膚症状（90%以上）**：褐～青銅～青～灰色のびまん性色素沈着（ヘモジデリン・フェリチン・メラニン沈着による），特に顔面に高度．皮膚萎縮と乾燥化，疎毛

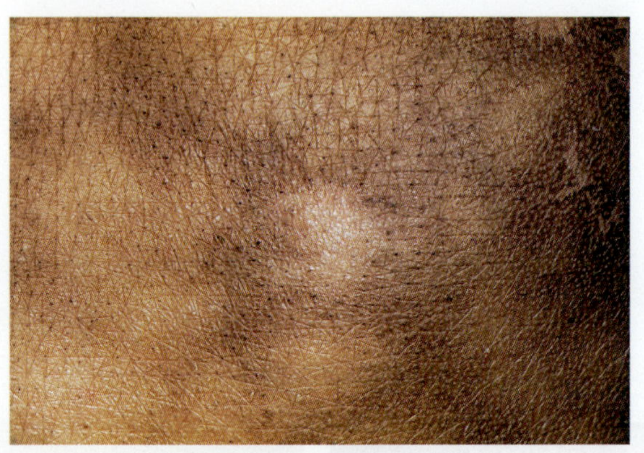

図 18-25　ヘモクロマトーシス

化（腋毛・須毛・陰毛），匙形爪甲．

②**肝硬変（90%以上），糖尿病（80%）**が**皮膚の色素沈着**とともに3主徴．

③その他：心筋障害・関節痛・全身倦怠感・体重減少・腹痛・性欲減退・末梢神経炎など．

組織

基底層メラニン沈着，血管周囲性（細胞外・マクロファージ内）・汗腺基底膜・腺周囲結合組織内にヘモジデリン沈着，稀に表皮基底細胞・汗腺細胞内にも．

予後

心不全・肝癌が死因となる．近年，予後は著しく改善している．早期発見が重要．

治療

①瀉血（週 500 mL，1〜2 年），②鉄キレート薬，③障害臓器保護．

3. 亜鉛欠乏症候群 ◎

生体に必須の微量元素亜鉛の欠乏症で，先天性の腸性肢端皮膚炎と後天性欠乏症がある．

1）皮膚症状と腸性肢端皮膚炎 acrodermatitis enteropathica

病因

①**常染色体性劣性遺伝の亜鉛欠乏症（腸性肢端皮膚炎）**：Zn 特異的輸送蛋白（Zn/

Iron 特異的輸送蛋白 ZIP ファミリーに属する）をコードする *SLC39A4* 遺伝子変異が報告されている．非母乳栄養児では 4～10 週頃に，母乳栄養児では離乳期頃（生後 8～9ヵ月）に発症することが多く，後天性に比し症状は重い．

②**後天性**：高カロリー輸液，低亜鉛ミルク，低亜鉛母乳，消化管吸収障害（潰瘍性大腸炎，クローン病，消化管切除），未熟児，神経性食欲不振症，アルコール中毒，肝障害．

症状（図 18-26）

先天性，後天性ともに臨床所見は酷似する．

①四肢末端および開口部（眼囲・鼻孔・口囲・耳孔・肛囲・外陰）に丘疹・小水疱・膿疱を伴う紅斑を生じ，やがて，びらん・痂皮を形成し，乾癬・膿痂疹に似た像を示す．爪変形・爪囲炎・脱毛を伴う．

②下痢・羞明・味覚障害・成長遅延・易感染性・細胞免疫不全．

検査所見

①血清亜鉛低値，②毛髪亜鉛濃度低下，③血清アルカリホスファターゼ値低下．

治療と予防

成人で硫酸亜鉛 1 日 150～300 mg を内服，軽快後は経腸栄養剤に切り替える．輸液補助微量元素製剤（ミネラリン）の注射は速効性あり．経中心静脈栄養に微量元素配合キット製剤を使用する．なお亜鉛の長期投与が腸管での銅吸収を阻害し，銅欠乏を，また稀に鉄欠乏をきたすことがあるので注意が必要．

18章

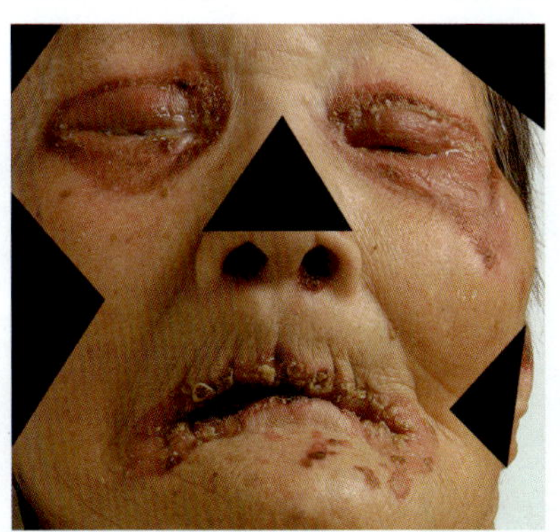

図 18-26　亜鉛欠乏症候群（低栄養性）

5 尿酸代謝異常症

痛風 gout

核酸の最終代謝産物である尿酸の産生過剰または排泄低下により生じる．急性と慢性とがあり，前者は一過性の関節症状のみ，痛風結節は後者．

①**痛風発作**：1個の関節（多くの場合第1趾）に夜間，激痛を覚える（podagra）．90%は単関節炎．関節腫脹・圧痛があり，周囲皮膚は暗赤色に腫脹し熱感がある．発熱・白血球増多症・赤沈促進を伴う．

②**痛風結節** tophi（図18-27，28）：指趾関節・肘膝関節嚢・アキレス腱では鶏卵大にまで及ぶ小結節・結節を生じ，耳介にも好発する．皮膚は緊張して薄く，下に黄白色の結節（尿酸塩沈着性肉芽腫）を透視する．皮膚を破ってチョーク状物質（chalky material）が排出され，潰瘍を生じ，のち瘢痕化．痛風重症型に多い．男女比は20：1で中年に好発．

③**組織像**（エタノール固定；Carnoy液がよい）：二重屈曲性針状結晶で褐色を呈し，これを異物型柵状肉芽腫が取り囲む．HE染色では無構造物質を取り巻く異物肉芽腫構造．

病因

高尿酸血症があり，尿酸が関節・皮膚などに沈着．高尿酸血症は，尿酸のもととなるプリン体の過剰摂取または先天性合成亢進と，その排泄障害などで発症．①食餌性：大量のプリン摂取（肉・豆・レバー・きのこ・アスパラガス・しらこ）．②

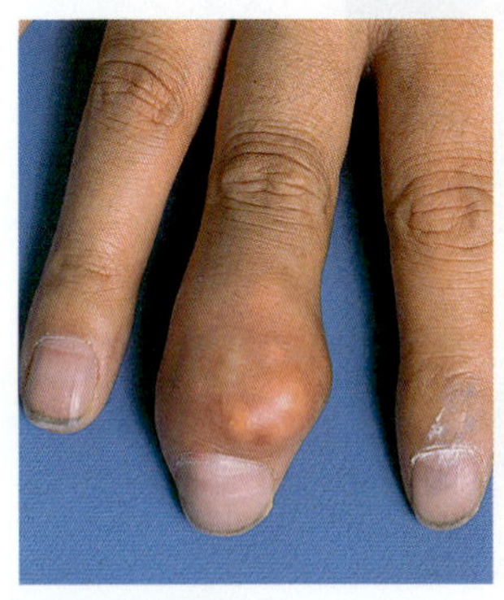

図18-27　痛風結節

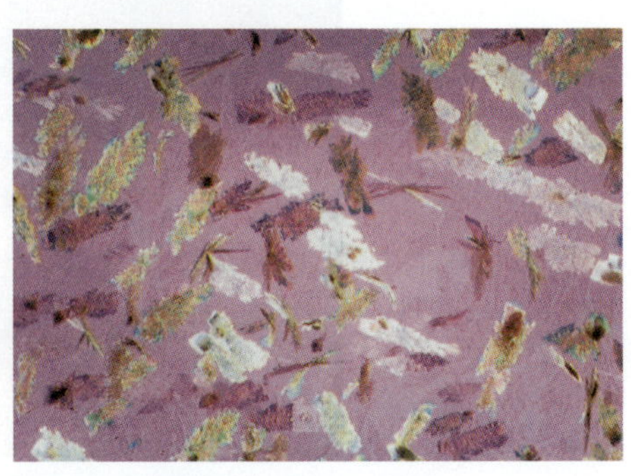

図18-28　尿酸結晶（アルコール固定）

薬剤性：シクロスポリン・アスピリン・ピラジナマイド・サイアザイド・フロセマイドの長期連用．③先天性：男子のみに生じる伴性劣性遺伝で **Lesch-Nyhan 症候群**と呼ばれ，知能低下・痙性四肢麻痺・アテトーゼ・断指趾などを伴う．Hypoxanthine guanine phosphoribosyltransferase 欠損による．④腎疾患・高血圧（排泄障害）．⑤肥満・飲酒・糖尿病・白血病・骨髄腫・赤血球増多症・高脂食・飢餓・精神的ストレス・外傷・手術的侵襲など．

治療

①高尿酸血症の治療，②大きな結節は外科的に切除．

6 ポルフィリン代謝異常症（ポルフィリン症）

ポルフィリン体はグリシンとスクシニル CoA が ALAS（ALA synthase）の作用で dALA（d-aminolevulinic acid），次いで酵素作用によりプロトポルフィリンが生成，これにフェロケラターゼによって鉄が結合してヘムが生成する代謝系の中間代謝産物（図 18-29）である．ヘム生成までに必要な酵素活性が低下して各種のポルフィリン体が骨髄や肝に蓄積してポルフィリン症（porphyria）を生じる．代謝経路に関与する酵素のいずれに障害があるかによってそれぞれ異なった病型を生じる．皮膚症状は皮膚に蓄積したポルフィリン体が 400 nm 付近の光で励起されて起こる光毒性反応で水疱形成を主体とする．

骨髄性（erythropoietic p.）と肝性（hepatic p.）とに大別し，以下①先天性ポルフィリン症（CEP），②骨髄性プロトポルフィリン症（EPP）が骨髄性，③晩発性皮膚ポルフィリン症（PCT），④急性間歇性ポルフィリン症（AIP）が肝性である（表 18-6）．

18章

1. 先天性ポルフィリン症 porphyria congenita（Günther 病 1911）（PC），congenital erythropoietic porphyria（CEP）

病因

常染色体性劣性遺伝．uroporphyrinogen Ⅲ cosynthetase（UROS）活性が低下，hydroxymethylbilane から uroporphyrinogen Ⅲへの過程が障害され，uroporphyrin I（UP-I），coproporphyrin I（CP-I）が体内に蓄積される（水溶性で尿中に排泄）．*UROS* 遺伝子に異常．

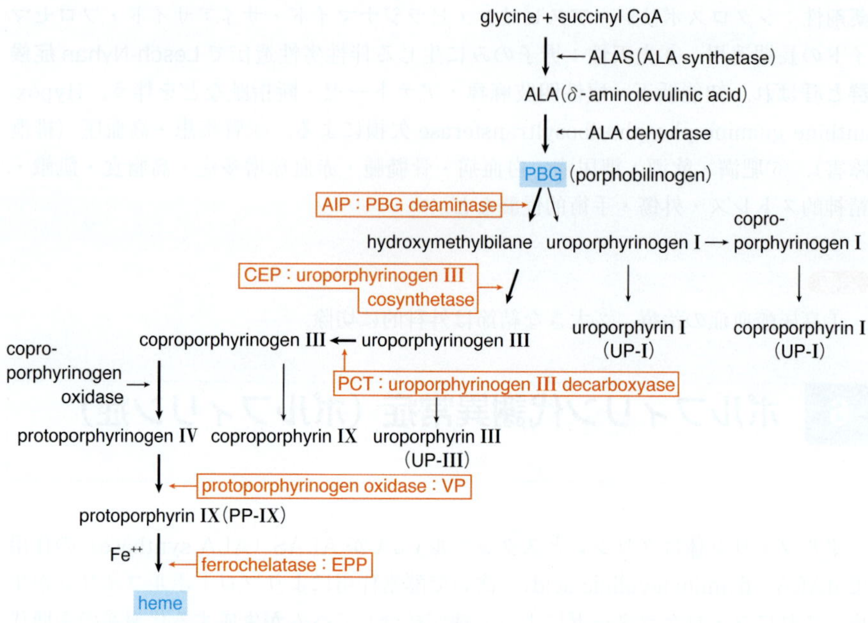

図 18-29 ポルフィリン代謝経路

表 18-6 ポルフィリン症

	皮疹	日光過敏症	遺伝	遺伝子	ポルフィリン		
					赤血球	尿	糞便
骨髄性							
CEP	+++	+++	AR	*UROS*	+++	+++	++
EPP	++	+	AD	*FEC*	+	−	
肝 性							
PCT	++	++	−		−	++	++
VP	+	+	AD	*PPOX*	−	++	++
AIP	−	−	AD	*HMBS* *PBGd*	−	+	+

症状

出生直後より2〜3年のうちに発症する.

①**赤色尿**：おむつ（おしめ）赤染で気づく. ウッド灯で紅赤色蛍光. uroporphyrin Iによる.

②**皮膚症状**：光線過敏性あり, 春夏に露出部に水疱を生じ急激に膿疱化し, 潰瘍と

なり，これを反復して瘢痕および変形（耳朶・鼻の欠損，瘢痕性脱毛，眼瞼外反）をきたす．指皮膚の萎縮には，拘縮・骨吸収・断指などが伴う．
③**赤色歯**（erythrodontia）：乳歯・永久歯ともにみられ，蛍光を発する．
④**溶血性貧血と脾腫**：ほとんどにみられ，死因となる．

治療

遮光・脾摘・骨髄移植．

2. 骨髄性プロトポルフィリン症 erythropoietic protoporphyria（EPP）（Magnus 1961） 

病因

常染色体優性遺伝．骨髄の赤芽球の ferrochelastase（heme synthetase）活性低下により protoporphyrin IX（PP-IX）からヘムへの過程が傷害され，生体に，PP-IX が蓄積（脂溶性なので胆汁より糞中へ排出される），赤血球・皮膚・肝に多量に取り込まれる．400 nm 前後の光線照射により血管内皮細胞変性をきたす．*FECH* 遺伝子に異常．

症状（図 18-30）

幼児期より，日光照射後数分にして裸露部の熱感・疼痛とともに潮紅・浮腫（actinic edema）・じんま疹（actinic urticaria）・小水疱（hydroa aestivale）・湿疹様皮疹を生じ，のち結痂，瘢痕化（痘瘡瘢痕状，時に断指・顔面変形），10 歳前後に寛解．稀．

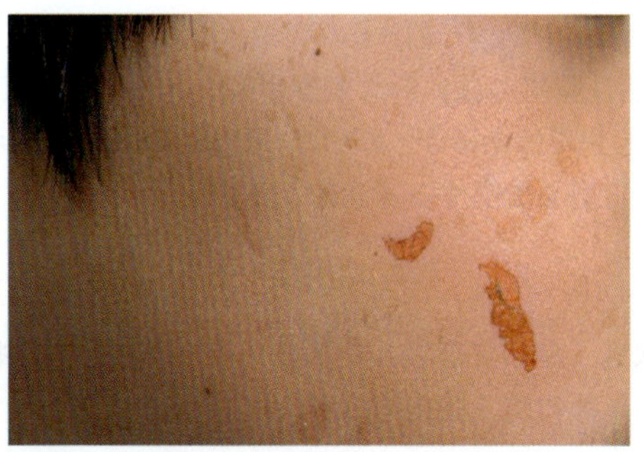

図 18-30　骨髄性プロトポルフィリン症
（頬部の浅い潰瘍と陥没性瘢痕）

診断

①赤血球蛍光（400 nm），②血漿・赤血球・糞便のプロトポルフィリン増加（赤血球の赤色蛍光），③スクリーニングテストでは尿中ポルフィリン体陰性，④肝機能障害（予後に関与），⑤真皮上層血管周囲性 PAS 陽性物質．

組織所見

真皮乳頭，血管周囲性 PAS 陽性物質．

治療

①遮光（400 nm 付近），②高 β- カロチン食，③洗浄赤血球輸血・交換輸血，④鉄剤・ヘマチン投与，⑤肝庇護薬．

3. 晩発性皮膚ポルフィリン症 porphyria cutanea tarda（PCT）　○

遺伝的背景のないⅠ型，家族内に発症するⅡ型に大別できる．Ⅰ型が 80％を占める．

病因

uroporphyrinogen decarboxylase（UPD）活性低下のため uroporphyrinogen Ⅲから coproporphyrinogen Ⅲへの過程が障害され，体内に carboxyl 基を多く有する uroporphyrin，heptacarboxyl porphyrin が増量する（これらは尿中に排泄され赤色を呈す）．

Ⅰ型：後天性に発症する PCT でアルコール長期摂取・肝炎（特にかつての C 型肝炎）・薬物（エストロゲン・ヘキサクロロベンゼン・ポリ塩化ビフェニル・エチルアルコール・塩化フェノール・四塩化ジベンゾダイオキシン）などが誘因となる．

Ⅱ型：遺伝性の PCT．*UROD* 遺伝子の変異，なお *UROD* 遺伝子の homozygous 異常は UROD 酵素活性障害の強い肝骨髄性ポルフィリン症（HEP）を起こす．

Ⅲ型：遺伝性の PCT ではあるが，*UROD* 遺伝子の異常を伴わない，Ⅱ型に相当しない症例があり，Ⅲ型を提唱する考えがある．

皮膚症状（図 18-31，32）

日光裸露部に小水疱，続いてびらんを形成，瘢痕を残して治癒することを繰り返す．軽度瘢痕・萎縮・稗粒腫・強皮症様硬化・色素沈着をもって皮膚の脆弱性をきたす．顔面に多毛症．

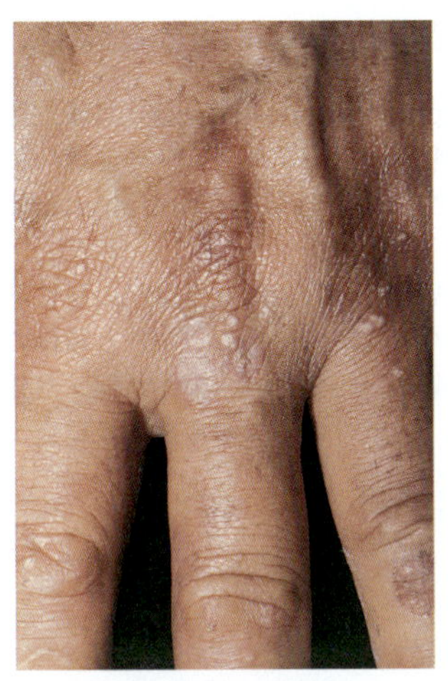

図 18-31　晩発性皮膚ポルフィリン症（多発性小水疱）

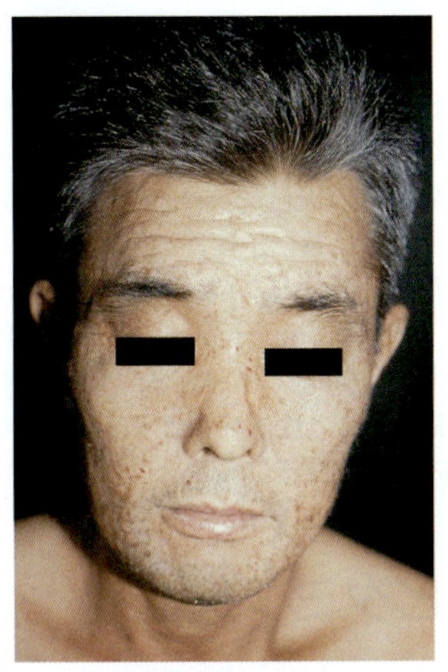

図 18-32　晩発性皮膚ポルフィリン症（多発性の小瘢痕）

組織所見

表皮下水疱，血管内皮細胞障害，血管周囲 PAS 陽性物質．肝生検組織に赤色蛍光．

予後

肝病変に左右される．

治療

禁酒・遮光・血漿交換療法・β カロテン・低用量ヒドロキシクロロキン投与・肝炎に IFN 療法・エストロゲン治療の休止．

4. 急性間歇性ポルフィリン症 acute intermittent porphyria（AIP）

常染色体優性遺伝．成人女子に多い．急性腹症（腹痛・下痢・嘔吐：腸筋けいれんによる），神経症状（筋無力症・麻痺・呼吸麻痺），精神症状（不安・刺激性・幻視・せん妄・てんかん様発作）など重篤であるが，皮膚症状は色素沈着のみで光線過敏症はない．急性期 ALA・PBG が増量するが，尿中ポルフィリン量は低い．ALAS 活性上昇．バルビツール・スルホンアミド・Ca 拮抗薬・ACE 阻害薬などで誘発されることがある．月経周期・妊娠・発熱も発症に関与する．*HMBS*（hydroxymethylbilane synthase）遺伝子や *PBGD*（porphobilinogen deaminase）遺伝子の変異が見つかっている．尿は長期放置すると褐色となる．急性期にはヘム剤静注・ブドウ糖大量療法，症状軽減に高蛋白食・ビタミン投与など．

〔付 1〕**遺伝性コプロポルフィリン症** hereditary coproporphyria：常染色体性優性遺伝で，女子に多く思春期以後に発症．AIP に近い症状（腹痛・嘔吐・神経，精神症状）と水疱などの皮膚症状も．coproporphyrinogen oxidase 活性が低下して coproporphyrinogen Ⅲが蓄積する．*CPOX* 遺伝子変異で発症する．

〔付 2〕**異型ポルフィリン症** variegate porphyria（VP）：常染色体優性遺伝の肝性ポルフィリン症で，protoporphyrinogen oxidase（PPOX）の活性が低下する．AIP と類似の急性症状（腹痛・嘔吐・神経，精神症状）が出現するが，薬剤・化学物質・栄養状態・内分泌因子などで誘発される．皮膚症状は PCT 類似であるが，遺伝性コプロポルフィリン症よりは強くでる．*PPOX* 遺伝子に変異．

7　ビタミン欠乏症

食餌性欠乏と吸収不全・代謝障害により欠乏症を生じ，一般に水溶性ビタミン（B_1・B_2・B_6・B_{12}，C，葉酸，ビオチン，ナイアシン）は短期間に発症し，脂溶性ビタミン（A，D，E，K）は長期間を要する．

1）**ビタミン A**：皮膚乾燥・落屑（乾皮症 xerosis）と毛孔角化の傾向．いわゆるビタミン A 欠乏性角化症（phrynoderma）は，皮膚の粗糙乾燥化．毛孔性角化があり，しばしば夜盲，眼球乾燥（xerophthalmia），口腔乾燥（xerostomia）などを伴う．毛孔性紅色粃糠疹・魚鱗癬などにビタミン A 欠乏の確たる証拠はない．カロチン（プロビタミン A）の過剰摂取は皮膚の黄色変化をもたらす．

2）**ビタミン B_1**（脚気）：脚気予防因子，抗神経作用のビタミンで持続的欠乏により多発性神経炎，徐脈，健忘・不安などの精神知能の変化をきたす．進行すると筋力低下・知覚異常・麻痺などを呈する（脚気）．乾燥型，湿潤型，心臓型，混合型を区別し，乾燥型では皮脂，汗の分泌低下，湿潤型では貧血性・浮腫性皮膚を呈する．

3）**ビタミン B_2**（ariboflavinosis）：リボフラビンは組織の酸化・還元系の補酵素として働く．欠乏は口角びらん症・脂漏性皮膚炎・眼瞼炎・口唇炎・舌炎・胃腸障害・痤瘡様発疹．

4）**ビタミン B_6**：眼，鼻，口唇部の脂漏性皮膚炎様病変が生じる．B_2 欠乏症，ペラグラにも類似するが，ピリドキシンのみが奏効．

5）**ビタミン C**：アスコルビン酸は膠原線維の成長に関与し，その欠乏は毛包周囲性出血・血腫・毛孔性角化・貧血・創傷治癒遅延・食欲不振・無関心状態・歯肉出血性腫脹（☞ p.243 壊血病）をきたす．

6）**ビタミンD**：くる病・骨軟化症．逆に過剰症の場合には高Ca血症，皮膚・血管・心筋・腎・肺の石灰沈着，下痢，頭痛，腎障害をきたす．

7）**ビタミンK**：凝固因子Ⅱ，Ⅶ，Ⅸ合成に必要なビタミンで，その欠乏は出血傾向を呈する．

○8）**ペラグラ** pellagra：ニコチン酸・ニコチン酸アミド（図18-33）（ナイアシン）欠乏を主因とし，dermatitis，diarrhea，dementiaの3D（3主徴）がペラグラの主徴候である．

表18-7 ビタミンの欠乏と過剰

	化学名	作用	欠乏症	過剰症
（脂溶性）				
ビタミンA	レチノール	上皮形成 骨形成 視紅の成分	皮膚乾燥，毛孔性角化，眼球乾燥，夜盲症	皮膚乾燥と落屑，脱毛，頭痛，
ビタミンD	カルシフェロール	カルシウム吸収 骨リモデリング 表皮角化調節	くる病，骨軟化症 テタニー，角化異常	嘔吐，不機嫌，下痢 高カルシウム血症
ビタミンE	トコフェロール	膜脂質酸化抑制 抗酸化作用	歩行障害，振動感覚消失 眼球運動麻痺，貧血 乳児皮膚硬化	
ビタミンK	フィトナジオン	プロトロンビン合成酵素の補酵素	出血	ビタミンK投与：骨粗鬆症の予防
（水溶性）				
ビタミンB_1	チアミン	酸化的脱炭酸反応の補酵素	脚気，多発性神経炎	
ビタミンB_2	リボフラビン	電子伝達系の補酵素	舌炎，口唇炎，皮膚炎	稀に光線過敏症
ビタミンB_6	ピリドキシン	糖新生 ナイアシン産生 酸素結合能↑	皮膚炎 多発性神経炎	稀に光線過敏症
ビタミンB_{12}	シアノコバラミン	DNA合成 葉酸蓄積	悪性貧血，舌炎	
ビタミンC	アスコルビン酸	コラーゲン合成 （酸化還元反応）	壊血病，出血，口腔・結膜の乾燥，細胞間質形成不全	
葉　酸	プテロイルグルタミン酸	炭素転移反応の補酵素	貧血	
ビオチン		脂肪酸合成 β酸化	魚鱗癬，脂漏性皮膚炎様の紅皮症	
ナイアシン	ニコチン酸	酸化還元反応の補酵素	ペラグラ	

病因

ニコチン酸，その前駆物質トリプトファンの欠乏症．不適当な食餌・慢性アルコール中毒・胃腸管吸収不全による．この他の原因にHartnup病，カルチノイド症候群（トリプトファンがセロトニンに転換され，内的ニコチン酸が減少する），抗結核薬（INAH：ニコチン酸類似構造であるため，内的ニコチン酸産生を抑制する），抗腫瘍薬（6-MP，5FU：トリプトファンのニコチン酸への転換を抑制する）．胃切除後（postgastrectomic pellagra），極端なダイエット・拒食症，アルコール中毒によるものが散発する．

症状（図18-34）

①**前駆症状**：全身倦怠感，前駆性紅斑（手背に灼熱感のある紅斑が数日続く）．
②**皮膚症状**：日光露出部に灼熱感・瘙痒を伴った**紅褐色紅斑**を生じ，頸部では頸飾り状（**カザール頸帯** Casal's necklace）を呈する．皮膚は乾燥粗糙化，やがて色素沈着と萎縮になる．春夏に増悪．
③**消化器症状**：下痢・食欲不振・嘔吐・口渇・舌炎・口内炎・口角びらん・味覚変調など．
④**神経症状**：知覚異常・脱力感・運動障害・頭痛・けいれん・睡眠障害・意識障害・認知症など．

診断

特徴的臨床症状とナイアシン・トリプトファンの低値によって診断する．

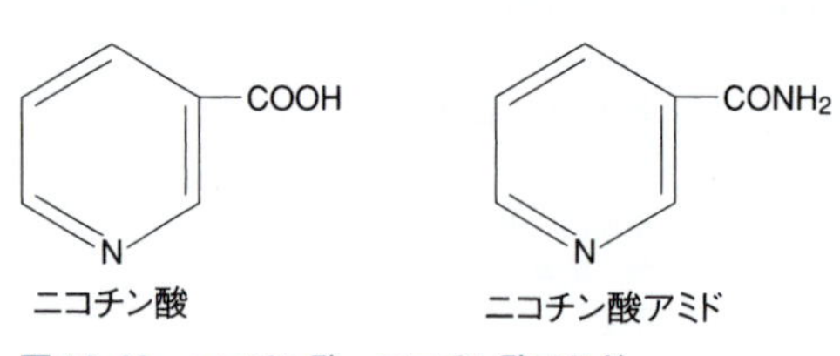

図18-33 ニコチン酸・ニコチン酸アミド

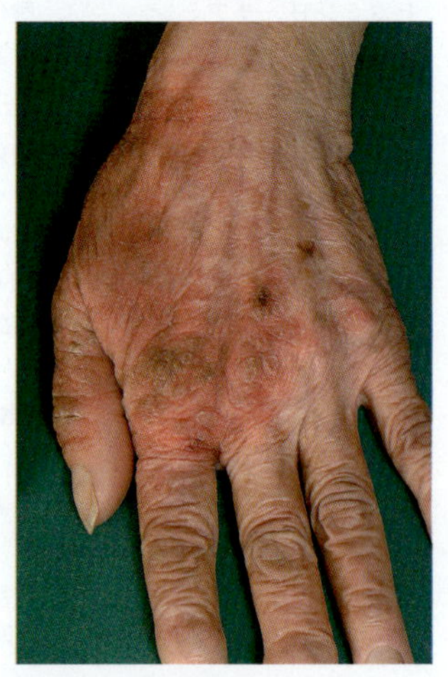

図18-34 ペラグラ

治療

①食事改善，②ニコチン酸アミドの大量投与（100～300 mg/day），③遮光.

〔付 1〕 **先天性ビオチン代謝異常症** biotin-responsive multiple carboxylase deficiency（MCD）：常染色体性劣性遺伝．ホロカルボキシラーゼ合成酵素欠損症と遅発性ビオチニダーゼ欠損症とがある．有機酸が尿中に増加する．各種神経症状，消化器症状をきたす．皮膚症状は前者では全身に鱗屑と紅斑を生じ，進行して紅皮症化し（魚鱗癬～脂漏性湿疹様），おむつ部・間擦部・開孔部では湿潤する．脱毛あり．後者では落屑性紅斑は限局性で，開孔部湿潤・脱毛を生じる．治療はビオチン投与.

〔付 2〕 **栄養性ビオチン欠乏症**：ビオチンは皮膚疾患との関連が取り沙汰されているが，栄養性に欠乏することがある．アミノ酸調整ミルク栄養，完全静脈栄養をはじめとしてアルコール摂取も関係.

第19章 皮膚形成異常・萎縮症

皮膚萎縮症，遺伝性結合織疾患，早老症候群，形成異常症，穿孔性皮膚症，脂肪萎縮症に分けて記述する．

1 皮膚萎縮症

1. 斑状皮膚萎縮症 atrophoderma，macular atrophy

概念・症状

真皮の弾性線維が消失して皮膚が限局性に弛緩し，ヘルニア様あるいは袋状に突出する原因不明の斑状皮膚萎縮症．20～40 代の女性，体幹・四肢近位側に好発する．

① anetodermia erythematosa（Pellizzari and Jadassohn）（図 19-1）：潮紅と浮腫をもって始まり，のち蒼白化，萎縮する．

② multiple benign tumor-like new growths of the skin（Schwenninger-Buzzi）：炎症症状を欠き，はじめより白色，柔軟なヘルニア状隆起として発する．

この 2 型の他に subtype を分けることもあるが，しばしば共存するので同一病態と考えられる．二次的に生じた萎縮症，表在性皮膚脂肪腫性母斑，ケロイドなどと鑑別する．

いずれも初期に浮腫・血管拡張・血管周囲性細胞浸潤，のち弾力線維の断裂・消失．一度出現した萎縮性皮疹は不変．

治療

有効な治療法はない．先行病変の治療が本症の予防に繋がる可能性がある．コルヒチンの奏効例が報告されている．

真皮の萎縮を示す稀な疾患．

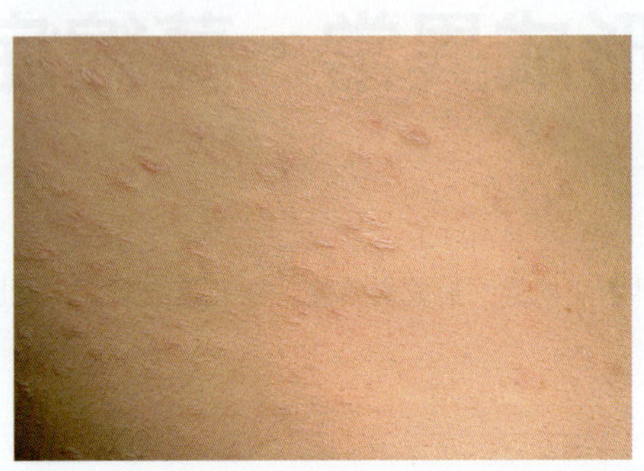
図 19-1　斑状皮膚萎縮症（anetodermia erythematosa）

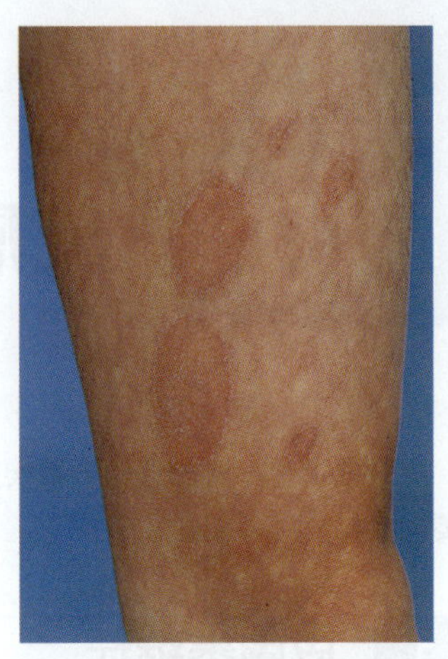
図 19-2　進行性特発性皮膚萎縮症

2. パッシーニ・ピエリーニ型進行性特発性皮膚萎縮症 atrophoderma idiopathica progressiva，atrophoderma of Pasini-Pierini（Pasini 1923 and Pierini 1936）

症状

大小の円形または楕円形，紫褐色調，やや陥凹性の皮膚萎縮斑（図 19-2）で，自覚症状はなく，両側性あるいは片側性，不規則にまた列序性に発し，若年者，特に女性の体幹，特に背部に多い．慢性に徐々に進行．

組織所見

初期は浮腫と血管周囲の細胞浸潤，後期には真皮が菲薄化するが弾性線維に変化はない．限局性強皮症の非定型例とする考えもあるが，周囲紅斑や lilac ring もなく，限局性強皮症に移行した例も報告されていない．

治療

有効な治療法はない．ヒドロキシクロロキンの奏効例が報告されている．

3. 線状皮膚萎縮症 striae atrophicae，伸展性皮膚線条 striae distensae　○

わずかに陥凹する線状の皮膚萎縮で妊婦や思春期男女によくみられる．

病因

グルココルチコイドの過生成（線維芽細胞の増殖抑制・膠原線維産生抑制）や急速な成長・肥満などによる皮膚の機械的伸展が主な発症機序.

好発因子（図 19-3）

妊娠，出産後の婦人の腹部・乳房・股部にみられる妊娠性線条は妊娠 6ヵ月頃より生じ，妊婦の 90%に発生する．思春期女子の 70%，男子の 40%近くにみられ，臀部・大腿外側・大転子部・膝蓋上方・乳房に出現する（思春期線条）．クッシング症候群，マルファン症候群，肥満，ステロイド長期投与（外用を含む），糖尿病，腹部膨隆（腹腔内腫瘍・腹水），特殊な伝染病などにもみられる.

症状

幅数 mm まで，長さ 1～十数 cm に及ぶ，ほぼ平行して走る，わずかに陥凹した萎縮性線条．初期に淡紅～蒼紅色を呈するが，のち灰白色となる．皮膚伸展方向と直角に走るものが多い.

組織所見（図 19-4）

表皮菲薄化，弾力線維は様々であるが，菲薄化・断裂して減少・消失，時に限局性増加，膠原線維は均質化して表皮と平行に配列.

予後

自然に目立たなくなるのを待つ．ビタミン A 酸誘導体薬の外用．ダイレーザー照射.

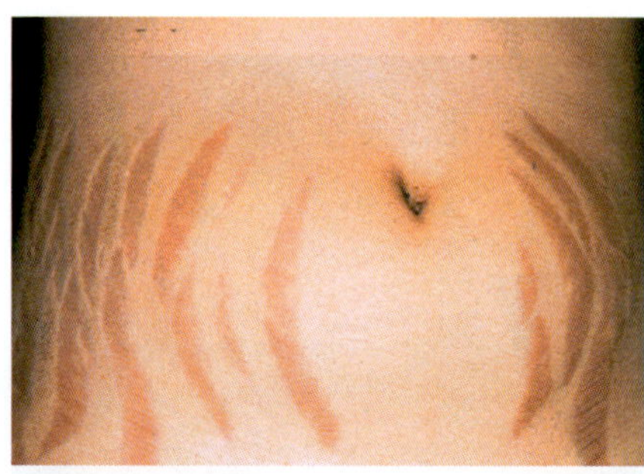

図 19-3　線状皮膚萎縮症

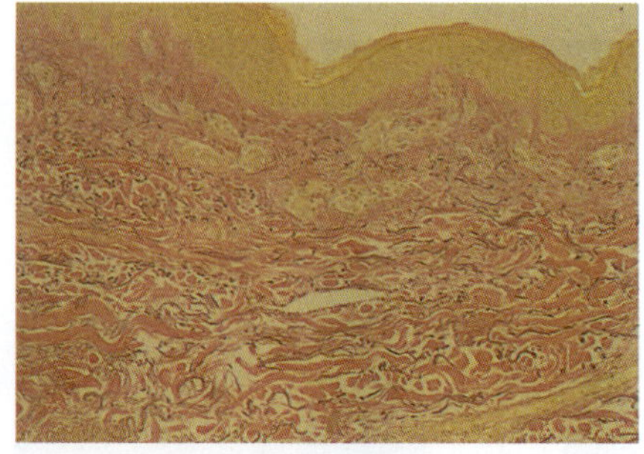

図 19-4　線状皮膚萎縮症（組織．エラスティカ・ファン・ギーソン染色）

4. 老人性皮膚萎縮症 senile skin atrophy

高齢者にみられる老化現象としての皮膚萎縮．紫外線の慢性曝露がこれに加わると「光老化 photoaging」をきたす．

症状（図 19-5〜7）

40〜50 歳頃より，皮膚（表皮・真皮）は菲薄化し，皮下脂肪の消失とともに弾性を失い，乾燥，粃糠性落屑を生じ，細かい皺襞が目立つようになる．色素沈着・脱失，毛細血管拡張なども加わり，いわゆるしなびた老人の肌を呈する．発汗・皮脂分泌能，皮表脂質や角質の水分保持能も低下する．

光老化は紫外線（UVA，UVB），赤外線をはじめ外界の影響を受ける顔面・項頸・手足背・前腕など露出部に変化が強い（水夫皮膚 sailor's skin，農夫皮膚 farmer's skin）．項部では皺襞斜交して菱形皮野を形成し，**項部菱形皮膚**（cutis rhomboidalis nuchae）（図 19-8）を生じる．変性弾力線維が増加する（senile elas-

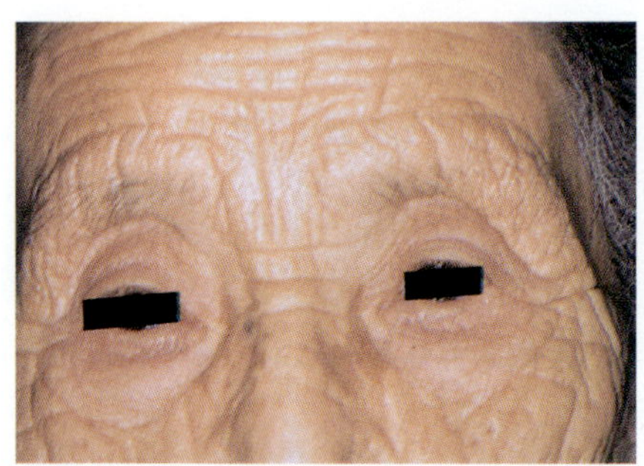

図 19-5　老人性皮膚萎縮

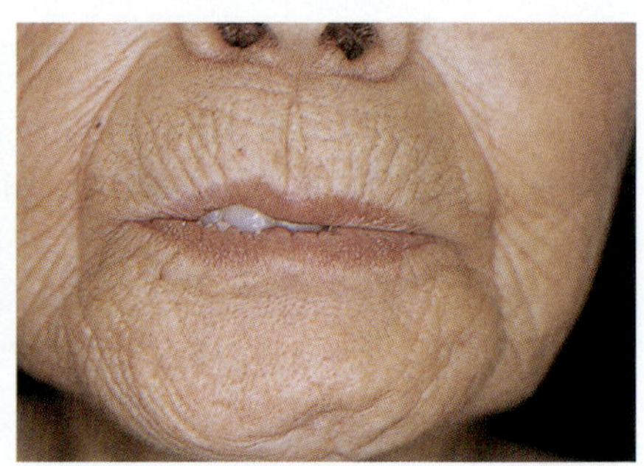

図 19-6　老人性皮膚萎縮

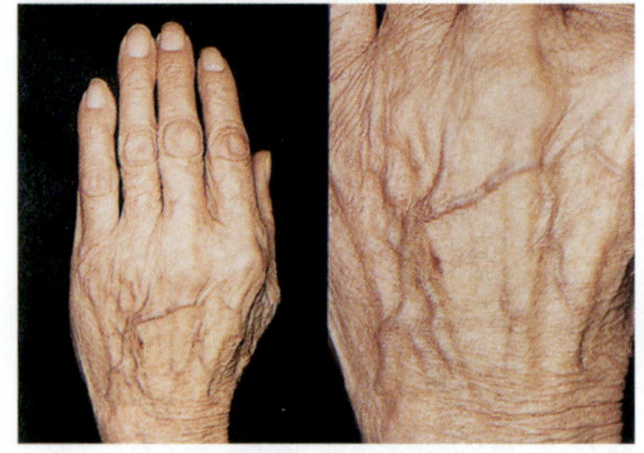

図 19-7　老人性皮膚萎縮

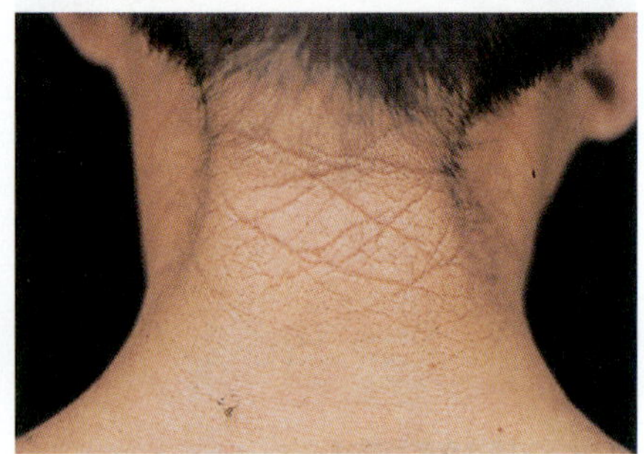

図 19-8　項部菱形皮膚

tosis）（図 19-9）．光老化皮膚は日光角化症，有棘細胞癌などの発症基盤．内因性の皮膚老化と光老化との比較を（表 19-1）に示す．

〔付 1〕**光線性弾性線維症** solar elastosis：顕著な一型として，老人男性の側額・眼窩周囲に多数の大小の黄白色丘疹が多発し，その中央に面皰様黒色小点を有する élastéidose

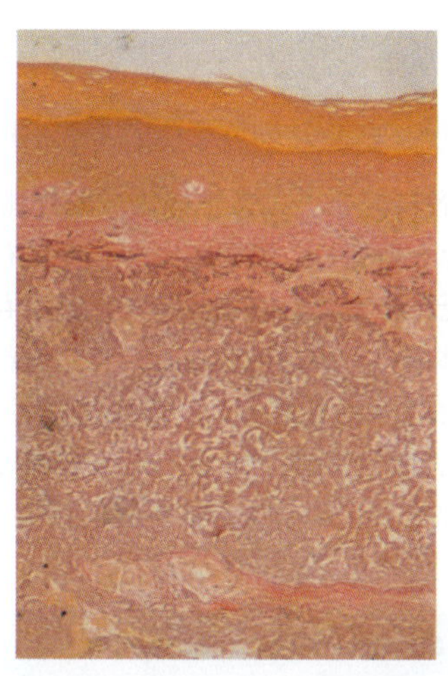

図 19-9　senile elastosis（弾力線維性変性）

表 19-1　内因性老化と光老化との比較

特徴	内因性老化	光老化
臨床像	滑らかな皮膚 細かい皺とたるみ，乾燥 創傷治癒遅延	粗糙な皮膚，粗い皺 老人性色素斑，皮膚の黄ばみ 日光角化症などの前がん病変
組織像		
表皮	菲薄化，突起の減少 細胞は規則的に配列 メラノサイト：減少，活性↓	不規則に肥厚，最終的に菲薄化 細胞は不規則に配列 異形成あり メラノサイト：減少，活性↑
真皮	菲薄化	不規則にやや肥厚
線維	膠原線維の減少・配列の乱れた太い線維束 弾性線維↓	膠原線維・線維束の減少と均一化 変性弾性線維↑↑
間質	グリコサミノグリカン↑	グリコサミノグリカン↑↑
線維芽細胞	不活性化	増殖
血管	減少	著明減少・拡張

19章

cutanée nodulaire à kystes et à comédons（Favre et Racouchot）がある（☞ p.748）.

〔付 2〕**星状特発性偽瘢痕 stellate and discoid pseudoscar**：高齢者の手背にみられる星芒状の萎縮性瘢痕様変化．長年の労働・日光曝露者に多い．膠原線維の増生あり．小外傷の反復も原因・誘因か．

〔付 3〕**white fibrous papulosis of the neck**（Shimizu 1985）：中高年者の頸部にみられる粟粒大までの白～黄白色，円～楕円形，境界明瞭な多発性非毛包性扁平隆起性丘疹．真皮上中層の膠原線維の粗大化と増加（elastosis はない）．加齢による真皮の変性と考えられている．

5. 顔面片側萎縮症 facial hemiatrophy，Parry-Romberg 症候群

20 歳までの小児，若年者に好発．三叉神経領域の片側に生じる皮膚萎縮．しばしば皮下脂肪，時に筋・骨も萎縮し，患側に屈曲して左右非対称となる．皮膚は菲薄化し，色素沈着ないし脱失をきたし，発汗障害，脱毛もみられる．稀に体幹にも波及．ANA・抗 DNA 抗体陽性，限局性強皮症（特に剣創状強皮症）との合併などから限局性強皮症の一型との考えもある．一部に神経症状（Horner 症候群・てんかん・脳内石灰化・中枢性自律神経異常・視神経萎縮など）を随伴することがある．数年～10 年の進行停止後に必要に応じて形成外科的修復を図る．

6. 虫蝕状皮膚萎縮症 atrophodermia vermiculata

両頬・頬骨部にほぼ左右対称性に，虫蝕状の点状～網状の小陥凹が多発．組織像は表皮の萎縮・平坦化，角質嚢腫，脂腺萎縮，弾力線維の巻絡消失．一見痤瘡，顔面播種状粟粒性狼瘡消褪後の小瘢痕に似るが，炎症は先行共存しない．近年は keratosis pilaris（atrophicans）の一型と考えられている．極めて稀．

7. piezogenic pedal papules（Shelly and Rawnsley 1968）（図 19-10）

立位にて足底，特に踵に弾性軟，正常～淡黄色，径 5～10 mm の半球状丘疹が数個から数十個生じる．時に疼痛．真皮菲薄化・弾性線維の断裂あり．立位（圧迫）により皮下脂肪組織がヘルニア状に突出する．圧迫がとれると消失する．遺伝的要因や慢性の機械的刺激が関与して発症か．小児を含め各年齢層の男女に出現する．

8. 硬化性萎縮性苔癬 lichen sclerosus et atrophicus（LSA） ○

外陰部に白色調萎縮性丘疹や局面を生じる原因不明の疾患．中高年女性に好発し 10 歳以下の小児にも比較的多い．

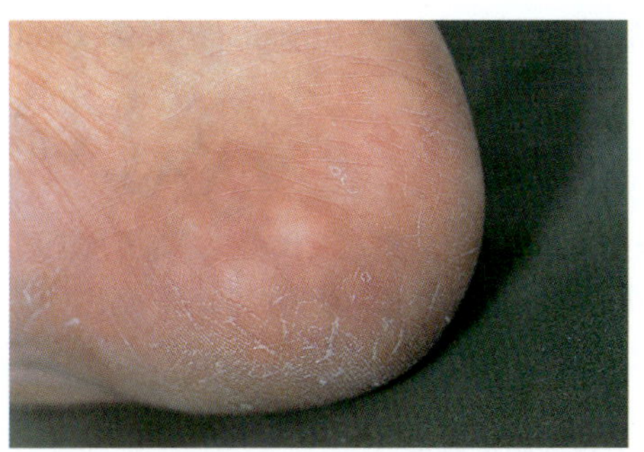
図 19-10　piezogenic pedal papules

病因

遺伝的要因・自己免疫機序・内分泌異常・感染・慢性刺激などが病因として推測されている．扁平苔癬，限局性強皮症の亜型説あり．

症状（図 19-11）

米粒～爪甲大，白色，扁平にわずかに隆起性の，やや硬い丘疹が多発し，しばしば融合して象牙色の局面を形成する．のちに表面萎縮して羊皮状となり，毛孔性角栓が目立つ．時に瘙痒・疼痛・不感症あり．萎縮が高度になると陰唇の縮小，腟口および尿道口の狭窄をきたす．女子外陰部を侵すことが多いが，項頸，上背，上腕，亀頭，肛囲にも生じる．

陰門萎縮（kraurosis vulvae）・陰茎萎縮症（kraurosis penis）は本症の外陰部発

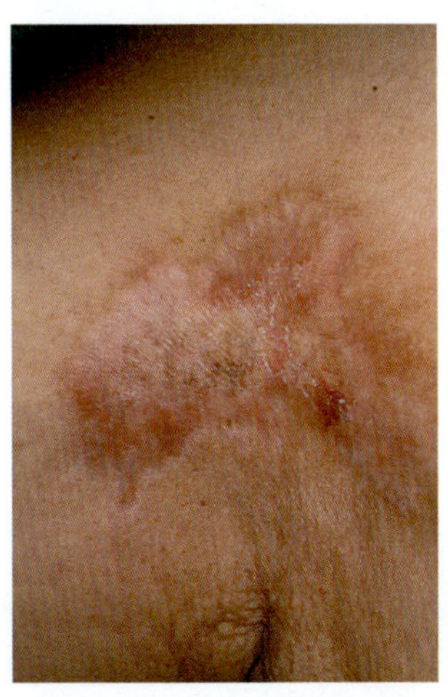
図 19-11　硬化性萎縮性苔癬（腋窩近く）

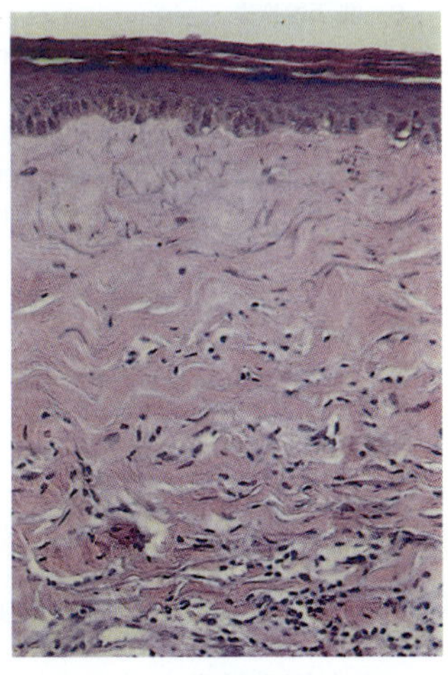
図 19-12　硬化性萎縮性苔癬（組織）

生とみなされる．閉塞性乾燥性亀頭炎（balanoposthitis xerotica obliterans）も本症の亀頭部発生か．

組織所見（図19–12）

①角質増生と角栓形成，②表皮萎縮と液状変性，③真皮上層の著明な浮腫と膠原の均質化，④真皮中層にリンパ球性帯状細胞浸潤．

予後

外陰例の数％から有棘細胞癌発生．

9. 多形皮膚萎縮症 poikiloderma，poikiloderma atrophicans vasculare　○

皮膚萎縮，色素異常と毛細血管拡張症の混在する皮膚病変の症候名．種々の疾患の随伴皮膚症状ないし皮膚病変の終末像でもある．皮膚萎縮，網状の色素沈着，脱色素斑，毛細血管拡張，粃糠様落屑，小出血点などより成り，時に苔癬様小丘疹を伴う．皮膚筋炎（poikilodermatomyositis）を始めとする基礎疾患を表19–2に示す．

表19–2　多形皮膚萎縮症の基礎疾患

A．後天性疾患
1．膠原病：皮膚筋炎，SLE，強皮症
2．リンパ腫：菌状息肉症，苔癬状類乾癬
3．炎症性皮膚疾患：湿疹続発性紅皮症，扁平苔癬
4．皮膚傷害：慢性放射線皮膚炎，慢性日光皮膚炎，外傷性瘢痕
B．先天性疾患
1．早老症候群：Rothmund-Thomson 症候群，Werner 症候群，Bloom 症候群
2．色素性乾皮症
3．先天性表皮水疱症
4．Hereditary sclerosing poikiloderma Hereditary acrokeratotic poikiloderma

2　遺伝性結合織疾患

1. マルファン症候群 Marfan syndrome　○

骨，眼，心血管系異常を示す遺伝性結合織疾患．古典的Ⅰ型と眼症状を欠くⅡ型がある.

病因

常染色体性優性遺伝, fibrillin-1 遺伝子（*FBN*-1, 15 番染色体上）の異常. エラスチンに親和性を有するミクロフィブリルであるフィブリリン-1 の合成・分泌・細胞外マトリックスへの沈着のいずれかが低下する.

以上のⅠ型に酷似するが, 眼症状を欠くⅡ型（マルファン様結合織疾患 Marfan-like connective tissue disorder）がある. 常染色体優性遺伝. Transforming growth factor 受容体遺伝子（*TGFBR2*, *TGFBR1*）に原因.

症状（図 19-13, 14）

①**皮膚**：しばしば皮膚線条, 稀に蛇行性穿孔性弾力線維症を合併.
②**骨**：長身・四肢骨長（arm span が身長より長い）・クモ状指（arachnodactyly）（特に第 1 指趾）・脊椎異常（前彎・側彎）・口蓋高挙・漏斗胸・鳩胸・関節過可動・習慣性脱臼・扁平足.
③**眼**：近視・水晶体偏位（ectopia lentis）・青色強膜.
④**心血管（約 90%に合併）**：解離性大動脈瘤（40 代で死因となることが多い）・大動脈弁閉鎖不全・僧帽弁閉鎖不全.
⑤**肺**：肺嚢胞がほぼ必発.

〔付〕先天性拘縮性クモ状指趾症 congenital contractural arachnodactyly（Beals 症候群）：マ

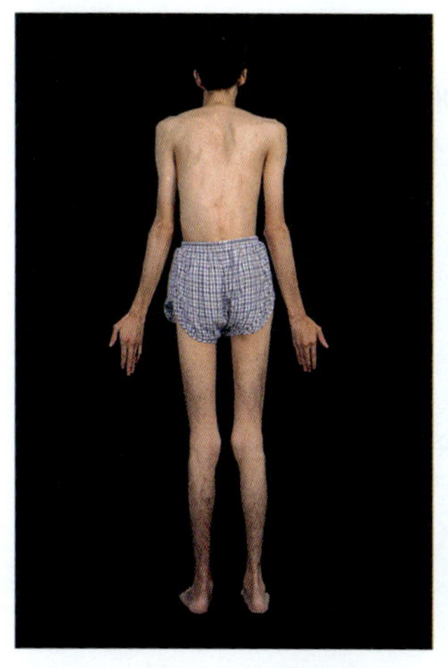

図 19-13 マルファン症候群

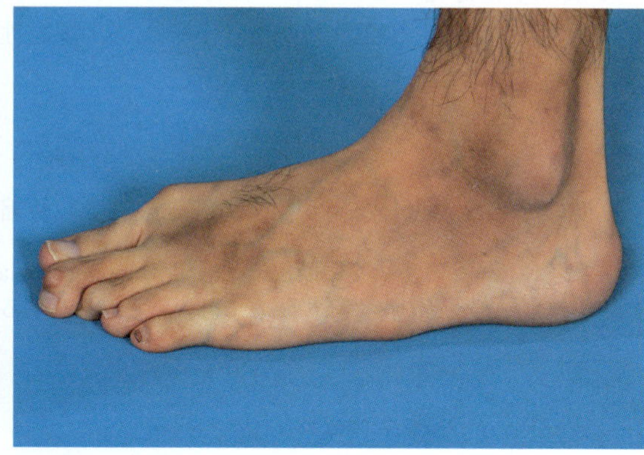

図 19-14 マルファン症候群

19章

ルファン症候群に似ているが，関節拘縮が多発し，心血管系に異常を生じない．フィブリリン-2遺伝子（*FBN-2*）に原因．

2. 皮膚弛緩症 cutis laxa, dermatochalasia, elastolysis

先天性，後天性に弾力線維に異常をきたして，皮膚の弾力性が失われて皮膚が弛む症候群．

病因と症状

1）先天性

①常染色体性優性遺伝：エラスチン遺伝子（*ELN*），稀にフィブリン遺伝子（*FBLN5*）の変異が報告されている．出生後間もなく，浮腫に引き続いて皮膚が弛緩して余剰を生じ，大きなしわを作って下垂する（顔・体幹に著明）．下床に対して可動性が高く，ゴムのように引き伸ばせる．

②常染色体劣性遺伝：1型：*Fibulin-5*（*FBNL-5*）と *fibulin-4*（*FBNL-4*），2型：*ATP6VOA*，3型（de Barsey syndrome）：*pyrroline-5-carboxylate reductase 1*（*PYCR-1*）遺伝子の変異が報告され，異質性がある．皮膚病変に加えてしばしば肺気腫・消化管憩室・ヘルニア・直腸脱・子宮脱・動脈瘤・関節弛緩などを伴う．

③X染色体劣性遺伝（occipital horn syndrome）：Menkes症候群の軽症型とも考えられており，銅輸送に関連する *ATP7 transporter* 遺伝子に異常あり．精神発達遅滞・角膜混濁を伴う．

2）後天性

20歳以上に好発．じんま疹・血管運動性浮腫・水疱性疾患・炎症などが先行して局所性に生じる．SLE，サルコイドーシス，多発性骨髄腫，全身性アミロイドーシスに随伴することもある．

組織所見

皮膚の厚さは変化しないが，弾力線維の減少・短縮・変性をみる．

〔付〕眼瞼に限局するものを**眼瞼皮膚弛緩症**（blepharochalasis）（図19-15）といい，これに涙腺・唾液腺分泌増加，巨口唇および甲状腺腫を合併するものを**Ascher症候群**と称する．

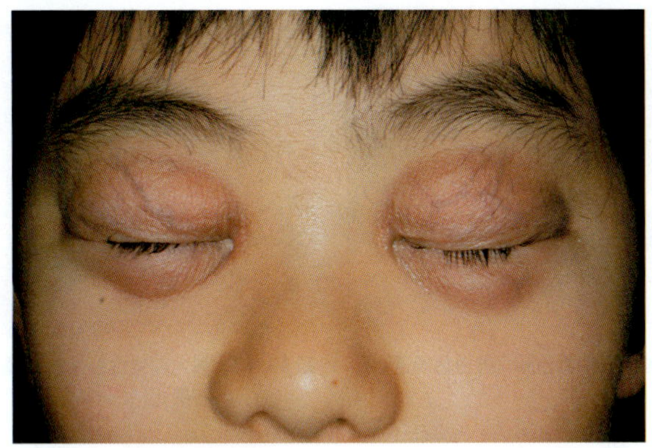

図 19-15 眼瞼皮膚弛緩症

3. 弾力線維性仮性黄色腫 pseudoxanthoma elasticum（PXE）（Darier 1896），elastorrhexis ◎

弾性線維の変性により皮膚，眼，心血管病変をきたす遺伝性疾患である．

病因

ATP 結合カセットファミリーに属する *ABCC6* 遺伝子（ATP-binding cassette subfamily C member 6）の異常．常染色体性劣性遺伝．弾性線維の系統的変性（特に皮膚と血管壁）．

19章

症状（図 19-16）

①**皮膚症状**：10～20 代に発症．側頸部，関節屈曲部（腋窩・肘窩・鼠径・膝窩）などに，楕円～紡錘形，黄～黄白色の軟らかい粟～米粒大丘疹が多発集簇して網状局面を形成．皮膚は軟らかくたるみ，加齢とともにしわがひどくなる．

②**眼症状**：20～40 代に視力障害（中心視野障害，Bruch 膜の弾性線維変性）で初めて治療を求めることが多い．眼底には血管走行状に分枝した褐色線条がみえ，**血管様線条**（angioid streak）と呼ぶ．眼底出血も稀ではない．眼症状と皮膚症状の合併例を **Grönblad-Strandberg 症候群**と称する．

③**心血管系**：高血圧，動脈硬化，心筋炎，大動脈炎，狭心症発作，間歇性跛行，四肢冷却，脳・胃腸管・腎・子宮・膀胱などの内臓出血（特に胃出血）．しばしば死因となる．

④**その他**：軟口蓋・口唇内側・胃・直腸（消化管出血）・腟にも皮膚と同様の発疹

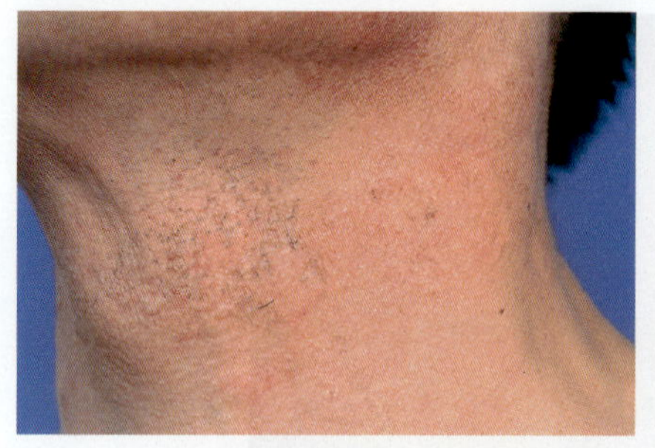

図 19-16　弾力線維性仮性黄色腫（黄白色局面）

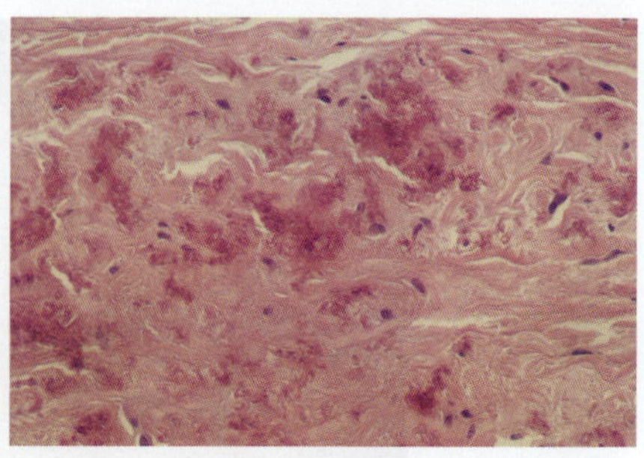

図 19-17　弾力線維性仮性黄色腫（弾力線維変性と石灰化）

を生じることあり．稀に蛇行性穿孔性弾力線維症を合併．

組織所見（図 19-17）

真皮中深層の弾性線維の膨化・断裂・巻縮（断裂症 elastorrhexis），好塩基性に染まり，しばしば石灰沈着を伴う．血管壁の変化も同様．

治療

皮膚病変に特別の治療法はないが，時に弛緩皮膚を形成外科的に手術．眼・心血管系病変は早期に診断しての対応が重要．

4. エーラス・ダンロス症候群 Ehlers-Danlos syndrome, cutis hyperelastica 

関節の過可動，皮膚の過伸展，組織脆弱性を主徴とする先天性結合織疾患で，コラーゲン遺伝子異常が判明して新病型に分類されている．

分類と病因（表 19-3）

多くは常染色体優性遺伝．Kyphoscoliosis type（Ⅵ型）は常染色体劣性遺伝．X-linked form（Ⅴ型）はX伴性遺伝．Classical type と hypermobility type が 90%を占める．

①古典型 **classical type**：皮膚の過伸展，組織脆弱性に起因する萎縮性瘢痕と関節過可動が主徴．旧分類のⅠ型（重症型）とⅡ型（軽症型），常染色体優性遺伝．Ⅴ型コラーゲン遺伝子（*COL5A1*，*COL5A2*）に異常．

②関節型 **hypermobility type**：全身的な関節過可動が主徴．脱臼を起こしやすく，関節や筋の疼痛あり．Ⅲ型（過可動型）．*CHST14* 遺伝子変異が多く，Tenascin

表 19-3 エーラス・ダンロス症候群の分類

病型	遺伝形式	皮膚伸展	皮膚脆弱	関節過可動	その他	遺伝子
古典型	AD	卌〜＋	卌〜＋	卌〜＋	筋骨格異常 早熟	*COL5A1*，*COL5A2*
関節型	AD	ー〜＋	±	卌	患者数が多い	*CHST14* 遺伝子 少数例に TNXB
血管型	AD	±	廾	＋	易出血性 動脈破裂 消化管穿孔	*COL3A1*
後側彎型	AR	廾	±	卌	眼症状 筋骨格異常	プロコラーゲンリシン水酸化酵素（*PLOD*）
多発性関節弛緩型	AD	＋	＋	卌	関節脱臼	*COL1A1*，*CO1A2*（Ⅰ型プロコラーゲンの N 末端が切断できない）
皮膚脆弱型	AR	卌	卌	±	易出血性	Ⅰ型プロコラーゲン N-プロテアーゼ（*ADAMTS2*）
その他 X 染色体型	X	卌	廾	＋	関節型の亜型と考えられている	
歯根膜型	AD	±	廾	＋	歯牙欠損 歯根膜炎	しばしばコラーゲンⅢ欠乏

X 遺伝子（*TNXB*）の変異例は少数．本病型の患者数が最も多いといわれる．

③血管型 **vascular type**：薄い皮膚と透見できる血管，易出血性，血管の破綻，特有の顔貌，指関節の過可動など．Ⅳ型（動脈・出血型）に相当．Ⅲ型コラーゲン遺伝子（*COL3A1*）に異常．

④後側彎型 **kyphoscoliosis type**：関節弛緩，習慣性関節脱臼，筋緊張低下，進行性側彎症，強膜脆弱など．Ⅵ型（眼−側彎型）に相当．プロコラーゲンリシン水酸化酵素（*PLOD*）の異常．

⑤多発性関節弛緩型 **arthrochalasia type**：再発性関節亜脱臼を伴って関節過可動が高度，先天性両側性股関節脱臼．Ⅶ型（先天性多発関節弛緩型）．*COL1A1*，*COL1A2* のプロコラーゲン N-プロテアーゼ作用部位に変異．

⑥皮膚脆弱型 **dermatosparaxis type**：高度の皮膚の脆弱性とたるみが主徴．旧分類のⅦ型（皮膚脆弱型）．Ⅰ型プロコラーゲン N-プロテアーゼ遺伝子（*ADAMTS2*）に異常．

⑦その他の型：(a) X-linked form（X-染色体性，Ⅴ型），中等度の関節弛緩，皮膚過伸展，軟らかい皮膚．Hypermobility type の亜型．(b) periodontal type（歯

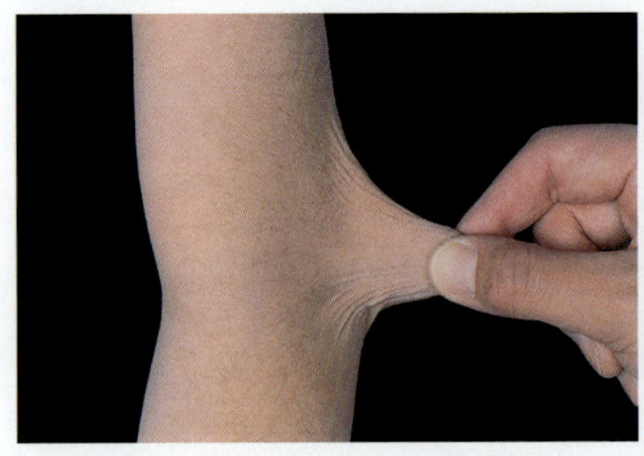

図 19-18　エーラス・ダンロス症候群

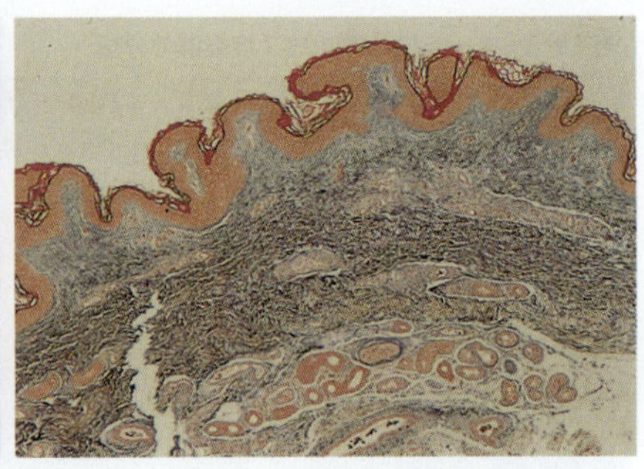

図 19-19　エーラス・ダンロス症候群（組織：アザン・マロリー染色）

根膜型，Ⅷ型），歯牙欠損，歯根膜炎，皮膚脆弱，易出血性．

症状（図 19-18）

①**皮膚**：軟らかく過伸展性があり，放すと直ちに元に戻る．脆弱（fragility）でわずかの外傷で裂けやすく（fish-mouth wound），**羊皮紙様瘢痕**を残す（cigarette paper scar）．また出血斑・血腫を生じやすい．脆弱な結合組織間に皮下脂肪がヘルニアに突出して周囲が器質化した結節（軟性偽腫瘤）や，石灰化を触知できる石灰化嚢胞を形成する．

②**関節の異常伸展性** hyperextensibility：指・趾・肘・膝が異常に屈曲伸展する（反張肘・反張膝）．変形・脱臼しやすく，時に歩行障害をきたす．

③**心血管系**：血管脆弱による易出血性（血腫形成）・僧帽弁逸脱・動脈瘤（破裂による急死）．

④**その他**：眼症状（水晶体偏位・斜視・近乱視・青色強膜・眼底出血：Ⅵ型に多い）・内臓下垂（子宮脱・膀胱脱）・横隔膜ヘルニア・消化器憩室・脊椎破裂．

組織所見（図 19-19）

先天性コラーゲン合成異常症で粗な膠原線維を形成，弾力線維はほぼ正常．真皮が極めて薄くなる．

3　早老症候群

早老症状を呈する遺伝性疾患でいずれも稀．

1. ウェルナー症候群 Werner syndrome（1904） ◎

遺伝性早老症の代表的疾患で，DNA ヘリカーゼ遺伝子異常が原因．報告患者の8 割は日本人．

病因

常染色体性劣性遺伝，RecQ3 ヘリカーゼをコードする遺伝子（*WRN*，8p12）のホモ接合変異による．遺伝子変異と各種症状の関連は解明されていないが，DNA 修復の不安定性が，線維芽細胞の継代数低下，テロメア短縮と DNA 修復遅延などに繋がると考えられている．

疫学

日本では人口 10～20 万人に 1 人．保因者は 100 人に 1 人といわれる．血族結婚（特にイトコ婚 60～70%）に多い．

症状（図 19-20，21）

思春期より各種老化傾向を示す症状が出現する．

①低身長・低体重，ビヤ樽型体形，四肢は細い．皮下脂肪・筋肉の萎縮．

②老人性顔貌：鳥様顔貌（bird like face）．

③皮膚は強皮症状，毛細血管拡張，色素沈着．足底は限局性に角化し（鶏眼・胼胝），

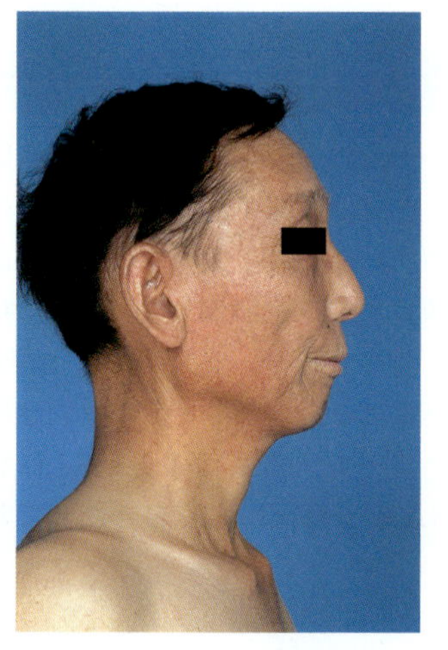

図 19-20 ウェルナー症候群

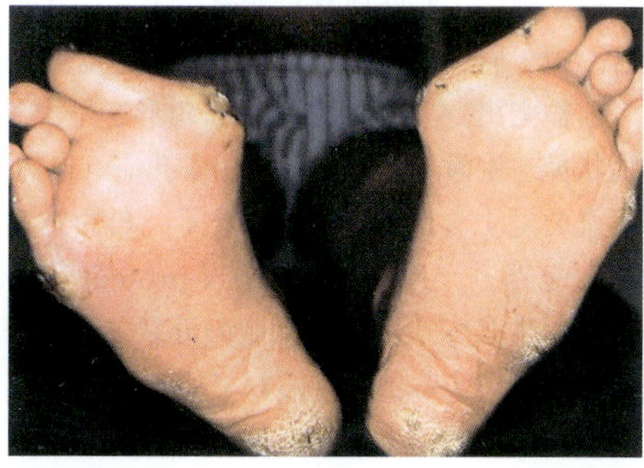

図 19-21 ウェルナー症候群

難治性潰瘍を形成し，拇趾外反が多い．
④白毛・脱毛化（頭・眉・睫毛）．
⑤若年性白内障（両側＞90%）．
⑥嗄声，高声（high pitched voice）．
⑦動脈硬化・骨粗鬆症など骨変形異常・軟部組織石灰沈着（アキレス腱など）・易感染症．
⑧高インスリン血症を伴う糖尿病・高脂血症・性腺機能低下症．
⑨腫瘍合併：悪性黒色腫（足底）・線維肉腫・肝癌・慢性骨髄性白血病・甲状腺癌・肺癌（合併率6〜10%）．

検査所見

尿中・血中高分子ヒアルロン酸高値，血中フィブロネクチン・TNFα・アディポネクチン・自己抗体・補体など．

経過

平均寿命50歳前後といわれたが，近年寿命が延びている．死因は動脈硬化性疾患や悪性腫瘍などが多い．

治療

根治治療は望めないが，皮膚潰瘍や角化性病変の治療，白内障の手術，悪性腫瘍の切除，糖尿病・脂質異常・動脈硬化の予防・治療・ケア．

2. progeria（Hutchinson-Gilford 症候群）

生後1〜2年で発症し，早期老化現象と矮小発育を示す．20歳頃までに心血管障害（動脈硬化・心筋梗塞）で死亡することが多い．皮膚は萎縮菲薄化して静脈を透見し，頭・眉・睫毛は疎，爪甲は萎縮変形，皮下脂肪は消失し，頭蓋は大きく（前頭・前額突出），顎は小さく逆三角形を呈す（老人顔貌）．その他，眼球突出，小口症，鳥嘴状鼻，生歯遅延，高音，骨多孔症（自然骨折），骨発育不全，関節変形，性器発育不全を呈するが，白内障はなく，知的発育にも異常はない．尿中ヒアルロン酸増加などを伴う．Nuclear matrix protein lamin A をコードする遺伝子 *LMNA* に突然変異が生じて．線維芽細胞の分裂能が低下，DNA 傷害修復に異常をきたして各種病変を形成すると考えられている．

3. acrogeria（Gottron 症候群）

四肢・鼻尖・耳介の末端皮膚が萎縮し，皮下脂肪が減少して老人様外観を示す．多彩皮膚萎縮状となり，皮下静脈が透視されることがある．低体重・低身長・小下顎症・脊椎側彎症・先天股脱が合併することもある．常染色体性劣性遺伝，同優性遺伝も示唆されている．進行することなく，また他に異常を伴わない．*COL3A1* の変異が本症と血管型エーラスダンロス症候群に報告されている．

4. Rothmund-Thomson 症候群（図 19-22）

小さな体型，皮膚萎縮症，日光過敏症，骨格異常，若年性白内障を特徴とする早老症の一つ．生後 1 年までに分枝状皮斑様変化が顔面・耳介・四肢・臀部に生じ，次第に多形皮膚萎縮症に変じる．両側性白内障が進行して失明することもある．内分泌障害および発育不全をも伴う．骨肉腫，基底細胞癌，有棘細胞癌などの悪性腫瘍が併発する．常染色体性劣性遺伝．原因遺伝子は RecQL4 ヘリカーゼ遺伝子（*RECQL4*：8q24.3）．早老・高発癌性・DNA 修復異常の特徴とヘリカーゼ遺伝子異常はウェルナー症候群・ブルーム症候群と共通．悪性腫瘍がなければ生命的予後は比較的よい（平均寿命 46 歳ともいわれる）．

〔付 1〕 **Wiedemann-Rautenstrauch 症候群** neonatal pseudohydrocephalic progeroid syndrome：遺伝性の早老症の一つ．低出生体重，老人性顔貌（逆三角形，progeria に似る），

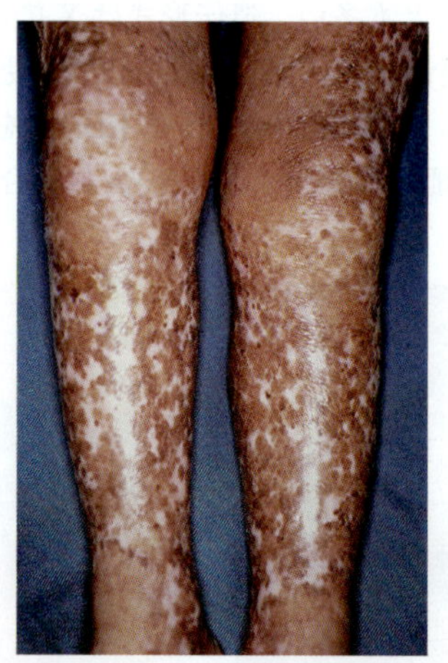

図 19-22　Rothmund-Thomson 症候群
（帝京大学皮膚科原図）

19 章

乏毛，皮下脂肪減少，しわの多い皮膚，関節過伸展．寿命は幼児期から青年期までと幅がある．極めて稀．常染色体劣性遺伝．*POLR3A*（RNA polymerase Ⅲ遺伝子）の変異による．

〔付2〕**Hallermann-Streiff症候群**：頭蓋・顔面骨，眼，皮膚に先天異常．鳥様顔貌（短頭・下顎形成不全・尖状鼻），歯牙形成不全，眼異常（小眼球症・先天性白内障），乏毛（頭・眉・睫毛），脱毛（後頭・側頭・頭蓋縫合線），皮膚症状（萎縮・静脈透見・皮下脂肪萎縮），低身長，合指症など．遺伝性はないと考えられている．生命予後はよい．

4　形成異常症

1．先天性外胚葉形成不全症 congenital ectodermal defect

外胚葉系各組織の形成不全を主徴とする疾患群で，毛髪（疎毛，捻転毛），汗腺（無汗，乏汗），爪甲，歯牙などに異常をきたす．発汗をはじめとして形成不全性病変の有無など臨床症状が多彩で，その分類も一様ではない．近年の分子遺伝学的研究により本症の実態が明らかにされつつある．

1）無汗性外胚葉形成不全症 anhidrotic ectodermal dysplasia，Christ-Siemens症候群（図19-23，24）

無汗ないし乏汗，疎毛，歯牙形成不全，爪の異常，特徴的顔貌を示す．皮膚は乾燥してやや菲薄化．発汗の欠如，低下により体温調節が障害され，高温下でうつ熱症状，熱中症を繰り返すことも多い．遺伝形式はX染色体劣性が多く*EDA1*遺伝子，稀に常染色体劣性・優性で*EDAR*遺伝子（TNF受容体ファミリーに属する蛋白で，*EDA1*産物であるEDA-A1の受容体EDARをコード）あるいは*EDA-RADD*遺伝子〔EDARの細胞内のdeath domainに結合してシグナル伝達を担うア

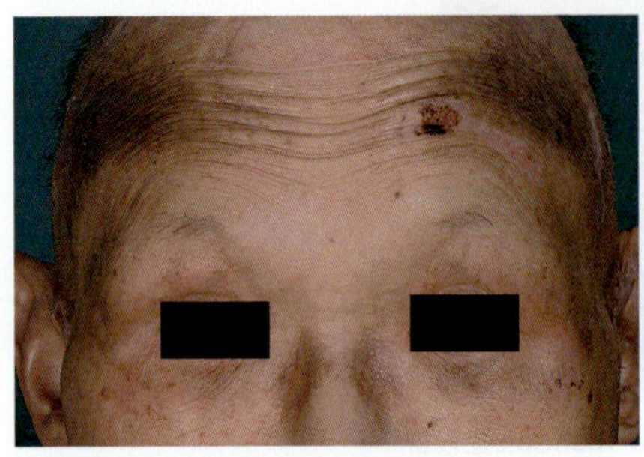
図19-23　無汗性外胚葉形成異常（乏毛）

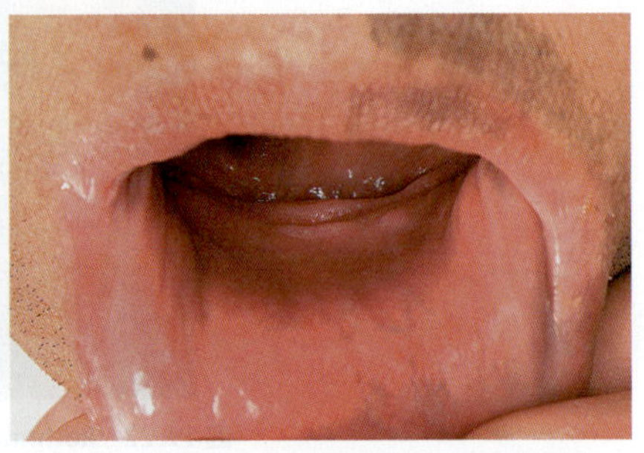
図19-24　無汗性外胚葉形成異常（歯牙欠損）

ダプター蛋白（EDAR-associated death domain）をコード〕に異常．外胚葉形成にEDAとEDARの相互作用，EDARADDを介したNF-kB活性化シグナルが重要である．体温調節に注意すればほぼ通常の生活ができる．

2）有汗性外胚葉形成不全症 hidrotic ectodermal dysplasia，Clouston症候群

爪甲形成不全を主に，毛髪，歯牙異常，進行性の掌蹠角化症をみるが，発汗に異常はない．常染色体優性遺伝．Gap junctionに関与するconnexin-30をコードする*GJB6*遺伝子（13q11-q12.1）に変異．

3）Rapp-Hodgkin型外胚葉形成不全症 anhidrotic ectodermal dysplasia with cleft lip and cleft palate，Rapp-Hodgkin症候群

無汗性外胚葉形成不全症に口唇口蓋裂，尿道下裂，爪異形成などを伴う．常染色体優性遺伝．下記のEEC症候群，AEC症候群はいずれも常染色体優性遺伝で，形態発生に重要な*p63*遺伝子（3q27）の変異も共通しており，型の違いにすぎないと考えられつつある．

〔付1〕**EEC症候群** ectrodactyly，ectodermal dysplasia，and cleft lip/palate syndrome：ectrodactyly（指趾欠損），ectodermal dysplasia（外胚葉形成不全），cleft lip/palate（口唇口蓋裂）を3主徴とし，泌尿器系異常の合併も多い．

〔付2〕**AEC症候群** ankyloblepharon-ectodermal defects-cleft lip/palate syndrome，Hay-Wells症候群：ankyloblepharon（眼瞼癒着），ectodermal defects（外胚葉異常），cleft lip/palate（口唇口蓋裂）を3主徴とする．頭部に皮膚炎が生じる．

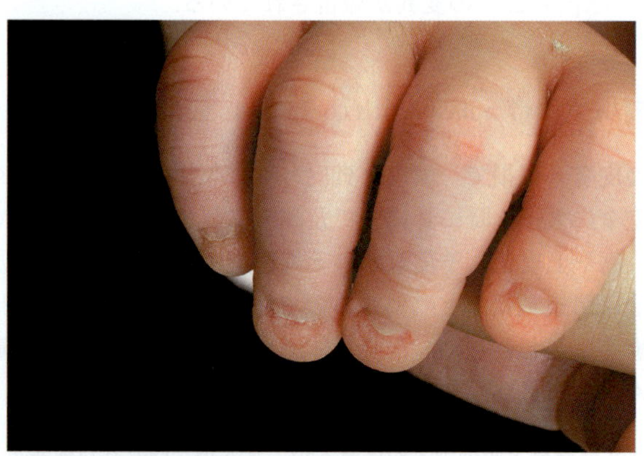

図19-25　外胚葉形成不全症（爪甲形成不全）

4）免疫異常を伴う外胚葉形成不全症 ectodermal dysplasia with immunodeficiency

無汗性外胚葉形成不全症と同様の，特徴的顔貌，無汗・乏汗，無毛・乏毛，歯牙異常を呈する．腸管形成異常や破骨細胞機能低下などを合併することもある．低γ-グロブリン血症，特異抗体産生障害，NK 細胞活性低下など重度の免疫不全をきたし，細菌・抗酸菌・ウイルス感染症を起こす．X 染色体劣性遺伝型は NEMO 遺伝子（*IKBKG*）に変異，常染色体優性遺伝型では *NFKBIA* 遺伝子に変異．幼少年期の死亡例も多い．

5）Ellis-van Creveld 症候群 chondroectodermal dysplasia

外胚葉形成不全に加えて，軟骨形成異常，多指症，短肢症，先天性心疾患をきたす．常染色体劣性遺伝．*EVC* 遺伝子，*EVC2* 遺伝子の変異が報告されている．

〔付〕**先天性無痛無汗症**（西田 1951）〔congenital insensitivity to pain with anhydrosis (Swanson 1963)〕：①全身の無痛症と温度感覚の消失，②触覚・位置覚は正常，③全身の発汗減少，④涙・唾液分泌正常，⑤発熱（外気温に平行），⑥無髄神経欠如，⑦正常の汗腺の構造・分布あり．常染色体性劣性遺伝．神経成長因子受容体遺伝子（*NTRK1*）に変異．

2. Goltz 症候群（1962），Goltz-Gorlin 症候群，focal dermal hypoplasia

出生時から線状ないし帯状の皮膚萎縮と真皮欠損部からの脂肪組織のヘルニア様脱出性病変が Blaschko 線に沿って顔，四肢，体幹に生じる．様々の中・外胚葉性先天的異常・低形成を合併する．皮膚には線状網状色素沈着・脱失，多形皮膚萎縮様，爪萎縮，脱毛などを，また合指，指趾欠損などの骨病変，多彩な眼病変，歯牙異常，難聴を伴う．女性に多く X 染色体優性遺伝．Wnt シグナルを制御する *PORCN* 遺伝子（Xp11.23）の変異が報告されている．

3. 先天性皮膚欠損症 aplasia cutis congenita（図 19-26）

出生時からの皮膚の欠損で，表皮と真皮ともに欠損することが多く，皮下組織も部分的ないし完全に欠損，時に骨にまで及ぶ．広範な皮膚欠損は稀で多くは限局性．頭部に多い．潰瘍や上皮化し羊皮紙状の萎縮性瘢痕局面を呈する．頭部の水疱様外観の皮膚欠損症は閉鎖髄膜瘤と酷似するので注意．原因は多様で，胎内での圧迫壊死，羊膜との癒着などとともに，常染色体優性遺伝によるものも想定されている．出産時外傷との鑑別が必要．

〔付〕**Adams-Oliver 症候群**：頭部中央の皮膚欠損・骨欠損，四肢骨短縮異常，大理石様皮斑，

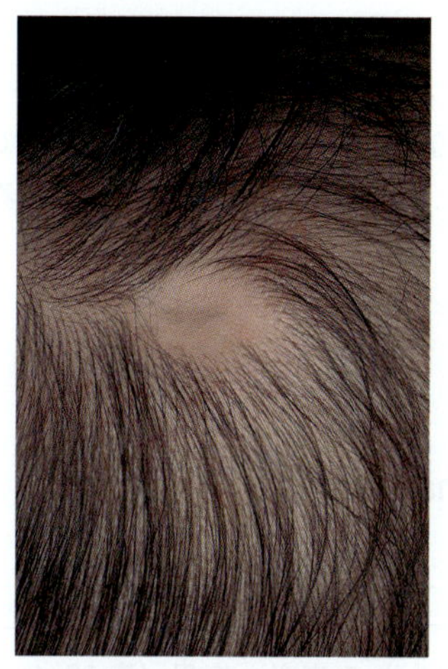
図 19-26 先天性皮膚欠損症

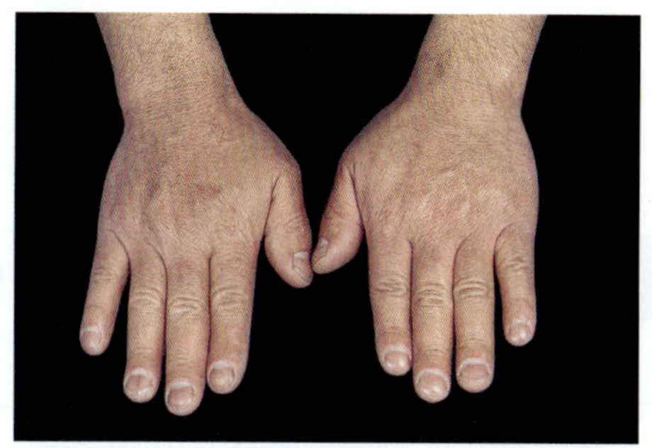
図 19-27 pachydermoperiostosis

心血管系異常などを主徴とする常染色体優性の遺伝性疾患．*ARHGAP31*（RHO GTPase-activating protein 31）の変異が報告されている．

4. 肥厚性皮膚骨膜症 pachydermoperiostosis，肥厚性骨関節症 hypertrophic osteoarthropathy，Touraine-Solente-Gole 症候群（図 19-27）

ばち指（clubbed finger），**骨肥大**（periostosis）（骨膜性骨新生，前腕・下腿・掌骨・基節骨に多い），**皮膚の肥厚性変化**（pachydermia）（頭顔部の脳回転状皮膚，四肢末端の皮膚肥厚）を 3 主徴とし，しばしば家族性に発症（常染色体優性遺伝），常染色体劣性遺伝の発症例もある．後者では *HPGD*（15-hydroxyprostaglandin dehydrogenase）遺伝子の変異が報告されている．なお上記原発型に対し，肺病変（肺癌・気管支拡張症・肺気腫）・心疾患・甲状腺疾患に続発する本症を続発性肥厚性骨関節症と称する．

19 章

5. 脳回転状皮膚 cutis verticis gyrata（Jadassohn 1906）

頭部皮膚の過形成により大脳のしわを思わせる皺襞を生じる．症候名である．

病因

pachydermoperiostosis や先端巨大症の部分現象の他，局所の母斑（色素性母斑），炎症，結合組織増殖として発する．

症状

主として男性の頭・前額部に，脳回転を思わす大きな平行する皺襞（幅1～2 cm）が縦走あるいは横走．弾性軟で下床と密着しない．発毛は深溝部（sulci）で正常，隆起部（gyri）で疎．時に脳性麻痺，てんかん，白内障などを伴うことがある．

治療

切除，形成的修復．

5 穿孔性皮膚症 perforating dermatosis

真皮の線維など変性物質が経表皮性に排出されて生じる病変・疾患（表19-4）．近年は穿孔を特徴とする4種の皮膚疾患を後天性穿孔性皮膚症（acquired perforating dermatosis）として一括する考え方が強い．

表19-4 穿孔性皮膚病変（perforating disorder）

1）穿孔を特徴とする皮膚疾患
①キルレ病
②穿孔性毛包炎
③反応性穿孔性膠原症
④蛇行性穿孔性弾力線維症
2）皮膚疾患に合併する穿孔像
環状肉芽腫，弾力線維性仮性黄色腫，耳輪慢性結節性軟骨皮膚炎など
3）組織学的に偶然認められる穿孔像

1. キルレ病 Kyrle disease，真皮貫通性毛包性毛包周囲性角質増殖症 hyperkeratosis follicularis et parafollicularis in cutem penetrans（Kyrle 1916）

症状（図19-28）

四肢伸側，時に体幹にも直径2～8 mm，中央に角栓を有する褐・黒褐色～紅色丘疹が多発し，時に融合して疣状局面を作る．角栓を除くと陥凹あり，のち瘢痕化．ケブネル現象陽性．糖尿病・慢性腎障害・肝障害・心疾患が基礎にある場合がある．血液透析者にしばしば合併．

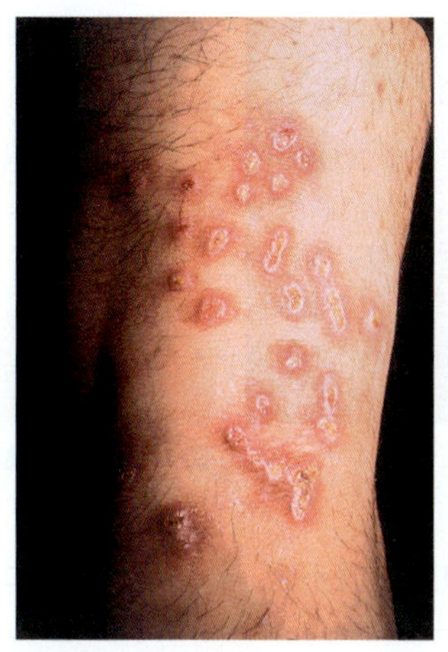

図 19-28 キルレ病

組織所見

毛孔性角栓が底部で毛包壁を破って真皮へ突出し，異物肉芽腫反応を生じる．角栓に好塩基性の細胞壊死物質をみる．角栓の壁の毛包表皮に異常角化細胞が存在し，角化亢進が角栓形成をきたすと考えられる．

2. 穿孔性毛包炎 perforating folliculitis（Mehregan and Coskey 1968）

中央に角栓を有する紅斑性角化性丘疹で上腕・大腿・臀部に好発，角栓を除去すると出血をみる．毛包が開大し，真皮より弾力線維や変性真皮成分が壁を穿孔して角栓内に入り込み，角栓も変性に陥っている．腎不全患者の透析中に見られることあり．キルレ病との近縁性が指摘されている．

3. 反応性穿孔性膠原症 reactive perforating collagenosis （Mehregan, Schwartz and Livingood 1967）（図 19-29，30）

中央臍窩を有する角化性小丘疹が，手背・前腕・肘頭・膝蓋のような外傷を反復する部位に多発し，4 週ほどのうちに直径 6 mm ほどに達し，6～8 週のうちに自然退縮，反復する．瘙痒あり．ケブネル現象を示す．組織学的に表皮浮腫・顆粒層消失・不全角化があり，表皮が破れて類壊死に陥った結合組織，変性炎症細胞，膠原線維が皮表に押し出されている．小外傷や寒冷刺激と関連する．遺伝素因も考えられ（古典型）これは幼小児期に発症．一方，糖尿病，悪性リンパ腫，肝炎，肝硬変，

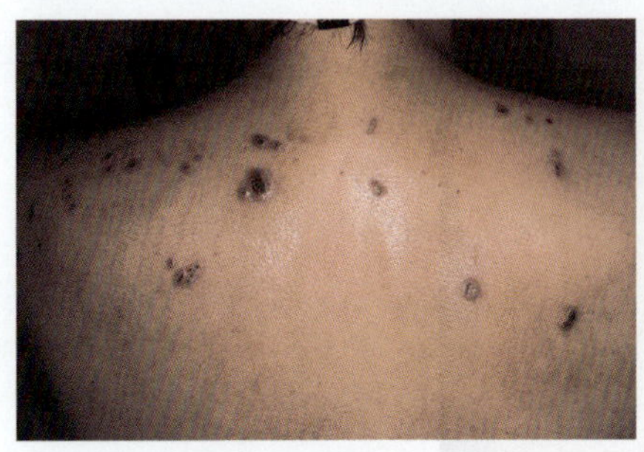

図 19-29　反応性穿孔性膠原症

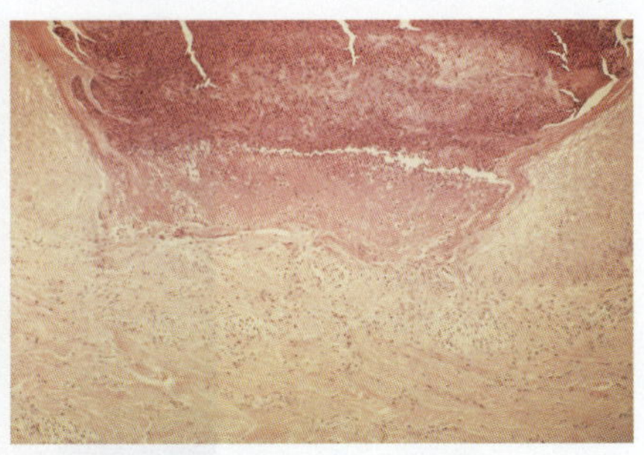

図 19-30　反応性穿孔性膠原症（組織）

甲状腺機能亢進／低下，AIDS，腎不全，特に透析患者にみられる成人型（後天型）が最近増加傾向にある．

4. 蛇行性穿孔性弾力線維症 elastosis perforans serpiginosa（Dammert and Putkonen 1958），keratosis follicularis serpiginosa（Lutz 1953）

青年期の男子に好発．米粒大の角化性丘疹が蛇行状〜馬蹄状〜環状に並び，次第に拡大するとともに，中央皮膚は萎縮性となる．主として項部，時に四肢に生じる．乳頭層弾力線維が増殖変性，経表皮性に排除される．肥厚した表皮内に囊腫構造があり，中に変性弾力線維・壊死組織を含む．弾力線維性仮性黄色腫，Down 症候群，マルファン症候群，エーラス・ダンロス症候群などに合併，ペニシラミン長期投与で発症．

5. 耳輪・対耳輪慢性結節性軟骨皮膚炎 chondrodermatitis nodularis chronica helicis/antehelicis（Winkler 1915）

耳輪または対耳輪に生じる有痛性角化性小結節．日光・外傷・寒冷・糖尿病などにより膠原線維が変性．時に軟骨も変性，肉芽腫状を呈し，経表皮性排除される状態と考えられる．中年以上の男性に多い．切除．

6 脂肪萎縮症 lipoatrophy（lipodystrophy）

1. 全身性脂肪萎縮症 generalized lipoatrophy（lipodystrophy）, total lipoatrophy（lipodystrophy）

先天性・後天性あり．全身皮下脂肪の消失．

1）先天性全身性脂肪萎縮症 Berardinelli-Seip congenital lipodystrophy（congenital generalized lipodystrophy, Berardinelli-Seip 症候群）

極めて稀．常染色体劣性遺伝．出生時，または乳幼児早期より脂肪組織が全身性に欠損し，高脂血症，高インスリン血症，インスリン抵抗性糖尿病を伴う．Ⅰ型：*AGPAT2*（triacylglycerol 合成酵素をコード）遺伝子，Ⅱ型：*BSCL2*（Seipin 蛋白をコード）遺伝子，Ⅲ型：*CAV1* 遺伝子，Ⅳ型：*PTRF* 遺伝子に変異をみる．Ⅰ，Ⅱ型が多く他は少ない．病型は遺伝子の違いとともに骨髄脂肪・骨病変・心筋症・精神遅滞などの有無が異なる．Ⅳ型では筋萎縮や心筋症をみる．

2）後天性全身性脂肪萎縮症 acquired generalized lipodystrophy，Lawrence 症候群

小児から若年成人，特に女性に発症し，数ヵ月から数年かけて，全身の脂肪が消失する．先天性に比べ脂肪萎縮は軽度．25％は脂肪織炎を伴い，別の 25％は膠原病（若年性皮膚筋炎・若年性関節リウマチ・橋本病）を伴う．残る 50％は特発性であるが，時に熱性疾患後に発症する．高脂血症，糖尿病，黒色表皮腫，多毛症などを伴うことも多い．

2. 部分的脂肪萎縮症 partial lipodystrophy

部分的連続性進行性脂肪萎縮が特徴で，先天性と後天性に分かれる．

1）家族性部分的脂肪萎縮症 familial partial lipodystrophy， familial limb and trunk lipodystrophy

稀．常染色体優性遺伝．小児期から思春期に両側上下肢の皮下脂肪織が消失，頭頸部の脂肪織は通常侵されない．高脂血症，高リポ蛋白血症，動脈硬化，耐糖能異常を伴う．核膜裏打ち蛋白で中間径フィラメントのラミン *A/C*（*LMNA*）遺伝子が変異し，下顎や鎖骨の骨格異常を伴う Dunnigan 型，ペルオキシソーム増殖因子

活性化受容体 γ（*PPARγ*）遺伝子が変異し，四肢のみならず頭頸部の脂肪も萎縮する Kobbering 型を区別し，他にも原因遺伝子として *AKT2* 遺伝子，*PLIN1* 遺伝子が報告されている．

2）後天性部分的脂肪萎縮症 acquired partial lipodystrophy, Barraquer-Simons 症候群

小児期から思春期に発症し，顔面に始まり連続性に上半身の皮下脂肪が萎縮消失する．老人様顔貌を呈する．下半身の脂肪織は代償性に肥大．C_3 低値，膜性増殖性糸球体腎炎を高率に合併する．女児に多い．

3）プロテアーゼ阻害薬誘発性部分的脂肪萎縮症 highly active antiretroviral therapy (HAART)-induced lipodystrophy in HIV-infected patients

HIV 治療薬のプロテアーゼ阻害薬の副作用．使用後 3〜6ヵ月で発症し，顔面・四肢・体幹の脂肪織が消失し，内臓や背部皮下の脂肪組織が増える．

3. 小児腹壁遠心性脂肪萎縮症 lipodystrophia centrifugalis abdominalis infantilis（Imamura 1971）

4 歳以下の幼児の鼠径部または腋窩部から皮下脂肪組織の消失が始まり，遠心性に拡大，それぞれ腹壁・胸壁全体に及ぶ．所属リンパ節が腫脹することが多い．遺伝因子・機械的刺激（打撲・外傷・圧迫）などが関与．脂肪組織の減少，小葉への単核球浸潤，脂肪の融解・変性など．数年で進行が停止，寛解傾向あり．

4. インスリン脂肪萎縮症 insulin lipoatrophy

インスリン注射部位の皮下脂肪組織が萎縮して皮膚が陥凹する（insulin lipoatrophy，製剤中の不純物による）．精製インスリンが使用されるようになってからは極めて稀になった．逆に脂肪細肪が肥大・隆起することもある（insulin ball）．局注中止により自然に軽快する．

第20章 肉芽腫症・皮下脂肪織の疾患

非特異性肉芽腫性疾患と脂肪織の炎症・変性疾患をここに取り上げる．結節性紅斑や膠原病に伴う脂肪織炎などはそれぞれの章で取り扱う．

1 肉芽腫症

1. サルコイドーシス sarcoidosis ◎

概念

原因不明の全身性肉芽腫性疾患で，皮膚，リンパ節・肺・肝・脾・心筋・中枢神経系・腎・口腔粘膜・眼・骨・耳下腺などの諸臓器を侵す．肉芽腫が集合して形成された結節をサルコイド（類肉腫）といい，皮膚であれば「皮膚サルコイド」という．サルコイドが全身に現れている状態がサルコイドーシスである．ただし，慣用的に「皮膚サルコイドーシス」ということもある．

疫学

日本の有病率は人口10万対1.7人（2004年の臨床調査個人票による）である，年齢は，20代と50代以降の二峰性ピークを示す．女性にやや多い．臓器別頻度は，両側肺門リンパ節腫脹（bilateral hilar lymphadenopathy：BHL）75.8%，眼病変54.8%，肺病変46.7%，皮膚病変35.4%である．概して寒冷地に多く，日本では北海道，欧州では北欧の発生率が高い．

病因

原因は不明である．遺伝要因のある者に病因抗原が作用してTh1型の細胞性免疫（Ⅳ型アレルギー）が惹起され，全身臓器に肉芽腫が形成されると考えられている．遺伝要因として，HLA遺伝子のほか，複数の疾患感受性遺伝子の関与が推定されている．病因抗原としては，*Propionibacterium acnes* や結核菌が候補として挙げられている．

皮膚症状（図 20-1〜4，表 20-1）

サルコイドーシスの皮膚病変は，皮膚サルコイド，瘢痕浸潤，結節性紅斑に分類される．皮膚サルコイドには，①結節型，②局面型，③皮下型，④びまん浸潤型，⑤その他がある．

1. 皮膚サルコイド

組織学的に肉芽腫が認められるサルコイドーシスの特異的病変である．

①**結節型**：最も頻度が高い．円〜楕円形の淡紅〜暗紅色の結節で，顔面や四肢に好

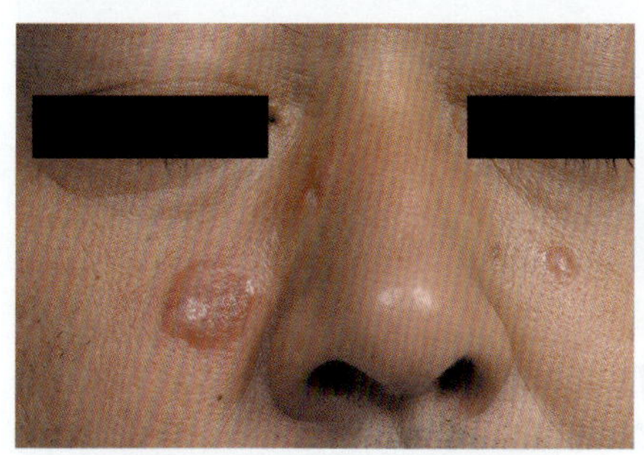

図 20-1　サルコイドーシス（結節型）

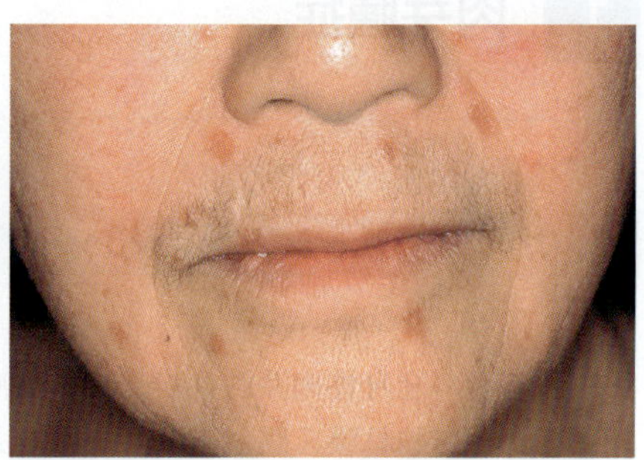

図 20-2　サルコイドーシス（局面型）

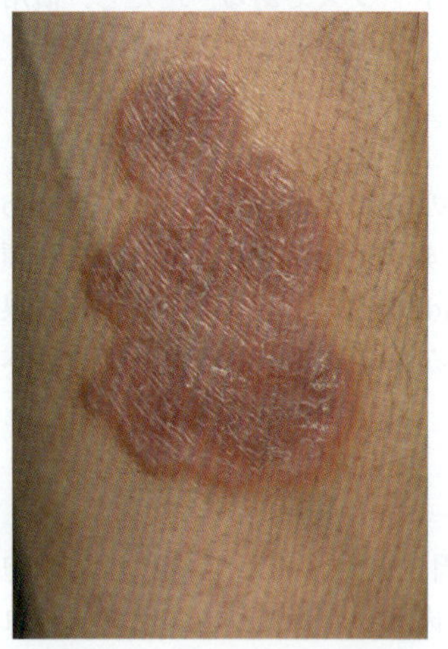

図 20-3　サルコイドーシス（局面型）

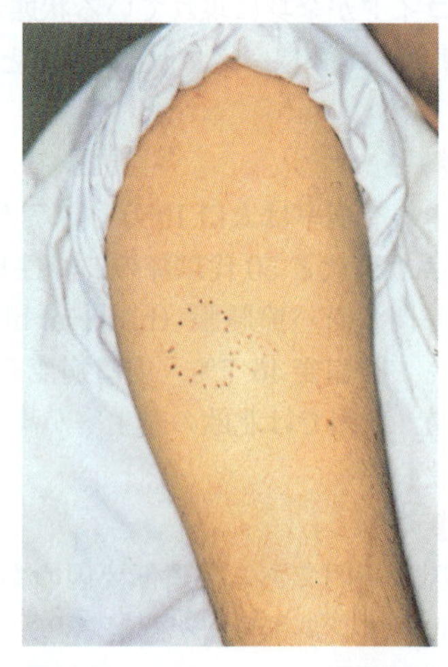

図 20-4　サルコイドーシス（皮下型）

表 20-1　サルコイドーシスの皮膚病変

皮膚病変	組織像
皮膚サルコイド 1．結節型 2．局面型 3．皮下型 4．びまん浸潤型 5．その他（結節性紅斑様皮疹など）	肉芽腫を伴う特異的病変
瘢痕浸潤	異物を伴う肉芽腫
結節性紅斑	通常の結節性紅斑

発する．大結節型（径 1cm 以上）は外用薬に対する反応が悪く，小結節型（径 1cm 以下）はしばしば多発し自然消褪傾向が強い．

②**局面型**：境界明瞭な扁平浸潤局面で，のち中央は萎縮してやや凹み，辺縁が隆起する．前額・頬・鼻に好発．乾癬に類似することあり（psoriasiform sarcoidosis）．

③**皮下型**：皮下に小結節（大豆大〜鳩卵大），索状・板状のことあり，四肢に好発．広範囲の板状硬結では糖尿病の合併頻度が高い．

④**びまん浸潤型**：鼻・頬・耳・指趾に好発し，暗紅色，びまん性に腫脹し，浸潤を触れる．古くは凍瘡様狼瘡（lupus pernio Besnier）といわれた．骨嚢腫の合併頻度が高い．

⑤**その他**：下記の他に，苔癬様型，潰瘍性病変，色素脱失性病変，網状皮斑，黄色腫変化などがある．

i）**結節性紅斑様皮疹**：臨床症状は結節性紅斑に類似するが，組織学的に類上皮細胞肉芽腫を呈する．結節性紅斑に比し，経過はやや長く，硬結・熱感・自発痛・圧痛が軽度．不規則形を呈し，小さい皮疹が多発することもある．

ii）**魚鱗癬様皮疹** ichthyosiform sarcoidosis（Kauh 1978）：主として下腿，あるいはその他体部に生じる後天性魚鱗癬様皮疹で組織学的に本症と診断される．

20章

2. 瘢痕浸潤

組織学的に肉芽腫とともに異物が証明される．異物は，偏光顕微鏡下で重屈折性を示す．BHL に平行して消長し，多くは自然治癒する．膝蓋部，次いで肘頭部に好発する．

3. 結節性紅斑

組織学的に肉芽腫を認めない非特異的病変である．両側下腿伸側に生じる圧痛・

自発痛を伴う紅色皮下結節で，臨床・組織所見は通常の結節性紅斑と変わらない．欧米では出現頻度が数十％ともいわれるが，日本人のサルコイドーシスでは数％と少ない．

他臓器病変（表20-2）

①**肺**（図20-5）：BHL，胸部X線検査でびまん性の肺野陰影，粒状影，斑状影．進行すると肺線維症．

②**眼**：多くは肉芽腫性ぶどう膜炎．症状としては充血，霧視，羞明，飛蚊症，視力低下など．

③**心臓**：完全房室ブロックなどの伝導障害，心室性不整脈，心不全，時に突然死．日本のサルコイドーシスの死因の半数以上は心病変による．

④**その他**：骨嚢腫，肝機能障害，顔面神経麻痺，リンパ節腫大，鼻閉など

〔付〕**Heerfordt症候群，febris uveoparotidea subchronica**：ぶどう膜炎・耳下腺腫脹・顔面神経麻痺（3徴候），微熱をきたすサルコイドーシスの一亜型．皮膚病変は，下腿の結節性紅斑様皮疹が多い．

検査所見

血清ACE（angiotensin converting enzyme）活性・リゾチーム値・可溶性IL-2受容体値上昇．細胞免疫低下（ツ反陰性化），γ-グロブリン上昇，赤沈促進，高Ca血症（→腎結石・腎不全），Ga集積像（リンパ節・肺），BALF（気管支肺胞洗浄液）でT細胞数の増加・CD4/8比の上昇．

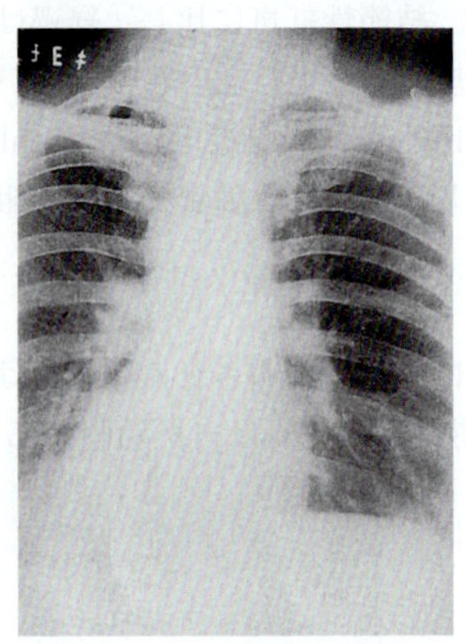

図20-5　サルコイドーシスBHL

組織所見（図 20-6）

非乾酪性類上皮細胞肉芽腫．組織球系の類上皮細胞と，それが融合した巨細胞（ラングハンス型および異物型）が肉芽腫を構成している．乾酪壊死像はない．また，リンパ球浸潤が乏しい傾向にある（naked granuloma）．

〔付〕巨細胞内に次の封入体をみることがある．
①星芒体（asteroid body）（巨細胞中に空胞あり，そこに放射状突起を出す小体がある），②シャウマン体（Schaumann body）（層状ないし貝殻状小体，カルシウム沈着あり，ALP陽性），③硝子様封入体（glass-like inclusion）（無色二重屈折性結晶物質）．

診断（表 20-2）

サルコイドーシスの診断に関わる項目として，「A．臨床症状」，「B．特徴的検査所見」，「C．臓器別特徴的臨床所見（臓器病変を強く示唆する臨床所見）」，「D．鑑別診断」，「E．組織所見」があり，これらの組み合わせで組織診断群と臨床診断群が定義されている．

予後

良好（自然寛解・治療によく反応 90%，進行・難治 10%）．続発性緑内障などで稀に視力障害をきたす．

治療

皮膚病変に対しては，原則ステロイドの外用薬を用いる．反応が悪い，顔面などの露出部の病変，皮下型，びまん浸潤型ではステロイドの内服を考慮する．その他，ステロイド内服の適応は，心病変，神経病変，眼病変，高 Ca 血症，広範囲な肺病変などである．

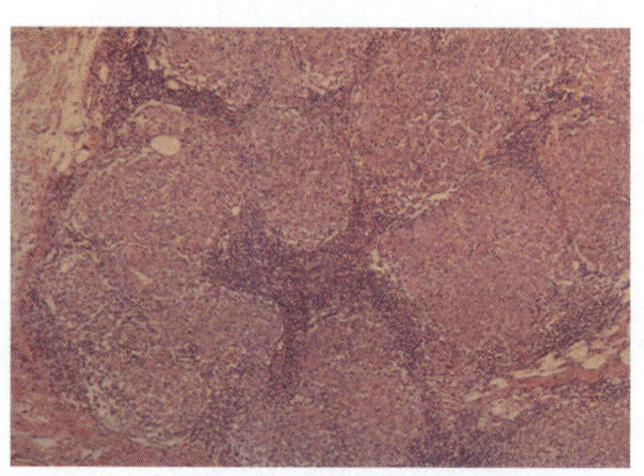

図 20-6　サルコイドーシス（類上皮細胞肉芽腫）

表 20-2　サルコイドーシスの診断基準

A. 臨床症状
呼吸器，眼，皮膚，心臓，神経を主とする全身のいずれかの臓器の臨床症状や所見，あるいは臓器非特異的全身症状 ・臓器非特異的全身症状：慢性疲労，慢性疼痛，息切れ，発熱，寝汗，体重減少 ・呼吸器：胸部異常陰影，咳，痰，息切れ ・眼：霧視，飛蚊症，視力低下 ・神経：脳神経麻痺，頭痛，意識障害，運動麻痺，失調，感覚障害，排尿障害，尿崩症 ・心臓：不整脈，心電図異常，動悸，息切れ，意識消失，突然死 ・皮膚：皮疹（結節型，局面型，皮下型，びまん浸潤型，苔癬様型，結節性紅斑様型，魚鱗癬型，瘢痕浸潤，結節性紅斑） ・胸郭外リンパ節：リンパ節腫大 ・筋肉：筋力低下，筋痛，筋肉腫瘤 ・骨：骨痛，骨折 ・上気道：鼻閉，扁桃腫大，咽頭腫瘤，嗄声，上気道狭窄，副鼻腔炎 ・外分泌腺：涙腺腫大，唾液腺腫大，ドライアイ，口腔内乾燥 ・関節：関節痛，関節変形，関節腫大 ・代謝：高カルシウム血症，尿路結石 ・腎臓：腎機能障害，腎臓腫瘤 ・消化管：食欲不振，腹部膨満，消化管ポリープ ・肝臓：肝機能障害，肝腫大 ・脾臓：脾機能亢進症状（血球減少症），脾腫 ・膵臓：膵腫瘤 ・胆道病変：胆道内腫瘤 ・骨髄：血球減少症 ・乳房：腫瘤形成 ・甲状腺：甲状腺機能亢進，甲状腺機能低下，甲状腺腫 ・生殖器：不妊症，生殖器腫瘤
B. 特徴的検査所見
1. 両側肺門縦隔リンパ節腫脹（BHL） 2. 血清アンジオテンシン変換酵素（ACE）活性高値または血清リゾチーム値高値 3. 血清可溶性インターロイキン-2 受容体（sIL -2R）高値 4. ^{67}Ga シンチグラフィまたは ^{18}F－FDG/PET における著明な集積所見 5. 気管支肺胞洗浄液のリンパ球比率上昇または CD4/8 比の上昇 付記 1. 両側肺門縦隔リンパ節腫脹とは両側肺門リンパ節腫脹または多発縦隔リンパ節腫脹である. 付記 2. リンパ球比率は非喫煙者 20%，喫煙者 10%，CD4/CD8 は 3.5 を判断の目安とする.
C. 臓器病変を強く示唆する臨床所見
1. 呼吸器病変を強く示唆する臨床所見 画像所見にて，①または②を満たす場合 ①両側肺門縦隔リンパ節腫脹（Bilateral hilar-mediastinal lymphadenopathy：BHL），②リンパ路である広義間質（気管支血管束周囲，小葉間隔壁，胸膜直下，小葉中心部）に沿った多発粒状影または肥厚像 2. 眼病変を強く示唆する臨床所見 眼所見にて，下記 6 項目中 2 項目以上を満たす場合 ①肉芽腫性前部ぶどう膜炎（豚脂様角膜後面沈着物，虹彩結節） ②隅角結節またはテント状周辺虹彩前癒着

③塊状硝子体混濁（雪玉状，数珠状）
④網膜血管周囲炎（主に静脈）および血管周囲結節
⑤多発するろう様網脈絡膜滲出斑または光凝固斑様の網脈絡膜萎縮病巣
⑥視神経乳頭肉芽腫または脈絡膜肉芽腫
3. 心臓病変を強く示唆する臨床所見
各種検査所見にて，①または②を満たす場合（下記出典先の表 1 参照）
①主徴候 5 項目中 2 項目が陽性の場合
②主徴候 5 項目中 1 項目が陽性で，副徴候 3 項目中 2 項目以上が陽性の場合

D. 鑑別診断

以下の疾患を鑑別する.
①原因既知あるいは別の病態の全身性疾患：悪性リンパ腫，他のリンパ増殖性疾患，がん，ベーチェット病，アミロイドーシス，多発血管炎性肉芽腫症（GPA）/ ウェゲナー肉芽腫症，IgG4 関連疾患，ブラウ症候群，結核，肉芽腫を伴う感染症（非結核性抗酸菌感染症，真菌症）
②異物，がんなどによるサルコイド反応
③他の肉芽腫性肺疾患：ベリリウム肺，じん肺，過敏性肺炎
④巨細胞性心筋炎
⑤原因既知のブドウ膜炎：ヘルペス性ぶどう膜炎，HTLV −1 関連ぶどう膜炎，ポスナー・シュロスマン症候群
⑥他の皮膚肉芽腫：環状肉芽腫，環状弾性線維融解性巨細胞肉芽腫，リポイド類壊死，メルカーソン・ローゼンタール症候群，顔面播種状粟粒性狼瘡，酒皶
⑦他の肝肉芽腫：原発性胆汁性肝硬変

E. 病理学的所見

いずれかの臓器の組織生検にて，乾酪壊死を伴わない類上皮細胞肉芽腫が認められる.
〈診断のカテゴリー〉
・組織診断群：A，B，C のいずれかで 1 項目以上を満たし，D が除外され，E の所見が陽性のもの.
・臨床診断群：A のうち 1 項目以上があり，B の 5 項目中 2 項目以上であり，C の呼吸器，眼，心臓 3 項目中 2 項目を満たし，D が除外され，E の所見が陰性のもの.

（https://www.nanbyou.or.jp/entry/266 を参考に作成）

ステロイド抵抗性の症例に，メトトレキサート，アザチオプリン，シクロホスファミド，ヒドロキシクロロキンなどが使用されることがあるが，使用法などは確立していない.

20
章

2. 環状肉芽腫 granuloma annulare 

概念

定型的には環状の臨床像を呈し，組織学的に柵状肉芽腫を特徴とする疾患である.

疫学

10 歳以下の小児と 50 歳以上の中高年に好発する．女性にやや多い．限局型は四肢末梢側が多く，汎発型は四肢中枢側から体幹に好発する.

病因

原因不明であるが各種誘因が知られている．感染症（ウイルス・結核菌），薬剤（アロプリノールなど），末梢血行障害，虫刺，紫外線（PUVA後），外傷，糖尿病（血管閉塞による結合織障害）．

症状（図20-7）

硬い小丘疹として発し，遠心性に拡大するとともに中央は陥凹，辺縁は環状堤防状に隆起する．自覚症状はない．手指背・腕関節部に数個の限局型のほか，汎発型（generalized）（丘疹が主体，糖尿病患者に多い）がある．形態による分類では，典型的な環状型のほか，穿孔型（perforating），皮下型（小児に多い皮下結節で肘頭・膝蓋・頭部に好発，25％が典型疹と併発），丘疹型，紅斑型，局面型などがある．

組織所見（図20-8）

真皮中に**膠原線維変性とムチン沈着**（類壊死），一部に線維化あり，これを環状に取り囲むようにリンパ球・組織球・類上皮細胞が浸潤し（柵状肉芽腫 palisading granuloma），ランゲルハンス型巨細胞も時に混在する．組織球が柵状配列を示さず膠原線維間に分布することもある（interstitial type）．

治療

生検後自然退縮することがある．まず，ステロイド外用薬（軟膏・テープ）を用いる．難治例には，ステロイド内服・局注，紫外線療法など．

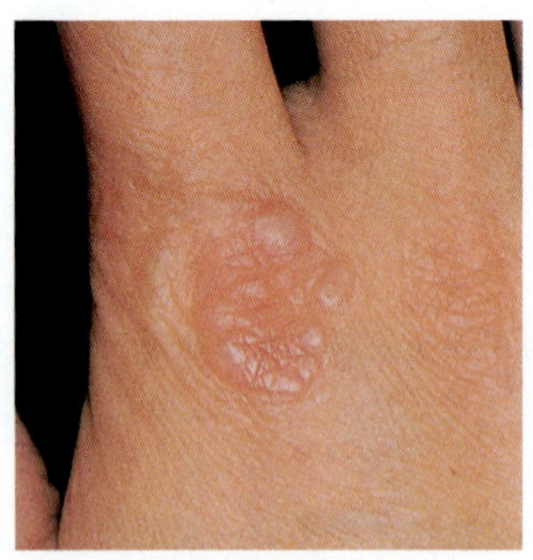

図20-7　環状肉芽腫（限局型）

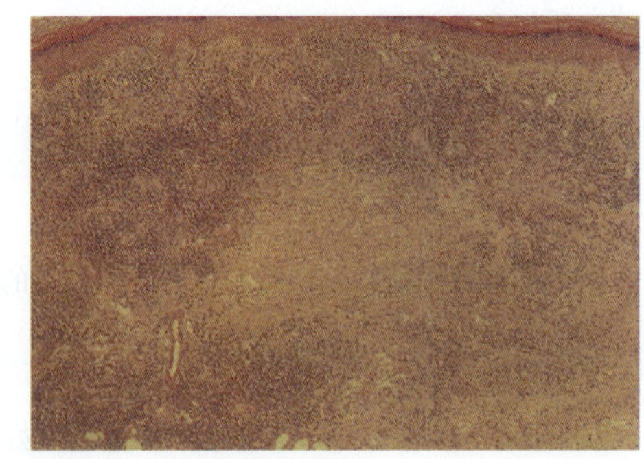

図20-8　環状肉芽腫（組織）

3. 環状弾性線維融解性巨細胞肉芽腫，annular elastolytic giant cell granuloma（Hanke 1979）（図 20-9）

病因

不明．日光で変性した弾性線維への自己免疫か．

症状

主として顔面，次いで項・四肢と裸露部にみられる環状隆起性紅斑で中心部は脱色傾向を示し，遠心性に拡大，融合し，比較的大きな環状局面を呈する．しばしば自然退縮．中年女性に多い．時に糖尿病・悪性腫瘍・自己免疫性疾患の合併．

組織所見

多数の巨細胞（星芒体，貪食弾力線維を含む）・組織球・リンパ球・少数の類上皮細胞よりなり，弾性線維は消失する．巨細胞内に変性した弾性線維の貪食像が見られる．

鑑別診断

露光部に大きめの局面を呈する臨床像，弾性線維を貪食した巨細胞が存在し，柵状肉芽腫・類壊死・ムチン沈着を欠く組織像で環状肉芽腫と鑑別するが，本質的には差がなく環状肉芽腫の亜型という見解もある．

治療

ステロイド外用．

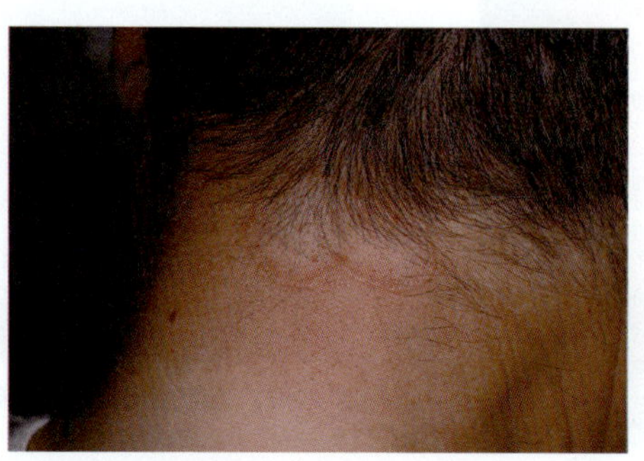

図 20-9　環状弾性線維融解性巨細胞肉芽腫

4. 顔面播種状粟粒性狼瘡 lupus miliaris disseminatus faciei（LMDF）◎

概念

眼瞼周囲に類上皮細胞肉芽腫による痤瘡様丘疹が多発する病態.

病因

毛包脂腺成分への肉芽腫性反応が考えられている.

症状（図20-10）

上下眼瞼，あるいは頬・鼻側方など顔面中央部に左右対側性に発する．半米粒大から大豆大までの，丘疹・小結節・小膿疱，時に中央臍窩あり，また小陥凹・瘢痕化する．特に眼瞼縁では2〜3個融合して肉芽腫様となる．暗紅〜紅褐色を呈し，中央が黄色にみえることもある．20代の男性，30〜40代の女性に多い.

組織（図20-11）

中心に大型の乾酪壊死を伴う類上皮細胞肉芽腫が特徴であるが，壊死のないこともある.

予後

1〜数年の経過で治癒する．多くは瘢痕を残す.

鑑別診断

①酒皶（毛細管拡張，眼瞼に限局しない．酒皶性痤瘡の亜型という考え方もある），

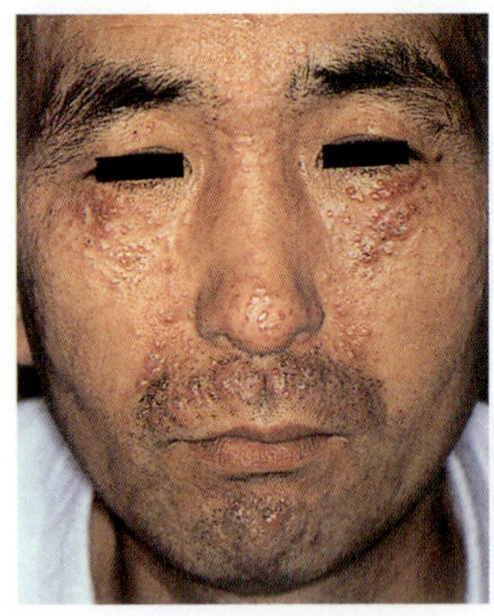

図20-10　顔面播種状粟粒性狼瘡

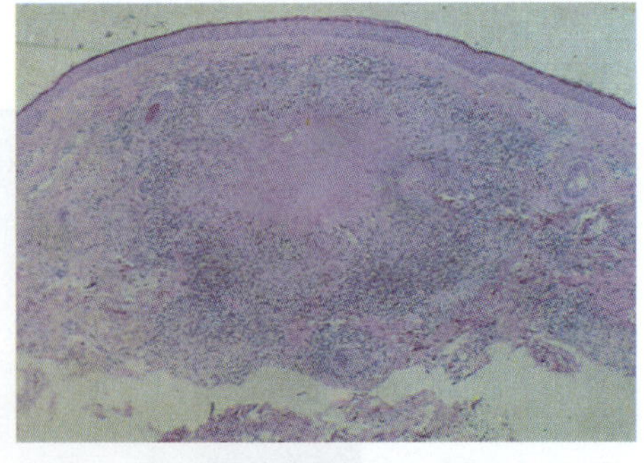

図20-11　顔面播種状粟粒性狼瘡（乾酪壊死のある類上皮細胞肉芽腫）

②尋常性痤瘡（面皰あり，膿疱化しやすい），③汗管腫（単調な褐色小丘疹），④稗粒腫（単調な黄白色小丘疹，数が少ない）．

治療

テトラサイクリン系・マクロライド系抗菌薬，DDS．

5. 異物肉芽腫 foreign-body granuloma

外傷，注射などにより皮内ないし皮下に入った異物（土砂・木片・石片・金属片・毛髪）を中心に反応性肉芽腫を形成したもので，組織学的に異物を中心に組織球・異物巨細胞（図 20-12）が浸潤する．特殊なものに美容形成における流動性異物（例：paraffinoma）・刺青（tattoo granuloma）・シリコン（silicon granuloma）・ベリリウム（beryllium granuloma）などがある．油性剤の皮下注射では皮下硬結となる（脂肪肉芽腫 lipogranuloma）（☞ p. 526）．

〔付〕pencil-core granuloma：鉛筆の芯（黒鉛）が皮膚に刺さって残り，異物肉芽腫を形成．黒青色を呈し青色母斑・悪性黒色腫との鑑別を要することあり．

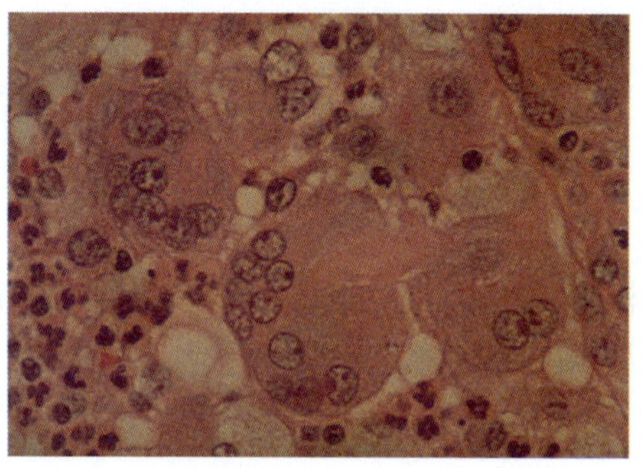

図 20-12 異物巨細胞

6. 肉芽腫性口唇炎 cheilitis granulomatosa（Miescher 1945） ○

病因

病因は不明である．①先天的，後天的リンパ管・リンパ流の異常，②遅延型アレルギー反応（歯科金属・食物付加物），③病巣感染，④サルコイドーシス・クローン病の局所病変などが推測されている．

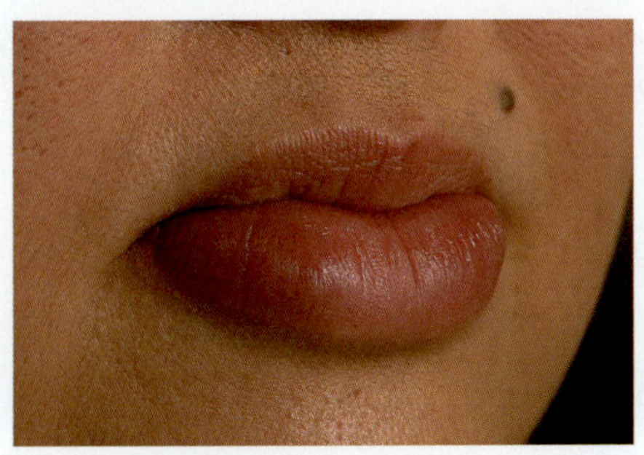

図 20-13　肉芽腫性口唇炎

症状（図 20-13）

口唇腫脹：突然口唇が腫脹（巨大口唇 macrocheilia），再発を繰り返し，慢性に持続する．弾性硬で上口唇に多い．発作性腫脹時に発熱・頭痛・視力障害を伴うこともある．

20〜40%に皺襞舌 lingua plicata・肉芽腫性舌炎（glossitis granulomatosa），30%に顔面神経麻痺を来す（メルケルソン・ローゼンタール症候群）．

組織所見

真皮の浮腫とリンパ管拡張，次第にリンパ球・組織が浸潤し，後に類上皮細胞肉芽腫を形成．

治療

歯性病巣の検索と治療を優先する．金属アレルギーの精査と歯科金属除去も考慮．ステロイドの内服・局注，トラニラスト内服，テトラサイクリン系・マクロライド系抗菌薬の内服．

〔付 1〕**メルケルソン・ローゼンタール症候群** Melkersson-Rosenthal syndrome：①肉芽腫性口唇炎による口唇腫脹，②皺襞舌 lingua plicata・肉芽腫性舌炎（glossitis granulomatosa）：表面皺襞著明な腫脹舌，③顔面神経麻痺と頑固な顔面硬状浮腫の3主徴が古典的．これら3主徴がそろうことは稀で，肉芽腫性口唇炎を本症候群と呼称することもある．

〔付 2〕他部位に生じた同様の肉芽腫性病変を，blepharitis（眼瞼），vulvitis（外陰），metopitis（額），uranitis（口蓋），pareiitis（頬），gingivitis（歯肉）granulomatosa と称する．

7. 乳児臀部肉芽腫 granuloma gluteale infantum（Tappeiner-Pfleger 1971）

病因

おむつなど被覆材使用，尿便の刺激，防腐剤・洗剤・パウダー使用，湿疹・おむつ皮膚炎の先行，カンジダ感染など.

症状（図 20-14）

生後 3〜12 ヵ月の乳児の，主としておむつの当たる部位（殿・外陰・下腹・鼠径・大腿内側など，稀に腋窩）に，円〜卵円形，境界明瞭な扁平隆起性〜半球状の，比較的硬い，紅褐〜紫褐色の結節が少数個発生．大きさは小指頭大まで．数ヵ月で自然消褪する．全身症状なし．おむつ常用の老人にもみられ，舗石状に比軟的密に生じる（diaper area granuloma of the aged（Maekawa 1978））.

組織所見

表皮肥厚，真皮上中層に好中球・好酸球・肥満細胞・形質細胞・組織球・グラム陽性要素を含有する貪食細胞からなる密な細胞浸潤，浮腫，毛細管拡張，出血．肉芽腫の形成は特徴的ではない.

治療

刺激の除去.

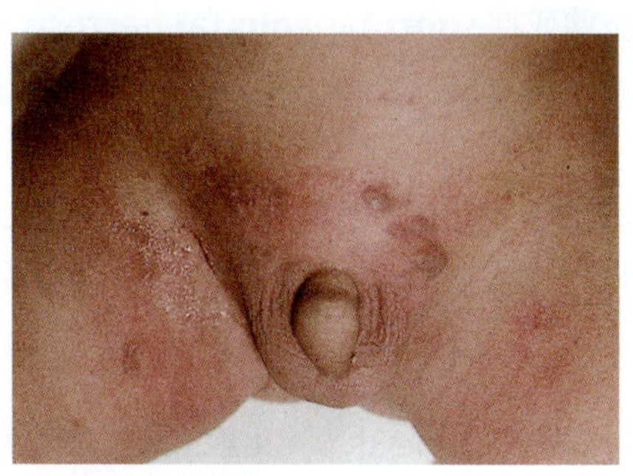

図 20-14　乳児臀部肉芽腫

8. ブラウ症候群 Blau syndrome

概念

NOD2 遺伝子異常により，皮膚，関節，眼に非乾酪性類上皮細胞肉芽腫をきたす．家族性（常染色体優性遺伝）に発症する例をブラウ症候群，孤発例を若年性サルコイドーシスと呼ぶが，本質的には同一．NOD2 は細胞内パターン認識受容体で，細菌細胞壁成分の muramyl dipeptide を認識し，NF-κB を活性化する．

症状

4 歳以下で発症し，3 主徴（皮疹，関節炎，ぶどう膜炎）が，時間をかけてこの順に出現する．皮疹は常色～紅褐色の苔癬様丘疹，結節性紅斑．約半数に発熱を伴う．通常のサルコイドーシスと異なり肺や肺門部リンパ節は冒されない．

2　皮下脂肪織の疾患

1. 外傷性脂肪織炎 traumatic panniculits

外傷によって生じる脂肪織炎．下腿で，皮下に可動性のある小結節を生じることがある（encapsulated fat necrosis）．

外傷性脂肪肉芽腫症（lipogranuloma traumatogenum）は，打撲など軽い外傷（乳房・下腿に多い）で板状硬結を生じ，のちやや陥凹するもの．一種の異物反応と考えられている．

2. 新生児皮下脂肪壊死症 subcutaneous fat necrosis of the newborn（Cause 1879）

病因

新生児皮下脂肪は飽和脂肪酸の比率が高く，融点が上昇して硬化・結晶化しやすく，これに出生時の外力・仮死・寒冷などが引き金となると考えられている．

症状

出生後数日から1ヵ月以内に，肩・上背・上腕・頬に対側性に皮下硬結が発生．指圧痕を残さない．稀に自潰．出産時外傷を受けやすい部位に好発，かつ難産児・

鉗子分娩児に多い．しばしば高 Ca 血症を伴う．限局性皮下硬結は 4～5ヵ月以内に自然治癒する．

組織所見

脂肪細胞が変性し，放射状針状結晶をいれる．変性細胞を取り囲み，リンパ球・組織球・異物巨細胞・線維芽細胞よりなる肉芽腫．

〔付〕**新生児皮膚硬化症** sclerema neonatorum：生後数日の低出生体重児で，哺乳力低下・呼吸困難・低体温に引続き，下腿に浮腫硬化が生じ，急速に上行する，手掌足底・外陰部を除く全身皮膚を侵す．DIC 合併などで死亡率が高い．新生児皮下脂肪壊死症と区別する．本症の皮下脂肪織は肥厚するが，炎症細胞浸潤はほとんどない．近年は新生児ケアが進歩して稀．

3. ステロイド後脂肪織炎 poststeroid panniculitis（Spagnuolo and Taranta 1961）○

概念

大量のステロイド投与後，急激な減量・中止により引き起こされる脂肪織炎．

疫学

小児に多い．

病因

脂肪組織内の脂質代謝異常が起こり，脂肪変性，二次性異物肉芽腫反応が生じると推定されている．

症状

長期間大量のステロイドを投与し，その減量・中止，1～2 日ないし 1～2ヵ月後に，主として顔面・胸部・四肢（ステロイド投与により，異常脂肪沈着をきたした部位に相当する）などに圧痛・自発痛のある，径 0.5～5cm の皮下結節が多発する．被覆皮膚は正常ないしわずかに発赤．

組織所見

皮下脂肪細胞は変性・壊死・萎縮し，組織球・リンパ球・巨細胞浸潤．脂肪細胞の一部に針状結晶構造．

治療

2〜3ヵ月で自然消褪する．ステロイドを再投与すれば速やかに消失する．

4. 膵性脂肪織炎 pancreatic panniclitis, 皮下結節性脂肪壊死 subcutaneous nodular fat necrosis

急性膵炎・膵癌で下肢・臀部に多発性皮下結節を生じる．圧痛あり．ときに波動，乳状液を排出することあり．核の消失した ghost-like fat cell からなり，好中球が囲み，カルシウムも沈着する．上腹痛・悪心・嘔吐・関節痛を伴う．血清アミラーゼ・リパーゼ上昇．膵逸脱酵素（アミラーゼ・リパーゼ・トリプシン・ホスホリパーゼ A_2）が脂肪織（皮下・関節周囲・腸間膜・脳・骨髄）に達して壊死をきたす．

5. ウェーバー・クリスチャン病 Weber-Christian disease，Pfeiffer（1892）-Weber（1925）-Christian（1928）disease, panniculitis nodularis nonsuppprativa febrilis et recidivans，relapsing febrile nodular panniculitis ○

概念

発熱などの全身症状を伴い，脂肪融解を伴う非化膿性脂肪織炎を繰り返す疾患．従来，本症とされてきた症例は，現在の概念では皮下脂肪織炎様T細胞リンパ腫などであった可能性があり，疾患の独立性には疑問も持たれている．

病因

原因不明．

症状（図 20-15）

全身症状（倦怠感・嘔吐・関節痛・頭痛・発熱）で始まり，しばしば有痛性，皮膚と癒着し下床とは可動性のある，大小の皮下硬結が多発する．下肢，次で体幹・上肢に多く，顔は稀．発赤し，破れて非膿汁性・血性の漿液が時に流出する．熱は階段状に上昇し，40℃を超え，弛張型で下熱しつつ，数日〜数週で軽い皮膚陥凹を残して消褪する．かかる発作が数年にわたり反復し．抗菌薬に反応しない．白血球減少・赤沈亢進・CRP 陽性・貧血．男女比 1：2 で中年女性に多いが，全年齢に生じうる．

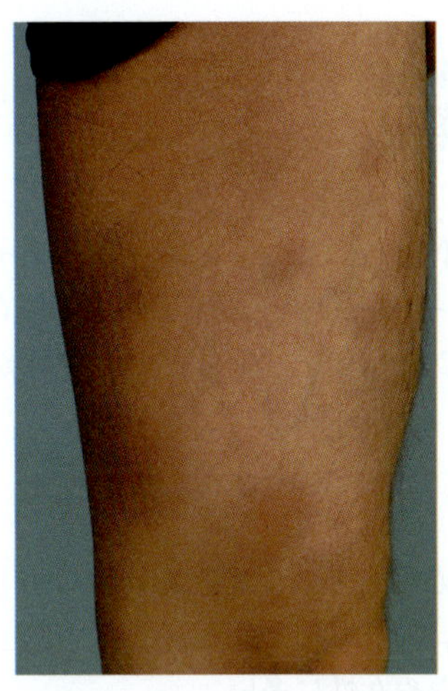

図 20-15 ウェーバー・クリスチャン病

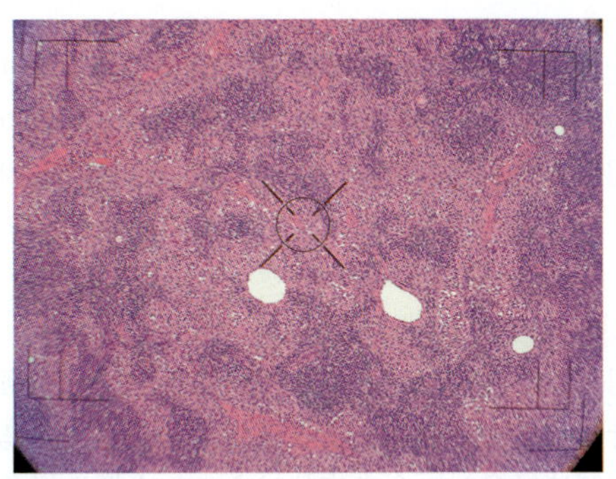

図 20-16 ウェーバー・クリスチャン病（組織像）

組織所見（図 20-16）

①急性炎症期：多核球・リンパ球・組織球が脂肪細胞間に浸潤，脂肪融解をきたす．血管壁フィブリノイド変性をみることもある．②貪食期：脂肪を貪食して泡沫細胞状になった組織球の密な浸潤（lipogranuloma）．③線維化期：線維芽細胞が増殖し線維化をきたす．

鑑別診断

他の原因による脂肪織炎（LE panniculitis, histiocytic cytophagic panniculitis, α-1-antitrypsin deficiency panniculitis，膵性脂肪織炎など），や悪性リンパ腫（皮下脂肪織炎様 T 細胞リンパ腫，皮膚原発 $\gamma\delta$T 細胞リンパ腫）を除外する必要がある．

予後

慢性に経過．予後は通常良い．時に DIC・肺塞栓・感染症などで死亡することもある．

治療

ステロイド薬，免疫抑制薬（シクロスポリン），増悪因子対策（感染・薬剤・外傷・寒冷）．

6. 皮下脂肪肉芽腫症 lipogranulomatosis subcutanea（Rothmann 1894, Makai 1928），Rothmann-Makai 症候群

概念

全身症状を欠く限局性の脂肪織炎．全身症状を伴わないウェーバー・クリスチャン病の一型との考えもあるが，前述のごとくウェーバー・クリスチャン病の独立性は揺らいでおり，本症も実態は皮下脂肪織炎様 T 細胞リンパ腫などの可能性がある．

症状

明らかな誘因なく，皮下に母指頭大までの硬結が生じる．皮膚と癒着するが下床に対してはよく動く．被覆皮膚は正常色であるが，時に淡紅色を呈する．上腕・大腿伸側に好発し，全身症状はない．小児に好発，やや女性に多い．

組織所見

皮下脂肪組織の壊死と多核球浸潤，次いで泡沫細胞・類上皮細胞・巨細胞よりなる肉芽腫性反応．線維化に至る．

治療・経過

数ヵ月から数年で自然に治癒する例もある．中等量のステロイド全身投与によく反応する．中止後再発も多い．予後良好．

7. 細胞貪食性組織球性脂肪織炎 histiocytic cytophagic panniculitis（Winkelmann 1980），subcutaneous T cell lymphoma with hemophagocytic syndrome（図 20-17）（☞ p. 716）

概念

発熱や倦怠感などの全身症状を伴う非感染性，有痛性の小葉性脂肪織炎である．組織球が赤血球・白血球を貪食した bean-bag cell を組織学的特徴とする．このような病理像を示す悪性リンパ腫（皮下脂肪織炎様 T 細胞リンパ腫など）があり，本症と診断された一部は悪性リンパ腫であった可能性がある．

症状

発赤を伴う軟らかな皮下硬結が主体で，時に紫斑や出血をみる．貧血・汎血球減少・血小板減少・肝脾腫・肝機能異常を生じることもある．

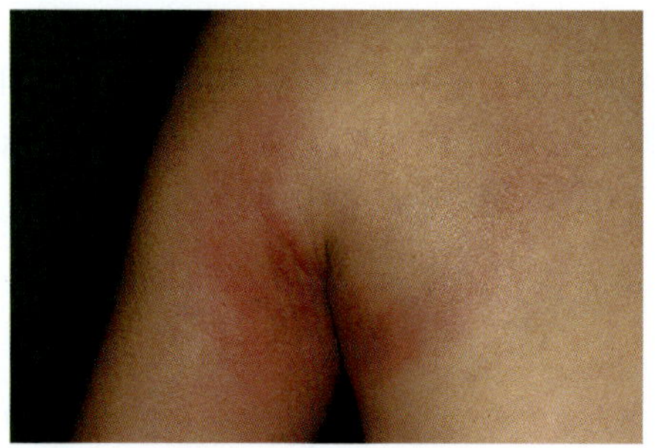

図 20-17　細胞貪食性組織球性脂肪織炎

組織所見

組織球・T 細胞・形質細胞が混在して小葉性脂肪織炎・脂肪壊死をきたす．組織球は白血球・赤血球などを貪食して bean-bag cell の像を呈するが，異型細胞をみることは少ない．

治療

進行例ではリンパ腫の治療，他にステロイドパルス，シクロスポリン内服など．

8. 結節性筋膜炎 nodular fasciitis（Price 1961），subcutaneous pseudosarcomatous fibromatos-is（Konwahler 1955），pseudosarcomatous fasciitis

概念

通常皮下組織から発生する線維芽細胞の限局性良性の増殖症．従来，反応性増殖性病変と考えられていたが，染色体転座とそれに由来する *MYH9*-*USP6* 融合遺伝子が存在することから，最近は自然退縮傾向を示す間葉系腫瘍（self-limiting mesenchymal neoplasm）と考えられている．

病因

外傷が先行する例もあるが，多くは原因不明．

症状

単発性皮下結節で比較的短期間に増大し径 1～2cm に及び，圧痛ないし自発痛がある．被覆表皮は正常またはわずかに発赤．前腕・上腕に好発．30 代に多く，性差はない．

組織所見

皮下深部に境界不明瞭な病変があり，浮腫とムチン沈着が目立つ．この間質内に紡錘形細胞が培養細胞や羽毛を思わせる像（tissue-culture appearance, feathery appearance）を呈して増殖する．血管増殖，周辺にリンパ球・組織球・多核巨細胞の浸潤．

治療

本症は自然消褪傾向を示すので，切除の予定を入れて，それまで経過観察する．消褪しなければ，予定通り切除する．

第21章 色素異常症

色素異常（dyschromia）はメラニン量・分布によることが多いが，その他ヘモグロビン（酸化型・還元型）・カロチン・ビリルビン・金・水銀・銀・蒼鉛・化学物質（クロルプロマジン・テトラサイクリン）・異物沈着（爆粉・墨汁・色素）などによっても生じる．

メラニン色素の増強による色素増強症，減少・消失による色素脱失症，異物沈着症などについて記述する．

1 色素増強症

1．びまん性の色素増強 ○

内分泌疾患（アジソン病・クッシング病・異所性 ACTH 産生腫瘍・副腎性器症候群）や代謝疾患（ヘモクロマトーシス・Wilson 病・慢性腎不全・慢性肝不全）に随伴し，薬剤（クロルプロマジン・抗癌剤・ミノマイシン・アミダロン・ヒダントイン・クロファジミン）によっても起こる．内分泌疾患ではメラノサイトの機能亢進によるメラニン色素増強，代謝疾患ではメラニン色素やビリルビン，金属などの沈着，薬剤で誘発される場合もメラニン色素沈着によることが多い．

〔付〕**アジソン病** Addison's disease：副腎皮質機能不全により全身の色素沈着・倦怠感・食欲不振などをきたす．色素沈着は20～40％にみられ，特に顔面・外陰・腋窩・臍囲に強く，手掌皺に一致，指末節背面，口腔粘膜にも発生する．副腎皮質ホルモン分泌低下→下垂体からの ACTH・MSH 分泌の増加→メラニン色素増強（表皮基底層～表皮上層）．

2. 雀卵斑（そばかす）ephelides, freckle

病因

多くは常染色体性優性で家族内発生あり．色白の人，特にブロンドや赤毛の人，白人に多い．メラノサイトの数に変化はないが，メラニン生成能が亢進し，ドーパ強陽性，樹枝状突起は多く長い．基底層色素沈着増強．

症状（図21-1，2）

顔面正中部を主とし，手背・腕・肩・背などの露出部に多発する，直径数mmまでの，不規則な形をした小色素斑で，夏季日光照射によって増悪する．5，6歳より発し思春期に明瞭となる．自覚症状はない．

治療

遮光．ハイドロキノン・レチノイン酸外用．レーザー照射．

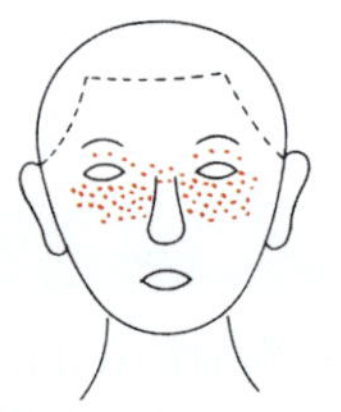

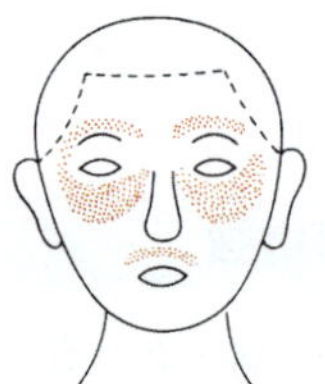

図21-1　雀卵斑・肝斑の好発部位の比較

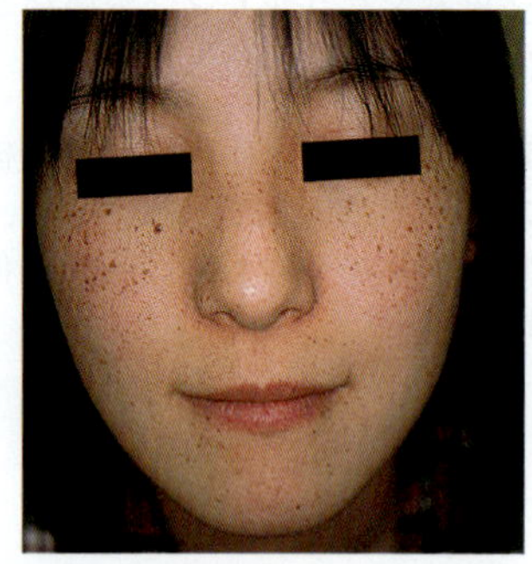

図21-2　雀卵斑

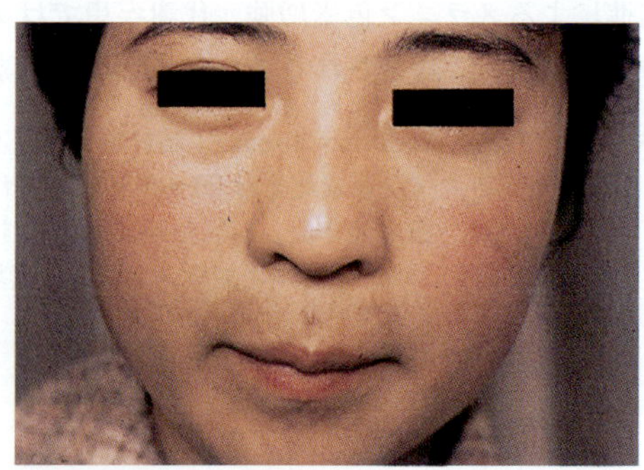

図21-3　肝斑

3. 肝斑（しみ）chloasma，melasma

病因

病因・発症機序は不明の部分が多いが，遺伝的素因・ホルモンの影響・紫外線曝露が関連して発症すると考えられている．妊娠，性ホルモンや内分泌変調（ピル内服・閉経期・卵巣腫瘍・月経不順・甲状腺機能異常など）が関与して発症することもある．経口避妊薬・ヒダントイン連用によっても生じる．紫外線曝露で増悪する．表皮メラノサイトのサイズは大きく，樹状突起は発達してメラニンを有する．基底層およびその上層ケラチノサイトのメラニン増加が顕著．真皮に少数のメラノファージをみる．

症状（図 21-1，3）

主として 30 歳以降の女性の顔面，特に前額，側額，眉毛直上，頬，頬骨部に左右対称性に生じる，境界明瞭な淡褐色の色素斑で，種々の形・大きさをとる．自覚症状，炎症症状はない，時に遅発性両側性太田母斑との鑑別が必要．

経過・治療

妊娠性肝斑は分娩後に自然治癒を示すが，一般に難治．遮光，ビタミンC・トラネキサム酸内服，ハイドロキノン・トレチノイン軟膏の外用，ケミカルピーリング．レーザー照射．

4. 老人性色素斑 senile pigment freckle，senile lentigine，solar lentigo

紫外線曝露が主因．中年以後，主として顔面・手背・前腕伸側など露光部に発す

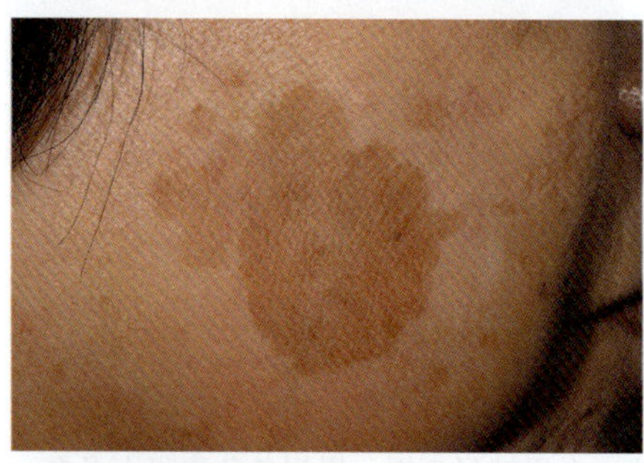

図 21-4 老人性色素斑

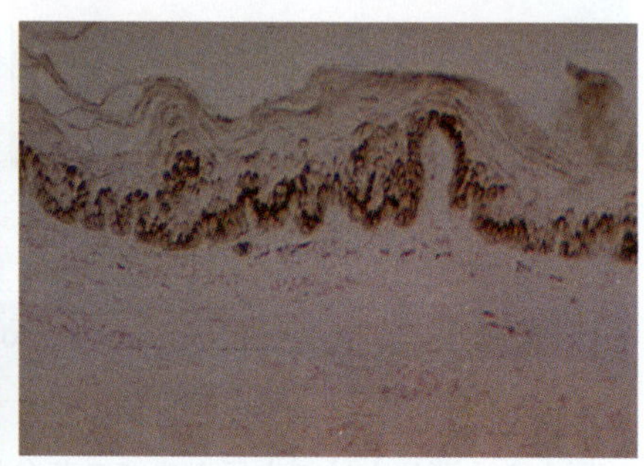

図 21-5 老人性色素斑〔基底層色素沈着（メラニン染色）〕

る大小の褐色色素斑で，時に軽く落屑する．大型化して拇指頭大～鶏卵大に及ぶこともある．時に一部が隆起して脂漏性角化症へ移行する．悪性黒子との鑑別が重要(図 21-4，5)．レーザー照射が効果，凍結療法，ケミカルピーリング，遮光．

5. 扁平苔癬様角化症 lichen planus-like keratosis (LPLK) (Shapiro and Ackerman 1966) (図 21-6)

一時日光角化症の一型と考えられたが，現在では老人性色素斑あるいは脂漏性角化症に苔癬型炎症反応が生じたものとされる (Mehregan 1975).

主として顔面に単発（稀に数個）する褐～紅褐色，軽度落屑性，わずかに扁平に隆起する直径 3～10 mm の斑で，しばしば瘙痒を有する．老人性色素斑様小色素斑が先行し，これに炎症症状が加わってくることが多い．

組織所見 (図 21-7)

ほぼ扁平苔癬と同一であるが，表皮に軽度の異型性をみることがある．日光角化症と鑑別する．

治療

切除，冷凍凝固療法．しばしば自然消褪する．

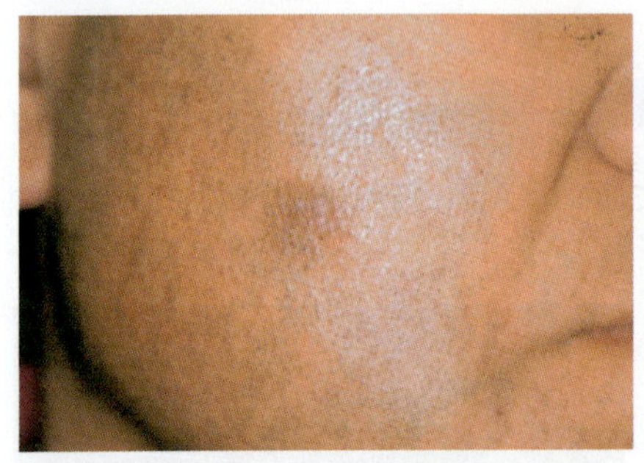

図 21-6　扁平苔癬様角化症

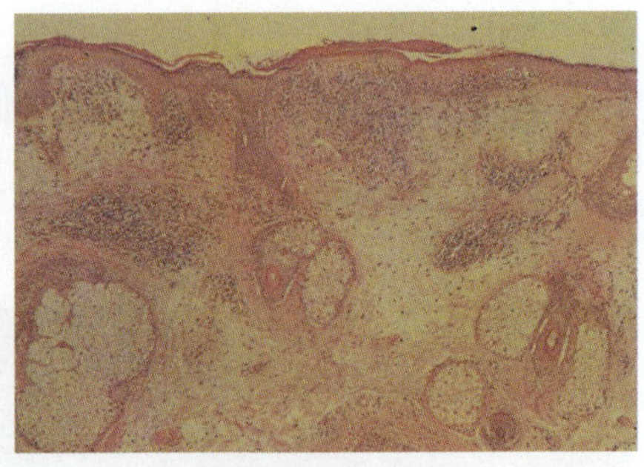

図 21-7　扁平苔癬様角化症（組織）

6. 光線性花弁状色素斑 pigmentatio petaloides actinica (Morioka 1975)

症状 (図 21-8)

肩から上背にかけて大豆大までの花弁状～金平糖形の褐～黒褐色色素斑が多発．色白の人に多く，海水浴などで日焼けをした後に生じやすい（海水浴後色素斑）．

図 21-8 光線性花弁状色素斑

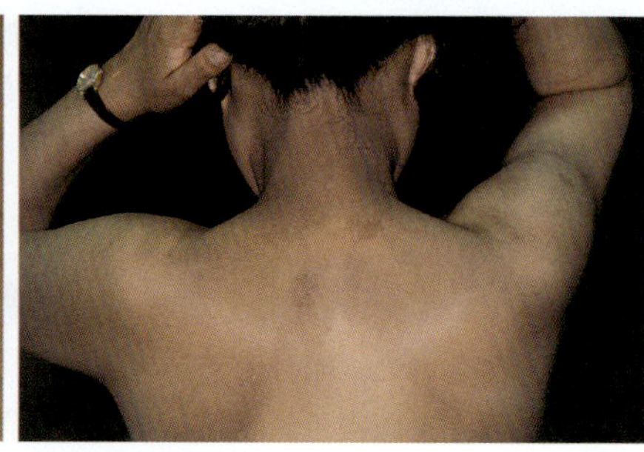

図 21-9 摩擦黒皮症

慢性の紫外線曝露よりも単発的な強い紫外線照射で誘発される.

組織所見

棍棒状～蕾状に表皮突起が長く延長し，基底層のメラニン沈着はこの尖端で特に強い．メラノサイトも増加．真皮に担色細胞の増加.

7. 摩擦黒皮症 friction melanosis（図 21-9）

ナイロンタオル・ブラシを長年使用していた人（特にやせ型の若い女性）に生じる色素沈着．20～40 歳に多い，男女比 1：3.

色素斑は褐色～灰色～黒色調で，骨直上（鎖骨・肩甲部など）では帯状に，上背・腰・腹などではびまん性ないし網状に，よくみると皮丘に一致してさざ波状（ripple pattern）に，側背では肋骨に沿って縞馬状に，脊柱上では棘突起に一致して切手型あるいは縦長帯状に並ぶ．瘙痒や丘疹要素はない.

①斑状アミロイドーシス，②色素沈着性接触皮膚炎（ネル素材の寝衣），③色素性痒疹，④ erythema dyschromicum perstans などと鑑別.

組織所見は表皮基底層のメラニンが増加．乳頭・乳頭下層に遊離メラニン顆粒とメラノファージ．時にアミロイド沈着がみられ，斑状 / 色素性アミロイドーシスと区別しにくいこともある.

原因である過度の摩擦を避けるのが重要.

8. 色素異常性固定紅斑 erythema dyschromicum perstans（Convit 1961), ashy dermatosis（Ramirez 1957）

前駆症なく大小灰白～灰青色斑が全身に多発，紅暈に囲まれる．稀に瘙痒，慢性

21章

に経過．基底層液状変性と苔癬反応で組織学的色素失調を伴う．多発性紅斑が色素斑に移行，慢性に経過する色素性ばら疹も本症とほぼ同じ病態で，扁平苔癬の一型との考えが強い．

9. 特発性多発性斑状色素沈着症 pigmentatio macularis multiplex idiopathica

主として体幹に，帽針頭大から指頭大，時に小児手拳大までの，円形ないし楕円形，褐～紫褐～灰褐色，隆起しない，自覚症状のない色素斑が多発．時に紅斑が先行．ほぼ日本に限る．原因不明．8. と 9. は類似し，同一病態とみなす考えが強い．

10. 遺伝性対側性色素異常症 dyschromatosis symmetrica hereditaria（遠山 1910, 1929）○

症状（図 21-10）

指趾背，手足背，前腕下腿伸側に，末梢ほど病勢強く，点状～網状の色素斑，脱色斑が混在し，顔面には雀卵斑様小色素斑が散在する．一部に光線過敏症あり．常染色体性優性遺伝で家族内発生も多い．RNA editing に関与する二重鎖 RNA 特異的 adenosine deaminase 遺伝子（*ADAR1*）が原因遺伝子と判明した（Tomita 2003）．同様変化の全身に汎発するのを遺伝性汎発性色素異常症（遠山・市川・平賀 1933）（dyschromatosis universalis hereditaria）と称する．遮光，レーザー照射，剝削術．

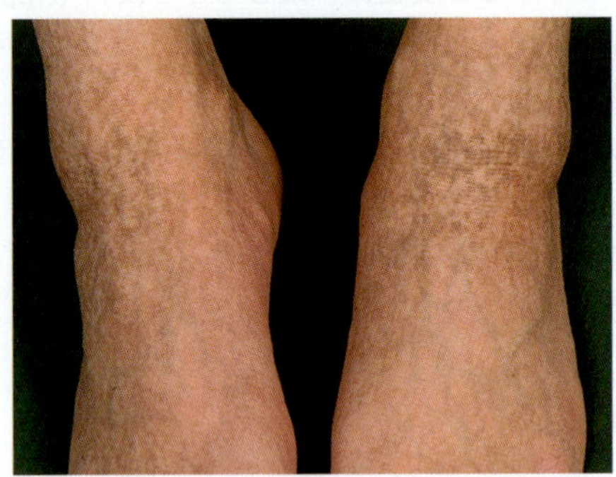

図 21-10　遺伝性対側性色素異常症

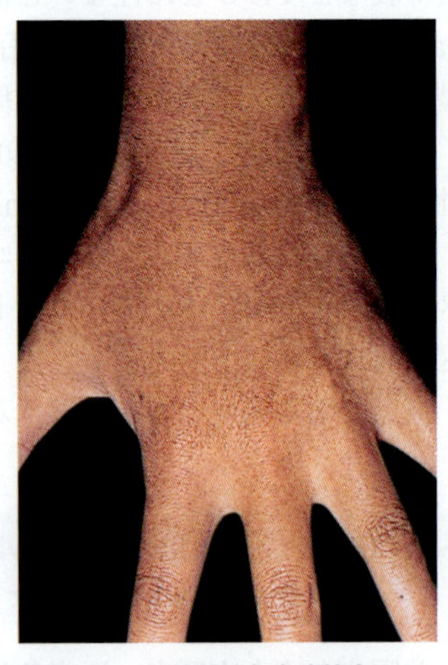

図 21-11　網状肢端色素沈着症

11. 網状肢端色素沈着症（北村 1943）acropigmentatio reticularis

病因

常染色体性優性遺伝．近時欧米，アフリカ，中近東などの例もある．亜鉛メタロプロテアーゼなどをコードする *ADAM10* の変異が報告されている．

症状（図 21-11）

手足背，時に前腕下腿，稀に頸項・肩部にも発する網状の色素沈着で，個疹は皮溝に沿った不整多角形淡褐色を呈し，かつ皮高よりわずかに陥凹する．皮膚は多少粗糙となる．手掌足底・四肢屈側・体幹は稀．掌蹠紋理に点状断裂・陥凹をきたすことあり．小児・思春期に発し，年齢とともに徐々に進行．根本的治療法はなく，ケミカルピーリング，カバーマークの使用など．

2 色素脱失症

1. 尋常性白斑 vitiligo vulgaris，しろなまず ◎

後天性の境界明瞭な完全脱色素斑で，汎発型と分節型とがある．

病因

メラノサイトが破壊され，消失する．

①自己免疫（汎発型）：甲状腺機能亢進症などの自己免疫性疾患をしばしば合併し，抗甲状腺自己抗体の陽性率も高い．チロシナーゼやチロシナーゼ関連蛋白（TRP）などに対する自己抗体も検出されている，②自己崩壊：メラニン合成過程で生じるメラノサイト毒性を有する中間代謝産物によるとの考え，③限局性自律神経障害（分節型）：末梢神経からメラノサイトを障害する神経伝達物質が放出されるとの考え方などがある．

症状

境界明瞭な完全色素脱失性白斑で，形は円・楕円・不整・帯状など種々，大きさも大小様々でしばしば融合する．周囲の健常皮膚に色素増強をみることや境界が不鮮明になることもある．患部の毛髪が白毛化することも少なくない．自覚症状はない．PUVA などで治療するとまずは毛孔一致性の小色素斑が再生する．稀に家族内発症例がある.

次の 2 型に分ける.

①汎発型（図 21-12）：特に一定の部位を占めず，神経支配域とも関係なく生じるもの（全体の 2/3～3/4）. 年齢に関係ない. 多発・汎発化しやすい. 外傷・外力でケブネル現象. 悪性黒色腫に併発することあり（Sutton 現象）. 甲状腺機能亢進症，橋本病，アジソン病，悪性貧血などの自己免疫性疾患を合併することがある.

②分節型（図 21-13）：神経支配領域に一致する皮膚分節に片側性に発する. 比較的若年者に多い.

〔付〕**炎症性辺縁隆起性白斑**（Freudenthal 1928，Garb and Wise 1948）：環状紅斑が先行，紅斑消褪とともに中央が脱色し白斑となる場合と，既存白斑の周囲に隆起性紅斑を生じる場合がある. 瘙痒あり. 炎症部に液状変性などメラノサイト・ケラチノサイトに対する自己免疫所見あり.

鑑別診断

①限局性白皮症，②白斑性母斑，③老人性白斑，④フォークト・小柳・原田病，⑤白斑黒皮症.

組織所見

初期にはドーパ反応減弱ないし陰性の変性メラノサイトと真皮上層のリンパ球，

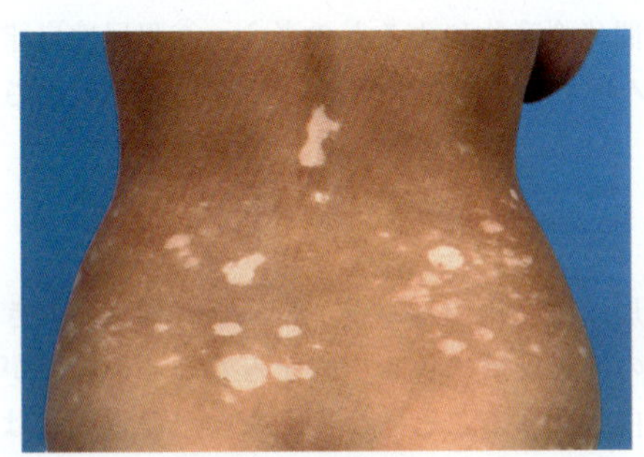

図 21-12　尋常性白斑（汎発型）

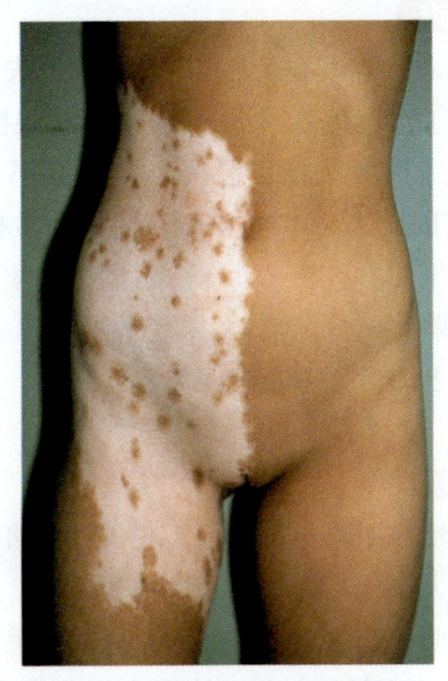

図 21-13　尋常性白斑（分節型）

組織球浸潤，完成期にはメラノサイトの消失．表皮基底層のメラニン顆粒も消失．

治療

①エキシマレーザー照射，② narrow band UVB 照射，③ PUVA（psoralen 外用ないし内服後に UVA 照射），④ステロイド外用ないし内服（汎発型），⑤自律神経安定薬（分節型），⑥点状植皮・表皮植皮（吸引水疱蓋法），⑦ビタミン D_3 外用，⑧遮蔽（カバーマークなど）．

2. サットン（後天性遠心性）白斑 leucoderma centrifugum acquisitum（Sutton 1916），halo nevus，Sutton nevus ○

病因

黒子などのメラノサイトに対する自己免疫的反応と考えられている．

症状（図 21-14）

黒子（色素性母斑）を中心として周囲に白斑を生じたもの．ほぼ円～楕円形で徐々に拡大する．中心は黒子（色素性母斑）の他に脂漏性角化症・悪性黒色腫・青色母斑などがある（サットン現象）．中央の母斑が褪色扁平化するとともに，あるいはそれを切除することにより白暈も消失することがある．一般に体幹皮膚に多い．約半数に尋常性白斑を合併．

組織所見

白暈部ではメラノサイト・メラニンの減少・消失，中心母斑部にリンパ球浸潤，母斑細胞の変性．

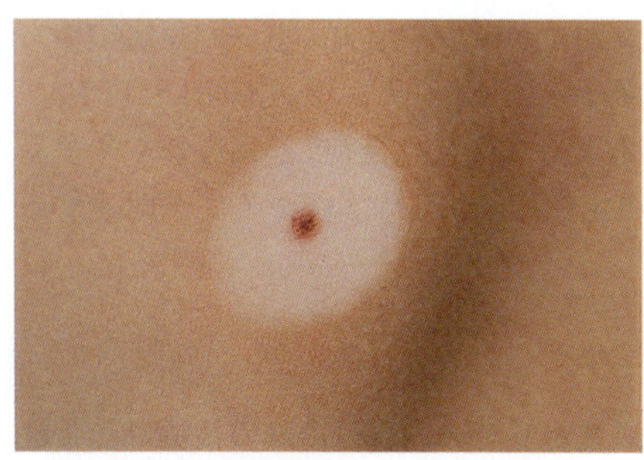

図 21-14　サットン母斑

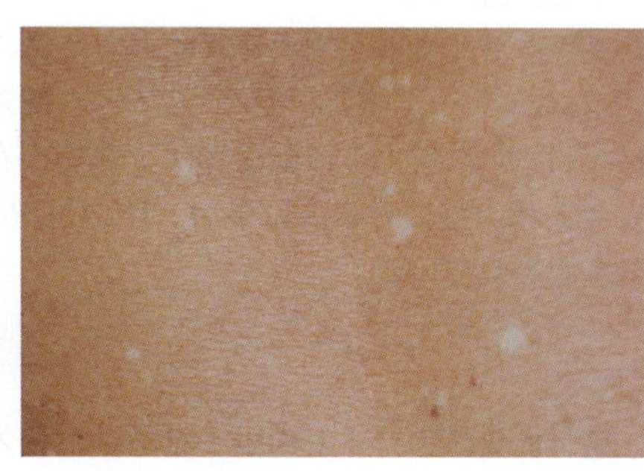

図 21-15　老人性白斑

3. 老人性白斑 leukoderma senile（図 21-15）

胸背・四肢に散在性に発するほぼ円形の色素脱失斑で，大きくてもせいぜい直径 1 cm までである．周囲に色素増生なく，また初期に境界不明瞭のこともある．30 代で既に始まり漸増する．皮膚老化の一徴候．活性メラノサイト・メラノソームの減少．

4. 海水浴後白斑 Sea bathing leukoderma

海水浴後，2 週間ほどで発生．大豆大までの円形白斑が日光曝露部に一致して多発．炎症後の色素脱失と考えられている．

5. フォークト・小柳・原田病 Vogt-Koyanagi-Harada disease（1906, 1929）

髄膜炎・ぶどう膜炎・難聴・白斑を主徴とする，メラニン関連蛋白に対する自己免疫疾患と考えられている．

症状

髄膜炎症状（頭痛・嘔気・項部硬直）を伴う発熱に引き続き，両側ぶどう膜炎・脈絡膜炎・視神経炎（視力低下・緑内障・網膜剝離），次いで内耳症状（耳鳴・難聴・平衡失調）を生じ 1～9ヵ月後に白毛（眉毛・睫毛，時に頭毛・体毛），白斑（眼囲に多い，左右対称性，体幹には不規則散在性に），脱毛（頭毛その他）を生じる．ぶどう膜炎のうち虹彩毛様体炎を主とするものをフォークト・小柳病，脈絡膜炎を主とするものを原田病ともいう．

病理組織・病因

メラノサイト・ケラチノサイト内メラニン顆粒が減少・消失，ドーパ反応陰性，メラノファージ増加，メラノソーム関連蛋白（チロシナーゼ・TRP1・TRP2・MART-1）に対する細胞傷害性 T 細胞が存在．20～40 代に発症し，女性にやや多く，有色人種，特に日本人に多い．HLA-DR4-DR53-DQ4 のハプロタイプが関連すると考えられている．

治療

副腎皮質ステロイド内服・パルスやシクロスポリンの内服．白斑の治療は尋常性白斑に準ずる．

6. 先天性白皮症 albinism, 眼皮膚白皮症 oculocutaneous albinism（OCA）

分類と症状（図 21-16，表 21-1）

皮膚，毛髪，眼のメラニン色素生成が低下ないし消失する常染色体性劣性遺伝性疾患で，近年明らかにされつつある病因に従って下記のように分類されている．

1）眼皮膚白皮症 1 型（OCA1, チロシナーゼ関連型）

チロシンから始まるメラニン生成経路の最初の反応に関与する酵素チロシナーゼの遺伝子変異により生じる．ホモ・ヘテロ接合性変異，変異部位によりチロシナーゼの酵素活性低下の程度が異なる．

①**チロシナーゼ陰性型**（眼皮膚白皮症 1a 型，OCA1a）：チロシナーゼ遺伝子（*TYR*）変異によりチロシナーゼ活性が完全に消失，一生メラニン合成が起こらない．日本における白皮症の 1/3 を占める．ⓐ全身皮膚が白～ピンク色で毛は白毛．日焼けが激しく，日光裸露部に悪性腫瘍を生じやすい．蒙古斑なし，ⓑ虹彩・脈絡膜は淡青～褐色で青い眼，眼底は淡紅色，羞明（photophobia）がひどく，水平方向の眼振，視力低下，ⓒメラノサイトの数・形は正常であるが，メラノソームは小さく奇形が多い．

②**黄色変異型** yellow mutant type（眼皮膚白皮症 1b 型，OCA1b）：チロシナーゼ遺伝子の変異部位によっては（特にヘテロ接合体のときに）チロシナーゼ活性が消失せず数％程度残る．出生時はチロシナーゼ陰性型と同様の症状であるが，6～12ヵ月より頭毛は褐色に，皮膚も色素沈着し始め，次第に色素が増加し，成人になると健常人と区別できない例もある．ドーパ反応・Tyrosine Incubation

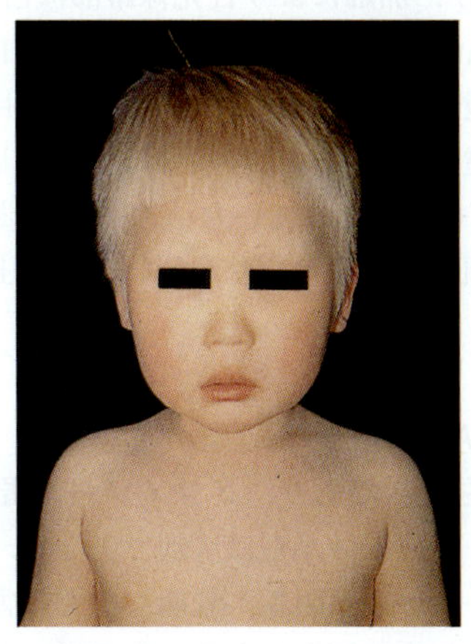

図 21-16　白皮症（チロシナーゼ陰性型）

表 21-1　遺伝性色素異常症と病態・遺伝子

色素異常症とその病態	遺伝子
胎生期メラノサイトの移動・成熟異常	
①まだら症	*KIT*
② Waardenburg 症候群	*PAX3, MITF, SOX10*
③遺伝性対側性色素異常症*	*ADAR1*
メラノソーム形成異常	
① Hermansky-Pudlak 症候群	*HPS1, 3, 4, 5, 6, AP3B1*
HPS1~8 型	*DTNBP1, BLOC153*
② Chédiak-Higashi 症候群	*CHS1*
メラノソーム内のメラニン生成異常	
① OCA1	*TYR*
OCA1a, OCA1b	
OCA1mp, OCA1ts	
② OCA2	*P*
③ OCA3	*TYRP1*
④ OCA4	*SLC45A2/MATP*
メラノソームの細胞内移動の異常	
① Griscelli 症候群	
GS1，GS2，GS3	*MYO5A, RAB27A, MLPH/SLAC2A*

＊これのみ色素増強症

Test（TIT）は陰性であるが，ドーパ・チロジンにシステインを加えた液に毛球部を浸漬すると黄赤色を呈する．

③**最小色素型**（眼皮膚白皮症 1 mp 型，OCA1 mp）：黄色変異型よりさらにチロシナーゼ活性が低い．チロシナーゼ遺伝子変異のヘテロ接合による．臨床像は OCA1a と区別できないが，加齢により日光裸露部に色素斑を生じる．

④**温度感受性型**（temperature-sensitive OCA，眼皮膚白皮症 1ts 型）：チロシナーゼ陰性型の変異を持つ遺伝子とチロシナーゼの 422 番目のアルギニンがグルタミンに替わる変異を持つ遺伝子とのヘテロ接合により生じる．チロシナーゼが温度感受性を持ち，低いながらも保たれていた活性が 35℃あたりから低下・消失する．白人では皮膚温の高い頭毛・腋毛は白く，低い下腿・上腕の毛は黒くなるという．日本人の報告はない．

2）眼皮膚白皮症 2 型（OCA2, P 遺伝子関連型）

チロシナーゼ陽性型の白皮症であり，メラノソーム蛋白の一種である P 蛋白遺伝子の変異による．OCA1 と臨床像からは区別できない．

①白～ピンク色の皮膚，青い眼，眼振，羞明，視力障害はあるが陰性型に比して軽く，加齢により次第に着色する傾向がある，② TIT・ドーパ反応陽性，③メラノ

ソームは第Ⅲ期までみられるが，第Ⅳ期は不完全.

3）眼皮膚白皮症3型（OCA3, TRP1関連型）（Boissy 1996）

tyrosinase-related protein-1（*TYRP1*）遺伝子による白皮症．アフリカで稀に，日本人に報告なし．眼症状を欠き，皮膚・毛髪ともに赤〜茶色を呈するという．

4）眼皮膚白皮症4型（OCA4, MATP遺伝子型）（Brilliant 2001）

メラノソーム膜表面での輸送蛋白質（membrane-associated transporter protein）をコードする遺伝子〔solute carrier family 45, member 2 gene；*SLC45A2*（*MATP*）〕の変異により生じる．臨床像，特に皮膚や髪の色調は様々でOCA1やOCA2と区別できない．日本における白皮症の約1/4を占める．

5）Hermansky-Pudlak症候群（1959）（出血型）

メラノソームや血小板dense bodyなどライソゾーム小体の生成に必要な蛋白質をコードする遺伝子の異常により生じる常染色体劣性の遺伝性疾患．

①眼皮膚白皮症（チロシナーゼ陽性），②血小板のstorage pool（dense body）欠乏による出血傾向，③骨髄・肺・口腔粘膜・消化管粘膜・尿細管におけるセロイド様物質沈着を3徴候とする．血小板のdense body減少で凝集が障害され出血が反復，赤血球・血小板の多価不飽和脂肪酸がマクロファージのライソゾーム中に蓄積されてセロイド様物質となる．マクロファージが破壊されライソゾーム中酵素が放出され肉芽腫・線維化（肺線維症・肉芽腫性大腸炎・腎不全・心筋症）をきたす．日本における白皮症の10%を占める．遺伝子は膜貫通領域を持つ838個のアミノ酸からなる蛋白質をコードする．現在，HPS1（*HPS1*），HPS2（*AP3B1*），HPS3（*HPS3*），HPS4（*HPS4*），HPS5（*HPS5*），HPS6（*HPS6*），HPS7（*DTNBP1*），HPS8（*BLOC1S3*），HPS9（*PLDN*）の9病型と原因遺伝子が知られている．

◎6）Chédiak-Higashi症候群（図21-17）

HPSと同様に小胞の蛋白質輸送に関わる遺伝子異常によりメラノソーム形成異常を生じる常染色体劣性の遺伝性疾患．①皮膚・毛のメラニン減少（毛髪中に巨大メラノソーム），②感染防御能低下による細菌・ウイルス感染症を反復．NK活性低下，③進行性の神経症状（腱反射減退・四肢運動障害・麻痺・けいれん・知能障害），④時に悪性リンパ腫を併発．好中球・好酸球・リンパ球・単球その他皮膚・毛髪・諸臓器の原形質内に巨大顆粒（ライソゾーム）がみられ，その酵素活性は増減種々．*CHS1/LYST*遺伝子に変異．骨髄移植・感染対策・抗腫瘍薬．

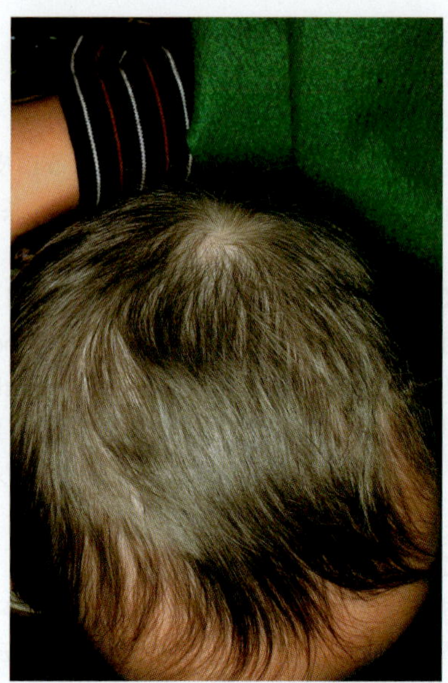

図 21-17　Chédiak-Higashi 症候群

7）Griscelli 症候群（1978）

メラノソーム輸送に関連する蛋白（Rab27a-Slac2a-myosin Va 複合体）の障害により生じる白皮症で常染色体劣性の遺伝疾患．GS1（*MYO5A*），GS2（*RAB27A*），GS3〔*melanophilin*（*MLPH/SLAC2A*）〕があり，GS1 は神経症状を，GS2 は免疫不全・血球貪食症候群を伴い，GS3 は色素低下のみで他に合併症がない．

〔付〕**Cross 症候群**（Cross-McKusick-Breen syndrome，Cross 1967）：全身性白皮症，小眼症，けいれん発作，知能障害，アテトーゼ．

7. まだら症 piebaldism（図 21-18）

常染色体性優性遺伝（***KIT* 遺伝子変異→**メラノサイトの表皮への移動阻害）．前額髪際に白毛巣（white forelock），前額に三角ないし菱形の白斑，鼻根部・頰・顎・前胸・腹・肘膝関節部に対側性に境界明瞭な白斑，その中に島状に褐色斑．病巣部でメラノサイトは欠如（白斑性母斑ではメラノサイトは存在する）．表皮移植・培養表皮細胞移植．

〔付〕**Waardenburg-Klein 症候群**（1951）：①前頭部の白斑・白毛，②虹彩異色症（heterochromia iridis），③先天性の難聴，聾，が 3 主徴．常染色体性優性遺伝．本症はまだら症を部分症状

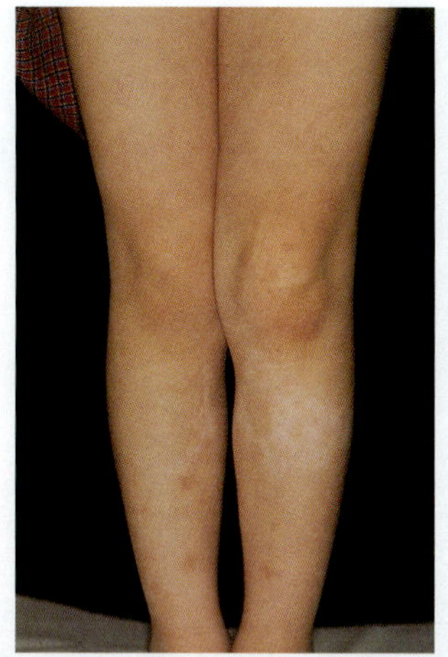

図 21-18　まだら症（下腿の白斑）

として有するが，その原因遺伝子は *KIT* 遺伝子の転写因子，あるいはそのまた転写因子である．4 型に分ける．WS1：内眼角の側方偏位あり（*PAX3*），WS2：内眼角側方偏位なし（*MITF, SNAI2/SLUG*），WS3：1 型＋上肢奇形（*PAX3*），WS4：1 型＋ Hirschsprung 病（*SOX10, EDN3, EDNRB*）．

3　異物沈着症

1．柑皮症 aurantiasis cutis，carotenosis（図 21-19）

β-カロチン（carotene）を多量に含む食物（蜜柑・人参・パセリ・かぼちゃ・杏子・海苔など）を大量摂取後に生じる手掌足底の黄色化．高度のときは鼻唇溝・爪甲も黄色化するが，全身汎発は稀，血中カロチン量が 0.5 mg/dL 以上（carotenemia）で発生．汗に分泌され角層の厚い部位（手掌足底・肘頭・膝蓋・額・鼻唇溝・鼻孔縁・耳後・指関節背）に沈着し黄色を呈す．粘膜は一般に侵されない．子どもや菜食主義者に多い．放置して構わないが，高脂血症・甲状腺機能低下・神経性食欲低下などの背景に注意．

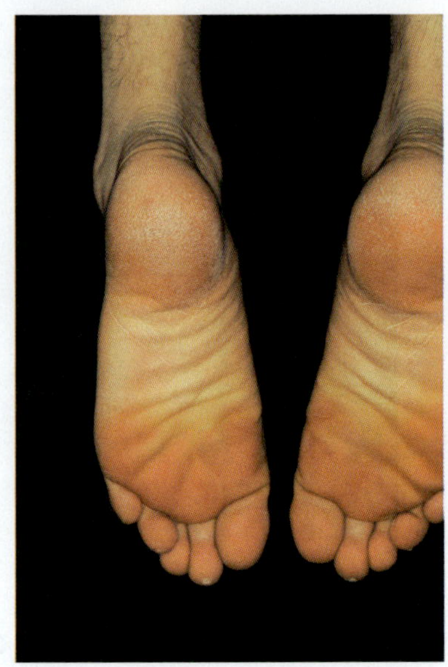

図 21-19　柑皮症

2. 金属の沈着

1）銀皮症 argyria

かつては銀含有製剤の摂取・内服により特有の光沢の青灰色の色素沈着を局所性，全身性に生じた．最近は少ない．遮光と摂取中止が必要．

2）メタローシス metallosis

人工関節などの合金（鉄・クロム・ニッケル）の摩耗粉がマクロファージに貪食され，リンパ行性に真皮に到達して限局性色素斑を呈する．

3）その他の金属沈着症

灰青～灰紫～黄褐色調を呈する金皮症は，稀ながらあって，金の摂取とともに紫外線やレーザー照射で発症することがある．水銀を含んだアマルガムによる口腔粘膜の灰紫の色素沈着，止痢剤・整腸剤などの成分蒼鉛による色素沈着も稀にみられる．

3. 刺青（文身，いれずみ）tattoo（図 21-20，21）

色素を人為的に皮膚に刺入し，種々の色調・構図を持った図や字を描き出したもの．黄：硫化カドミウム，赤：硫化水銀・セレン化カドミウム，酸化鉄，緑：酸化クロム・クロム酸鉛・シアン化第二鉄，黒：炭素・酸化鉄，青：酸化コバルトアルミニウムなどが用いられている．色素顆粒は真皮上層に存し，その固有の色と射出光の光学的関係から，種々の特有の色調を示す．

治療はレーザー照射，切除，皮膚剝削術．

〔付〕爆粉沈着症 gunpowder stain（図 21-22）：爆発事故などにより，炭粉・砂土・小金属片が皮膚内に広範囲に沈着したもの．刺青と同じ原理．顔面に多く，治療は刺青に準ずる．

図 21-20　刺青

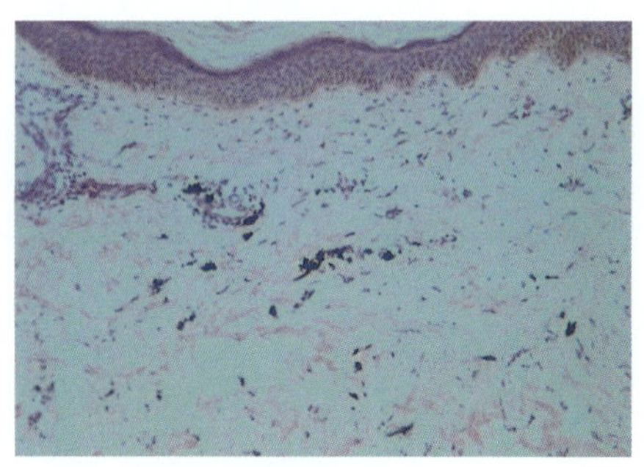

図 21-21　刺青（刺入された金属成分）

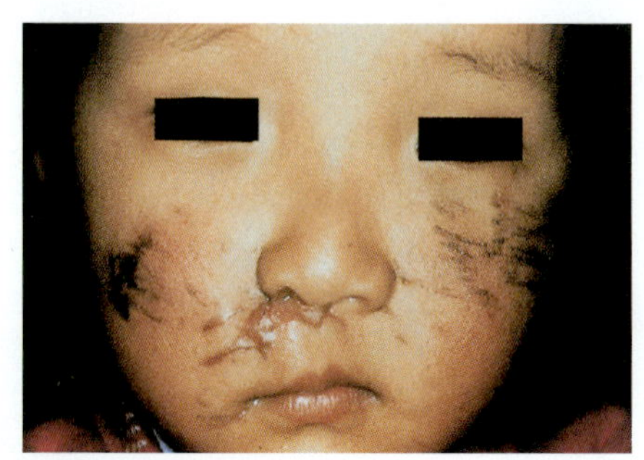

図 21-22　爆粉沈着症

第22章 母斑

母斑（nevus）は皮膚科特有の疾患概念である．①胎生期の異常に由来する限局性皮膚奇形でどの年代にも生じ，緩やかに成長する（Darier 1936），②皮膚の過誤腫で特定の器官を形成することができなかった組織の限局性の形成異常（Elder 1997），③皮膚および可視粘膜の目視できる限局性かつ持続性病変で，遺伝的モザイクによる（Happle 1995）（これにあてはまらないものはnevoid）と定義される．基本的には皮膚の過誤腫・奇形腫・腫瘍性病変であり，一部は遺伝的モザイクで生じていることが証明されている．母斑の概念が必ずしも明確ではないこともあって，近年，その概念を使わず，各母斑を奇形腫や腫瘍などの項目で記述する教本も多い．本書『皮膚科学 第11版』では今回も「母斑」を継続使用したい．

1 上皮細胞系母斑

1. 表皮母斑 epidermal nevus，硬母斑 nevus durus，疣状母斑 verrucous nevus ○

表皮角化細胞の増殖，表皮肥厚を主徴とする過誤腫的性格を有する疾患．病変はブラシュコ線に一致して線状・列序性に配列する．病理組織像で顆粒変性を示す病型では体細胞モザイクが証明されている．

原因

顆粒変性を伴う列序性母斑の表皮細胞に*K1/K10*遺伝子変異が検出でき，ケラチン異常症である水疱型魚鱗癬様紅皮症の体細胞モザイク発現であることが判明している．皮膚の発生はブラシュコ線に沿って進行するといわれており，その発生途上に突然変異が生じるために同線に一致して本症病変が線状・列序性に配列すると考えられている．

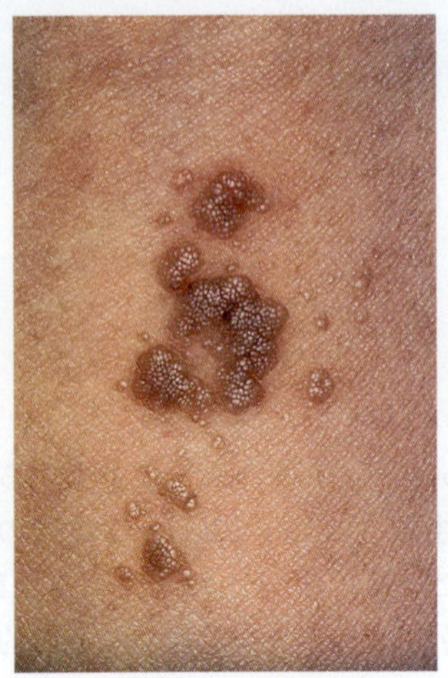

図 22-1　表皮母斑（疣状母斑）

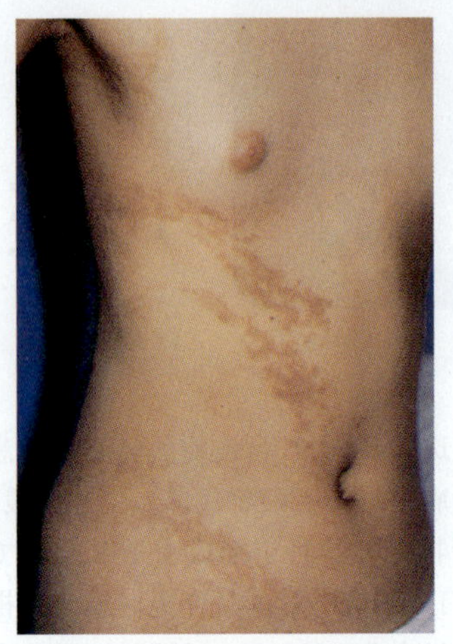

図 22-2　表皮母斑（列序性表皮母斑）

表 22-1　母斑

〔上皮系〕	③青色母斑
①表皮母斑	④太田母斑
②面皰母斑	⑤後天性真皮メラノサイトーシス
③毛包母斑	⑥蒙古斑
④脂腺母斑	⑦白斑性母斑
⑤エクリン母斑	〔間葉系〕
⑥アポクリン母斑	①結合織母斑
⑦副乳	②表在性皮膚脂肪腫性母斑
〔神経櫛起源細胞系〕	③貧血母斑
①扁平母斑（単純黒子）	④軟骨母斑
②色素性母斑	⑤立毛筋母斑

症状（図 22-1，2）

出生 1,000 人に 1 人の頻度．病変は出生時に出現しているか，2〜3ヵ月以内に生じる．時に小児期，稀に成人に発症．男女間に頻度差なし．

①限局性の疣状母斑，②広範囲に生じる列序性母斑，③炎症性線状疣贅状表皮母斑の 3 型に分類する．褐色調の疣贅状小丘疹が線状・列序性に集簇するのが基本的臨床像である．通常，痒みなどの自覚症状はない．

①**限局性疣状母斑**：広がりが小さく限局する病型で，褐色調を帯びる疣状丘疹が単発・多発して結節を形成し，線状・列序性に配列する．

②**列序性表皮母斑**：体幹や四肢に，多くは片側性に，広範囲に出現する．黄褐色〜暗褐色の疣贅様小丘疹が集簇して軽度隆起する．弾性軟〜硬の局面を形成して線

状，帯状，波紋様，渦巻き様にブラシュコ線に一致して分布する．

③**炎症性線状疣贅状表皮母斑** inflammatory linear verrucous epidermal nevus：米粒大，淡紅色調で硬い疣贅様小丘疹が集簇・融合してブラシュコ線に沿って線状に配列する．角化が強く，苔癬化をきたすこともある．①幼小児期に発症（75%が5歳までに），②女児に好発（男女比1：4），③下肢，特に左側に好発，④痒みが強い，⑤乾癬様の炎症反応が組織学的に顕著，⑥治療に抵抗する，などの特徴がある．

組織所見

表皮の乳頭腫状肥厚，角質増殖が主体で，顆粒層肥厚や柱状錯角化をみることもある．一部の疣状母斑は顆粒変性を示す（ケラトヒアリン母斑）．炎症性線状疣贅状表皮母斑は乾癬様で，錯角化を伴う角質増殖，表皮突起延長と表皮肥厚，顆粒層の消失をみる．真皮上層には血管周囲性にリンパ球を主体とする細胞が浸潤する．

治療

外科的に可能であれば切除．広範囲例には液体窒素冷凍凝固術，皮膚剝削術，炭酸ガスレーザー照射を試みる．

〔付 1〕**口腔白色海綿状母斑** oral white sponge nevus（Cannon 1935）：口腔内（稀に直腸・腟・鼻腔・食道）に生じた疣状の母斑で優性遺伝（*K4/K13* 遺伝子異常）．扁平苔癬・カンジダ症などと鑑別する（☞ p.348）．

〔付 2〕**hyperkeratosis of nipple and areola**：乳頭・乳暈にかけての黒褐色疣状腫瘤．Ⅰ型（表皮母斑が乳頭・乳暈に及んだもの），Ⅱ型（魚鱗癬のような全身角化症に随伴して生じる），Ⅲ型（特発性で nevoid，20～30 代の女性に多い）．

2. 面皰母斑 comedo nevus（図 22-3）

黒色角栓を有する開大毛包が集簇性（正常皮膚面）あるいは片側性帯状（萎縮性皮膚面）に生じ，顔・頸・前胸・腹部・頭皮部に好発．出生時～成人期，多くは思春期に発症する．稀に瘙痒あり．膿疱・嚢腫・膿瘍・瘻孔を形成して炎症症状を伴うこともある．

3. 毛包母斑 hair nevus，heir follicle nevus（Gans 1928，Miescher 1944）

顔面に発する半球状またはポリープ様の小腫瘍で，多くは出生時からある．真皮全層にわたって，種々の分化段階を示す毛包が増生し，時に脂腺母斑を合併．切除，

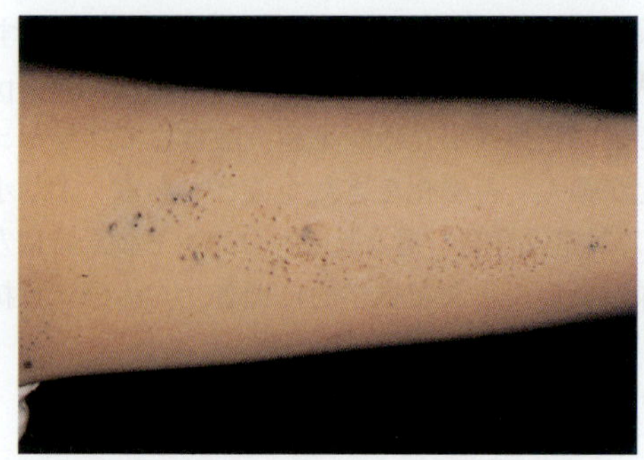

図 22-3 面皰母斑

炭酸ガスレーザー，レチノイド外用．

4. 脂腺母斑 sebaceous nevus（Jadassohn 1895），類器官母斑 organoid nevus（Pinkus 1976） ◎

脂腺の増加を特徴とする過誤腫性の限局性病変で，頭部や顔面に好発する．表皮，毛包，汗腺，真皮結合織なども増加・関与するので類器官母斑の性格を有する．病変部組織に *HRAS* 遺伝子，一部は *KRAS* 遺伝子の変異が報告され，本症における毛包系腫瘍を中心とした二次性腫瘍発生が説明されている．

臨床経過は1～3期に分けられる．

第1期（図 22-4）：病変の出現時から思春期まで．通常，出生時からあり，黄白～淡褐色，扁平に隆起するが，頭部では脱毛斑を呈する．

第2期（図 22-5）：思春期より二次性腫瘍発生まで．思春期になると疣状～顆粒状で硬くなる．

第3期：毛芽腫（高頻度），乳頭状汗管嚢胞腺腫，外毛根鞘腫，脂腺上皮腫，基底細胞癌（1％に満たないともいわれる）などを続発．

組織所見（図 22-6）

数個の脂腺が肥大増殖し，表皮肥厚を伴う．乳幼児期は未熟毛包原基状で脂腺も未発達のため病理診断が難しい．思春期には脂腺の肥大増殖・表皮乳頭腫症・アポクリン汗腺の増生と典型像をきたす．

治療

時期をみて切除する．

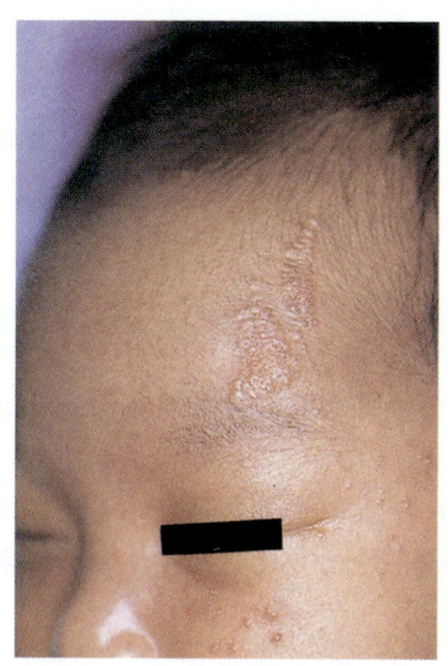

図 22-4 脂腺母斑（第 1 期）

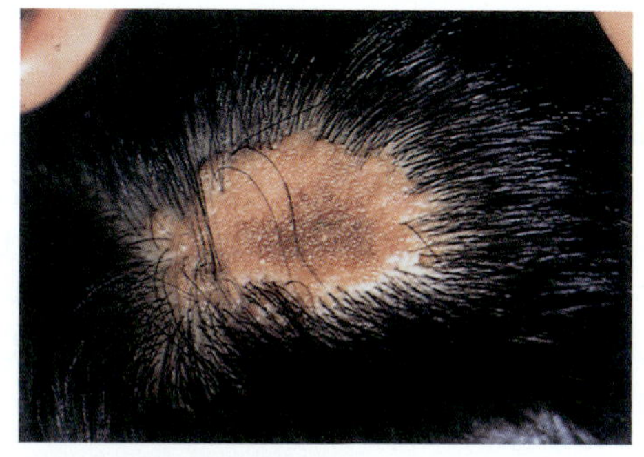

図 22-5 脂腺母斑（第 2 期）

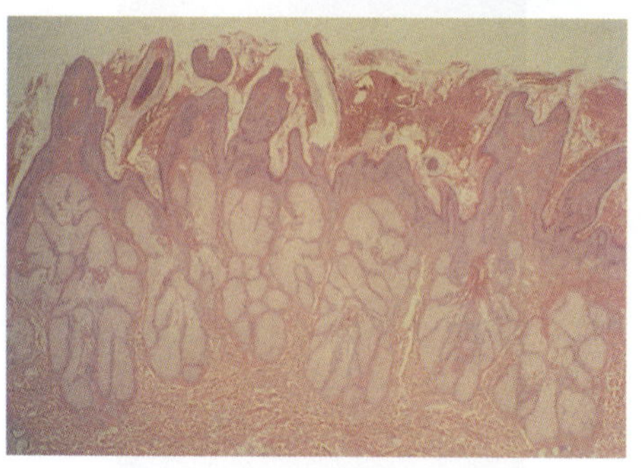

図 22-6 脂腺母斑（脂腺の肥大増殖）

5. エクリン母斑 eccrine nevus

稀．中央に小孔を有する結節ないし局面で局所多汗あり．出生時・幼児期に発し，四肢に好発．いわゆる eccrine angiomatous hamartoma はこれに血管腫要素を伴う．

〔付〕 porokeratotic eccrine ostial and dermal duct nevus（PEODDN）（Abel and Read 1980）：手掌足底に限局することが多い．汗管に一致して面皰様角栓・小陥凹を生じる．不全角化を伴う角化と真皮内導管拡張の組織像を示す．CEA 陽性．掌蹠汗孔角化症などとの鑑別が必要．

6. アポクリン母斑 apocrine nevus

稀．頭部，顔面または腋窩に丘疹，色素性局面・結節．組織で成熟アポクリン腺が増殖．類器官母斑に伴うことが多い．

7. 副乳 accessory mamma（図 22-7）

乳腺原基は左右の上肢付着部から下肢付着部にかけてあり（乳腺堤 embryonal milk line に沿って），うち胸部の一対のみを残して消失するが，これが消滅せず残っているものをいう．腋窩およびその前縁に多い．径 1～2cm の褐色斑ないし硬結として触れ，しばしば硬毛を伴い，妊娠時腫脹して痛むことがある．治療するのであれば切除．

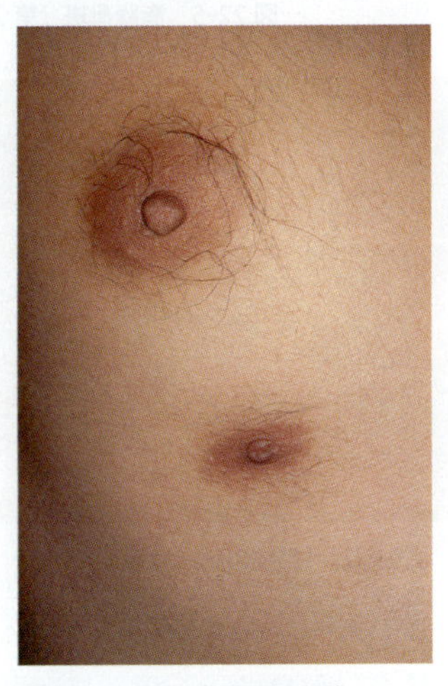

図 22-7 副乳（妊娠時腫脹）

2 神経櫛起源細胞系母斑

神経櫛（neural crest）に由来するメラノサイト様細胞（メラノブラストからメラノサイト，シュワン細胞様細胞まで分化すると想定される）の母斑（表 22-2）．メラノサイト系細胞の増殖性病変，腫瘍性病変と捉える考え方もある．

表 22-2 神経櫛起源細胞系の母斑

1. 表皮の色素とメラノサイトの増加，母斑細胞（ー）
扁平母斑
単純黒子
2. 非樹枝状の母斑細胞の存在と増殖（表皮内と真皮）
色素性母斑 { Spitz 母斑，異型母斑，先天性巨大色素性母斑 / 分離母斑，点状集簇性母斑など
3. 真皮の樹枝状メラノサイト様細胞の増殖が主徴
青色母斑
太田母斑
後天性真皮メラノサイトーシス
蒙古斑

1. 扁平母斑 nevus spilus ○

症状（図 22-8）

爪甲～手掌大，円～楕円～不正形，淡褐色の，扁平な色素斑で，しばしば褐色小色素点をその面上に有する．多くは生後間もなく，ないし乳幼児期に生じる．思春期前後に発することもある（遅発性扁平母斑 n. sp. tardivus）．思春期の男子に多く，胸筋部・肩甲部に好発し，片側性かつ有毛性のものを特にベッカー母斑（Becker's nevus，Becker's pigmented hairy nevus）と呼ぶ．染色体・遺伝子を含めて特異的発症因子などは不明．

組織所見

基底層におけるメラニン色素の増加が主体であるが，メラノサイトも増加する．母斑細胞はない．時に表皮突起延長，表皮肥厚，毛包の過形成を伴う．ベッカー母斑の中には病理学的に平滑筋が増加して smooth muscle hamartoma との鑑別の難しい例もある．

治療

切除，レーザー療法，冷凍療法，皮膚削り術，ケミカルピーリング，化粧．

〔付 1〕乳児期からみられる扁平母斑（カフェオレ斑）が 6 個以上あるとき，神経線維腫症 1 型（Recklinghausen 病）（☞ p.570）の可能性を考える（six spots criterion）．

〔付 2〕**単純黒子** lentigo simplex：直径数 mm までの隆起しない褐～黒褐色の色素斑．組織学的には扁平母斑と同じ．隆起していない，いわゆる「ホクロ」は，組織学的に単純黒子か色素性母斑の境界母斑であるが両者を区別できないこともある．口唇の labial lentigo も同様病変（図 22-9）．

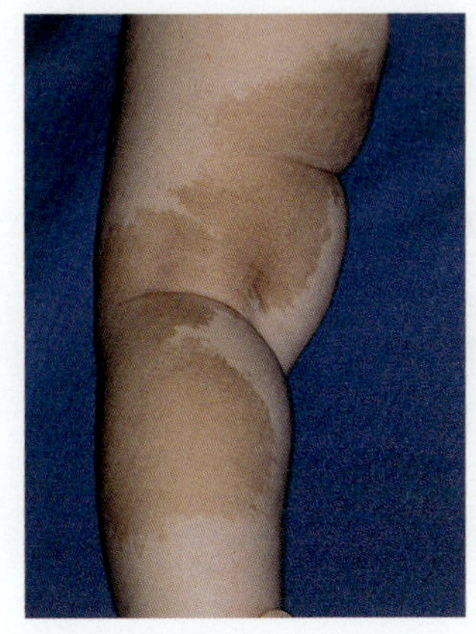

図 22-8　扁平母斑

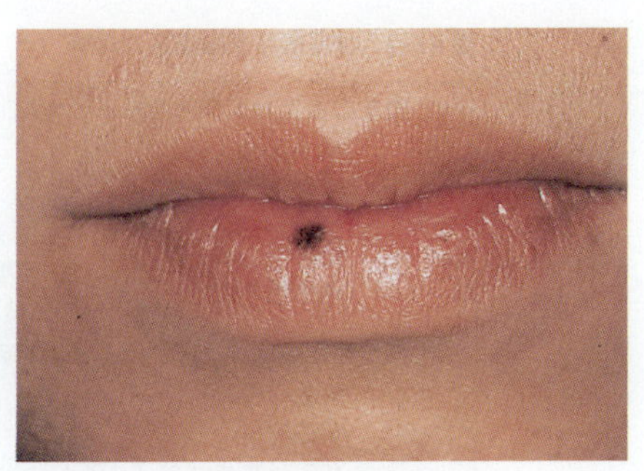

図 22-9　口唇黒子

〔参考〕黒子（ほくろ）は小色素斑や小さな色素性母斑を総称する俗語であり，学術用語の黒子はコクシと呼ぶ．

2. 色素性母斑 nevus pigmentosus，母斑細胞母斑 nevus cell nevus，色素細胞母斑 melanocytic nevus ◎

メラノサイトに類似する形態や機能を持つ母斑細胞が存在する母斑．先天性，後天性に生じるものから，皮疹の大小，分布様式など臨床像も幅広い．悪性黒色腫との鑑別が時に難しい Spitz 母斑や，臨床・組織像が特異な異型母斑なども色素性母斑の一型である．なお，色素性母斑を色素細胞（メラノサイト・メラノブラスト）の良性腫瘍とする考え方もある．

病態と症状

色素性母斑は神経櫛（neural crest）由来のメラニン色素産生能を有するメラノサイトに類似する細胞の増殖による．形態がシュワン細胞に類似する細胞も基本的形質はやはりメラノサイト様といわれる．遺伝性はない．

先天性の発症を含め，幼児期から小児期，高齢者にも新生し，あらゆる年齢層に生じうる．日本人，特に成人で色素性母斑のない人はいないといわれるほどで，20～30 代に最も多数を数え，以降漸次減少するという．単位面積当たりの発生個数は顔面，頸部に圧倒的に多く，上腕，体幹が次ぐ（斎田）．

臨床症状は褐色から黒色までの大小の色素斑で，扁平または隆起する．

①**後天性の色素性母斑**（図 22-10，11）：多くは小豆大までの小さい，褐色～黒色の

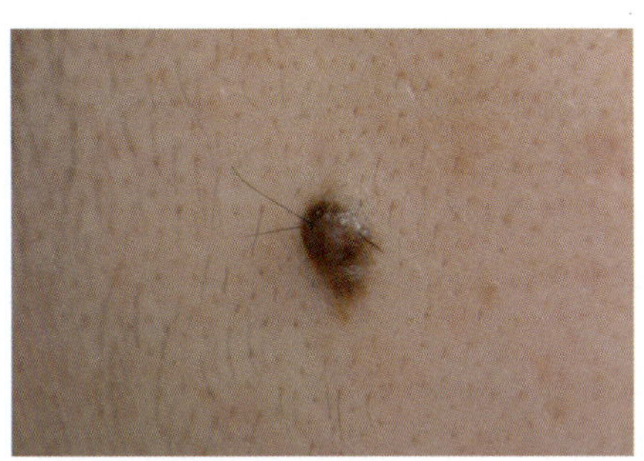

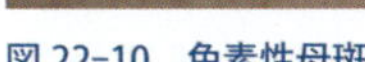
図 22-10　色素性母斑

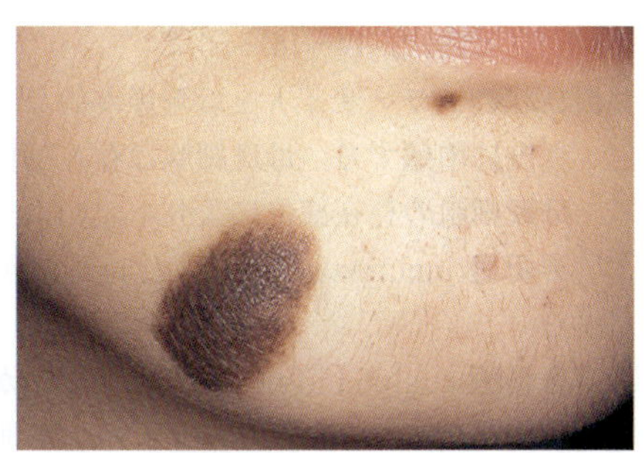

図 22-11　色素性母斑

斑状病変（黒子 lentigo：多くは境界母斑），あるいは丘疹・結節である．周囲に白暈を有するものをサットン母斑（Sutton nevus ☞ p.537），爪母に存在し爪甲に線状色素沈着を生じるものを爪甲線条母斑（n. striatus unguis）という．

②**先天性の色素性母斑**（図 22-12，13）：出生時より，種々の大きさ・形の黒褐～黒色で軟らかく，多少隆起する病変を呈する．時に剛毛を有し（有毛性色素性母斑），巨大で獣皮様を巨大色素性母斑（獣皮様母斑，海水着型母斑 bathing trunk nevus）という．**大きい先天性色素性母斑は悪性黒色腫を生じる頻度が高い**ので注意が必要．なお，巨大先天性色素性母斑に生じる結節性病変に atypical proliferative nodule もあり，悪性黒色腫との鑑別が重要である．上下眼瞼に存在する分離母斑〔divided nevus：1 個の母斑が胎生期の眼裂の癒合している時期（胎生 9～15 週）に形成され，その後眼瞼開裂により上下に二分されたもの〕である．

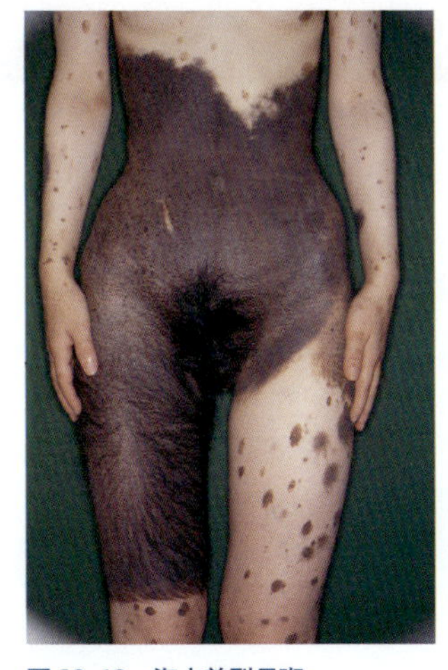

図 22-12　海水着型母斑

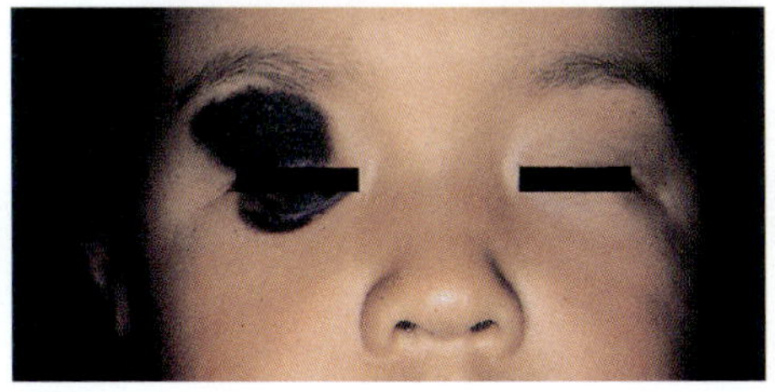

図 22-13　分離母斑

組織所見（図 22-14〜16）

樹枝状のメラノサイトとは形態が異なる母斑細胞が胞巣を形成して表皮真皮境界部，真皮に増殖する．母斑細胞は存在部位が深いほどメラニン色素含有量が減少する．母斑細胞の存在部位により下記のように分類できる．

①**境界母斑** junctional nevus：母斑細胞が表皮真皮境界部の表皮内に限局して存在する．

②**複合母斑** compound nevus：母斑細胞が境界部と真皮とに存在．

③**真皮内母斑** intradermal nevus：母斑細胞巣が真皮にのみ存在．

①→③と継時的に変化すると考えられている．真皮内母斑が神経線維腫構造（structure neurofibromateuse，胞体も核も紡錘形の母斑細胞が束状，索状に配列し神経線維腫様にみえ，メラニンを欠く）を呈するものがある（C 型母斑）．先天性では母斑細胞が毛包周囲に沿って，巨大型では皮下組織にまでびまん性に増殖する．

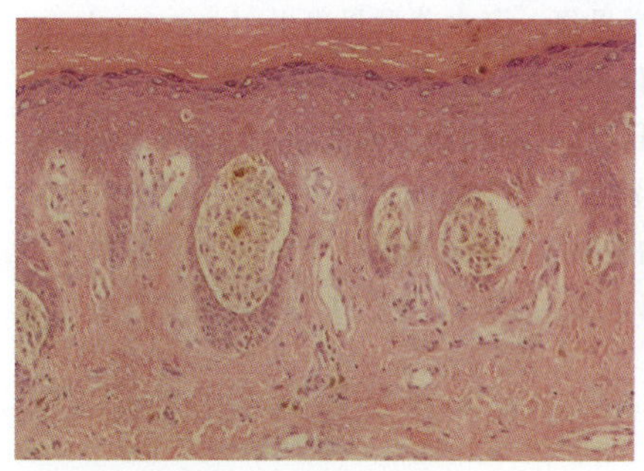

図 22-14　境界母斑（junction nevus）

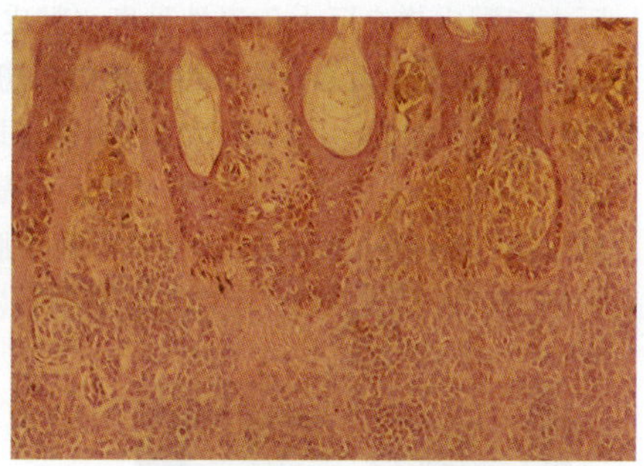

図 22-15　複合母斑（compound nevus）

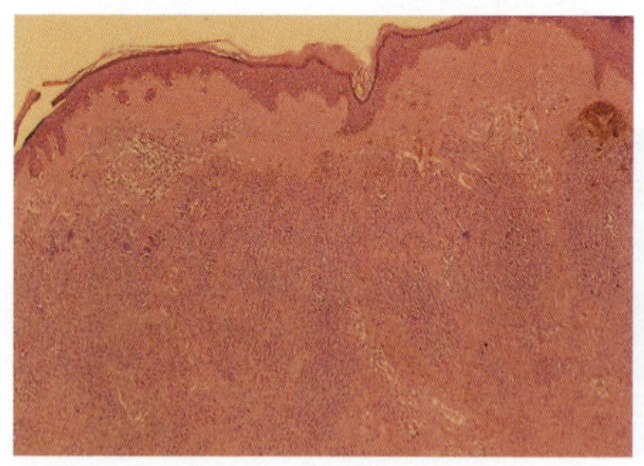

図 22-16　真皮内母斑（intradermal nevus）

〔付 1〕Ackerman の後天性色素性母斑の分類（組織構築像から分類）

① **Clark 母斑**：主として斑状病変で体幹・掌趾に好発する．境界母斑ないし境界部要素優勢の複合母斑の組織像をとる．異型母斑（後述）を含んでいる．ダーモスコピー：規則的な網目状（reticular pattern）の，掌蹠では皮溝に平行する（pararell furrow pattern）色素分布を呈する．

② **Unna 母斑**：有茎性の丘疹・小結節で体幹に好発，上腕・大腿・頭頸部にも発する．表面に凹凸あり．拡張した真皮乳頭部に外方増殖性に，一部下方の毛包周囲に境界明瞭に，母斑細胞が増殖する．

③ **Miescher 母斑**：幼小児期より顔面に好発する半球状の丘疹・小結節．真皮，時に皮下脂肪織にかけて母斑細胞は逆三角形に分布する．境界部活性をわずかにみることも．

④ **Spitz（スピッツ）母斑**：後述．

〔付 2〕**点状集簇性母斑**（図 22-17，18）：淡褐色斑上に黒色小斑が多数集まる．

〔付 3〕**部分脂肪腫性母斑** n. nevocellularis partim lipomatodes：母斑細胞集塊と脂肪細胞と混在するもの．古い母斑細胞の脂肪変性，母斑細胞と脂肪腫との合併の 2 説がある．

〔付 4〕**気球細胞母斑** balloon cell nevus（Miescher 1935）：真皮ないし複合母斑において，大型泡沫状母斑細胞が 50％以上を占めるもの．大きさは正常母斑細胞の 10 倍にも達し，原形質は空胞状～顆粒状で，時にメラニン顆粒を含む．電顕的に多数の小胞あり．

〔付 5〕**Nanta 骨性母斑** osteo-nevus of Nanta (1911)：続発性骨形成を伴った母斑細胞母斑(複合型・真皮内型)．胎生芽細胞の過誤腫的増殖・未分化間葉細胞の骨細胞への分化などと考えられている．

治療

①切除，縫縮，大きい場合は植皮，②レーザー療法，③電気凝固法，④皮膚削り術，⑤化粧品：カバーマーク，スポットカバー．

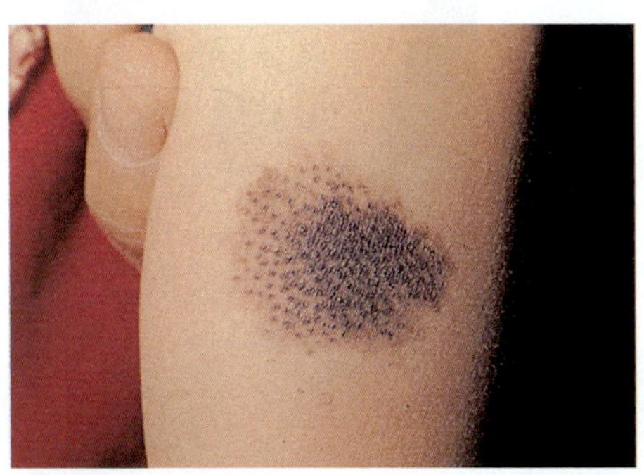

図 22-17　点状集簇性母斑

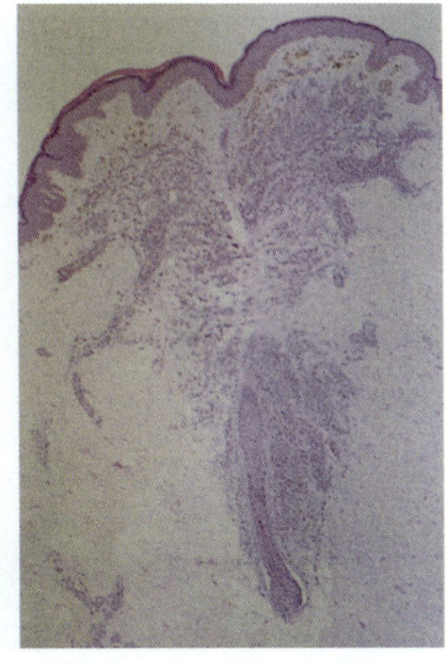

図 22-18　先天性母斑（follicle-centered nevus）

3. スピッツ母斑 Spitz nevus（Spitz 1948），若年性黒色腫 juvenile melanoma ◎

悪性黒色腫との鑑別がしばしば問題になる色素性母斑の一型．

症状（図22-19，20）

半数が幼児に，他は成人に発し，成長が早く，円～楕円形の半球状隆起で，ゴム状軟，淡紅～淡紅褐色を呈し，表面は平滑で光沢を有し，時に毛細管拡張をみる．単発が多い．顔面・下肢に好発．有色素性のこともあり，結節型悪性黒色腫との鑑別が難しいこともある．

組織所見（図22-21，22）

①境界→複合→真皮内型をたどりうる，②２種の比較的大きい紡錘形細胞と類上皮細胞様細胞が，種々の程度に混在，③紡錘形細胞は垂直方向に束状に並ぶ傾向あり（raining down），④異型核細胞や多核巨大母斑細胞が散在，⑤色素は少ない，⑥わずかに分裂細胞もある，⑦表皮と病変境界部に裂隙を生じ，ここにやや大型の均質無構造な好酸性小球体（eosinophilic grobule：Kamino body）をみる，⑧母斑細胞間の結合がはずれる，⑨母斑細胞は下方で成熟化を示す，⑩リンパ球・組織球を主とする細胞浸潤がある，⑪表皮は細く索状に伸びることが多い．予後良好．

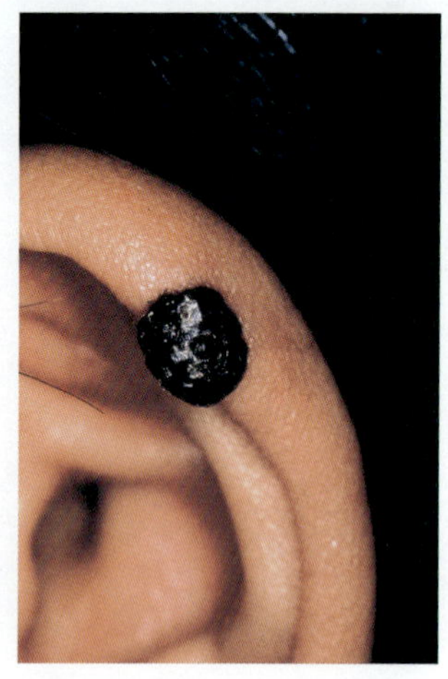

図22-19　スピッツ母斑（成人）

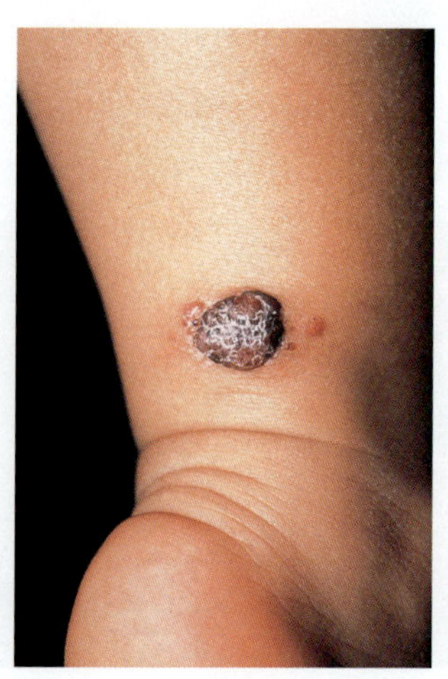

図22-20　スピッツ母斑（衛星病巣がある点で珍しい）

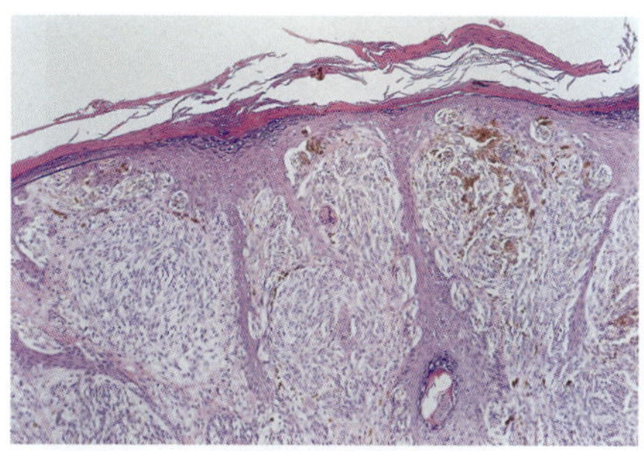

図 22-21 スピッツ母斑（組織）

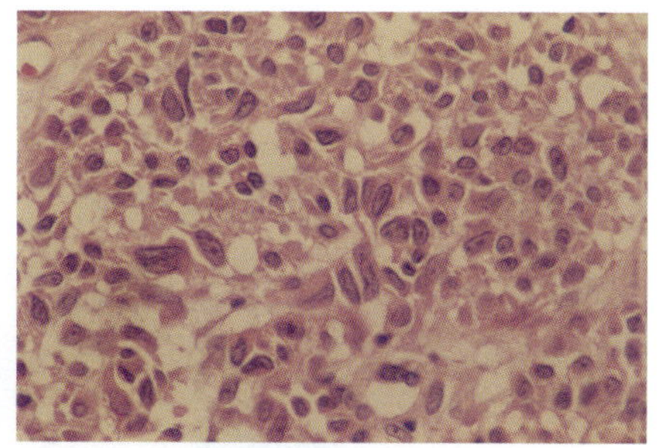

図 22-22 スピッツ母斑（異型細胞）

診断

ダーモスコピー所見にスターバーストパターンをみる．

治療

切除．悪性黒色腫と鑑別が重要．

亜型

① pigmented spindle cell nevus，Reed 母斑：成人の四肢に好発し黒・灰黒色を呈し，メラニン顆粒が多量にみられる．紡錘形の核を持つ母斑細胞が増殖する，② desmoplastic Spitz nevus：若年者の四肢に好発する．真皮に膠原線維が増生し，母斑細胞が線維間を小胞巣ないし索状に増殖する，③ agminated Spitz nevus：小児の顔面・頸部に好発し，多発集簇するタイプ．

4. 異型母斑 dysplastic nevus（DN），atypical mole, Clark nevus ○

異型母斑は後天性色素性母斑の一型であり，異型母斑症候群（家族性悪性黒色腫）に生じる表在拡大型悪性黒色腫の初期病変としての異型母斑とは異なる．

臨床所見（図 22-23）

思春期頃より徐々に生じる．大きさ 5～10 mm，あるいはそれ以上で，斑状皮疹の中央がドーム状に隆起し（fried egg 状），表面皮野が玉石状（pebbly）となり，辺縁は凹凸を示し，また不明瞭となり，全体に不規則な形を示す．淡褐～黒褐色と不均一で，時に黄褐～紅褐～黒褐色を呈する．主として体幹・顔・上肢に，さらに臀部・陰股・頭・乳房部など非露出部にも生じる．単発，時に多発する．

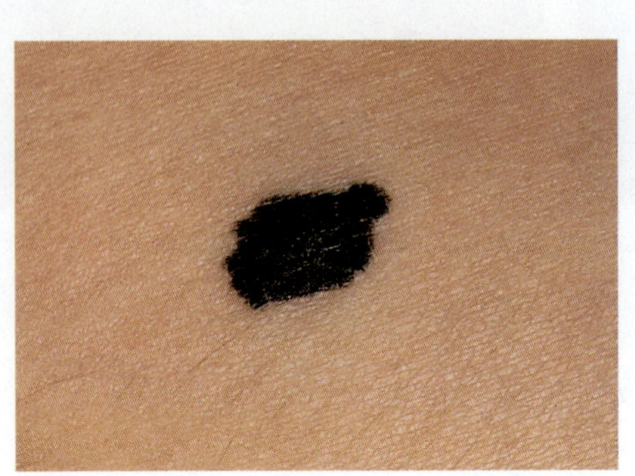

図 22-23　dysplastic nevus

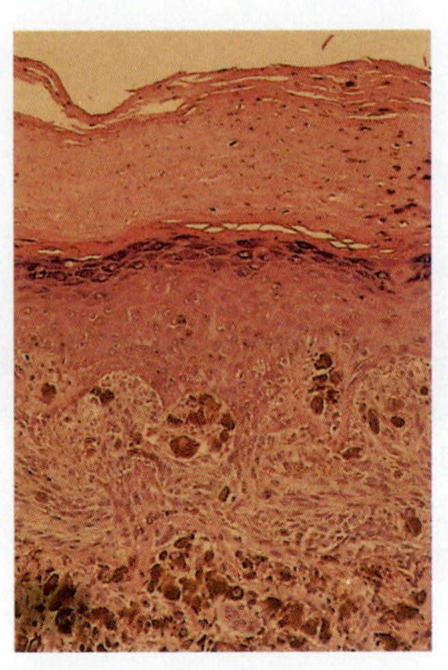

図 22-24　dysplastic nevus（水平方向に増殖する）

組織所見（図 22-24）

母斑細胞は，①表皮突起が延長した表皮基底層に多い，②水平に増殖して胞巣を作り，また表皮突起の尖で架橋（bridging）を形成する，③水平方向に増殖する（shoulder effect），④真皮浅層にも小形の集塊を形成することもある．また，⑤病変を取り囲むように層状・同心円状の線維化（lamellar fibroplasia）がある．

治療

後天性の色素性母斑と同様でよいが，しばしば切除して組織像を確認する．

5. 青色母斑 blue nevus

出生時，あるいは出生後に出現する青色調の結節で，増殖細胞の形態により通常型と細胞型とを区別する．

症状（図 22-25，26）

通常型（common blue nevus）は豌豆大までの小結節または斑で，触れるとやや硬く，青黒～青～褐青色を示す．顔面・手足背・腰臀部に好発する．限局性集簇性に発することがある（agminated blue nevus，plaque-type blue nevus）．細胞型（cellular blue nevus）はかなり大きくなり（>1 cm），手足背・腰殿・頭部に好発する．稀に悪性化する（malignant blue nevus）ともいわれるが，blue nevus 類似のメラノーマやその偶発などの可能性も議論され，またメラノーマの転移との鑑別も重要である．

組織所見（図 22-27）

真皮にのみ細胞が増殖する．色素を有する樹枝状のメラノサイト様細胞が多数集合する通常型（common type）と紡錘形，胞体の明るい細胞が密に集合し，メラニン量の少ない細胞型（cellular type）とがある．

治療

必要があれば切除，局面型ではレーザー照射．

〔付〕青色母斑は，同一部位に色素性母斑・扁平母斑・線維腫・筋腫と併存することがあり，combined nevus と呼ばれている．一方，atypical blue nevus なる概念があり，これでは異型核や異型細胞をみる．多くは良好に経過するが，悪性青色母斑との鑑別が重要で，慎重に経過を観察する必要がある．

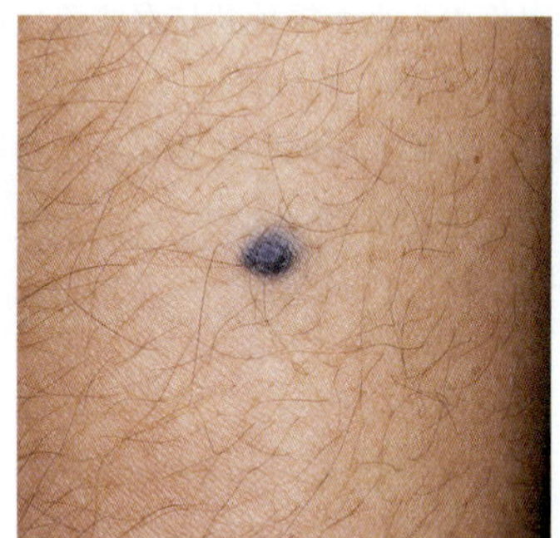

図 22-25　青色母斑（通常型）

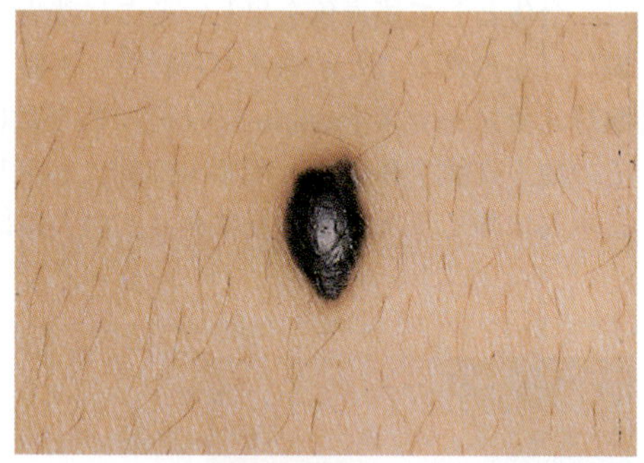

図 22-26　青色母斑（細胞型）

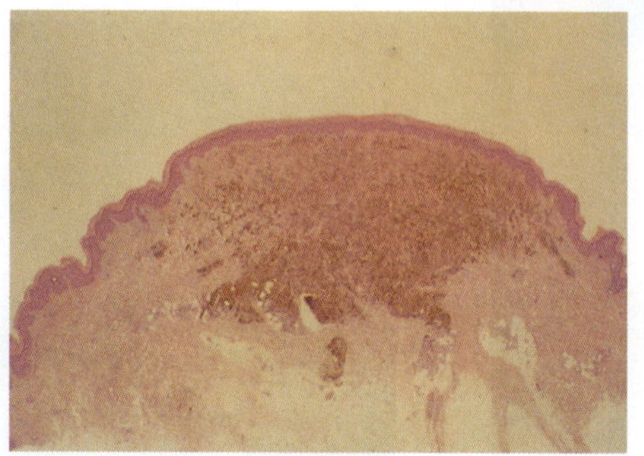

図 22-27　青色母斑（細胞型）

6. 太田母斑 nevus of Ota，眼上顎褐青色母斑 nevus fuscocaeruleus ophthalmomaxillaris Ota（1939） ◎

分類

Ｉａ型（軽度眼窩型），Ｉｂ型（軽度頬骨型），Ⅱ型（中等症型），Ⅲ型（重症型），Ⅳ型（両側型：対称型・非対称型）（肥田野 1979）．

亜型

褐青色母斑が，肩峰から三角筋部にかけて生じたものを n. f. acromiodeltoideus (Ito)，オトガイ・下顎・側頸・項にかけて生じたものを n. f. mandibulocervicalis (Sakurane-Yoshida) という．

症状（図 22-28，29）

女子に多い．発症には 1 歳までと思春期頃の 2 つのピークがある．

①顔面片側性に瞼裂を中心に眼瞼・頬骨部・側額・頬部（第Ｖ神経第 1～2 枝領域）に，全体として淡青色を呈し，そこに淡青～淡褐色の小点が播種状に存する．色調に日差のあることがある（月経時・不眠・曇天時）．稀に両側性．

②**眼球メラノーシス** melanosis oculi：約半数に強膜・虹彩・眼底の色素沈着をみる．その他，鼓膜・鼻粘膜・咽頭・口蓋にも生じる．

③日本人に多く，次いで黒人にあり，白人には稀．

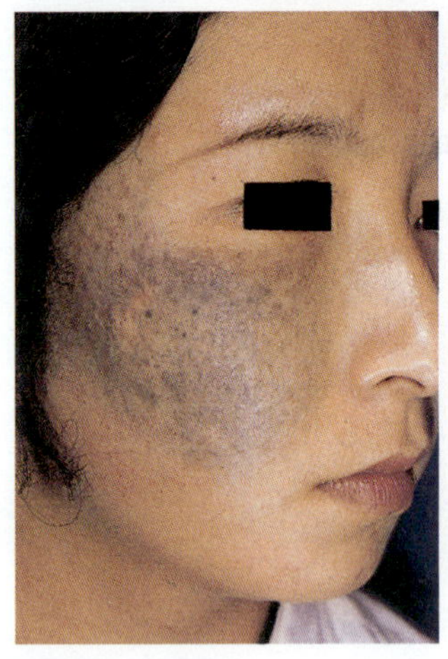

図 22-28　太田母斑

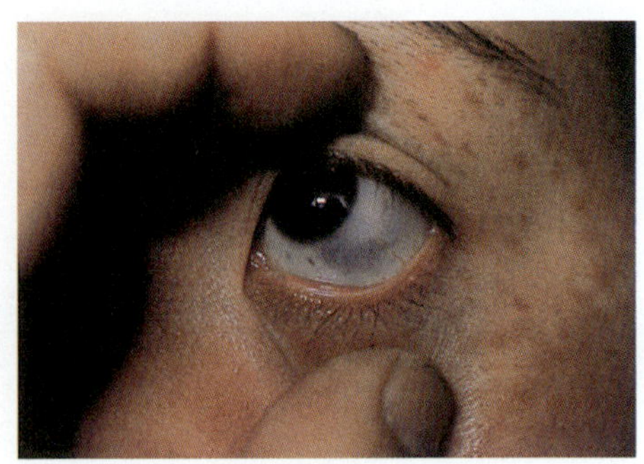

図 22-29　太田母斑（眼球メラノーシス）

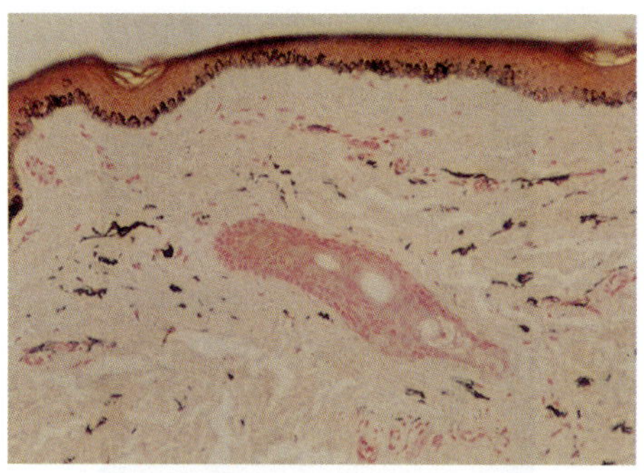

図 22-30 太田母斑（真皮のメラノサイト）

鑑別診断

両側性太田母斑を肝斑，時に雀卵斑とも鑑別する．

組織所見（図 22-30）

表皮基底層の色素沈着と，真皮の母斑性メラノサイトの増殖．

治療

①レーザー（Q スイッチ・ルビー，Q スイッチ・アレキサンドライト），②カバーマークなど．

7. 後天性真皮メラノサイトーシス acquired dermal melanocytosis（図 22-31）

従来両側性太田母斑と称されるものより，次の特徴のあるものを分離して，肥田野・金子（1988）は顔面対称性後天性真皮メラノサイトーシスと称した．

①発病年齢は二峰性（15～24 歳，30～44 歳）で女性に多い（1：9），②褐～褐紫色の径 1～3mm，大小不同の小斑が多発し，融合傾向がない，③額両端（特に男性，爪甲大に及びうる），頬骨部（特に女性），上頬，眼瞼，鼻翼，鼻根に好発，④眼球メラノーシスは稀，口蓋メラノーシスはない，⑤日本・中国・韓国人にみられる．

その後，四肢伸側・掌蹠・上背に同様の小色素斑の存在する症例（その一部は顔面にも上記色素斑あり）も追加され，後天性真皮メラノサイトーシス（肥田野・金子）と広い意味で命名した．nevus fuscocaeruleus zygomaticus（Sun 1987），後天性両側性太田母斑様色素斑（acquired bilateral nevus of Ota-like macules）（Hori 1984），遅発性真皮メラノサイトーシス（late-onset dermal melanocytosis）（Ono 1993）もほぼ同症．

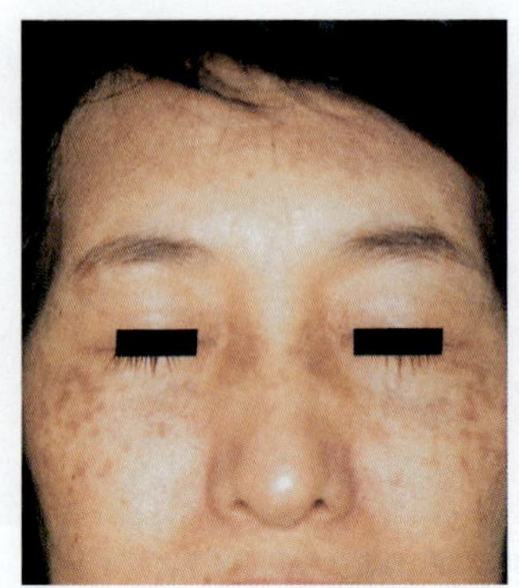

図 22-31　後天性真皮メラノサイトーシス（肥田野信博士提供）

近年は蒙古斑や太田母斑を含めて真皮にメラノサイトが増殖・増加する色素性病変を真皮メラノサイトーシス（dermal melanocytosis）として包括的に捉える考え方がある．

8. 蒙古斑 mongolian spot（Baelz 1885）（図 22-32，33）　○

出産時あるいは1週ないし1ヵ月後頃から，青色斑が仙骨部・尾骨部・背面下部に発生，小児期（5～6歳）までに自然消失する．4%ほどが成人まで残存する．大きさは手掌大までで，境界はやや不明瞭．仙尾骨部に主斑を有するものは他体部に

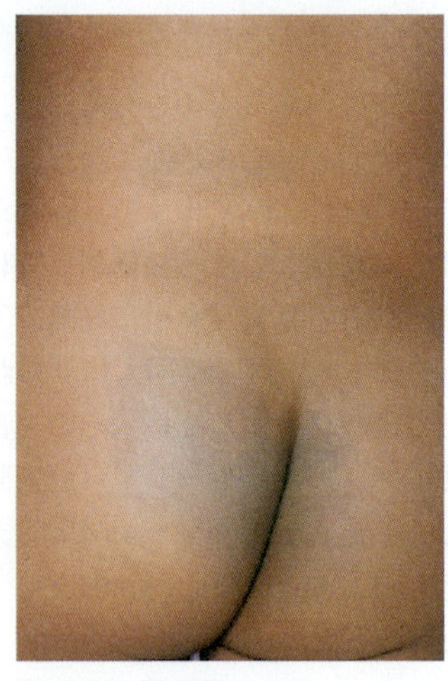

図 22-32　蒙古斑

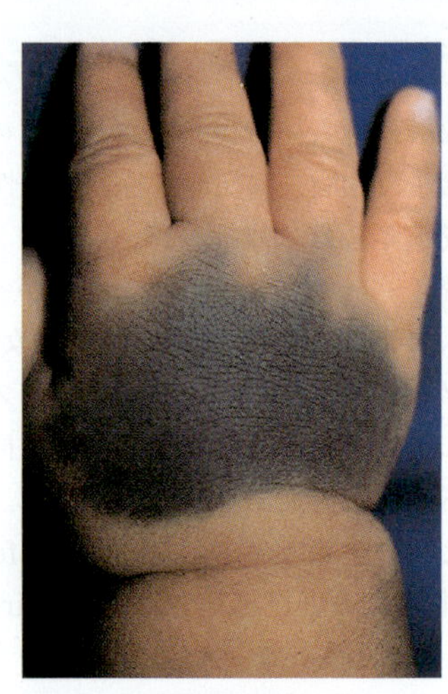

図 22-33　異所性蒙古斑

も小さな副斑を有することが多く（通常型），これに対して四肢・顔・その他の体幹のみに生じるものはやや小さく消褪傾向も少ない（異所型）．黄色人種・黒人種にほぼ100%みられ，白人には稀．胎生期の真皮メラノサイトの残存と考えられる．

9. 白斑性母斑 n. vitiligoides, nevus depigmentosus

出生時または生後間もなく生じる不完全脱色斑で，尋常性白斑と異なり生涯大きさを変えず，限定性白皮症（まだら症）と異なり遺伝性はない．体幹に好発．メラノサイトの数に異常はないが，メラノソームが未熟で数も減少し，ケラチノサイトへの受け渡しも低下している．

3 間葉細胞系母斑

1. 結合組織母斑 connective tissue nevus

米粒～小指大の皮膚色～黄褐色の丘疹や結節が集簇，不規則，あるいは列序性に配列して局面を形成する．真皮全層にわたって膠原線維が密に増生する．結節性硬化症の**粒起革様皮膚**（shagreen patch）もこれに属する（☞ p.575）．

2. 表在性皮膚脂肪腫性母斑 nevus lipomatosus superficialis（Hoffmann and Zurhelle 1921）（図 22-34）

出生時，乳幼児期に主として腰臀部に豌豆大までの黄褐～黄赤色の柔軟な腫瘤が

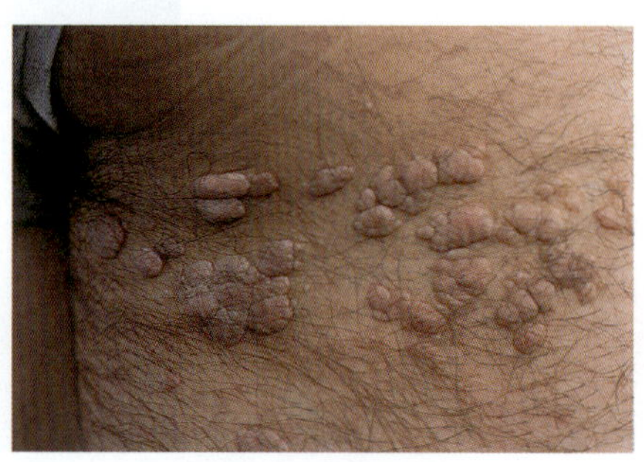

図 22-34　表在性皮膚脂肪腫性母斑

列序性に並び，圧迫により陥凹し，手を離すと元に復する（多発型）．真皮内，時に表皮直下にまで脂肪細胞集団をみる．単発型は高齢者の四肢など異所性に生じる．

3. 貧血母斑 nevus anemicus（Vörner 1906）

大豆大の蒼白斑で，熱（入浴時）や機械的刺激（叩いたとき）に対して充血をもって反応せず，正常皮膚色のまま残るので明瞭となる．**神経線維腫症 1 型**の胸部によくみられる．血管拡張薬には反応しないが神経ブロックで紅斑を生じるので，局所毛細血管の機能的障害（過剰な血管収縮反応）と考えられている．

4. 軟骨母斑 nevus cartilagines，accessory auricle（図 22-35）

やや細長い小豆大の，扁平または小角状の腫瘍で，外耳孔部（特に耳珠の前）より頬部さらに頸部にかけて発生する．健常皮膚色または淡紅色で，弾性軟から軟骨硬の硬さを有する．耳周囲のものは**副耳**とも呼ばれる．耳に近いものは軟骨，離れたものは毛包の要素が強い．時に耳奇形，下顎骨奇形，側頸瘻を合併することあり．切除．

5. 立毛筋母斑 arrector pili nevus，平滑筋母斑 nevus leiomyomatosus（図 22-36）

出生時，生後 6ヵ月以内に生じる．体幹・近位四肢に浸潤性紅～褐色の局面を生

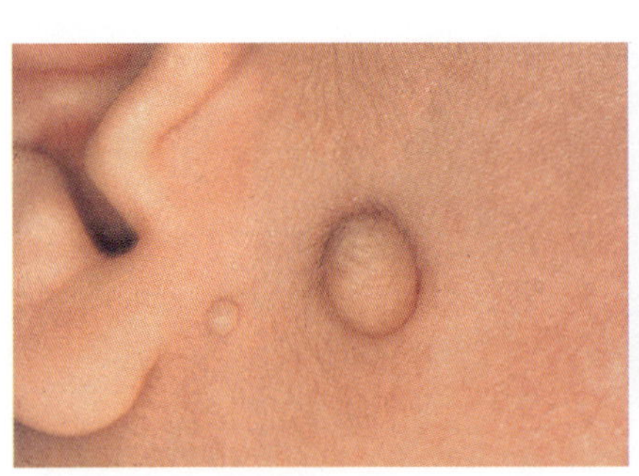

図 22-35　副耳（軟骨母斑）

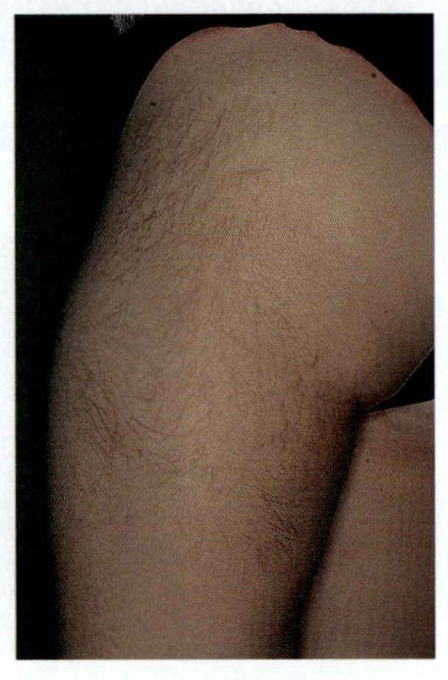

図 22-36　立毛筋母斑

じ，しばしば多毛を伴う〔先天性：nevus pilaris with hyperplasia of nonstriated muscle（Stokes 1923）〕．成人に発する後天性のものは毛包性丘疹を伴い，Becker 母斑に近い（両者合併と表現することもある）．組織像は平滑筋線維束の増殖．

第23章 母斑症

母斑の範疇に属する病変が，皮膚のみならず他の種々の器官にも生じ，まとまった病像を呈して1つの独立疾患とみなすべきものをいう．本章では，まず母斑症の代表的疾患である神経線維腫症と結節性硬化症を，次いで血管腫を伴う母斑症，悪性病変を伴う母斑症などを便宜的に区別して記述した．母斑と同様，母斑症の概念も必ずしも明確でない面を有し，近年母斑症の疾患概念を避ける向きもある．遺伝性・非遺伝性疾患を包含するが，遺伝性の母斑症の多くに疾患責任遺伝子が明らか

表 23-1　母斑症と遺伝

母斑症	遺伝の有無とその形式	遺伝子
神経線維腫症 1 型	常染色体優性遺伝	*NF1*
神経線維腫症 2 型	常染色体優性遺伝	*NF2*
神経線維腫症 5 型	体細胞モザイク	*NF1*
Legius 症候群	常染色体優性遺伝	*SPRED1*
結節性硬化症	常染色体優性遺伝	*TSC1, TSC2*
Albright 症候群	常染色体優性遺伝	*GNAS1*
Hippel-Lindau 症候群	常染色体優性遺伝	*VHL*
Sturge-Weber 症候群	非遺伝性	
Klippel-Weber 症候群	非遺伝性	
先天性血管拡張性大理石様皮斑	不明	
色素血管母斑症	非遺伝性	
Osler 病	常染色体優性遺伝	*Endoglin, ALK1*
青色ゴム乳首様母斑症候群	常染色体優性遺伝？	
Maffucci 症候群	非遺伝性	
神経皮膚黒色症	非遺伝性	
Peutz-Jeghers 症候群	常染色体優性遺伝	*LKB1*
家族性悪性黒色腫	常染色体優性遺伝	*CDKN2A*
基底細胞母斑症候群	常染色体優性遺伝	*PTCH*
Cowden 病	常染色体優性遺伝	*PTEN*
Muir-Torre 症候群	常染色体優性遺伝	*DNA mismatch* 修復遺伝子
色素失調症	X 染色体性優性遺伝	*NEMO/IKK*γ
Leopard 症候群	常染色体優性遺伝	*PTPN11*
表皮母斑症候群	モザイク（？）	
Cole-Engman 症候群	伴性劣性遺伝	*TERC*

にされ，その病態が解明されつつある．

1 神経線維腫症と結節性硬化症

1. 神経線維腫症 1 型 neurofibromatosis 1 (NF 1), Recklinghausen's disease (1882) ◎

神経線維腫や**カフェオレ斑**などの皮膚病変を主徴に，多種の病変が様々の頻度で出現して多様な病像を形成する常染色体優性の遺伝性疾患で，*NF 1* 遺伝子（癌抑制遺伝子の一種）が同定されている．

遺伝

常染色体性優性遺伝（*NF 1* 遺伝子は 17 番染色体長腕の 17q11.2 に座位，遺伝子産物は neurofibromin といい，Ras 蛋白を負に制御する機能を有して癌抑制遺伝子の性格を持つ）・浸透率ほぼ 100％・突然変異率が高い．半数以上は自然突然変異による孤発例．人口 10 万人につき 30〜40 人の発生頻度（日本全国で 4 万人，頻度に人種差なし）．*NF 1* 遺伝子の変異を検出できるが，変異のホットスポットはなく，また変異の部位・種類と臨床症状との関連性もはっきりしない．

症状

A．皮膚症状

1）色素斑

①**カフェオレ斑** café au lait spot（図 23-1）：1〜5 cm 大，やや丸味を帯びた楕円形，

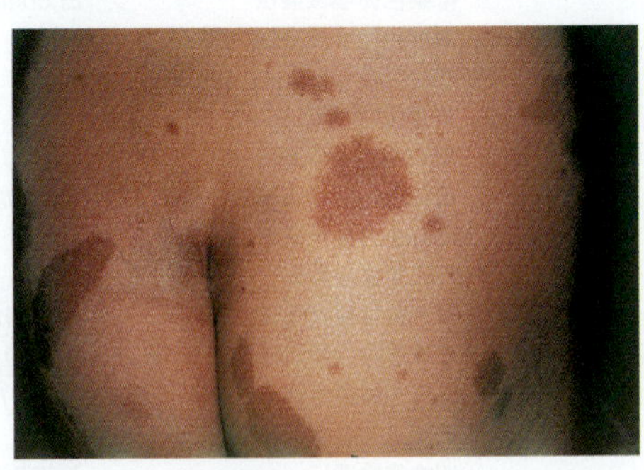

図 23-1　カフェオレ斑

表 23-2 神経線維腫症１型患者にみられる症候のおおよその合併率と初発年齢

症　　候	合併頻度	初発年齢		合併頻度	初発年齢
カフェオレ斑	95%	出生時	視神経膠腫	1%	小児期
大型の褐色斑	5%	出生時	脳腫瘍	3%	30歳
小 Recklinghausen 斑	95%	3～5歳	脊髄腫瘍，縦隔腫瘍	5%	15歳
axillary freckling	70%	3～5歳	脳波の異常	30%	小児期
有毛性褐青色斑	20%	5～10歳	けいれん発作	3%	幼児期
皮膚の神経線維腫	95%	15歳	学習障害		学童期
神経の神経線維腫	20%	10歳	注意欠陥／多動性障害		学童期
びまん性神経線維腫	10%	5歳	構語障害	1%	幼児期
悪性末梢神経鞘腫瘍	2%	30歳	貧血母斑	70%	小児期
脊椎の彎曲	10%	10～15歳	母斑性黄色内皮腫	幼児の30%	幼児期
頭蓋骨，顔面骨の骨欠損	5%	出生時	グロムス腫瘍	1%	
下腿骨の彎曲，骨折	3%	乳児期	クロム親和性細胞腫	0.1%	
虹彩小結節	80%	小児期			

（新村眞人）

ミルク入りコーヒー色の色素斑．体部いずれにも発するが，手掌足底は避け，顔面にも少ない．多くは出生時からみられ，1歳までには出現して以後大きさや数は変化しない（70%が出生時に，80%が3ヵ月以内）．カフェオレ斑が6個以上あるとNF 1の可能性が高い（six spots criterion）．

②**小レックリングハウゼン斑**：小豆大以下でカフェオレ斑に比べ少し濃く，鋸歯状の輪郭あり，顔面，体幹に好発，特に腋窩によくみられる（axillary freckling）．カフェオレ斑よりやや遅れて生じ，徐々に増加する．

③**大型の色素斑**：出生時から存在し，背面全体や腰部を覆う巨大な色素斑もある．辺縁は鋸歯状で入り組んでいることが多い．小児期から色素斑内にびまん性神経線維腫を発することあり．

④**有毛性褐青色斑** hairy fuscoceruleus spot：長径3cm前後の楕円形の青褐色斑で硬毛を伴うことが多い．カフェオレ斑内にあることも，独立して存在することもある．真皮メラノサイト増殖（dermal melanocytosis）．

2）神経線維腫

①**皮膚の神経線維腫**（図23-2，3）：思春期から，指頭大までの大小種々の，軟らかい神経線維腫で半球状に隆起する．時に有茎性，あるいは扁平，ヘルニア状に凹む神経線維腫もある．年齢が進むにつれて増数する．無数といってよいほど増えてしまう高齢者もいれば，比較的少数でとどまる場合もある．Schwann細胞と線維芽細胞の増殖からなり，腫瘍巣内には肥満細胞が散在する．

②**びまん性神経線維腫** diffuse plexiform neurofibroma（図23-4）：巨大弁状・懸垂性に垂れ下がる（硬性皮膚懸垂症 pachydermatocele）．びまん性に神経線維腫が

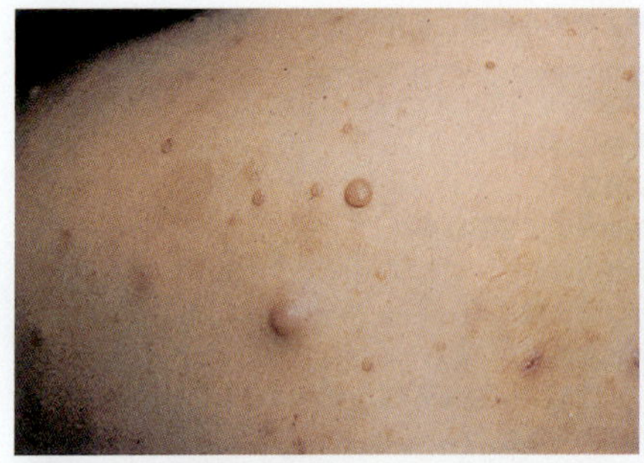

図 23-2　皮膚の神経線維腫

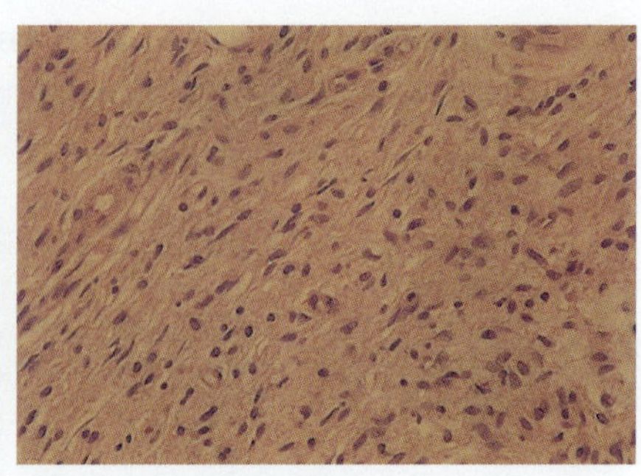

図 23-3　神経線維腫の組織

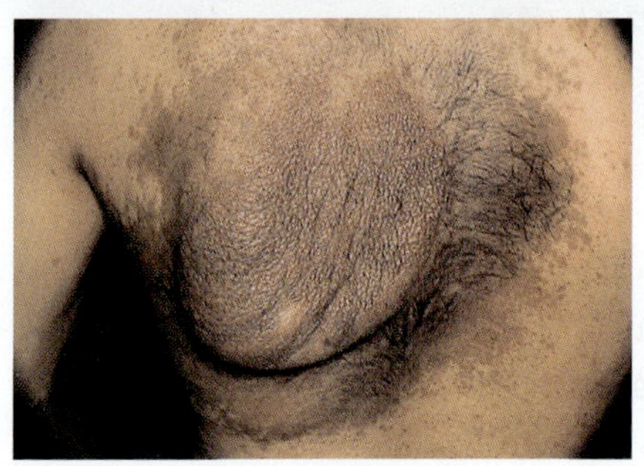

図 23-4　びまん性神経線維腫

増殖し，メラノサイトの増殖を混じることが多い（pigmented diffuse plexiform neurofibroma）.

③**末梢神経の神経線維腫**：思春期以降発生，末梢神経の神経周膜内に発生する神経線維腫（nodular plexiform neurofibroma）で，皮下に索状〜数珠玉状に触れ，時に，圧痛，放散痛がある.

3）貧血母斑 nevus anemicus：70％以上の患者にみられ，上胸部に多い（☞ p.566）. 叩くなど機械的刺激を加えると明瞭になる．末梢血管反応の異常.

4）若年性黄色肉芽腫（☞ p.692）：時に合併する（30％）．黄褐色の小結節が多発する．1〜2 年で自然消褪する.

B．骨症状

脊椎側彎（scoliosis）・後彎（kyphosis）などの脊椎変形が最も多く（20％），下腿骨の菲薄化・変形・骨折（偽関節形成），頭蓋骨・顔面骨の骨欠損など.

C．眼症状

虹彩小結節・視神経膠腫（optic glioma）など．虹彩小結節は乳幼児～幼児期に出現し，思春期以降増加するが，視力などには影響しない．視神経膠腫は欧米人で頻度が高く，日本人には少ない．

D．中枢神経症状

腫瘍性病変・脳波異常・知能障害（通常軽度）・けいれん発作など．学童期に落ち着かず，注意力が散漫で多動な行動を示すことがある（learning disability；LD, attention deficit / hyperactivity disorder；ADHD）．頻度は低いが，聴神経腫瘍・髄膜腫・脳実質内腫瘍などの脳脊髄腫瘍は患者の生命予後・社会生活的予後に重要な影響を及ぼす．

E．悪性化

①2～3％の患者に悪性末梢神経鞘腫瘍（malignant peripheral nerve sheath tumor）が出現する（平均発生年齢：33歳）．深部神経の神経線維腫から発生することが多い．急速に増大し，予後不良．
②GIST（gastrointestinal stromal tumor 消化管間質腫瘍）：胃・腸管の筋層内のカハール介在細胞が腫瘍化して肉腫性に増殖したもので，NF 1では一般人口に比して頻度が高いといわれる．

F．その他

副腎腫瘍（pheochromocytoma）・グロムス腫瘍．

予後

皮膚の神経線維腫などは徐々に進行，妊娠などで促進されることもある．生命予後は一般によいが，悪性末梢神経鞘腫瘍，脳脊髄腫瘍などの発生が死亡原因となる．

治療

皮膚の神経線維腫は主として整容的見地から外科的切除など．びまん性神経線維腫は血管豊富で出血しやすいので注意．皮膚外病変はそれぞれの専門医とよく連携して各種対症療法を適切に行う必要あり．悪性末梢神経鞘腫瘍は可及的早期に外科的切除．

〔付 1〕**神経線維腫症 2 型** neurofibromatosis 2（NF 2）：10～20代に発する両側性聴神経腫瘍（前庭神経の神経鞘腫；聴力喪失）を主徴とし，その他の脳脊髄にも神経鞘腫や他の脳・脊髄腫瘍を多発することが多い（麻痺）．皮膚に少数の神経鞘腫が生じることがある．色素斑は出現頻度，数もNF 1に比べ低く，少ない．22q12に座位する*NF 2*遺伝子に変異が検出される．*NF 2*遺伝子産物は細胞骨格関連蛋白と相同性があり，merlin（moesin-ezrin-radixin like protein）と呼ばれる．人口5〜10万人に1人の頻度で，NF 1の1/10以下．

〔付2〕**神経線維腫症5型** neurofibromatosis 5（NF 5）：分節性に生じる神経線維腫症で，NF 1のモザイク．神経線維腫とカフェオレ斑が限局して多発する．

〔付3〕**Watson症候群**（1967）：カフェオレ斑，肺動脈狭窄，知能障害．*NF 1*遺伝子の変異が検出されてNF 1の亜型とする考え方が強い．

〔付4〕**Legius症候群**（2007）：NF 1類似（多発するカフェオレ斑，時に腋窩・鼠径部に小色素斑，macrocephalyなどの頭蓋骨異常，神経発達・行動異常）の症状を呈する常染色体優性の遺伝性疾患．神経線維腫などの腫瘍性病変を欠如するのが特徴．*SPRED 1*遺伝子（15q13.2）の変異による．

〔付5〕**Albright症候群（1937），McCune-Albright症候群，fibrous dysplasia of bone**：カフェオレ斑・長管骨線維性異形成（polyostotic fibrous dysplasia：骨痛・病的骨折）・性的早熟（特に女子で）．色素斑の辺縁は鋸歯状で，出生時から2年以内に発することが多く，体幹・大腿などに非対称性に生じる．常染色体優性遺伝．*GNAS 1*（α-subunit of stimulatory G proteinをコードする遺伝子）の異常による．

〔付6〕**プロテウス症候群** Proteus syndrome（Wiedemann 1983），片側血管拡張性肥大症：①巨指趾症，②片側肥大症，③脂肪腫・血管腫・リンパ管腫などの皮下腫瘤，④掌蹠の脳回転状腫瘤，⑤外骨腫，⑥表皮母斑，⑦脊柱側彎，⑧その他（カフェオレ斑・静脈瘤など）．幼小児期に発症．細胞増殖・アポトーシスに関与する酵素をコードする*AKT 1*遺伝子の体細胞変異が報告されている．Proteusはギリシャ神話の海神で変幻自在の姿を有する．

2. 結節性硬化症 tuberous sclerosis (1890), Pringle 病, Bourneville-Pringle phacomatosis ◎

知的障害・てんかん発作・顔面の血管線維腫などの主徴に加えて，全身諸臓器に各種の過誤腫性病変が多発する常染色体優性の遺伝性疾患である．

遺伝

常染色体性優性遺伝．*TSC 1*（9q34，蛋白産物：hamartin）と*TSC 2*（16p13.3，蛋白産物：tuberin）の2種の遺伝子のいずれかに変異がみつかることが多い．両遺伝子産物はPI3K-Akt-mTOR（mammalian target of rapamycin）系に関与する．

症状

A．皮膚病変

①**顔面の血管線維腫**（図23-5，6）：4，5歳で出現する．鼻唇溝・鼻と頬との境・オトガイなどに，帽針頭大から豌豆大までの，常色〜黄色〜淡紅色の丘疹が多発

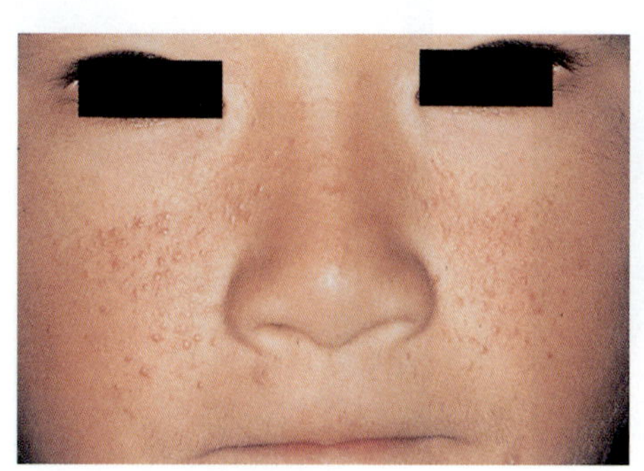

図 23-5 顔面の血管線維腫

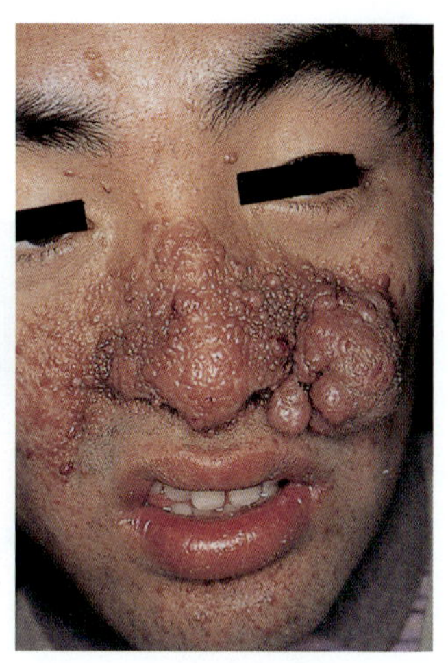

図 23-6 顔面の血管線維腫

する．時に毛細血管拡張症を伴う．増数・増大して桑の実，あるいはブドウの房状を呈することもある．

②**頭皮部局面** forehead and scalp plaque：指頭大〜乳児手掌大の弾性硬の限局性皮膚肥厚で，褐色を呈し，表面は凹凸し毛はやや薄い．顔面の血管線維腫に遅れて出現することが多い．

③**爪囲線維腫** Ungual fibroma（**Koenen 腫瘍**）（図 23-7）：爪縁より豌豆大までの淡紅褐色の軟骨硬の小結節が突出する．

④**葉状白斑** white leaf-shaped macules（図 23-8）：楕円形〜木の葉状〜金平糖状の不完全色素脱失で簡単には気づかない．大きさ 1〜3cm で単発または多発し，体幹・下肢に好発する．出生時〜生後数ヵ月で発生するので早期診断に役立つ．特にてんかん発作の小児にこれをみれば本症の可能性が極めて高い．ウッド灯で目立ってみえる．メラノサイトは発育悪く，ドーパ反応も弱い．

⑤**粒起革様皮膚** shagreen skin（patch）（図 23-9）：体幹（特に腰仙骨部）に生じる手掌大までの軟らかい，淡褐色，表面ナメシ皮様の隆起性局面．結合組織母斑．5 歳以下の患者の 25%に，5 歳以上の患者の 50%以上に粒起革様皮膚をみる．

⑥**懸垂性軟属腫** molluscum pendulum：肩甲・腋窩・陰股部に懸垂性の小腫瘍．

⑦**粘膜の線維腫様増殖**：口腔，特に歯肉に淡紅色の小結節を生じる．

⑧**その他**：体幹の疣贅様小腫瘍・粉瘤・ケロイドなど．

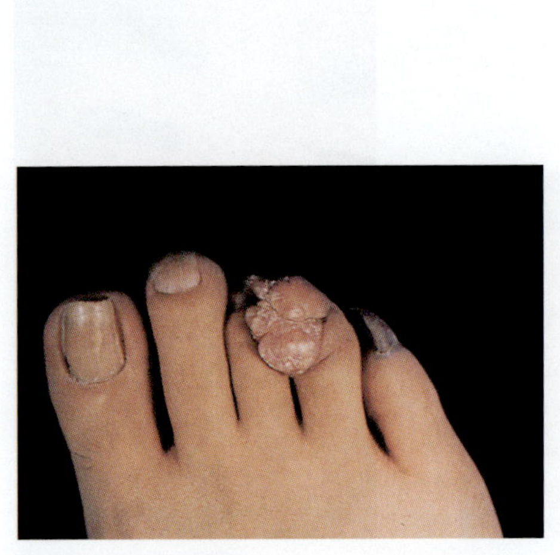

図 23-7　Koenen 腫瘍

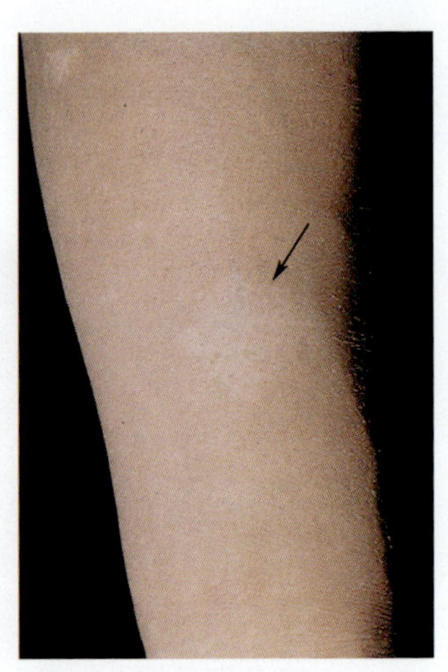

図 23-8　葉状白斑（矢印）

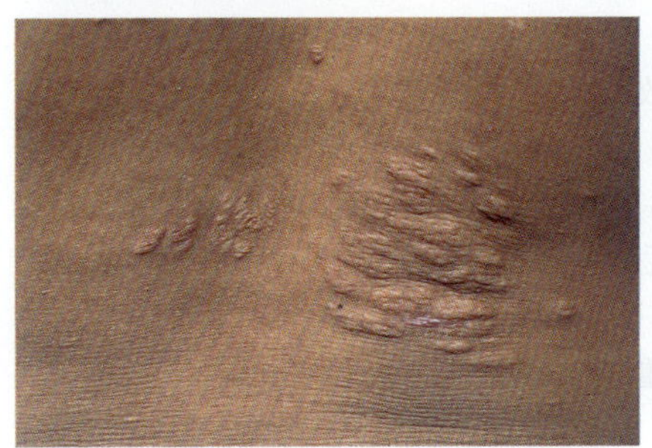

図 23-9　隆起革様皮膚

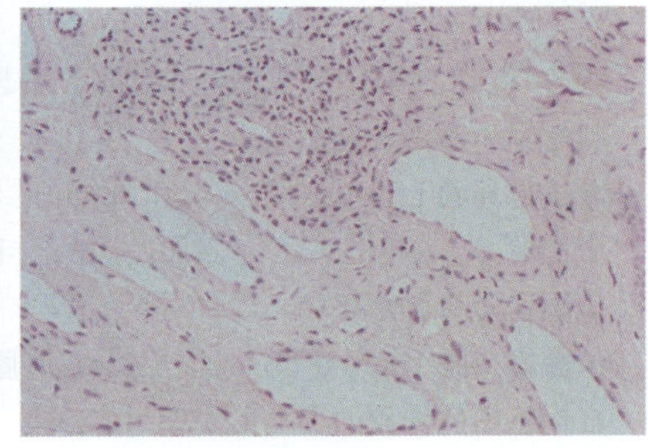

図 23-10　血管線維腫の組織

B．泌尿器系病変

腎の血管筋脂肪腫（angiomyolipoma）および腎嚢腫など 70％に腎病変が見出される．

C．中枢神経系病変

知的障害とてんかん．MRI で**大脳皮質の結節（cortical tuber）**と側脳室上衣下結節〔subependymal nodule，SEGA（上衣下巨細胞性星細胞腫）を含む〕などがあり，CT では石灰陰影をみることが多い（結節性脳硬化症）．てんかん発作の程度・コントロールの可否で知的障害の程度が決まるといわれる．なお，近年，知的障害やてんかんのない，あるいはごく軽症の患者が診断されている．

D．眼病変

網膜に多発性結節性過誤腫（multiple retinal nodular hamartoma）や白斑（punched-out lesion）.

E．その他の病変

心臓の多発性横紋筋腫は新生児・乳幼児期の死因，肺の lymphangiomatosis（LAM）と multifocal multinodular pneumocyst hyperplasia（MMPH）は，前者が成人の死因となり，後者は治療を要しないが粟粒結核と間違えられやすい．骨硬化，骨嚢腫はしばしばみられるが通常症状を伴わない．

組織所見（図 23-10）

顔面の小丘疹：血管線維腫（angiofibroma）．血管・結合組織の増殖が主体．すなわち真皮上中層に弾力線維を伴わない細い結合組織が増殖，血管も拡張・増殖する．グリア細胞様の大きな星状細胞や多核巨細胞をみることもある．かつての脂腺腫（adenoma sebaceum）は誤称．Koenen 腫瘍も血管線維腫．粒起革様皮膚は膠原線維が増加した結合織母斑．

予後

徐々に病変は進行．乳児期には心臓腫瘍，次に中枢神経系異常（腫瘍など），成人では腎病変や肺病変が死因となることが多い．

治療

皮疹は整容的見地から．顔面小丘疹には m-TOR 阻害（ラパマイシン）外用薬（シロリムスゲル），炭酸ガスレーザーなど．てんかん発作のコントロールが治療・予後改善に極めて重要．腎の血管筋脂肪腫や上衣下巨細胞性星細胞腫にエベロリムス（m-TOR 阻害薬），前者には腎動脈塞栓術．LAM にはシロリムス投与が推奨されている．

2 血管腫を伴う母斑症

1. ヒッペル・リンドウ症候群 von Hippel (1904) - Lindau (1926) syndrome

多臓器にわたって，血管腫を中心に嚢腫や腺腫を生じる常染色体性優性遺伝性疾患．*VHL* 遺伝子（3p25-26）に変異があり，発症前のDNA診断が可能である．褐色細胞腫を伴わない1型（変異が多様で広く分布）と伴う2型（ミスセンス変異が一定の領域に）の2つに分類される．

①皮膚：頭頸部の単純性血管腫（頻度は低く，約5%に）．
②中枢神経系：小脳・脊髄に血管芽腫．
③眼：網膜血管腫→緑内障．
④泌尿器：腎細胞癌，腎嚢腫・腺腫・線維腫．
⑤その他：褐色細胞腫，膵臓嚢腫・癌，膵島細胞腫瘍，肝血管腫，骨血管腫，精巣上体嚢胞腺腫．

2. スタージ・ウェーバー症候群 Sturge-Weber syndrome（図23-11） ○

非遺伝性の稀な疾患．顔面，眼脈絡膜，脳軟膜に片側性の血管腫性変化をきたす．
①皮膚：単純性血管腫が三叉神経第1枝領域に．

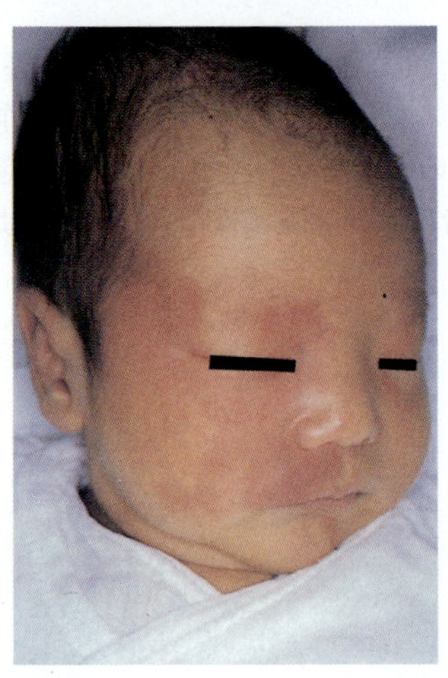

図23-11 スタージ・ウェーバー症候群

②眼：脈絡膜血管腫による緑内障と牛眼.

③中枢神経系：けいれん発作，知能障害，片麻痺．血管腫および脳実質石灰化．X線上脳回転に沿って二重曲線の陰影（tramline calcification）がみられ，診断価値がある．石灰化を起こす前でもCTやMRIで血管病変を描出できるので早期診断が可能．早期診断後に眼圧調整と緑内障の予防，けいれん発作のコントロール・治療が重要．血管腫の摘出術や皮膚の血管腫へのレーザー照射なども．

3. クリッペル・ウェーバー症候群 Klippel (-Trenaunay-Parkes) -Weber syndrome（図23-12，13） ○

非遺伝性の血管形成異常を主体とする疾患でスタージ・ウェーバー症候群とも近縁関係にある．出生時より四肢片側に単純性血管腫が広範囲に及び，加齢とともに静脈拡張や静脈瘤を伴い，同側肢の肥大延長，稀に萎縮をみる．骨・軟部組織も肥大し，動静脈吻合を有することもある（皮膚温上昇・拍動触知・コマ音）（Parkes-Weber症候群）．脚長差を生じて跛行などの原因になる．脚長差の治療が重要．

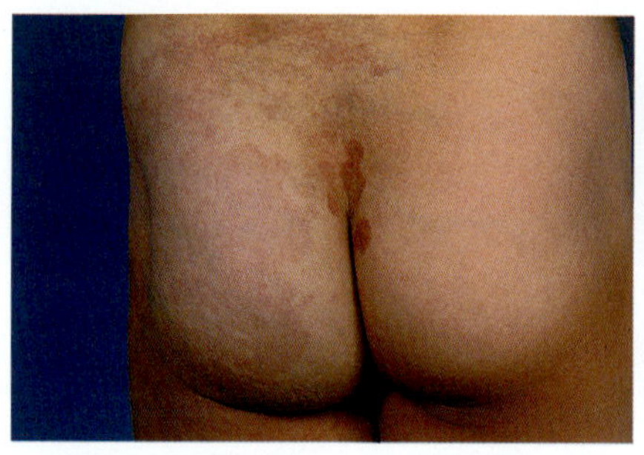

図23-12 クリッペル・ウェーバー症候群

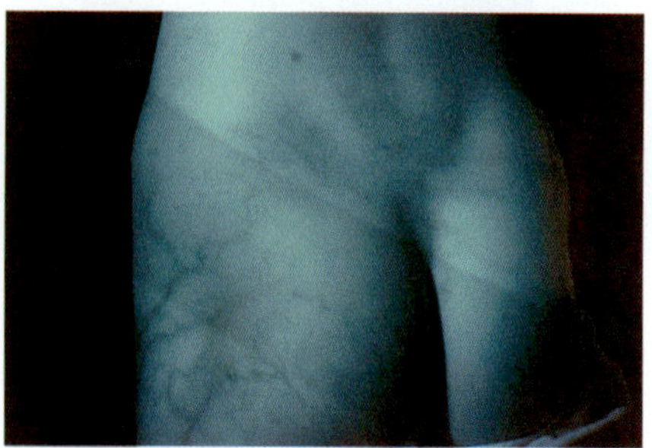

図23-13 クリッペル・ウェーバー症候群（紫外線写真，患側静脈の拡張）

4. 先天性血管拡張性大理石様皮斑 cutis marmorata telangiectatica congenita（Lohuizen 1922）（図23-14，15）

ほとんどが孤発例．稀に家系内発症．出生時より，下肢・体幹・上肢などに片側性に，ないし全身に大理石様皮斑を生じ，これに細小血管拡張・皮膚欠損・皮静脈怒張・皮疹部の陥凹萎縮をはじめ種々の奇形（眼：先天性緑内障・眼底血管奇形，小眼球症，歯牙変形，もやもや病，巨大頭蓋症，合指趾症，心，骨，筋，皮膚：血管腫・色素性母斑）・知能低下を伴う．加齢とともにやや軽快．患側肢が細いこと

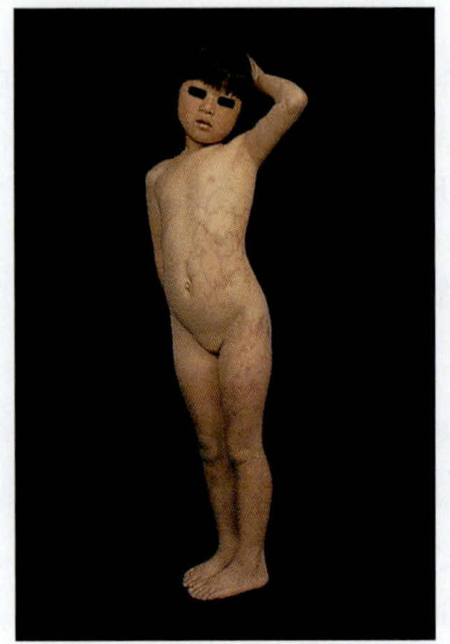
図 23-14　先天性血管拡張性大理石様皮斑

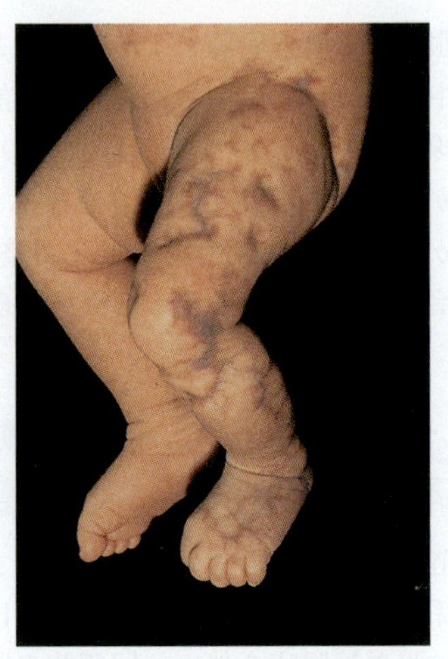
図 23-15　先天性血管拡張性大理石様皮斑

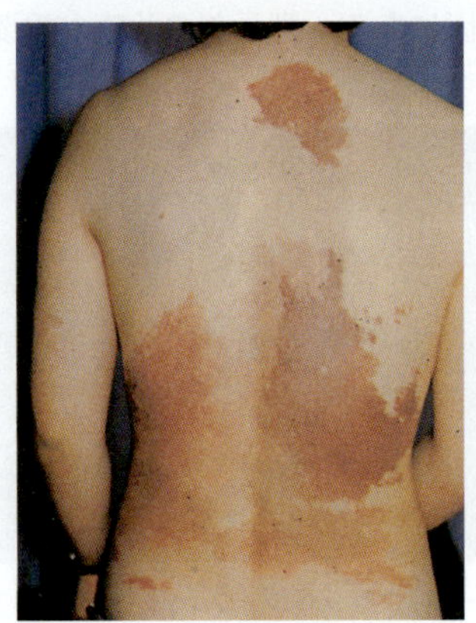
図 23-16　色素血管性母斑症

が多い．

5. 色素血管母斑症 phacomatosis pigmentovascularis（太田 1947）（図 23-16）

色素性の母斑と単純性血管腫が広範囲に合併したもので4型に分ける．4型を通じて皮膚のみに限局するのをa型，それ以外の臓器にも血管腫を主とする病変を有するのをb型という．血管腫病変以外にも，頭蓋内血管異常・緑内障・聴覚障害・精神発達遅滞など種々の全身症状を伴うこともある．日本での報告例が多い．

①Ⅰ型：疣状色素性母斑と単純性血管腫.
②Ⅱ型：蒙古斑様青色色素斑と単純性血管腫との合併で，多くは重なって発する．最も多い型で，3/4（a 型が 30%弱，b 型が 50%弱）を占める．これにスタージ・ウェーバーないしクリッペル・ウェーバー症候群の合併したものを太田型と呼ぶこともある.
③Ⅲ型：単純性血管腫と扁平母斑の併発.
④Ⅳ型：単純性血管腫と青色斑と扁平母斑の併発.

6. オスラー病 Osler-Weber-Rendu disease，遺伝性出血性毛細血管拡張症 telangiectasia hereditaria haemorrhagica，hereditary hemorrhagic telangiectasia；HHT

病因

常染色体性優性遺伝で家族内発生が多い．3 種の原因遺伝子が知られている．HHT 1 型は *ENG* 遺伝子（endoglin：TGF-β1 の受容体）に，HHT 2 は *ACVRL1*（activin receptor-like kinase 1）に変異を認める．この 2 型が HHT の大半を占め，肺や肝の動静脈を併発，一部に *MADH4*（SMAD4：TGF 受容体 superfamily の細胞内シグナル伝達蛋白）に変異をみる例があり，大腸ポリープを併発するという.

症状（図 23-17，18）

①中央が赤い小丘疹で周囲に毛細血管拡張を伴う皮疹（クモ状血管腫様）が，主として顔面・耳朶・口唇・手指背（特に爪下）に散在．出生時になく思春期より著明となる.
②鼻出血や口腔粘膜・扁桃・肺・膀胱・胃・腸よりの反復性出血．年とともに進行性であるが予後は一般的によい．時に続発性貧血.
③動静脈瘻を合併し，肺（呼吸困難・チアノーゼ・バチ指）・肝（硬変・腫大）・脳脊髄症状の強いものもある.

7. 青色ゴム乳首様母斑症候群 blue rubber-bleb nevus syndrome（Bean 1958）

多臓器にわたって生じる静脈奇形（海綿状血管腫）が主徴.

1）皮膚に多発する血管腫．青くゴムの乳首の感触あり.
　①Ⅰ型：長径 10 cm 以上に及ぶ巨大海綿状血管腫で，しばしば重要臓器を圧迫.
　②Ⅱ型：数 mm ～5 cm までの表面平滑青色の血管腫で圧迫により平坦化する.

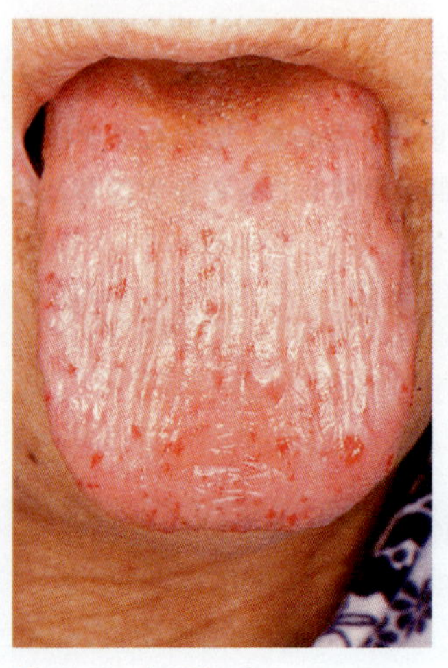

図 23-17　オスラー病

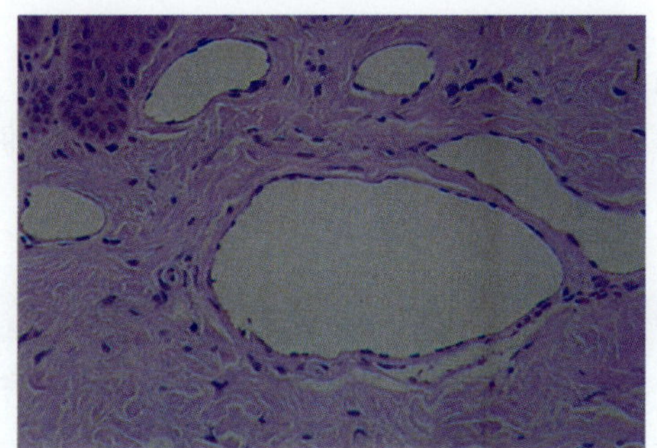

図 23-18　オスラー病（毛細血管拡張）

③Ⅲ型：扁平またはやや隆起性の不整形青色斑.
2）消化管に多発する血管腫（口腔より結腸まで）. 出血しやすく，鉄欠乏性貧血や，時に大量出血をきたす.
3）その他，肝・肺・脳・脾・腎・骨格筋・副腎・甲状腺などにも血管腫を生じることがある.
4）一部に家系内発症例が報告されて，常染色体性優性遺伝の可能性あり.
5）病理組織学的には血管腫の多くは海綿状血管腫.

8. Maffucci 症候群 Maffucci syndrome（Maffuci 1881）

先天性，非遺伝性の中胚葉性の形成異常. 稀.

①**海綿状血管腫**：幼児期に体幹・四肢・口唇に小血管腫が多発，時に内臓にも発生.
②**軟骨形成不全** chondrodysplasia，**多発性内軟骨腫** multiple enchondromatosis：骨の骨端線成長障害で四肢長管骨を侵し，変形・骨折・X 線陰影をみる.
③その他：色素異常（白斑）・発汗異常・爪変化・毛変化など.
④予後：軟骨肉腫などの悪性腫瘍を合併すれば不良.

3 悪性病変を伴う母斑症

1. 神経皮膚黒色症 mélanose neurocutanées (Touraine 1949) ○

皮膚および中枢神経系に色素細胞が増殖する.

病因

遺伝性は証明されていない.

症状 (図 23-19)

①**皮膚**：巨大な色素性母斑（獣皮様母斑，海水着型母斑）が体幹の半分近くを占め，同時に小色素性母斑が全身に播種・多発する．組織は母斑細胞母斑で，しばしばC 型（neuroid type），時に青色母斑構造も混在する．しばしば悪性黒色腫を発生する.

②**中枢神経系**：脳軟膜（小脳・脳幹近く）に色素細胞が増殖し脳実質内にも及ぶ．水頭症・頭痛・てんかん・けいれん・嘔吐などの頭蓋内圧亢進症状・巣症状・精神障害を示すことあり，また悪性黒色腫が発生する．近年画像診断が進歩し，増殖した色素細胞が進行しない軽症例が報告されている.

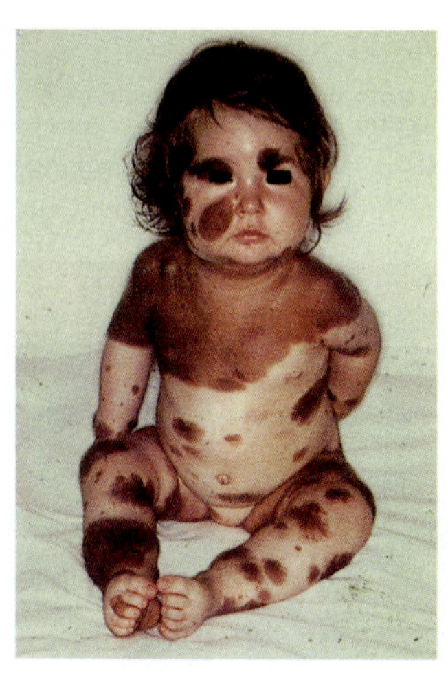

図 23-19 神経皮膚黒色症（Bonn 大原図）

予後

予後不良で悪性化や水頭症に伴う偶発症などが死因となる．近年予後良好例がしばしば報告されている．

2. ポイツ・イェーガース症候群 Peutz-Jeghers syndrome（Peutz 1921 and Jeghers 1949），口唇掌蹠母斑腸ポリポーシス（図 23-20）

遺伝

常染色体性優性遺伝．*LKB1* 遺伝子（serine/threonine kinase をコード）に原因．

症状（図 23-21，22）

①**口唇口腔変化**：口唇特に下口唇に点状～桿状の色素斑が多発，放射状に延びて皮膚に及ぶ．頬粘膜にも色素斑を生じる．

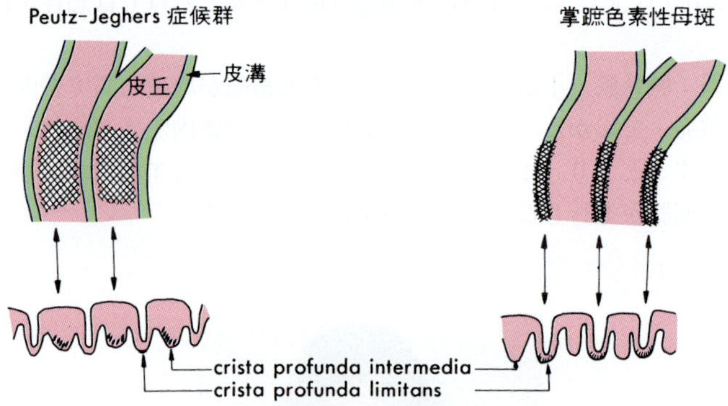

図 23-20　ポイツ・イェーガース症候群と掌蹠色素斑の鑑別点

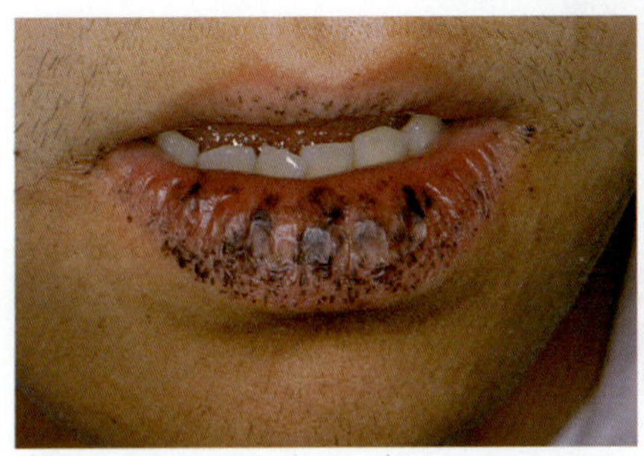

図 23-21　ポイツ・イェーガース症候群（口唇）

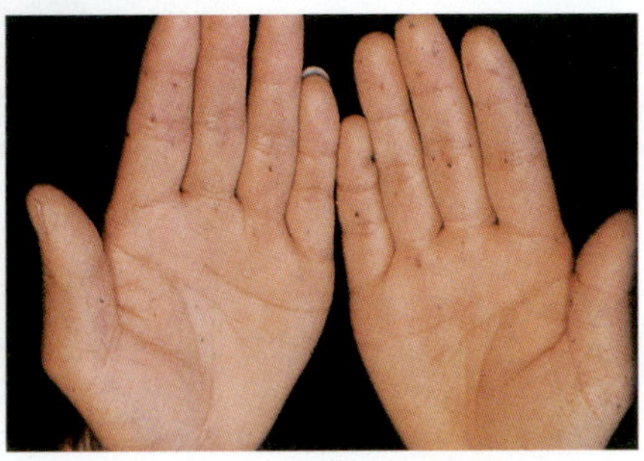

図 23-22　ポイツ・イェーガース症候群（手掌）

②**手掌足底**：帽針頭大～小豆大の，褐～黒褐色小色素斑が散在する．細長く，その長軸は皮丘皮溝（指掌紋）の流線方向に一致する．指趾末端に多く，掌中央・土ふまずにやや少ない．

③**消化管**：胃腸ポリープを生じるが，特に小腸に多い．腹痛が反復し，下痢・下血・嘔気・吐気もあり．時に腸重積症で手術となる．二次的に低蛋白血症・体重減少あり．X線検査・内視鏡でポリープが見出され，診断が確定することが多い．10％前後に癌化．

予後・治療

腸ポリープの経過に左右される．色素性病変はレーザー照射，液体窒素冷凍凝固．

〔付 1〕**Cronkhite-Canada 症候群**（1955）：消化器ポリポーシス〔胃・小腸・大腸・時に食道に非腫瘍性ポリープ：下痢・腹痛・食欲低下・味覚異常〕・色素沈着（指）・爪甲萎縮・脱毛．非遺伝性で中年以降に発し，男性に多い．吸収障害・下痢（低蛋白血症）．治療はステロイド・抗プラスミン薬・IVHなど．時に大腸癌合併．

〔付 2〕**Gardner 症候群**（1953）：大腸ポリポーシス（腺腫，胃・十二指腸・空回腸）・皮膚皮下腫瘍（脂肪腫・線維腫・神経線維腫・類表皮嚢腫・類腱腫）・骨腫（特に頭蓋骨・上顎骨・下顎骨）．ポリポーシスは30～40代に発し，癌化傾向が強い．常染色体性優性遺伝．*APC*（adenomatous polyposis coli）遺伝子が原因遺伝子で家族性大腸腺腫症と同一疾患．

〔付 3〕**Laugier-Hunziker**（1970）**-Baran 症候群**（1979）

①遺伝性なく20～50代に発症．

②口唇（下口唇に多い）・口腔粘膜・外陰部・肛囲・掌蹠・指趾・爪甲（色素線条）・爪囲に淡～黒褐色小色素斑が多発．

③消化管ポリポーシスなどの他臓器病変を伴わない．

3．家族性悪性黒色腫 familial malignant melanoma，異型母斑症候群 dysplastic nevus syndrome，B-K mole syndrome（Clark 1978）

異型母斑と鑑別できないような，やや大型の不規則な色素斑が多発し，悪性黒色腫（ほとんどが表在拡大型）が出現する．異型母斑様色素斑は10代から目立つようになり，20歳頃までには数十個，時には100個以上多発する．家系内に悪性黒色腫患者が多い．常染色体優性遺伝．細胞周期に関与するサイクリン依存性キナーゼに結合する蛋白をコードする遺伝子〔*CDKN2A*（*p16INK4a*）〕の異常が一部の家系で明らかにされている．*ARF*や*CDK4*などの変異も一部で報告されている．欧米で稀にみられるが，日本では極めて稀．

4. 基底細胞母斑症候群 basal cell nevus syndrome（Clendenning 1964），母斑様基底細胞癌症候群 nevoid basal cell carcinoma syndrome，Gorlin 症候群　○

多発性基底細胞癌と多発性顎骨嚢胞を主徴とし，外胚葉・中胚葉に多種多様の病変が生じる常染色体優性の遺伝性疾患.

遺伝

常染色体性優性遺伝，*PTCH1* 遺伝子（9q22.3）に変異が検出される．*PTCH1* 遺伝子はショウジョウバエの体節形成遺伝子のヒトホモログで，癌抑制遺伝子として機能する.

症状（図 23-23〜25）

1）**顔貌**：前頭頭頂突出，頭囲増大，幅広い鼻根，顎骨突出，眼間隔開離.

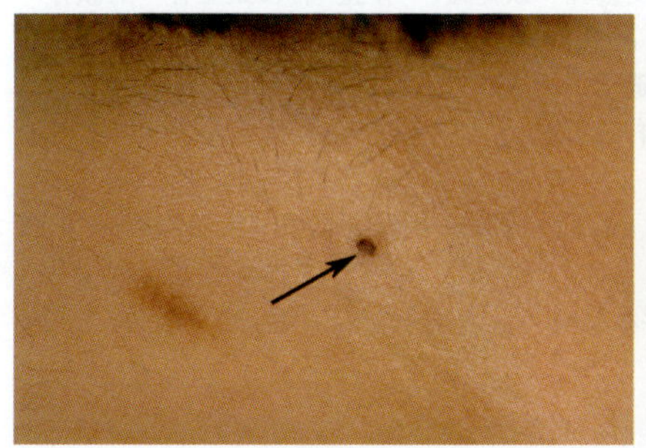

図 23-23　基底細胞母斑症候群（基底細胞母斑）

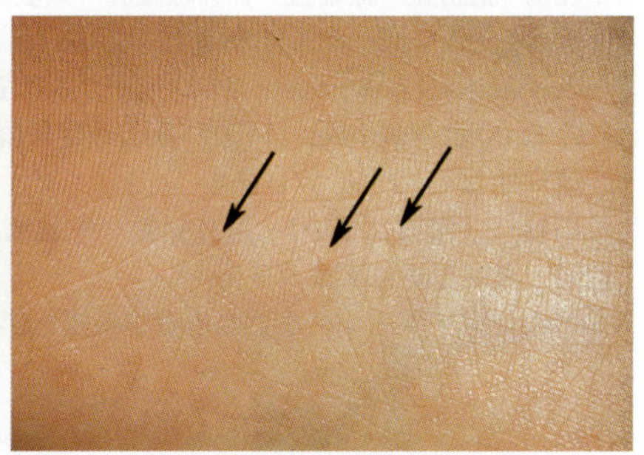

図 23-24　基底細胞母斑症候群（足底の小陥凹）

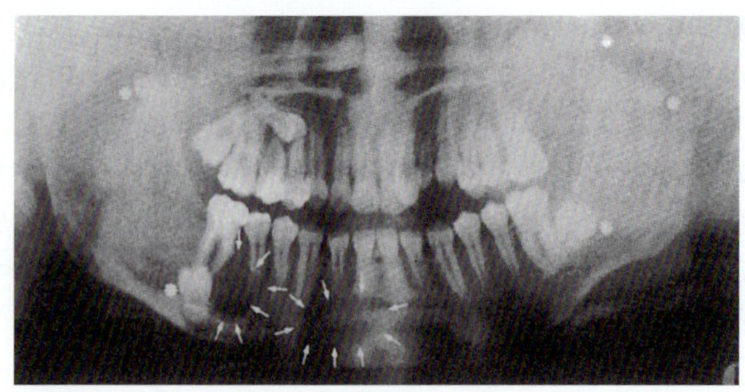

図 23-25　基底細胞母斑症候群　顎骨嚢胞（矢印）

2）**皮膚**：①基底細胞母斑（幼児期より全身に多発する正常色ないし褐黒色小丘疹，思春期以後局所破壊性に進行する：nevoid → neoplastic stage；組織学的に基底細胞癌と鑑別不能），②稗粒腫（顔面に，表皮嚢腫も生じる），③手掌足底小陥凹（palmoplantar pits）（85％以上にみられる，組織学的に角質の限局的欠損で基底細胞母斑の不全表現型），その他線維腫，神経線維腫，脂肪腫など．

3）**骨・歯牙**：多発性顎骨嚢胞（70％，皮疹に先行，口腔内腫脹・鈍痛・排膿・歯列不整），高口蓋，二分肋骨，脊椎奇形，合指症，多指症，クモ状指．

4）**中枢神経系**：大脳鎌・小脳テントの石灰化，トルコ鞍部扁平化，精神発達遅滞，髄芽腫．

5）**眼**：斜視，眼振，先天性視力障害，白内障，緑内障．

6）**その他**：卵巣線維腫，卵巣嚢腫，線維肉腫，停留精巣．

予後・治療

基底細胞癌その他の悪性化に左右される．基底細胞癌に準ずる．欧米では抗 *PTCH 1* 変異薬剤としての sonidegib，vismodegib が用いられるという．

〔付 1〕**linear unilateral basal cell nevus**：片側性に帯状に基底細胞母斑が配列．これに面皰，萎縮が混在．出生時より存在し，加齢による変動はない．Gorlin 症候群のモザイクが想定されたが，*PTCH1* の不活化変異も *SMO* の活性化変異も見出されていない．

〔付 2〕**Bazex-Dupré-Christol 症候群，Bazex 症候群**（1966），**follicular atrophoderma with basal cell carcinomas，hypotrichosis and hypohidrosis**：四肢に毛孔開大性萎縮，顔面に多発性基底細胞癌，限局性ないし全身性乏汗症，頭部乏毛症．X 連鎖性優性遺伝（連鎖解析で Xq24–27 に異常）．

5. Cowden 症候群（Lloyd and Dennis 1963）

外毛根鞘腫など毛包脂腺系腫瘍・過誤腫や脂肪腫などと共に消化管過誤腫，さらに内臓悪性腫瘍をきたす母斑症．常染色体性優性遺伝〔*PTEN* 遺伝子（10q23.3）異常〕．

①顔面に角化性丘疹（毛包脂腺系形成異常，特に外毛根鞘腫），白斑・脂肪腫・カフェオレ斑・掌蹠角化，②口腔・舌・口唇・咽頭に丘疹・乳頭腫，舌肥厚，③甲状腺腫，④女性化乳房・乳頭腫，⑤消化器過誤腫（多発性ポリープ，憩室，平滑筋腫），⑥卵巣嚢腫・子宮筋腫・精索静脈瘤，⑦骨格異常（骨嚢腫・漏斗胸・高口蓋・過剰指・合指症），⑧協調運動障害・精神発達遅滞，⑨眼白内障・緑内障，⑩心房中隔欠損・弁不全・動静脈奇形など多彩な病変をきたす．**悪性腫瘍**（甲状腺癌・乳癌・悪性黒色腫・卵巣癌・子宮癌など）**の合併率が高い**（女 52％，男 29％）．

〔付 1〕 **Muir-Torre 症候群**（1968）：脂腺腫瘍に消化器・泌尿器系の癌を併発する．常染色体優性遺伝．DNA mismatch 修復遺伝子に異常（☞ p.615）．

〔付 2〕 **Birt-Hogg-Dubé 症候群**（1977）hereditary multiple fibrofolliculomas with trichodiscomas and acrochordons：成人以後に発症し，以下の特徴を有する．①顔面の線維毛包腫・毛盤腫，頸部・腋窩のアクロコルドン，②腎細胞癌，肺嚢胞，自然気胸，③常染色体優性遺伝，④ folliculin 蛋白をコードする *BHD* 遺伝子（17q11.2）に変異，folliculin 蛋白は皮膚・肺・腎に発現し，癌抑制機能を持つ．

〔付 3〕 **Rubinstein-Taybi 症候群**（1963）：特有の顔貌・母指趾の異常・低身長・精神発達遅滞を主症状とする先天異常．①皮膚症状；幅広く短く，へら状に広がる指趾，濃い眉毛，長い睫毛，内眼角贅皮，前額・頸部・腰部の単純性血管腫，多毛症，ケロイド易発生，②眼裂開離，上顎低形成，狭高口蓋，小下顎，耳介異常，③良性・悪性腫瘍の続発，④ *CBP*〔CREBBP（cAMP response element-binding protein, CREB）-binding protein〕遺伝子変異が原因．CBP は CREB による転写活性化を促進する因子で発癌・形態形成に関与．

4　その他の母斑症

1. 色素失調症 incontinentia pigmenti（Bloch-Sulzberger 症候群 1925）◎

病因

X 染色体性優性遺伝．男女比 1：9 以上で女児に多い．男児例は一般に致死的で出生例は変異 X 染色体のモザイクと考えられている．*NEMO*（NF-κB essential modulator）/*IKKγ*（IkB kinase γ）遺伝子異常が原因で，変異を有する細胞が TNF α 誘発性のアポトーシスに陥ることによって病変が生じると推測されている．

症状（図 23-26～28）

1）**第 1 期（炎症期）**：出産時あるいは直後，体幹・四肢中枢側に線状～集簇性～播種状に帽針頭～豌豆大の紅斑・小水疱・水疱が多発，のち結痂する．血液・組織の好酸球増多症を伴う．

2）**第 2 期（疣状・苔癬期）**：引き続き上記部位に苔癬状角化性小丘疹が多発．1，2 期はしばしば重なり数週～数ヵ月にわたり反復．

3）**第 3 期（色素沈着期）**：次いでほぼ上記発疹部位に灰褐色～褐色の，星芒状・漆喰ばね状の小色素斑が渦巻状・溶けたチョコレート模様状・網状と種々の並び方で列序性に連なる．

4）**第 4 期（色素消褪期）**：4～5 歳頃より褪色し始め，遂に完全消失に至る．両側性のことが多いが，稀に片側性．

5）**その他**：①眼：白内障・角膜混濁・**網膜剝離**・視神経萎縮・失明．②歯：欠損・発育不全・生歯遅延・円錐状門歯・歯列不整．③骨：低身長症・小頭症・扁平後頭・脊椎披裂・多脊椎肋骨症・先天股脱・短肢症・多指症．④中枢神経：精神発達遅滞・痙性四肢麻痺・けいれん発作・水頭症．⑤毛髪：脱毛・縮毛．⑥爪：発育不全ないし欠損・線条・色素沈着．⑦その他：ボタロー管開存・性器発育不全・口唇披裂．

組織所見（図 23-29）

①**第 1 期**：表皮内水疱と好酸球浸潤．

②**第 2 期**：表皮肥厚と角化．

③**第 3 期**：真皮上層に担色細胞，基底層にメラニン沈着．

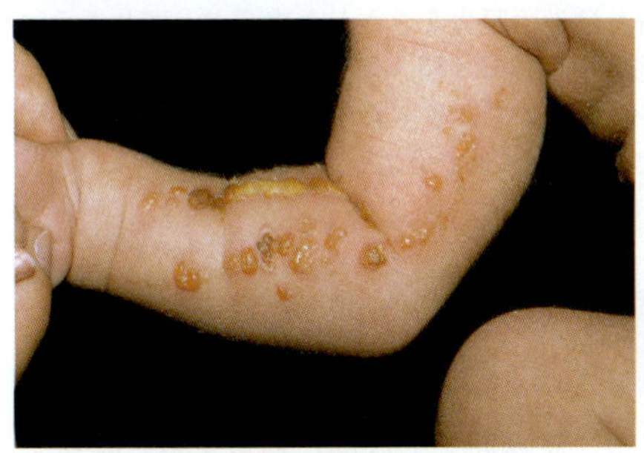

図 23-26 色素失調症（炎症期）

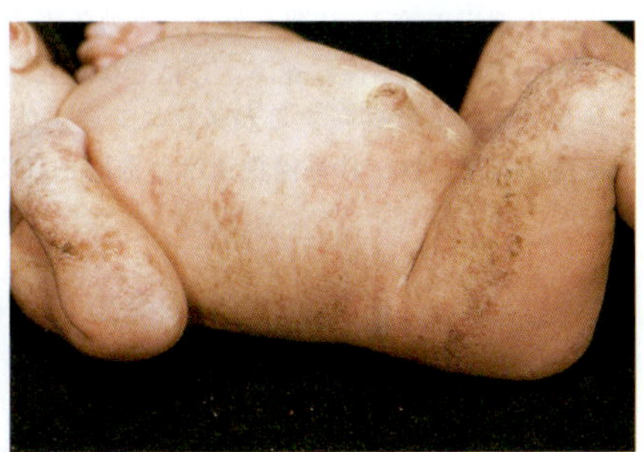

図 23-27 色素失調症（疣状苔癬期）

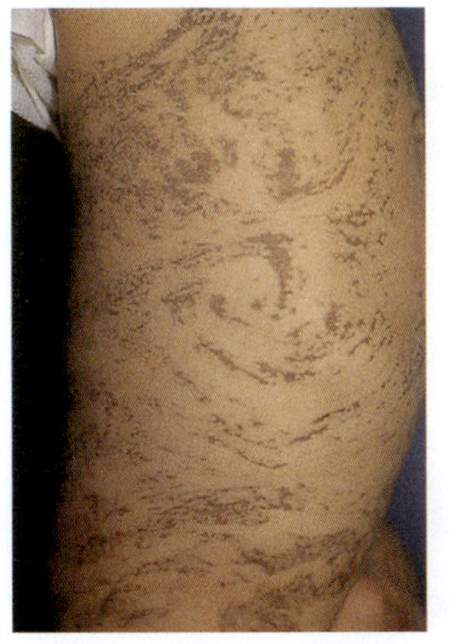

図 23-28 色素失調症（色素沈着期）

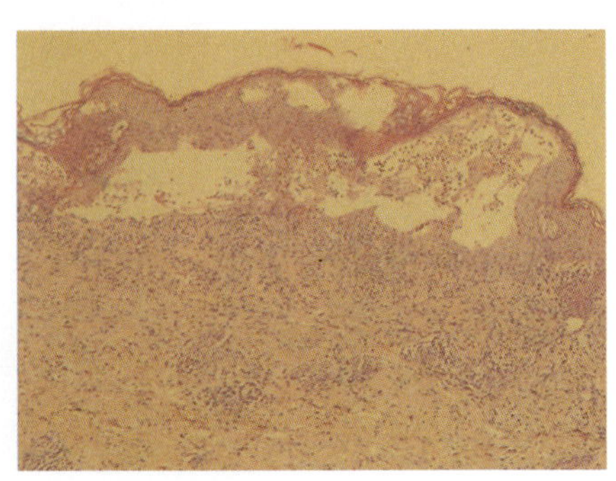

図 23-29 色素失調症（水疱期．多数の好酸球）

予後

皮膚症状は自然に退縮して良好.

治療

皮膚病変の治療は特に必要ない. 合併奇形の発見と治療, ケア. 眼症状（網膜剝離）は早期発見が重要で網膜光凝固治療を要することあり.

〔付〕色素失調症（Bloch-Sulzberger 症候群）に次の2亜型がある.

① **Naegeli-Franceschetti-Jadassohn 型 dérmatose pigmentaire réticulée**（1927）：炎症症状の前駆なく全身に網状色素沈着, 黄色歯, 虫歯傾向, 発汗減少性熱障害, 手掌足底角化傾向. 常染色体性優性遺伝. *K14* 遺伝子変異が報告されており, その haploinsufficiency が TNF α 誘発アポトーシスをもたらすと推測されている.

② **incontinentia pigmenti achromians**（Ito 1951）, **hypomelanosis of Ito**（Jelinek 1973）：色素失調症の第1〜2期を欠き, その色素沈着とは逆の脱失をきたした皮疹が, 同じように2分節以上に列序性に並ぶ. しばしば他に奇形（中枢神経・眼・筋・骨格など）を合併する. メラノサイトは存在するがメラニン産生能が低い. 女子に多く家族内発生はない. 一部で常染色体性優性/伴性優性遺伝と推測される例も報告されている.

2. Leopard 症候群, 汎発性黒子症候群 lentiginosis profusa syndrome（Darier 1912）（図 23-30） ○

出生時より全身に黒子が多発（Lentigines）. 思春期まで次第に増数する. カフェオレ斑, 脱色素斑, 指紋異常, 水かき形成, 爪甲形成異常, 過伸展性, 多発性顆粒細胞腫瘍を伴うことあり. 心電図異常（Electrocardiographic abnormalities：伝導

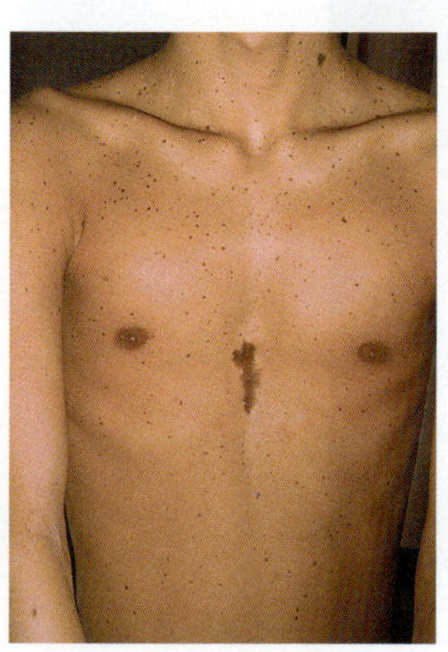

図 23-30 Leopard 症候群

障害，異常Q・S波，軸偏位，肥大，頻脈，期外収縮，不整脈）・眼間隔開離（**O**cularhypertelorism）・肺動脈狭窄（**P**ulmonary stenosis）・性器異常（**A**bnormalities of the genitalia：停留精巣・尿道下裂・生殖器低形成）・発育障害（**R**etardation of growth）・感音性難聴（**D**eafness）・精神発達遅滞・上顎突出・鞍鼻・頭蓋奇形・耳低位・高口蓋・口蓋裂・歯牙発育不全・鳩胸・側彎・翼状肩甲・関節過伸展・合指症などを合併．常染色体性優性遺伝と考えられるが孤発例も多い．*PTPN11*（protein-tyrosine phosphates, non-receptor type 11, 12q24）遺伝子が原因で，RASopathyの一つ．

〔付〕**Noonan症候群**：多発性黒子と難聴を欠くが，特異顔貌・先天性心疾患・低身長・鎧状胸郭・停留精巣・精神遅滞などLeopard症候群と共通する症候を示す遺伝性疾患．RAS/MAPK経路遺伝子異常によるRASopathyの一つ．同じくRASopathyであるNF 1を合併するNoonan症候群がある．

3. 表皮母斑症候群 epidermal nevus syndrome

稀．表皮母斑や脂腺母斑に神経系，骨格系，眼その他の病変を合併する一連の疾患群を広く表皮母斑症候群として一括したもの．表皮母斑を有する狭義の表皮母斑症候群（Solomon 1968）に比して脂腺母斑を有する脂腺母斑症候群（線状脂腺母斑症候群，Schimmelpenning 1958, Feuerstein and Mims 1962）は中枢神経や眼病変の合併頻度が高いと言われ，両者を区別する考え方もある．体細胞突然変異による遺伝的モザイクが推測されている（*FGFR3*, *PIK3CA*, *HRAS*など）．通常診断は難しくはないが，治療はそれぞれの病変の対症療法にとどまることが多い．

症状

①ブラシュコ線に沿って広範囲に生じる表皮母斑．時に炎症性線状疣贅状表皮母斑，頭頸部などに線状の脂腺母斑．

②中枢神経系に脳波異常・精神発達遅滞・てんかん・脳萎縮・脳室拡大・知能低下・水頭症．

③眼病変：眼振・斜視・眼瞼類脂肪腫・虹彩欠損・小眼球・眼瞼下垂・角膜血管増生．

④骨病変：変形・奇形・脊椎彎曲・骨萎縮・肋骨四肢骨変形．

⑤その他：色素性母斑・カフェオレ斑・皮膚血管腫・表皮母斑の良性悪性腫瘍化・耳下腺癌．

〔付〕**面皰母斑症候群** nevus comedonicus syndrome（Engber 1978）：面皰母斑・先天性白内

障・中枢神経異常・骨格異常．表皮母斑症候群に含めることもあり．

4. Cole-Engman 症候群 Cole-Engman syndrome，dyskeratosis congenita, Zinsser（1906）-Cole（1930）-Engman（1926）syndrome

遺伝

伴性劣性．大部分が男性例．Dyskerin をコードする遺伝子（*DKC1*，Xq28）に異常．*DKC1* 変異はテロメラーゼ機能やリボソームのRNA プロセッシングに影響して症状形成に関与する．常染色体優性遺伝を示す例では *TERC* 遺伝子（テロメラーゼのRNA コンポーネント）に，また常染色体劣性遺伝を示す例では *NOP 10*, *NHP 2* 遺伝子に変異が報告されている（爪の疾患，Zinsser-Fanconi 症候群 ☞ p. 783）．

症状

幼児期から思春期にかけて発する．男性に多い．

①**皮膚網状色素沈着**：頸・上胸・肩より体幹四肢に及ぶ多彩皮膚状変化．
②**爪甲形成不全**：萎縮菲薄化して短く，指趾尖に達せず，また消失する．
③**口腔粘膜**：白板症様角化白色局面，時に外陰・肛囲にも，癌化率が高い．
④**その他**：手掌足底多汗・歯牙異常・貧血（Fanconi 型）・涙管閉塞・知能低下．

5. Kabuki make-up syndrome，Niikawa-Kuroki syndrome（Niikawa and Kuroki 1981）

①特異な顔貌：切れ長で大きい眼裂，下眼瞼外反（隈取り様），結膜充血，②骨格異常（脊柱側彎・椎体彎曲・股脱・第5指短縮内彎），③皮膚紋理異常，④精神遅滞，⑤成長障害〔小顎症・不整歯・高口蓋・口蓋裂・指尖皮膚隆起（pad）〕．常染色体性優性遺伝．多くは *KMT2D*（lysin-specific methyltransferase 2D をコードする epigenetic 遺伝子），一部は *KDM6A* 遺伝子に変異．

6. Tricho-rhino-phalangeal syndrome

①成長の遅い疎毛，②洋梨状の幅広い鼻，③指趾の変形・短縮を3主徴とする常染色体優性の遺伝性疾患．3型に分類される．

TRPS1：通常低身長をきたさず，時に心血管奇形・軽度の精神遅滞を伴うこともある．*TRPS1* 遺伝子（8q24，zinc finger 転写因子をコード）の異常．

TRPS2（Langer-Giedion syndrome）：多発性軟骨性外骨腫，弛緩性皮膚，精神遅滞を伴うタイプで，*TRPS1* 遺伝子と *EXT1* 遺伝子（多発性外骨腫の責任遺伝子）の両者が欠失する隣接遺伝子症候群.

TRPS3（Sugio-Kajii syndrome）：1，2 型と比べて指節骨・中指骨の変化が強く，−2 SD 以上の低身長をきたす．*TRPS1* 遺伝子の変異が報告されている.

第24章 皮膚腫瘍

皮膚腫瘍はその細胞や組織の分化の方向性，すなわち腫瘍の発生・起源を推測しうる形態学的特徴によって分類される．腫瘍はその生物学的動態により良性，悪性を区別する．臨床，病理組織診断上は良性か悪性かが重要であるが，その区別が難しい例もあり，また良性・悪性の中間に位置すると考えられるような疾患もある．以下，上皮系，間葉系，メラノサイト系，神経系に分けて，また，真の腫瘍ではない嚢腫を含めて記載した．

Ⅰ．上皮系腫瘍

皮膚における上皮は，表皮と付属器とから成る．後者には，毛包，脂腺，アポクリン汗腺，エクリン汗腺がある．それぞれに良性，悪性のカウンターパートがある．

1 良性表皮系腫瘍

1. 脂漏性角化症 seborrheic keratosis，老人性疣贅 verruca senilis ◎

高齢者に多い良性腫瘍の代表．黒褐色調を呈するので，悪性黒色腫，基底細胞癌などの悪性腫瘍との鑑別が重要．

症状（図 24-1～3）

中年以降，顔，頭，体幹に多発してくる丘疹，扁平隆起性局面，小結節で，半米粒大から豌豆大，拇指頭大，時に鶏卵大まで，正常皮膚色～淡褐色～褐色～黒褐色と種々の色調を呈し，表面は平滑または疣状．自覚症状なし．初期病変は老人性色素斑と区別できないことも多く，しばしば混在．手掌足底には生じない．

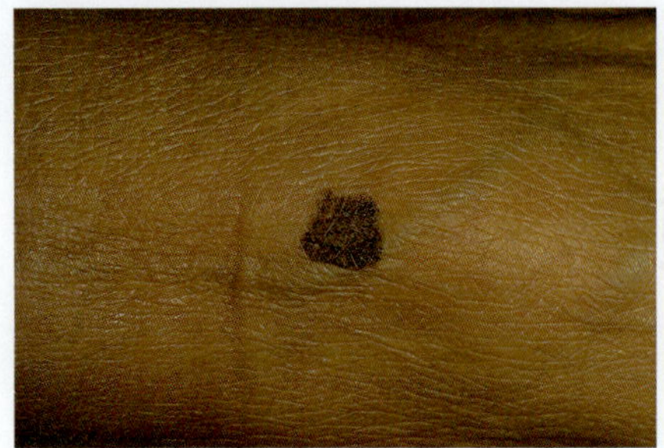

図 24-1　脂漏性角化症

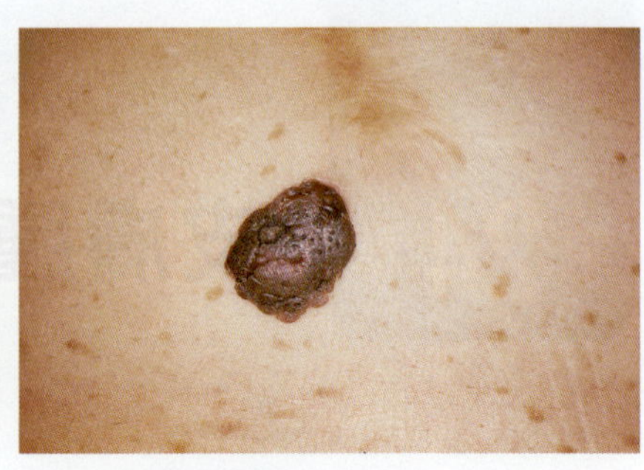

図 24-2　脂漏性角化症

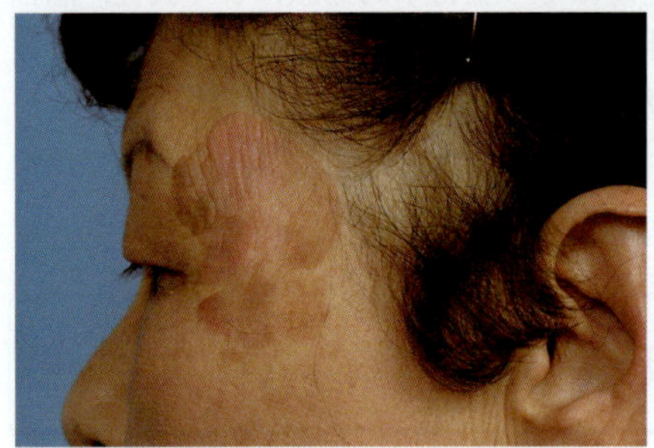

図 24-3　脂漏性角化症

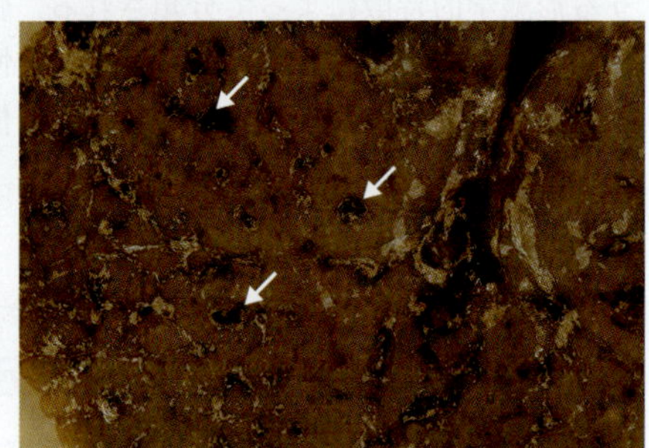

図 24-4　脂漏性角化症のダーモスコピー（comedo-like openings）

ダーモスコピー（図 24-4）

面皰様開口（comedo-like openings），稗粒腫様嚢腫（milia-like cyst，多発するのが特徴），指紋様構造（fingerprint-like structures，初期病変にみる），脳回転様外観（brain-like appearance，fissure and ridges），白暈を伴うヘアピン血管（hairpin vessels with white halo）．

組織所見（図 24-5〜10）

同一疾患とは思えぬほど種々の組織像を呈する．基底細胞増殖型が多いがさらに有棘細胞増殖型，角質増殖型，あるいはこれらの混合から成り，これにまた種々の程度に色素細胞が増加し，かつメラニン顆粒の転送障害のためメラニン色素が充満した色素細胞をみる．肥厚型（acanthotic），角化型（keratotic），網状型（retiform）または腺様型（adenoid），クローン型（clonal），被刺激型（irritated）とに大別し，さらに鋸歯状型などを分けることもできる．被刺激型では真皮上層にリンパ球主体の炎症細胞浸潤が顕著で，表皮有棘細胞に異型や分裂像をみることも多い．なお，被刺激型と同様の組織像を示す inverted follicular keratosis（Helwig 1955）と，

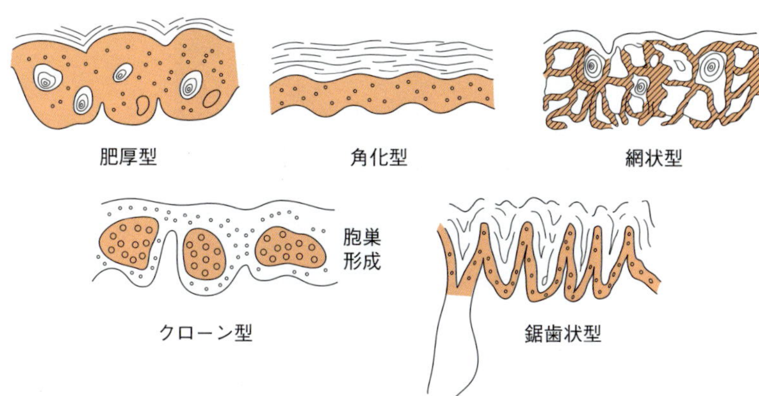

図 24-5　脂漏性角化症の組織学的分類

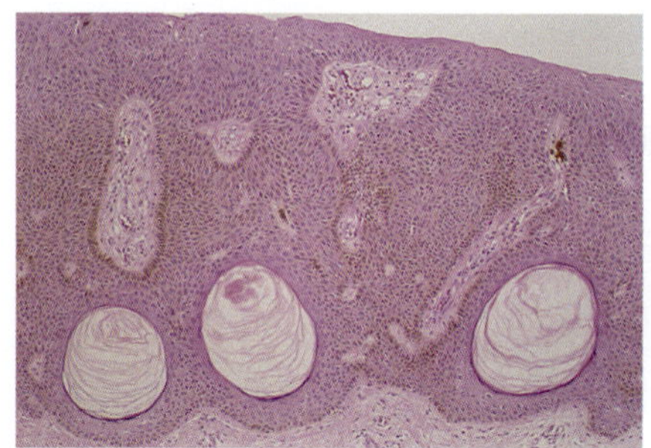
図 24-6　脂漏性角化症（肥厚型）

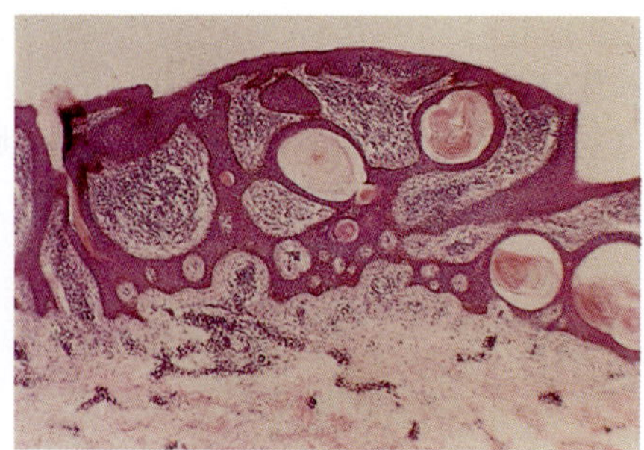
図 24-7　脂漏性角化症（網状型）

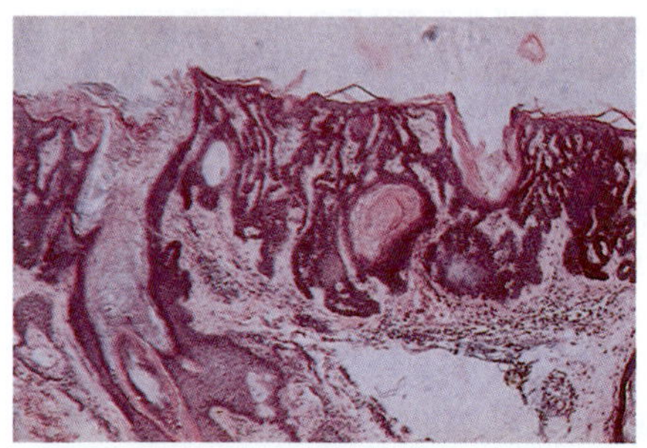
図 24-8　脂漏性角化症（腺様型）

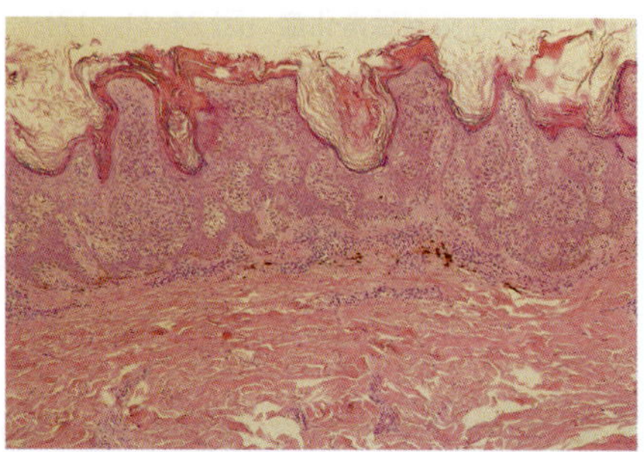
図 24-9　脂漏性角化症（クローン型）

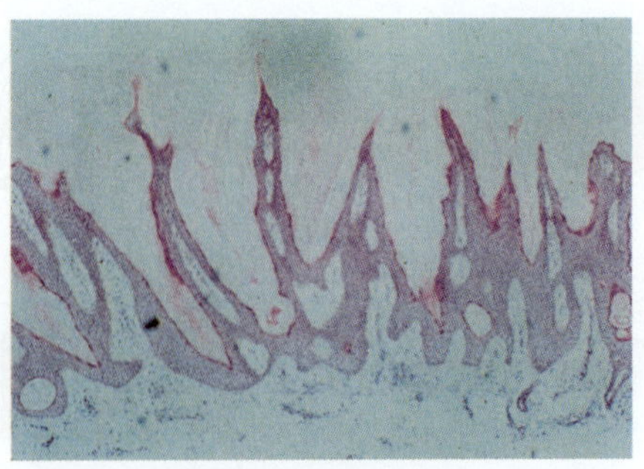

図 24-10　脂漏性角化症（鋸歯状型）

poroma folliculare（Duperrat 1963）とは毛包漏斗部の脂漏性角化症の一型と考えられている．

鑑別診断

①日光角化症，②ボーエン病（丘疹型），③基底細胞癌，④有棘細胞癌，⑤悪性黒色腫，⑥ケラトアカントーマ，⑦毛孔腫，⑧汗管腫，⑨青年性扁平疣贅，⑩尋常性疣贅，⑪黒子，⑫老人性色素斑など．

予後

良好．加齢とともに増加．

治療

冷凍療法，レーザー療法，必要に応じ切除．

〔付〕**色素性脂漏性角化症**（図 24-11，12），**ブロッホ良性非母斑性黒色上皮腫第Ⅱ型**（Bloch 1927），**melanoacanthoma**（Mishima and Pinkus 1960）：黒いボタンを皮表に置いたような広基性腫瘍で，時にわずかに基部でくびれ，表面にひび割れした餅のような裂け目・胡麻粒様黒点を有する．基底細胞型細胞の網状増殖で，メラニン沈着が強い．脂漏性角化症の一型とされる．なおブロッホのⅠ型は基底細胞様細胞（異型性あり），有棘細胞塊，メラノサイトの三者から成るが，毛孔腫に近いものと考えられる．

2. レーザー・トレラ徴候 Leser-Trélat sign（図 24-13）　○

数ヵ月のうちに脂漏性角化症が急速に多発，かつ皮膚瘙痒症を伴うもので，内臓悪性腫瘍，胃癌などの腺癌の合併率が高い．黒色表皮腫との合併も少なくない．癌の切除後に脂漏性角化症が消褪することも稀ではない．

図 24-11　色素性脂漏性角化症

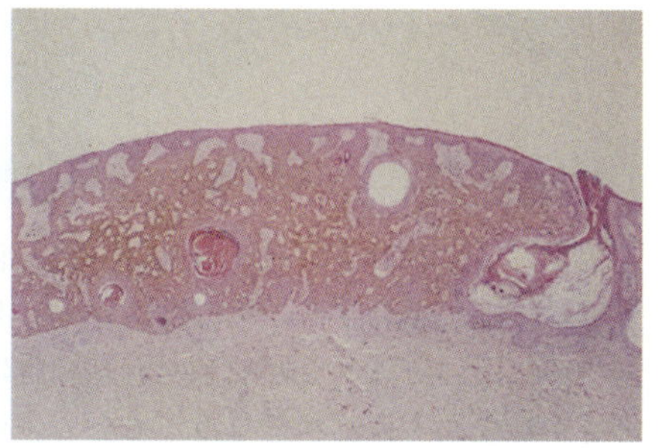
図 24-12　色素性脂漏性角化症

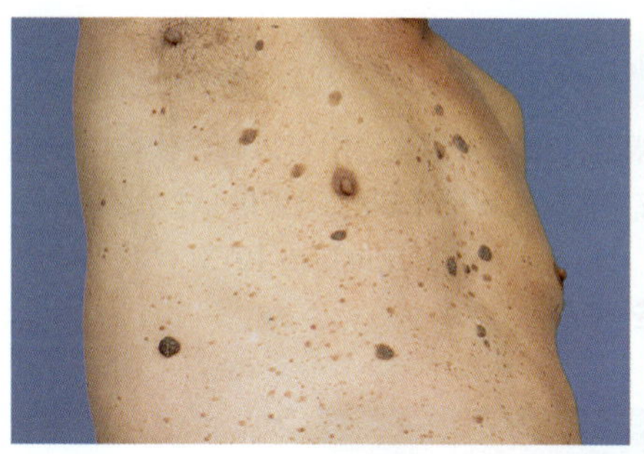
図 24-13　レーザー・トレラ症候群

図 24-14　線状脂漏性角化症

〔付〕**線状脂漏性角化症** linear seborrheic keratosis（Heng 1988）（図 24-14）：体幹，特に背部に列序性線状に並ぶ．急速に発生し，個疹は細長く，あたかも飛沫が壁を垂れ下がるように下方の隆起が強い．消化器系腺癌や悪性リンパ腫の併発が多い．

3. 漆喰(しっくい)状角化症 stucco keratosis（Kocsard and Ofner 1958）

踵，アキレス腱部，時に足背，前腕の乾皮症様の皮膚に生じる 3〜10 mm 径の灰白色角化性丘疹で，鱗屑は擦ると脱落し（出血しない），辺縁に襟飾り状の鱗屑を残す．組織学的に church spire 様角化．

4. 黒色丘疹状皮膚症 dermatosis papulosa nigra（Castellani 1925）

黒人の顔面（頰・耳前部）にみられる（成人の 30%）粟粒大の黒色小丘疹．組織像はメラニン沈着の著明な網状型脂漏性角化症．稀に日本人例．

逆に白色の dermatosis papulosa alba（向井 1983）もあり，これは体幹，上肢に多く，人種差はない．

5. 澄明細胞性棘細胞腫 clear cell acanthoma (Degos 1962), pale cell acanthoma

円形，扁平にわずかに隆起した，淡紅色ないし褐色の小結節で，直径2cm以下，多くは下腿に単発する．脂漏性角化症，あるいは血管拡張性肉芽腫類似の臨床像を呈する．円形で透明な増殖した有棘細胞はグリコーゲンを多量に含み表皮，真皮内に好中球浸潤・海綿状態をみることも多い．真皮に毛細血管拡張あり．表皮由来の良性腫瘍と思われるが，炎症後偽腫瘍説もある．

6. 表皮融解性棘細胞腫 epidermolytic acanthoma（図24-15）

扁平隆起性ないし疣贅状丘疹で常色～褐色，ほぼ米粒大，中年以降の体幹に好発．単発（isolated epidermolytic acanthoma, Shapiro and Baraf 1970）または多発（disseminated epidermolytic acanthoma, Hirone and Fukushiro 1973）．表皮は肥厚し乳頭腫状に増殖し，顕著な顆粒変性を示す．

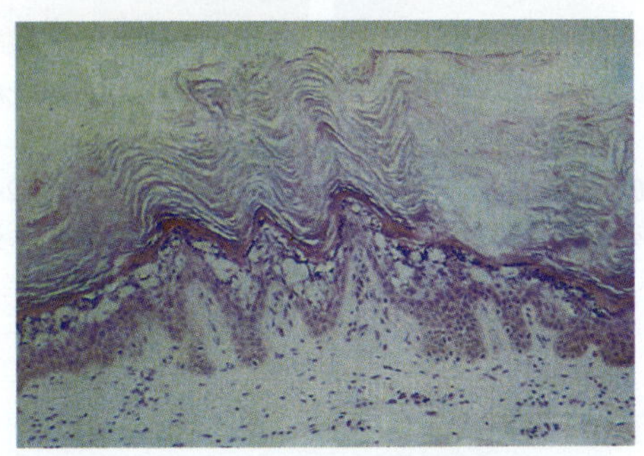

図24-15 表皮融解性棘細胞腫（顆粒変性）

7. 疣贅状異常角化腫 warty dyskeratoma (Szymanski 1956), isolated dyskeratosis follicularis (Graham and Helwig 1958)

顔面・頭部に単発する粟粒大～大豆大の，疣状，中央陥凹性の小結節．毛包由来の腫瘍との考えが強い（ただし口腔粘膜・爪下にも発生する）．病変中央の表皮が陥入し（cup-shaped invagination），不全角化角栓が充満する．陥凹表皮は分葉状に増殖．有棘細胞層には棘融解性裂隙，異常角化細胞（円形体，顆粒）が存在し，裂隙を介して基底細胞層が絨毛状に連なる．デスモソームが減少，消失，トノフィラメントが増加，凝集する．

8. 表皮嚢腫 epidermal cyst, epidermoid cyst, 粉瘤 atheroma（図 24-16，17）○

嚢腫の中で最も頻度が高い．嚢腫壁は重層扁平上皮から成り，内容物は角質である．感染を起こすと，異物反応を伴った炎症をきたし，膿瘍化する（炎症性粉瘤）．

症状

豌豆～鶏卵大，半球状に隆起し，皮膚と癒着，下床とは可動性の，弾性硬の皮内腫瘤．大きいときは波動を呈する．しばしば中央部に面疱様の毛嚢性陥凹を伴う．小切開を加えて圧迫すると悪臭ある粥状内容が排出される．化膿性炎症や異物反応をきたす（炎症性表皮嚢腫 inflammatory epidermal cyst）（図 24-18）．多くは毛包漏斗部の嚢腫である．稀に全身に多発することがある．時に，陰嚢に多発性表皮嚢腫症を生じる．

組織所見（図 24-19）

上皮性嚢腫で角質物質を内包する．しばしば周囲に異物反応．

治療

切除．くり抜き．

〔付 1〕**鰓性嚢腫** branchial cyst：耳前部から頸部に生じる粉瘤様の嚢腫．下床との可動性が

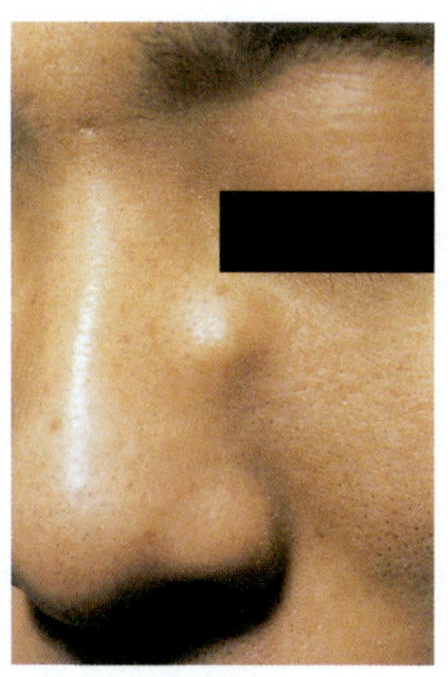

図 24-16　表皮嚢腫

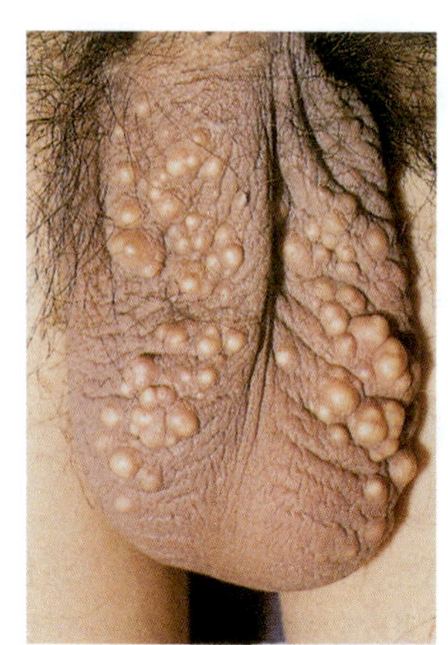

図 24-17　表皮嚢腫

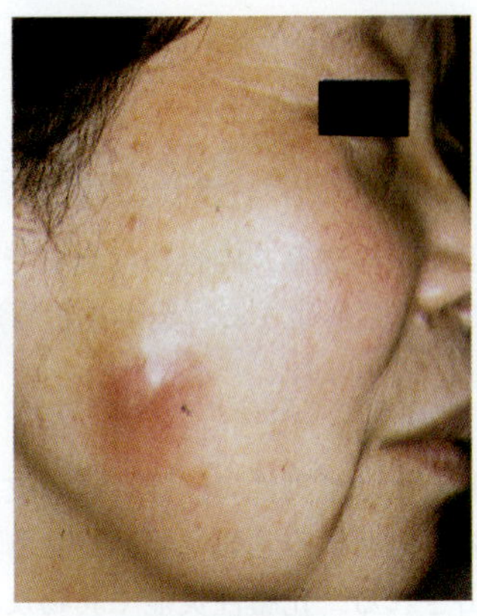
図 24-18　炎症性表皮嚢腫

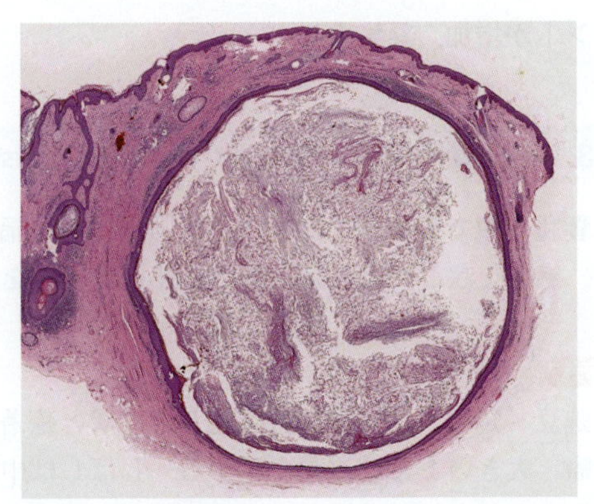
図 24-19　表皮嚢腫
（梅林芳弘博士提供）

悪く，あるいは索状物を触れる．先天性耳前部嚢腫（鰓弓癒合不全），側頸嚢腫（第 1～5 鰓裂遺残），正中頸嚢腫（甲状舌管遺残）の 3 種がある．鰓性嚢腫，気管支原性嚢腫，皮膚線毛嚢腫は表皮由来とはいえないが，表皮嚢腫との鑑別診断上，ここに挙げた．

〔付 2〕**気管支原性嚢腫** bronchogenic cyst：稀．鎖骨内側縁近くの皮内～皮下の小型嚢腫．生後間もなく発見されることが多い．嚢腫壁は線毛扁平上皮に覆われる．表皮嚢腫との鑑別が必要．

〔付 3〕**皮膚線毛嚢腫** cutaneous ciliated cyst（Farmer and Helwig 1978）：20～30 代女性の下肢に生じる径 2～3 cm の腫瘤で，Müller 管の胎生期迷入と考えられ．1 層の線毛円柱上皮より成る嚢腫．エストロゲン受容体，プロゲステロン受容体，WT-1（Wilms' tumor gene-1）抗原に陽性所見あり．

9. 外傷性封入嚢腫 traumatic inclusion cyst

外傷により表皮の一部が真皮内に入り込み，嚢腫を形成したもので，臨床的には表皮嚢腫に似る．石工，鍛冶屋などの手掌足底あるいは膝蓋に多い．ヒト乳頭腫ウイルス感染が発症に関与するものがある．治療は切除．

10. 稗粒腫（はいりゅうしゅ） milium

病因

①原発性：軟毛の漏斗部の母斑性過誤腫，②続発性：破壊された汗管，毛包，脂腺導管，表皮の嚢腫状増殖．

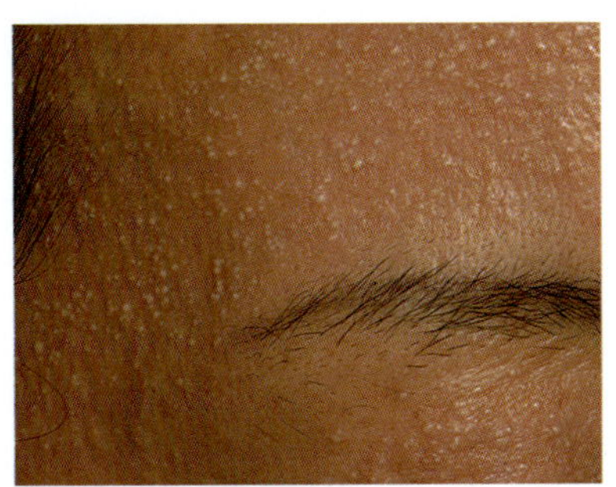

図 24-20　稗粒腫（多発型）

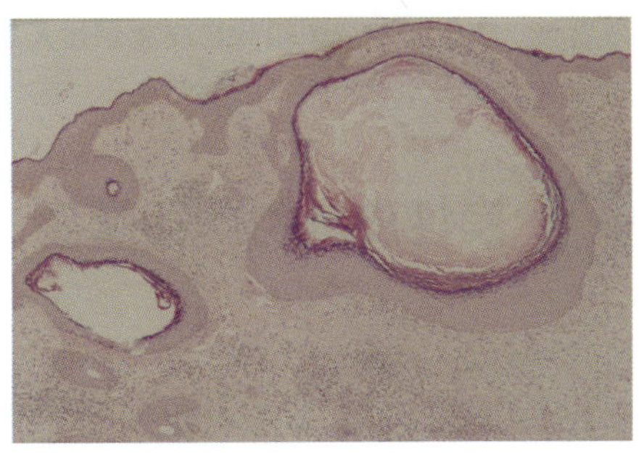
図 24-21　稗粒腫（組織像）

症状（図 24-20）

帽針頭大～粟粒大の白～黄白色の硬い小丘疹で，眼瞼部，次いで頬，前額，陰茎，陰嚢，陰唇に多発（原発性）．この他に類天疱瘡，先天性表皮水疱症，晩発性皮膚ポルフィリン症，硬化性萎縮性苔癬，熱傷瘢痕，皮膚結核瘢痕，植皮部，皮膚削り術部，X 線皮膚などに続発，のち自然退縮するものもある（続発性）．

組織所見（図 24-21）

表皮直下の上皮性嚢腫．

治療

小尖刃刀で小孔を開け，内容を圧出．

11．膠様稗粒腫 colloid milium

膠様物質（コロイド）の沈着により，一見稗粒腫に似た円形～多角形の蠟様光沢を有する褐色丘疹が多発する．代謝性変成物質の沈着症で真の腫瘍ではない．

1）成人型：成人の日光照射部，特に眼囲，手背，頸部，耳に好発する．表皮直下に裂け目の入ったコロイド物質が沈着する．コロイドの由来は，変性した弾性線維とも考えられている．

2）若年型：稀に思春期前の若年者に家族性に発症することがある．コロイド小体は表皮にみられ，ケラチノサイトの変性に関連すると考えられている．

12．皮下皮様嚢腫 subcutaneous dermoid cyst

眼囲，特に上眼瞼外側に好発する下床と可動性の少ない深在性（しばしば筋層内）

の嚢腫．胎生期顔裂閉鎖時に皮膚が迷入して生じる奇形腫で，壁は付属器を含む皮膚全層より成り，腔内に毛髪をみる．歯，骨組織はない．

2　良性皮膚付属器腫瘍

毛包，脂腺，汗器官への分化を示す良性腫瘍であるが，分化の方向性が多様性に富むので，その診断，分類は必ずしも容易ではない．既述の母斑（22章）の一部を含めてLeverの教本（第11版，2014）は良性皮膚付属器腫瘍を表24-1のように分けている．

（A）良性毛包系腫瘍

1. 毛孔拡大腫 dilated pore (Winer 1954)

成人男性顔面・胸部に単発し，巨大黒色面皰を形成．毛漏斗部が広く開口し，深部で肥厚した表皮が嚢腫状に広がる．毛包漏斗部に分化する外毛根鞘性良性腫瘍．

2. 毛鞘棘細胞腫 pilar sheath acanthoma (Mehregan and Brownstein 1978)

中年以降の顔面，特に上口唇に好発する径0.5〜1 cmの中央陥凹した小結節．陥凹部には角化と表皮肥厚あり，深部の嚢腫壁より分葉化した腫瘍塊が周囲に放射状に突起する．漏斗部腫瘍であるが，一部毛包全構造への分化を示す．

3. 毛包腫 trichofolliculoma (Miescher 1944)（図24-22，23）

顔面（鼻，頬）に単発する半球状，正常皮膚色の小結節で，しばしば中央が凹んで未熟な白い毛が生えている．組織学的に未熟な毛包構造が塊状・房状に集塊を成し，中央嚢腫構造あり，未熟な毛を容れる．毛包母斑と毛包上皮腫との中間に位置する毛包性奇形腫の性格を有する良性腫瘍．切除，電気焼灼，経過観察．

4. sebaceous trichofolliculoma (Plewig 1980)

脂腺増生を伴った毛包腫の一型．中央嚢状毛包より放射状に成熟脂腺．鼻部に好

表 24-1　皮膚付属器腫瘍の分類（Ahmed ら，2014）

	毛包分化	脂腺分化	アポクリン分化	エクリン分化
増生・過誤腫	毛包母斑 毛孔開大腫 Generalized hair follicle hamartoma Basaloid follicular hamartoma	脂腺母斑 脂腺増生症	アポクリン母斑	エクリン母斑
良性腫瘍	毛包腫 毛鞘棘細胞腫 線維毛包腫 毛盤腫 毛包上皮腫 毛芽腫 毛包腺腫 毛母腫 外毛根鞘腫 毛包漏斗腫 外毛根性皮角 増殖性外毛根性嚢腫	脂腺腺腫 脂腺腫	アポクリン汗嚢腫 乳頭状汗腺腫 乳頭状汗管嚢胞腺腫 管状アポクリン腺腫 Erosive adenomatosis of the nipple アポクリン円柱腫	エクリン汗嚢腫 汗管腫 エクリン円柱腫 エクリン汗孔腫 エクリン汗管線維腺腫 Mucinous syringometaplasia エクリンらせん腫 乳頭状エクリン腺腫 結節性汗腺腫 軟骨様汗管腫
悪性腫瘍	毛母癌 悪性増殖性外毛根鞘性嚢腫 外毛根鞘癌 毛芽細胞癌	脂腺癌	悪性アポクリン円柱腫	汗孔癌 悪性エクリンらせん腫 悪性結節性汗腺腫 悪性軟骨様汗管腫 エクリン腺癌 Microcystic adnexal carcinoma Aggressive digital papillary adenocarcinoma 皮膚腺様嚢胞癌 粘液エクリン癌 汗管様エクリン癌 悪性エクリン円柱腫

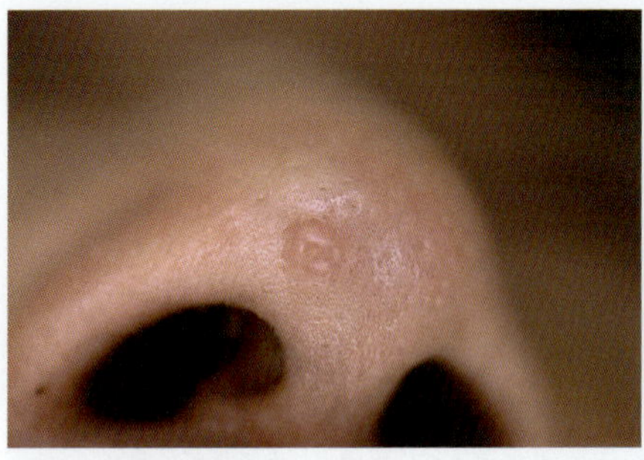

図 24-22　毛包腫

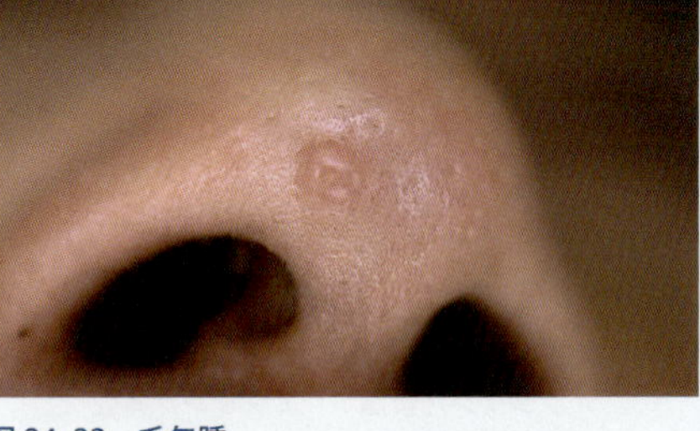

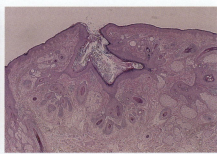

図 24-23　毛包腫

発.

5. folliculosebaceous cystic hamartoma（Kimura 1991）, sebaceous folliculoma（木村 1990）

脂腺増殖が著明な嚢腫様構造．sebaceous trichofolliculoma よりも間質増生に富む．

6. 毛包周囲線維腫 perifollicular fibroma（Zackheim 1960）

径 2〜4 mm，半球状，正常色の軟かい丘疹で，中年女性の顔面（鼻周囲）に多い．単発，または多発．毛包結合織線維鞘の増殖．稀．

7. 線維毛包腫 fibrofolliculoma（Birt, Hogg and Dubé 1977）

外毛根鞘と毛包周囲線維鞘の増殖．漏斗部から外毛根鞘が索状に伸びて吻合し，微細な膠原線維から成る結合組織が取り囲む．2〜4 mm の黄白色，白色丘疹が頭部，顔面，頸部に好発する．非遺伝性の単発限局例もあるが，多くは多発性で常染色体優性遺伝性，trichodiscoma やアクロコルドンを合併する（Birt-Hogg-Dubé 症候群 ☞ p.588）．

8. 毛盤腫 trichodiscoma（Pinkus 1974）

毛盤結合織の過誤腫性増殖．顔面に 1〜5 mm の小丘疹が多発，稀に単発．

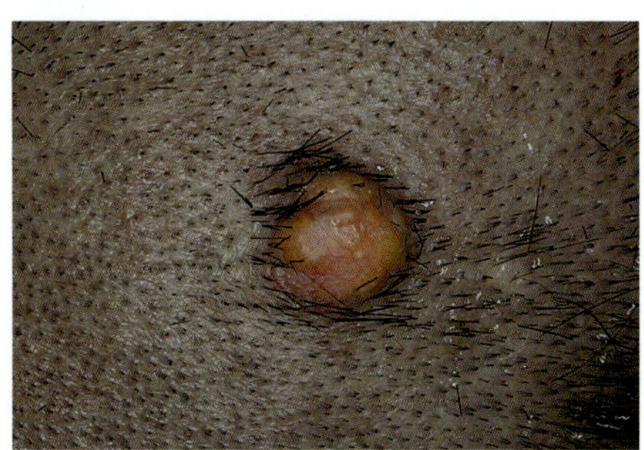

図 24-24　毛芽腫

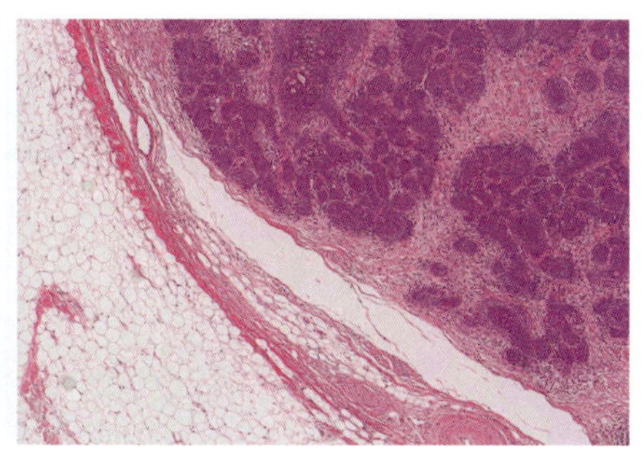

図 24-25　毛芽腫（上皮と間質が一体となった腫瘍病変．さらに周囲結合織との間に裂隙を形成する）
（梅林芳弘博士提供）

24章

9．毛包腺腫 trichoadenoma (Nikolowski 1958)

顔面，臀部に単発する半球状丘疹．漏斗部分化を示す多数の角質嚢腫と間質の増殖．毛包腫と毛包上皮腫との中間の分化を示す．稀．

10．毛芽腫 trichoblastoma (Headington 1976)（図 24-24，25）

顔面・頭部に好発する単発の半球状結節ないし皮下結節．毛包毛芽（hair germ）から発生すると考えられており，毛芽細胞類似の細胞が篩状，鹿角状，あるいは大小の充実性胞巣を形成して増殖する．組織像が基底細胞癌と類似する．毛芽腫は左右対称性のシルエット，瘢痕性毛乳頭の存在，fibroepithelial unit（腫瘍巣周囲に膠原線維が密着し，その外側に裂隙形成）などを呈することから鑑別する．

11．毛包上皮腫 trichoepithelioma

単発型と多発型がある．

1）**単発性毛包上皮腫** solitary trichoepithelioma：小児，若年成人に発し顔に多く，頭，体幹，四肢にも生じる．多発型より高頻度．遺伝性ではない．径数 cm にも及ぶ巨大型が中年以降大腿や肛門周囲に出現することがある．角質嚢腫が顕著で，時に不完全毛乳頭をみる．

2）**多発性丘疹状毛包上皮腫** trichoepithelioma papulosum multiplex（図 24-26）○

粟粒～豌豆大，半球状の，時に透過性にみえる硬い丘疹で，顔面正中部（鼻根・眼瞼内側・鼻唇溝・口囲）に対称性に多発，その他，被髪頭部，項頸部，体幹にも

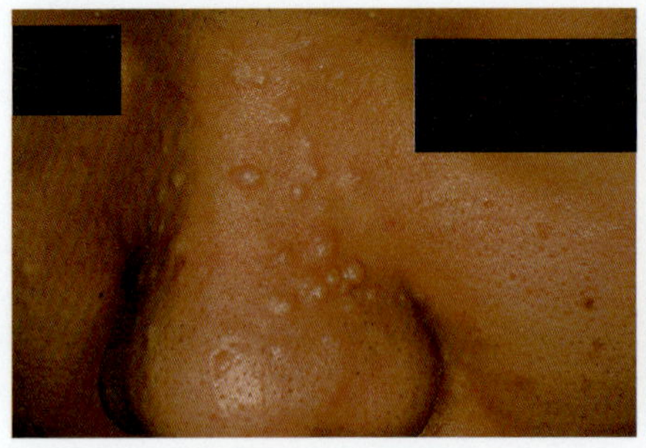

図 24-26　多発性丘疹状毛包上皮腫

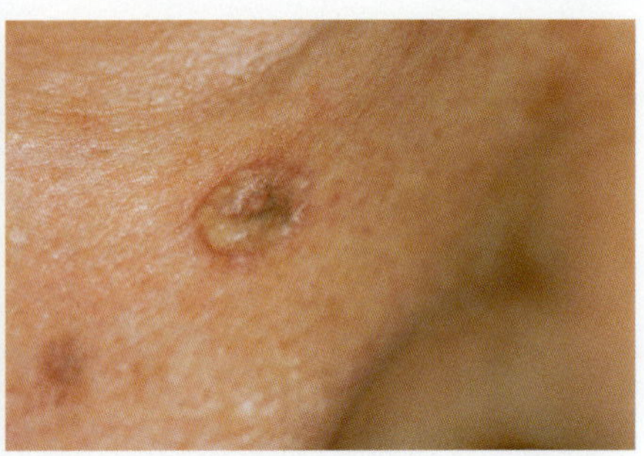

図 24-27　線維硬化性毛包上皮腫

生じる．稀に潰瘍化．思春期に初発し徐々に増数，女性にやや多い．毛包上皮腫，円柱腫，ラセン腫などを多発，併発する常染色体優性遺伝性の家族内発生例があり．癌抑制機能を有する遺伝子 *CYLD* の変異が報告されている（Brooke-Spiegler 症候群）．

組織所見

角質嚢腫とともに基底細胞腫様細胞から成る腫瘍塊が集族．腫瘍塊が主体を成して基底細胞癌そのものにみえるものから，分化が進んで角質嚢腫が多く，不完全ながら毛乳頭の形成のみられるものまである．時に周囲に異物反応や石灰沈着．

12. 線維硬化性毛包上皮腫 desmoplastic trichoepithelioma（Brownstein and Shapiro 1977）（図 24-27）

中央がわずかに陥凹し，辺縁が堤防状に隆起し，稗粒腫様白色小丘疹が環状に配列する．直径 5〜10 mm の硬い扁平腫瘍．40 歳以下，女性に多く，ほとんどが顔面（正中部）に発する．真皮に大小の多数の角質嚢腫，基底細胞様細胞の索状配列，結合組織の増生をみる．

13. 毛包漏斗腫 tumor of follicular infundibulum（Mehregan and Buttler 1961）

中高年の顔面に生じる半球状，直径 2〜15 mm の角化性丘疹で，通常単発，平坦な脂漏性角化症や基底細胞癌に似る．表皮と連続してグリコーゲンを有する空胞状細胞が柵状ないしプレート状に増殖，これを基底細胞様細胞が取り囲む．漏斗部良性腫瘍であるが外毛根鞘腫と区別し難いこともある．

14. 毛孔腫 poroma folliculare（Duperrat and Mascaro 1963），反転性毛包角化症 inverted follicular keratosis（Helwig 1954）（図 24-28〜30）○

毛包漏斗部の良性腫瘍．Lever の教本では，被刺激性脂漏性角化症と同義としている．疣贅状・乳頭腫状の小腫瘍で，多くは単発し，剛毛部すなわち顔面・頭部に好発．男性高齢者に多い．

乳頭腫で中心に角栓が著明．基底細胞様細胞（basaloid cell）と有棘細胞様細胞（squamoid cell）が増殖，主として前者の中に大小の玉葱輪切り状の好酸性の有棘細胞巣（渦形成：squamous eddies）が散在．日本人では色素伝達障害性メラノサイトの共存が多い．

予後良好，治療は切除．

15. 外毛根鞘腫 trichilemmoma（Headington and French 1962），tricholemmoma

顔面に好発する 1 cm くらいまでの常色〜淡褐色小結節で，時に疣贅様．表皮ま

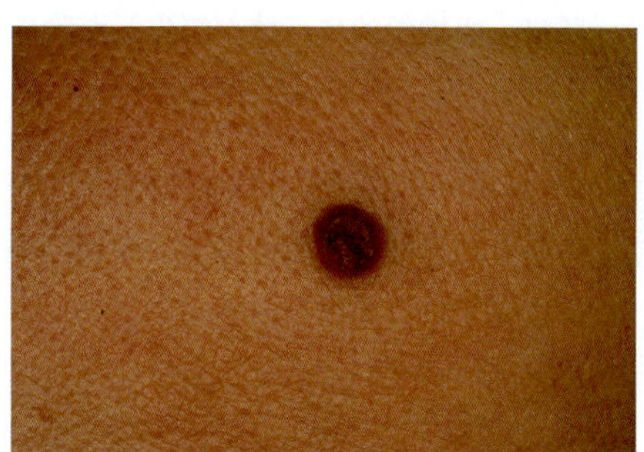

図 24-28　毛孔腫

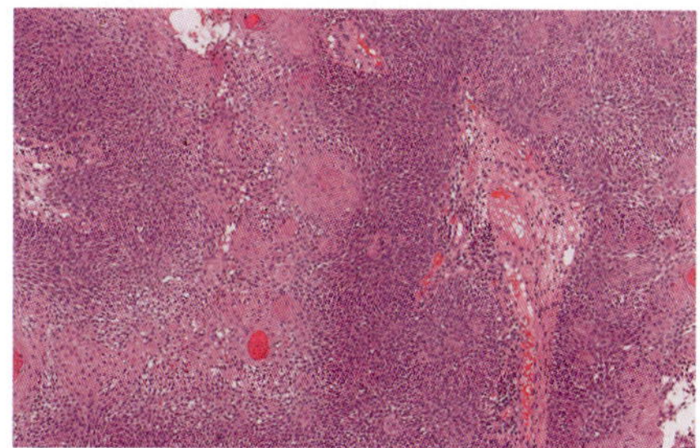

図 24-29　毛孔腫（組織）
（梅林芳弘博士提供）

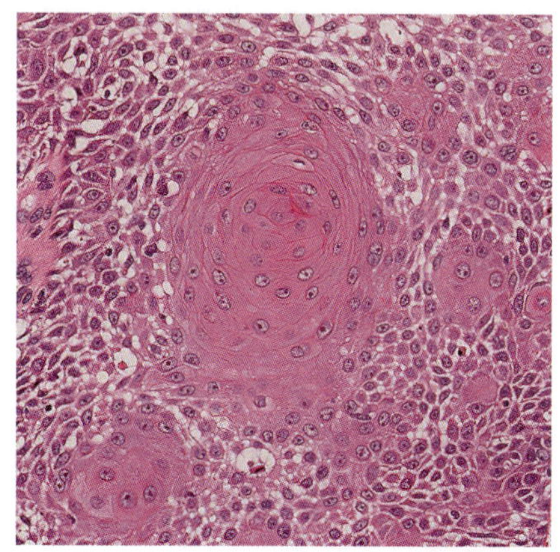

図 24-30　毛孔腫（squamous eddies）
（梅林芳弘博士提供）

たは毛包に連絡する房状または層状の増殖で，外層は基底細胞様細胞が柵形成を示し，中央はグリコーゲンに富んだ澄明細胞と中間型細胞より成る．この他にintermediate type（グリコーゲンを有し，わずかに明るい中間型細胞が主体）が考えられている．多発型はCowden病（☞ p.587）の一症状で顔・口部に生じ，乳癌合併率が高い．

16. 外毛根鞘性角化症 trichilemmal keratosis

四肢・背部に好発する角化性結節．多柱状の有棘細胞がU字形に増殖し，内腔に角質塊を入れる．角質に接する有棘細胞はグリコーゲン豊富な澄明細胞より成り，外毛根鞘性角化を示す．皮角の臨床像を示すものを外毛根鞘性皮角（trichilemmal horn）と呼ぶ．

17. 毛母腫 pilomatricoma (Forbis and Helwig 1961), 石灰化上皮腫 calcifying epithelioma ○

若年者の顔面，頸部，上肢に好発する硬い腫瘍．組織学的に，核が消失した陰影細胞（shadow cell）が特徴的．

病因

毛根起原性．ほとんどの症例に*CTNNB1*遺伝子に体細胞変異をみる．同遺伝子はβ-カテニン（細胞間接着や情報伝達）やWntシグナル系（細胞増殖や分裂）に作用して腫瘍化すると推測されている．

症状（図24-31）

皮内に硬く触れる指頭大までの腫瘍で，20歳以下の若年者に好発し，やや女性に多い．上肢，顔面，頸部に好発，単発性．被覆表皮は正常，時に腫瘍上部に水疱を形成（anetodermic variant）あるいは皮高より隆起する．遺伝なし（頭部多発例は遺伝性で筋緊張性ジストロフィーと合併することが多い．逆に筋緊張性ジストロフィーの皮膚病変として早期前頭脱毛，毛母腫，脳回転状皮膚などがある）．Gardner症候群（☞ p.585）やRubinstein-Taybi症候群（☞ p.588）でも毛母腫を併発することがある．

組織所見（図24-32）

濃染する**好塩基性細胞（basophilic cell）**と，淡紅色，核が消失して明るく抜け

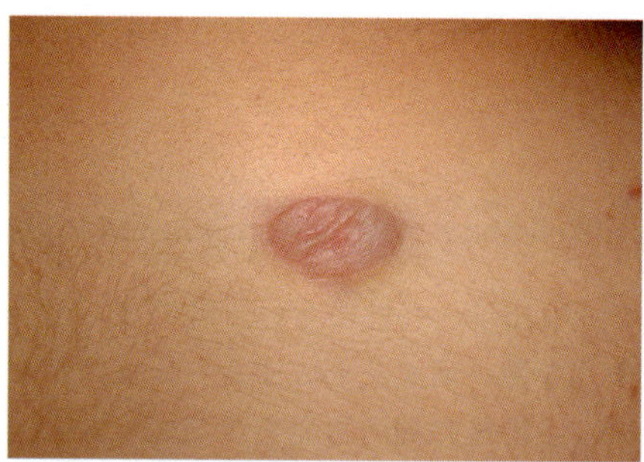

図 24-31　毛母腫（水疱を形成）

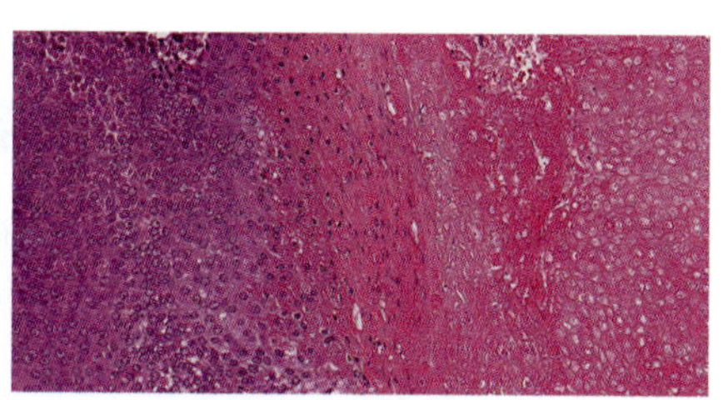

図 24-32　毛母腫〔好塩基細胞（左）から陰影細胞（右）に移行する像〕（梅林芳弘博士提供）

てみえる**陰影細胞**（shadow cell）から成り，両者間に移行像があり〔移行細胞(transitional cell)〕，しばしば石灰沈着を伴う．前者は毛母細胞由来，後者は毛皮質と考えられる（毛母腫）．古いほど前者が減り後者が増える．周囲に結合組織の増殖があり，異物反応を伴うことも多い．石灰沈着は真皮中にもみられる．陰影細胞や結合組織中に骨化（ossification）をみることもある．時に表皮嚢腫と共存する．稀に悪性毛母腫．毛母腫が悪性化することもあるが，初めから悪性として発することが多い．

18. 外毛根鞘嚢腫 trichilemmal cyst, pilar cyst (Pinkus 1969)（図 24-33，34）○

主として頭部にみられる嚢腫で，中年女性に多い．表皮嚢腫と臨床的に区別しがたい．欧米では 70%が多発するが，日本では多発例は少ない．壁細胞は細胞間橋に乏しく，基底部では柵形成がみられ，腔側の細胞は大きく膨らんで明るく，顆粒層を欠く（trichilemmal keratinization）．1/4 に石灰沈着．多発性のものは常染色

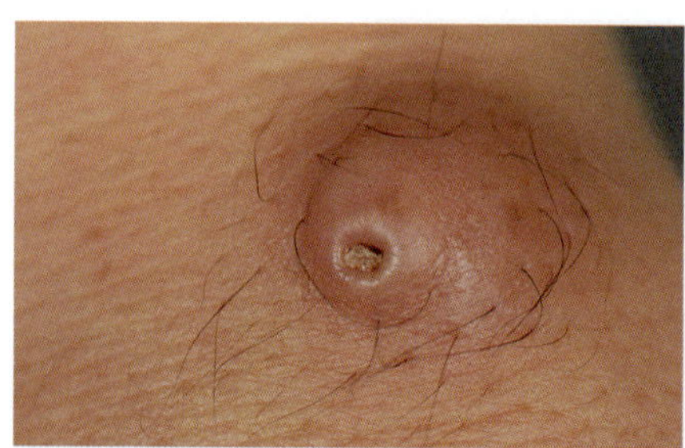

図 24-33　外毛根鞘嚢腫

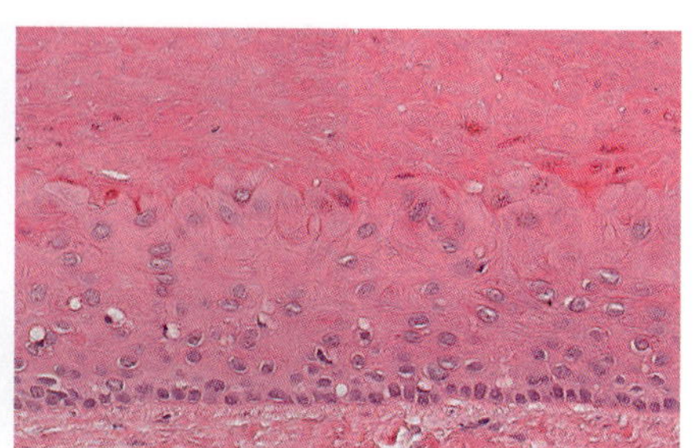

図 24-34　外毛根鞘嚢腫（外毛根鞘角化）（梅林芳弘博士提供）

体優性遺伝〔*PLCD-1*（phospholipase C delta 1）遺伝子の2ヒットで発症すると報告されている〕.

19. 増殖性外毛根鞘嚢腫 proliferating trichilemmal cyst（Wilson-Jones 1966）

頭部（90%）に生じる1～10 cmの腫瘍で，中高年，女性に多い．時にびらん，潰瘍化．真皮から皮下，時には骨に達するような深い病巣を形成する．転移例がしばしば報告されるが，生命的予後は悪くない．手術後の局所再発も少ない．外毛根嚢腫が増殖して生じると考えられている．有棘細胞癌様に角化細胞が真皮内で胞巣を形成して増殖するが，胞巣の境界は明瞭で浸潤する傾向は少ない．嚢腫状である場合も，そうでない場合もある．

20. 多発性脂腺嚢腫 sebocystomatosis, steatocystoma multiplex, 多発性毛包嚢腫（multiple follicular cysts）

症状（図24-35）

青年男子に好発し，豌豆大までの半球状に隆起した硬い健常色ないし黄白色の腫瘍で，集簇性に多発，前胸正中部，腋窩，上肢，頸項部に好発する．

組織所見

数層の扁平な上皮細胞から成る褶曲した壁の嚢腫でその内面の角層細胞は鋸歯状に突出する．嚢腫壁の外側に扁平化した脂腺小葉がみられる．一方腔内に角質物質を有し，壁が顆粒層を伴う角化を示すものもある．

図24-35　多発性脂腺嚢腫

本態

漏斗部深部の脂腺開口部の囊腫．常染色体性優性遺伝（*K17*遺伝子変異），単発は非遺伝性（steatocystoma simplex）．

治療

摘出，炭酸ガスレーザー．

21. 発疹性毳毛（ぜいもう）囊腫 eruptive vellus hair cysts（Esterly 1977）

前胸，四肢に正常～淡褐色小丘疹（直径1～4 mm）が散在ないし集簇．軟毛性毛包性囊腫で多数の軟毛，角質を容れ，脂腺構造を欠く．自然退縮することあり（経表皮性排除，肉芽反応など）．若年者に多く，常染色体性優性の遺伝例もある．毛包漏斗部の囊腫．

22. hybrid cyst

McGarvan（1966）は外毛根鞘囊腫にケラトヒアリン顆粒の存在する角化部分があり，これを hybrid cyst と称した（毛包角化にケラトヒアリン顆粒を含む部分もあるのでこの見解は必ずしも支持されない）．Brownstein（1983）は囊腫壁に表皮性ないし漏斗部の角化と外毛根鞘性角化が混在するもの（infundibular and trichilemmal cyst）と考え，現在，多くはこれに従って hybrid cyst が理解されている．

(B) 良性脂腺系腫瘍

1. フォアダイス状態 Fordyce's condition（図 24-36）

口唇・頰粘膜・包皮大小陰唇に半米粒大までの黄色小丘疹が多発集簇．独立脂腺の増殖．このような ectopic sebaceous glands は他に，稀ながら食道，子宮，掌蹠，耳下腺，顎下腺にも生じる．

2. 脂腺増殖症 sebaceous hyperplasia，老人性脂腺増殖症 senile sebaceous hyperplasia（図 24-37）

中年以降，主として前額，頰（稀に頭皮部，側頸，前胸部）に生じる米粒大～小豆大のやや黄色調を示す小さい中心臍窩を有する扁平丘疹，時に中央より皮脂排出．

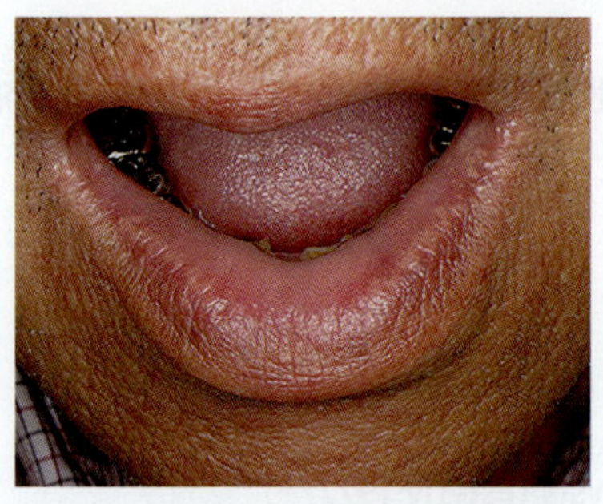
図 24-36　フォアダイス状態（下口唇）

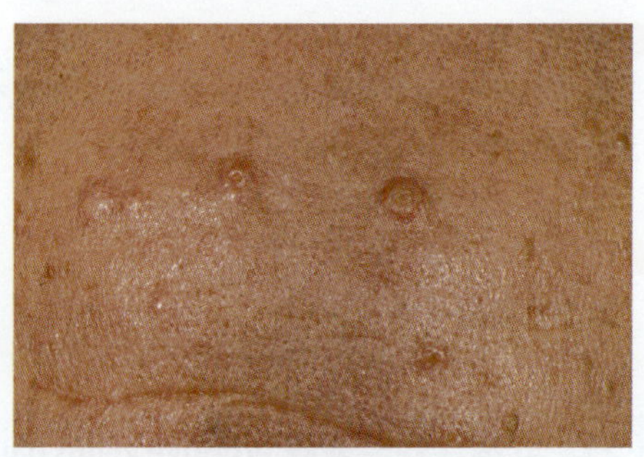
図 24-37　老人性脂腺増殖症

単発または多発．多数の肥大脂腺分葉が集合（ブドウ房状），排泄管は拡大，角質が充満する．男性に多い．血液透析患者に生じることあり．

3. 脂腺腺腫 sebaceous adenoma

顔面・頭部に単発する扁平隆起性ないし有茎性の小腫瘍で，多房状に増殖した脂腺塊より成り，分化の程度は種々．

4. 脂腺腫 sebaceoma（図 24-38），脂腺上皮腫 sebaceous epithelioma

顔面・頭部に単発し，黄色調を示し，一見基底細胞癌に似る．時に潰瘍化．組織学的に基底細胞腫様の増殖巣があり，その巣中に脂腺分化が著明にみられるもの．脂腺母斑に続発することあり．

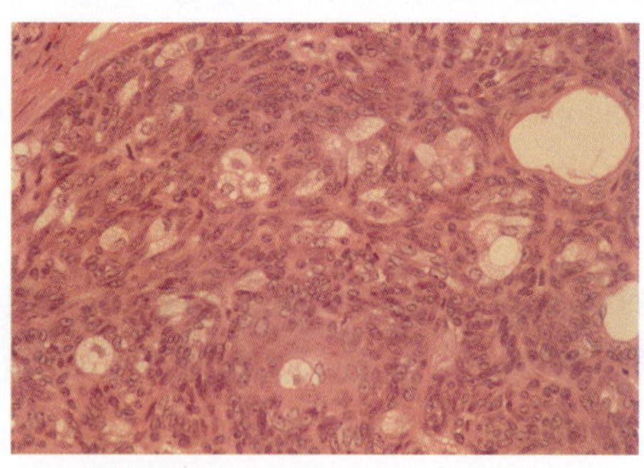
図 24-38　脂腺腫

5. Muir-Torre 症候群（Muir 1967, Torre 1968）

脂腺腫瘍（脂腺腺腫・脂腺上皮腫・脂腺癌・脂腺分化を伴うケラトアカントーマ）に内臓悪性腫瘍（特に消化器・泌尿生殖器の腺癌）が合併するもので，時に多発性ケラトアカントーマをも伴う．常染色体性優性遺伝．DNA mismatch 修復遺伝子（*MSH2*，*MLH1*，*MSH6*）に異常．Microsatellite instability を起こす．遺伝性非ポリープ型大腸癌症候群と同様の発症機序．

(C) 良性エクリン汗腺系腫瘍

1. エクリン汗嚢腫 eccrine hidrocystoma（図 24-39）

温熱環境中で生じる粟粒大の透明な嚢腫状丘疹ないし小水疱で多汗症の中年女性の顔面（特に眼囲）に多い．単発あるいは数個，時に多数．夏季に増数，悪化し，冬季に軽快する．エクリン汗管の貯留嚢腫．切除，レーザー照射．

2. 汗管腫 syringoma ○

女子の眼瞼に好発する小丘疹．エクリン汗管の限局性増殖．

病因

エクリン表皮内汗管への分化を示す良性の腫瘍性増殖．時に家族内発症あり．ダウン症候群では高率に発症する．

症状（図 24-40，41）

直径 1～2 mm 大，扁平隆起性黄褐色小丘疹で，下眼瞼あるいは体幹（前胸，腋窩，腹部，外陰）に多発．思春期以降に著明となり，女性に多い．

体幹多発型を eruptive hidradenoma（syringoma）（Hashimoto 1967）ともいい，若年に多い．ダウン症候群の成人にも体幹多発型が出現する．

組織所見（図 24-42）

真皮上中層に，大小の管腔構造を有する上皮索，嚢胞状管腔の一端に短い尾のような細胞索がつき，このオタマジャクシ様（tadpole-like）外観が特徴的．管腔は 2 層の壁細胞より成る．周囲に結合組織の増殖．

グリコーゲンを多量に含んだ澄明な細胞が管壁のほとんどを占め，さらに塊状を

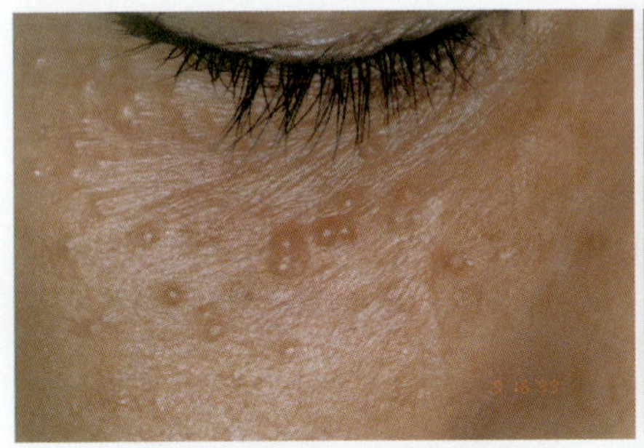

図 24-39　エクリン汗嚢腫

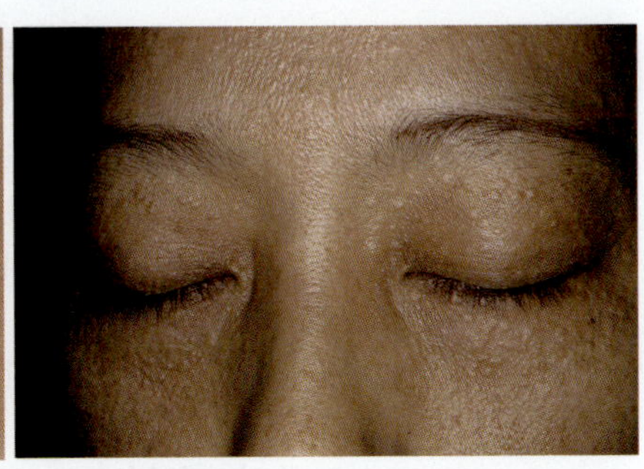

図 24-40　汗管腫

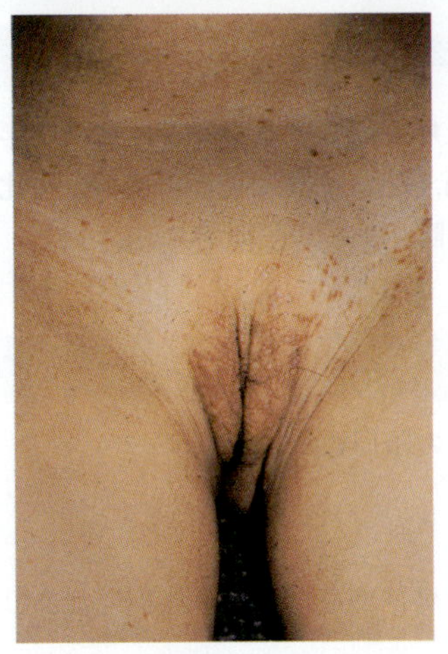

図 24-41　汗管腫

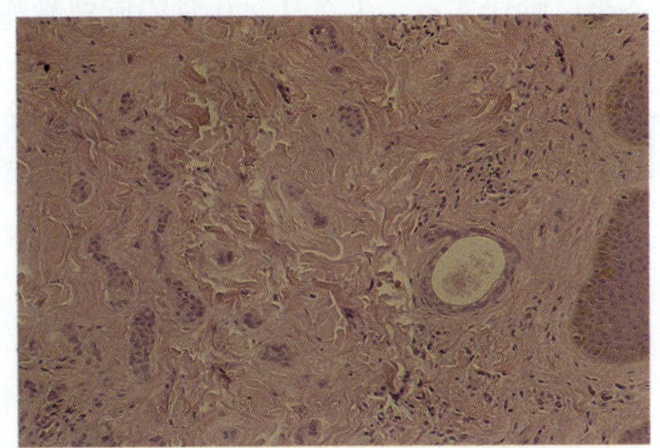

図 24-42　汗管腫（管腔構造を形成する上皮索．一部オタマジャクシ様外観を呈する）

なすことがあり，澄明細胞汗管腫（clear cell syringoma）（Headington 1972）と称され糖尿病と関連する所見という．

3. エクリン汗孔腫 eccrine poroma（図 24-43，44）　○

足底を主とし（2/3），手掌，稀に四肢，体幹にも発する単発性の広基性ないし有茎性の小結節．中年期の発症が多い．表皮内汗管部（acrosyringium）の腫瘍性増殖で，小円形単一な細胞（poroma cell，poroid cell）が増殖して表皮下層と連続して帯状，束状に伸長し，互いに吻合して，網目状の腫瘍巣を形成する．腫瘍巣内に汗管を思わす管腔ないし裂隙を有するが，腫瘍巣は周囲正常表皮とは明瞭に境され

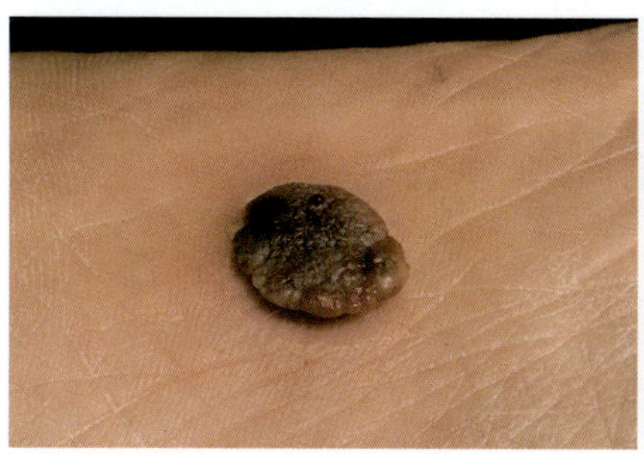

図 24-43　エクリン汗孔腫（足底）

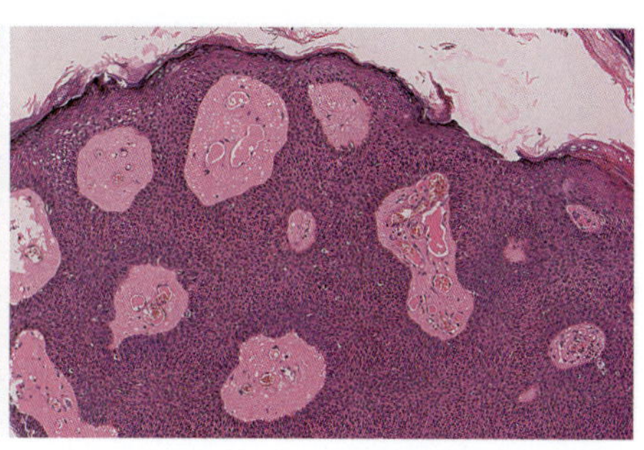

図 24-44　エクリン汗孔腫（小型類円形の PromoCell が，表皮と連続して増殖し，網状の腫瘍巣を形成）
（梅林芳弘博士提供）

る（**Pinkus 型 1956**）．時に腫瘍細胞は多量のグリコーゲンを含み，澄明細胞としてみえる．腫瘍巣にメラニンを多量有し，また間質にメラノファージが顕著なことがあり，黒色調の強いことがある（色素性エクリン汗孔腫）．周囲の表皮細胞と明らかに異なる腫瘍巣が表皮内に孤立性に増殖する（**Borst-Jadassohn 現象**）ものを hidroacanthoma simplex（**Smith and Coburn 1956**）という．このタイプは表面やや角化性で下肢に好発する．そのうち Borst-Jadassohn 現象の乏しいのを syringoacanthoma（Rahbari 1984）と呼ぶことがある．真皮方向に増殖し，多少の異型性を示すのが eccrine poroepithelioma，異型性が高く浸潤性増殖を示すのが **eccrine porocarcinoma**.

4. エクリン汗管腫瘍 eccrine dermal duct tumor（Winkelmann and McLeod 1966）

真皮内導管部に発した腫瘍で，小腫瘤または皮内の硬い小結節（≒eccrine ductoadenoma）．真皮内に表皮と連続しない腫瘍塊があり腫瘍細胞は単一の poroid cell で管腔を形成．

〔付〕**poroid hidradenoma**（**Abenoza and Ackerman 1990**）：表皮内汗管下部から真皮内汗管最上部の細胞類似の細胞（poroid cell）と，小管腔を形成する大型で明るい細胞（cuticular cell）とから成り，真皮上部の汗管に分化する一型．Ackerman らは poroma（真皮内汗管最上部と表皮内汗管下 2/3 から成る良性腫瘍）を 4 型に分け，① hidroacanthoma simplex，② eccrine poroma（Pinkus 型），③ dermal duct tumor および④ poroid hidradenoma とした．

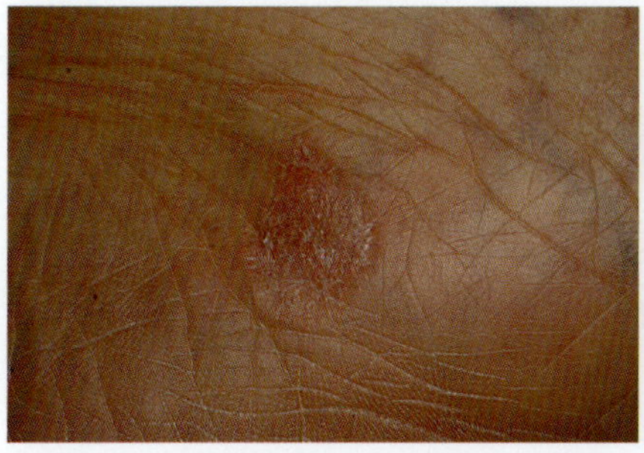
図 24-45　エクリン汗腺線維腫（踵近傍の足内側縁）

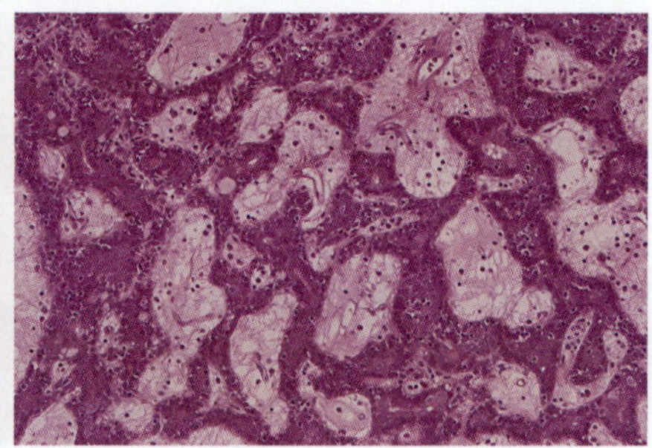
図 24-46　エクリンらせん腺腫（淡明細胞と暗調細胞の two cell pattern を呈する）

5. エクリン汗腺線維腫 eccrine syringofibroadenoma（Mascaro 1963）（図 24-45）

四肢遠位端に疣贅様の角化性結節として単発．稀に局面を形成，あるいは多発．

表皮内汗管に分化する細胞が表皮から粗大網目状ネットワークを形成して真皮に増殖．網目状ネットワークは線維血管性間質に取り囲まれる．真の腫瘍とも，また各種の刺激に対する反応性増殖性変化とも考えられている．他の腫瘍，創傷治癒，血流うっ滞などに随伴して生じることもある．

6. エクリンらせん腺腫 eccrine spiradenoma（Kersting and Helwig 1956）

エクリン汗器官の真皮内導管および分泌部への軽度分化傾向を示す良性腫瘍．直径 1〜2 cm の境界明瞭な，硬い皮内，皮下結節．表面は正常または青色，**自発痛，疼痛がある**．多くは単発．顔，頸，体幹，上肢に多く下肢に少ない．腫瘍は索状，塊状に増殖し，管腔構造を形成する．大型でクロマチンに乏しい核を有する淡明な細胞が内側を，小型でクロマチンの豊富な核を有する暗調な細胞が外側にみられる（two cell pattern）（図 24-46）．結合組織の被膜に囲まれ，腫瘍間質に多くの無髄多軸索線維がみられる．稀に悪性化（malignant eccrine spiradenoma，eccrine spirocarcinoma）．

7. 結節性汗腺腫 nodular hidradenoma（Lund 1957），clear cell hidradenoma（Kersting and Helwig 1963），eccrine sweat gland adenoma of the clear cell type（O'Hara 1966），solid-cystic hidradenoma（Winkelmann and Wolff 1968），eccrine acrospiroma（Johnson and Helwig 1969）

病態

エクリン汗器官（分泌部より表皮内導管に至る）に分化する皮膚腫瘍．エクリン汗器官の種々の要素を呈する．

症状

中高年の女性に好発．0.5～3 cm の単発性結節で半球状に隆起または皮内結節として触れる．頭顔，体幹に多いがいずれにも生じる．稀に多発．悪性結節性汗腺腫（malignant nodular hidradenoma）は極めて稀だが，大型の皮内結節で顔面，四肢に多く，澄明細胞に悪性像が顕著．

組織所見（図 24-47，48）

澄明な原形質の細胞が不規則塊状～房状に集簇，その中に管状管腔や嚢腫が多数みられる．腫瘍細胞は澄明細胞（clear cell，グリコーゲンに富む）と好塩基性の紡錘形細胞（epidermoid cell，張原線維を有する）とから成るが，様々の割合で混在する．管腔は円柱状～角形の細胞（luminal cell）が壁を成す部分が多い．一部の分泌細胞で断頭分泌像を見ることがある．

8．乳頭状エクリン腺腫 papillary eccrine adenoma

四肢末端に単発の小結節として生じる．真皮に嚢胞や大小の管腔構造がみられ，腔内への乳頭腫状増殖が目立つ．2 層の細胞より構成され，エクリン汗腺の真皮内汗管から分泌腺部に分化していると考えられている．管状アポクリン腺腫（tubular apocrine adenoma）と類似しており，時に鑑別が難しい．

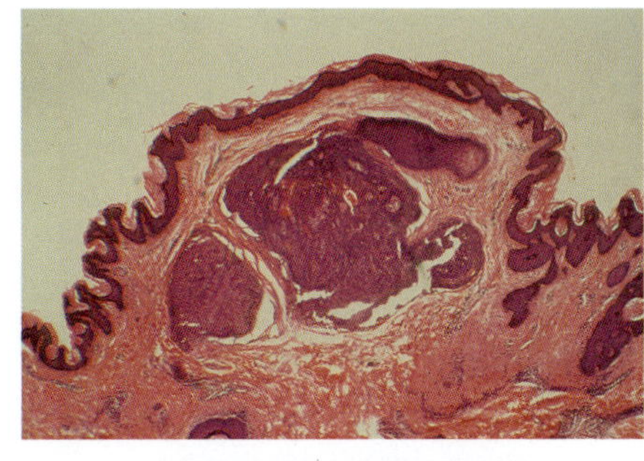

図 24-47　結節性汗腺腫（結節状の腫瘍塊）

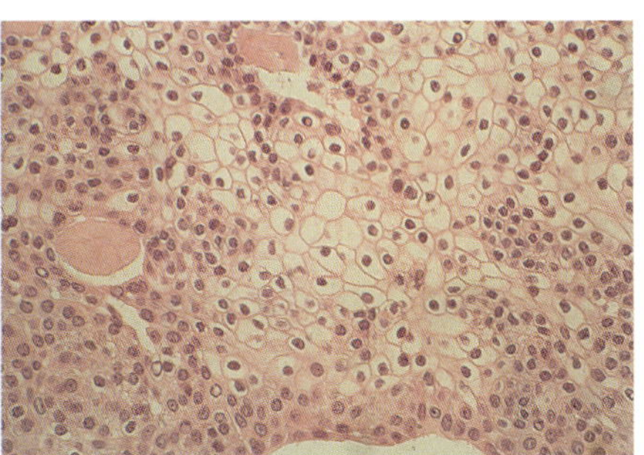

図 24-48　結節性汗腺腫（澄明細胞）

9. 皮膚混合腫瘍 mixed tumor of the skin（Nasse 1892），軟骨様汗管腫 chondroid syringoma（Hirsch and Helwig 1961）

病因

エクリンまたはアポクリン汗器官の真皮内汗管から一部分泌部にかけての分化を示す腫瘍である．混在する間葉成分は二次的変化と考えられている．時に悪性軟骨様汗管腫あり．多くは当初から悪性腫瘍として発するが，稀に既存の軟骨様汗管腫が悪性化する．

症状（図24-49）

青成年の主として鼻，頬，上口唇，頭部に発する，紅褐色，軽度ドーム状ないし半球状に隆起した比較的硬い腫瘍で，皮膚と癒着し下床に対しては可動性あり．

組織所見（図24-50）

2型あるが，前者が多く後者は少ない．

①**管状，嚢腫状構造を主体とするもの** chondroid syringoma with tubular，branching lamina：大小の分枝状管状～嚢腫状構造．管腔側に四角形の，外側に扁平な細胞があって管腔を形成，さらに管腔形成なく上皮性細胞が充実性に増殖する部分もある．間質は粘液様，軟骨様，線維性，脂肪組織性，骨組織様で好塩基性（アルシアンブルー，ムチカルミン，アルデヒドフクシン陽性，トルイジンブルー異染性，酸性ムコ多糖類）．散在する線維芽細胞の周囲が間質物質収縮で白く抜け，軟骨組織のようにみえる．

②**小管状構造を主体とするもの** chondroid syringoma with small tubular lamina：1層の扁平な細胞を壁とする小さな管腔が粘液様基質中に散在する．コンマ状の汗管腫様構造が増殖することもある．

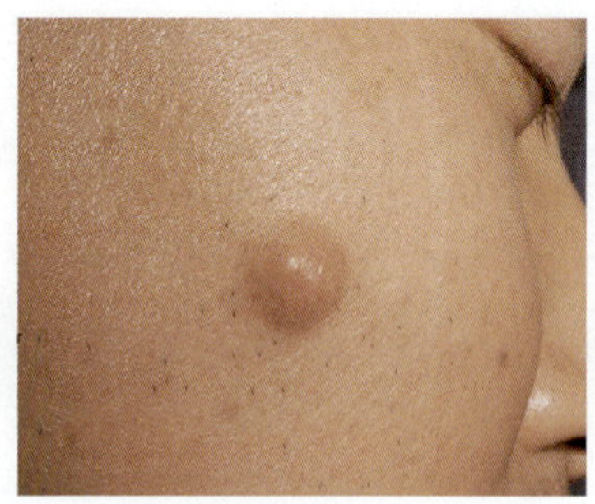

図24-49　皮膚混合腫瘍

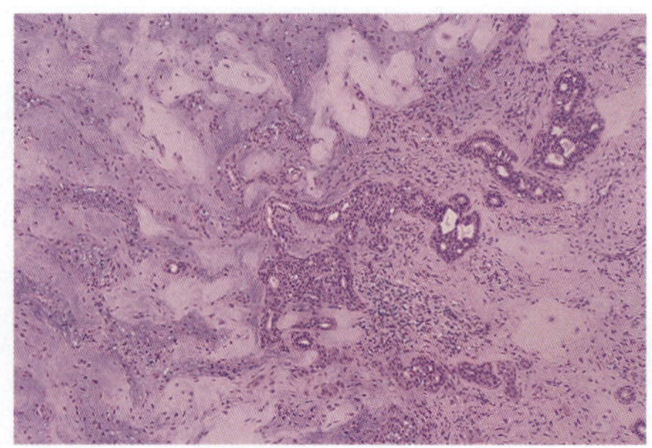

図24-50　皮膚混合腫瘍

(D) 良性アポクリン汗腺系腫瘍

1. アポクリン汗嚢腫 apocrine hidrocystoma (Smith 1974), アポクリン嚢胞腺腫 apocrine cystadenoma (Mehregan 1964)

症状 (図 24-51)

中年以降の顔面（特に眼囲），耳，頭皮部に好発，単発性（稀に多発），半球状隆起性，透明ないし青色調（メラニン・リポフスチンによる色）の小結節（数～20 mm）．

組織所見

真皮内に大きな嚢腫構造あり．嚢腫構造は1～2層の扁平～円柱状被覆上皮から成り，その外側を薄い筋上皮細胞が裏打ちしている．上皮細胞は明らかな断頭分泌を示すこともあり，また乳頭状，小管状に増殖することもある．貯留嚢腫より腺腫との考えが強い．

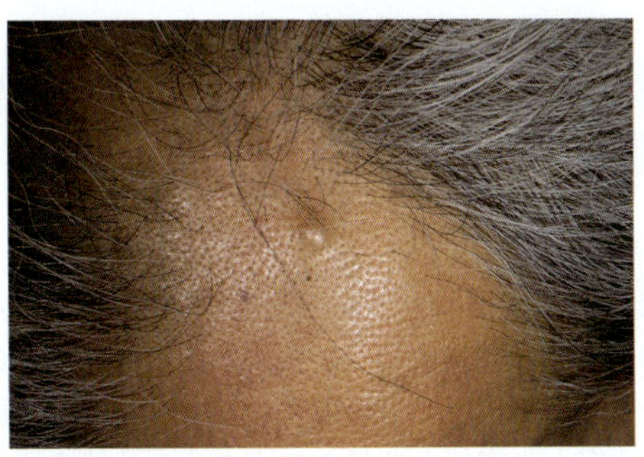

図 24-51　アポクリン汗嚢腫

2. 乳頭状汗腺腫 hidradenoma papilliferum (図 24-52, 53)

中年女性の大陰唇，会陰（稀に乳頭，上眼瞼）に単発する径 10 mm までの半球状の，常色ないし淡紅色の腫瘍．びらんや出血を起こしやすく，肉芽組織様にみえることもある．組織像は比較的境界明瞭な嚢腫を呈し，病変内に複雑，密に小型腺管構造が増殖して乳頭腫様を示す．腺管状構造は1層の核の明るい，断頭分泌を示す円柱状細胞が壁を形成し，その外側に筋上皮細胞様細胞がみられる．アポクリン汗腺腫瘍の代表的一疾患．

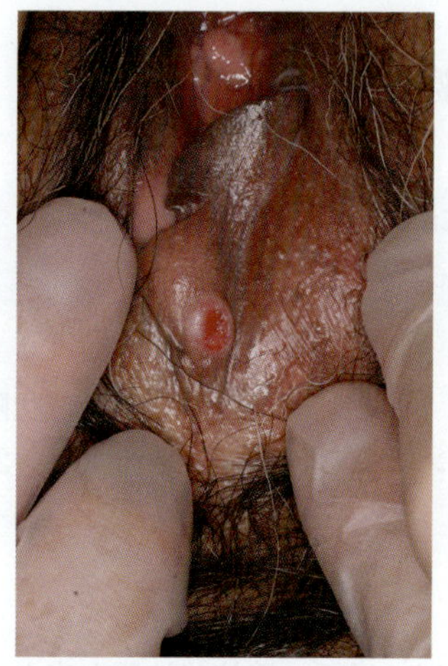

図 24-52　乳頭状汗腺腫

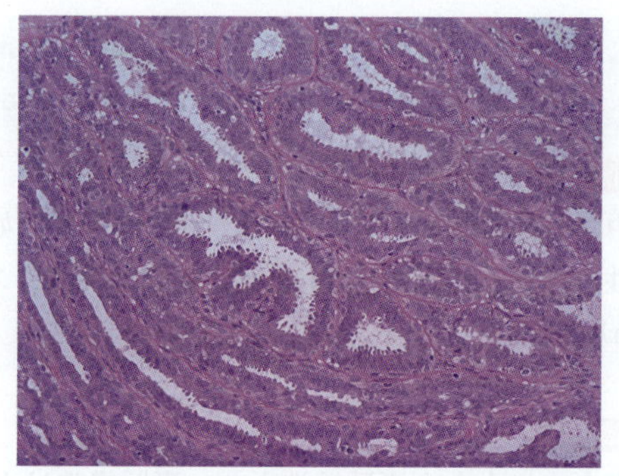

図 24-53　乳頭状汗腺腫（アポクリン腺管構造の増殖）

3. 乳頭状汗管囊胞腺腫 syringocystadenoma papilliferum (Helwing and Hackney 1955)

症状

頭顔部に，出生時から思春期頃に発する単発性疣贅状腫瘍．思春期に増大することあり，また1/3が脂腺母斑に続発してくる．

組織所見（図 24-54）

表皮より囊胞構造が下方へ彎入，一部壁は角化細胞で覆われる．真皮では大小の囊胞があり，絨毛状に壁が内腔に突出して乳頭状を示す．壁は2層の細胞より成り，管腔側は断頭分泌を示し，外側は小さい四角い筋上皮細胞様細胞より成る．毛囊，脂腺，アポクリン汗器官との密接な関係やアポクリン分泌の所見からアポクリン汗腺系腫瘍と考えられている．

予後

悪性化は稀．

4. 乳頭腺腫 adenoma of the nipple, erosive adenomatosis of the nipple

女性（稀に男性）の乳頭に生じる小腫瘍で，しばしばびらん，出血性．2層性腺様構造で，内層はアポクリン分泌を示す円柱，立方形の腺細胞，外層は筋上皮細胞．

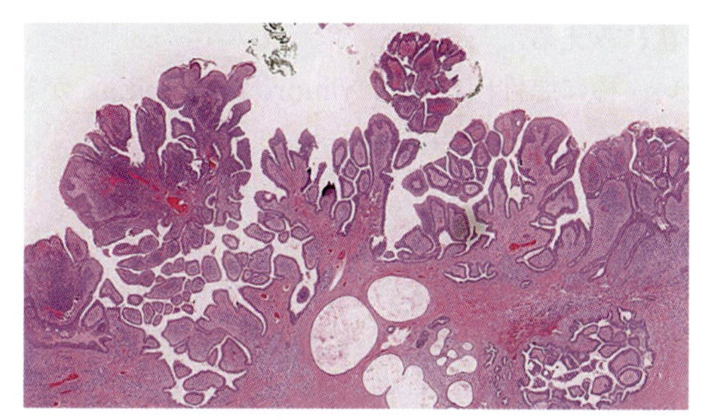

図 24-54　乳頭状汗管囊胞腺腫（表皮から彎入する大小の囊腫構造）
（梅林芳弘博士提供）

悪性像なし．アポクリン汗腺分化を示す乳頭の良性腫瘍．パジェット病，乳癌と鑑別する必要あり．

5. 管状アポクリン腺腫 tubular apocrine adenoma (Landry and Winkelman 1972)

径 2 cm 以下の単発性結節．真皮～皮下に大小多数の管腔状の腫瘍巣を形成．管は 2 層の細胞から成り，内腔細胞は円柱状で断頭分泌を示す．外側の細胞は立方形ないし扁平で myofilament を有しない．

6. アポクリン線維腺腫 apocrine fibroadenoma

腋窩，肛門周囲や陰部に好発し，結節状皮疹を呈する．アポクリン管腔の腫瘍巣と線維，血管の増生．

7. 円柱腫 cylindroma (Spiegler 1899)，シュピーグラー腫瘍 Spiegler tumor，ターバン腫瘍 turban tumor

遺伝

多発型は常染色体性優性遺伝で，*CYLD1* 遺伝子（cylindromatosis gene）に異常．

症状

頭部，稀に体幹，四肢に，思春期頃から径数 cm 大までの，半球状ないし軽度有茎性の，正常皮膚色～淡紅～褐色の，大小の腫瘤が思春期より生じ，次第に増大する．しばしば単発するが，多発することもある．多発して頭部全体を侵すと，ブドウの房やターバン状にみえる．

日本人には少ない．稀に悪性円柱腫（cylindro carcinoma）が続発する．

組織所見

大小の腫瘍細胞塊がジグソーパズル様に増殖し，それをヒアリン鞘と結合組織が取り巻く．腫瘍細胞塊では，明るく大きい核を有する細胞が中央に，濃い小さい核を有する基底細胞癌細胞様細胞が周辺に並び，中心が管腔となる部分もあり，時に断頭分泌像をみる．悪性円柱腫では良性の円柱腫に連続して異型腫瘍細胞が胞巣を形成してヒアリン鞘を破壊して周囲の間質に浸潤する．

病因

アポクリン汗腺系腫瘍との考えと，エクリンらせん腫との併発，近縁性からエクリン（曲導管部）系腫瘍との考えとがあった．*CYLD* 遺伝子異常は多発性の毛包上皮腫や Brooke-Spiegler 症候群にみられ，円柱腫も単に表現形の違いとも推測されている．円柱腫が毛包・脂腺系に由来する可能性も指摘されている．

3 悪性上皮系腫瘍

1. 日光角化症 solar or actinic keratosis，老人性角化腫 keratoma senile，老人性角化症 senile keratosis ◎

慢性紫外線曝露が主因と考えられる異常角化を伴う前癌性病変．Sunburn を起こしやすいスキンタイプの高齢者の露光部に好発．脂漏性角化症や湿疹と紛らわしいことがある．

病因

日光（紫外線）により惹起されたDNA 損傷が p53 遺伝子などに変異を生じ，さらに遺伝子変異が加わって被覆表皮ケラチノサイトに腫瘍性異常角化が起きている．

症状（図 24-55〜58）

白人など皮膚色の薄い人（fair skin）に多い．顔面，手背のような裸露部に疣状丘疹あるいは角化性紅斑性局面，時に萎縮性紅斑がしばしば多発，時に単発する．角質増殖が高度で角状に突出し，いわゆる**皮角**（cornu cutaneum）の像を示すこ

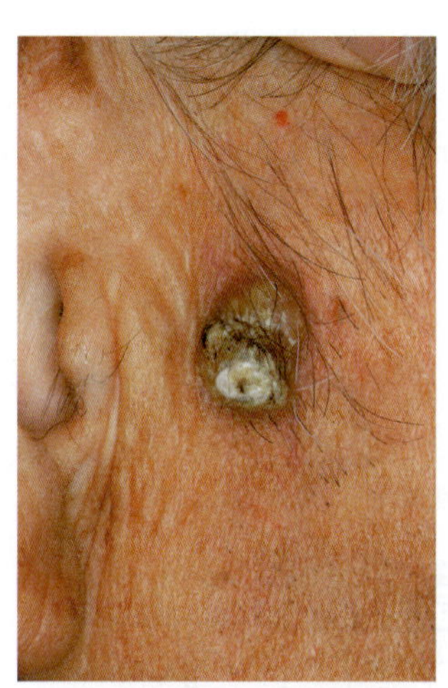

図 24-55　日光角化症（角化性結節）

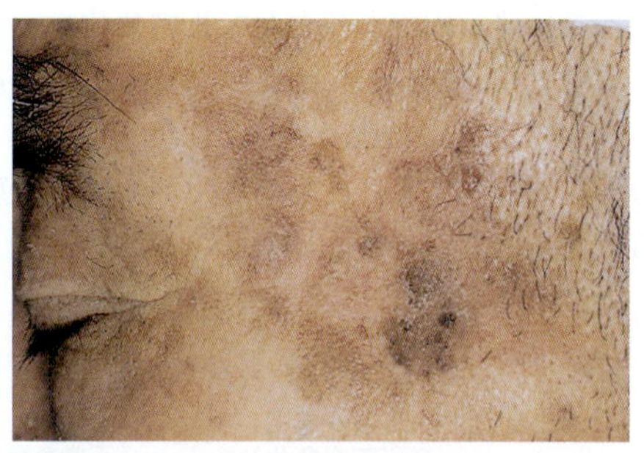

図 24-56　日光角化症（角化性局面）

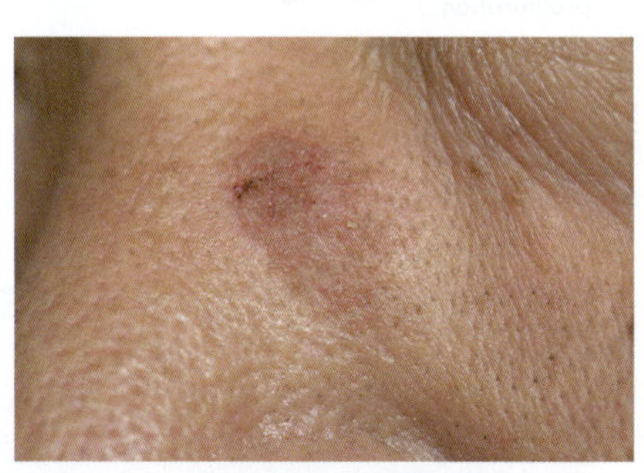

図 24-57　日光角化症（角化性紅斑局面）

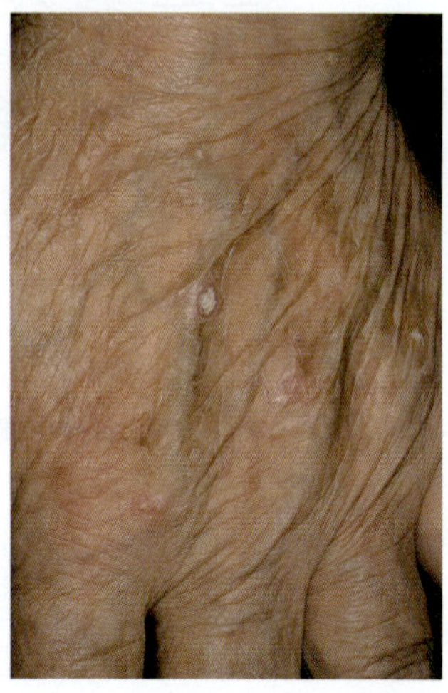

図 24-58　日光角化症（疣状小結節）

ともある．口唇に生じたものは**光線性口唇炎**（actinic cheilitis）と呼ぶ．

組織所見（図24-59〜61）

表皮基底層を主体に異型細胞が増殖し，真皮上層に日光弾性線維症（solar elastosis）をみる．異型有棘細胞が増殖する部分では不全角化を呈するが，毛孔部や汗孔部では健常細胞が残存して正常角化を示すことが多い（umbrella phenomenon）．

①肥大型（hypertrophic），②萎縮型（atrophic），③ボーエン様型（bowenoid），④棘融解型（acantholytic），⑤色素沈着型（pigmented）に分けられるが，これらの所見が混在することもある．ボーエン様型はボーエン病と鑑別が難しいこともある．

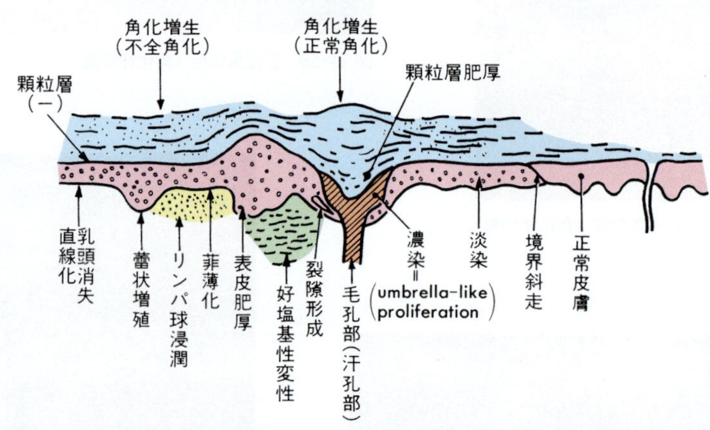

図24-59　日光角化症　組織像のシェーマ

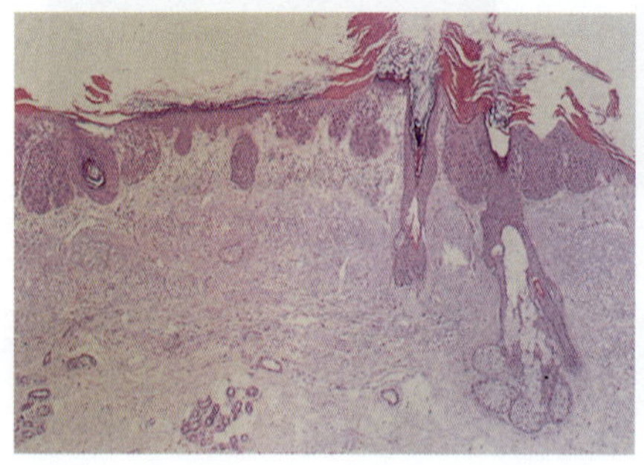

図24-60　日光角化症（真皮上層の日光性弾性線維症）

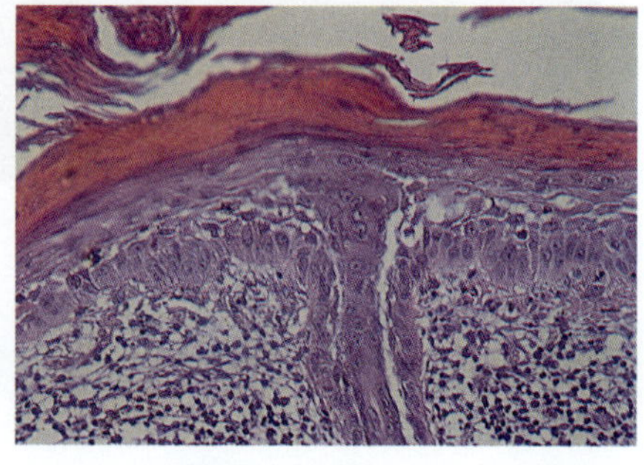

図24-61　日光角化症（基底層を中心とした異型細胞と裂隙形成）

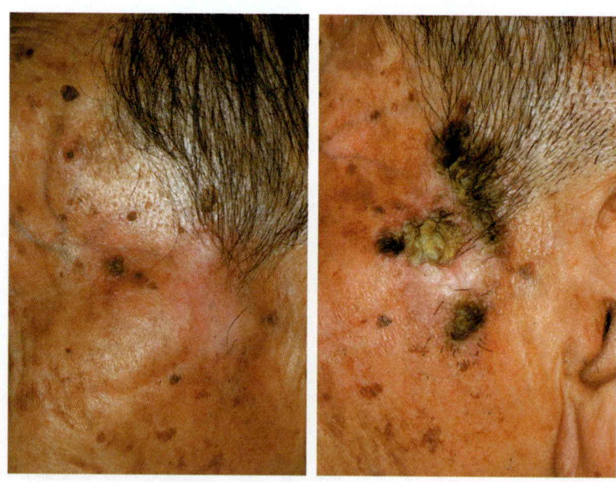

図 24-62　日光角化症，イミキモドクリームでの治療例（左：治療前，右：治療後）

予後

有棘細胞癌の発生率については，オーストラリアの白人ベースでの研究より，個々の病変が 1 年間で有棘細胞癌へ進展する確率が 0.1％以下，複数の病変を有する患者が 10 年間で有棘細胞癌を生じる確率は 10％以下と考えられている．

治療（図 24-62）

①イミキモドクリーム（Toll 様受容体 7 に作用），②冷凍療法，③切除，④レーザー，⑤抗腫瘍薬軟膏（5-FU 軟膏，ブレオマイシン軟膏）．

2．砒素角化症 arsenic keratosis（図 24-63，64）

飲料水に混入するなど無機砒素化合物を長期間摂取後に，主として手掌足底に角化性小丘疹を多発，あるいはびまん性の角質増殖局面を形成する（慢性砒素中毒）．角質増殖と表皮肥厚，有棘細胞に軽度から中等度の核異型性をみることも多い．慢性砒素中毒の皮膚障害出現には数年から数十年，有棘細胞癌などの発生には 20 年前後の期間を要する（☞ p. 631）．

3．白板症 leukoplakia（Schwimmer 1878）（表 24-2，図 24-65）　○

従来，粘膜・移行上皮・皮膚粘膜移行部の白色角化性局面で，口腔内・口唇の口腔領域と，包皮・亀頭・陰核・大陰唇・小陰唇・腟・子宮口などの外陰領域に生じ

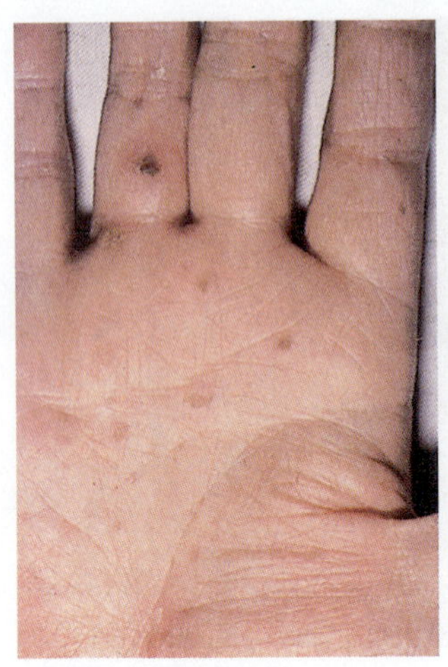

図 24-63　砒素角化症

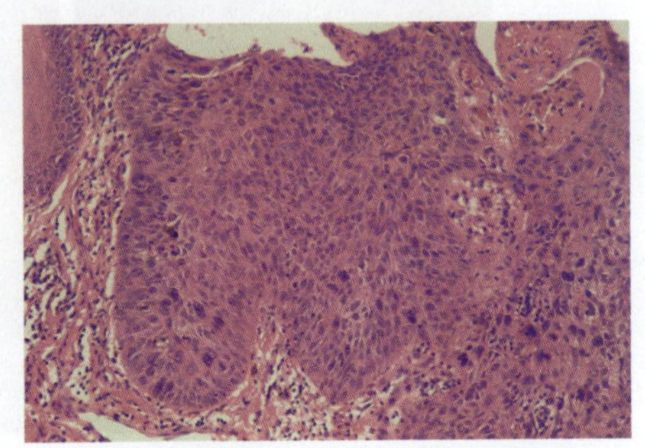

図 24-64　砒素角化症（ボーエン病様の組織像）

表 24-2　狭義の白板症の原因疾患および類似の白色局面を呈する疾患

口腔領域	外陰領域
狭義の白板症 口腔毛状白板症 摩擦病変 タバコ誘発の病変 歯科修復関連病変 咬癖傷 **類似の白色局面を呈する疾患** 口腔カンジダ症 円板状エリテマトーデス 口腔白色水腫 扁平苔癬 頬粘膜圧痕（白癬） パピローマウイルス関連病変 二期梅毒	**狭義の白板症** Intraepithelial neoplasia **類似の白色局面を呈する疾患** 外傷・手術瘢痕 慢性単純性苔癬 硬化性萎縮性苔癬 尋常性白斑 瘢痕性類天疱瘡 形成性陰茎硬化症（ペロニー病） 梅毒 ウイルス性疣贅 癜風 Pseudoepitheliomatous keratotic and micaceous balanitis
白色海綿状母斑	

るものとされてきた．組織学的にも異型の表皮細胞を認める癌前駆症としての狭義の白板症と，そのような所見がないものを含めた広義の白板症，すなわち症候名としての白板症とがあるが，本章では狭義の白板症を記述する．白板症の定義は現在も混沌としている面もあって，口腔領域では白斑，白色局面を呈する扁平苔癬，円板状エリテマトーデスなど類似疾患を除外した白斑，白色局面を示す疾患と定義さ

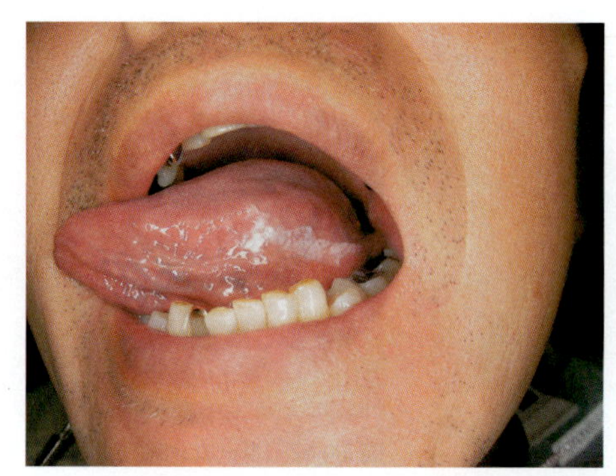

図 24-65　口腔白板症（口腔毛状白板症と考えられる症例）

れている．外陰領域に関しては，白板症の名称を口腔領域と同様に用いる欧米の成書もあるが，現在固有の診断名としてこの名称が使われることは極めて少ない．口腔領域と同様に症状を表す用語として用いられる場合があるが，白色局面を呈する疾患は多岐にわたり，白板症という用語ですべてを包含することは適切でないという意見が強い．狭義の口腔白板症は，口腔では義歯や歯並びの悪い歯の刺激，頬粘膜の噛み癖，パイプ，紙巻き煙草，飲酒などの慢性刺激，外陰では肥満による摩擦と慢性浸軟，老人性外陰萎縮との関連が推察されている．

狭義の白板症は原則として切除する．他に冷凍療法など．

4. ボーエン病 Bowen's disease (1912) ◎

squamous cell carcinoma in situ（表皮内有棘細胞癌）．組織学的に異常角化細胞や集塊細胞（clumping cell）が特徴的．

病因

多くは原因不明であるが，紫外線曝露，慢性砒素中毒，ヒト乳頭腫ウイルス感染が関与する疣贅状表皮発育異常症を含む遺伝性の高発がん性皮膚疾患などが誘因．

症状（図 24-66～69）

円～楕円形の境界比較的明瞭な褐～黒褐色局面で，鱗屑または痂皮を付着し，これを剝離すれば紅色びらん面を呈する．時に丘疹，小結節の形を示す．全身に生じ得るが，体幹，四肢に多い．単発，時に多発．

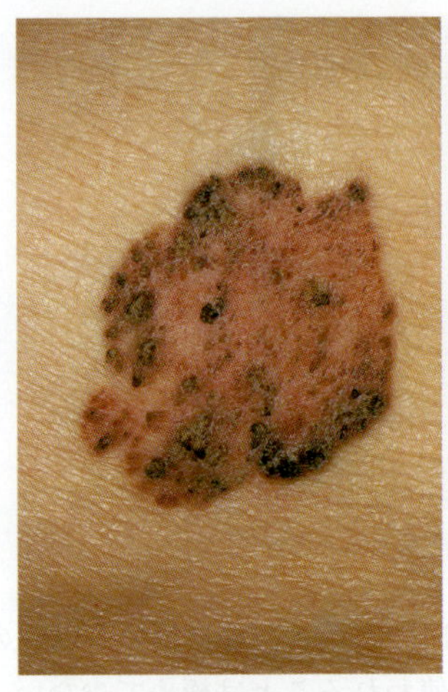

図 24-66　ボーエン病

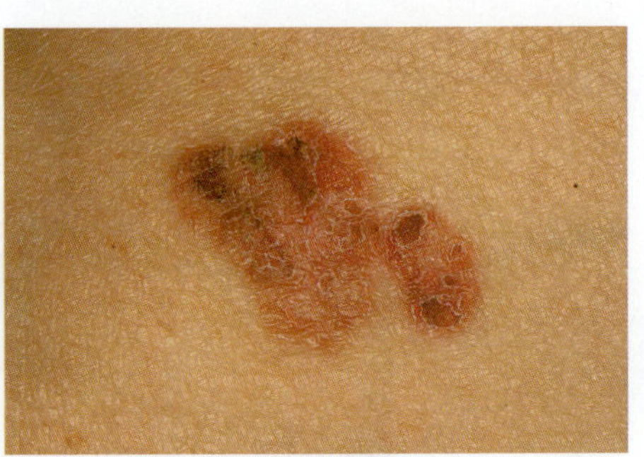

図 24-67　ボーエン病

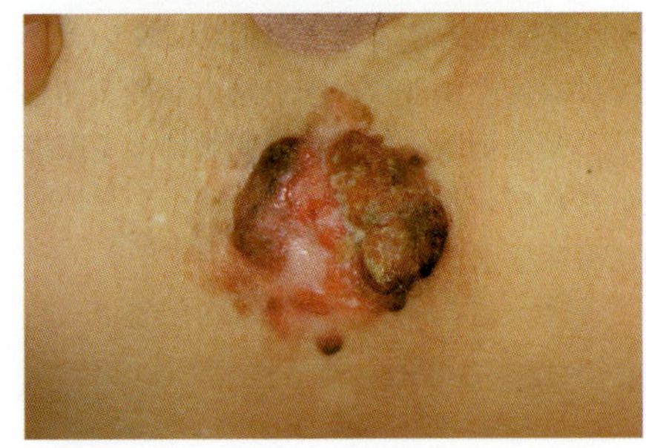

図 24-68　ボーエン病

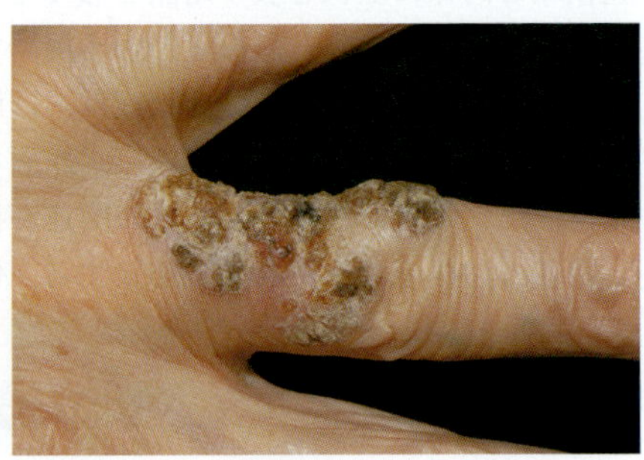

図 24-69　ボーエン病

組織所見（図 24-70〜72）

①角質増生と不全角化，②棍棒状表皮肥厚と真皮乳頭延長，③異型細胞（大小不同，染色性不同，核分裂像，**集塊細胞**（**clumping cells**），異常角化細胞，パジェット様空胞細胞：pagetoid Bowen 病），④真皮のリンパ球，形質細胞浸潤.

鑑別診断

慢性湿疹，乾癬，白癬などの炎症性疾患との鑑別が必要.

予後，合併症

基底膜を超えて浸潤・増殖し，有棘細胞癌化して転移することもある（**ボーエン癌**）.

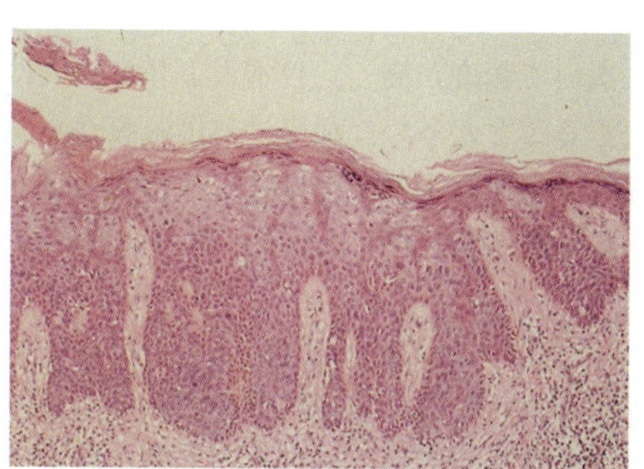

図 24-70　ボーエン病（棍棒状表皮肥厚と表皮全層を占める異型細胞）

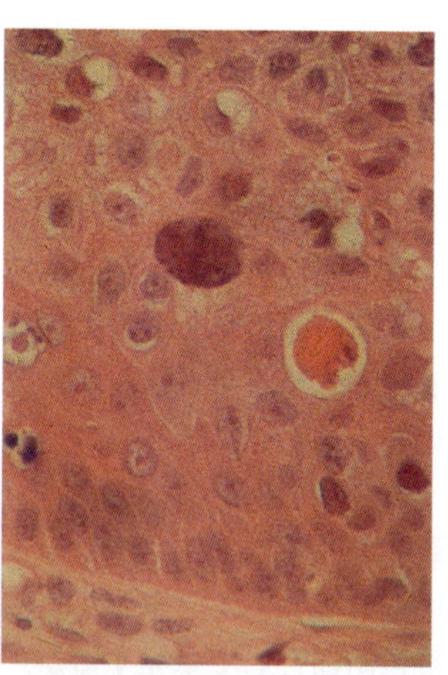

図 24-71　ボーエン病〔異常角化（個細胞角化）〕

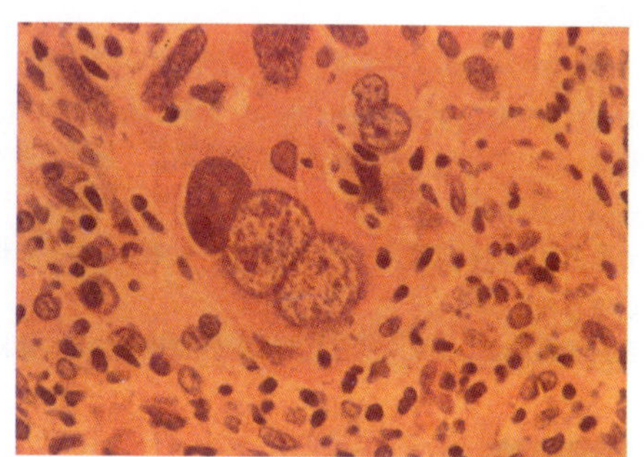

図 24-72　ボーエン癌（集塊細胞 clumping cell）

治療

①切除，②抗腫瘍薬軟膏，③冷凍凝固療法．

5. ケイラット紅色肥厚症 erythroplasia（Queyrat 1911）

主として亀頭に，その他，陰門・口腔粘膜に生じる境界明瞭な，鮮紅色の，表面ビロード状の局面で，粘膜ないし皮膚粘膜移行部に生じたボーエン病．

6. 有棘細胞癌 squamous cell carcinoma（SCC）　◎

表皮ケラチノサイトへの分化を示す悪性腫瘍．日光角化症，熱傷瘢痕などの先行病変をみることも多い．組織学的に，角化傾向を示す高分化型と，角化を示さず悪性度の高い未分化型とがある．

疫学（表 24-3，図 24-73〜75）

皮膚の悪性腫瘍の中では基底細胞癌に次いで頻度が高く，日本人よりも白人に多い．本症の前駆症となる先行病変上に生じることが多い．従来は熱傷瘢痕から発する有棘細胞癌が多かったが，近年は高齢化や生活様式の変化に伴って日光角化症からの発生例など，紫外線によって誘発される例が多い．

症状（図 24-76，77）

中年以降に多く，主として顔面，手背などの露光部に表面に多少の角化を伴う硬い紅色結節として単発するが，角化が高度で表面が乾燥・粗糙化して花菜状を呈することもある．また，潰瘍化して中央が陥凹することもあり，その辺縁部は堤防状

表 24-3　有棘細胞癌の前駆症

局所的な発生危険因子
熱傷瘢痕，慢性放射線皮膚炎，慢性経過する化膿性汗腺炎，慢性骨髄炎，円板状エリテマトーデス，硬化性萎縮性苔癬，尋常性狼瘡，汗孔角化症，栄養障害型表皮水疱症，慢性経過する褥瘡
有棘細胞癌 in situ あるいはその早期病変
ボーエン病，日光角化症 / 長期日光照射皮膚，放射線角化症，砒素角化症，白板症
有棘細胞癌を発生しやすい全身状態
色素性乾皮症，疣贅状表皮発育異常症，ウェルナー症候群，慢性砒素中毒，臓器移植後

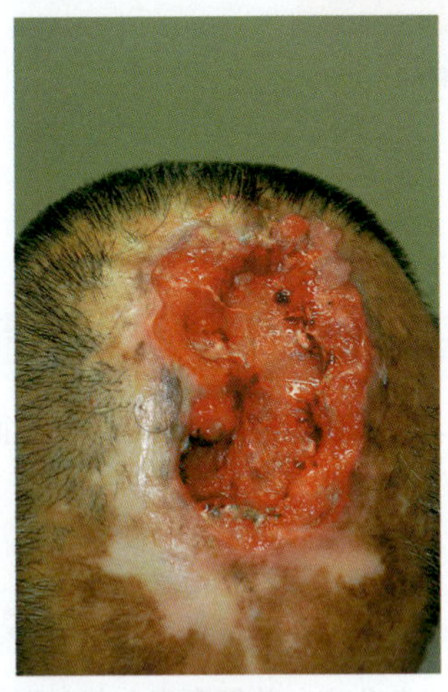

図 24-73　熱傷瘢痕癌

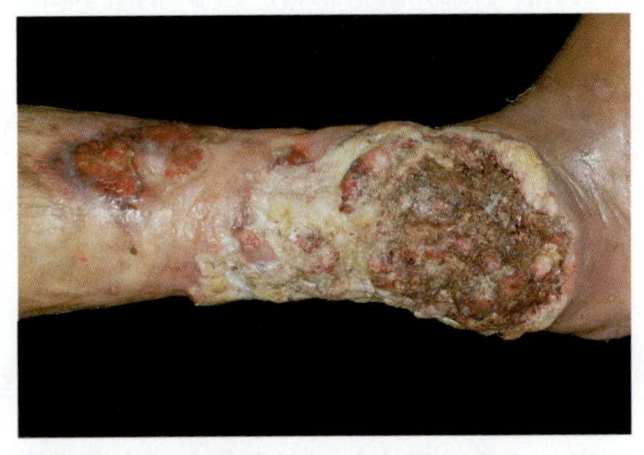

図 24-74　有棘細胞癌（慢性骨髄炎から発生）

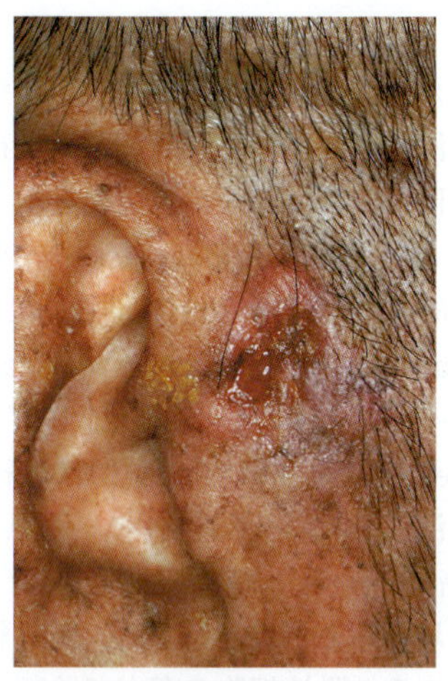

図 24-75　有棘細胞癌
（色素性乾皮症から発生）

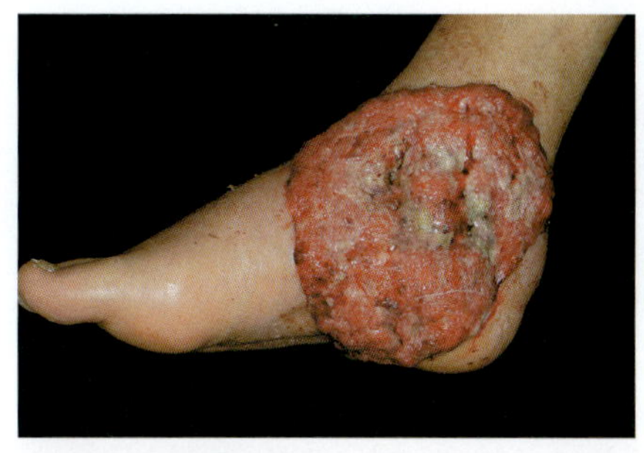

図 24-76　有棘細胞癌

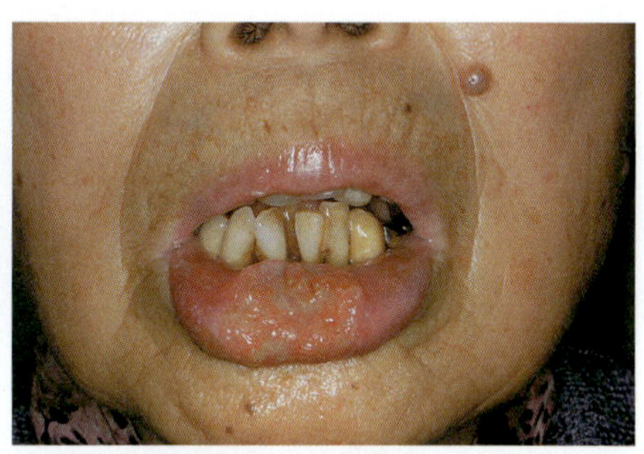

図 24-77　口唇癌

に隆起し，硬く凹凸不整を示す．二次感染により特有の悪臭を放つことがある．時折領域リンパ節に転移する．さらに進行すると遠隔転移も生じうる．

口唇の有棘細胞癌（口唇癌）は，ほとんどが下口唇粘膜から発生し（これに対し口唇部基底細胞癌は上口唇白唇部に多い），以前はパイプ常用者に多かったが，近年では下口唇は上口唇より紫外線照射量が多いことも関与していると考えられている．

陰茎の有棘細胞癌（陰茎癌）は，亀頭包皮炎の反復，恥垢の刺激が誘因となる．幼時割礼のユダヤ人には稀で近年日本でも少ない．ケイラット紅色肥厚症も発生母地となる．包皮内板，亀頭，冠状溝に発し，乳頭状に増殖あるいは潰瘍化し，進行すると鼠径リンパ節転移をきたす．

組織所見（図 24-78〜80）

表皮が肥厚し，下方に向かって増殖するとともに，腫瘍細胞巣は基底膜を破壊して深部へ浸潤，増殖する．浸潤，増殖する腫瘍細胞巣は種々の程度の異常角化細胞，すなわち，形不同，大小不同，分裂像，個細胞角化を示す異型ケラチノサイトから成り，癌真珠を形成することも多い．Broders は未分化細胞の占める割合により，1 度（25％未満），2 度（50％未満），3 度（75％未満），4 度（75％以上）と分けている．

棘融解性有棘細胞癌（acantholytic squamous cell carcinoma）（Pinkus 1976）〔epithelioma spinocellulare segregans（Delacrétaz 1957），pseudoglandular squamous cell carcinoma（Lever 1961）〕は，組織学的に腺様構造を持ち，腔に棘融解性異常角化細胞がみられ，深部へ浸潤傾向を示す一亜型．

紡錘形細胞型有棘細胞癌（spindle cell squamous cell carcinoma）は，紡錘形の腫瘍細胞が束状に配列して増殖する組織像を呈し，一見紡錘形細胞肉腫を思わせるもの．表皮との連続性，ケラチン陽性細胞の存在で診断する．

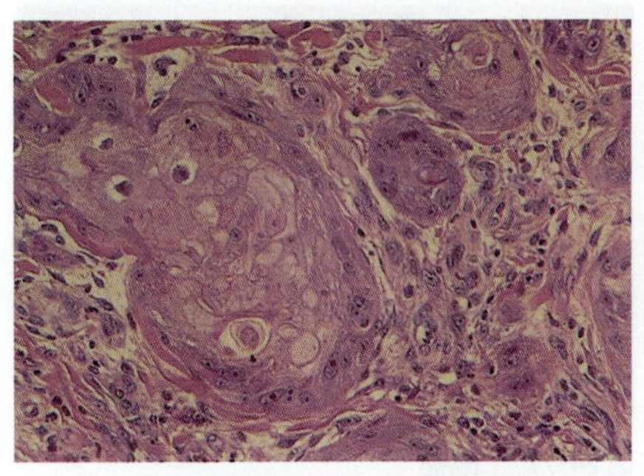

図 24-78　有棘細胞癌（真皮に浸潤性に増殖する異型角化細胞）

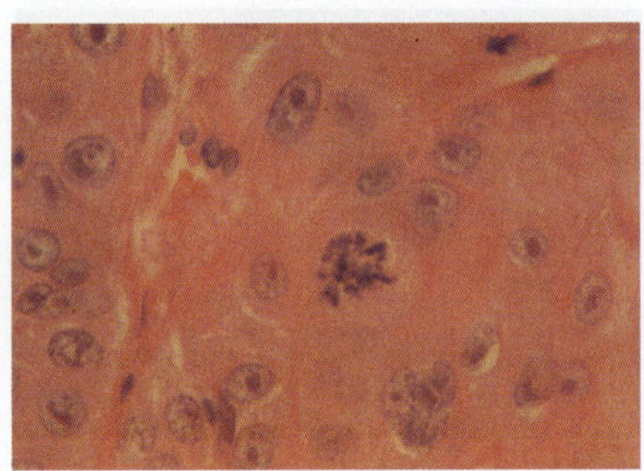

図 24-79　有棘細胞癌（異常核分裂）

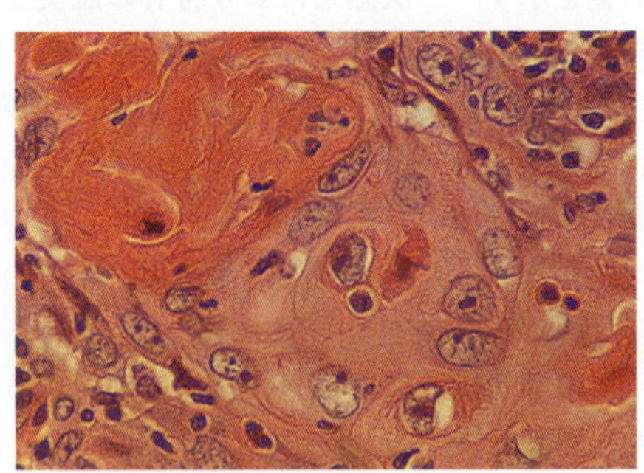

図 24-80　有棘細胞癌（異常角化）

鑑別診断

偽上皮腫性増殖（pseudoepitheliomatous hyperplasia）は，慢性潰瘍（下腿潰瘍・放射線潰瘍・狼瘡性潰瘍・ゴム腫性潰瘍など）の辺縁や，慢性肉芽腫性病変（皮膚疣状結核・深在性真菌症・異物肉芽腫・疣状扁平苔癬など），特殊な腫瘍（顆粒細胞腫）の直上表皮にみられる．表皮は肥厚し，下床真皮病変中に侵入し，一見癌性増殖のようにみえるが，異型性は少なく，表皮内に白血球が侵入する．またこの表皮増殖が基底細胞癌様のことがあり（pseudobasaliomatous hyperplasia），これは組織球腫，線維腫などでみられる．

TNM 分類，病期分類，予後・経過（表 24-4，5）

TNM 分類は外陰，頭頸部，眼瞼など，本症の発生部位により異なるため注意を要する．一般に転移の有無が予後に大きく影響する．腫瘍の大きさや厚さ・深達度，組織学的分化度，神経周囲浸潤などが転移頻度に相関するとされている．紫外線誘発型の有棘細胞癌は比較的転移頻度が低く，瘢痕癌や免疫抑制患者に生じた癌では頻度が高い．

治療

基本は切除．画像検査，領域リンパ節生検などで領域リンパ節転移を確認すれば郭清を考慮，臨床的領域リンパ節腫大例では郭清．切除不能例では放射線療法，抗腫瘍薬（シスプラチンとドキソルビシンの併用，シスプラチンと5-フルオロウラシルの併用，塩酸イリノテカンなど）を適宜選択あるいは併用．

7．疣状癌 verrucous carcinoma（Ackerman 1948）　○

口腔花菜状乳頭腫症（oral florid papillomatosis），外陰巨大尖圭コンジローマ（Buschke-Löwenstein tumor），足底 epithelioma cuniculatum（Aird 1954），下腿の papillomatosis cutis carcinoides（Gottron 1932）を一括して疣状癌と呼ぶ．共通所見は疣状・乳頭腫状・花野菜状増殖，有棘細胞癌の組織像で，喫煙・義歯・熱傷瘢痕の先行し得ること．通常予後良好で転移は稀．時に HPV2，6，16，18 型が見出される．すなわち単一疾患でなく組織像も almost benign～not so benign～low grade malignant のスペクトラムを示す．

表24-4　外陰，陰茎，肛門皮膚，眼瞼，頭頸部を除く皮膚原発有棘細胞癌のTNM分類と病期分類（UICC 第8版）

TNM分類

TX	原発腫瘍の特定が不可能
T0	原発腫瘍を認めない
Tis	上皮内癌
T1	最大径が2 cm以下の腫瘍
T2	最大径が＞2 cmかつ≦4cmの腫瘍
T3	最大径が＞4 cm，または軽度の骨びらん，もしくは神経周囲浸潤もしくは深部浸潤*を伴う腫瘍
T4a	肉眼的軟骨/骨髄浸潤を伴う腫瘍
T4b	椎間孔への浸潤および/または椎間孔から硬膜上腔までの浸潤を含む中軸骨格浸潤を伴う腫瘍
NX	領域リンパ節転移の評価が不可能
N0	領域リンパ節転移なし
N1	単発性のリンパ節転移で，最大径が3 cm以下
N2	同側の単発性リンパ節転移で，最大径が3 cmを超えるが6 cm以下，または同側の多発リンパ節転移で，すべて最大径が6 cm以下
N3	単発性リンパ節転移で，最大径が6 cmを超える
MX	遠隔転移の評価が不可能
M0	遠隔転移なし
M1	遠隔転移あり

＊深部浸潤は皮下脂肪をこえる，または（隣接正常上皮の顆粒層から腫瘍基部までを測って）6 mmを超える浸潤と定義し，T3の神経周囲浸潤は該当神経の臨床的または放射線画像的な浸潤で椎間孔または頭蓋底の浸潤や侵入がないものと定義する．

病期

	N0	N1	N2	N3
Tis	0	—	—	—
T1	I	III	IVA	IVA
T2	II	III	IVA	IVA
T3	III	III	IVA	IVA
T4a，T4b	IVA	IVA	IVA	IVA
M1	IVB	IVB	IVB	IVB

表 24-5　眼瞼を除く頭頸部皮膚原発有棘細胞癌の TNM 分類と病期分類（AJCC 第 8 版，2017）

TNM 分類

TX	原発腫瘍の特定が不可能
T0	原発腫瘍を認めない
Tis	上皮内癌
T1	最大径が 2 cm 以下の腫瘍
T2	最大径が＞2 cm かつ≦4 cm の腫瘍
T3	最大径が＞4 cm，または軽度の骨びらん，もしくは神経周囲浸潤もしくは深部浸潤*を伴う腫瘍
T4a	肉眼的軟骨 / 骨髄浸潤を伴う腫瘍
T4b	椎間孔への浸潤および / または椎間孔から硬膜上腔までの浸潤を含む頭蓋底または中軸骨格浸潤を伴う腫瘍
cNX	領域リンパ節転移の評価が不可能
cN0	領域リンパ節転移なし
cN1	同側の単発性リンパ節転移で最大径が 3 cm 以下かつ節外浸潤なし
cN2	
cN2a	同側の単発性リンパ節転移で最大径が 3 cm を超えるが 6 cm 以下かつ節外浸潤なし
cN2b	同側の多発性リンパ節転移で最大径が 6 cm 以下かつ節外浸潤なし
cN2c	両側または対側のリンパ節転移で最大径が 6 cm 以下かつ節外浸潤なし
cN3	
cN3a	最大径が 6 cm をこえるリンパ節転移で節外浸潤なし
cN3b	単発性または多発性リンパ節転移で臨床的節外浸潤*あり
pNX	領域リンパ節転移の評価が不可能
pN0	領域リンパ節転移なし
pN1	同側の単発性リンパ節転移で最大径が 3 cm 以下かつ節外浸潤なし
pN2	
pN2a	同側の単発性リンパ節転移で最大径が 3 cm 以下かつ節外浸潤あり，または最大径が 3cm を超えるが 6 cm 以下かつ節外浸潤なし
pN2b	同側の多発性リンパ節転移で最大径が 6 cm 以下かつ節外浸潤なし
pN2c	両側または対側のリンパ節転移で最大径が 6 cm 以下かつ節外浸潤なし
pN3	
pN3a	最大径が 6 cm を超えるリンパ節転移で節外浸潤なし
pN3b	最大径が 3 cm を超えるリンパ節転移で節外浸潤あり，または同側の多発性リンパ節転移もしくは対側もしくは両側のリンパ節転移で節外浸潤あり
MX	遠隔転移の評価が不可能
M0	遠隔転移なし
M1	遠隔転移あり

＊皮膚浸潤か，下層の筋肉もしくは隣接構造に強い固着や結合を示す軟部組織の浸潤がある場合，または神経浸潤の臨床的症状がある場合は，臨床的節外浸潤として分類

病期

	N0	N1	N2	N3
Tis	0	—	—	—
T1	Ⅰ	Ⅲ	ⅣA	ⅣA
T2	Ⅱ	Ⅲ	ⅣA	ⅣA
T3	Ⅲ	Ⅲ	ⅣA	ⅣA
T4a，T4b	ⅣA	ⅣA	ⅣA	ⅣA
M1	ⅣB	ⅣB	ⅣB	ⅣB

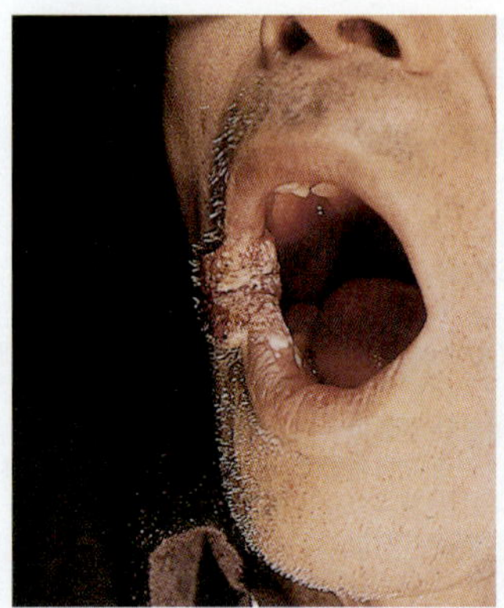

図 24-81　口腔花菜状乳頭腫症

1）口腔花菜状乳頭腫症 oral florid papillomatosis（Rook and Fisher 1960), leukoplakia verrucosa, papillomatosis mucosae carcinoides（Scheicher and Gottron 1958）

症状（図 24-81）

高年者の口唇・口角・口腔（時に咽頭・喉頭）粘膜に生じる乳頭腫状～花野菜状の角化性ないし浸軟性の局面．誘因として義歯・パイプ・口腔不衛生・ウイルス，先行病変として稀に白板症，扁平苔癬．

組織所見

高度の表皮肥厚と角化，基底細胞に軽度異型性がみられるが浸潤性増殖はない．

治療

切除，冷凍療法，炭酸ガスレーザー．

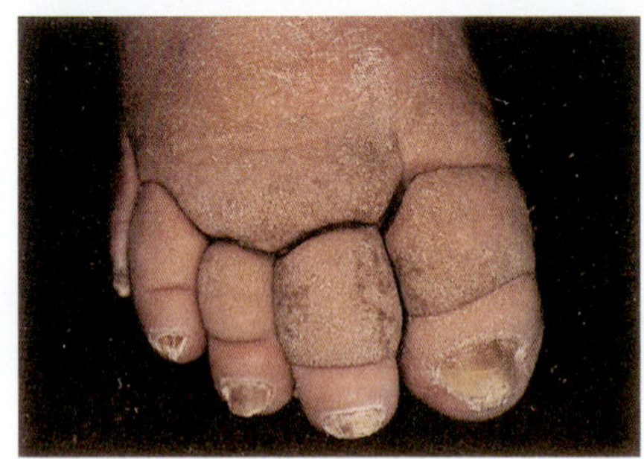

図 24-82　類癌性皮膚乳頭腫症

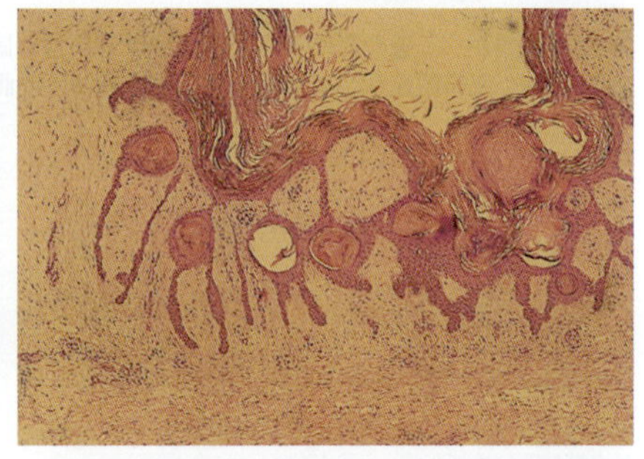

図 24-83　類癌性皮膚乳頭腫症（表皮肥厚，乳頭腫症）

2）類癌性皮膚乳頭腫症 papillomatosis cutis carcinoides（Gottron 1931）（図 24-82, 83）

主として四肢末端に，循環障害を推測させる母地（熱傷瘢痕・下腿潰瘍・慢性湿疹・尋常性狼瘡・角化症・慢性萎縮性肢端皮膚炎など）の上に徐々に生じる，比較的広範な乳頭状局面形成もしくは花菜状腫瘤形成．組織学的に表皮肥厚・乳頭腫症・結合組織増殖．前癌症の一種とも，偽上皮腫性増殖の一亜型とも考えられる．

8. ケラトアカントーマ keratoacanthoma, molluscum pseudocarcinomatosum ◎

ほとんどは単発し，稀に多発する．前者は高齢者の顔面に好発する結節で，ドーム状結節で中央が角栓にて占拠される，あるいはに陥凹する．急速に増大したのち，自然に消褪することがある．組織学的には，高分化有棘細胞癌の像に似る．本症の疾患概念には論争があり，良性とする意見や，有棘細胞癌の一亜型とする意見がある．さらには，単一の疾患単位でなく類似した構築をとる異なった腫瘍を包含した名称とする意見もある．

病因

毛包由来の良性腫瘍と考えられているが，臨床・病理組織像が高分化型有棘細胞癌に類似し，その鑑別が難しいこともある．時に免疫不全状態の患者に，あるいはMuir-Torre 症候群の随伴病変として生じる．

症状（図 24-84）

①中央臍窩を有する角化性結節．比較的急速に増大，形は噴火口に似（crateriform），角栓を容れ，周囲には紅暈をめぐらす．
②顔面に好発し（90％以上），頸・前腕・手背がこれに次ぐ．単発，稀に多発．中年以降の男性に多い．
③一定の大きさ（2 cm 径ぐらい）に達すると進行を停止し，数ヵ月後しばしば自然退縮．
④単発型は時に巨大化（径 5 cm 以上）し，これは自然退縮傾向に乏しい．特に有棘細胞癌との鑑別が問題．
⑤多発型のうち，multiple self-healing epithelioma of the skin（Ferguson-Smith）は，若年者に大きい皮疹（径 2 cm 大まで）が多発する（十数個まで）．日光裸露部に好発するが，体幹や粘膜にも発生．数年から終生にわたって個疹は自然退縮と再発をくりかえす．常染色体優性遺伝で家族内発生を示すことあり．Generalized eruptive keratoacanthoma（Grzybowski 1950）は，数 mm 大までの小さな毛孔

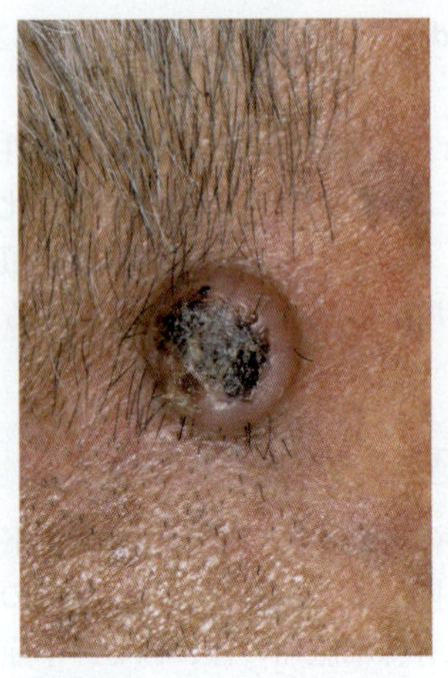

図 24-84 ケラトアカントーマ

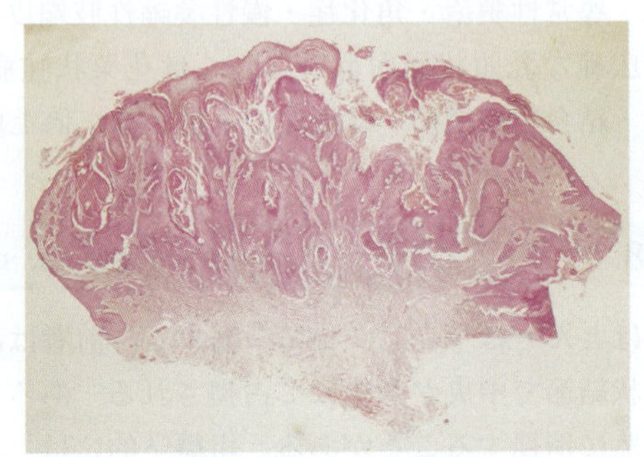

図 24-85 ケラトアカントーマ（中央がクレーター様に陥凹するドーム状結節）

一致性皮疹が顔面・頭部を含む全身に多発する．痒みを伴うことが多い．中高年に発症し，家族内発症はない．自然退縮は稀．

組織所見（図 24-85）

中央に角化増殖あり，これを包むように両側の表皮が細長く伸展し，口唇状を呈する．腫瘍細胞はすりガラス状に淡染する有棘細胞様細胞で，角化傾向が強く異型細胞や核分裂像を見る．組織学的には，高分化有棘細胞癌の像に似る．腫瘍細胞巣内に小型膿瘍を形成することが少なくない．腫瘍下にリンパ球の他好酸球が浸潤する．

診断（表 24-6）

上記のような組織所見のため，腫瘍の全割面を観察できる部分生検標本でさえも診断が困難なことがある．臨床的に本症を疑った場合には全切除を推奨する意見が多い．一方で，典型的臨床・病理所見を呈する有棘細胞癌との鑑別は比較的容易である．

予後

転移せず，自然退縮もあって予後良好．ごく稀に有棘細胞癌に進行するとの見解もあるが，本症の疾患概念に議論があるため，その真偽について言及できない．

治療

有棘細胞癌との鑑別，再発・転移の可能性が問題となるため，通常，自然消失を

表 24-6 ケラトアカントーマと有棘細胞癌との識別

		ケラトアカントーマ	有棘細胞癌
臨床	発育	比較的早い（週単位）	比較的遅い（月単位）
	大きさ	あまり大きくならない	進行性でかなり大きくなる
	自然退縮	特徴的	まずありえない
	多発性	多く単発，時に多発	ほとんど単発
	発生部位	顔面に多い	一定せず
	発生年齢	有棘細胞癌に比し若い	高年者
	性別	男子に多い	あまり差がない
	中央部	角栓	壊死性潰瘍
	形	噴火口型	不規則
	周囲皮膚	正常	しばしば癌前駆性変化
	進行性	一定の大きさのままで	破壊性進行
	リンパ節侵襲	なし	あり
	粘膜侵襲	なし	しばしばあり
組織	割面	黄褐色	灰色
		果肉状，湿潤	硬い，乾燥
	全体像	中央陥凹して角化症	種々
	全体的性格	pseudoepitheliomatous	carcinomatous
	overhanging	あり	まずない
	基底膜	正常	破壊
	表皮真皮境界	明瞭	不明瞭
	表皮内細胞侵入	しばしばあり	通常ない
	間隙形成	通常ない	ありうる
	細胞配列	乱れ少ない	非常に乱れる
	核分裂像	少ない	多い
	細胞分化像	比較的高い	低い
	深部侵襲性	なし（または乏しい）	あり
	真皮炎症性反応	軽～中等度	中等～高度

期待して経過をみるよりも全摘する．

9. 基底細胞癌 basal cell carcinoma（BCC） ◎

高齢者の顔面に好発する．多くは黒色の結節．組織学的には，腫瘍胞巣辺縁の柵状配列，周囲間質との裂隙形成が特徴である．局所で増殖，破壊傾向を示すが，転移は稀で，多くは切除して完治できる．

好発部位

①約 70％以上が頭頸部，特に顔面に発生．顔面でも鼻部，頬部，眼瞼の 3 領域に多い．②体幹に生じるものは表在型および Pinkus 型が主．③原則として粘膜・手掌足底には発生しない．

本態

多分化能を有する表皮・毛嚢系幹細胞が悪性化したと考えられ，従って組織も毛包，脂腺，汗腺などに分化する像を示す．基底細胞母斑症候群をはじめとして高発癌性遺伝性疾患にも生じる．日光，外傷，放射線，瘢痕，砒素などで誘発されることもある．*Patched* 遺伝子変異による hedge-hog-patched 経路の異常が幹細胞の癌化に重要で，併せてしばしば *p53* 遺伝子変異の関与も報告されている．

症状・分類

基本型は硬い黒褐色蠟様光沢性小結節だが，黒褐色の色調が欠如した紅色小結節（無色素性基底細胞癌）の像を呈することもある．種々の臨床型をとる．

1）結節潰瘍型 noduloulcerative type（図 24-86～88）

最も多い臨床型で硬い小結節で，表面に毛細血管拡張を伴うことあり，病変が大きくなるにつれて中央が潰瘍化する（蚕蝕性潰瘍 ulcus rodens）．顔面正中部に多く，組織学的に充実型（solid），腺様型（adenoid），角化型（keratotic），嚢腫型（cystic）などをとる．茸状に強く外方に突出することもある（exophytic）．

2）表在型 superficial type（図 24-89）

主として体幹に生じる，境界明瞭な紅～褐～黒色扁平局面で辺縁に微小な黒色結節が配列し，その内側中央は萎縮状の局面となる．徐々に大きさが拡大する．組織

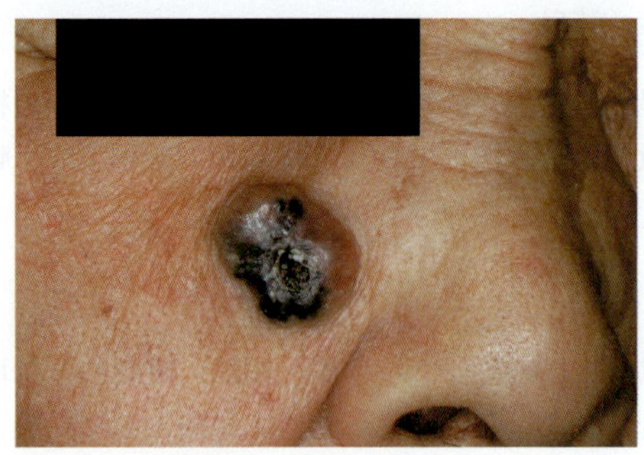

図 24-86　基底細胞癌（結節潰瘍型）

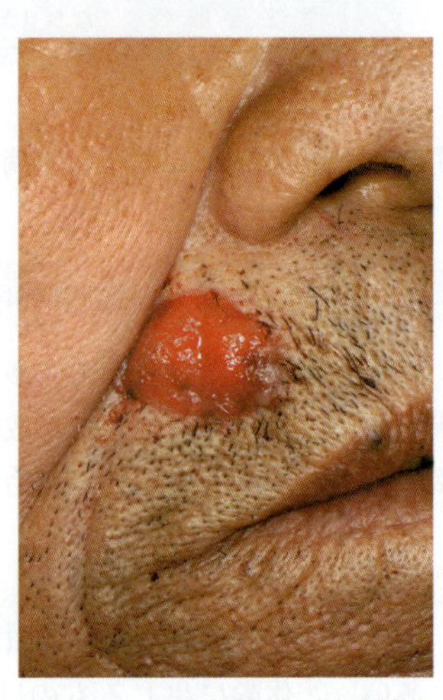

図 24-87　基底細胞癌（結節潰瘍型：無色素性病変）

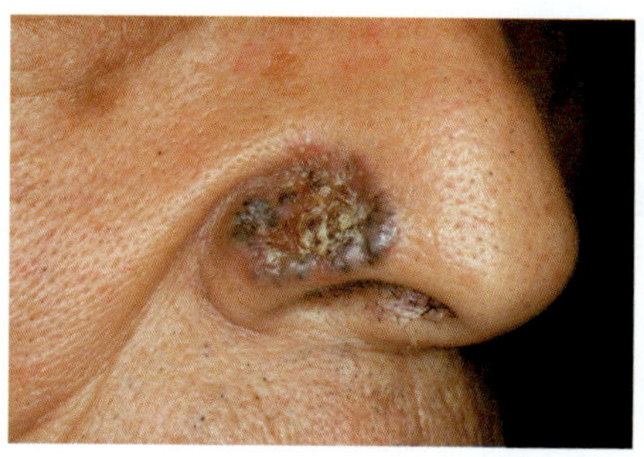

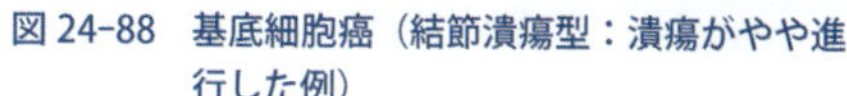

図 24-88　基底細胞癌（結節潰瘍型：潰瘍がやや進行した例）

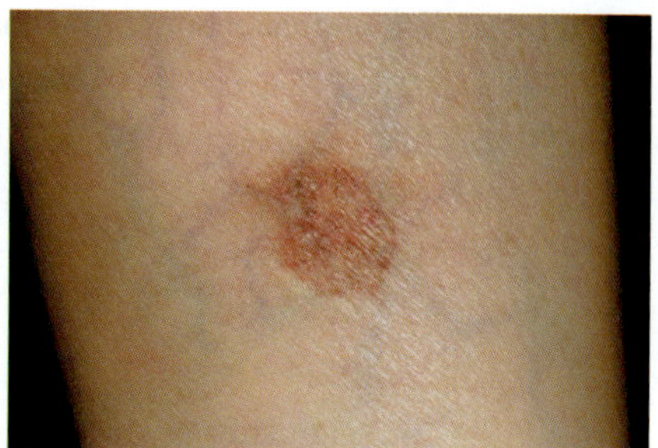

図 24-89　基底細胞癌（表在型）

学的に表皮より蕾状に下方に突出する（primary epithelial germlike）充実型の腫瘍塊を多数みる．

3）斑状強皮症型 morphea-like type（図 24-90）（Hartzell 1909）

中央のやや凹んだ浸潤局面で，辺縁が小結節状に隆起することもある．健常部位との境界はしばしば不明瞭で，皮内硬結として触れるだけのこともある．時に毛細管拡張を伴う．組織学的に汗管状の細い腫瘍細胞索が真皮内に横走し，同時に結合組織が増殖する．色素沈着はほとんどない．

4）破壊型 epithelioma terebrans（図 24-91）

強い潰瘍形成傾向を有し，潰瘍は側方ならびに深部に向かって進み，軟組織，骨などの深部組織を破壊，大出血，脳膜炎などを惹起して予後不良のこともある（local malignancy）．

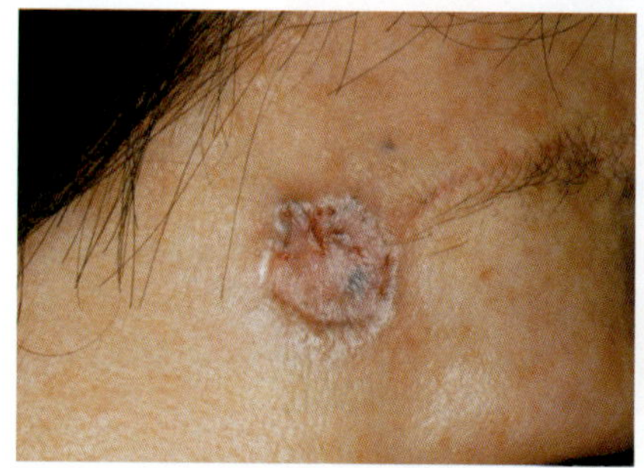

図 24-90　基底細胞癌（斑状強皮症型）

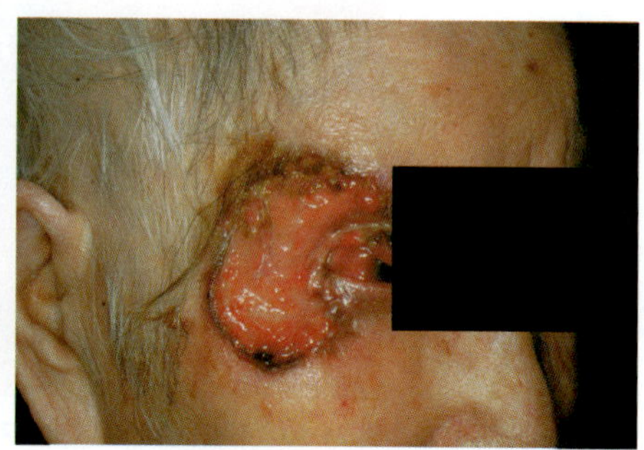

図 24-91　基底細胞癌（破壊型）

5）ピンカス腫瘍 premalignant fibroepithelial tumors of the skin（Pinkus 1953）

背腰仙骨部の正中部，その他，側胸，臍囲，四肢にも生じる，多発性の，多くは有茎性の小腫瘍で，他に表在性基底細胞腫の併発をみることが少なくない．表皮より多数の細かい上皮索がサンゴ樹状に延長吻合し，その間質は線維腫性，粘液腫性を示し，実質と間質との比において後者が優位を示している．

ダーモスコピー（図 24-92～94）

網状色素沈着（pigment network）を欠き，以下の所見の少なくとも一つを伴う．①不規則に分布する樹枝状血管（arborizing vessels），②葉状領域（leaf-like areas），

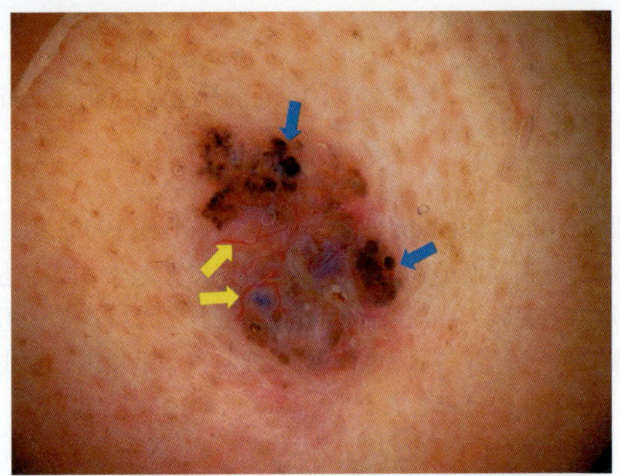

図 24-92　基底細胞癌のダーモスコピー所見（黄矢印：arborizing vessels，青矢印：large blue-gray ovoid nests）

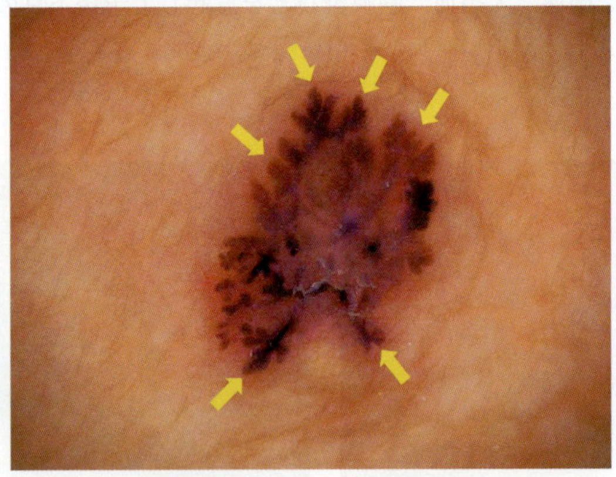

図 24-93　基底細胞癌のダーモスコピー所見（黄矢印：leaf-like areas）

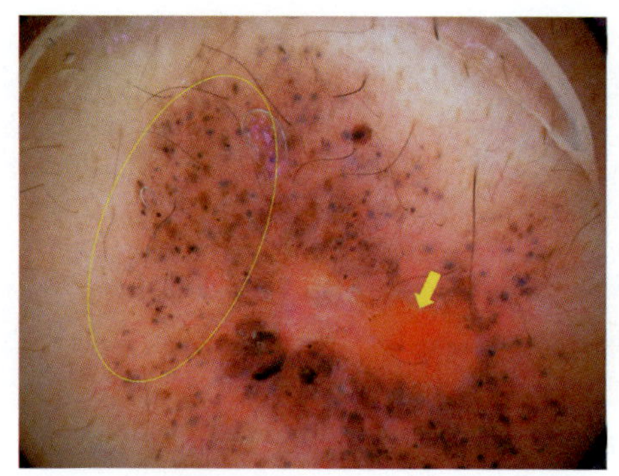

図 24-94　基底細胞癌のダーモスコピー所見（黄楕円内：blue-gray globules，黄矢印：ulceration）

③大型青灰色卵円形胞巣（large blue-gray ovoid nests），④多発性青灰色小球（multiple blue-gray globules），⑤車軸状領域（spoke-wheel areas），⑥潰瘍（ulceration），⑦光輝性白色領域（shiny white area）．

組織所見（図 24-95～100，表 24-7）

腫瘍細胞は大きい楕円形の核を持ち，原形質に乏しく，一見基底細胞に似る．異型性はほとんどない．

結合組織が上皮性腫瘍巣と協調性に増殖し（fibroepitheliomatous），両者の比は各型により異なる．腫瘍巣の辺縁では縦長の核を有する細胞が柵状に配列するのが

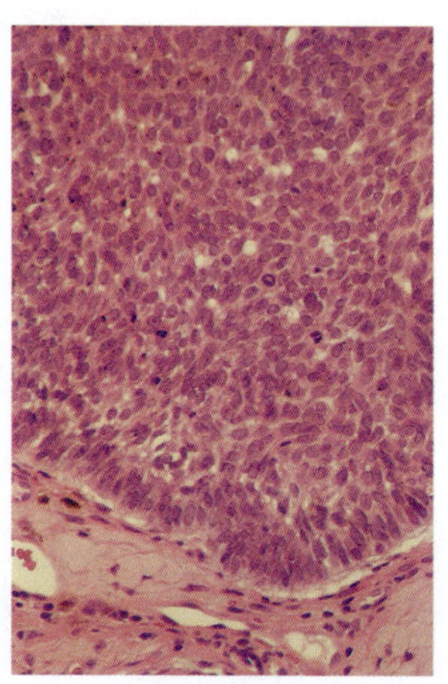

図 24-95　基底細胞癌（結節型：腫瘍巣辺縁の柵状配列と裂隙）

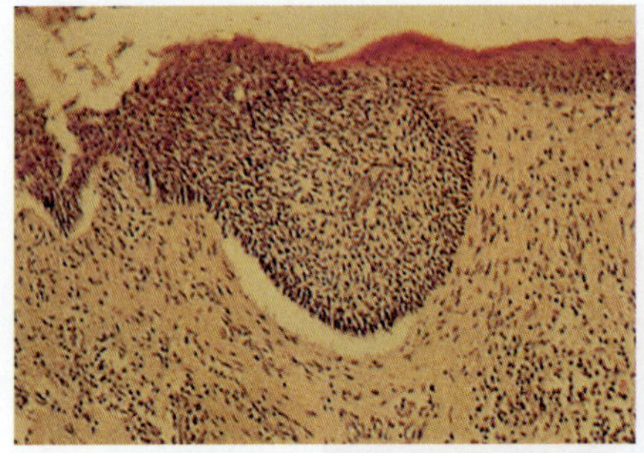

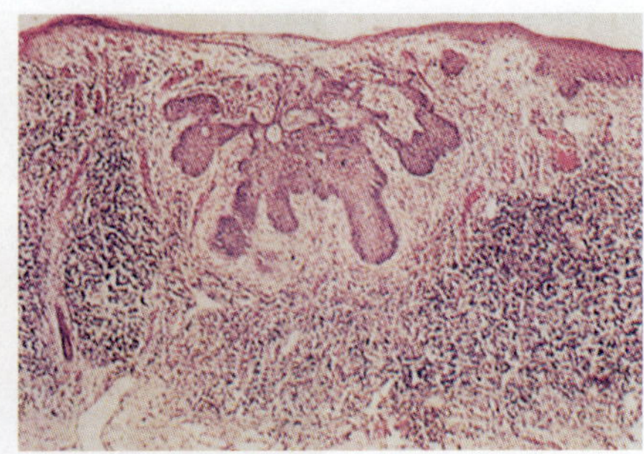

図 24-96　基底細胞癌（表在型：表皮から垂れ下がるような嚢状の腫瘍巣）

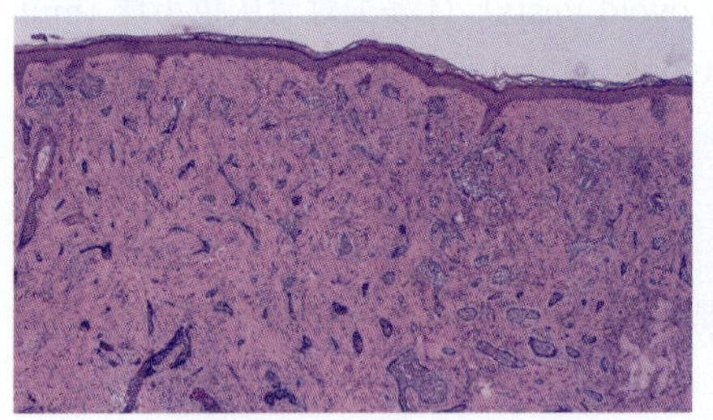

図 24-97　基底細胞癌（浸潤型：形の不整は大小の腫瘍巣が深部まで増殖）

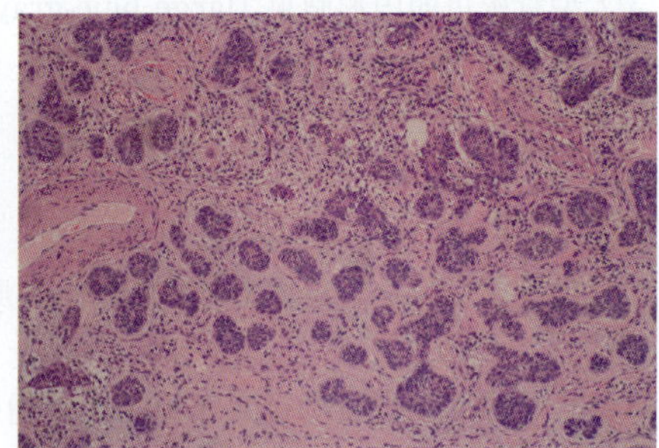

図 24-98　基底細胞癌（微小結節型：小型の腫瘍巣が多数増殖）

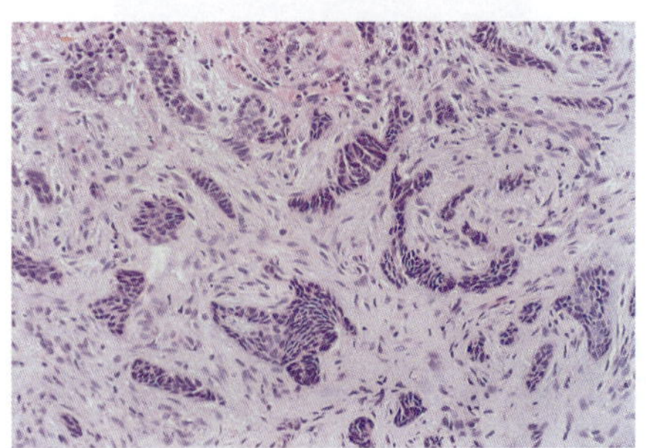

図 24-99　基底細胞癌（斑状強皮症型：増生する結合織内に散在する索状の腫瘍塊）

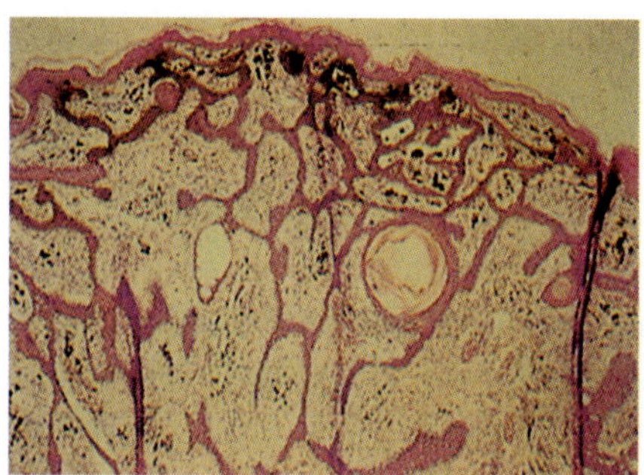
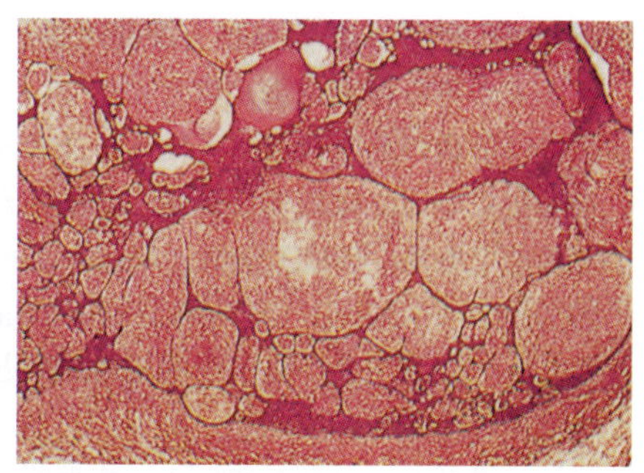

図 24-100　基底細胞癌（ピンカス型：細小腫瘍索が細網状に下方に延びている）

表 24-7　基底細胞癌の病理組織型分類

低再発危険性組織型	高再発危険性組織型
結節型（nodular） 表在型（superficial） 角化型（keratotic） 漏斗状嚢胞型（infundibulocystic） Pinkus 型（fibroepithelioma of Pinkus）	浸潤型（infiltrative） 微小結節型（micronodular） 混合型（mixed）* 斑状強皮症 / 硬化型（morpheic/sclerosing） 基底有棘細胞型（basoquamous） 癌肉腫様型（carcinosarcomatous）

＊表在型を含む場合は混合型に含まない．結節型に高再発危険性組織型がみられる例がほとんどであるため，高再発危険性組織型に含めた．

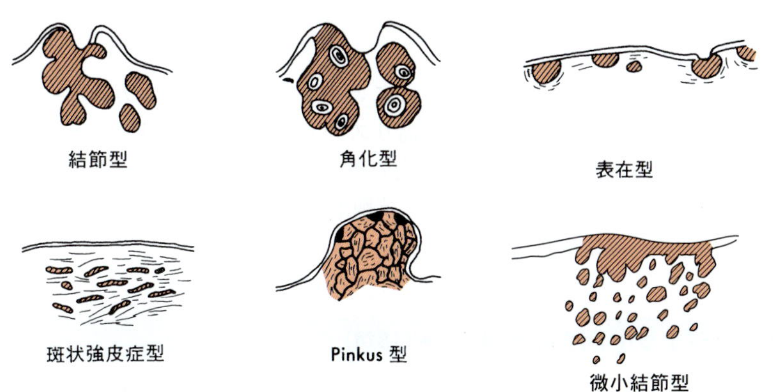

図 24-101　基底細胞癌　組織像

特徴（**柵状配列**）．腫瘍胞巣と周囲間質との間には裂隙形成が認められる．

日本人の本症は黒色調がほとんどで（色素性基底細胞癌 pigmented BCC），組織学的には多数の色素伝達障害性メラノサイトをみる．

組織型については様々な分類法があるが，予後と関連した浸潤様式による分類法が一般的である．WHO 分類（World Health Organization classification of tumors），米国 NCCN（National Comprehensive Cancer Network）ガイドラインも本分類を基盤としている．非侵襲型である結節型と表在型を中心とした低再発危険性組織型と，高侵襲型である浸潤型，微小結節型，斑状強皮症 / 硬化型を中心とした高再発危険性組織型とに分類している．病理所見が混在してみられた場合は，混合型として扱い，高侵襲型な組織型を重視して分類する．臨床型と組織型は名称が異なることから，一対一に対応している訳ではなく，一つの臨床型に異なる組織型や複数の組織型を含みうる．

鑑別診断

ブロッホ良性非母斑性黒色上皮腫，黒子，脂漏性角化症，悪性黒色腫，尋常性疣贅，慢性潰瘍ないし肉芽腫，表在型ではボーエン病，乾癬，斑状強皮症型では限局性強皮症，DLE，環状肉芽腫，ケロイドなど．ダーモスコピーが臨床的鑑別に有用であることが多い．病理組織学的には毛芽腫との鑑別が必要．

予後

転移は極めて稀（0.1％以下）であるが，局所再発を繰り返したのちリンパ節・肺・骨などに転移した例がある．破壊型は危険で浸潤部位によっては浸潤による組織の破綻（出血など）が死因となりうる．

治療

切除，深部方向を過不足なく切除することが基本であり，水平方向は再発リスク分類（表 24-8）の低リスクで 4mm，高リスクで 5mm 以上の切除マージンが推奨されている．一方で，色素を有する病変の多い日本ではより狭いマージンでの切除も検討されている．，手術の他に，時に抗腫瘍薬軟膏や放射線照射，電気凝固術，光線力学的療法，凍結療法など．

10. パジェット病 Paget's disease（1874）　◎

乳房パジェット病と乳房外パジェット病がある．乳房パジェット病は乳管上皮由来の乳癌であり，治療も乳癌に準ずる．乳房外パジェット病は，アポクリン腺様分

表 24-8　基底細胞癌の再発リスク分類

	低リスク	高リスク
臨床		
局在，サイズ	体幹四肢 2cm 未満	体幹四肢 2cm 以上 体幹四肢以外のあらゆる大きさ
腫瘍境界	明瞭	不明瞭
原発性 / 再発性	原発性	再発性
免疫抑制状態	なし	あり
局所放射線治療歴	なし	あり
病理		
病理組織型分類	結節型・表在型・角化型・漏斗状囊胞型・Pinkus 型	左記以外の病理組織型
神経周囲浸潤	なし	あり

高リスクに分類される因子を一つでも満たせば高リスクに分類される．

化を示す表皮内癌と考えられており，外陰部に好発する．組織学的には，胞体の明るいパジェット細胞が胞巣を形成して増殖する．乳房や陰部の治りにくい湿疹様病変は，本症の可能性を念頭に置くべきである．

1）乳房パジェット病 mammary Paget's disease

病因

乳腺排出管細胞に発した癌（intraductal carcinoma）で，表皮方向および乳腺方向へ増殖し，表皮内侵襲したとする考えが強い．現在の乳癌取り扱い規約において「乳頭・乳輪の表皮内浸潤を特徴とする癌で，乳管内進展がみられ，間質浸潤が存在してもわずかなもの」と定義されている．

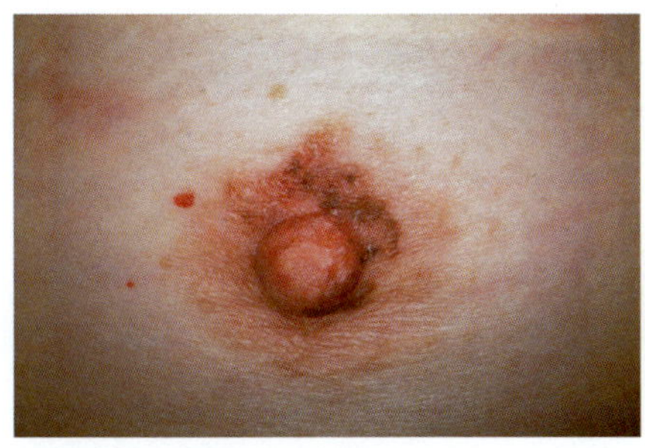

図 24-102　乳房パジェット病

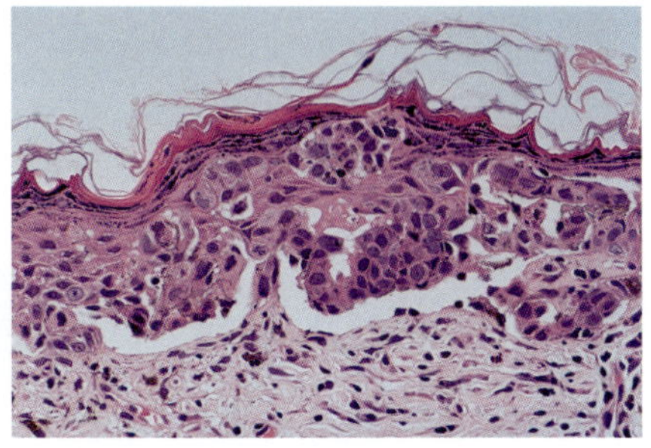

図 24-103　乳房パジェット病（組織）

症状 (図 24-102)

乳頭・乳暈中心の境界明瞭な紅斑，湿潤，結痂局面で，年余にわたり徐々に進行．しばしば下床乳腺内に硬結を触れ，また所属リンパ節転移をみる．ほとんどが女性．

組織所見 (図 24-103)

表皮内に明るい大型の細胞（パジェット細胞）が散在または集簇．ジアスターゼ抵抗性 PAS 陽性，アルシャン青，CEA 陽性．管および腺内では，壁細胞が Paget 細胞に置換，あるいは腔内に増殖して面皰癌の像を示し，さらに進行すれば乳管外へ浸潤性に増殖をきたす．

鑑別診断

①乳房湿疹，② adenomatosis of the nipple，③ボーエン病やメラノーマのパジェット型．

予後

乳管外に浸潤・進展すると，腋窩リンパ節さらに全身転移をきたす．

治療

乳管上皮内に限局する病変の場合は非浸潤性乳管癌に準ずる．以前は単純乳房切除が行われていたが，近年では画像検査で病変の拡がりを評価したうえで，乳房温存手術も試みられている．

2）乳房外パジェット病 extramammary Paget's disease

病因

①表皮に原発し，パジェット細胞が表皮内で増殖，拡大するパジェット病が大多

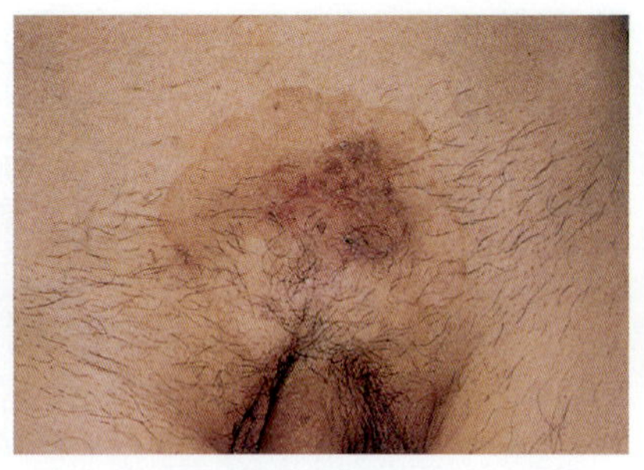

図 24-104 乳房外（外陰部）パジェット病

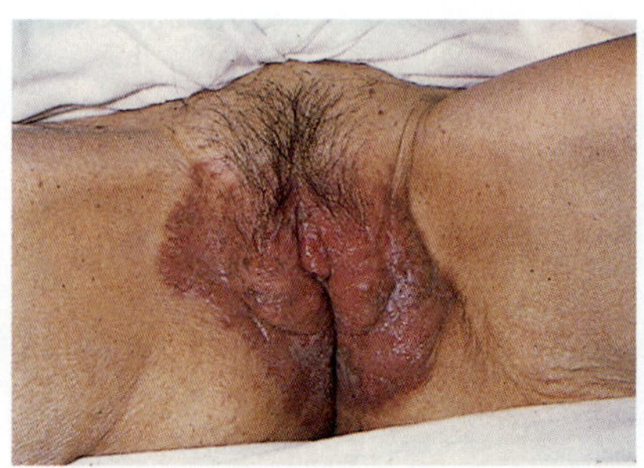

図 24-105 乳房外（外陰部）パジェット病

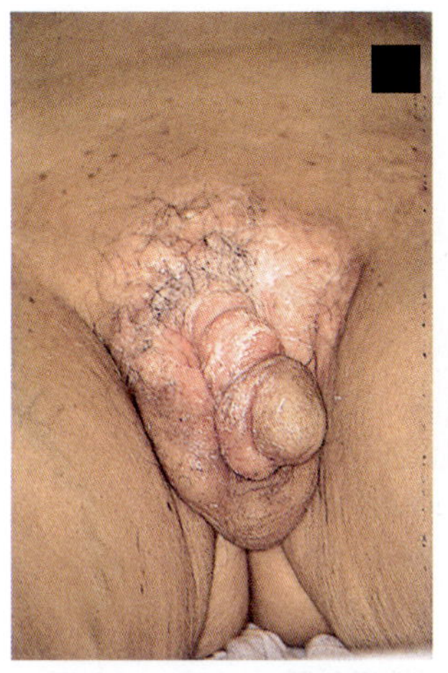

図 24-106　乳房外（外陰部）パジェット病

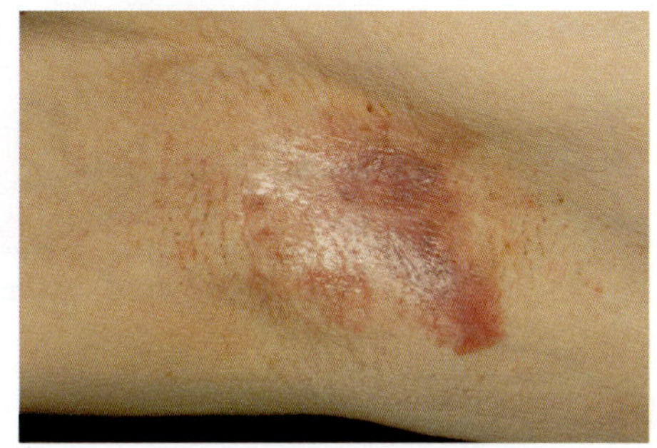

図 24-107　乳房外パジェット病（腋窩）

数を占める．表皮に存在する多分化能を有する細胞が悪性化して，アポクリン腺様分化をしたのがパジェット細胞と推測される．②アポクリン腺，肛門粘膜杯細胞（goblet cell）などの腺癌が表皮向性に侵襲したもの（二次性乳房外パジェット病）が一部にある．

症状（図 24-104〜107）

境界明瞭な紅斑，時に単なる色素斑，白斑のこともある．自覚症状に乏しく，ゆっくりと拡大して，びらん化し，痂皮を付着する．基底膜を破って真皮に浸潤・増殖して，結節や腫瘤を形成することもある．さらに進行してリンパ節などへ転移することもある（浸潤性乳房外パジェット病）．大部分が外陰部（陰嚢，陰茎，陰唇，恥丘）に，その他，肛囲，会陰，腋窩，臍囲に発生する．乳房外パジェット病は時に多発し，乳房，腋窩，外陰・肛囲などに同時に発生することもある（triple Paget's disease）．

組織所見（図 24-108）

個々の細胞は乳房パジェット病のそれに比して小さく，またそれほど淡染性ではない．種々の形に表皮内に増殖する（森 1965）．ジアスターゼ抵抗性 PAS 陽性，アルシャン青，CEA 陽性，GCDFP15（gross cystic disease fluid protein 15）や AEA（apocrine epithelial antigen）陽性．

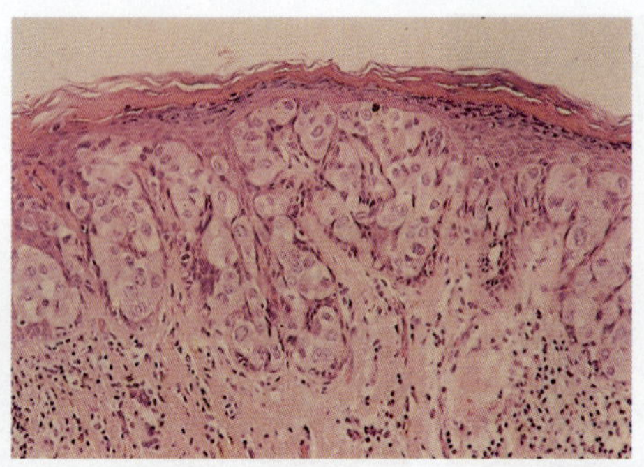

図 24-108　乳房外（外陰部）パジェット病（組織）

鑑別診断

①湿疹，②カンジダ症・頑癬，③ボーエン病，悪性黒色腫のパジェット型．

治療

広範囲切除（＋植皮または皮弁）．周囲の一見健常皮膚も 1～3 cm 含める（組織学的にはしばしば周囲にパジェット細胞が存在）．切除範囲を決めるために，特に女性外陰の粘膜側で mapping biopsy をすることがある．必要に応じてリンパ節郭清．光線力学的療法．進行例に化学療法（ドセタキセル，ドセタキセル＋S-1，シスプラチン＋5-FU，Her-2 陽性例へのトラスツズマブなどの有効性が症例報告でみられるが，国内で Paget 病に保険適用薬剤はなく，前向き試験での有効性も検証されていない）．

11. 外毛根鞘癌 trichilemmal carcinoma（Headington 1976）（図 24-109）

顔面，耳介，頭部，次いで体幹，四肢に好発し，常色～暗紅色～黒褐色の疣状角化性結節ないし肉芽腫様腫瘤を呈する．Bowenoid な異常角化あり．表層には外毛根鞘性角化を示す．本症を独立性疾患と認めない意見もあり（Ackerman 2001），また，malignant trichilemmoma（森岡 1976）との異同も議論されている．全摘後の再発や転移は少ない．

12. 悪性増殖性外毛根鞘性嚢腫 malignant proliferating trichilemmal cyst（tumor）（Headington 1976）

結節～肉芽腫様腫瘤で頭部に好発．中央に外毛根鞘性角化，これを囲んで異型細

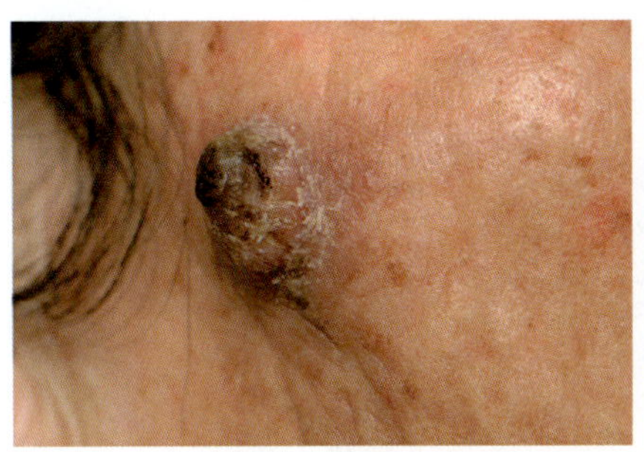

図 24-109　外毛根鞘癌

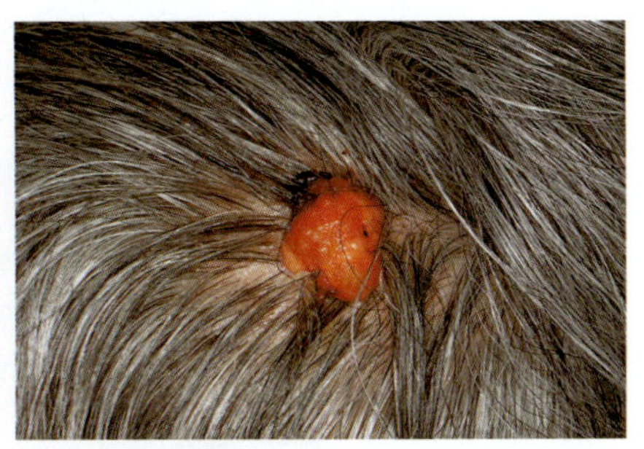

図 24-110　脂腺癌

胞増殖．増殖性外毛根鞘性嚢腫の悪性型と捉えられている．外毛根鞘性角化を示す有棘細胞癌の一型との考え方もある（Ackerman 2001）．

13. 脂腺癌 sebaceous carcinoma（図 24-110）

稀．多くは眼瞼マイボーム腺由来（**マイボーム腺癌**）であるが，眼瞼外の脂腺癌もあり，顔面と被髪頭部に好発する．小結節を生じ，次いで潰瘍化する．脂腺分化を示す基底細胞癌に似るが，より未分化で異型性が強く，分葉構造もはるかに著明である．転移の有無や Muir-Torre 症候群の可能性などを検索する．十分な範囲を切除する．

14. エクリン汗孔癌 eccrine porocarcinoma, malignant eccrine poroma（図 24-111）

エクリン汗孔への分化を示す悪性腫瘍で，汗孔腫の一部が悪性化して発することもある．四肢遠位部に好発し，結節，有茎性腫瘤，潰瘍などを呈する．腫瘍細胞は異型性，核分裂像に富み，原則として表皮内にあるが，しばしば真皮内にも浸潤する．グリコーゲンに富み，管腔構造を示す．組織学的に汗孔腫と並存する場合とそうでない場合がある．

15. エクリン汗腺癌 classic type of eccrine adenocarcinoma, eccrine sweat-gland carcinoma（図 24-112）

エクリン汗腺癌の中で良性のカウンターパートを持つものやそれに類似する構造を持つもの，また，以下 16. ～18. に示すような特徴的組織像を有するエクリン汗腺癌特殊型を除いたものである．稀．腺体部に発する腺癌で皮内ないし皮下に発し

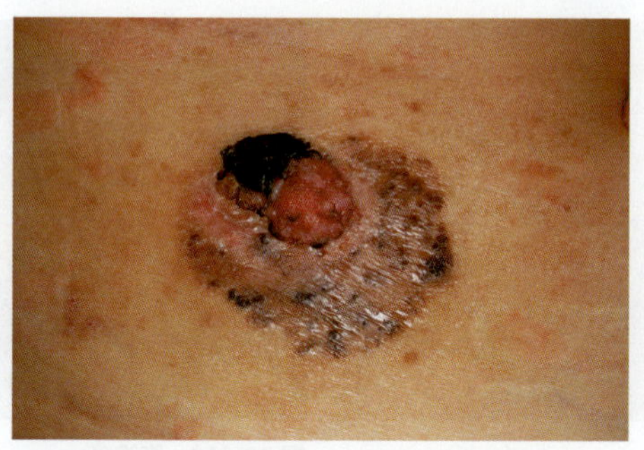

図 24-111　汗孔腫から発したエクリン汗孔癌

次第に大きくなり，やがて皮表に隆起してくる．管腔，腺腔構造を示す異型細胞より成る．ホスホリラーゼやコハク酸脱水素酵素などのエクリン酵素陽性．GCDFP-15 陽性所見が消化管からの転移性癌との鑑別に有用．

16. 微小囊胞性付属器癌 microcystic adnexal carcinoma（Goldstein 1982）（図 24-113）

顔面，特に口囲に好発するほぼ正常色ないし淡紅，黄色の弾性硬の隆起性局面を生じ，緩徐に増大する．中年男性に多い．島状，索状の腫瘍塊が深く筋層，神経周囲，血管外膜，骨，軟骨にまで浸潤し，角質囊腫，未分化毛包構造，管腔構造などが混在，間質には結合組織が増生，ムチンが沈着する．汗腺系，毛包系両方向への分化をも示す．転移は稀であるが，深部に浸潤性に増殖するので局所再発しやすい．深部まで十分切除する．

17. 原発性皮膚腺様囊胞癌 primary cutaneous adenoid cystic carcinoma（Headington 1978）

頭顔面に好発（外耳道，耳下線，口唇原発を除く），真皮に管腔状，篩状（cribriform），充実性の増殖をきたす異型立方上皮細胞様細胞から成る腫瘍で，間質は好塩基性に染まる．腺様型基底細胞癌との鑑別が必要．

18. 皮膚粘液癌 mucinous carcinoma of the skin, mucinous eccrine carcinoma（Lennox 1952，Mendoza and Helwig 1971）

中高年男性の眼瞼，顔面，頭頸部に多い．2～3 cm 大の結節．汗腺系の粘液産生悪性腫瘍で，豊富なムチンが腫瘍巣を取り囲む．エクリン分泌部由来と考えられて

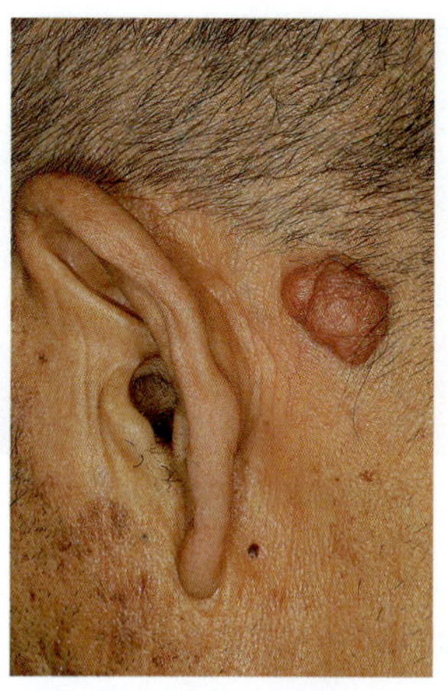
図 24-112　エクリン汗腺癌

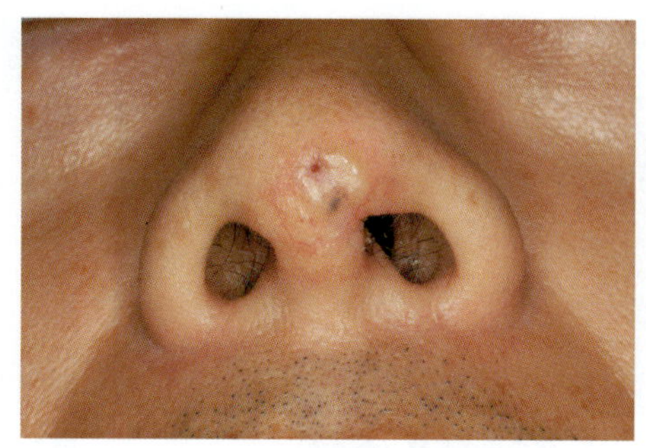
図 24-113　微小囊胞性付属器癌（鼻尖～鼻柱）

いるが，アポクリン腺に由来するともいわれる．6～10％に再発，4％前後に転移する．CK7 陽性，CK20 陰性，GCDFP-15 陽性などで粘液性大腸癌の転移と鑑別する．

19. アポクリン汗腺癌 apocrine adenocarcinoma（図 24-114）

極めて稀．50 歳以上男子，腋窩に好発．その他外耳道，乳暈，肛門，眼瞼縁（Moll 腺），鼻翼．いわゆる乳房外パジェット病の多くは，表皮原発のアポクリン分化を示す悪性腫瘍であり，ごく一部はアポクリン腺癌の表皮向性転移（epidermotropic metastasis）と考えられている．

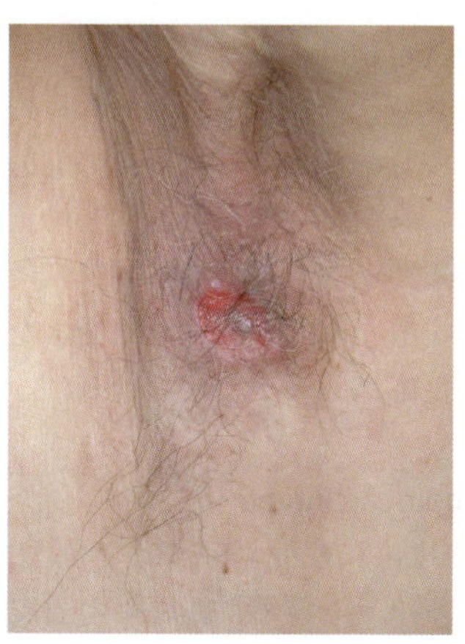
図 24-114　アポクリン汗腺癌（腋窩）

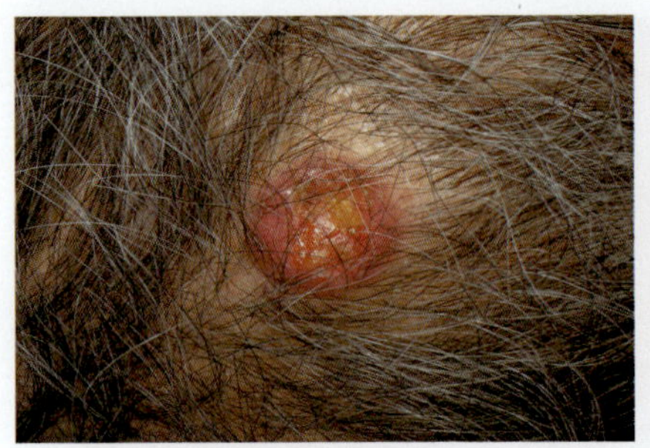

図 24-115　癌の皮膚転移（食道癌）

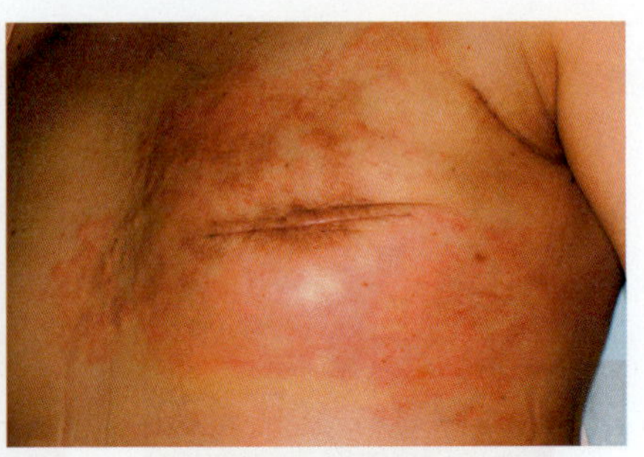

図 24-116　癌の皮膚転移（丹毒様紅斑：乳癌）

4　癌の皮膚転移 metastatic carcinoma of the skin

内臓癌が連続性，血行性またはリンパ行性に皮膚に転移してきたもので，原発巣として乳腺，胃，肺，大腸，子宮，卵巣などがある（図 24-115，116）．転移腫瘍細胞の増殖様式，皮膚内における占拠部位により種々の臨床像を示すが，皮下結節，皮内硬結，小結節，結節，潰瘍，板状硬結などが多い．皮膚転移が先に出現し，のちに原発巣の検出されることも少なくない．胃癌転移における印環細胞のようにかなり特異的なものもあるが，転移巣では形態あるいは組織化学的態度が原発巣のそれと異なることも多い．膠原線維間に1列縦隊をなして腫瘍細胞の並ぶことがある（Indians in a file）（図 24-117）．一種の遠隔転移であるから，予後は極めて悪い．

1）丹毒様癌 carcinoma erysipelatodes

皮膚が丹毒様に潮紅し，熱感，疼痛，浸潤のあるもので，乳癌転移のことが多い．Inflammatory carcinoma．炎症症状なく紅斑のみのものもある（紅斑癌）．

2）鎧状癌 cancer en cuirasse

乳癌に続発し，胸部に鎧を着たような板状硬結をきたす．転移腫瘍細胞増殖巣とともに浮腫，そして線維性反応が強い．

3）表皮向性癌 epidermotropic carcinoma

転移癌細胞が主として表皮内に浸潤増殖する特異型で，極めて稀．いわゆるパジェット病も乳癌ないしアポクリン汗管，汗腺癌の表皮内転移とすればこのカテゴリーの中に含めることができる．

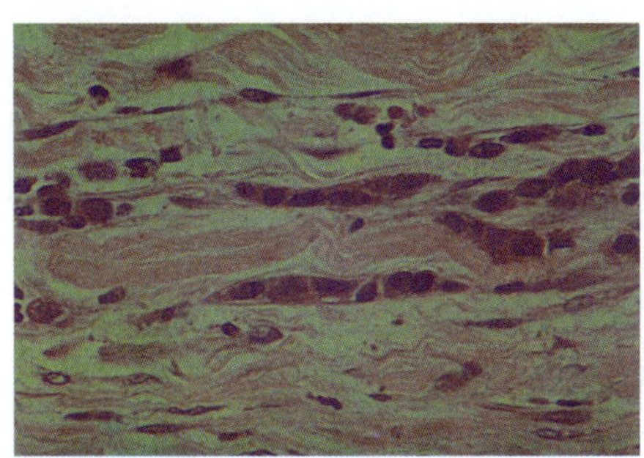

図 24-117　胃癌の皮膚転移（Indians in a file）

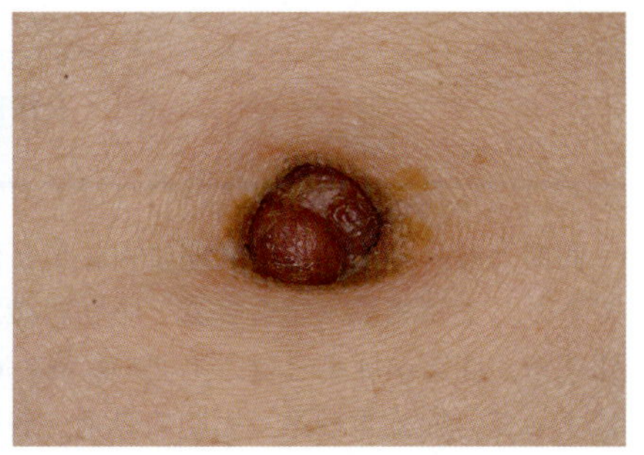
図 24-118　Sister Joseph 結節（胆管癌の転移）

4）Sister Joseph 結節（図 24-118）

胃，膵，大腸，卵巣などの腹腔内悪性腫瘍の臍部への転移．暗紅～茶褐色結節．①腹腔播種から直接浸潤，②臍動脈索，正中臍索，肝円索を介しての直接浸潤，③臍窩，鼠径，傍大動脈リンパ節からのリンパ行性転移，④動静脈からの血行性転移，⑤腹水中癌細胞の移植などの経路．看護師 Joseph が臍に硬結を生じる癌患者の予後の悪いことに気付いたことからこの名がある．

Ⅱ．間葉系腫瘍

間葉とは，発生のごく初期に内胚葉と外胚葉の間に落ち込んだ細胞から成る組織であり，支持組織（結合組織，脂肪組織，骨・軟骨，血液・リンパ）や筋組織に分化する．間葉系腫瘍とは，上記の組織への分化を示す腫瘍であり，その分化の方向によって，線維組織系，脂肪組織系，筋組織系，骨・軟骨系，脈管系，組織球系，造血系に分ける．各項目に良性，悪性を含めて記述する．

1　線維組織系腫瘍

1．皮膚線維腫 dermatofibroma，組織球腫 histiocytoma，良性線維性組織球腫 benign fibrous histiocytoma，硬化性血管腫 sclerosing hemangioma　○

表面褐色調の硬い結節．真皮内に限局性に線維芽細胞，組織球が増殖した良性腫瘍．

症状（図 24-119）

直径数 mm から 2 cm ぐらいまでの，半球状に隆起した硬い小結節ないしは皮内硬結で，表面は正常皮膚色～黒褐色，四肢に好発し，単ないし多発．黒褐色調強く，隆起が少なく，硬いものは組織学的に線維成分が多く（古くは硬性線維腫 fibroma durum），正常皮膚色から帯紅色調で半球状に隆起し，やや軟らかいものは組織学的に細胞成分が多い（いわゆる組織球腫 histiocytoma）．多発型には自己免疫性疾患（膠原病，特に SLE・MCTD・強皮症），ステロイド・免疫抑制薬投与，HIV 感染，ウイルスの関与がみられることあり．

組織所見（図 24-120）

腫瘍巣上部の表皮は肥厚することが多く，基底層の色素も増強する．真皮全層に巣状に膠原線維が増加し，そこに線維芽細胞様の紡錘形細胞が密に増殖する．細胞成分が少なく線維成分の多い fibrous type やヒアリン化した膠原線維より成る sclerotic fibroma（Rapini and Golitz 1989）もある．多発性の sclerotic fibroma は Cowden 病に合併するが，稀に単発する．血管の増生の強いことがある（sclerosing hemangioma）．

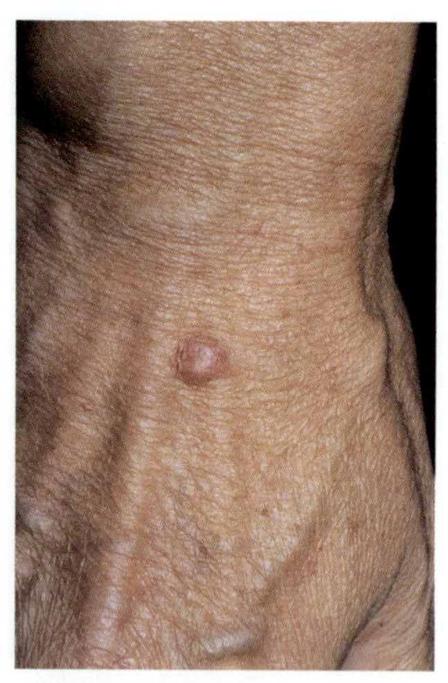

図 24-119　皮膚線維腫

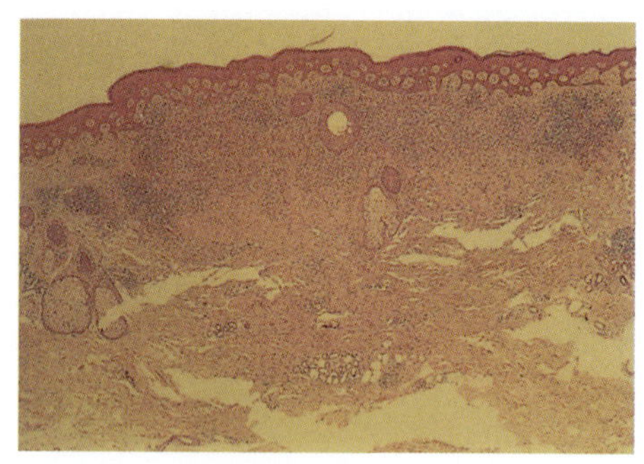

図 24-120　皮膚線維腫（組織）

特殊型

① **cellular benign fibrous histiocytoma**：細胞成分が豊富で，束状，花むしろ状に増殖し，しばしば真皮より皮下に及ぶ．隆起性皮膚線維肉腫と鑑別する．CD34陰性．

② **aneurysmal benign fibrous histiocytoma**：多数の毛細管，出血，泡沫細胞が血液の充満した海綿様腔ないし裂隙を取り囲み，血管腫様にみえる．

③ **atypical benign fibrous histiocytoma**：巨大核（モンスター細胞），多核，異型核を持つ細胞が通常の皮膚線維腫内にみられるもの．泡沫細胞も散見され，異型線維黄色腫（atypical fibroxanthoma）と鑑別．

④ **epithelioid benign fibrous histiocytoma**：乳頭腫様臨床像を示し，組織像は好酸性胞体の類上皮細胞，多核細胞，泡沫状マクロファージ，紡錘形細胞が増殖して胞巣を形成，それを表皮索が取り囲む．

治療

無症候性であれば治療の必要はない．長年月で平坦化，消褪することもある．大きい，臨床像が異型，外傷を受けやすいなどに際しては切除する．

2. 軟線維腫 fibroma molle，soft fibroma

加齢による変化で，表皮は肥厚して乳頭腫状に増殖，真皮は浮腫性で膠原線維が

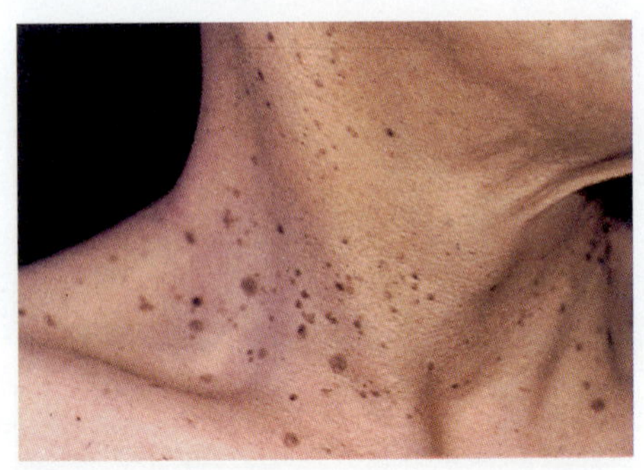
図 24-121　アクロコルドン

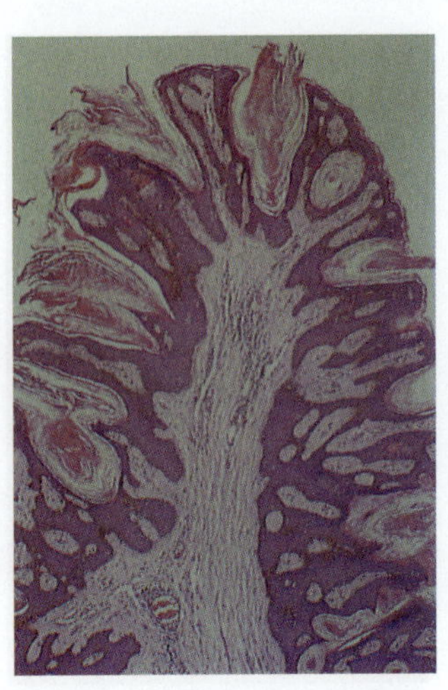
図 24-122　アクロコルドン（組織）

疎となっている．3型に分ける．

①**アクロコルドン（acrochordon）**（図 24-121，122）：頸・腋窩に生じる粟粒大の多発する小丘疹．有茎性となることも多い．中年以降に増加．いわゆるアクロコルドンには脂漏性角化症も含まれるが，必ずしも区別は容易ではない．

②直径 2 mm，長さ 5 mm ほどの細長い小丘疹．

③径 1 cm 以上に及ぶ下垂性腫瘤で体幹下部に多い．
（懸垂性線維腫 fibroma pendulum）．

3. ケロイド keloid

外傷，手術に続発して生じる結合織の増生．単純に切除すると，より大きなケロイドとして再発する可能性が高い．

病因

何らかの外傷が関与．ケロイド素因も確かにあるが，それも年齢，部位により一個人においても変動する．

症状（図 24-123～125）

境界明瞭な，扁平隆起性～半球状隆起で，鮮紅～紅褐～褐色，徐々に側方に進行するとともに，中央部はしばしば褪色扁平化し，あたかも餅を引き伸ばしたかのような像を示す．はじめの外傷部位の範囲を越えて増殖する点が，肥厚性瘢痕と異な

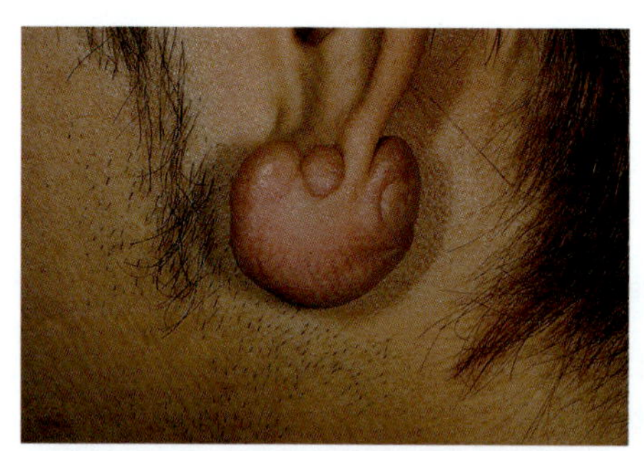
図 24-123　ケロイド（ピアス穴に生じたもの）

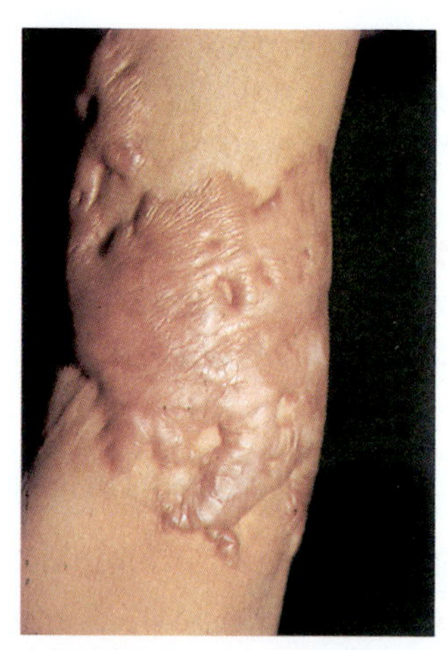
図 24-124　ケロイド

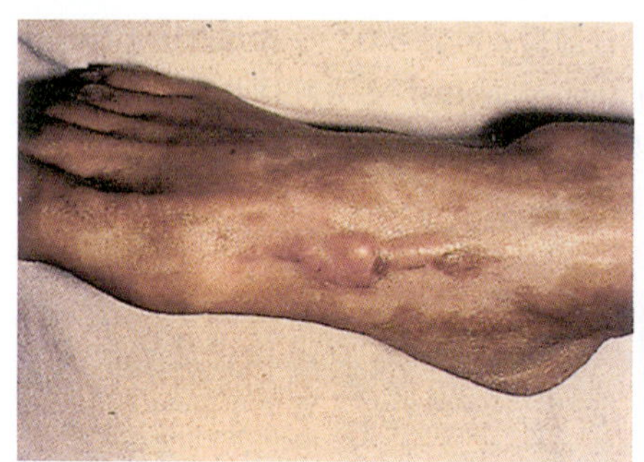
図 24-125　肥厚性瘢痕

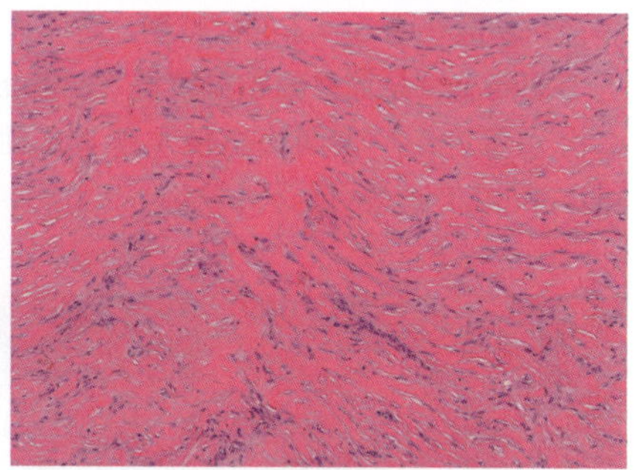
図 24-126　ケロイド（著明な膠原線維の増殖）（梅林芳弘博士提供）

る．圧痛はないが，横から強くつまむと痛いことが多く（側圧痛），時に激痒あり．下床に軟骨・骨のある部位に好発し，前胸，顔面，上腕，背部に多い．明らかな誘因なく発するのを特発性ケロイド，外傷，熱傷などの瘢痕から生じるのを瘢痕ケロイドと分かつが，前者には気づかぬ小外傷（microtrauma）が存在し，区別すべきでないという考えも強い．前胸部に左右帯状に，前胸，背，頬顎部の痤瘡後に多発することが多い．

肥厚性瘢痕（hypertrophic scar）は，外傷部位を越えて周囲に拡大せず，隆起，紅色調も少なく，側圧痛もなく，膠原線維増殖が表皮直下にまで及んでいる点などでケロイドと異なるが，本態や治療の点では，ほぼ同じと考えられる．

組織所見（図 24-126）

真皮中深層に波状～渦巻状に膠原線維が増殖し，小血管がその内に新生，基質には酸性ムコ多糖類が増加する．

治療

①ステロイド軟膏 ODT，②圧迫包帯，③ステロイド局注，④トラニラスト（リザベン）内服，⑤切除（＋形成術，＋ステロイド外用）．

4. 腱鞘巨細胞腫 giant cell tumor of tendon sheath（図 24-127，128）

青年～中年の指，手，手関節部に，時に足背，足関節，膝関節に生じる皮下硬結．1～3 cm 大で硬く腱に密着している．自然治癒傾向はない．組織球様細胞（脂肪，ヘモジデリンを貪食して泡沫細胞状のものもある）増殖と，ヒアリン化膠原線維とともに線維芽細胞の増殖とがあり，これに巨細胞（好酸性原形質で境界は不整形，多核）が散在する．本態は腱鞘，滑膜の良性腫瘍と考えられ，手指足趾関節部に生じる限局型は結節性腱鞘滑膜炎（nodular tenosynovitis）とも呼ばれ皮膚科でみることが多いが，大関節を侵すびまん性型（色素性絨毛結節性滑膜炎 pigmented villonodular synovitis）もある．

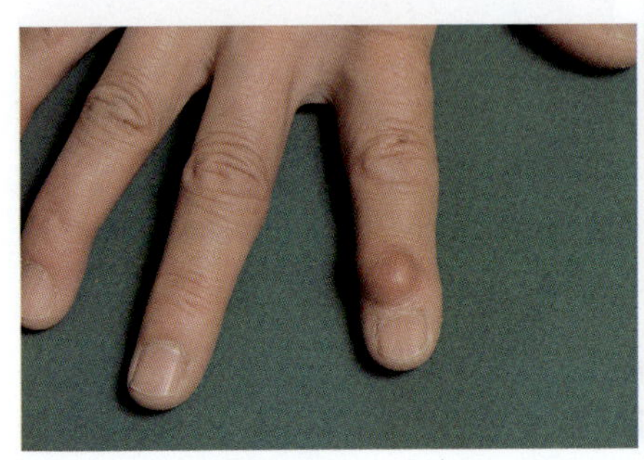

図 24-127　腱鞘巨細胞腫

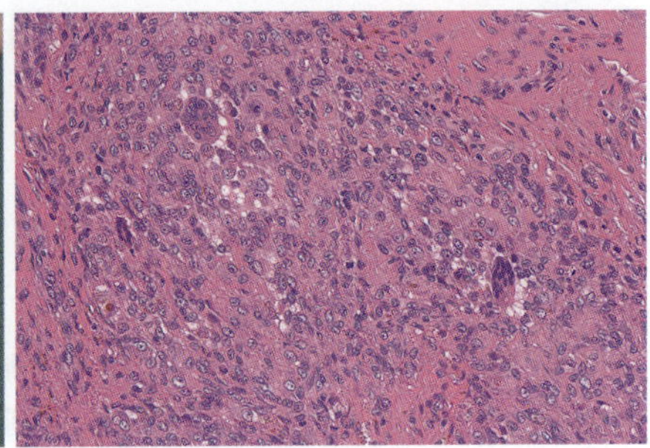

図 24-128　腱鞘巨細胞腫（組織）

5. 手掌線維腫症 palmar fibromatosis（図 24-129）　○

手掌腱膜より発生した線維腫症で進行すると拘縮（**Dupuytren 拘縮** 1831）を示す．中年以降の男性に好発，両側性で第 4・5・3 指領域の順に多い．筋線維芽細胞の増殖と線維化．背景に糖尿病，肝硬変，アルコール中毒，頸椎症，手作業従事など．

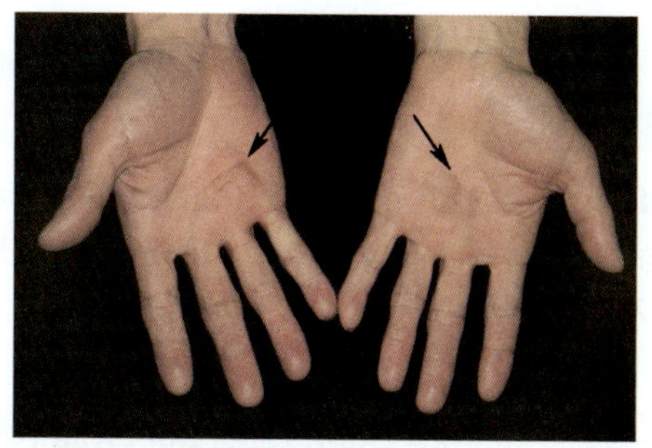

図 24-129　手掌線維腫症

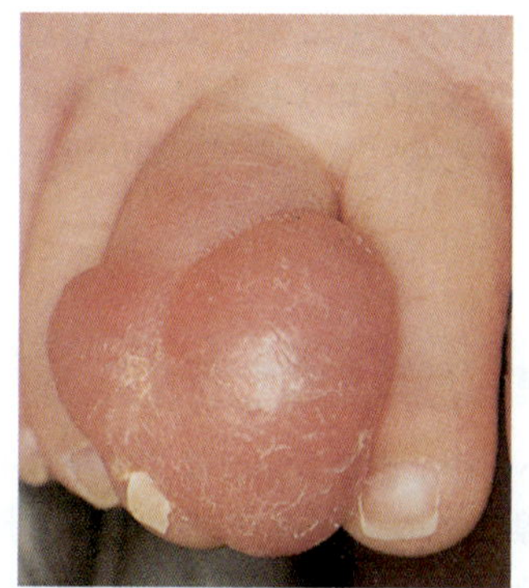

図 24-130　小児指線維腫症

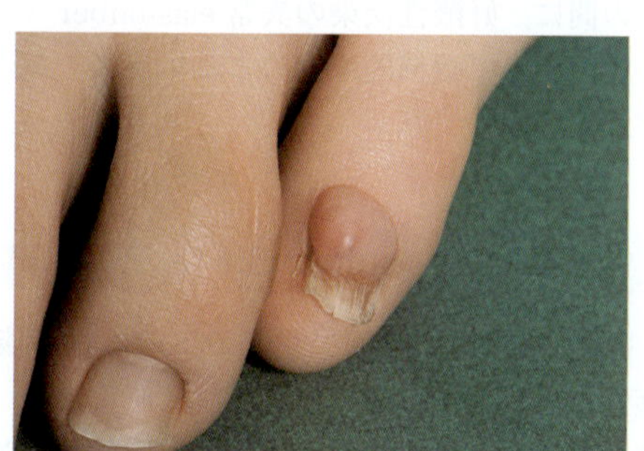

図 24-131　後天性（指）被角線維腫

切除，ステロイド局注．

本症のほか，足底線維腫症（plantar fibromatosis）（Ledderhose 病），陰茎線維腫症（Peyronie 病）を併せて，superficial fibromatosis と称する．

6. 小児指線維腫症 infantile digital fibromatosis（Shapiro 1969）（図 24-130）

乳児（大半が 1 歳以下）の指趾に生じる米粒〜指頭大小結節で正常皮膚色〜紅褐色，弾性硬，単ないし多発，再発しやすい．線維芽細胞様細胞と膠原線維束が交錯して増殖し，細胞内に 3〜10 mm 好酸性封入体（eosinophilic cytoplasmic inclusion bodies）を持つ．この細胞は 5〜7 nm のアクチン線維を有し（myofibroblast），infantile digital myofibroblastoma（Bhawan 1979）とも呼ばれる．自然消褪する．切除するとしばしば再発するので，診断できれば経過を観察する．

7. 後天性（指）被角線維腫 acquired (digital) fibrokeratoma (Bart 1968), acral fibrokeratoma（図 24-131）

主として指趾（時に手掌，足底，足背，膝）に生じるドーム状〜指状突起で，健常皮膚色，弾性硬，表面角化性．通常単発．病理組織像は表皮肥厚と真皮の束状の線維芽細胞の走行をみる．切除．

8. 背部弾性線維腫 elastofibroma dorsi (Järvi and Saxén 1959)

①中年以降の女性に多い，②肩甲下部の腫瘤で下床は肋骨骨膜，肋骨筋膜と癒着し，上部は僧帽筋，広背筋，大菱形筋，前鋸筋に覆われる，③帯状，束状の膠原線維の間に，好酸性淡染の異常 elastofiber（小球状，数珠状の硝子様物質）が混在，④成因として機械的摩擦によるエラスチンの変性，その他に遺伝因子，環境因子など．

9. fibrous papule of the face (nose)（Graham 1965，Meigel 1979）

① 10 歳以降の顔面に生じるドーム状の淡紅色小丘疹，直径 5 mm までで稀に有茎性，単発性，②膠原線維増生，血管拡張，弾力線維欠除，多核巨細胞・紡錘形樹枝状細胞の真皮内出現．表皮内空胞細胞，基底部色素沈着，③他に結節性硬化症の病変を有しない．angiofibroma の一種か．

10. knuckle pads

指趾背関節部に生じる爪甲大の限局性胼胝腫様隆起で表面に角質増殖がある．真皮線維腫が本態であるが，角質増殖を主体とする，いわゆる胼胝腫に属させるべきものもある．

11. 尾骨部胼胝腫様皮疹 coccygeal pad

尾骨部の弾性硬 / 軟の腫瘤で，表皮肥厚・膠原線維増殖をみる．尾骨前方屈曲偏位・二分脊椎などに外力（長期自転車走行）が加わって生じる．真の腫瘍というよりは反応性増殖と考えるべき病態であろう．

12. 口粘膜粘液嚢腫 mucous cyst of the oral mucosa, mucous retention cyst（図 24-132）○

主として下口唇，稀に頬粘膜・舌に．ドーム状隆起を示す，直径 2〜10 mm の軟らかい腫瘤．切開すると粘液が出る．粘液腺排泄管が破れ，シアロムチンが粘膜下に貯留し，まわりに好中球・リンパ球・線維芽細胞・マクロファージ・毛細管が増殖して壁状となる．粘液はジアスターゼ抵抗性 PAS 陽性，ヒアルロニダーゼ・抵抗性アルシアンブルー・コロイド鉄陽性．ガマ腫（ranula）とも呼ばれる．

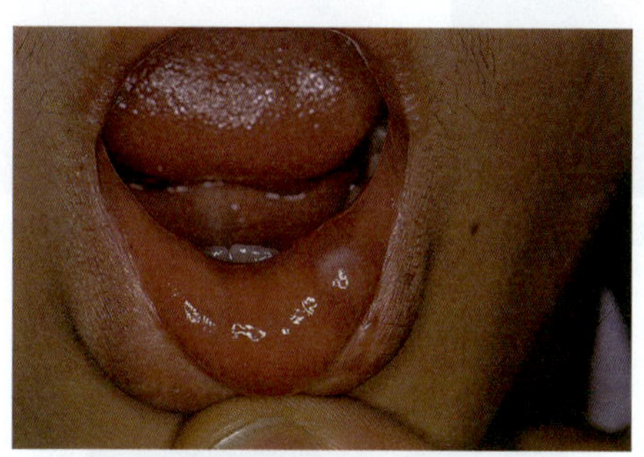

図 24-132　口粘膜粘液嚢腫

13. 指趾粘液嚢腫 digital mucous cyst（図 24-133，134）○

指（時に趾）の末節背面に生じる，やや透明なドーム状に隆起した直径 10 mm までの腫瘤．皮内にあり下床に対して可動，小さい，指末節背面に発生する．穿刺すると，ゼリー状の内容物が排出される．myxomatous type と ganglion type がある．前者は，線維芽細胞によるムチン（ヒアルロン酸）の過剰産生による．後者は，関節嚢や腱鞘のヘルニアであるが，必ずしもガングリオン内層細胞で覆われていない．切除，ステロイド薬局注．

14. 耳介偽嚢腫 pseudocyst of the auricle（Engel 1966）（図 24-135）

耳介軟骨内に漿液様粘液（LDH4・5 型が高値で軟骨由来）の貯留する偽嚢腫．男性に多く，ヘルメット使用など機械的刺激や外傷が関与する可能性がある．耳介上半部に波動を触れる嚢腫状結節を呈する．ステロイド薬局注・切除．

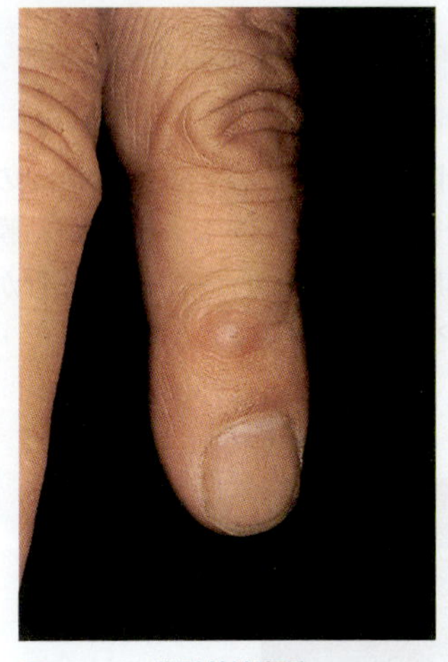

図 24-133　指趾粘液囊腫

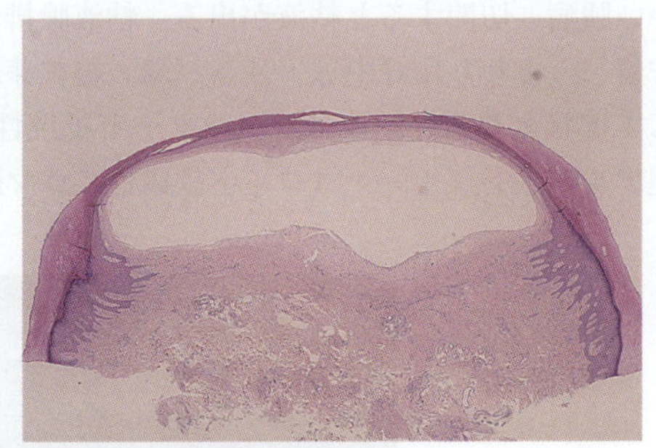

図 24-134　指趾粘液囊腫（組織）

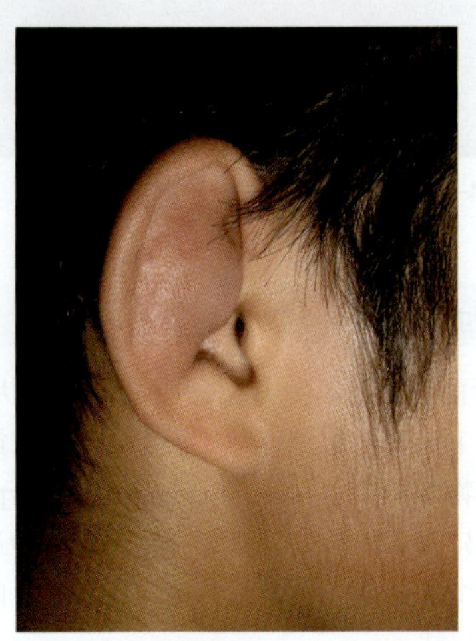

図 24-135　耳介偽囊腫
（梅林芳弘博士提供）

15. 皮膚粘液腫 cutaneous myxoma

自覚症状のない非常に軟らかい皮内〜皮下の腫瘍で，隆起することもある．多くは径数 cm 以下の結節状であるが，巨大なものもある．頭頸部・四肢（特に下肢）・臀部・陰部に好発．アルシアンブルー陽性・ヒアルロニダーゼ消化性・PAS 陰性の粘液が大部分で，微細線維成分を含む．切除．

16. 隆起性皮膚線維肉腫 dermatofibrosarcoma protuberans（DFSP）（Hoffmann 1925），花むしろ状線維性黄色腫 storiform fibrous xanthoma ◎

しばしば局所再発するが，遠隔転移は稀で，中間悪性度群の線維組織球系腫瘍とされている．

症状（図 24-136）

皮内，皮下の硬結，局面として発し，やがてその局面内に半球状あるいは茸状の腫瘍が生じる．表面は紅褐色で下床に対して可動性のあることが多い．若年～成人の体幹，中枢側四肢に好発．男性に多い．経過は緩慢で切除後局所再発傾向が強いが，転移は稀（10％以下）．

組織所見（図 24-137）

浅層では皮膚線維腫様増殖であるが深層では浸潤性に皮下におよび，わずかに異型性を示す紡錘形核の線維芽細胞様細胞が**花むしろ状**（storiform），**車軸状**（cart-wheel）に増殖する．CD34 陽性．腫瘍細胞にメラニン色素を多く含むこともある（Bednar 腫瘍）．本腫瘍細胞の染色体には，t（17；22）（q22；q13）の相互転座により，I 型コラーゲン α1 遺伝子（*COL1A1*）と血小板由来成長因子 B 遺伝子（*PDGFB*）のキメラ遺伝子が生じている．

鑑別診断

皮膚線維腫（深在型），結節性筋膜炎，低悪性度の線維肉腫・線維粘液性肉腫，末梢神経鞘腫瘍．

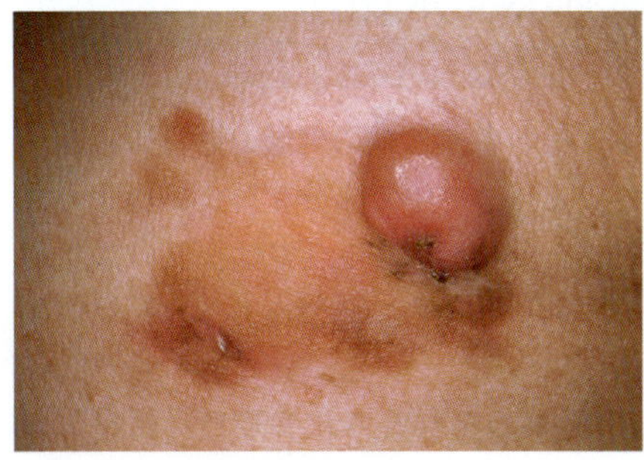

図 24-136　隆起性皮膚線維肉腫

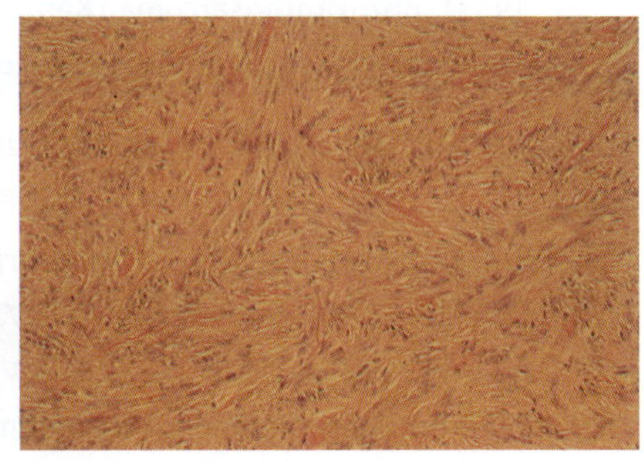

図 24-137　隆起性皮膚線維肉腫（組織：花むしろ状）

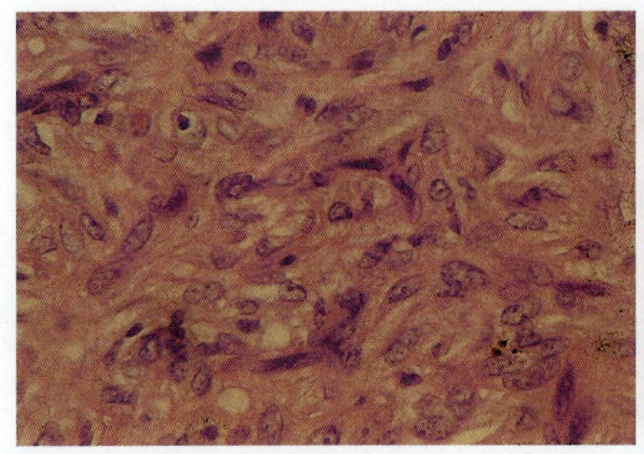

図 24-138　異型線維黄色腫（組織）

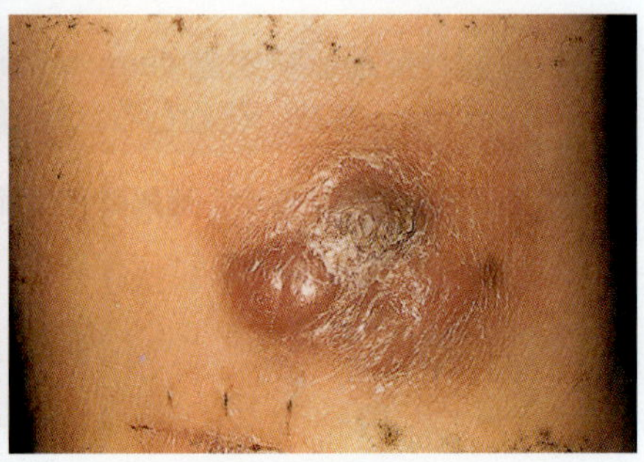

図 24-139　悪性線維性組織球腫

治療

深さにも留意して広範切除.

17. 異型線維黄色腫 atypical fibroxanthoma (Helwig 1963)（図 24-138）, pseudosarcoma, paradoxical fibrosarcoma

高齢者の日光曝露部（頭頸，特に鼻，頰，耳）に好発する直径 2 cm までの結節で，急速に増大し，しばしば自潰する．慢性放射線皮膚炎上に生じることあり．組織学的に下方への浸潤は少なく，多型性の核を有する bizarre な紡錘形細胞や卵円～多角形の組織球様細胞が増殖し，核分裂像も多い．泡沫細胞や多核巨細胞をみることもある．組織球，線維芽細胞，筋線維芽細胞への分化能を有する未分化間葉系細胞に由来すると推測されている．悪性黒色腫，平滑筋肉腫，未分化有棘細胞癌などと鑑別する．通常良性の経過をとり，時に再発するが，転移は極めて稀.

18. 悪性線維性組織球腫 malignant fibrous histiocytoma (MFH) (Ozzello 1963), fibroxanthosarcoma (Kempson and Kyriakos 1972), undifferentiated pleomorphic sarcoma（図 24-139）　○

近年，本症は単一の疾患単位とみなされず，その多くは他の肉腫，悪性黒色腫，癌腫，さらにはリンパ腫などに再分類されている．その中で未分化腫瘍細胞より成り，分類不能な undifferentiated pleomorphic sarcoma が現時点では狭義の悪性線維性組織球腫に該当するといえよう．ただこの病型は極めて稀であり，直接浸潤や転移する以外に皮膚病変をみることはない.

① undifferentiated pleomorphic sarcoma：従来の花むしろ状多形型．紡錘形細胞が花むしろ状に配列，核分裂像，bizarre な細胞，多核巨細胞，少数の泡沫細

胞・炎症細胞．EMA，cytokeratin，CD34，SMA，デスミン，HMB45：陰性，CD117，時に nestin 陽性．

② **giant cell malignant fibrous histiocytoma/undifferentiated pleomorphic sarcoma with giant cells**：従来の巨細胞型．破骨細胞様巨細胞あり，骨組織のみられることあり．おそらく骨肉腫あるいは軟部組織の悪性巨細胞腫瘍．

③ **myxoid malignant fibrous histiocytoma**：従来の粘液型で 1/2 以上が粘液腫様で花むしろ構造が不明瞭，血管網が目立つ．myxoid fibrosarcoma（myxofibrosarcoma）に分類されている．高年者の四肢の皮下，真皮に，腱や筋と接して，あるいはやや表在性に多発する．染色体転座，環状染色体をみる．局所再発率が高く，しばしば転移する．

④ **angiomatoid fibrous histiocytoma**：悪性線維性組織球腫の一型と考えられた時期もあったが，現在は中間悪性度群の腫瘍とみなされている．小児，青年の四肢の皮内，皮下に結節，ないし嚢胞性病変を生じ，時に有痛性．出血性の嚢胞像を呈するが aneurysmal benign fibrous histiocytoma と混同しない．通常は良好な経過をとるが，不適切切除で再発，稀に転移する．

19．類上皮肉腫 epithelioid sarcoma（Enzinger 1970）

若年男性の前腕，下腿など四肢末梢に好発し，比較的ゆっくり進行する稀な悪性腫瘍．皮内，皮下の結節が増大，壊死傾向が強い．摘出しても再発しやすく，リンパ行性，血行性に転移する．外陰部など中枢側に発生して急速に進行する近位型もある．好酸性胞体に富む上皮性腫瘍細胞がシート状に増殖，紡錘形細胞が不規則に増殖して混在する．ビメンチン，ケラチン（AE1/AE3），EMA（上皮膜抗原），CA125 陽性．しばしば CD34，actin 陽性．*INI 1* 遺伝子（DNA と転写因子の結合に関与する）欠失が本症の 80％以上にみられ診断に有用．広範囲切除，所属リンパ節郭清を要する．5 年生存率 50～70％，10 年生存率 42～55％といわれるが，予後悪化因子は近位発症，強い壊死傾向，血管浸潤，不適切切除など，逆に良好な予後因子は若年時の診断，女性，小さい腫瘍サイズなど．広範囲切除が基本であるが，再発しやすい．

2 脂肪組織系腫瘍

1. 脂肪腫 lipoma（図 24-140） ○

最も頻度の高い間葉系腫瘍で，成熟脂肪細胞より成る．半球状に隆起した軟らかい腫瘤で，豌豆大から小児頭大に及び，時に有茎性となる．背に好発．進行は徐々であるが，思春期．更年期，妊娠時に急速に増大することもある．組織学的に大形の脂肪細胞が増殖し，被膜で覆われる．筋内脂肪腫（intramuscular lipoma，筋肉内に浸潤した脂肪腫），線維脂肪腫（fibrolipoma，結合組織増殖をきたしたもの），myolipoma（平滑筋成分を含む），adenolipoma（汗腺器官含む），皮膚血管筋脂肪腫（血管，筋，脂肪組織が増殖），家族性多発性脂肪腫症（常染色体優性遺伝，脂肪腫が皮下，内臓に多発．他に脂肪腫が多発するのにCowden病，Fröhlich症候群，Proteus症候群などがある．切除．

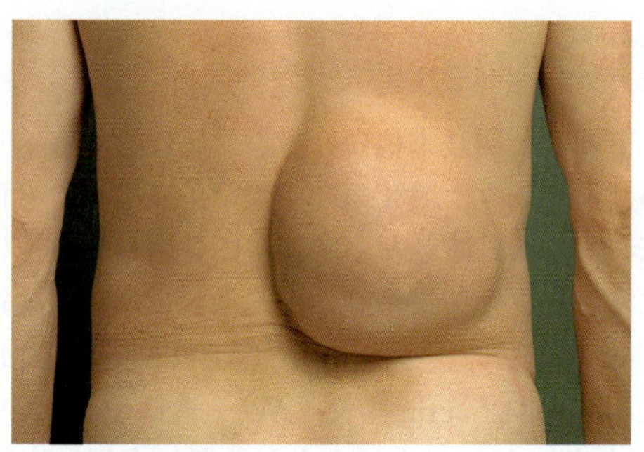

図 24-140 脂肪腫

2. 良性対側性脂肪腫症 benign symmetric lipomatosis，Madelung 病

頸，次いで肩，前胸，腹部など主として上半身に対側性に脂肪組織の異常増殖．成人，特に初老男性に多く，肝障害（アルコール性肝障害，肝硬変），耐糖能異常を伴うことあり．被膜のない成熟脂肪細胞の増殖．他の脂肪腫症にびまん性脂肪腫症（子どもに好発，びまん性に増大して異形をなし，機能障害をきたしやすい）やadiposis dolorosa（中年女性に好発し，疼痛を伴う皮下脂肪腫が多発，Dercum病）がある．

3. 血管脂肪腫 angiolipoma

脂肪腫内部に血管増殖をきたしたものを血管脂肪腫（angiolipoma）と呼ぶ．脂肪腫の55〜75%に何らかの染色体異常が見出されるのに対し，血管脂肪腫は正常核型である．脂肪腫の亜型というより別の疾患とされる．小型の脂肪腫が多発することが多く，しばしば疼痛がある．組織学的には，小血管が増生し，血管内にフィブリン血栓を認める．

4. 紡錘細胞脂肪腫，多形脂肪腫 spindle cell lipoma，pleomorphic lipoma

紡錘細胞脂肪腫はCD34陽性の紡錘形細胞，多形脂肪腫はfloret cellと呼ばれる花冠状多核巨細胞が特徴的．両者は同一スペクトラムの両極にあると考えられており，中間の所見を呈する移行例が見られる．染色体異常にも共通するものがある．中年男性の項部，上背部，肩に好発する．良性．

5. 冬眠腫（越冬腫）hibernoma（Gery 1914）

成人の肩甲間・頸・腋窩にみられる硬い皮下結節．緩徐に増大して平均10 cm大となる．組織学的に冬眠動物の冬眠腺（hibernating gland，brown fat）に類似し，顆粒と中央に核を有する空胞状細胞が多房状に集まっている（桑実細胞 mulberry cell）．S-100陽性．染色体の構造異常をみる（11q13-21，10q22）．冬眠腺は非冬眠動物（ヒト，サル，ウサギ，ブタ，ネコ）にもあり，ヒトでは胎生5ヵ月頃に発し，肩甲骨間，頸部，縦隔，腋窩などに存在し，出生後消失していく．

6. mobile encapsulated lipoma（Sahl 1978）

下肢の多発性遊走性皮下結節で，結合組織被膜に包まれた蜂巣状構造の壊死性脂肪塊．

被包性脂肪壊死性小結節（菊池 1984），nodular cystic fat necrosis（Przyjemski and Schuster 1977），外傷性脂肪壊死，pingranliquose（Wassner 1962）とは病変の時期の違いのみで，ほぼ同症．外傷，糖尿病，ステロイド投与などが誘因か．

7. 脂肪芽細胞腫 lipoblastoma

未熟な脂肪細胞（前脂肪芽細胞〜脂肪芽細胞，胎生期の白色脂肪）から成る良性腫瘍で，出生時，あるいは5歳までに四肢，特に下肢に発生する．多房性の皮下結節ないし腫瘤で，多くは緩徐に増大するが，時に急速に，またびまん浸潤型のこともある．*PLAG1* 遺伝子（8q12）の活性化が起きており，脂肪肉腫との鑑別にも有用．切除．自然消褪，再発例あり．

8. 脂肪肉腫 liposarcoma（図 24-141）

40歳以降の成人に多く，大腿，膝窩などに境界不明瞭な大きな結節が好発する．成熟脂肪細胞が悪性化するのではなく，毛細血管周囲の未分化間葉系細胞が悪性化すると考えられている．組織学的には脂肪芽細胞（lipoblast）の存在が特徴的．再発や転移は腫瘍細胞の分化度と相関するが，一般には血行性に肺．肝などに転移しやすい．切除，放射線療法．

以下のように分類する（WHO 2013）．

①**異型脂肪腫様腫瘍 / 高分化脂肪肉腫** atypical lipomatous tumor/well differentiated liposarcoma：良悪性中間群に属する．成熟脂肪細胞主体で異型脂肪芽細胞が散在する．*MDM2* や *CDK4* の増幅をみる．最も頻度が高い．高年者の四肢に好発する．後腹膜など深部に発すると再発，転移のリスクが生じる．

②**脱分化脂肪肉腫** dedifferentiated liposarcoma：成人の後腹膜に大きな腫瘤として好発する．分化型脂肪肉腫と脱分化して生じた非脂肪性肉腫とが混在する肉腫．局所再発，転移のリスクあり．

③**粘液型脂肪肉腫** myxoid liposarcoma：中年期の四肢，特に大腿に大きな腫瘤を形成．粘液状基質が豊富で，種々の分化度の脂肪芽細胞様細胞が増殖．t（12；16）（q13；p11．2）の染色体相互転座がみられ，*TLS/FUS* 遺伝子と *CHOP* 遺伝子が結合して新しい遺伝子が転写されていることがわかっている．局所再発，転移の可能性大．異型脂肪腫様腫瘍 / 高分化脂肪肉腫に次いで頻度が高い．円形

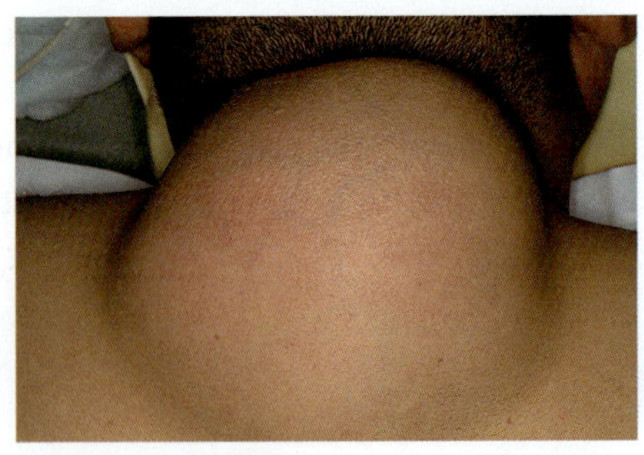

図 24-141　脂肪肉腫

細胞型脂肪肉腫を含む．

④**多形型脂肪肉腫** pleomorphic liposarcoma：成人の四肢に好発し，再発・転移しやすく，悪性度が高い．著明な多形性を示す．稀．

⑤**混合型脂肪肉腫** mixed-type liposarcoma：複数の組織型が混在するもの．

3　筋組織系腫瘍

1．皮膚平滑筋腫 leiomyoma cutis　○

平滑筋細胞の良性腫瘍で，立毛筋，血管平滑筋，陰嚢の肉様膜，陰唇，乳頭，乳暈の平滑筋から発生する．多くは後天性であるが，家族性遺伝性発症例もある．平滑筋アクチン，デスミン染色に陽性．

①**多発性立毛筋性平滑筋腫** multiple piloleiomyoma（図 24-142，143）

体幹，顔，四肢伸側などに粟粒～豌豆大の硬い小結節が，散在性～集簇性～線状に発する．片側性あるいは一定部位に限局する傾向がある．皮内結節で始まり徐々に増大，皮面より隆起する．正常皮膚色～淡紅褐～青色を呈する．発作性疼痛が特徴で，圧迫，寒冷，精神衝動で誘発される．遺伝性の多発性皮膚平滑筋腫に子宮筋腫を合併することがある（Reed 症候群）．さらにこれに腎細胞癌が併発することがあり（hereditary leiomyomatosis and renal cell cancer），フマル酸ヒドラターゼをコードする遺伝子に変異をみる．

②**単発性立毛筋性平滑筋腫** solitary piloleiomyoma

単発性皮内結節で直径 1～2 cm，自発痛・圧痛がある．

③**単発性外陰部平滑筋腫** solitary genital leiomyoma

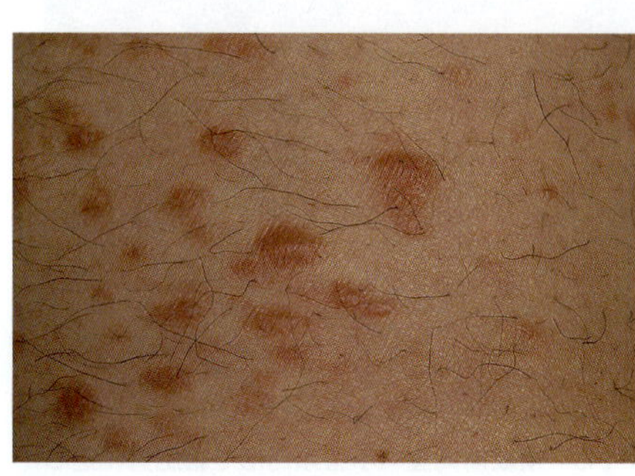

図 24-142　多発性立毛筋性平滑筋腫

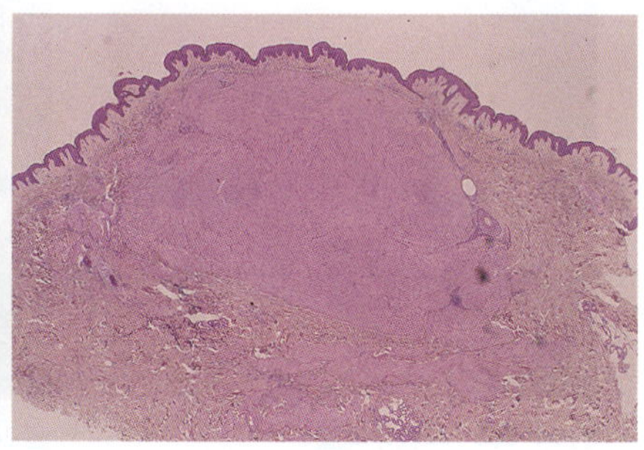

図 24-143　多発性立毛筋性平滑筋腫（組織）

陰嚢（肉様筋性平滑筋腫 dartoic leiomyoma），大陰唇，会陰，陰茎，乳暈部に発する皮内結節で蜜柑大に及ぶことあり．通常無症候性．

④**血管平滑筋腫** solitary angioleiomyoma
四肢，体幹，特に下肢伸側に通常単発する．有痛性，弾性硬の皮下結節で最大径は2 cm程度．疼痛を欠くこともある．血管壁平滑筋の増殖で，中心に血管腔がみられ，被膜で包まれることが多い．

2. 横紋筋腫 rhabdomyoma，rhabdomyomatous mesenchymal hamartoma（RMH）

心筋横紋筋腫は結節性硬化症に多く併発し，非心筋横紋筋腫は極めて稀．後者には成人型（高年者の頭頸部に好発，成熟横紋筋細胞の増殖），胎児型（小児，成人の頭頸部に好発，未熟な横紋筋細胞の増殖），陰部型（中年女性の腟や陰唇に多房性結節として生じる）がある．免疫組織学的には腫瘍細胞はデスミン，アクチン，ミオグロビンに強陽性，S-100には陰性．

3. 平滑筋肉腫 leiomyosarcoma

①**皮膚型**：単発性結節で疼痛あり．立毛筋に由来．局所再発するが，転移率は低く予後比較的良好，

②**皮下型**：びまん性隆起を示し，皮膚に対して可動性あり，大きくなる．血管平滑筋由来．転移率が高く，血行性に主として肺に転移し，予後不良．

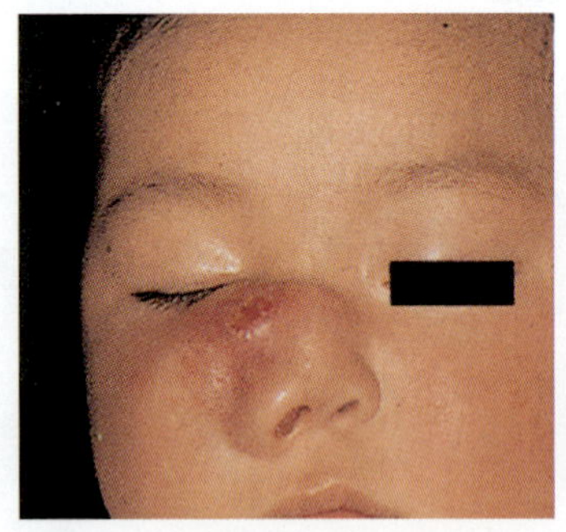

図24-144　横紋筋肉腫

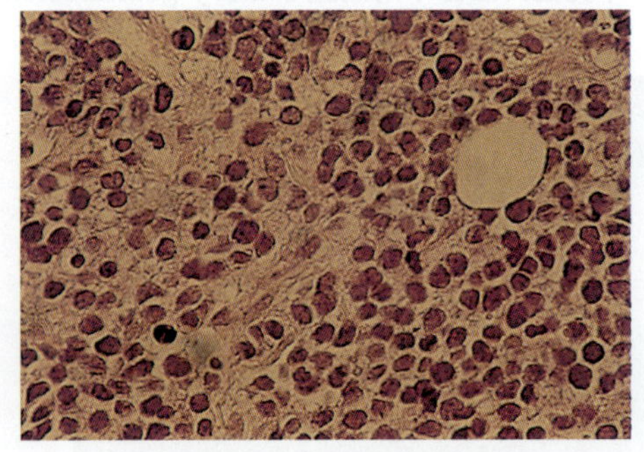

図24-145　横紋筋肉腫（小型類円形で細胞質に乏しい腫瘍細胞が増殖）

4. 横紋筋肉腫 rhabdomyosarcoma（図 24-144, 145）

皮膚では極めて稀．口腔粘膜，頭頸部，四肢の皮下に皮下結節，潰瘍化腫瘍として発生する．胎児型，多形型，胞巣型，ブドウ状型を区別する．予後不良．

4 骨・軟骨系腫瘍

1. 爪下外骨腫 exostosis subungualis（Dupuytren 1817）（図 24-146）

主として第1趾末節（稀に他の指趾）の爪下の内側に生じる淡紅色，弾性硬，半球状の結節．爪甲は二次的に変形する．10～20 代に多い．X 線像（斧状，台形状，茸状，角状）で確診．骨膜下未分化間葉組織の過誤腫，良性腫瘍，機械的刺激（外傷），重複指趾形成説，慢性炎症説などが成因として考えられている．爪下疣贅，グロームス腫瘍，血管拡張性肉芽腫，陥入爪と鑑別する．切除．

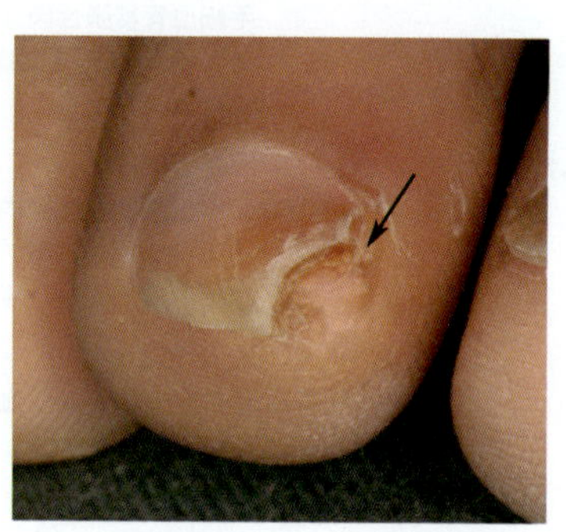

図 24-146　爪下外骨腫（矢印）（伊藤周作医師提供）

2. 皮膚骨腫 osteoma cutis

皮膚における異所性骨形成で，硬い小丘疹が多発する．先行皮膚疾患のない原発性皮膚骨腫にはいわゆる原発性骨腫と Albright 遺伝性骨異形成症にみられるものがある．続発性では毛母腫，基底細胞癌，付属器腫瘍，色素細胞母斑などに併発する．続発性はやや女性に多い．色素細胞母斑に伴うものを骨性母斑（osteo-nevus of Nanta）と称する．真皮中層から皮下組織にかけて境界明瞭な骨組織をみる．

3. 皮膚軟骨腫 chondroma cutis, extraskeletal osteochondroma

稀. 四肢, 特に手指・足趾に好発. 異所性の良性軟骨腫瘍.

5 脈管系腫瘍

脈管とは血管とリンパ管を合わせた言葉であるが, 血管とリンパ管の内皮は機能的, 発生学的に近似し, 両者を区別することが難しいので, このような術語がある. 最近は, 脈管を構成する細胞が増殖する腫瘍（脈管腫瘍）と, 異常血管の数が増加する奇形・形成異常（脈管奇形・形成異常）を区別するISSVA（international society of the study of vascular anomalies）分類が標準的になりつつある（表24-9）.

表24-9　脈管異常の分類

脈管腫瘍（血管腫）	良性	乳児血管腫 房状血管腫 毛細血管拡張性肉芽腫 その他（先天性血管腫, 紡錘型細胞血管腫, 類上皮型血管腫など）
	局所浸潤あるいは境界型	カポジ肉腫 カポジ肉腫様血管内皮細胞腫 その他（網状血管内皮細胞腫, 乳頭状リンパ管内血管内皮細胞腫, 複合型血管内皮細胞腫など）
	悪性	血管肉腫 その他（類上皮型血管内皮細胞腫など）
脈管奇形・形成異常	単純型	毛細血管奇形 静脈奇形 動静脈奇形 リンパ管奇形 動静脈瘻
	混合型（毛細血管静脈奇形, 毛細血管リンパ管奇形など）	
	症候群・母斑症（Sturge-Weber 症候群, Klippel-Trenaunay 症候群など）	
分類不能（被角血管腫など）		
ISSVA 分類に記載されていない脈管異常（血管内乳頭状血管内皮増殖症, くも状血管腫, 蛇行状血管腫, 老人性血管腫, 静脈湖など）		

（https://www.issva.org/UserFiles/file/ISSVA-Classification-2018.pdf を参考に作成）

ただし，脈管系の病変が反応性増殖なのか形成異常なのか真の腫瘍なのかを決定する基準は必ずしも明確ではない．ここでは，従来通り，血管系反応性増殖，血管系形成異常・良性腫瘍，血管系悪性腫瘍，リンパ管腫に分けて記載する．

（A）血管系反応性増殖

血管内乳頭状内皮細胞増殖症 intravascular papillary endothelial hyperplasia（Clearkin and Enzinger 1976）

拡張した細静脈内腔に生じた血栓の再疎通過程に起きる内皮細胞の乳頭状増殖と考えられている．手指，頭，顔，口腔に好発．青みがかった暗紅色結節で自発痛のあることもある．初期には硬く，圧痛を伴う．次第に軟化する．Vegetant intravascular hemangioendothelioma（Masson 1923）と同義（Masson 腫瘍）．血管肉腫，カポジ肉腫などと鑑別．

（B）血管系形成異常・良性腫瘍

1．毛細血管奇形 capillary malformation，単純性血管腫 haemangioma simplex，ポートワイン母斑 portwine stain，火焔状母斑 naevus flammeus ◎

毛細血管の増加と拡張を主体とする毛細血管の形成異常（奇形）．自然消褪傾向はない．色素レーザーで治療する．スタージ・ウェーバー症候群，クリッペル・ウェーバー症候群の一症状であることがある．

症状（図 24-147，148）

出生時に既に存在し，隆起しない紅～暗紅色の斑で，増殖することなく，また自然消褪することもない．成人になってから表面が瘤状～ポリープ状に隆起してくることがある．新生児の 1.5%ほどにみられる．

サーモンパッチ（salmon patch），**正中部母斑**（naevus teleangiectaticus medianus et symmetricus）（Schnyder）は，新生児期から乳児初期にかけ，眉間，上眼瞼内側，前額正中，人中，項部（稀に腰臀部）に生じる境界不明瞭，淡紅色の色調にムラのある，細かい毛細血管拡張からなる，隆起しない紅斑．新生児の 30%にみられ，生後 1 年半のうちに大部分は自然消褪する．項部のものは**ウンナ母斑**（naevus Unna）と呼ばれ，成人期まで残存することがある．

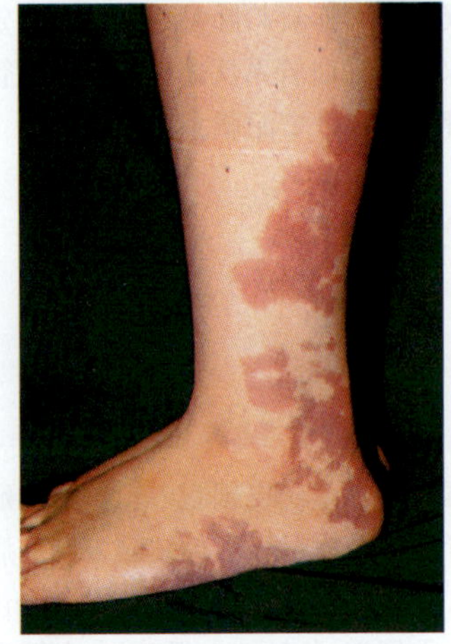
図 24-147　毛細血管奇形

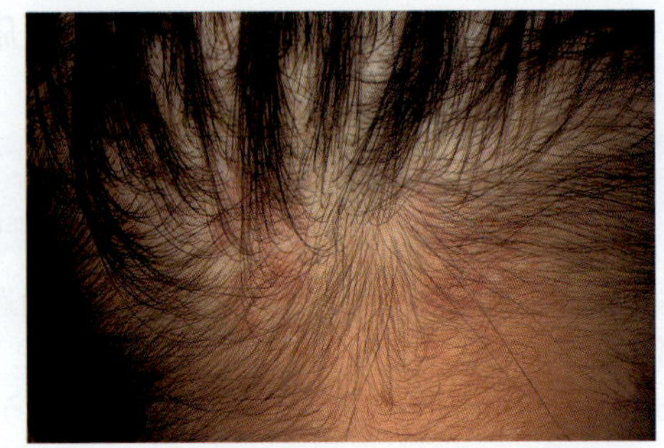
図 24-148　ウンナ母斑

組織所見

サーモンパッチでは真皮乳頭層に，通常は真皮中浅層に毛細血管の増加と拡張.

治療

色素レーザー療法，小さければ切除．カバーマーク，スポットカバーなどで被う.

2. 静脈奇形 venous malformation，海綿状血管腫 cavernous hemangioma（Lever） ○

皮膚の深層に増生する静脈奇形.

症状（図 24-149）

柔軟な皮下腫瘍で，その被覆皮面は淡青色調で時に小紅斑が散在．出生時，既に存在することが多い．自然消褪傾向はない．真皮深層から皮下組織に線維性壁を持つ大小の血管が増生．多発することあり（Maffucci 症候群，青色ゴム乳首様母斑症候群 ☞ p. 581）.

組織所見

真皮から皮下に，拡張し赤血球を充満させた血管腔が増生している．血管壁の厚さは様々.

静脈性蔓状血管腫（venous racemous hemangioma）も静脈奇形の一種で，静脈

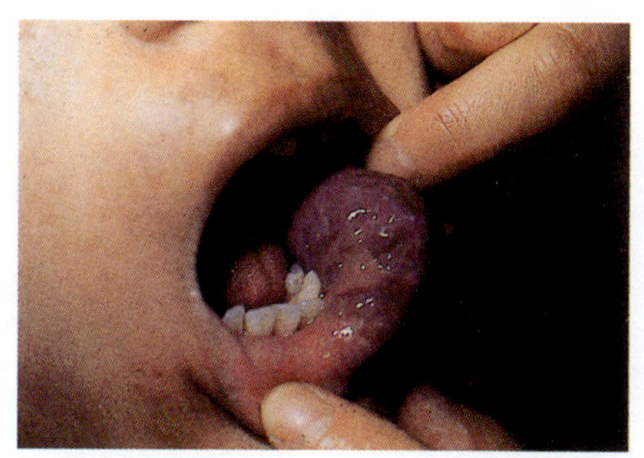

図 24-149　静脈奇形

様血管がとぐろを巻いたように蔓状に増殖する．柔軟で圧縮性に富み，皮下，筋組織中に深在する．出生時より存し，血栓性静脈炎反復により静脈結石を伴うことが多い．拍動，コマ音はない．

sinusoidal hemangioma（Calonje 1991）も静脈奇形の一亜型と考えられている．後天性に生じる 1～3cm ほどの弾性軟の結節．皮下の境界明瞭な腫瘍で，薄い壁の拡張した血管腔が集簇，互いに交通して篩状（sinusoid）にみえる．

3．動静脈奇形 arteriovenous malformation，arteriovenous hemangioma（Girard 1974）

動静脈吻合を伴う血管奇形で，暗紅色丘疹，結節を呈し，あるいは膨隆し，拍動，振戦，コマ音あり．深在性のものは先天性が多く（cirsoid aneurysm），浅在性のものは中高年の口唇あるいは四肢末端（acral arteriovenous tumor）に多い．

4．乳児血管腫 infantile hemangioma，苺状血管腫 strawberry mark ◎

未熟な血管内皮細胞が増殖する良性腫瘍．生後間もなく出現し，鮮紅色の腫瘤を形成する．数年で自然消褪するが，瘢痕を残す．経過観察，あるいはプロプラノロール内服，パルス色素レーザーで治療する．

症状（図 24-150）

生後 1～2 週から 3ヵ月の間に毛細血管拡張症または集簇性紅色小丘疹として発し，通常 3～6ヵ月で，時に 1 年の間に完成する．苺を半切して皮面においたような，表面顆粒状，分葉状の，軟らかい腫瘍で，硝子圧により縮小かつ褪色する．半球状のもの（腫瘤型）と扁平隆起性のもの（局面型）がある．また，表面健常皮膚色ま

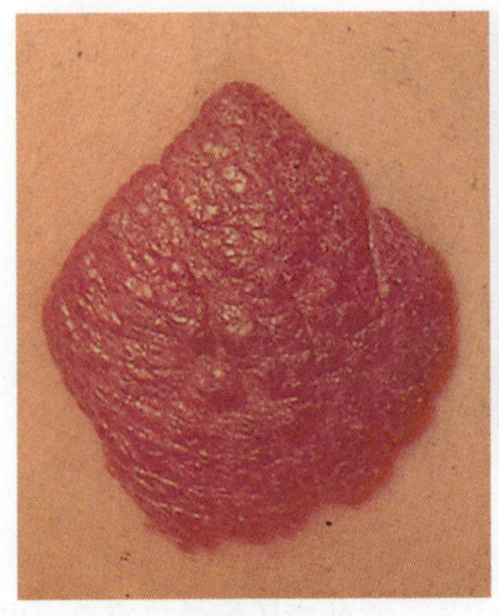
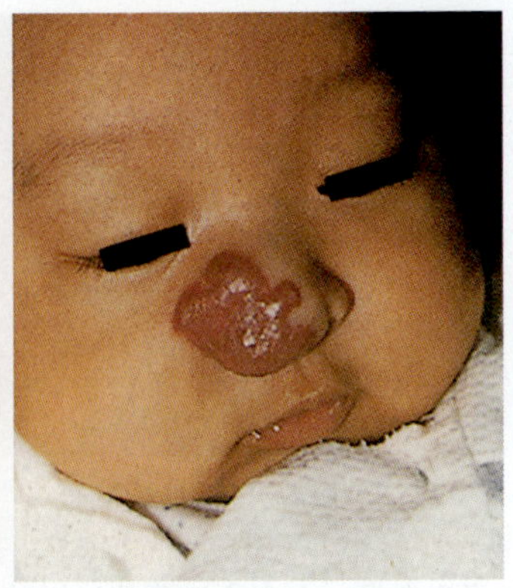

図 24-150　乳児血管腫

たは青色調の皮下型もある．その後自然退縮傾向を示し，多くは学童期までに消失してしまう．乳児の 1%にみられる．

組織所見

毛細血管の増加，拡張，および血管内皮細胞の増殖．GLUT1（glucose transporter 1）の発現が陽性で，他の血管形成異常などとの鑑別に有用.

治療

①機能異常や整容面で問題のない病変は自然消失を待つ（wait and see policy）．②扁平な紅斑である初期に色素レーザーを照射して早期治癒を目指すこともある．③眼瞼で視力障害の可能性がある場合，気道などの圧迫症状のあるものでは，プロプラノロール内服，ステロイド内服・局注．④圧迫療法，冷凍療法（ドライアイス圧抵法）.

5. 房状血管腫 tufted angioma，血管芽細胞腫 angioblastoma（Nakagawa 1949）

未熟な内皮細胞と周皮細胞が増殖する血管系良性腫瘍である．

症状（図 24-151）

出生時から 1 歳までの間に，一部は少し遅れて，境界不明瞭な，紅～暗紫色の浸潤ある局面を生じ，かなりの圧痛がある．しばしば多汗，稀に多毛を伴う．一部で成人期に発症する．後述のカサバッハ・メリット症候群の原因になりうる．

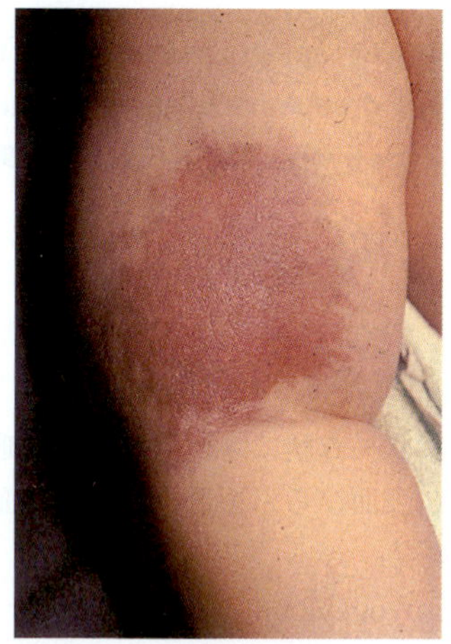

図 24-151　房状血管腫

組織所見

楕円形大形の核を有する細胞が，真皮より皮下にかけて砲弾が散らばるように（cannonball distribution）房状に増殖する．未熟な管腔や大小の管腔をところどころに形成し，中に赤血球を容れる．汗腺・神経やや増加．成人例では血管肉腫やカポジ肉腫と鑑別する．

治療

カサバッハ・メリット症候群に注意．それがなければ，自然消褪を期待して経過観察でもよい．積極的治療法としては，切除あるいは放射線照射．

6. カサバッハ・メリット症候群 Kasabach-Merritt syndrome（1940）　○

幼小児の巨大血管腫によって血小板が消費され，播種状血管内凝固症候群をきたしたもの．

症状

幼少児の巨大血管腫（房状血管腫，カポジ肉腫様血管内皮細胞腫）で，その腫瘍内に出血が起こり，ために暗紫色の緊張性腫脹を示す．ここで血小板が多量に消費され（血小板減少性血管腫 thrombocytopenic hemangioma），DIC（☞ p. 239）の一種を引き起こす．ステロイド内服，放射線照射．

7. 小葉状毛細血管腫 lobular capillary hemangioma（Mills 1980），毛細血管拡張性肉芽腫 granuloma telangiectaticum（Küttner 1905），化膿性肉芽腫 granuloma pyogenicum（Hartzell 1904）○

化膿性肉芽腫という同義語が挙げられているが，名前に反して化膿はしていないし肉芽腫でもない．

症状（図 24-152）

豌豆大までの半球状～有茎状～茸状に隆起した鮮紅～暗赤色の軟らかい有茎性，ないし半球状の結節である．表面びらんを形成し，易出血性で痂皮を付着する．口唇，指，顔面，乳頭などに好発．

Subcutaneous granuloma pyogenicum（Cooper 1982）は皮下結節で，内皮細胞が良性増殖して多数の管腔を形成，結合組織被膜を有する．間質にヒアルロン酸沈着．

鑑別診断

時に結節型の悪性黒色腫（amelanotic melanoma）との鑑別を要することがある．

病因および組織所見

従来，刺激に対する反応性増殖と考えられてきたが，最近は新生物とみなされ，ISSVA 分類では脈管腫瘍に分類されている．毛細血管の増生と内皮細胞の増殖が，結合組織によって小葉状に区画されてみられる．結節辺縁では，延長した表皮が両側から襟のように取り囲む（epidermal collarette）．

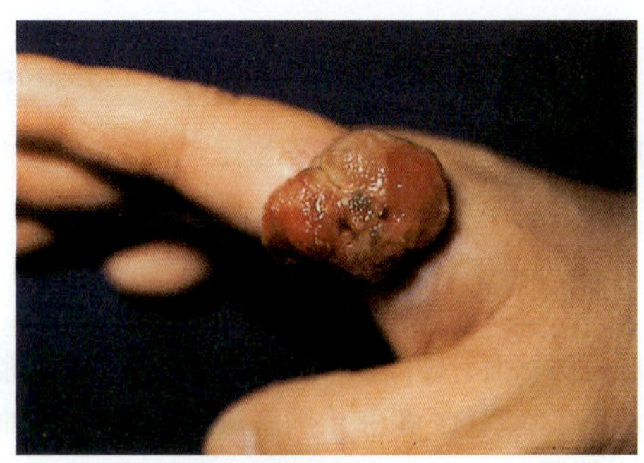

図 24-152　小葉状毛細血管腫（毛細血管拡張性肉芽腫）

治療

切除，冷凍療法（治療に反応して増殖，増大することあり）．

8．類上皮血管腫 epithelioid hemangioma，好酸球性血管リンパ球増殖症 angiolymphoid hyperplasia with eosinophilia ○

頭頸部，特に耳介周囲に好発し，暗赤色の結節を呈する．組織学的に，豊富な胞体を持つ内皮細胞の増殖，その周囲に好酸球を混じた細胞浸潤．木村病（☞ p.700）との異同がしばしば議論され，木村病の浅在型との考えがある．一方，ISSVA 分類，WHO 分類（2018）では，血管系腫瘍に分類されている．

9．被角血管腫 angiokeratoma

真皮乳頭部の毛細血管が拡張し，角化性の肥厚した表皮が同部を包むように被覆する形成異常．

次の５型に分ける．

①**単発性被角血管腫 solitary angiokeratoma（Imperial and Helwig 1967）**：成人の主として下肢に単発．外傷により誘発される．

②**ミベリ被角血管腫 angiokeratoma Mibelli**（図 24-153）：粟粒～半米粒大の暗紅～紅紫色の，表面角化性の小丘疹が指趾背面，手足背，時に膝蓋，肘頭に対側性に生じる．思春期に発し，かつ凍瘡や四肢末端チアノーゼに併発することが多く，稀に先天性末梢血管脆弱（常染色体性優性）に由来する．

③**陰嚢被角血管腫 angiokeratoma scroti Fordyce**（図 24-154）：高齢男性の陰嚢に同様の角化性小丘疹が散在性に生じる．稀に女子大陰唇にも生じる．掻破により出血し，下着が汚れて血尿と誤ることがある．静脈圧亢進が素因となる．

④**母斑様限局性体幹被角血管腫 angiokeratoma corporis circumscriptum naeviforme**：出生時より紅斑，紫紅色丘疹，嚢腫状小結節として発し，次第に暗紫色化，表面角化性を呈する．常に片側性で，下肢に多く，静脈怒張を伴い，患肢は肥大する．深部にも血管腫病変が存在するので，切除が不完全だと再発する．

⑤**びまん性体幹被角血管腫 angiokeratoma corporis diffusum**：Fabry 病などの遺伝性のライソゾーム蓄積症で，ライソゾーム酵素活性が低下する．体幹，臀部などに小血管腫が多発する．同様の血管腫を Kanzaki 病，フコシドーシス，ガングリオシドーシス，マンノシドーシスなどでもみることがある（☞ p. 467）．

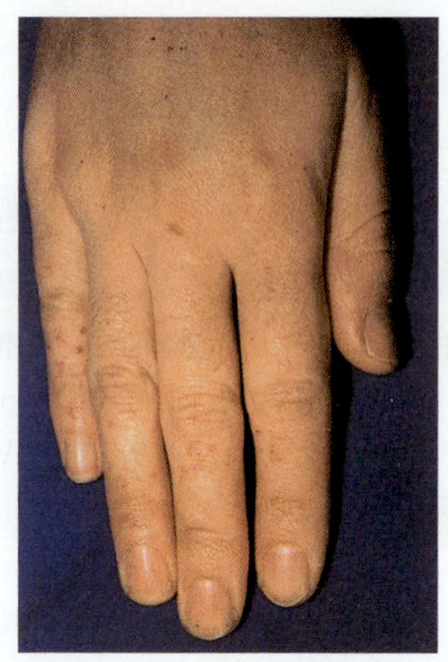

図 24-153　ミベリ被角血管腫

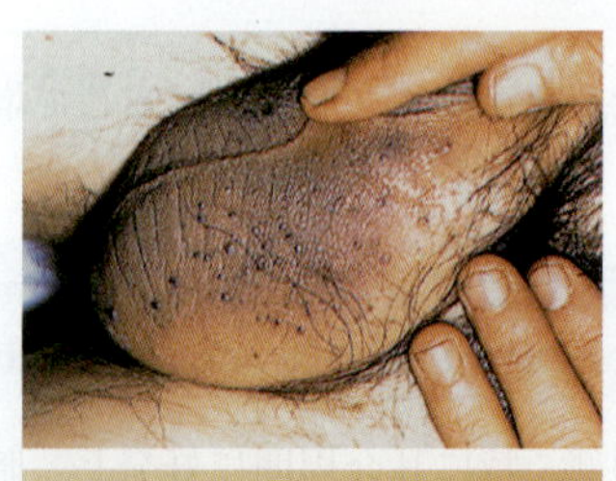

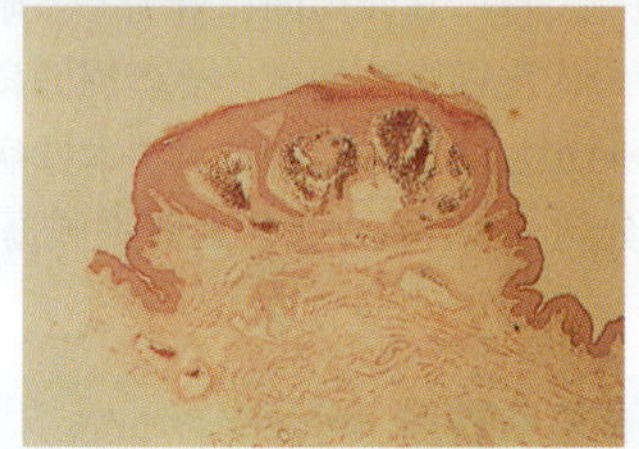

図 24-154　陰嚢被角血管腫
（上：臨床，下：組織）

10. Acral pseudolymphomatous angiokeratoma of children（APACHE）（Ramsay 1990）

主に小児の四肢末端に被角血管腫に類似した結節が多発・集簇するという特徴的な臨床像に付けられた病名である．本態は偽リンパ腫とされるが，まだ十分に議論が尽くされていない．

11. くも状血管腫 vascular spider（Eppinger 1937）（図 24-155）　○

肝障害（特に肝硬変）患者の，主として顔面，頸部，その他，胸，肩，上腕に生

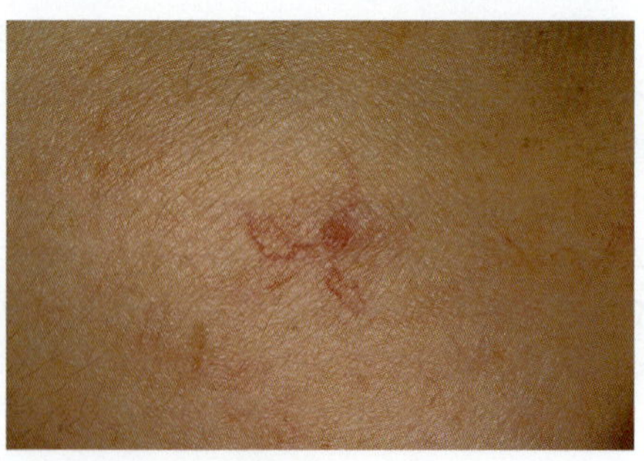

図 24-155　くも状血管腫

じる帽針頭大から豌豆大までの紅色小丘疹を中心として放射状に血管枝の伸びた状態をいう．しばしば**手掌紅斑**（palmar erythema, red palm）を合併．肝障害によるエストロゲン不活性化減少が誘因に擬せられている．組織学的には，中央の上行細動脈が周囲の拡張した毛細血管と分枝交通している．

12．蛇行状血管腫 angioma serpiginosum

女性に多く（90%），小児期に発症する．暗紅色小点が集簇して生じ環状～蛇行状に並び，末梢へ拡大する．下肢，臀部に好発し片側性に生じる．隆起，浸潤などなく，硝子圧で褪色しにくいが出血ではない．時に一部自然消褪．一見点状紫斑のようにみえるので特発性色素性紫斑との鑑別が必要．毛細血管の形成異常の一種．

13．老人性血管腫 angioma senile, cherry hemangioma（図 24-156，157）

中年以降，主として体幹にみられる半米粒大から豌豆大までの，ルビー紅色を呈する半球状小結節で，加齢とともに増加する．毛細血管の拡張と増殖による．放置してかまわない．

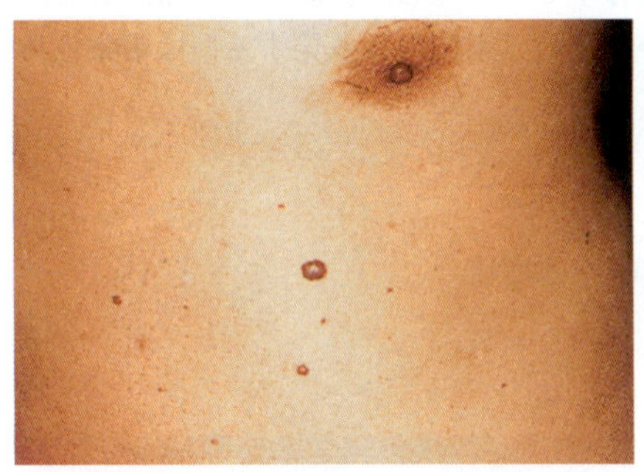

図 24-156　老人性血管腫

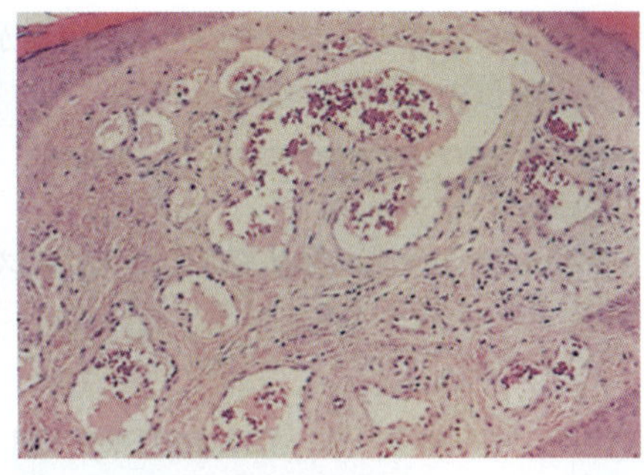

図 24-157　老人性血管腫（組織）

14．糸球体様血管腫 glomeruloid hemangioma

POEMS 症候群（polyneuropathy，organomegaly，endocrinopathy，M-protein, skin changes）の血管腫病変の一つで，血管内腔に内皮が腎糸球体のように増殖する反応性病変．POEMS 症候群の多くは老人性血管腫で，体幹・四肢中枢側に多発するが，頭・頸部にも出現し，若年者に短期間に急に発症する．POEMS 症候群の皮膚症状は，血管腫が多発するほか，全身色素沈着，硬化，剛毛など．予後は骨髄病変（骨髄腫・髄外形質細胞腫）による．骨髄腫の治療（ステロイド，アルキル化薬など）．

15. 静脈湖 venous lake（Bean 1956）

口唇（その他顔面，耳介）に生じる青紅色の軟らかい小腫瘍．表皮近くの拡張した毛細血管腔に赤血球を入れ，周囲は一層の内皮細胞と薄い線維組織で取り囲まれる．

16. グロムス腫瘍 glomus tumor（Masson 1924）　○

皮膚の小動脈吻合部のグロムス細胞に似た細胞が増殖する良性腫瘍．血管内皮細胞の周囲に存在する周皮細胞（pericyte）に分化した腫瘍（周皮細胞性腫瘍）に分類される．激しい痛みを伴う．

症状（図 24-158，159）

四肢末端，特に指趾，中でも爪甲下に発する，暗紅～紫紅色の，硬い，豌豆大までの腫瘍で，わずかに隆起あるいは皮内に存する．単発し，放散痛・激痛がある．時に全身に多発するが，そのときは疼痛が少ない（家族内に多発する型は常染色体性優性遺伝の形式をとる）．

病因

小動静脈吻合部（皮膚糸球）のグロムス細胞の増殖．

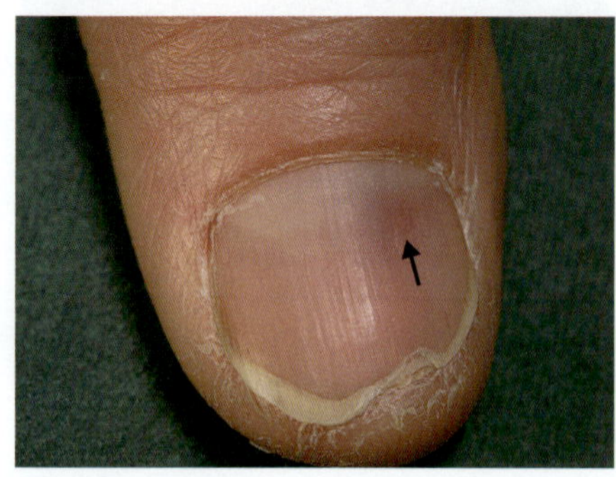

図 24-158　グロムス腫瘍（矢印）

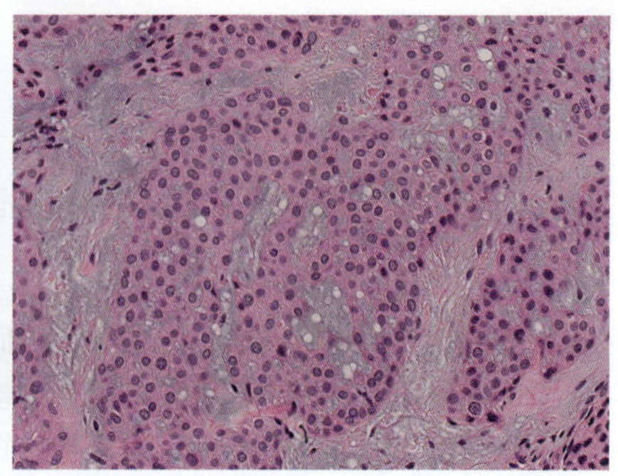

図 24-159　グロムス腫瘍（梅林芳弘博士提供）

組織所見

1層の内皮細胞より成る管腔と，これを囲むグロムス細胞（類上皮細胞に似た形）の増殖．グロムス細胞が充実性に増殖する solid type が多く，多くは単発性である．静脈奇形様の拡張した血管が目立つものを glomuvenous malformation（glomangioma）といい，多発型や家族性の例に多い．

17．筋周皮腫 myopericytoma

血管周囲に紡錘形細胞が同心円状に増殖する．現在，周皮細胞性腫瘍に分類されているグロムス腫瘍，筋周皮腫，筋線維腫，血管平滑筋腫は形態的に類似したところがあり，一連のスペクトラムを構成していると考えられている．

18．孤在性線維性腫瘍 solitary fibrous tumor，血管周皮腫 hemangiopericytoma

従来，血管周皮腫とされてきた腫瘍は，現在は孤在性線維性腫瘍とされており，血管周皮腫という病名は軟部腫瘍の分類（WHO，2020）では推奨されなくなっている．同分類では線維芽細胞・筋線維芽細胞性の腫瘍として位置づけられる．時に転移するため，悪性度としては中間群に位置づけられている．

症状

四肢，特に下腿に好発して小さな無症候性，持続性結節が単発，多発する．

組織所見

腫瘍細胞は特定の配列を示さない（patternless pattern）．増生する血管が分枝し鹿の角（staghorn）状にみえる部分があり，これを「血管周皮腫様（hemangiopericytomatous）」と表現する．間質には太いロープ状の膠原線維束が出現する．免疫組織学的には，CD34 が陽性．また，*NAB2-STAT6* 融合遺伝子が存在するため，STAT6 が核内に陽性となる．

(C) リンパ管腫，リンパ管奇形

奇形性リンパ管の増生による良性疾患である．「リンパ管腫（lymphangioma）」という名前は残っているが，真の腫瘍というより奇形・形成異常（lymphatic malformation）と考えられている．

1. 限局性リンパ管腫 lymphangioma circumscriptum（図 24-160）

米粒大までの小水疱が集簇して**蛙の卵状**の不規則な局面を形成する．内容は透明であるが，時に出血して血疱となる．乳頭層におけるリンパ管拡張が主体であるが，真皮深層，皮下組織など深部組織にも拡張した異常リンパ管が及ぶ．広範囲切除，時に硬化療法．

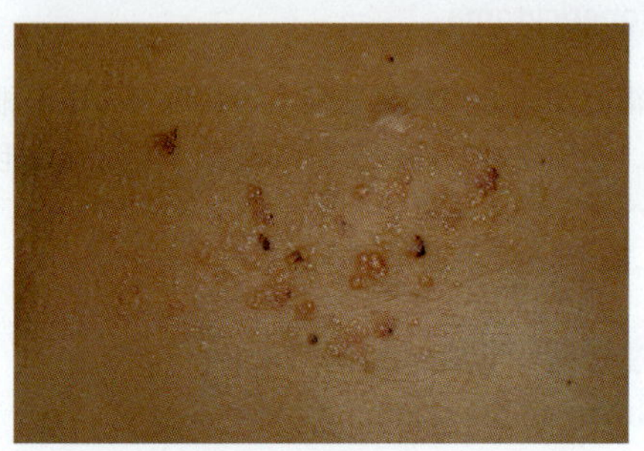

図 24-160　限局性リンパ管腫

2. 海綿状リンパ管腫 cavernous lymphangioma，deep lymphangioma，microcystic lymphatic malformatiion

健常皮膚色～青紫色の大きな深在性腫瘤を形成する．多少圧縮性あり，また穿刺にてリンパ液を得る．舌，顔面，陰部などに多い．皮下，浅筋膜の大きなリンパ管が不規則，海綿状に拡張．

3. 嚢腫状リンパ管腫 cystic lymphangioma，cystic hygroma，macrocystic lymphatic malformation

限局性，深在性のリンパ管腫瘍で，側頸部に多い．境界明瞭なリンパ管拡張性嚢腫で，内腔は多房性．

4. 後天性リンパ管腫 acquired lymphangiom，リンパ管拡張症 lymphangiectasia（Fisher 1970）

手術・放射線・外傷などにより中枢側リンパ管に通過障害が起こり，末梢部リンパ管拡張をきたしたもの．

5．リンパ管腫症 lymphangiomatosis

多臓器にわたってリンパ管腫が多発する．小児に多い．病変の存在する臓器により，経過，予後にそれぞれ問題あり．

(D) 脈管系悪性腫瘍

1．血管肉腫，脈管肉腫 angiosarcoma（図 24-161，162）◎

血管肉腫は比較的稀な血管系悪性腫瘍で，最近は頻度が増している．**高齢者の頭部，顔面に好発する**．早期に血行性転移（特に肺）を起こしやすく，極めて予後不良の腫瘍である．なお，血管とリンパ管が混在する例や区別しにくい例も存在し，包括的に脈管肉腫の名称で呼ばれることも多い．リンパ管肉腫（lymphangiosarcoma）は同義語と考えてよい．治療の基本は早期の広範囲切除術である．その他放射線照射，微小管阻害薬による化学療法，斑状病変に IL-2 の免疫療法など．

①**血管肉腫，angiosarcoma of the scalp and face of the elderly**：日本ではほとんどが高齢者頭部に出血性の紅斑，紫斑として生じる．拡大するとともに結節を生じ，さらに潰瘍化する．結節性病変が主体のこともある．早期からリンパ節，肺，肝へ転移する．大小不同の核を有する異型腫瘍細胞が増殖，不規則・不完全な管腔を形成，しばしば腔内へ突出する．CD31，CD34，D2-40 などのマーカーが陽性で鑑別に役立つことがある．

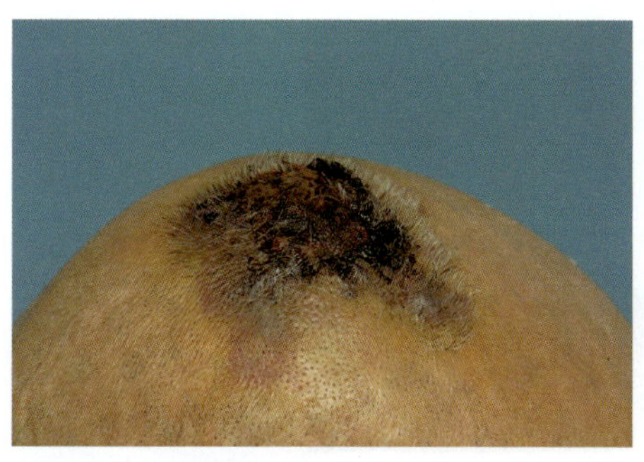

図 24-161　血管肉腫

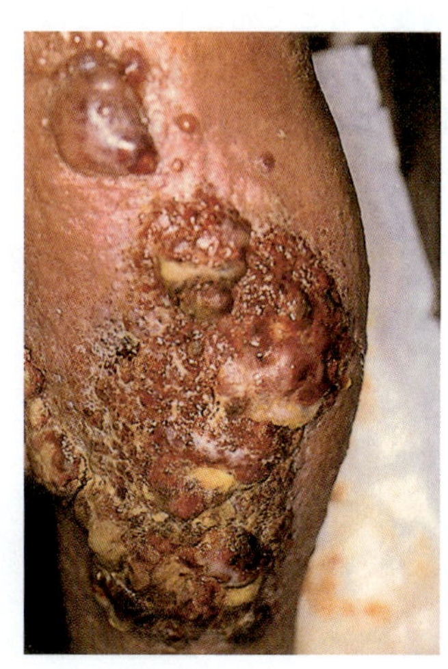

図 24-162　スチュワート・トレービス症候群

②**スチュワート・トレービス症候群 Stewart-Treves syndrome**（1948）：手術（乳癌・子宮癌など），放射線照射，血管病変，フィラリア感染などにより，高度のリンパ浮腫をきたした四肢に生じる血管肉腫.

③**放射線照射後血管肉腫 radiation induced angiosarcoma**：放射線治療後数年から数十年後に出現する.

2. カポジ肉腫 Kaposi's sarcoma　○

免疫不全の患者に好発する脈管系腫瘍病変で，真の腫瘍か反応性増殖性変化か必ずしも明らかではない. ヒトヘルペスウイルス8型（HHV-8）が発症に関与する. 微小血管の増生と紡錘形細胞の増殖から成る.

症状（図24-163）

男性に偏し40歳以降に発症する. 四肢（特に足）に発し，次第に中枢側に及ぶことが多い. はじめ浮腫を生じ，やがて紅褐～青褐色の紫斑，浸潤局面が発生，次第に進行して結節状～海綿状となる. 疼痛あり，出血しやすい. リンパ節，内臓にも同様の変化を生じる.

病型と特徴

①**古典型**：東ヨーロッパのユダヤ人や地中海沿岸の高齢男性に好発し，数年から数十年の長い経過でゆっくり進行する. 粘膜は極めて稀，内臓病変も伴わない. 本病変がもとで死亡することはない.

②**アフリカ型**：赤道部アフリカ内陸に多い風土病. 小児と成人に発症する. 内臓も侵され，小児ではリンパ節腫大. 皮膚外病変を伴うと予後不良.

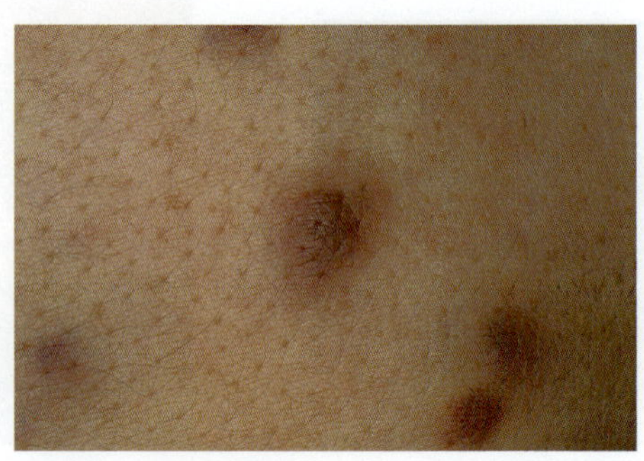

図24-163　カポジ肉腫

③**エイズ型**：日本では最も多い型で，エイズ患者の5〜6％に発症する．MSM（men who have sex with men）の患者で高率に見られる（WHO分類2020）．四肢，体幹の皮膚以外に，多臓器に発症する．抗HIV多剤併用療法（ART：antiretroviral therapy）により免疫能の回復とともに病変も消褪，治療効果が上がっている．

④**医原性**：臓器移植後，その他で免疫抑制薬投与による免疫不全患者に発症．進行すれば予後不良で数ヵ月〜数年で死亡．免疫不全が改善すると半数は自然消褪．

組織所見

①斑状病変：膠原線維間に，一層の内皮細胞に縁取られたスリット状の空隙を生じ，赤血球を容れる．空隙内に既存の血管や付属器が突出してみられることがある（promontory sign：岬状徴候）．②局面期：不整形状の脈管腔が増生し，紡錘形細胞（spindle cell）が増殖する．③結節期：紡錘形細胞が束状に増殖し，脈管が赤血球を充満したようにみえる．赤血球由来のヒアリン滴を貪食した細胞もしばしば見いだされる．④免疫組織化学：紡錘形細胞は，CD31，CD34，D2-40陽性．また，HHV-8 LNA1が陽性であることが，診断確定に有用である．

鑑別診断

下肢の静脈うっ滞のある患者に，臨床像がカポジ肉腫に類似した病変が出現することがある．これを偽カポジ肉腫と称する．CD34陰性が鑑別点．

治療

放射線照射が局所療法として著効，抗腫瘍薬（塩酸ダウノルビシン，微小管阻害薬）．エイズ型では抗HIV多剤併用療法（ART）．

6　組織球系腫瘍

組織球の英語はhistiocyteであるが，通常はmacrophage（マクロファージ）のことを指している．血液中の前駆細胞は単球と呼ばれ，単球は炎症性サイトカインの刺激によって樹状細胞にも分化する．ここでの組織球系腫瘍とは，単球，マクロファージ，樹状細胞などの腫瘍性病変であるが，一部「腫瘍性」といってよいか難しい疾患も含まれる．

1. 若年性黄色肉芽腫 juvenile xanthogranuloma（JXG）（Helwig and Hackey 1954），母斑性黄色内皮腫 naevoxanthoendothelioma（McDonagh 1912）

症状

生後1週より6ヵ月頃までの間に，主として頭部，顔面，四肢，体幹に，粟粒大～豌豆大の，淡紅～黄～褐色の丘疹ないし小結節が単発，あるいは不規則に多発する（図24-164），自覚症状はない．通常は半年～3年のうちに自然退縮する．代謝障害性全身異常はない．神経線維腫症1型の皮膚症状の一つであることもあるので，その他の病変（特にカフェオレ斑）の有無を確認する．稀に，虹彩が肥厚混濁し，毛様体も侵されて視力障害を起こすことがある．時に他臓器（呼吸器，肝脾，精巣，心嚢）侵襲もみられるが自然消褪する．成人型もある．

組織所見

脂肪を貪食した組織球を多数認め，肉芽種を呈する．異物およびツートン型巨細胞を混ずる，リゾチームやCD68が陽性，S-100は陰性である．

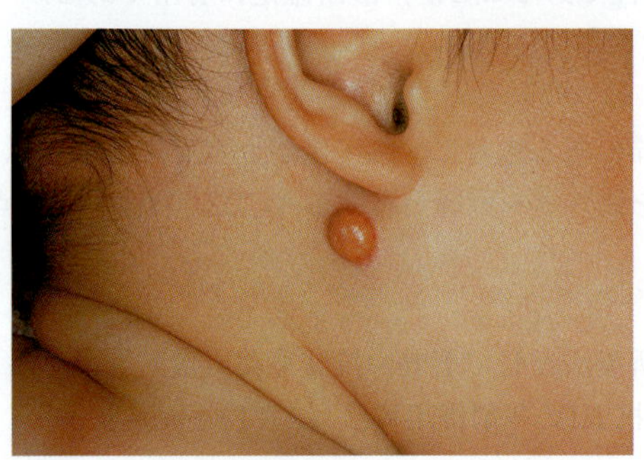

図24-164 若年性黄色肉芽腫

2. benign cephalic histiocytosis（Gianotti 1971）

小児（3歳以下）の頭頸部に多発する紅黄色扁平丘疹で融合傾向があり，瘢痕を残さず自然消褪する．掌蹠，粘膜，内臓，骨は侵さない．乳頭層，網状層に組織球様細胞（S-100・CD1a陰性，CD68・HAM56・第XIIIa因子陽性，電顕でcomma-shaped body or worm-like bodyがみられる）の浸潤．若年性黄色肉芽腫に近い疾患であるが，組織学的に脂肪貪食性組織球やツートン型巨細胞を認めない．

3. 播種状黄色腫 xanthoma disseminatum

病因

組織球増殖症の一つで，脂質貪食をきたした黄色腫細胞，ツートン型巨細胞をから成る．炎症細胞浸潤が著明で肉芽腫を呈することもある．

症状

①個疹は黄，黄紅，黒褐色丘疹ないし小結節で，主として間擦部（腋窩，鼠径外陰，肘窩膝膕），眼瞼，その他体幹に汎発性かつ左右対称性に多発，しばしば融合して局面を呈する（図 24-165）．
②粘膜：口腔，咽喉，気管支，消化管に生じ，呼吸困難，摂食困難をきたす．角膜，結膜侵襲は稀．
③血清脂質値正常（稀にコレステロール，脂質上昇）．
④骨，肺，心血管系，後腹膜を侵すものを，Erdheim-Chester 病という．下垂体侵襲による尿崩症もしばしば合併する．

予後

自然退縮しうる．Erdheim-Chester 病は予後不良．

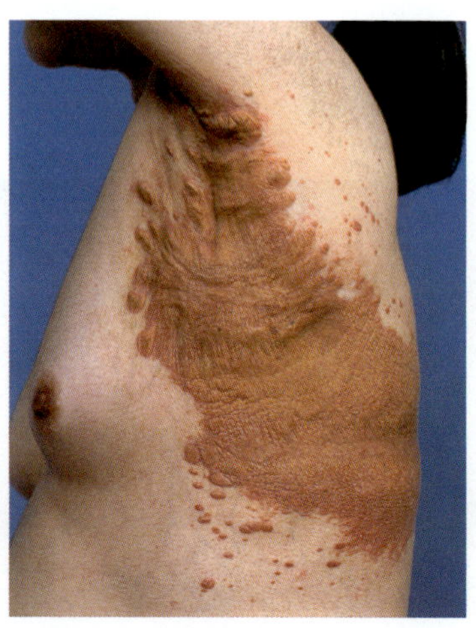

図 24-165　播種状黄色腫

治療

①ステロイド内服，②外科的切除，③皮膚外病変が自然退縮しない場合は化学療法．

4. 細網組織球症 reticulohistiocytosis

2型に分ける．組織像は共通．単球・マクロファージ系組織球の反応性増殖と考えられる．

①細網組織球腫 solitary reticulohistiocytoma, giant cell reticulohistiocytoma

単発する皮膚腫瘤．径2cmまでの結節で頭頸部に好発．自然消褪する．

②多中心性細網組織球症 multicentric reticulohistiocytosis（Goltz and Laymon 1954）

中年以降の女性に多く，汎発性の皮疹と増殖性・破壊性の多発性関節炎（arthritis mutilans，運動障害，発赤腫脹，変形，腱鞘腫脹，指に多く断指に至ることあり）．皮疹は数mm～数cmの結節で四肢に多いが（図24-166），顔面に集簇して獅子様顔貌を呈することもある．粘膜疹，高脂血症，悪性腫瘍，自己免疫性疾患などを合併する．悪性腫瘍などを併発していなければ予後良好．確立された治療法はないが，ステロイド，シクロフォスファミド，シクロスポリン，ビスフォスフォネートなど．

組織所見

真皮上層の表皮直下に，一帯の膠原線維をおいて，円～楕円形の巨細胞が集簇し，その下に大型の明るい組織球（原形質は顆粒状でスリガラス様にみえる）が浸潤．CD68陽性，CD1a・S-100陰性．

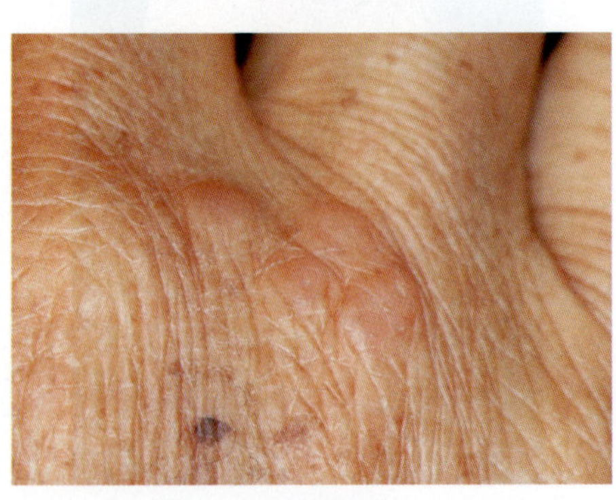

図24-166 多中心性細網組織球症

5. 血球貪食性リンパ組織球症 hemophagocytic lymphohistiocytosis（HL-H），リンパ腫関連血球貪食症候群 lymphoma-associated hemophagocytic syndrome，悪性組織球症 malignant histiocytosis，組織球性骨髄性細網症 histiocytic medullary reticulosis ○

症状

過剰な免疫反応によって好中球や組織球が必要以上に活性化し，発熱，リンパ節腫大，肝脾腫，骨髄抑制，貧血などを引き起こす．若年者に多い．EB ウイルス関連のリンパ増殖異常症ないし悪性リンパ腫，重症感染症などが関連する．予後不良でしばしば死亡する．10％に皮疹（丘疹，結節，斑，潰瘍）をみる．

病理所見

主に脂肪組織に異型組織球が浸潤し，赤血球や核破片を貪食している．血清中のサイトカインや炎症マーカー（M-CSF，TNF-α，IFN-γ，IL-6，sIL-2R，フェリチンなど）が高値を示す．

病因

原発性の家族性血球貪食性リンパ組織球症〔familial hemophagocytic lymphohistiocytosis（FHLH1～5），Duncun 病（XLP1，2），2 型 Griselli 症候群，2 型 Hermansky-Pudlak 症候群，Chediak-Higashi 症候群〕，二次性のウイルス感染症関連血球貪食症候群（virus-associated hemophagocytic syndrome；VAHS，EB ウイルスを中心としたヘルペスウイルス，その他ウイルス），悪性腫瘍関連血球貪食症候群（malignancy-associated hemophagocytic syndrome；MAHS），自己免疫疾患関連血球貪食症候群（autoimmune-associated hemophagocytic syndrome；AAHS）などがある．悪性リンパ腫に随伴するものはリンパ腫関連血球貪食症候群（lymphoma-associated hemophagocytic syndrome；LAHS）と呼ばれる．ホジキン病などの全身性リンパ腫で認められるほか，皮膚リンパ腫では EB ウイルス関連鼻型 NK/T 細胞リンパ腫，$\gamma\delta$T 細胞リンパ腫などで合併する．

6. Rosai-Dorfman 病 Rosai-Dorfman disease，sinus histiocytosis with massive lymphadenopathy（Rosai and Dorfman 1969）

症状

反応性，良性の組織球増殖性疾患で，原因不明．若年者（10～20 代）に多く，両側頸部の無痛性リンパ節腫脹，発熱，白血球増加，赤沈亢進，高γグロブリン血症

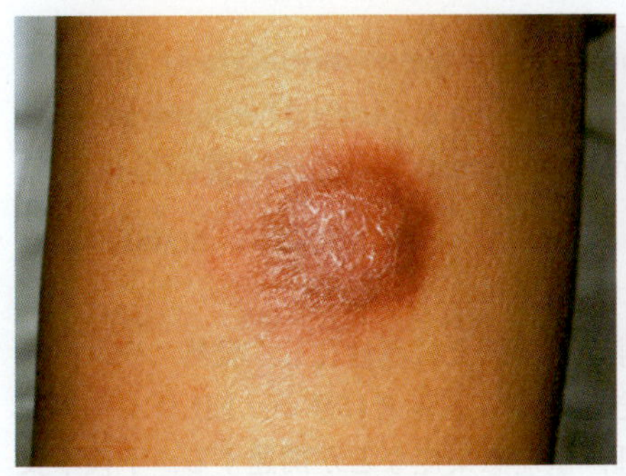

図 24-167　Rosai-Dorfman 病

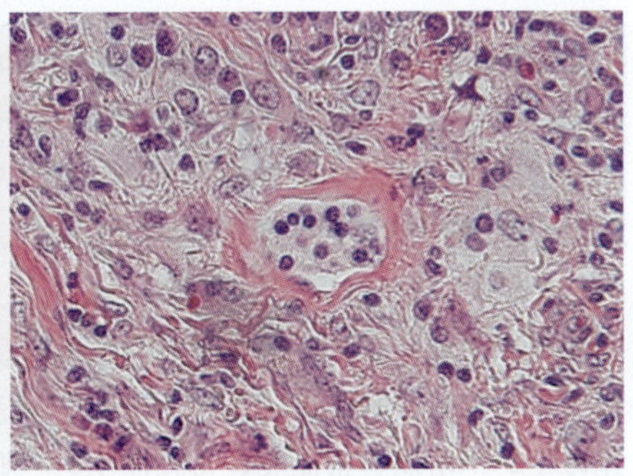

図 24-168　Rosai-Dorfman 病（組織）

を主徴とする．皮膚病変は紅褐色ないし紅黄色の浸潤性丘疹，結節，浸潤局面などを呈する（図 24-167）．

病理所見

明るい組織球と暗いリンパ球がびまん性に浸潤増殖し，多核巨細胞や泡沫細胞，形質細胞など多彩な細胞浸潤をみる．リンパ球や好中球などを取り込んだ大型マクロファージ（emperipolesis）が特徴的である（図 24-168）．主たる増殖細胞は各種マクロファージマーカー陽性，S-100 陽性，CD1a 陰性．

予後

自然消褪するものも多く一般に予後良好である．

7. ランゲルハンス細胞組織球症 Langerhans cell histiocytosis（LCH），組織球症 X histiocytosis X（Lichtenstein 1953）◎

ランゲルハンス細胞が皮膚，肺，骨，肝臓，脾臓，脳などの単一臓器または多臓器に浸潤する病態である．以前はレッテラー・シーベ病 morbus Letterer-Siwe (1924, 1933)，ハンド・シュラー・クリスチャン病 morbus Hand-Schüler-Christian, chronic multifocal LCH，好酸球性肉芽腫 eosinophilic granuloma の 3 病型に分けられていたが，現在ではランゲルハンス細胞組織球症と総称され，1 つの臓器に浸潤する単一臓器型か，2 つ以上の臓器に浸潤する多臓器型かで分類する．

症状

多臓器型は 3 歳未満に多く，ほとんどが 1 歳未満である．単一臓器型は幅広い年

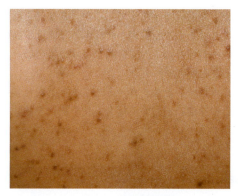

図 24-169　ランゲルハンス細胞組織球症

齢で生じる．単一臓器型の場合は骨病変であることが多いが，皮膚やリンパ節の症例もある．多臓器型は皮膚と骨病変の頻度が高く，肝，脾，肺，胸腺，骨髄など様々な臓器に病変を生じる．肝臓，脾臓および骨髄はリスク臓器である．

病理所見

病理ではバーベック顆粒を有し S-100，CD1a，ランゲリン陽性のランゲルハンス細胞が浸潤し，リンパ球，好中球，巨細胞，形質細胞などが混じる．ランゲルハンス細胞肉腫と呼ばれる悪性型は，細胞の異型性が強く，核分裂像が多くみられて，MIB-1 index が高い．

骨病変：頭蓋骨に最も多く病変がみられる．単純 Xp で骨融解像がみられる．

皮膚病変：頭部や腋窩，鼠径部などに鱗屑を伴う紅褐色の小丘疹や膿疱，結節，紫斑などを認める．しばしば脂漏性皮膚炎や汗疹に類似する（図 24-169）．

リンパ節病変：頸部リンパ節が腫れることが多い．

耳病変：中耳や内耳が破壊され難聴になることがある．

造血器病変：貧血や血小板減少をきたします．重症例に多い．

肝脾腫：全身の浮腫や腹水，黄疸がでることがあり，予後不良．

肺病変：乾性咳嗽，息切れ，気胸など．

消化管病変：口内炎や歯肉腫脹．腸に生じることもある．

脳病変：視床下部・下垂体に病変が生じると，抗利尿ホルモン（ADH）減少による尿崩症を起こす．小脳や大脳基底核に腫瘤を形成することもある．

以前の分類のレッテラー・シーベ病はリスク臓器陽性多臓器型，ハンド・シュラー・クリスチャン病はリスク臓器陰性多臓器型，好酸球性肉芽腫は単一臓器型に相当する．治療は単一臓器型か多臓器型かで大きく異なる．

単一臓器型：骨の場合，経過観察が基本であるが，病変部を削ったり，ステロイドを注入したりすることもある．脳病変の合併する可能性が高い場合や複数病変がある場合は，化学療法が行われる．皮膚病変だけの場合は，ステロイド外用で注意深く経過観察することが多い．

多臓器型：ビンカアルカロイドとステロイドを基本とした化学療法を行う．化学療法の効果がない場合や急速に進行する場合，化学療法を強化したり，同種造血幹細胞移植を行ったりする．

8. congenital self-healing reticulohistiocytosis

予後良好のランゲルハンス細胞組織球症の一型．先天性に，あるいは生後数週以内に紅褐色の丘疹，結節が全身の皮膚に多発するが，通常3〜4ヵ月以内に自然消褪する．他の臓器が侵されることはなく，予後良好．浸潤細胞は好酸性すりガラス状の豊富な胞体を有する組織球様細胞で，ランゲルハンス細胞の各種マーカーが陽性である．

7 造血系腫瘍（悪性リンパ腫除く）

(A) 良性造血系腫瘍

1. 肥満細胞症 mastocytosis（Sézary 1936），肥満細胞腫 mastocytoma，色素性じんま疹 urticaria pigmentosa（Nettleship 1869，Sangster 1878）◎

肥満細胞症は，皮膚に限局する皮膚型と他臓器に及ぶ全身型に大別できる．皮膚型は色素性じんま疹（斑丘疹状肥満細胞症），びまん性皮膚肥満細胞症，皮膚肥満細胞腫に分類される．全身型は無痛性全身性肥満細胞症（indolent systemic mastocytosis），くすぶり型全身性肥満細胞症（smoldering systemic mastocytosis），非肥満細胞系のクローン性血液疾患に随伴する全身性肥満細胞症（systemic mastocytosis with an associated hematologic non-mast-cell-lineage neoplasm），侵襲性全身性肥満細胞症（aggressive systemic mastocytosis），肥満細胞性白血病（mast cell leukemia），肥満細胞肉腫（mast cell sarcoma）に分類される．肥満細胞の増殖にはstem cell factorとc-kit受容体が重要であるが，肥満細胞症では*c-kit*遺伝子の変異が生じていることが多い．

症状（図 24-170，171）

①色素性じんま疹は生後 1 年頃までにじんま疹発作を反復，やがて全身に爪甲大までの紅褐～黄褐色の斑点ないし丘疹が播種状に多発する（幼年型）．稀に成人に初発（成年型）．個疹は幼年型で大きく，成人型で小さい．時に紅皮症化．肥満細胞腫は生後 3ヵ月以内に黄褐色調の結節を形成して単発することが多いが，時に多発．しばしば水疱を頂点に生じる（水疱型）．

②強くこすると線状に膨疹を生じ（人工じんま疹），かつ皮疹部において隆起が特に著しい（**ダリエ徴候 Darier's sign**）．

③皮膚潮紅とともに，悪心，嘔吐，下痢，鼓腸，腹痛，発熱，心不全，心悸亢進，呼吸困難，頭痛，けいれん，意識混濁など全身症状を呈することがある．皮膚摩擦・入浴に注意する．②と③の症状は，刺激により肥満細胞から急速にヒスタミン，ヘパリン，プロスタグランジン D_2 などが放出されることによる．

④**全身性肥満細胞症** systemic mastocytosis（Ellis 1949）：肥満細胞増殖が皮膚だけでなく，リンパ節（腫脹），肝脾（腫脹），骨（粗鬆症，硬化，嚢腫状）にも存在し，全身状態（倦怠感，下痢，腹痛，嘔気嘔吐，失神，呼吸困難，頭痛，発熱，頻脈，情緒不安定，骨痛など）を呈する．腫瘍化した肥満細胞は CD25 または CD2 が陽性になる．血中トリプターゼ値＞20ng/mL．その他の検査所見に汎血球減少，貧血，血小板減少，白血球減少 / 増加．時に好酸球増加，低コレステロール血症，アルカリホスファターゼ上昇，PT 低下など．中年以上の男性に多い．

組織所見

幼年型では真皮上層に密に，成人型では血管，付属器周囲性に肥満細胞の増殖をみる．同細胞は大形多角形で，トルイジンブルー異染性（紫色）を示す．電顕では，

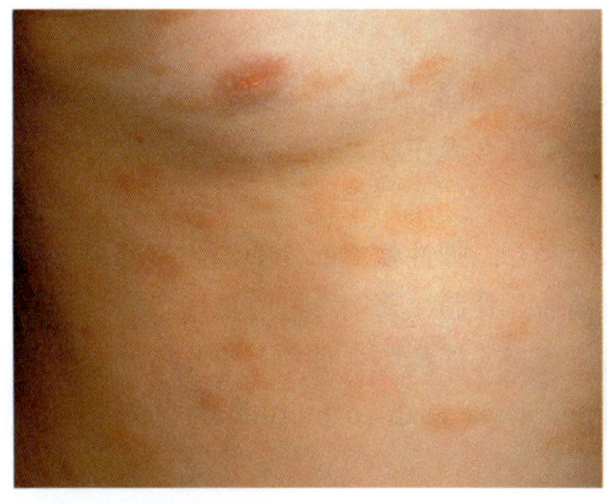
図 24-170　肥満細胞症

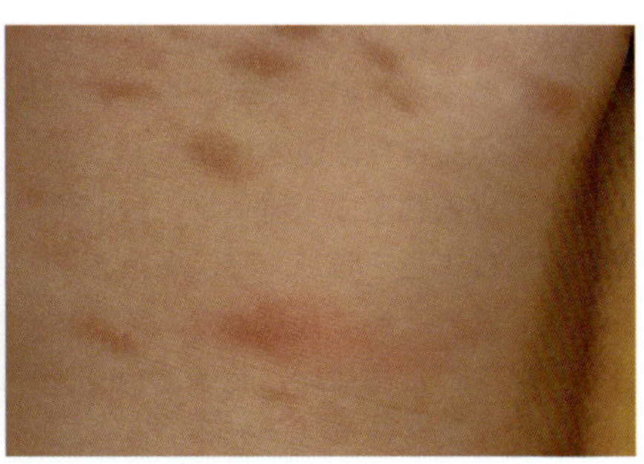
図 24-171　肥満細胞症（ダリエ徴候）

表 24-10　色素性じんま疹の分類

	幼児	成人
肥満細胞多い	Unna 型	Arning 型
肥満細胞少ない	Deutrelepont-Jadassohn 型	Róna 型

暗調顆粒と細長い細胞突起を有する肥満細胞が，密に接しつつ存在する．

分類

色素性じんま疹を（表 24-10）のように分類，Unna 型が最も多く，Róna 型がこれに次ぎ，他は極めて少ない．

治療

じんま疹発作はじんま疹に準じ，H_1，$_2$受容体拮抗薬，抗アレルギー薬，紫外線照射，ステロイド外用（ODT），時に切除，重症例にはステロイド全身投与．

予後

乳幼児期の発症例は 5〜6 歳より自然治癒を示すが，成人例は難治．

2. 木村病 Kimura disease（1948），好酸球性リンパ濾胞増殖症（川田 1966）eosinophilic lymphfolliculosis of the skin，subcutaneous angiolymphoid hyperplasia with eosinophilia（Wells and Whimster 1969）　○

病因

原因不明の皮膚における反応性リンパ増殖反応．

症状（図 24-172）

男性に多く，主に日本で報告される．単発型は顔面（特に耳下腺周囲）に圧倒的に多く，多発播種型は体幹，四肢を侵す．いずれも表在リンパ節の多い部位であるが，リンパ節自身は侵されない．

皮下〜皮内腫瘤で，扁平ないし半球状に隆起し，弾性軟で部分的に硬結を混ずる．表面皮膚は褐色を帯び，時に瘙痒あり．末梢血，骨髄に著明な好酸球増多症（30〜40%）を認め，また IgE 上昇，アトピー性皮膚炎，痒疹の合併などをみる．好酸球性血管リンパ球増殖症（angiolymphoid hyperplasia with eosinophilia）との異同がしばしば議論される（☞ p.683）．

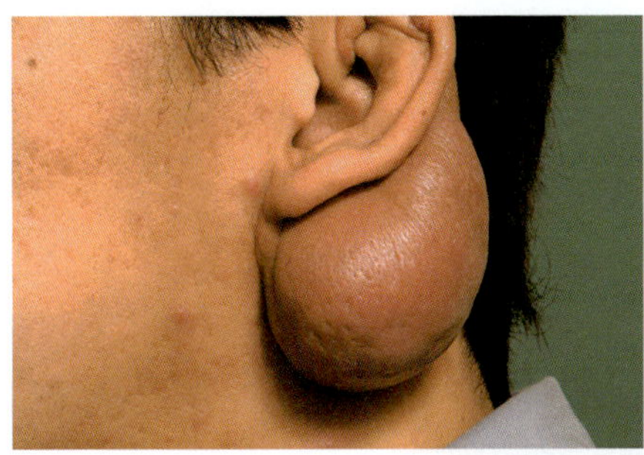

図 24-172　木村病

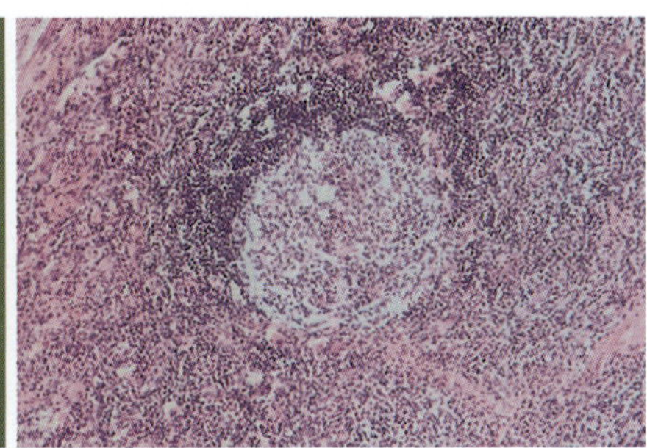

図 24-173　木村病（組織）

組織所見（図 24-173）

真皮〜皮下にリンパ球，組織球の密な浸潤があり，大小のリンパ濾胞構造を有する．膠原線維増生，小血管拡張，好酸球浸潤を伴う．形質細胞の浸潤も著明で IgE が陽性となる．

治療

ステロイドやシクロスポリンの内服，放射線療法によく反応するが，中止により再発しやすい．切除．悪性化はない．

3．皮膚リンパ球腫 lymphocytoma cutis，皮膚偽リンパ腫 cutaneous pseudolymphoma，皮膚良性リンパ腺腫症 lymphadenosis benigna cutis, cutaneous lymphoid hyperplasia ○

皮膚の良性のリンパ増殖反応である．真皮から皮下にリンパ濾胞を形成する．顔面に好発し，紅〜紫色の結節が単発，時に集簇して局面を形成する（図 24-174）．CD21 陽性濾胞内樹枝状細胞や可染体マクロファージ（tingible body macrophage）を認める反応性リンパ濾胞を形成，濾胞間に小リンパ球や形質細胞など多彩な細胞が浸潤する．表皮とは明らかな境界があり（grenz zone），真皮上層で浸潤が強い（top-heavy appearance）．Ig 遺伝子の再構成はない．多様な抗原刺激，虫刺症，ワクチン，薬剤などに対する反応性病変と考えられている．自然消褪することも多く，臨床経過は良好である．皮膚 B 細胞リンパ腫（MALT リンパ腫），原発性皮膚 CD4 陽性小・中細胞型 T 細胞リンパ増殖異常症との鑑別が難しい．治療は生検後に消褪する症例が多く，ステロイド外用，局所注射，外科的切除，電子線照射，ステロイド内服なども有効．多発集簇して局面を形成する場合は難治．

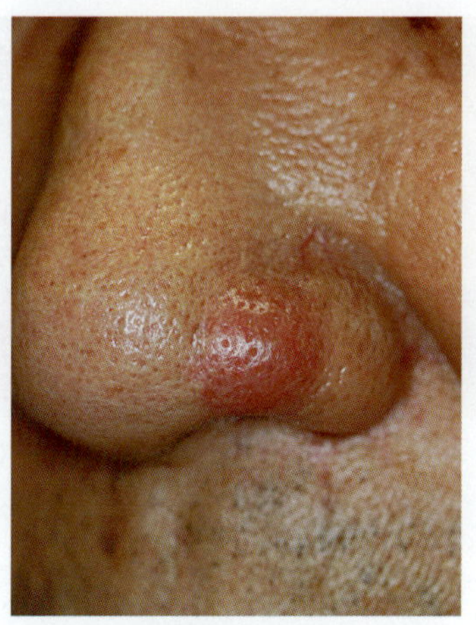

図 24-174　皮膚リンパ球腫

4. lymphocytic infiltration of the skin（Jessner and Kanof 1953）

淡紅～紅褐色の浸潤性局面で自覚症状なく，女性の露光部，顔面に好発．自然消褪，再燃あり．真皮特に付属器周囲の密なリンパ球浸潤．CD4 陽性 T 細胞を多く認める．DLE，LE profundus と鑑別．

5. 皮膚形質細胞増多症 cutaneous plasmacytosis

①主として体幹に赤褐～紫褐色斑が徐々に多発して**クリスマスツリー状**に分布（図 24-175），②青壮年期に発生，③表在リンパ節腫脹は稀，④約 60～70%に多クローン性高 γ グロブリン症あり，⑤多発性骨髄腫へ進行する可能性がある．

6. IgG4 関連皮膚疾患 IgG4-related skin disease

IgG4 関連疾患は免疫異常や血中 IgG4 高値を示し，全身の諸臓器にリンパ球と IgG4 陽性形質細胞の浸潤と線維化をきたす原因不明の疾患である．膵臓，胆管，涙腺や唾液腺のほか，皮膚にも病変を呈する．IgG4 陽性細胞が皮膚に密に浸潤することもあれば，反応性の細胞が主体の非特異的な発疹もある．

図 24-175　皮膚形質細胞増多症

(B) 悪性造血系腫瘍（悪性リンパ腫除く）

1. 皮膚白血病 leukemia cutis

リンパ性および骨髄性白血病の腫瘍細胞が皮膚に浸潤して皮疹を呈したものを特異疹と呼ぶが，稀に血液，骨髄中に腫瘍細胞を認めずに皮膚にだけ白血病細胞を認めることがあり，非白血性皮膚白血病（aleukemic leukemia cutis）と呼ばれる．多くの症例はその後に白血化する．

分類

白血病は骨髄系，リンパ系，単球系に分かれ，各々急性と慢性を区別する．日本では急性骨髄性白血病（AML）が 40～50％と多く，慢性骨髄性白血病（CML），急性リンパ性白血病（ALL），急性単球性白血病（AMoL），慢性リンパ性白血病（CLL）の順の頻度である．特異疹の頻度は白血病全体で 4～5％といわれる．白血病の病型では単球性白血病で特異疹の頻度が高い．一般にリンパ系（ALL，CLL）で骨髄系（ALL，CML）より特異疹が出やすく，急性型では AMoL，ALL の順，慢性型では CLL に多い．白血病に併発する種々の皮疹は非特異疹と呼ぶ．

①**特異疹**：丘疹，結節，腫瘤，紅皮症を生じる（図 24-176）．顔面に広く腫瘤を生じて獅子様顔貌（facies leontina）を呈することがある．

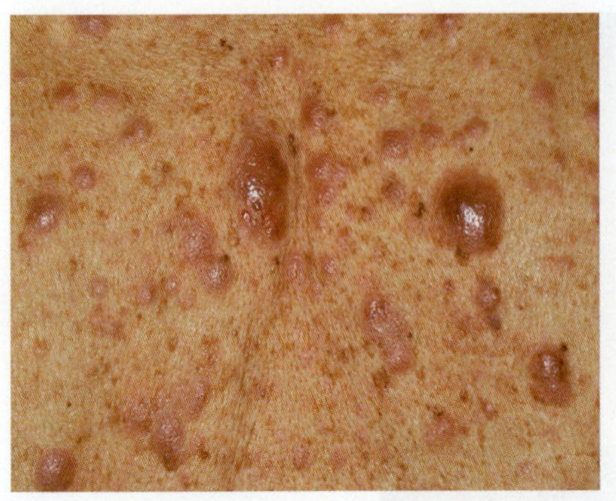

図 24-176　皮膚白血病

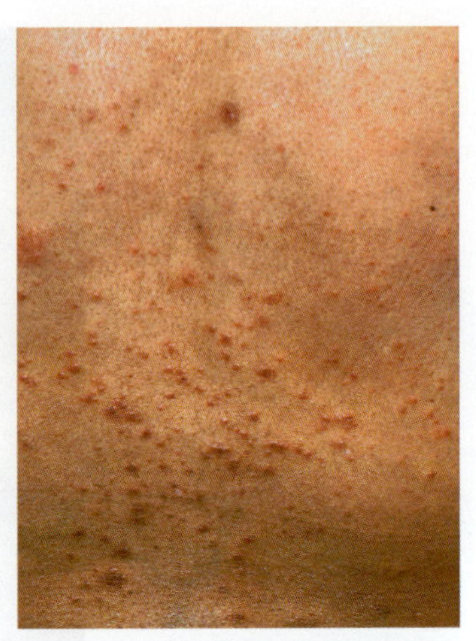

図 24-177　多発性骨髄腫の皮膚病変

②**非特異疹**：紫斑，丘疹，水疱，膿疱，多形滲出性紅斑，じんま疹，湿疹，痒疹，紅皮症，皮膚瘙痒症，色素異常（びまん性ないし斑状）など．また白血病自体およびその治療による免疫不全状態はウイルス性疾患（特に帯状疱疹），汎発性白癬，カンジダ症を併発しやすい．

2. 多発性骨髄腫 multiple myeloma

症状

骨髄における異型形質細胞の増殖（形質細胞腫 plasmacytoma）で，**病的骨折**を生じやすく，また単クローン性 Ig（G または A，稀に D）が増量し尿中に **Bence Jones 蛋白**が出る．予後不良（感染症，腎不全）．皮膚症状は，特異疹として，①骨から連続性侵襲が皮膚に及び，骨に癒着した硬結，②血行性転移による多発性結節（図 24-177），③骨外性形質細胞腫（extraosseous plasmacytoma）がある．皮膚原発骨外性形質細胞腫は 1～2% で，皮膚において形質細胞が増殖して腫瘤となるもので，多発性骨髄腫を合併しない．稀．高齢者に紅～紫紅色結節が単発，または多発する．形質細胞への分化が著明な MALT リンパ腫と鑑別が難しいこともある．

合併症

非特異疹として，①アミロイド沈着（巨舌症，紫斑，丘疹，脱毛），②クリオグロブリン血症（レイノー症状，潰瘍，紫斑，紅斑，リベド），③その他，黄色腫，色素沈着，紅斑，魚鱗癬様皮疹，皮膚瘙痒症，脂漏性皮膚炎様皮疹，稀に血管炎，壊疱性膿皮症，スイート病，強皮症，角層下膿疱症などがある．

8 造血系腫瘍（悪性リンパ腫）

現在のリンパ腫の分類は，正常リンパ球のどの分化段階に相当するか（normal counterpart），という観点で行われている．皮膚の悪性リンパ腫の分類は，2016年にWHO分類が発表され，それを基に2018年にWHO-EORTIC（European Organization for Research and Treatment of Cancer）分類が提唱された．日本の皮膚リンパ腫診療ガイドラインも，この分類を採用している（表24-11）．悪性リンパ腫は，ホジキンリンパ腫と非ホジキンリンパ腫に分け，後者はさらにT細胞リンパ腫，B細胞リンパ腫など分化に応じて分類される．また，リンパ節原発を節性リンパ腫，非原発を節外性リンパ腫と記述する．皮膚は消化管に次いで節外性リンパ腫の頻度が高い臓器である．

診断には，臨床所見，病理組織学的所見とともに，免疫組織化学的な表面マーカーの検索が必要である．さらに，T細胞受容体や免疫グロブリンの遺伝子再構成の解析から単クローン性を調べる．

(A) 皮膚T細胞リンパ腫 cutaneous T-cell lymphoma（CTCL）

皮膚に原発する末梢T細胞リンパ腫の総称で，菌状息肉症（mycosis fungoides；MF），セザリー症候群（Sézary syndrome；SS），その他の原発性皮膚T細胞リンパ腫を含む．皮膚のリンパ腫はT細胞系が多く，B細胞系は少ない．これはもともと皮膚に遊走するリンパ球は，T細胞が多いことと合致する．

1. 菌状息肉症 mycosis fungoides（MF） ◎

皮膚T細胞リンパ腫の代表で皮膚リンパ腫の半数を占める．腫瘍細胞はCD4陽性であることが多く，古典的な症例では長年にわたり慢性に経過する．一部の症例は紅斑期，扁平浸潤期，腫瘍期と進行するが，紅斑期のまま天寿を全うすることも多い．遺伝性はなく，特定の原因遺伝子やウイルスは見つかっていない．代表的な病理所見として，表皮内に異型リンパ球浸潤をみる．

表 24-11 原発性皮膚リンパ腫の病型

皮膚T細胞・NK細胞リンパ腫
菌状息肉症（Mycosis fungoides：MF）
菌状息肉症のバリアント
毛包向性菌状息肉症（Folliculotropic MF）
パジェット様細網症（Pagetoid reticulosis）
肉芽腫様弛緩皮膚（Granulomatous slack skin）
セザリー症候群
成人T細胞白血病・リンパ腫（Adult T-cell leukemia/lymphoma）
原発性皮膚CD30陽性リンパ増殖異常症（Primary cutaneous CD30+ T-cell lymphoproliferative disorders）
・原発性皮膚未分化大細胞型リンパ腫（Primary cutaneous anaplastic large cell lymphoma）
・リンパ腫様丘疹症（Lymphomatoid papulosis）
皮下脂肪織炎様T細胞リンパ腫（Subcutaneous panniculitis-like T-cell lymphoma）
節外性NK/T細胞リンパ腫，鼻型（Extranodal NK/T-cell lymphoma, nasal type）
種痘様水疱症様リンパ増殖異常症（Hydroa vacciniforme-like lymphoproliferative disorder）
重症蚊刺アレルギー（Severe mosquito bite allergy）
原発性皮膚γδT細胞リンパ腫（Primary cutaneous γδ T-cell lymphoma）
原発性皮膚CD8陽性急性進行性表皮向性細胞傷害性T細胞リンパ腫 (Primary cutaneous CD8+ aggressive epidermotropic cytotoxic T-cell lymphoma)
原発性皮膚CD4陽性小型・中型T細胞リンパ増殖異常症* (Primary cutaneous CD4+ small/medium T-cell lymphoproliferative disorder)
末梢性T細胞リンパ腫，非特定型（Peripheral T-cell lymphoma, NOS）
原発性皮膚末端型CD8陽性T細胞リンパ腫*（Primary cutaneous acral CD8+ T-cell lymphoma）
皮膚B細胞リンパ腫
粘膜関連リンパ組織節外性辺縁帯リンパ腫（MALTリンパ腫） (Extranodal marginal zone lymphoma of mucosa-associated lymphoid tissue)
原発性皮膚濾胞中心リンパ腫（Primary cutaneous follicle center lymphoma）
原発性皮膚びまん性大細胞型B細胞リンパ腫，下肢型# (Primary cutaneous diffuse large B-cell lymphoma, leg type)
EBV陽性粘膜皮膚潰瘍*（EBV+ mucocutaneous ulcer）
血管内大細胞型B細胞リンパ腫（Intravascular large B-cell lymphoma）

＊：暫定的疾患単位，#：WHO分類改訂第4版ではびまん性大細胞型B細胞リンパ腫，非特定型に含まれる．
下線：WHO分類改訂第4版で追加，名称変更された病型

（WHO-EORTC分類2005年をもとにWHO分類改訂第4版の病名を採用）
（皮膚リンパ腫診療ガイドライン2020，日皮会誌，2020）
（©日本皮膚科学会）

症状

3期に分ける．

①**紅斑期** patch stage（図24-178）：非露光部を中心に鱗屑を有する大小の紅斑で始まる．個疹は境界明瞭な円形～楕円形で，時に融合して大きくなる．左右非対称であることが多い．数ヵ月から数年に及ぶが，進行具合は個人差が大きい．色

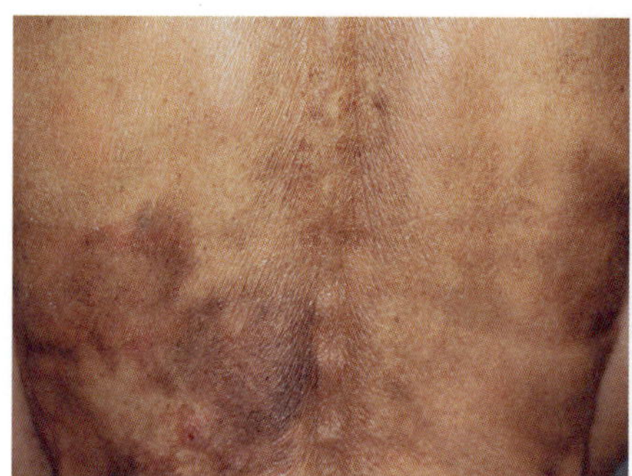
図 24-178　菌状息肉症（紅斑期）

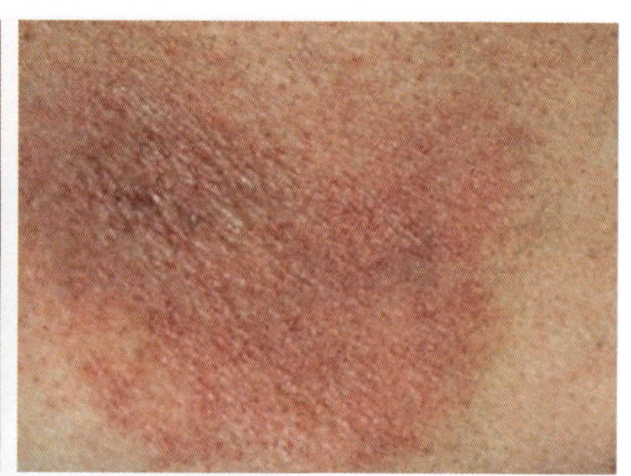
図 24-179　菌状息肉症の多形皮膚萎縮

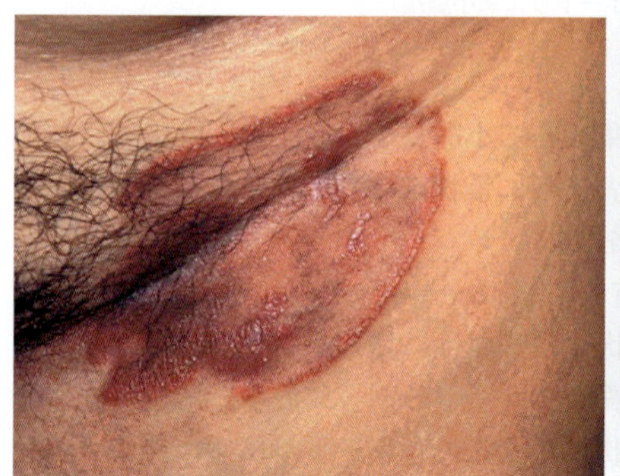
図 24-180　菌状息肉症（扁平浸潤期）

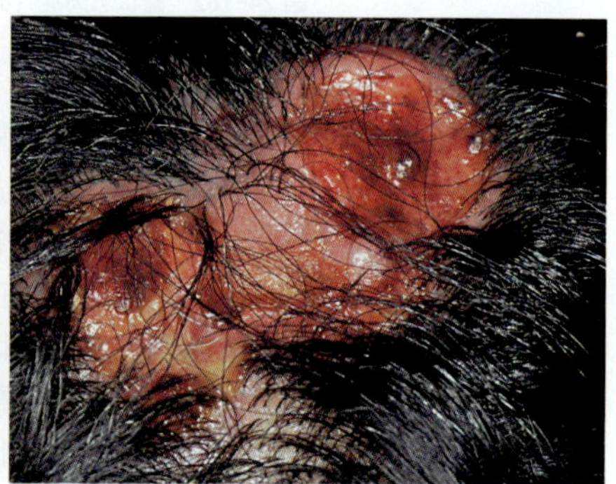
図 24-181　菌状息肉症（腫瘍期）

素沈着，脱失，萎縮，毛細血管拡張などを伴う多形皮膚萎縮が特徴的である（図 24-179）．

②**扁平浸潤期** plaque stage（図 24-180）：紅斑が次第に厚みを触れるようになり，扁平に隆起，拡大する．やはり円形～楕円形が基本であるが，環状，馬蹄形などを示すことがある．

③**腫瘍期** tumor stage（図 24-181）：結節，腫瘤を形成し，しばしば自潰する．表在リンパ節腫脹が認められるようになる．肺，肝，脾，骨髄，脳，消化管などに浸潤することもある．

組織所見

①**紅斑期**：初期は真皮上層のリンパ球，組織球浸潤で通常の炎症と区別しがたいが，表皮内にリンパ球が海綿状態を呈することなく侵入（表皮向性 epidermotro-

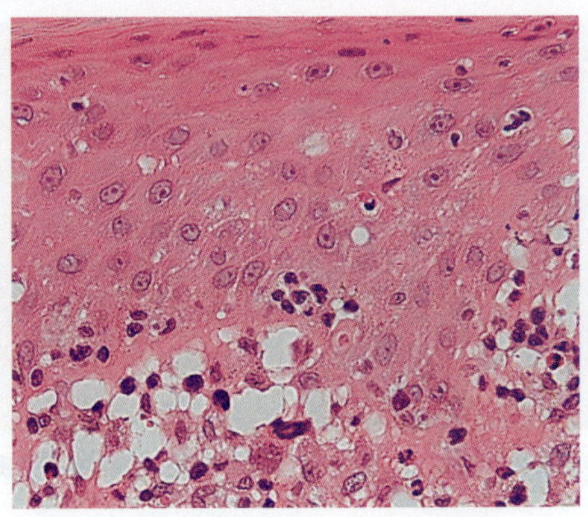

図 24-182　菌状息肉症（ポートリエ微小膿瘍）

pism）しているのが特徴で，稀に一部集簇して小膿瘍を形成する．臨床的に多形皮膚萎縮のものでは表皮が菲薄化し，表皮下に帯状浸潤，毛細血管拡張，出血，色素失調をきたす．真皮乳頭の線維化を伴う．

②**扁平浸潤期**：脳回転状の切れ込みを有する核（cerebriform nuclei, convoluted nuclei）を持つ異型 T 細胞が斑状～帯状～びまん性に増殖，表皮向性も示す．反応性のリンパ球，組織球，好酸球，形質細胞も種々の割合に混ずる．表皮内に明るい空隙を生じ，ここに腫瘍細胞が塊状に集まるのを**ポートリエ微小膿瘍**（Pautrier's microabscess）（図 24-182）と称し，MF の特徴の一つである．

③**腫瘍期**：腫瘍細胞は真皮から皮下にかけて密に増殖する．表皮向性は保たれる場合となくなる場合とある．しばしば潰瘍形成する．腫瘍細胞が大部分を占め，それは大小不同，染色性不同，分裂像など異型性が強くなる．

皮膚以外の症状

腫瘤期になると皮膚外（リンパ節，肺，肝，脾，骨髄，脳，消化管）に病変を生じることがある．予後不良の徴候である．皮膚潰瘍からの敗血症が直接の死因になることも多い．

検査所見

多くの症例で腫瘍細胞の表面形質は $CD3^+$，$CD4^+$，$CD45RO^+$，$CD8^-$，$CD25^-$，$CD30^-$でヘルパー T 細胞である．稀に $CD8^+$例がある．TCR（T-cell receptor）遺伝子の再構成を検出する．病期分類のために全身を精査（一般検査，画像検査，組織検査）する．病期進行とともにリンパ球幼若化反応，細胞性免疫（PPD，DNCB

反応）低下．LDH，sIL-2R，β_2 microglobulin，TARC が血清中で増加．

病因・病態

症例に応じて経過が様々であること，発疹の形態も様々であること，長年の経過とともに徐々に臨床像や病理が変化する様は母斑症を連想させる．母斑症と違って遺伝性はないが，疾患の原因となる遺伝子変化（個々の症例によって異なる）はかなり初期に生じ，その後次第に様々な遺伝子変異が蓄積することによって腫瘍細胞の悪性度が増し，進行していくと考えられている．節性のB細胞リンパ腫のような疾患特異的転座があればもう少し臨床や組織は均一なはずであり，特徴的な臨床経過と遺伝子解析の結果は合致している．

24章

亜型

以前は上記3期を経過する**古典型（Alibert-Bazin 型）**，腫瘤から始まって経過の早い**電撃型（MF d'emblée 型，Vidal-Brocq 型）**，全身の80％以上を紅斑性病変で占める**紅皮症型（Besnier-Hallopeau 型）**に分類されていたが，現在は古典型以外の亜型として認められているのは次の3型である．

① **（MF の亜型 1）毛包向性菌状息肉症**（Folliculotropic MF）：表皮向性はなく，毛包周囲および毛包内に限局して腫瘍細胞が浸潤する．ムチン沈着を伴うことが多い．古典的なものよりも治療への反応が悪く，予後も悪い．

② **（MF の亜型 2）パジェット様細網症**（pagetoid reticulosis）：表皮向性の極端に強い一型．胞体が明るく大きいパジェット細胞様のリンパ球が表皮内に浸潤する．腫瘍細胞は CD8 陽性のことが多い．病変が局在性の Woringer-Kolopp 型（1939）はここに含められ，予後も良好．一方，播種性の Ketron-Goodmann 型は進行性で予後不良の，原発性皮膚 CD8 陽性進行性表皮向性細胞傷害性 T 細胞リンパ腫（aggressive primary cutaneous epidermotropic $CD8^+$ T-cell lymphoma）に分類されることになっているが，播種性でも経過が良好のものがあるなど異論もある．

③ **（MF の亜型 3）肉芽腫様弛緩皮膚**（Granulomatous slack skin）：腋窩や鼠径部などの皮膚が弛緩して多数の深い皺ができる特徴的臨床像を呈する．腫瘍細胞と組織球が浸潤，増殖し，肉芽腫反応を伴う．弾性線維の破壊と多核巨細胞によるその貪食像をみることもある．

治療と予後

病期（表 24-12）に応じて．病期ⅠA～ⅡA：副腎皮質ステロイド外用，PUVA，narrow band UVB，放射線照射．病期ⅡB～ⅢB：BRM（biological response modifier，インターフェロン，レチノイド）療法，放射線照射，治療抵抗性の場合

表 24-12 菌状息肉症・セザリー症候群の TNMB 分類と病期分類（ISCL/USCLC/EORTC 2011 年）

T_1-T_4：	皮膚病変の範囲と性状
T_1：	体表面積の＜10% T_{1a}（patch だけ），T_{1b}（plaque ± patch）
T_2：	体表面積の≧10% T_{2a}（patch だけ），T_{2b}（plaque ± patch）
T_3：	腫瘤形成　1病変またはそれ以上
T_4：	紅皮症　体表面積の 80%以上
N_0：	臨床的に異常末梢リンパ節なし．生検不要．
N_1：	臨床的に異常末梢リンパ節あり． 組織学的に Dutch Gr 1, or NCI LN_{0-2} に相当*．
N_{1a}：	クローン性増殖なし
N_{1b}：	クローン性増殖あり
N_2：	臨床的に異常末梢リンパ節あり． 組織学的に Dutch Gr 2, or NCI LN_3 に相当*
N_{2a}：	クローン性増殖なし
N_{2b}：	クローン性増殖あり
N_3：	臨床的に異常末梢リンパ節あり． 組織学的に Dutch Gr 3-4, or NCI LN_4 に相当*
N_x：	臨床的に異常末梢リンパ節があるが，組織的確認なし．
M_0：	内臓病変なし　M_1：内臓病変あり
B_0：	異型リンパ球が末梢血リンパ球の 5%以下
B_1：	異型リンパ球が末梢血リンパ球の 5%を超えるが，B_2 基準を満たさない．
B_2：	クローン陽性で下記の1つを満たす．①セザリー細胞≧1,000 個 / μL，②CD4/CD8≧10，③$CD4^+CD7^-$40%または $CD4^+CD26^-$≧30%

	T	N	M	B
ⅠA	1	0	0	0.1
ⅠB	2	0	0	0.1
ⅡA	1-2	1, 2	0	0.1
ⅡB	3	0-2	0	0.1
ⅢA	4	0-2	0	0
ⅢB	4	0-2	0	1
ⅣA 1	1-4	0-2	0	2
ⅣA 2	1-4	3	0	0-2
ⅣB	1-4	0-3	1	0-2

＊リンパ節の NCI 分類
NCI LN_0：リンパ節に異型リンパ球なし．
NCI LN_1：所々，孤立性異型リンパ球（集塊を作らない）
NCI LN_2：多数の異型リンパ球または 3-6 細胞の小集塊
NCI LN_3：異型リンパ球の大きな集塊があるが，リンパ節の基本構造は保たれる．
NCI LN_4：リンパ節構造が異型リンパ球または腫瘍細胞によって部分的あるいは完全に置換される．

は化学療法．病期Ⅳ A1～Ⅳ B：化学療法．5 年生存率は皮膚限局例で 80～100%，リンパ節浸潤例では 40%．本症は緩徐ながら進行することもあるので，長年月にわたる治療・観察が必要で，予後は必ずしも楽観できない．

2. セザリー症候群 Sézary syndrome（1938） ○

強い瘙痒を伴う紅皮症（図 24-183），表在リンパ節腫脹，末梢血中の腫瘍性 T リンパ球（セザリー細胞：核が著明な切れ込み convolution を示す）出現を 3 徴とする．白血球増多症（うち 5～20%が**セザリー細胞**）をきたす．

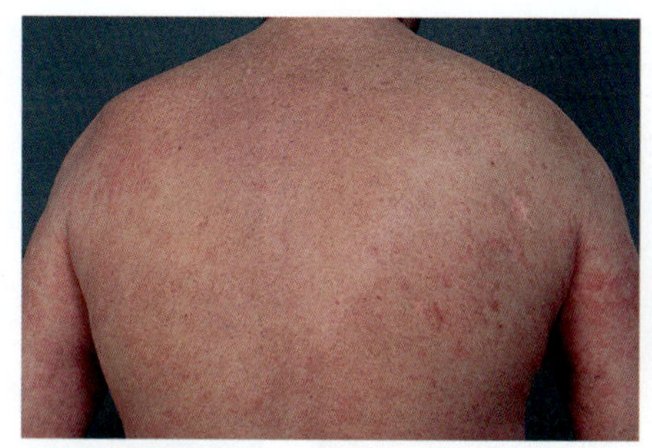

図 24-183　セザリー症候群

男性に多く，多くは予後不良．セザリー細胞は息肉症細胞と同様に CD4 陽性 T 細胞系で，通常，$CD3^+$，$CD4^+$，$CD8^-$，$CD26^-$．末梢血の他，リンパ節，皮膚にも見出される．末梢血セザリー細胞 1,000/mm^3 以上，$CD4^+$：$CD8^+$が上昇（10 倍以上）．菌状息肉症の紅皮症型やその白血病化と鑑別する．成人 T 細胞白血病と異なり，HTLV-1 抗体陰性で同 proviral DNA の組み込みの単クローン性もない．

3．原発性皮膚 CD30 陽性リンパ増殖症 primary cutaneous $CD30^+$T-cell lymphoproliferative disorders）　○

1）原発性皮膚未分化大細胞リンパ腫 primary cutaneous anaplastic large cell lymphoma（ALCL），cutaneous Ki-1 lymphoma, primary cutaneous CD30-positive lymphoma

CD30（Ki-1）抗体陽性の未分化大型細胞が増殖する．皮膚原発リンパ腫の中で約 1 割を占め，その頻度は菌状息肉症，成人 T 細胞リンパ腫に次ぐ．男性にやや多い．皮膚に孤立性，限局性の腫瘤，結節，浸潤性紅斑を形成する（図 24-184）．Ki-1（抗 CD30）抗体は Hodgkin 細胞を免疫原として作られた 120kDa の単一鎖の糖蛋白．CD30 分子は TNF receptor super family に属する膜貫通型受容体で，リガンドと結合して細胞増殖，分化，細胞死誘導のシグナルを伝達する．ALCL には全身性のものがあり，皮膚原発例と異なり，t（2；5）（p23；q35）転座を示す例がある．転座によりキメラ蛋白 $p80^{ANP/ALK}$（；anaplastic lymphoma kinase）が異常発現する．転座群は非転座群より予後がよいといわれているが，皮膚原発の ALCL にはこの転座がない（ALK 陰性）にもかかわらず，比較的予後はよい．下肢発症例は比較的予後不良といわれる．全身型との鑑別が重要．ステロイド薬の局所投与，切除，放射線照射，メトトレキサート・エトポシド少量投与．抗 CD30 抗体（ブレンツキシマブ・ベドチン）も有効．

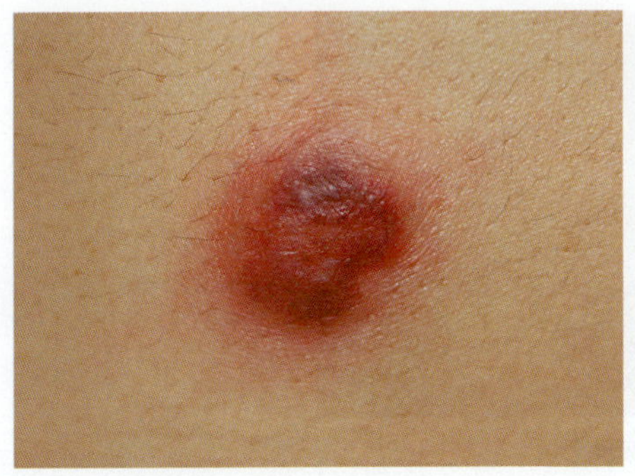

図24-184　ALCL

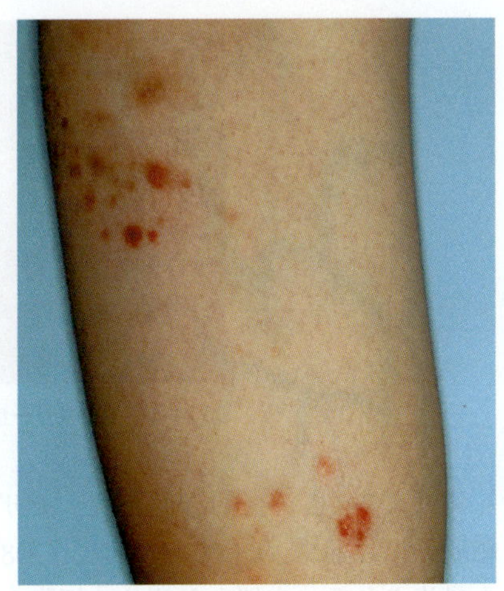

図24-185　リンパ腫様丘疹症

2）リンパ腫様丘疹症 lymphomatoid papulosis（Macaulay 1968）

基本的臨床像は直径1cmまでの多発性丘疹で，出血，壊死化して潰瘍を形成，2～8週で瘢痕を残して自然退縮する（図24-185）．慢性，再発性に経過することが多い．組織学的に細胞質が豊富な大型異型細胞や核の切れ込みを有する中型異型細胞が浸潤するが，臨床的には良性経過を示す．TCR（T細胞受容体）遺伝子の再構成は陽性になることが多い．組織像から5型に分ける．①A型：小型リンパ球を伴って大型異型細胞が浸潤する．CD30陽性で，多核やReed-Sternberg様細胞も散見される，②B型：菌状息肉症に見られるような小～中型の異型リンパ球が浸潤し，同細胞は核が脳回転状で細胞質に乏しい．CD30陰性，③C型：未分化大細胞リンパ腫を思わせる大型異型細胞が真皮にびまん性に浸潤する．CD30陽性．④D型：腫瘍細胞が著明な表皮向性を示す．CD8陽性が多く，CD30陽性．⑤E型：腫瘍細胞が著明な血管中心性増殖を示す．CD30陽性．リンパ腫様丘疹症は，慢性・再発性に経過し，基本的には予後良好である（5年生存率100%）が，菌状息肉症と合併するものもある．欧米では他の血液系悪性腫瘍の合併が報告されている．

4. 成人T細胞白血病/リンパ腫 adult T-cell leukemia/lymphoma（ATL, ATLL）（高月 1976）　○

HTLV-1（human T-cell lymphotrophic virus type 1）（レトロウイルス）によるCD4陽性T細胞腫瘍で，HTLV-1のproviral DNAが単クローン性に組み込まれ

ている．白血病型，リンパ腫型などに分類され，慢性型，くすぶり型で皮膚病変がメインの場合．皮膚型と呼ぶこともある．

疫学

日本は世界一の多発国で九州南西部（鹿児島，長崎など），沖縄次いで四国南部，紀伊半島に集積．他地区では上記地区よりの移住者が多い．キャリア（HTLV-1陽性者）は全国で約100万人，年間約500〜600人の患者が発生する（生涯発病危険率は5%前後）．患者は男性に多く，50代に最も発症する．母→子（母乳），男→女（精液），輸血の3経路による感染が考えられているが，成人になってからの感染では発病の危険性はない．経路遮断の感染予防策が進行し，キャリアと患者の高齢化が進んでいる．

分類と症状

多彩な臨床症状と検査所見から急性型，リンパ腫型，慢性型，くすぶり型に分ける（Shimoyama 1991，表24-13）．皮膚病変は全ATLLの50%にみられ，皮膚病変がない場合より予後が不良である．

①**全身症状**：急性型や他の病型の急性転化や臓器浸潤時には，発熱，食思不振，リンパ節腫大，肝脾腫，高Ca血症，意識障害などの全身，消化管（下痢，糞線虫症），肺，中枢神経，骨などへの浸潤に随伴する諸症状が出現する．細胞性免疫低下に伴う日和見感染（*Pneumocystis carinii*によるカリニ肺炎など）にも注意する．

②**白血病の皮疹**：白血病の特異疹で硬く触れる紅色丘疹が全身に散布する．

③**リンパ腫型の皮疹**：節性リンパ腫に併発，続発し，限局性紅斑局面，小結節，皮膚または皮下の腫瘤を形成する．比較的頻度は低く，治療に反応してその後の再発時に出ることが多い．

④**皮膚型の皮疹**：腫瘤，小結節，紅斑局面，丘疹が混在，多発する（図24-186）．紫斑を呈することもある．皮疹が限局する症例は内臓病変のない期間が長く，全身散布例では短い．紅斑局面や丘疹が集まった丘疹性紅斑局面は菌状息肉症の臨床像に類似する．

⑤**くすぶり型の皮疹**：くすぶり型では皮疹の出現が多い．HTLV-1のproviral DNAの単クローン性組み込みのある腫瘍細胞から成る特異疹もあるが，その他に非特異的皮疹（白癬，ウイルス性疣贅，帯状疱疹，疥癬などの感染症，後天性魚鱗癬，掌蹠角化，瘙痒症，痒疹，じんま疹）がしばしば出現する．

表 24-13　成人T細胞白血病・リンパ腫の臨床病型の診断基準

	急性型	リンパ腫型	慢性型	くすぶり型
抗 HTLV-1 抗体	＋	＋	＋	＋
リンパ球数[*1]（$\times 10^9/l$）		＜4	≧4[a]	＜4
異常リンパ球[*2]	＋[c]	≦1%	＋[c]	≧5%[b]
花細胞（ATLL 細胞）	＋	－	時々	時々
LDH			≦2N	≦1.5N
補正 Ca 値（mEq/l）			＜5.5	＜5.5
組織診のあるリンパ節腫大		yes		no
腫瘍病変				
肝腫大				no
脾腫大				no
中枢神経			no	no
骨			no	no
腹　水			no	no
胸　水			no	no
消化管			no	no
皮　膚				[b]
肺				[b]

（下山正徳：病理と臨床 11：80，1993）

N　：正常値上限.

＊1：リンパ球数は腫瘍細胞を含むリンパ球様細胞の実数.

＊2：HTLV-1 のキャリアや ATLL 患者に特有な異常リンパ球.

＊a：Tリンパ球数は $3.5\times10^9/l$ 以上.

＊b：異常Tリンパ球が５％未満の場合は，皮膚や肺に腫瘍病変があることが組織診で証明されていることが必要.

＊c：異常Tリンパ球が５％未満の場合は，組織診で証明された腫瘤病変があることが必要.

なお，空欄は他の病型で規定される条件以外の制約はないことを示している．また，ここで規定されていない所見は診断基準として採用しないことを意味する．たとえば皮膚病変，肺病変はどの病型にあってもよい.

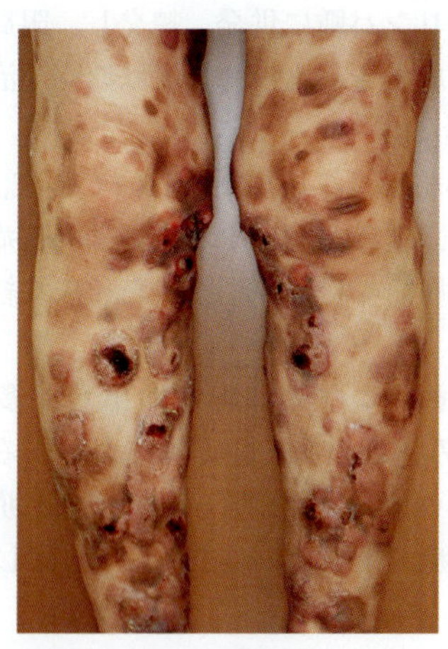

図 24-186　成人T細胞白血病／リンパ腫

病理組織

急性型では末梢血中に，中～大型の腫瘍細胞（**花弁状** flower cells，**分葉状／クローバ状** convoluted cells）が出現するが，慢性型では小型で核の切れ込みの少ないリンパ球系細胞が中心．特異疹では中～大型の異常リンパ球と小型のリンパ球，組織球が混在する．腫瘍細胞は多くは$CD3^+$，$CD4^+$，$CD8^-$，$CD25^+$で，$Ki67^+$細胞もみることも多い．

検査所見

白血球増多（10万前後，うち異常リンパ球は白血病型で30～100%，リンパ腫型で0～75%），LDH（700 IU/L以上は予後不良），AST，ALT，ALP，高カルシウム血症（心・腎・肺に沈着，nephrocalcinosisによる腎障害，尿毒症，予後判定上重要），総蛋白量低下，遅延型過敏反応陰性，抗HTLV-1抗体陽性．

診断

上記症状，抗HTLV-1抗体陽性および腫瘍細胞のproviral DNAの単クローン性組み込みの証明により診断．

経過

HTLV-1感染からATLL発症までには40～50年を要する．急性発症する例，慢性に長期経過する例（くすぶり型 smoldering ATLL）経過は様々であるが，急性増悪（crisis）をきたすことが多く長期予後は非常に悪い．くすぶり型の予後は他の病型より良好．

治療

病型と年齢，全身状態により治療方針を決定する．

①高悪性度（急性型，リンパ腫型）：強力な化学療法，造血幹細胞移植（骨髄破壊的移植，骨髄非破壊的移植），少量もしくは単剤化学療法（年齢により治療法を選択）．

②低悪性度（慢性型）：内服化学療法，強力な化学療法（予後不良因子あり），皮膚症状の治療，経過観察（予後不良因子なし）．（くすぶり型）：経過観察，皮膚症状に対する治療．皮膚症状の治療にはⓐステロイド薬投与，ⓑ紫外線照射，ⓒ電子線照射，ⓓインターフェロンなどのBRM（biological response modifier），ⓔレチノイド投与など．

5. 皮下脂肪織炎様 T 細胞リンパ腫 subcutaneous panniculitis-like T-cell lymphoma（SPTCL）（Gonzales 1991）

皮下脂肪織を主座とする稀な末梢性 T 細胞リンパ腫である．浸潤，増殖するのは CD8 陽性細胞傷害性 T 細胞（$CD3^+$，$CD8^+$，$CD4^-$，$CD30^-$，$CD56^-$）で，$\alpha\beta$ T 細胞由来である．若年成人の四肢，特に下肢に，時に体幹に多発性の皮下硬結を生じる．しばしば無症候性の時期が長いが，時に発熱，体重減少，全身倦怠感などを伴う．リンパ節腫脹はない．小葉性脂肪織炎様の組織像を呈し，小型～中型，あるいは大型で多形の異型リンパ球が小葉間に浸潤，増殖する．脂肪細胞をリンパ腫細胞が取り囲む像（rimming），壊れた核や赤血球を貪食した組織球（bean bag cell）が特徴的である．抗核抗体が陽性になる症例が多く，膠原病に伴う脂肪織炎との鑑別が最も重要．Histiocytic cytophagic panniculitis（☞ p.526），ウェーバー・クリスチャン症候群（☞ p.524），他のリンパ腫などとの鑑別が重要，時に困難．予後は比較的良好．

6. 原発性皮膚 γδ T 細胞リンパ腫 primary cutaneous γδ T-cell lymphoma

細胞傷害性 $\gamma\delta$ T 細胞由来のリンパ腫で，$CD2^+$，$CD3^+$，$CD56^+$，TCR δ^+，$CD7^{+/-}$，$CD4^-$，$CD8^-$．突然四肢に多発性の腫瘤，結節，局面が出現し，潰瘍化することも多く，皮膚，皮下組織に浸潤する．血球貪食症候群を合併することもあり，臨床・組織学的にも SPTCL に類似する．治療抵抗性で予後不良．

7. 原発性皮膚 CD8 陽性進行性表皮向性細胞傷害性 T 細胞リンパ腫 aggressive primary cutaneous epidermotropic $CD8^+$ T-cell lymphoma

CD8 陽性細胞傷害性 T 細胞のリンパ腫で，全身皮膚に壊死，潰瘍を伴う丘疹，結節，腫瘍，角化性局面が多発する．腫瘍細胞は表皮向性が顕著で，芽球性の多形核を有する．CD3，CD8，granzyme B，perforin，TIA-1（T-cell intracytoplasmic antigen 1），CD45RA が陽性，CD2，CD4，CD5，CD45RO が陰性．進行性で予後不良．CD8 陽性菌状息肉症との鑑別が困難なこともある．

8. 原発性皮膚 CD4 陽性小・中細胞型 T 細胞リンパ増殖異常症 primary cutanous$CD4^+$ small/medium T-cell lymphoproliferative disorder

CD4 陽性の小型～中型の多形腫瘍細胞から成り，菌状息肉症に典型的な紅斑や浸潤局面を欠き，顔面，頸部，体幹に結節や浸潤局面が単発ないし少数出現する．全身症状は稀．

CD8 や CD30 は陰性で細胞障害蛋白は発現していない．予後は極めて良好．切除や放射線治療で再発しない．

9. 種痘様水疱症様リンパ増殖異常症 hydroa vacciniforme-like lymphoproliferative disorder（種痘様水疱症）

種痘様水疱症は EB ウイルス感染に関連して生じる小児の日光過敏症である．顔面など日光裸露部に中心臍窩や壊死を伴う小水疱，丘疹が多発する．一部は発熱，リンパ節腫脹，肝脾腫を生じ，血球貪食症候群を合併するなど予後不良である．血管を破壊するように細胞傷害性 T 細胞，あるいは NK 細胞性の腫瘍細胞（$CD8^+$ or $CD4^+$ or $CD56^+$，$EBER^+$）が浸潤して脂肪織炎を呈する．このような進行性で全身症状を伴う EB ウイルス関連リンパ腫を種痘様水疱症様リンパ増殖異常症と称する（☞ p.279）．

10. 原発性皮膚末端型 CD8 陽性 T 細胞リンパ腫（primary cutaneous acral $CD8^+$ T-cell lymphoma）

主に耳に生じる浸潤局面，結節だが，鼻，手足に生じることもある．CD8 陽性の中型細胞が真皮に浸潤し，表皮向性はない．TIA-1 は陽性だが，Granzyme B，perforin は陰性で，CD68 がドット状に染まる．予後は良好である．

11. 血管免疫芽球性 T 細胞リンパ腫 angioimmunoblastic T-cell lymphoma，IBL 様 T 細胞リンパ腫 IBL-like T cell lymphoma（Shimoyama 1979）

濾胞ヘルパー T 細胞（follicular helper T cell）由来のリンパ腫である．濾胞樹状細胞の過形成，高内皮細脈の増生，EB ウイルス陽性 B 細胞の浸潤が特徴で，リンパ球，形質細胞などを混じる．発熱，全身倦怠感，頭痛，全身のリンパ節腫脹で急激に発症する．皮膚症状を伴うことが多く，紅斑丘疹型中毒疹を呈し，時に紅皮症化する（図 24-187）．腫瘍細胞は $CD3^+$，$CD4^+$，$CD10^+$，$CXCL13^+$，$ICOS^+$，$BCL6^+$，$PD\text{-}1^+$である．非特異疹が多いとされていたが，免疫染色で皮膚に腫瘍細胞が浸潤していることが証明されることも多い．肝脾腫，関節痛，体重減少，胸腹水などに加え，種々の薬剤に過敏症を示す．末梢血中では多クローン性高 γ グロブリン血症，M 蛋白血症，LDH 値上昇，貧血，血小板減少など．

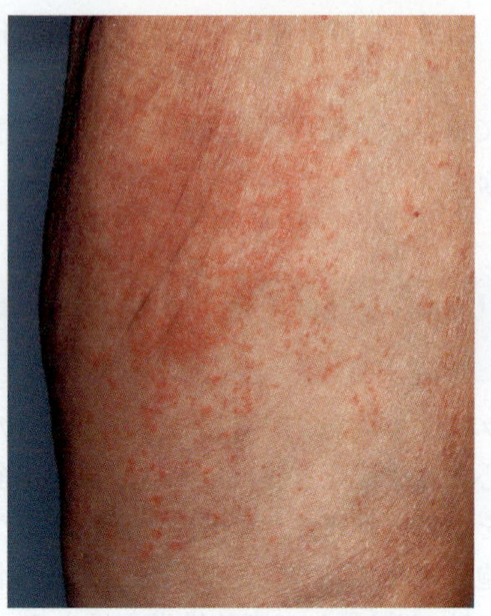

図 24-187　血管免疫芽球性 T 細胞リンパ腫

(B) ナチュラルキラー細胞リンパ腫 natural killer (NK) cell lymphoma

NK 細胞は T 細胞や B 細胞による獲得免疫が成立する前の初期免疫応答に重要な役割を果たしている．NK 細胞と T 細胞は分化の過程で非常に近い関係にあり，また一部の症例はモノクローナルな TCR 再構成を認めることから，NK/T 細胞リンパ腫と命名される．

節外性 NK/T 細胞リンパ腫，鼻型 extranodal NK/T cell lymphoma, nasal type（図 24-188）

鼻腔，皮膚，軟部組織，消化管，精巣などに原発する節外性 NK/T 細胞リンパ腫．EB ウイルス感染が関連する．慢性の EB ウイルス感染症である蚊刺過敏症，種痘様水疱症などに続発する症例も多い．

症状

鼻閉，鼻漏で始まり，鼻腔に壊死・潰瘍を生じ（鼻中隔壊，硬口蓋穿孔），皮膚，咽喉，さらに肺，胃腸管にも波及する．皮膚では結節，腫瘤，皮下硬結などを生じる．

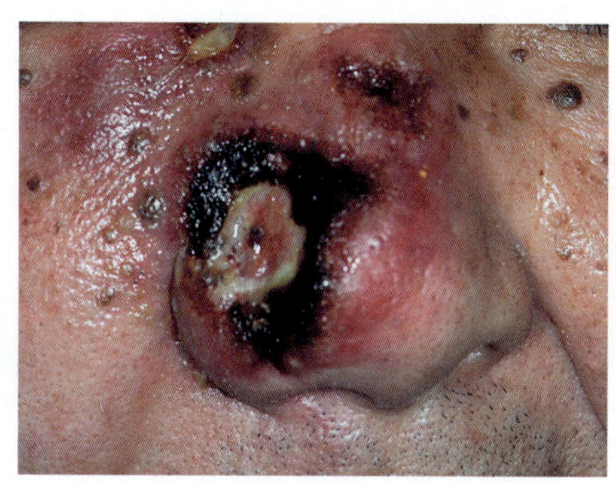

図 24-188　節外性 NK/T 細胞リンパ腫，鼻型

組織所見

血管周囲性（angiocentric）に小～中～大型の異型リンパ球様細胞が浸潤，増殖して，血管壁を破壊，組織の凝固壊死を起こす（angiocentric pattern, angiodestructive）．血球貪食症候群を呈することもある．腫瘍細胞はアズール顆粒を有し，細胞傷害分子の granzyme B, perforin, TIA-1 などが陽性．表面マーカーは $CD2^{+}$，$CD4^{-/+}$，$CD7^{+}$，$CD16^{+/-}$，$CD56^{+}$で NK 細胞由来．EBER 陽性．

予後

限局，孤立性病変例に比し，多発症例や，多臓器に浸潤する例や血球貪食症候群を伴う場合は急速に進行して予後不良．

(C) 皮膚 B 細胞リンパ腫 cutaneous B-cell lymphoma (CBCL)

B 細胞の悪性腫瘍性増殖．皮膚に原発するものと他臓器原発で皮膚に続発するものとがあるが，皮膚 B 細胞リンパ腫といえば通常皮膚原発の primary CBCL を指す．皮膚 T 細胞リンパ腫の約 1/5 頻度といわれる．

病因

皮膚はもともと B 細胞が浸潤しにくい臓器であるため頻度が低い．慢性の炎症が誘因の一つであり，濾胞ヘルパー T 細胞（follicular helper T cell）の関与も考えられる．特定のウイルス（EB ウイルス，HTLV-1 など）や特異な染色体転座は知られていない．

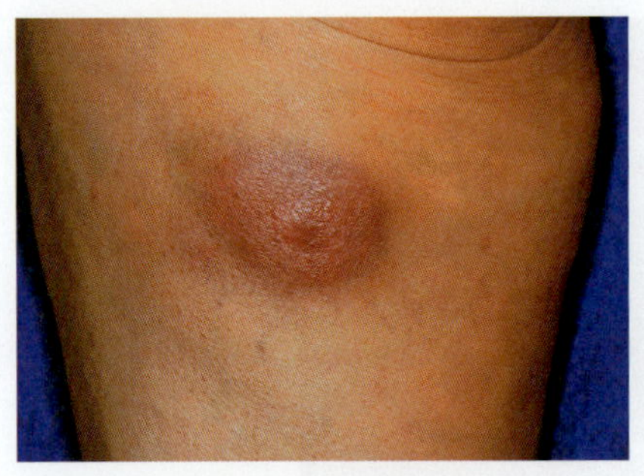

図 24-189　皮膚 B 細胞リンパ腫（DLBCL）

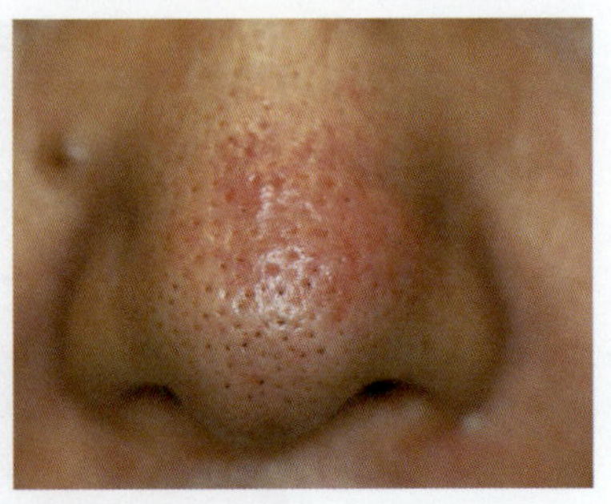

図 24-190　皮膚 B 細胞リンパ腫（MALT）

症状

結節，腫瘤，あるいは浸潤性紅斑が単発する（図 24-189，190）．その周囲に丘疹が散在することも．時にこれらが多発することもある．

組織所見

表皮は正常で，真皮の腫瘍浸潤増殖巣との間に境界がある（grenz zone）．真皮の血管や付属器の周囲に斑状に腫瘍細胞が浸潤するが，次第に真皮下層から皮下組織までびまん性に浸潤，増殖し，特に下層ほど浸潤，増殖が強い（bottom-heavy appearance）．多くの核分裂像をみる．腫瘍細胞はＢ細胞関連抗原を発現し，$CD19^+$，$CD20^+$，$CD22^+$，$CD79a^+$，Ｔ細胞の表面形質は陰性．免疫グロブリン遺伝子（Ig Ｈ鎖またはＬ鎖遺伝子）の単クローン性再構成を検出できる．

治療

単発，限局性病変には手術療法，放射線照射を，多発例や再発例にはリツキシマブ投与や全身皮膚電子線照射など．進行例にはリツキシマブを含めた多剤併用化学療法．

予後

皮膚原発のＢ細胞リンパ腫は節性のそれと比較して，経過が緩徐で，治療に対する反応もよい．原発性皮膚辺縁帯リンパ腫，原発性皮膚濾胞中心リンパ腫は進行緩徐，予後良好．皮膚びまん性大型細胞リンパ腫，皮膚脈管内Ｂ細胞リンパ腫は比較的進行性．

1．原発性皮膚濾胞中心リンパ腫 primary cutaneous follicle center lymphoma（CFCL）

高齢者に多く，頭部，顔面，体幹などに紫紅色局面，結節，腫瘤が単発，または限局性に出現する．欧米では多く報告されているが，日本では極めて稀．皮膚以外への進展は稀．リンパ濾胞構造が目立つものからびまん性に浸潤するものまで様々である．胚中心細胞（centrocyte/cleaved cell）や胚中心芽細胞（centroblast/non-cleaved cell）などが増殖する．$CD20^{+}$，$CD79a^{+}$，$Bcl\text{-}2^{-}$，$Bcl\text{-}6^{+}$，$CD10^{-/+}$，$MUM\text{-}1^{-}$．予後良好で，5 年生存率は 90％以上．

2．粘膜関連リンパ組織の節外性辺縁帯リンパ腫（MALT リンパ腫）extranodal marginal zone lymphoma of mucosa-associated lymphoid tissue

中高年者の四肢，時に頭頸部に単発性，限局性の紅色～褐色の丘疹，結節，局面，腫瘤，あるいは皮下結節を生じる．濾胞辺縁帯 B 細胞起源のリンパ腫と考えられており，リンパ濾胞を認め，胚中心に向かって腫瘍細胞が浸潤する follicular colonization を形成する．形質細胞への分化を認め，軽鎖制限が診断の一つの鍵となる．定型的には $CD20^{+}$，$CD79a^{+}$，$CD5^{-}$，$CD10^{-}$，$CD23^{-}$，$Bcl\text{-}6^{-}$であるが，特異的マーカーはない．予後は極めて良好．

3．原発性皮膚びまん性大細胞型 B 細胞リンパ腫，下肢型 primary cutaneous diffuse large B-cell lymphoma, leg type

高齢者に多い．典型例では片～両側の下肢に結節を形成するが，下肢外に発症することもある，電子線照射や切除では再発率が高く，多剤併用化学療法（R-CHOP）が基本であるが，合併症のために施行できないことも多い．5 年生存率は 5 割程度．真皮と皮下に大型の腫瘍細胞がびまん性に浸潤，増殖する（図 24-191）．Bcl-2 を強く発現する（$CD20^{+}$，$CD79a^{+}$，$Bcl\text{-}2^{++}$，$Bcl\text{-}6^{+/-}$，$CD10^{-}$，$MUM\text{-}1^{+}$）．なお，節性のびまん性大細胞型 B 細胞リンパ腫は進行が速く高度悪性である．腫瘍起源は活性 B 細胞型（ABC type）と考えられている．

4．血管内大細胞型 B 細胞リンパ腫（intravascular large B-cell lymphoma), angiotropic large cell lymphoma, angioendotheliomatosis proliferans systematisata, malignant endotheliomatosis

真皮，皮下組織の多数の拡張血管内腔に大型リンパ球様細胞が増殖して，閉塞像

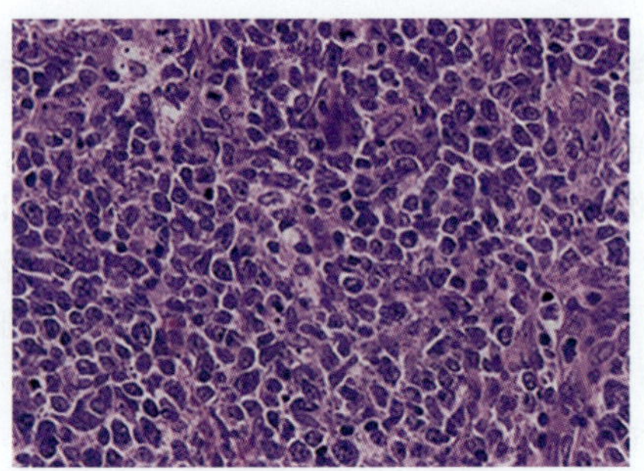

図 24-191　原発性皮膚びまん大細胞型 B 細胞リンパ腫，下肢型

を呈する．中枢神経症状と皮膚浸潤がメインの Wesstern form（古典型）と肝脾腫や血球貪食症候群が多い Asian variant に分けられる．皮膚症状は認めず，ランダム皮膚生検で診断がつくことも多い．皮疹としては紅斑や紫斑，毛細血管拡張，皮下脂肪織炎様局面など多彩である．

5. EBV 陽性粘膜皮膚潰瘍（EBV$^+$ mucocutaneous ulcer）

加齢や医原性など免疫抑制状態を背景としたリンパ増殖異常症で，予後は極めて良好．口腔粘膜や皮膚，消化管に潰瘍病変を呈する．メトトレキサート投与中に生じる症例も多く，休薬のみで改善する．MTX 関連リンパ増殖異常症とは，疾患概念がかなり重なる．

(D) 血液前駆細胞腫瘍

芽球性形質細胞様樹状細胞腫瘍 blastic plasmacytoid dendritic cell neoplasm

以前に芽球性 NK 細胞リンパ腫（blastic NK-cell lymphoma, CD4$^+$/CD56$^+$hematodermic neoplasm）と呼ばれていた腫瘍．その由来が plasmacytoid dendritic cell 前駆細胞と考えられるため，芽球性形質細胞様樹状細胞腫瘍と改変された．

老年の男性に好発し，皮膚，皮下に紫紅色の浸潤性局面や結節，腫瘤を形成する（図 24-192）．リンパ芽球様細胞が真皮から皮下に稠密に浸潤するが，血管の破壊，壊死はない．腫瘍細胞はアズール顆粒やグランザイム B などの細胞傷害分子を持

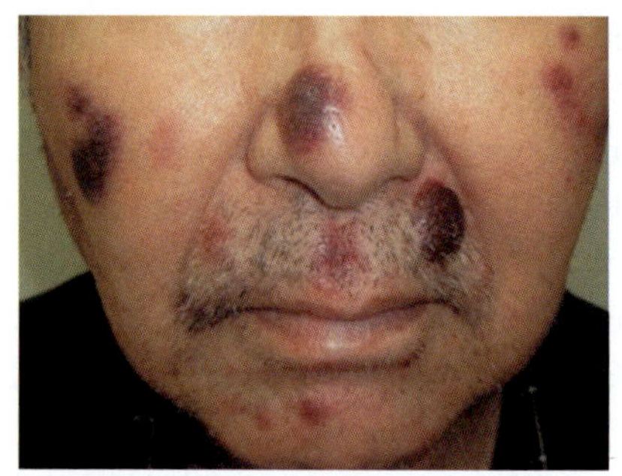

図 24-192　芽球性形質細胞様樹状細胞腫瘍
（芽球性 NK 細胞リンパ腫）

たないことが多い．表面マーカーは $CD56^+$，$CD4^+$，$CD123^+$，$BDCA2^+$，$TCL1^+$，$CD16^-$，$CD57^-$で，通常 $sCD3^-$，$cCD3^+$，$CD13^-$，$CD33^-$．EB ウイルスは関与せず，EBER は陰性．白血化することも多く，予後不良．

（E）ホジキンリンパ腫 Hodgkin lymphoma（HL）（1832）

病因

胚中心の成熟 B 細胞由来の腫瘍と考えられている．

症状

発熱とともにリンパ節腫脹（特に頸部リンパ節）をきたし，一方脾，肝腫をも伴う．皮疹は稀であるが，多彩で，特異疹（腫瘍細胞の浸潤があるもの），非特異疹（反応性皮疹）がある．特異疹：結節，浸潤性局面のことが多く，また潰瘍化し，さらに皮下結節・丘疹，紅皮症などを呈するが，極めて稀である．非特異疹：瘙痒症，乾皮症，痒疹，紅皮症，色素沈着，後天性魚鱗癬など．

組織所見

結節性リンパ球優位型 HL（nodular lymphocyte predominant HL）と，古典的 HL（classical HL）に分ける．前者は，明確に B 細胞腫瘍と規定された HL で，popcorn 細胞という腫瘍細胞が出現する．後者は，周囲組織の反応と Reed-Sternberg（RS）細胞の形態により，以下の 4 型に分ける．

①**結節硬化型** nodular sclerosis：膠原線維が帯状に走り，その間に異型単核球の集塊が結節状に存在，RS 細胞は少ないが，大きな明るい細胞（lacunar cell）が多く，

これにリンパ球，好酸球，好中球，形質細胞，線維芽細胞，組織球が多数あり，壊死も，時にみられる．

②**リンパ球豊富型** lymphocyte-rich：リンパ球（および組織球）が多く，好酸球，好中球，形質細胞は通常伴わない．壊死や線維化もない．少数の未熟ないし異型の単核球と RS 細胞がみられる．

③**混合細胞型** mixed cellularity：多数の RS 細胞，リンパ球，好酸球，好中球，形質細胞，組織球，未分化異型単核球の増殖，壊死，線維化も存するが，膠原線維の帯状層はない．

④**リンパ球減少型** lymphocyte-deleted：リンパ球はほとんどなく，RS 細胞が大部分で線維化もみられる．

①と②は比較的予後がよいが，治療の進歩により病理分類より病期のほうが重要になっている．

RS 細胞：直径 15～45 μm の大きな細胞で，多核または多房性核を有し，2 核のときは mirror image を示す．核小体は大きく好酸性または無構造に染まり，周囲にクロマチンが少なく halo を成す．

lacunar cell：RS 細胞の一型で原形質は明るく抜け，中央に多核小体のある多房性核を持つ．

Ⅲ．メラノサイト系腫瘍

メラノサイト系腫瘍にも良性と悪性がある．良性腫瘍は従来色素細胞母斑として母斑の範疇に含めることが多く，本書でも母斑の項で記載している．悪性のメラノサイト系腫瘍の代表的疾患は悪性黒色腫であり，本項では主にそれについて触れる．

1．悪性黒色腫 malignant melanoma（MM）　◎

メラノサイトの悪性腫瘍．皮膚においては末端黒子型，悪性黒子型，表在拡大型，結節型の 4 つの臨床病型に分けられている（Clark 分類）．日本人は四肢末端（特に足底）に好発する末端黒子型が多い．近年の研究により，人種間による各病型の頻度や，病型ごとの遺伝子変異相違が明らかになり，遺伝子変異や紫外線暴露量を背景とした新たな分類が提唱されている（Bastian 分類：表 24-14）．

一般に不規則，境界不鮮明，濃淡のある臨床像を呈する．悪性度が高く，いったん進行期に転じると近年の放射線療法や薬物療法の進歩にもかかわらず，依然として予後不良である．早期病変の診断と確実な初期治療が重要である．

頻度

ここ数十年間，MM の発生件数は漸次増加している．日本でも欧米でも同様の傾向にある．近年の日本人の年間発生患者数は 1,800 人前後（人口 10 万人当たり 1.4 人）と推定されており，白人の約 1/10〜1/40 の頻度である．

発生母地と危険因子

1）発生母地

①**メラノサイトの存在する部位（*de novo* 発生）**：皮膚（表皮基底層），粘膜，脳軟膜，眼球脈絡膜．

②**先天性巨大色素性母斑**（☞ p.555）：MM の発生率が高いことが知られている．病変上に生じた結節性病変は MM の可能性を示唆するが，一部には良性増殖性病変もある．後天性の色素性母斑が悪性化して MM が続発するか否かは議論のあるところである．あっても稀であると考えられている．

③**dysplastic nevus syndrome**（☞ p.559）：日本人には稀な遺伝性疾患で，*CDKN2A*（p16INKA4a）遺伝子変異が報告されている．MM が好発する．多発する dysplastic nevus は MM の初期病変と考えられている．

④**色素性乾皮症**（☞ p.279）：日光裸露部に有棘細胞癌，基底細胞癌などとともに MM が出現する．

表 24-14　紫外線曝露量，部位，遺伝子異常に基づいた悪性黒色腫の新しい分類

	Low-CSD	High-CSD		Low to no-CSD					
				Malignant Spitz tumor	acral	mucosal	Melanoma in congenital nevus	Melanoma in blue nevus	uveal
従来の分類	表在拡大型と結節型の一部	悪性黒子型と結節型の一部	Desmoplastic melanoma	結節型の一部	末端黒子型	粘膜（外陰，口腔，副鼻腔など）	巨大獣皮様母斑に生じた悪性黒色腫	悪性青色母斑	眼球内
主な遺伝子異常	BRAF, NRAS, COKN2A, TP53, PTEN, TERT	NRAS, BRAF, KIT, CDKN2A, NF1 など	NF1, ERBB2, EGFR, MET, RB1 など	ALK, ROS1, RET, NTRK1, NTRK3, MET, TERT, PTEN など	KIT, NRAS, BRAF, TERT, CDK4, NF1, TP53, CDKN2A など	KIT, NRAS など	NRAS など	BAP1, EIF1AX, SF3B1 など	GNA11, GNAQ, BAP1, EIF1AX, SF3B1, PLCB4, CYSLTR2 など

＊従来の結節型の多くは，水平方向の進展（radial growth phase：RGP）を経ずに垂直方向の進展（vertical growth phase）を示した上記いずれかの悪性黒色腫と考えられている．したがって，紫外線暴露量や部位，遺伝子異常を背景とした本文類では独立した一つのグループとして取り扱われていない．

2）危険因子

①**紫外線曝露**：若年時の間欠的大量の曝露（low-cumulative sun damage：CSD），あるいは慢性日常的な曝露による累積（high-CSD）が危険性を高めるといわれている．皮膚の色調のうすい，いわゆる色白の人にこの傾向が強い．

②**皮膚色**：白人や色白の人に危険性が高い．

③**遺伝因子**：高発癌性遺伝性疾患（家族性多発性メラノーマ症候群など）を有する．

④**機械的ストレス**：日本人に多い末端黒子型では荷重などの機械的ストレスが多い部位に発症しやすい．

⑤はっきりしないことが多いが，妊娠．

発生病型

日本人における各病型の割合末端黒子型（約40%），表在拡大型（約20%），結節型（約10%），粘膜型（約10%），悪性黒子型（約8%）となる．末端黒子型が多いことから，足底に多く発生する．

症状

①**初期（斑状）**病変：斑状の色素性病変として出現することが多く，色素性母斑などと区別することが大切．MMを疑う臨床所見としてのABCDE（American Cancer Society）に注意する．**A**：asymmetry（左右不対称，不規則形），**B**：borderirregularity（境界不整，不鮮明），**C**：color variegation（色調濃淡多彩），**D**：diameter（大きい，径6mm以上），**E**：evolution（形状の変化，大きくなる，表面が隆起する，色調が変化する）．

②**結節性病変**：黒色腫瘍で，色調は濃黒～青黒～赤黒色，多くは半球状～茸状，中央が浅く潰瘍化し黒色痂皮を被り，易出血性．境界はほぼ明瞭であるが，周囲に色素がしみ出したようにみえることもある．赤色の色調が強く肉芽腫状の像を示すものもある（無色素性，低色素性黒色腫 amelanotic or hypomelanotic melanoma）．時に主病巣2cm以内の周囲に小結節が散在する（衛星転移 satellite metastases）．リンパ節転移をきたしやすく，また血行性に全身に転移する．

病型分類

Clark（1979）分類．

①**悪性黒子型黒色腫 lentigo maligna melanoma（LMM）**（図24-193）

悪性黒子（lentigo maligna, LM）の局面上に丘疹，結節ないし潰瘍として生じる．顔面など日光裸露部に生じ，腫瘍の厚さが薄いうちに発見されるためか，他の3型に比べて比較的予後は良い．LMのradial growthがvertical growthに進行したもの.

②**表在拡大型黒色腫 superficial spreading melanoma（SSM）**（図 24-194）

扁平隆起性斑状に拡大，色調は不均一で表面は軽度に凹凸を示し，部分的に自然退縮がみられることも多い．始めは水平方向浸潤で異型メラノサイトが境界部からやや上層に胞巣をなし（radial growth phase），やがて垂直方向にびまん性または胞巣を形成して真皮に侵入していく（vertical growth phase）．表皮内でも胞巣が上昇する．本型が上皮内病変の段階では（SSM in situ），比較的小さい色素斑で，わずかに隆起し，不規則から弧状の境界を有し，色調も褐，黒，ピンク，青，灰色と不均一な局面を呈する．体幹，四肢でも比較的中枢側に好発する．白人に多く，日本人でも比較的色白の人に多い．

③**結節型黒色腫 nodular melanoma（NM）**（図 24-195）

腫瘤状～茸状隆起を示す．潰瘍化する傾向も強い．一様に黒褐色であるが，メラニン色素がなく紅色調を呈し，肉芽腫のようにみえることもある（**無色素性黒色腫**）．いきなり vertical growth phase で始まる病型で，比較的経過が早く，予後不良である．

④**末端黒子型黒色腫 acral lentiginous melanoma（ALM）（Mihm 1976, Reed 1976）**

＝ PSM melanoma（palmar-plantar-subungual-mucosal melanoma, Seiji and Mihm 1977）（図 24-196，197）

日本人に多く，四肢末端（足底），爪に褐色調の斑として発し，次第に不規則に拡大するとともに色調も褐色から黒色まで不均一化する．部分的に退縮する．比較的早く真皮内へ浸潤し，結節または潰瘍を形成する．爪部悪性黒色腫（subungual melanoma，nail apparatus melanoma）の半数は第 1 指趾爪で，主病巣の周囲に不規則な褐～黒褐色小色素斑が散在する（**Hutchinson's sign**）．初期は基底層にメラノサイトが増数し，メラニン色素が増量するが，次第に異型腫瘍細胞が基底層部に連続性に連なり，特に表皮突起尖端部で胞巣を形成，さらに進んで表皮上層，角層

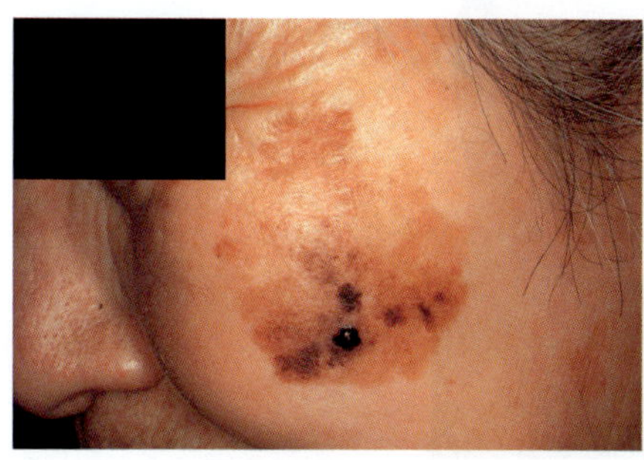

図 24-193　悪性黒子型黒色腫（LMM）

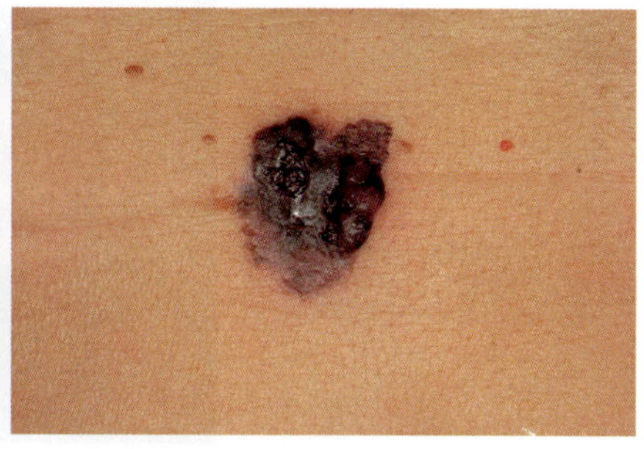

図 24-194　表在拡大型黒色腫（SSM）

にも上昇する．真皮にはリンパ球浸潤，メラノファージ，線維化がみられる．予後不良である．

組織所見（図 24-198～201）

ⓐ異型性（大型不整形核，豊富なクロマチン，核小体，分裂像）の高い腫瘍細胞が境界部より真皮に向かって増殖，ⓑ腫瘍巣は比較的大きく不規則に増殖，ⓒメラニンを含有し，チロジナーゼ，ドーパ反応陽性，ⓓ腫瘍細胞は大小不同，多形で，時に融合して巨細胞を形成，ⓔ上昇して表皮（時に角層まで）中に散在性，集簇性にみられ（散弾状 buckshot scatter），ⓕ水平に周囲表皮内および付属器上皮にそって下方に異型メラノサイトが散在（pagetoid），ⓖリンパ球を主体とする細胞浸潤を伴い，またメラノファージがみられる．腫瘍細胞は紡錘形（spindle cell type），

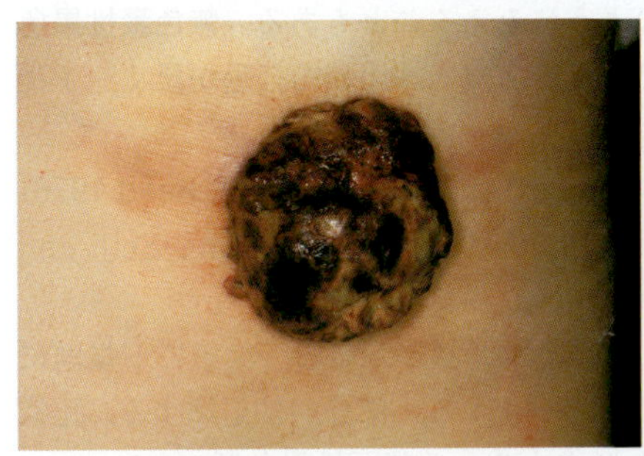

図 24-195　結節型黒色腫（NM）

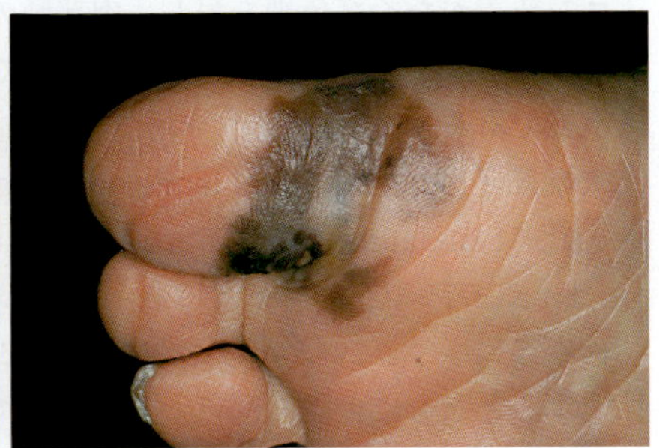

図 24-196　末端黒子型黒色腫（ALM：足底）

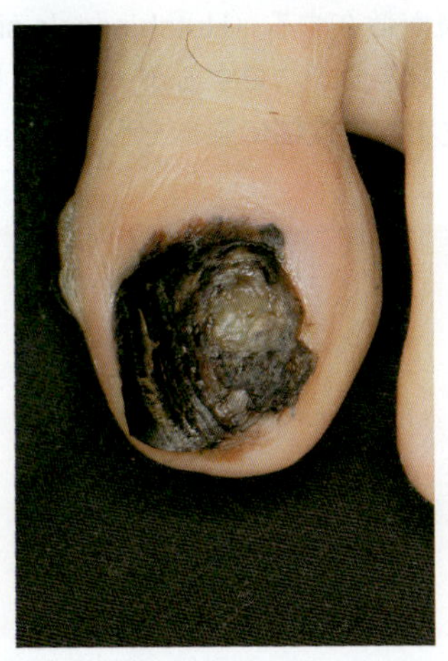

図 24-197　末端黒子型黒色腫（ALM：爪部）

小円形細胞型（small cell type），類上皮細胞型（epithelioid cell type）と分けられる．

深達度によりレベルをⅠ（表皮内），Ⅱ（乳頭層），Ⅲ（網状層を圧排），Ⅳ（網状層に侵入），Ⅴ（皮下組織）と分け，後者ほど予後は悪い（Clark 1969）（図 24-202）．組織をマイクロメータで測り，顆粒層より最深部腫瘍巣までの長さが腫瘍の厚さ（tumor thickness）として定義され，予後と相関する（Breslow 1970）（図 24-203）．

診断

①**視診**：中年以降に出現した色素斑で，前述の ABCDE（☞ p.726）に基づき悪性黒色腫の可能性を考える．

②**ダーモスコピー** dermoscopy：色調の多様性，無秩序な構築，非対称性パターンなど不均一な所見を呈する（irregular pigmentation）．MM によくみられる所見して ⓐ blue-whitish veil（隆起性病変の灰青色調所見で，肥厚した角層を通して真皮にある多量のメラニン色素をみたもの），ⓑ parallel ridge pattern（皮丘に

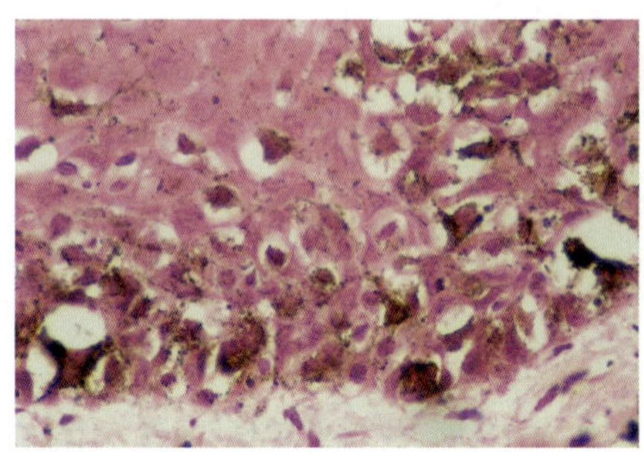

図 24-198　悪性黒色腫（表皮内を腫瘍細胞が lentiginous に増殖）

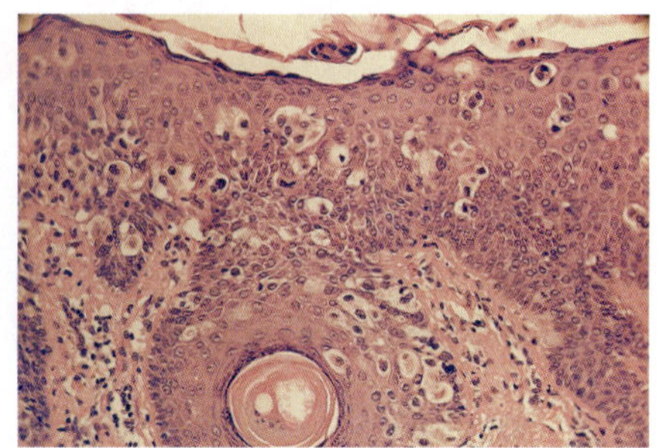

図 24-199　悪性黒色腫（表皮内を腫瘍細胞が pagetoid に増殖）

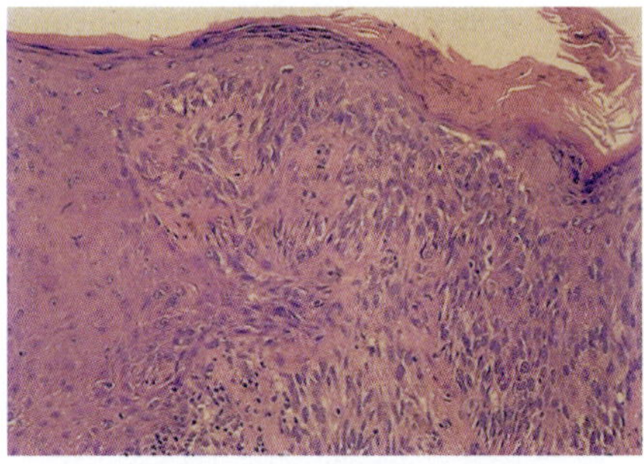

図 24-200　悪性黒色腫（腫瘍細胞が境界部より真皮に向かって増殖）

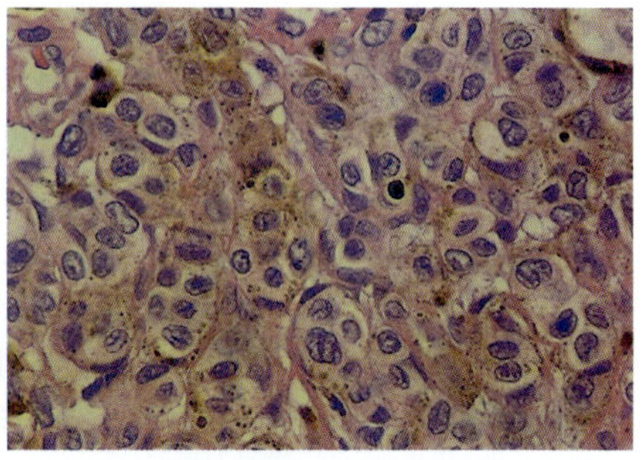

図 24-201　悪性黒色腫（大型不整．クロマチンの豊富な腫瘍細胞が増殖）

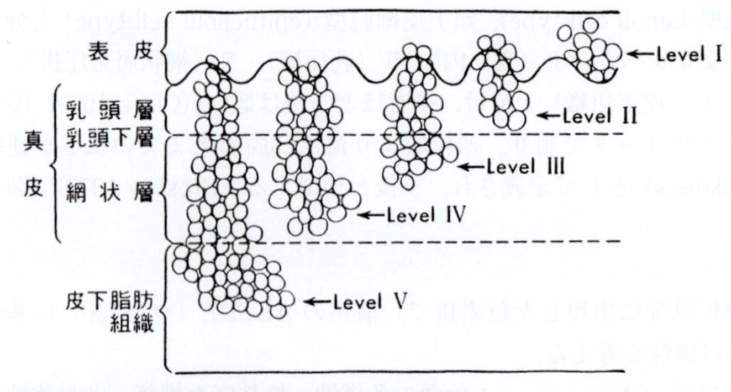

図 24-202　悪性黒色腫の Level 分類（Clark 1969）

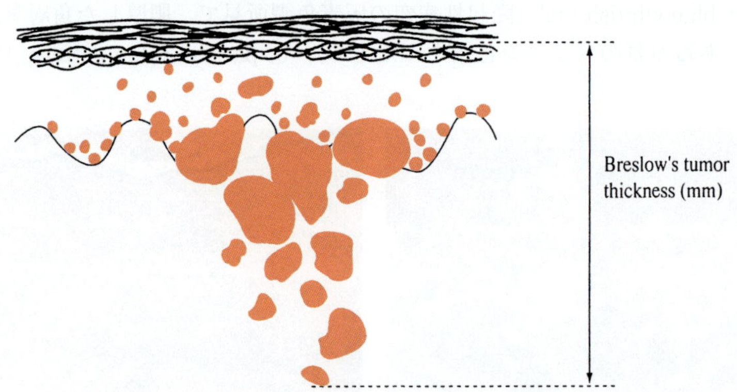

図 24-203　Tumor thickness の計測．表皮顆粒層上部から最深部の腫瘍細胞までの距離を表皮に垂直方向に計測し，mm 単位で表す．

一致して平行する帯状の色素沈着で，ALM に特徴的）（図 24-204），ⓒ atypical pigment network（非定型色素ネットワーク；不規則な網状構造），ⓓ abrupt-edge（辺縁途絶；色素ネットワークが辺縁で突然途切れる所見），ⓔ irregular dots/globules（不規則な色素小点 / 色素小球），ⓕ irregular streaks（不規則線条；棒状，偽足状に突出不規則な色素沈着で病巣辺縁部によくみられる．pseudopod，radial streaming）などがある．

③**病理組織**：小型病変の場合は病変全体生検する．大型の病変の場合は後日行う拡大切除時に腫瘍最厚部での tumor thickness 評価が難しくならないよう，病変の厚い箇所を避けて部分生検する．病理組織像や免疫組織化学検査で確認する（抗 S-100 抗体，HMB-45，抗 MART-1 抗体による腫瘍細胞の染色）．その後できるだけ早期に広範囲拡大切除術など施行．あるいは最初から広範囲切除して組織標

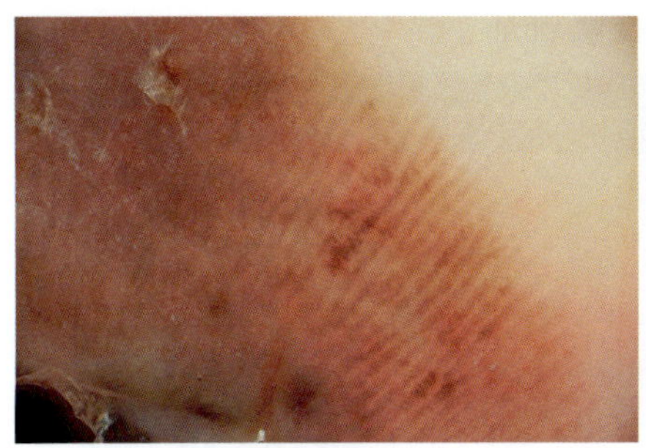

図 24-204　足底悪性黒色腫のダーモスコピー所見（parallel ridge pattern）

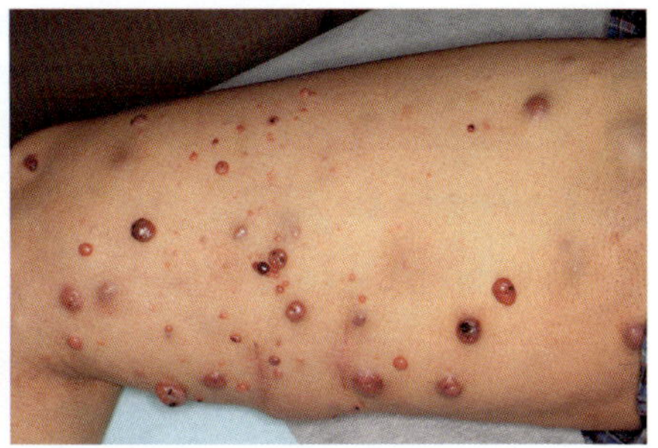

図 24-205　悪性黒色腫皮膚転移

本を作製する.

鑑別診断

黒子，ブロッホ黒色上皮腫，色素性基底細胞癌，スピッツ母斑，毛細血管拡張性肉芽腫，有棘細胞癌，疣贅，血管肉腫，組織球腫，硬性線維腫，血腫，色素性母斑，グロームス腫瘍など.

予後（図 24-205，表 24-15，16）

早期から転移する可能性もあり，一般に予後が悪い．病期および初回の治療方法が予後に関係する．臨床的に病期（stage）をⅠ期（浅い原発巣のみ：ⅠA，ⅠB），Ⅱ期（深い原発巣のみ：ⅡA ～ⅡC），Ⅲ期（所属リンパ節転移あるいは衛星転移，in-transit 転移：ⅢA ～ⅢD），Ⅳ期（遠隔転移）と分け，一般に後者ほど予後不良であるがが，ⅢA はⅡB，C よりもむしろ予後が良い．日本の 5 年疾患特異的生存率はⅠ期で 90％以上，Ⅱ期で 70～90％，Ⅲ期で 25～85％，Ⅳ期では 20％である．近年の早期診断や新規進行期薬物療法の登場により MM の予後は改善している.

自然退縮

原発巣の部分的消褪現象は稀ではなく（13.8％ McGovern），特に SSM と ALM に多い．その中央部が褪色して灰白色，多少瘢痕状となり組織学的に腫瘍細胞の変性，消失，リンパ球浸潤，メラノファージ，線維化をみる．完全消褪もあり，このときサットン現象を呈し，遠隔部に白斑が発生することもある.

治療

①**早期発見**：早期病変を発見し適切に治療することが重要．皮膚に「黒色腫瘍」，

表 24-15　皮膚悪性黒色腫の TNM 分類（AJCC 第 8 版，2018）

T 分類（原発巣）			
		腫瘍の厚さ	潰瘍の有無
Tx （TT が測定できない）			
T0 （原発不明，自然消褪）			
Tis			
T1	T1a	TT ＜ 0.8mm	潰瘍なし
	T1b	TT ＜ 0.8mm	潰瘍あり
		TT0.8～1.0mm	潰瘍あり or なし
T2	T2a	1.0 ＜ TT ≦ 2.0mm	潰瘍なし
	T2b		潰瘍あり
T3	T3a	2.0 ＜ TT ≦ 4.0mm	潰瘍なし
	T3b		潰瘍あり
T4	T4a	TT ＞ 4mm	潰瘍なし
	T4b		潰瘍あり

TT：tumor tickness

N 分類（領域リンパ節）			
		リンパ節転移の個数	in-transit, satellite, and/or microsatellite metastases
Nx		組織学的なリンパ節評価なし	なし
N0		組織学的にリンパ節転移なし	
N1	N1a	1 個（臨床的転移なし）	
	N1b	1 個（臨床的転移あり）	
	N1c	なし	あり
N2	N2a	2～3 個（臨床的転移なし）	なし
	N2b	2～3 個（1 個以上臨床的転移あり）	
	N2c	1 個	あり
N3	N3a	4 個以上（臨床的転移なし）	なし
	N3b	4 個以上（1 個以上臨床的転移あり，または matted nodes がある）	
	N3c	2 個以上 or matted nodes がある	あり

M 分類（遠隔転移）				
			転移部位	LDH 値の上昇
M0			遠隔転移を認めない	関係なし
M1	M1a	M1a（0）	皮膚，軟部組織，所属外リンパ節に転移	なし
		M1a（1）		あり
	M1b	M1b（0）	肺転移 （M1a 転移の有無を問わない）	なし
		M1b（1）		あり
	M1c	M1c（0）	中枢神経以外の転移 （M1a・M1b 転移の有無を問わない）	なし
		M1c（1）		あり
	M1d	M1d（0）	中枢神経への転移 （M1a，b，c 転移の有無を問わない）	なし
		M1d（1）		あり

表 24-16　皮膚悪性黒色腫の病理病期分類（AJCC 第 8 版，2018）

<table>
<tr><th colspan="2">Stage</th><th>T</th><th>N</th><th>M</th></tr>
<tr><td colspan="2">0</td><td>Tis</td><td rowspan="6">N0</td><td rowspan="15">M0</td></tr>
<tr><td rowspan="2">Ⅰ</td><td>ⅠA</td><td>T1a，T1b</td></tr>
<tr><td>ⅠB</td><td>T2a</td></tr>
<tr><td rowspan="3">Ⅱ</td><td>ⅡA</td><td>T2b，T3a</td></tr>
<tr><td>ⅡB</td><td>T3b，T4a</td></tr>
<tr><td>ⅡC</td><td>T4b</td></tr>
<tr><td rowspan="9">Ⅲ</td><td>ⅢA</td><td>T1a/b，T2a</td><td>N1a，N2a</td></tr>
<tr><td rowspan="3">ⅢB</td><td>T0</td><td>N1b/c</td></tr>
<tr><td>T1a/b，T2a</td><td>N1b/c，N2b</td></tr>
<tr><td>T2b，T3a</td><td>N1a～N2b</td></tr>
<tr><td rowspan="4">ⅢC</td><td>T0</td><td>N2b/2c，N3b/3c</td></tr>
<tr><td>T1a/b，T2a/b，T3a</td><td>N2c，N3a/b/c</td></tr>
<tr><td>T3b，T4a</td><td>Any N ≧ N1</td></tr>
<tr><td rowspan="2">T4b</td><td>N1a～N2c</td></tr>
<tr><td>ⅢD</td><td>N3a/b/c</td></tr>
<tr><td colspan="2">Ⅳ</td><td>Any T</td><td>Any N</td><td>M1</td></tr>
</table>

特に足底の色素斑を診たときには，安易に電気焼灼や腐蝕などせず，本症の可能性を考え，疑わしい時は積極的に生検する．

②**手術療法**：切除可能な病期Ⅲ期までの病変が適応となる．適切なマージンで切除し再建する．In situ 病変では 3～5mm（海外では 5～10mm），tumorthickness が 1mm 以下では 1cm，1.01～2.0mm で 1～2cm，2.01～4.0mm で 2cm，4.01mm 以上で 2cm 病巣辺縁から離して切除することが推奨されている．領域リンパ節が腫大していれば根治的リンパ節郭清術，腫大していなければセンチネルリンパ節生検．

・**センチネルリンパ節生検**（Morton 1992）は，領域リンパ節郭清の適応に関する考え方で，いわゆる歩哨リンパ節（sentinel node；SN）を生検して組織学的に転転移がなければ郭清しない，すなわち負担の大きいリンパ節郭清の適応を厳密にして不必要な郭清などを減らそうとするものである．SN は腫瘍細胞が原発巣からリンパ行性に流れて初めて出合う所属リンパ節のことで，通常 1～2 個存在する．原発巣周囲にパテントブルーなどの色素および ^{99m}テクネシウム―スズコロイドなどを注入して，染色されたリンパ節，あるいはガンマプローブで検出されるリンパ節をSNとして同定・摘出する．摘出リンパ節の組織標本を複数作製して，病理組織，免疫組織化学的に転移の有無を確認する．これまでMMではfalse negativeが2％以下と極めて稀である．近年ではメルケル細胞癌や有棘細胞癌などの他の皮膚悪性腫瘍にも準用される．

③**免疫療法**：免疫チェックポイント阻害薬抗PD-1抗体（ニボルマブ，ペムブロリズマブ），抗CTLA-4抗体（イピリムマブ）が現在の薬物療法の主軸となる．抗PD-1抗体は切除後病期Ⅲ期あるいは転移巣完全切除後の病期Ⅴ期の術後補助療法，および進行期治療として用いられる．ニボルマブ＋イピリムマブの併用療法も進行期治療で保険承認されている．他の免疫療法として，インターフェロンβが術後補助療法で用いられることがある．

④**分子標的療法**：*BRAF* V600遺伝子変異のある症例では，BRAF阻害薬（ダブラフェニブ，エンコラフェニブ）＋MEK阻害薬（トラメチニブ，ビニメチニブ）併用療法も適応となる．併用療法の方が奏効するため，通常単剤で使用されることはない．完全切除後病期Ⅲ期の術後補助療法としてダブラフェニブ＋トラメチニブが保険承認されている．進行期治療ではダブラフェニブ＋トラメチニブ，エンコラフェニブ＋ビニメチニブのいずれかが用いられる．

⑤**抗腫瘍薬**：進行期治療としてDTIC（ダカルバジン）を中心とした単剤あるいは多剤併用療法が用いられていたが，現在では免疫チェックポイント阻害薬，分子標的薬が第一選択薬となり，これらの薬剤が無効後の治療としてその使用を考慮する．

⑥**放射線療法**：進行した領域リンパ節転移に対する領域リンパ節郭清術後再発予防照射と，転移巣の縮小効果・除痛効果などを目的とした進行期治療として用いられる．線源はX線，電子線，粒子線（陽子線，重粒子線など）など．近年では免疫チェックポイント阻害薬との併用による局所制御効果の増強を期待して照射することも多い．

2. 悪性黒子 lentigo maligna（LM），黒色癌前駆症 melanotische Präcancerose（Miescher 1933）

悪性黒子型黒色腫の表皮内病変．

症状（図24-206）

小さい褐～黒褐色の斑として始まり徐々に拡大，形は不規則で凹凸し，あるいは連圏状となり，色調も濃淡不平等．顔面に好発（稀に体部）．

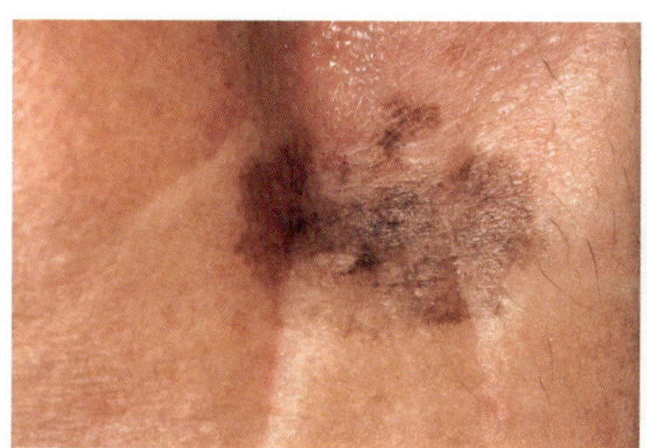

図 24-206　悪性黒子

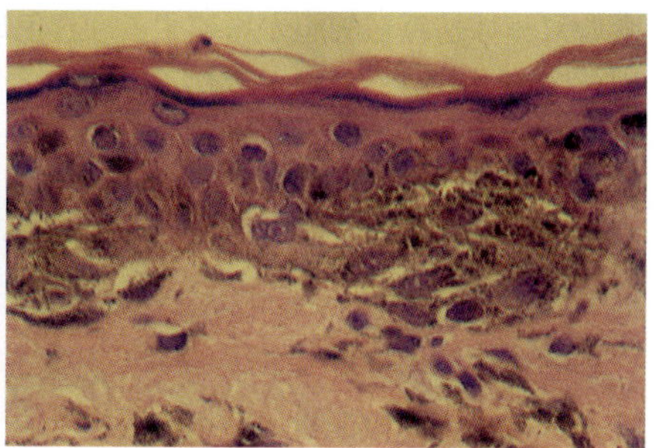

図 24-207　悪性黒子（組織）

組織所見

①**初期**（図 24-207）：基底層の色素沈着増加（一部基底層上部も），基底層メラノサイト数がやや増加して並びが不規則となり，真皮上層にメラノファージ，軽い炎症性細胞浸潤，弾力線維変性．

②**進行期**：数が徐々に増加し，一部で連続性に（palisading），また付属器上皮に沿って増加，次第に異型性を増す．

③**最盛期**：基底細胞数を超えるほどに，境界部に不規則に塊状にメラノサイト数が増加する．メラノサイトの形は細長く紡錘状，核は細長くクロマチンに富み多形となり，異型性が増す．毛包に沿って深く，また表皮上層にも及び，メラニンを多く含む．真皮上層には多数のメラノファージと帯状の細胞浸潤をみる．

④**悪性黒色腫への進行**（図 24-200）：表皮内水平方向への拡大（radial growth phase）より基底膜を破って真皮内へ向かって垂直方向に進行する（vertical growth phase）と悪性黒子型黒色腫．

鑑別診断

老人性色素斑，扁平母斑，色素性母斑．

治療

原則として手術による完全切除が望ましい，他に冷凍療法，レーザー療法，放射線照射．

3．悪性青色母斑 malignant blue nevus

正常皮膚または細胞性青色母斑（☞ p.560）から発し，真皮～皮下にメラニンを含む双極性紡錘形細胞が増殖する．青色母斑の悪性カウンターパートであり，悪性黒色腫の一亜型とも考えられる．稀．

4. malignant melanoma of soft parts, clear cell sarcoma（Enzinger 1965）

青年～成年の四肢（下肢75%，上肢17%）に徐々に生じる皮膚腫脹，皮下腫瘤．紡錘形腫瘍細胞の塊状，束状の増殖．メラニンはメラニン染色で確認されることが多い．MMとしてはシュワン細胞への分化能を示す．経過は長いが予後は不良．

Ⅳ．神経系腫瘍

1 良性神経系腫瘍

1. 神経線維腫 neurofibroma

末梢神経のシュワン細胞，神経内膜細胞，神経周膜細胞に分化した腫瘍．神経系腫瘍のうち最も頻度が高い．神経線維腫症1型（NF1）の患者では多発する（☞ p.570）．NF1でない患者に，単発することもある（孤立性神経線維腫 solitary neurofibroma）．

2. 神経鞘腫 neurilemmoma（Stout 1940），schwannoma（Masson 1932），neurinoma（Verocay 1910），neuroma

単発，時に多発する皮内または皮下の弾性硬の境界明瞭な小腫瘤（図24-208）でシュワン細胞の良性腫瘍．稀に嚢腫状に変性して波動を呈する．末梢神経，脳神経の走行に沿い，皮下，内臓，舌に発し，特に聴神経に好発．しばしば圧痛，自発痛を伴う．組織像では，細長い核が流れるように並び，核が密に柵状に並ぶ帯と核に乏しい帯とが交互に並んで特有の像（Verocay bodies）を示すAntoni A型と，浮腫性間質で時に小嚢腫状になるAntoni B型とが様々に混在する（図24-208）．しばしば基礎疾患なしに出現するが，神経線維腫症2型を伴う場合は皮膚のみならず

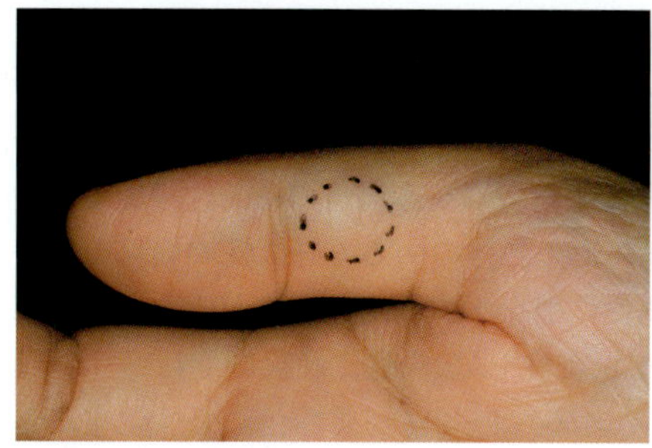
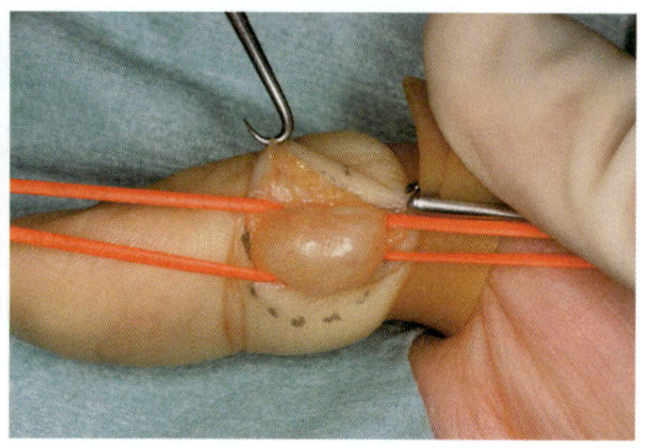

図 24-208　神経鞘腫（左：指発生例，中央：手術時所見，右：病理所見における Verocay bodies）

中枢神経系にも多発する．

3. 神経鞘粘液腫 nerve sheath myxoma（Harkin and Reed 1969），neurothekeoma（Gallager and Helwig 1980），Pacinian neurofibroma（McDonald, Wilson and Jones 1977），bizzare cutaneous neurofibroma，perineural myxoma

ムチン沈着のある分葉状の腫瘍巣で神経鞘への分化を示す．比較的若年者に生じ，頭，顔，上肢，体幹に好発する．径数 cm の扁平隆起性腫瘤で時に痛みあり．類上皮様細胞，紡錐形細胞が索状，同心円状に増殖し，基質に粘液様物質．S-100 陽性．

4. 外傷性神経腫 traumatic neuroma

末梢神経切断または挫滅部に生じる腫瘍で，自発痛および圧痛が激しい．組織学的には縦横に神経線維が増殖し，シュワン細胞および増殖した線維性組織で取り囲まれる．

5. 異所性髄膜細胞 meningothelial heterotopias cutaneous meningioma

異所性髄膜細胞は小児の頭部や傍脊髄部の皮膚に生じる軟線維腫様の結節．一部は神経線維腫症 1 型にみられる．皮膚の髄膜腫には，頭蓋内髄膜腫が皮膚に直接進展したものと真の異所性髄膜腫とがある．頭蓋内と交通する場合もあり，慎重な対応が必要．

6. 顆粒細胞腫 granular cell tumor（図 24-209）

口腔，舌，皮膚（特に外陰）を始めとして呼吸器（声門，肺），消化器（食道，胃，腸），泌尿生殖器（膀胱，子宮）に生じる表面平滑，褐～赤褐色の単発性小腫瘤．時に瘙痒，疼痛．表皮直下から密に，大型多角形の胞体の明るく好酸性の顆粒を含む細胞が浸潤し，これを被う表皮は偽表皮腫性増殖を示すので，生検が浅すぎると有棘細胞癌と誤診する．顆粒はジアスターゼ抵抗性 PAS 陽性，腫瘍細胞は S-100 陽性，NSE 陽性でシュワン細胞由来と考えられる．1～2%が悪性化．悪性化すると径 4cm を超えることが多く，しばしば潰瘍化する．旧称 granular cell myoblastoma（Abrikossoff 1926）．

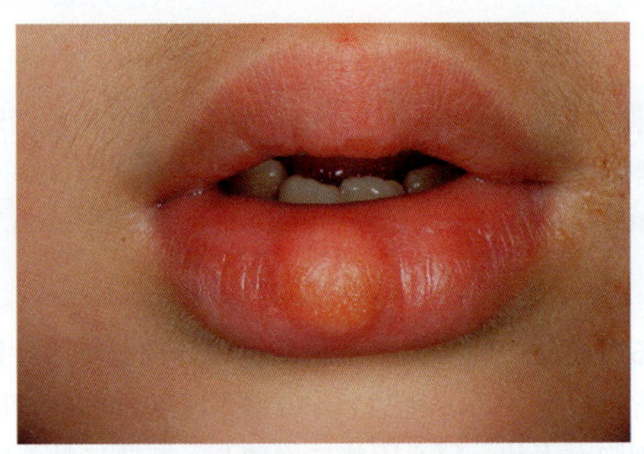

図 24-209　顆粒細胞腫（口唇発生例，病理所見における好酸性顆粒を有する腫瘍細胞）

2 悪性神経系腫瘍

1. 悪性末梢神経鞘腫瘍 malignant peripheral nerve sheath tumor (MPNST), 悪性神経鞘腫 malignant schwannoma, 神経線維肉腫 neurofibrosarcoma

症状（図 24-210）

20〜50 代の神経線維腫症 1 型の患者に多いが，基礎疾患なしに出現することもある．稀に皮膚の神経線維腫が悪性化することで生じるが，多くは nodular plexiform neurofibroma（末梢神経の神経周膜より発生する神経線維腫）から生じる．深部の末梢神経から生じることも多い．急速に増大する硬い腫瘤で圧痛，自発痛，放散痛を伴うことが多い．

組織所見（図 24-211）

比較的均一なクロマチンに富む長円形の核を持つ紡錘形細胞が極めて稠密に増殖して渦紋状や矢筈状に配列，さらにこれらの細胞束が交錯して，柵状配列を形成する．腫瘍細胞は S-100 蛋白陽性のことが多いが，陰性のこともある．シュワン細胞を中心に神経周膜細胞，同内膜細胞，間葉系細胞などが増殖している．

診断

CT・MRI などで辺縁不整，内部が不均一な腫瘍から悪性化を疑う．神経線維腫症続発例は孤発例より予後不良ともいわれる．

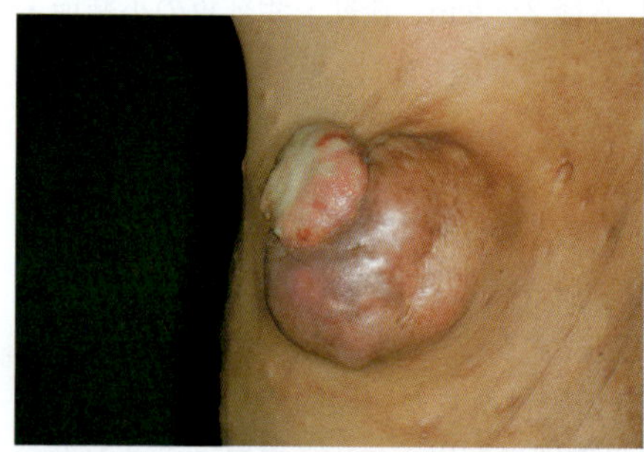

図 24-210　NF-1 に生じた MPNST

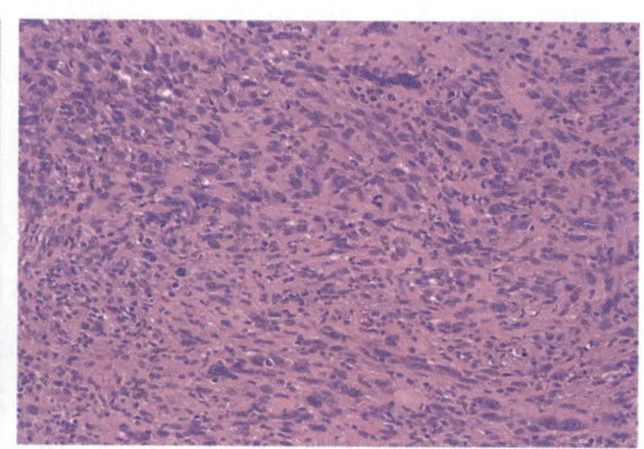

図 24-211　MPNST の組織像（異型・紡錘形細胞の増殖）

治療と予後

早期の可及的広範囲切除術が望ましいが，深部発生例など，発生部位によっては十分な切除範囲確保が困難な例も多い．広範囲切除困難例では局所再発する例も多く予後不良．

2. 未分化神経外胚葉性腫瘍 primitive neuroectodermal tumor（PNET）（Stout 1918）

小児～思春期の神経外胚葉由来の特徴を持つ小円形細胞腫瘍群の総称．中枢性と末梢性があり，後者には末梢性悪性未分化神経外胚葉性腫瘍，末梢性神経上皮腫，色素性神経外胚葉性腫瘍，末梢性髄様上皮腫，神経芽腫などがある．

3. メルケル細胞癌 Merkel cell carcinoma〔メルケル細胞腫瘍 Merkel cellneoplasm（Tang and Tocker 1978）〕（図 24-212，213）

メルケル細胞由来の悪性腫瘍と考えられていたが，現在発生起源は明確に確定されておらず，表皮メルケル細胞，真皮神経内分泌細胞，表皮幹細胞などがその候補として議論されている．高齢者の顔面，上肢に好発する．

誘因・原因

高齢者，日光曝露，免疫抑制状態などが危険因子である．なお，メルケル細胞ポリオーマウイルス（MCPyV）がメルケル細胞腫瘍に見出され，単クローン性にインテグレイトされており，腫瘍発生に重要な役割を果たしていると推測されている．

症状

顔面（特に頬），次いで体幹，上肢に生じる径 2～3cm，淡紅～紫紅色の小結節・腫瘤．局所で増殖し巨大化することもあり．

病理組織

小さい濃染する円形～多角形の核を有する細胞が索状に配列する trabecular type と濃染する核を持つ円形～紡錘形小型細胞が密な腫瘍巣を形成する small cell type とその中間型がある．いずれも表皮と連続することは稀．核分裂像もみられる．電顕的に有芯顆粒あり．**サイトケラチン 20 の陽性所見が特徴的**でリンパ腫，悪性黒色腫，小細胞肺癌の転移など他の腫瘍との鑑別に有用．ニューロフィラメント，EMA，NSE，クロモグラニン，シナプトフィジン陽性．

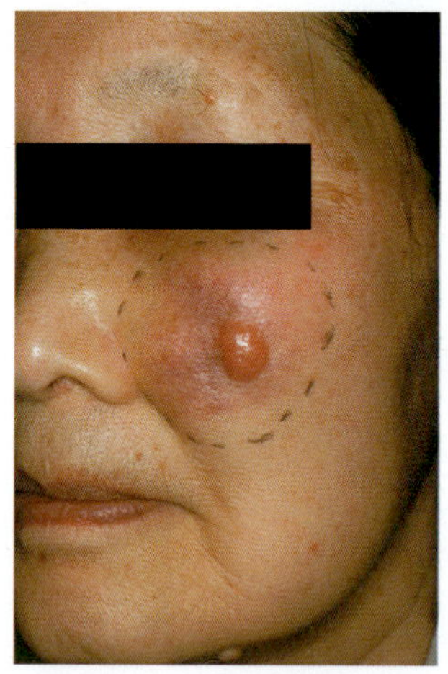

図 24-212　メルケル細胞癌

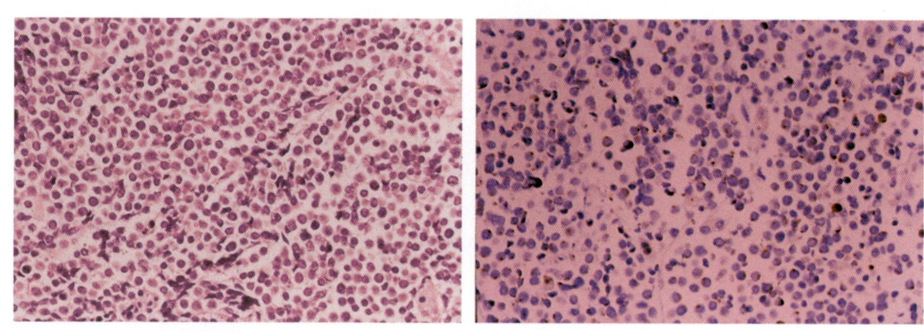

図 24-213　メルケル細胞癌
（左：小型濃染核を有する腫瘍細胞が増殖，右：サイトケラチン 20 染色陽性所見）

治療・予後

本症は放射線感受性が高い．米国 NCCN ガイドラインでは危険因子と考えられている頭頸部発生例，2cm 以上の病変，免疫抑制状態などがあれば，狭小マージン切除＋術後放射線療法（手術を希望しない例では放射線単独療法），危険因子がなければ拡大切除後無治療経過観察を推奨している．必要に応じてセンチネルリンパ節生検やリンパ節郭清，放射線療法など．切除不能例や遠隔転移例では薬物療法として抗 PD-1 抗体アベルマブ．その他に化学療法（エトポシドとシスプラチンの併用など）．一般に悪性度が高く再発転移しやすい．腫瘍の進展度に応じて生存率が大きく変わるが，5 年疾患特異的生存率は 41～77%（米国 NCCN ガイドライン）．

第25章 皮膚付属器疾患

毛嚢脂腺，毛髪，汗腺，爪の疾患の中で腫瘍や母斑，感染症を除いた各付属器疾患を記述する．

I．毛包脂腺系疾患

痤瘡（にきび）を中心に毛包・脂腺に病変をきたす疾患．

1．尋常性痤瘡 acne vulgaris，にきび acne ◎

思春期の男女に好発する．アクネ桿菌，男性ホルモン，ストレス，遺伝的素因などの多因子が関与する．日本人は欧米白人に比べ一般に軽症が多い．

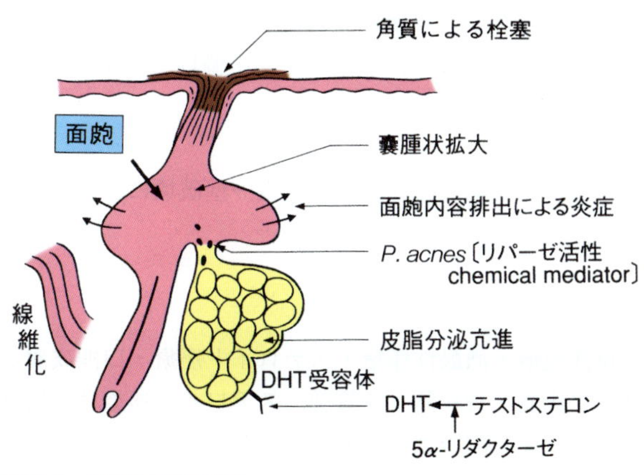

図 25-1　尋常性痤瘡の成立

病因（図 25-1）

男性ホルモンによる皮脂の分泌亢進・毛漏斗部の角化異常・細菌の増殖と炎症惹起が主要発症因子．他に食事，整腸状態，睡眠などの日常生活，精神的要素，外的刺激（機械的・化粧品・油脂），遺伝的素因などが関与する．血中男性ホルモンは皮膚で5α-リダクターゼにより5α-ジヒドロテストステロン（5α-DHT）となり，脂腺細胞のDHT受容体と結合して脂腺機能を亢進，毛漏斗部・脂腺排出管の角化亢進と相まって皮脂が貯留する（面皰形成）．細菌（*Propionibacterium acnes* など）が皮脂を分解して遊離脂肪酸を生成するとともに，好中球遊走因子・補体活性化因子・プロテアーゼを産生，また好中球の活性酸素やToll-like receptor-2などが炎症惹起に働いている．特にIL-1αは炎症惹起と面皰形成に重要な働きをしていると考えられている．瘢痕形成には好中球の放出するTGF-βのコラーゲン産生亢進，コラーゲン分解酵素の産生低下など，さらに遺伝的素因も関係する．

症状（図 25-2〜4）

顔・胸・背部に，毛包一致性の**面皰**・丘疹・膿疱が多発し，色素沈着・小瘢痕を残して治癒する．初発疹は面皰（comedo）（中性脂肪・遊離脂肪酸・スクアレン・常在菌・角化物などを含有）で，出口の閉じている**閉鎖面皰**（closed comedo）は白く，毛孔の開いている**開放面皰**（open comedo）は汚れが付いて黒い．さらに紅色丘疹，膿疱（**膿疱性痤瘡** acne pustulosa），硬結（**硬結性痤瘡** a. indurata），嚢腫（**嚢腫性痤瘡** a. cystica）を呈し，またこれらが多数集簇し線維化を伴うこともある（**集簇性痤瘡** a. conglobata）．顔面に好発するが，眼瞼・耳前部を除き額・頬部に多い．思春期，前額部に初発して次第に口囲，下顎部に集まる傾向をみる．脂漏性の人に多く，月経前に増悪することもある（premenstrual acne）．

日本の痤瘡重症度判定基準は顔面片側の炎症性皮疹数によって，軽症：5個以下，中等症：6〜20個，重症：21〜50個，最重症：51個以上の4段階に分けている．

組織所見

脂腺肥大・毛孔性角化→毛包頸部嚢腫状拡張→壁破壊による炎症・異物反応，膿疱形成，瘢痕化．

鑑別診断

顔面播種状粟粒性狼瘡・酒皶性痤瘡・ステロイド痤瘡・口囲皮膚炎・マラセチア毛包炎・青年性扁平疣贅・稗粒腫・汗管腫．ステロイド痤瘡は前胸部，上背部などに黄色調の小丘疹が多発し内服歴を聴取して確認する．

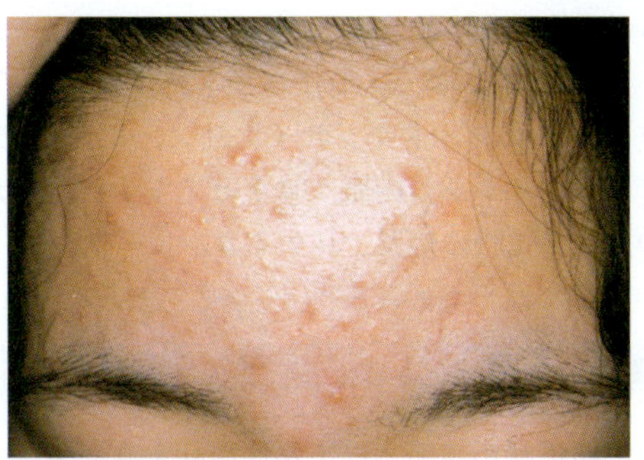

図 25-2　痤瘡（面皰・紅色丘疹）

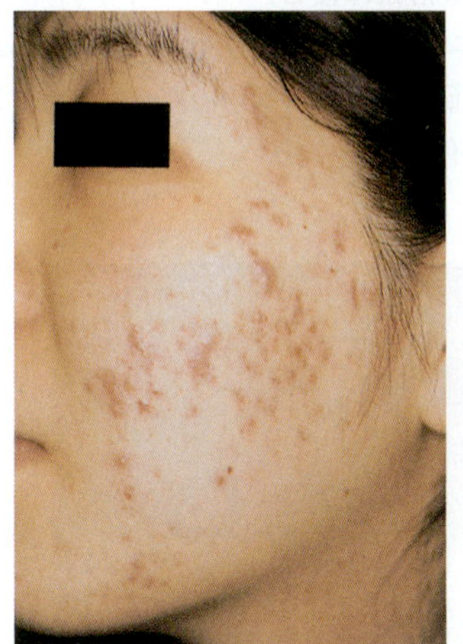

図 25-3　痤瘡（紅色丘疹・膿疱）

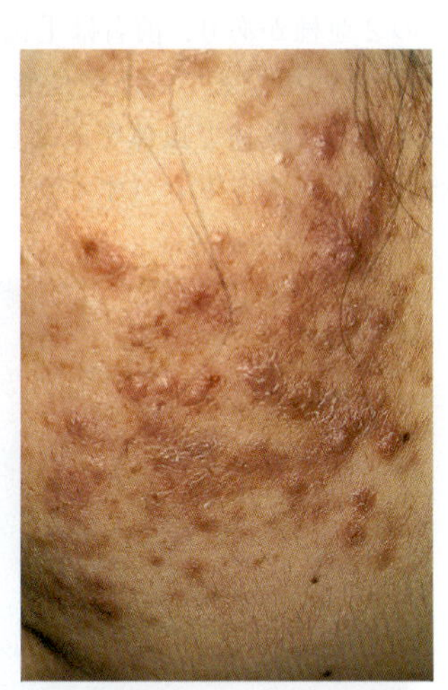

図 25-4　痤瘡（膿疱・硬結・嚢腫）

予後

25 歳を過ぎる頃より自然治癒．小瘢痕，ケロイドを残すことがある．

治療

日常生活上の注意と薬物療法が予防・治療の柱である．

①生活の規則化（充分な睡眠，ストレスを避ける），②外的刺激を避ける（頭髪が顔面にかからないヘアスタイル，運動器具・衣類の圧迫・接触に注意），③化粧品（油脂性クリーム・ファンデーションなど）を避ける，④食事（チョコレート・落花生・クリーム・コーヒー・ココア・豚肉・餅・くるみなどを避ける），整腸，⑤洗顔・洗髪，⑥面皰圧出（面皰圧出器で．炎症性・化膿性のときは行わない），

⑦過酸化ベンゾイル（BPO）外用薬，イオウ含有ローション（クンメルフェルド液・イオウローション，角栓除去効果），⑧レチノイド外用薬（アダパレン），⑨テトラサイクリン系（ミノサイクリン・ドキシサイクリン）・マクロライド系（ロキシスロマイシン・クラリスロマイシン）内服，⑩オゼノキサシン，ナジフロキサシン，クリンダマイシンの外用，化膿の処置，⑪ケミカルピーリング．

2. ニキビダニ痤瘡 acne demodecica（図 25-5，6）　○

顔面に毛包性膿疱・痤瘡様小結節・びまん性潮紅をきたす．中年女性に多い．ニキビダニ（毛包虫，*Demodex folliculorum*）はヒト常在性で，*D. f. longus* と *D. f.brevis* の2亜種があり，前者は毛包内，後者は脂腺に棲む．ステロイド外用・内服，タクロリムス外用などで局所免疫能が低下，ニキビダニが増殖して，しばしば本症が生じる．KOH 鏡検で虫体を確認して診断．硫黄剤（クンメルフェルド液・5％イオウ軟膏）・クロタミトン（オイラックス）が有効．

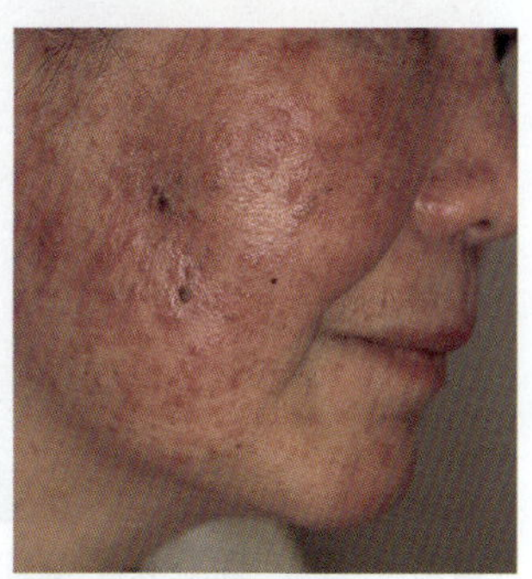

図 25-5　ニキビダニ痤瘡

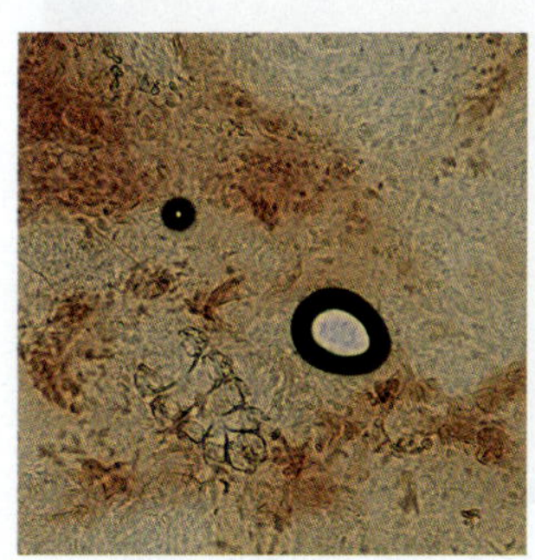

図 25-6　ニキビダニ

3. その他の痤瘡様発疹

1）人工性痤瘡（図 25-7）

職業性の石油・油脂（グリース・機械油・食用油）・polychloronaphthalene（絶縁体・塗料・木材保存剤）・polychlorobiphenyl〔PCB，溶媒・塗料；カネミ油症（yusho）〕・ダイオキシン（2・3・7・8-tetrachlorodibenzo-p-dioxin，殺虫剤・除草剤）に接したり，化粧品（粗悪なワセリンなど），薬剤（ヨウ素・臭素・EGFR-TK 阻害薬・鎮静鎮痙薬・抗コリン薬・INAH・ステロイド・ピルなど）により生じる痤瘡．

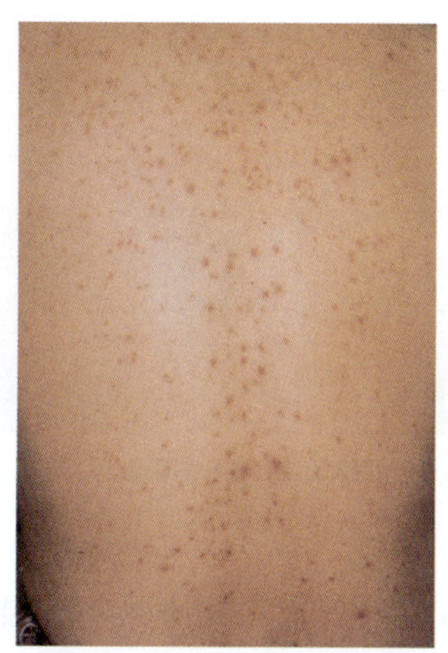
図 25-7　ピル常用による人工性痤瘡

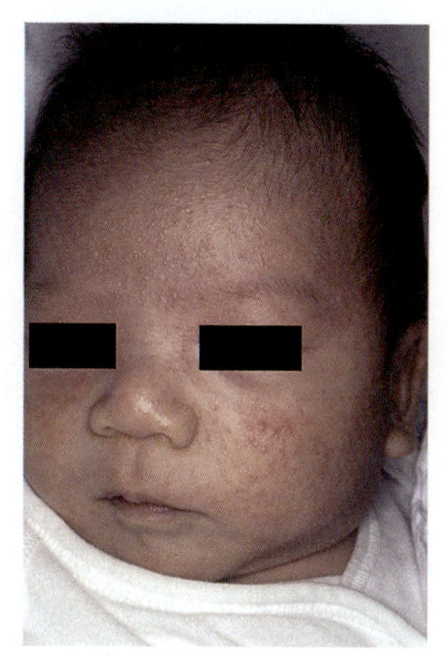
図 25-8　新生児痤瘡

2）新生児痤瘡 acne neonatorum（Kraus 1913）（図 25-8）

出生時より1〜2ヵ月の間に，頬を主として前額・オトガイに面皰・丘疹・膿疱を生じ8ヵ月以内に自然消褪する．顔面のみで背・胸などには生じない．生後3ヵ月以内のものは，ほとんどが男児であり，それ以後もやや男児に多い．性的早熟や男性化（virilism）のときにもみられる．新生児では胎児副腎由来のデヒドロエピアンドロステロン（DHEA）の血中濃度が高く（出生2，3ヵ月で低下），これにより皮脂分泌亢進が起こり，毛孔部角化と相まって生じる．新生児脂腺肥大症（鼻背の集簇性黄白色小丘疹），新生児稗粒腫（顔面散在性黄白色丘疹，脂腺の貯留嚢腫）も軌を一にする．放置しても自然に軽快．

3）乳児痤瘡 infantile acne

生後3〜4ヵ月で多くは面皰，時に丘疹や膿疱を生じる．未熟な副腎から一過性にDHEAが産生されること，生後6〜12ヵ月の男児ではLH濃度が上昇してテストステロンが産生されることによる．多くは1〜2歳までに自然消褪する．

4）電撃性痤瘡 acne fulminans, acute febrile ulcerative acne（Plewig and Kligman 1975）

青年男子の前胸・背部に急速に毛包性紅色丘疹が生じ膿疱化．その後，有痛性硬結・潰瘍化し，集簇する．発熱・骨関節痛・結節性紅斑・敗血症様症状，時に細胞性免疫低下．組織で好中球・好酸球・リンパ球浸潤，細菌培養結果は一定しない．治療は抗生物質を併用してステロイド薬を全身投与する．

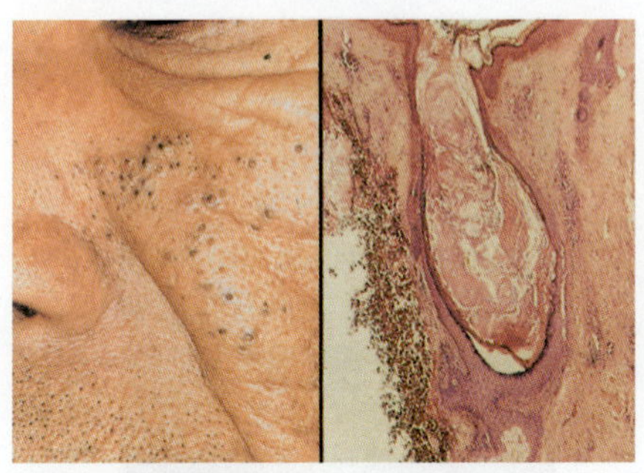

図 25-9　老人性面皰

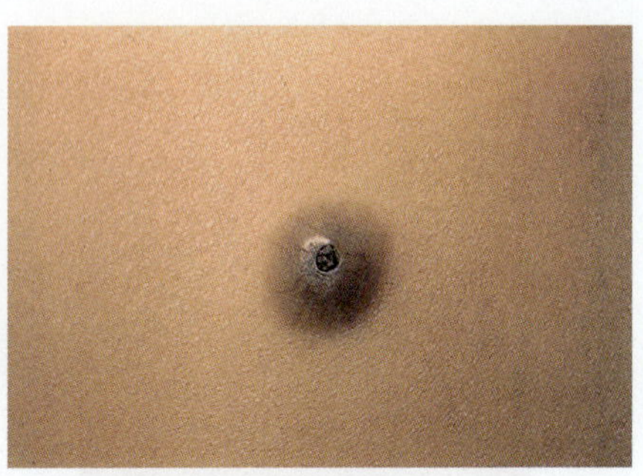

図 25-10　巨大面皰（老人性面皰）

5）老人性面皰 comedo senilis（図 25-9，10）

高齢者（特に男性）の眼瞼・頬・額に生じる（黒色）面皰．中年以降の皮脂分泌（上昇）による．単発して大きく，悪性黒色腫などと鑑別を要することがある（☞ p.486，Favre-Racouchot 病）．

4. 酒皶 rosacea　○

顔面中央部の紅斑・血管拡張を主徴とし，ほてり感，灼熱感などを伴うことが多い．中年以降に発症し，女性に好発．日本では欧米に比較して頻度が低く，重症例も少ないといわれている．

病因

遺伝的素因も関与し，各種刺激に対する血管運動神経の感受性が亢進した過敏状態と推測されている．日光，ストレス，寒冷や温熱，アルコール，毛包虫などが悪化因子．近年，自然免疫（TLR-2）を介して抗菌ペプチドのカテリシジンなどが抗菌作用とともに，各種サイトカインの誘導を形成して，血管拡張，コラーゲンの変性，炎症反応惹起などの本症病態を引き起こすと提唱されている（山崎 2007）．

症状

中年以降に顔面の中央部，鼻，頬，顎，前額などに紅斑・毛細血管拡張をきたす．

①**紅斑血管拡張型**（**紅斑性酒皶** r. erythematosa）（図 25-11）：鼻尖・頬・額・眉間にびまん性発赤，毛細管拡張症，油状光沢を呈し，ほてり感を伴う．寒暖・飲酒で増強．

②**丘疹・膿疱型**（**酒皶性痤瘡** acne rosacea）（図 25-12）：上記病変が増強するとともに，毛孔性丘疹，紅色丘疹，膿疱を生じる．高度の場合，頸より体幹に及ぶこ

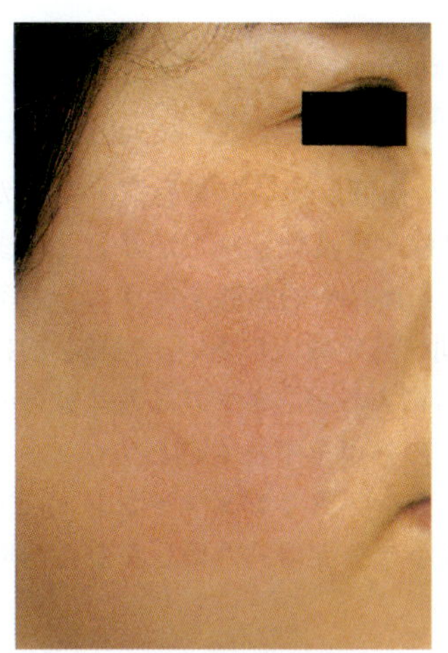

図 25-11　酒皶（紅斑血管拡張型）

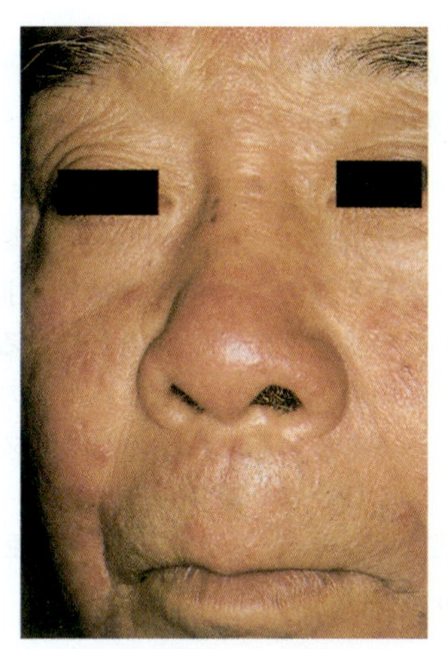

図 25-12　酒皶（丘疹・膿疱型）

とあり．

③**瘤腫・鼻瘤型**（rhinophyma）：結合組織増殖により鼻が腫瘤状に増殖し，紫紅色を呈し，毛孔開大してミカンの皮状となり，皮脂分泌が著しく，油状光沢を示す．赤鼻．日本人では稀．

④**眼型**（ocular type）：眼瞼縁や眼瞼結膜などに血管拡張，肥厚，炎症性変化をきたして酒皶性角膜炎（疼痛・羞明・角膜潰瘍）・結膜炎・虹彩炎・強膜炎など多様な臨床症状を呈する．

組織所見

真皮浅中層の毛細血管拡張，毛包・真皮に形質細胞・類上皮細胞・巨細胞を混ずるリンパ球浸潤，丘疹・膿疱型では類上皮細胞肉芽腫，瘤腫・鼻瘤型では脂腺肥大と結合組織の増殖．

治療とケア

難治にして進行性であるが，各種治療法がある．

①食事（アルコール・コーヒー・香辛料などを避ける）に注意して胃腸を整える，ストレスを避ける，②急激な温度変化や刺激（マッサージ・寒冷刺激・紫外線曝露・洗顔やメイクアップ剤による刺激）を避ける，③テトラサイクリン，特にミノマイシンの内服，④イオウ含有ローション・NSAIDs 外用剤・1％クリンダマイシン液・0.75％，1％メトロニダゾール外用・20％アゼライン酸外用，⑤毛細血管拡張に電気凝固・レーザー照射，⑥鼻瘤は形成手術，レーザー照射．

5. 酒皶様皮膚炎 rosacea-like dermatitis（Steigleder 1968），口囲皮膚炎 perioral dermatitis（Mihan and Ayres 1964）（図25-13，14） ◎

ステロイド外用薬による局所副作用の一型．口囲，次いで鼻唇溝・オトガイ・頬・前額に直径1～2 mmの紅色丘疹（時に膿疱・漿液性丘疹）が多発，びまん性潮紅と落屑を伴う（時に毛細血管が拡張する）．瘙痒や灼熱感を伴うことが多い．口囲中心の場合を口囲皮膚炎と称する．思春期～成年婦人に多い．組織学的に毛包炎・毛包周囲炎．ステロイド外用薬の長期使用によるが，タクロリムス軟膏の外用でも報告されている．治療のためにステロイドの外用を中止するとリバウンドが激しいが，これを乗り切る必要がある．ミノマイシン・クリンダマイシン・抗アレルギー薬内服，weakステロイド薬・亜鉛華軟膏などを併用・外用しながら治療することもある．

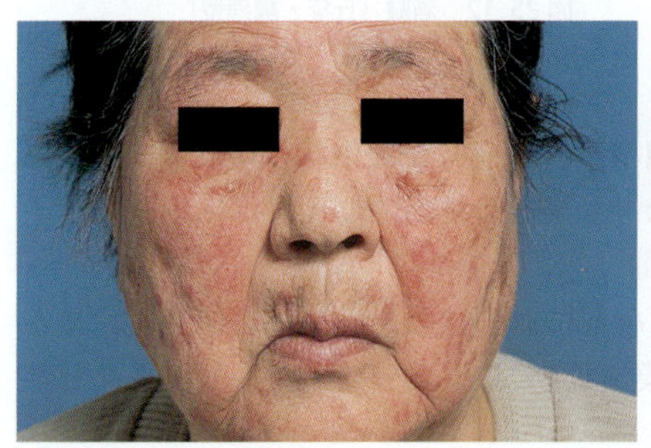

図25-13　酒皶様皮膚炎

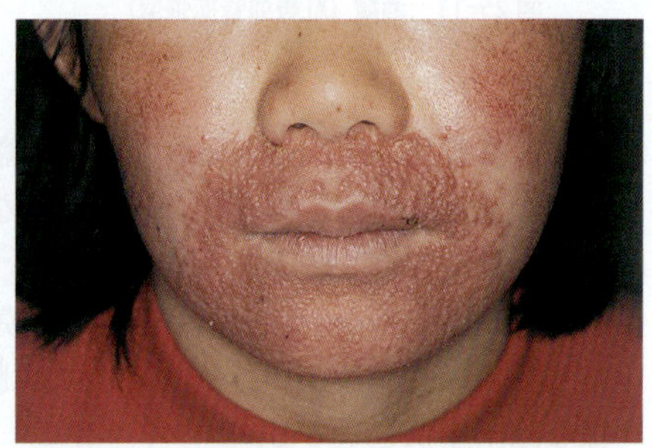

図25-14　口囲皮膚炎

6. 脂漏 seborrhoea ○

皮脂腺の機能が亢進して皮脂が過剰に分泌されている状態で，いわゆる脂漏部位（seborrheic zone）（頭・顔・胸骨部・肩甲間部）に好発し，新生児と思春期以後の成人に多い．①男性ホルモンは促進的，女性ホルモンは抑制的に，②脂質好性真菌（*Malassezia*），③精神的ストレス，④遺伝などが誘因として働く．

1）**油性型** s. oleosa：青壮年の頭顔部が油性光沢を示す．男性に多く，多汗症を伴う．毛孔拡大し，圧すれば白色皮脂が圧出され，壮年性脱毛症・面皰・痤瘡・酒皶の素因となる．

2）**結痂型** s. crustosa：頭顔面に黄色蠟様痂皮が固着するもので，乳痂（crusta lactea），乳児脂漏が代表であり，脂漏性皮膚炎へ移行しうる．

3）**粃糠型** s. pityrodes：前額髪際に灰褐色油状の鱗屑がみられ，時に瘙痒があり，脂漏性皮膚炎や粃糠性脱毛症に移行する．

治療は，①脂肪・糖分・アルコール摂取を制限，胃腸を整える，②洗髪洗顔（イトラコナゾール系薬の外用・シャンプー），③痒みが強ければステロイド・イトラコナゾール外用．

7．乾皮症 xerosis，皮脂欠乏症 asteatosis（図 25-15，16）　○

皮表脂質が減少して，皮膚は乾燥粗糙化し，粃糠様落屑・亀裂をきたし，時に瘙痒がある．冬期老人の下腿に著明で（老人性乾皮症 xerosis senilis），皮膚瘙痒症・皮脂欠乏性湿疹（xerotic or asteatotic eczema）・貨幣状湿疹の基盤となる．栄養障害・アトピー性皮膚炎などでも発生しうる（☞ p.165）．

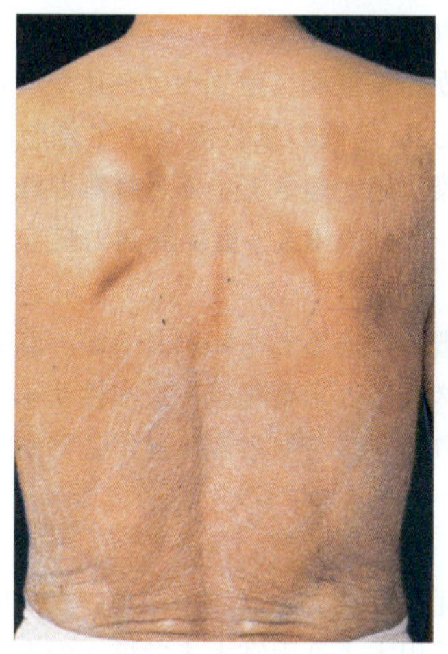

図 25-15　老人性乾皮症

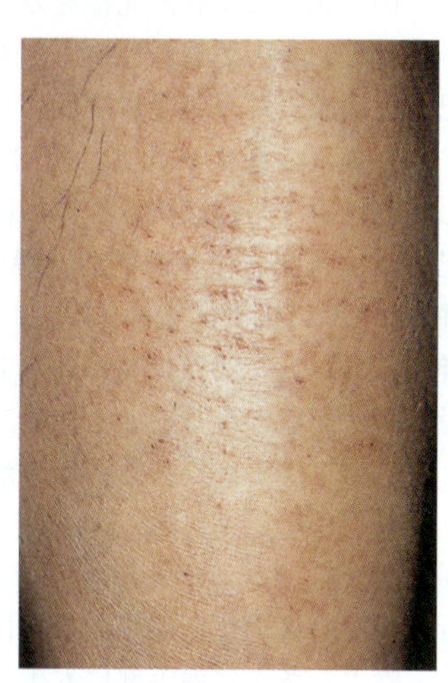

図 25-16　乾皮症性湿疹

II．毛髪の疾患

脱毛症，多毛症，毛の形態・色素異常などを区別できる．

1 脱毛症

1．円形脱毛症 alopecia areata ◎

幅広い年齢層に発症するが，小児にやや多い．遺伝的素因に基づく自己免疫異常説が有力．

病因

種々推測されている．

①**遺伝**：10～30％に家族内発症をみる，アトピー疾患と合併する，関連遺伝子が報告されるなど多因子遺伝性疾患とも考えられている．

②**自己免疫**：成長期毛包毛母周囲にリンパ球が密に浸潤（サブセット比が異常）し，INF-γやIL-15産生が亢進，CD8陽性NKG2D陽性の細胞傷害性T細胞が活性化して毛包由来の自己抗原を標的に自己免疫反応が起きていると推測されている．自己免疫性疾患（甲状腺疾患・尋常性白斑・SLE・RA・重症筋無力症など）が合併，約8％に抗甲状腺抗体陽性．

③**精神的ストレス**：20％に精神的ストレスの既往があるともいわれるが，感染症や疲労などが契機になることもある．ストレス反応と末梢神経・炎症性サイトカイン・毛包のアポトーシスとの機序が推測されるが，さらなる検討が必要か．

症状（図25-17，18）

①先行病変なしに突然円形ないし楕円形の脱毛斑が生じる．頭毛に多いが，眉毛・須毛・陰毛，さらに毳毛部にも生じうる．爪甲大より手掌大まで種々の大きさの脱毛斑が単発ないし多発する．脱毛斑内に短い切れ毛（切断毛），根元の細い切断毛（感嘆符毛 exclamation mark hair），毛孔内の塊状萎縮毛（黒点）をみる．稀に瘙痒・発赤が先行．

②随伴症状として10～20％に爪変化〔小陥凹（pitting）・Beau's line（小陥凹が横1列に並び横溝のようにみえる）・縦溝・肥厚混濁・剝離脱落：sandpaper nail, asbestos nail〕．小児はしばしばアトピー性皮膚炎を合併する．アトピー素因を有する例も多い．橋本病などの甲状腺疾患，SLEなどの膠原病を合併することもある．ダウン症候群は円形脱毛症を合併しやすいといわれる．

③臨床病型を四分する．

Ⅰ．通常型（common type）：孤立性脱毛巣のみ，単発型・多発型がある．

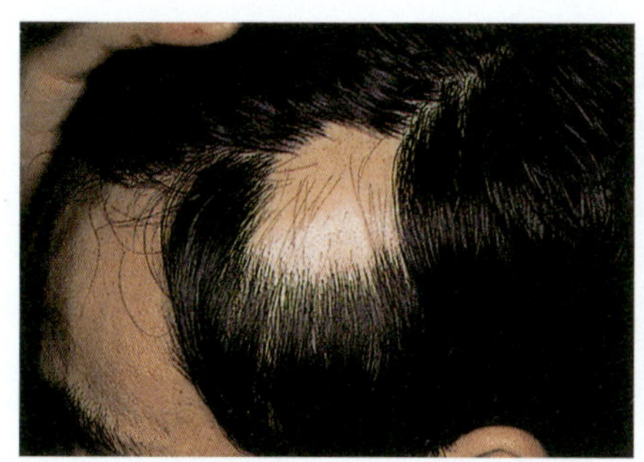

図 25-17　円形脱毛症

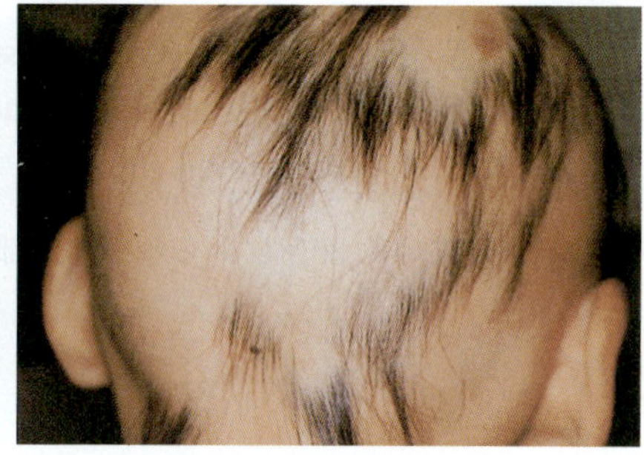

図 25-18　多発性 / 悪性円形脱毛症

Ⅱ. 全頭脱毛症（alopecia totalis）：頭髪のほとんどが脱落.

Ⅲ. 汎発性脱毛症（alopecia universalis）：頭髪と眉毛・睫毛・腋毛・陰毛・体毛などが脱落.

Ⅳ. 蛇行状脱毛症（alopecia ophiasis）：後頭・側頭部の髪際より左右対称性，帯状に連なる脱毛. 小児に多く難治.

組織所見

成長期毛包の外毛根鞘下部から毛球部の内外にリンパ球（ヘルパー T 細胞優位）が密に浸潤，INF-γ など Th1 型サイトカインが増加している. 長期脱毛部ではリンパ球浸潤を伴う小型成長期毛根かリンパ球浸潤を伴わない休止期毛根をみる. 脱落した毛の毛根部は萎縮して先が細く，休止期の棍棒状毛根ではない.

予後

通常型は自然治癒傾向が強いが，他の病型は再発しやすく，難治例も多い.

治療

①外用療法（ステロイド薬・塩化カルプロニウム），②一般内服療法（グリチルリチン，セファランチン），③紫外線照射，④局所免疫療法（SADBE の塗布），⑤冷凍療法，⑥重症例（悪性型）ではステロイド内服・パルス療法，⑦精神的安定（自然治癒の可能性・伝染性のないことを説明，心理療法，マイナートランキライザー）.

2. 男性型脱毛症 male pattern baldness，壮年性脱毛症 alopecia prematura，アンドロゲン性脱毛症 androgenetic alopecia，common baldness，わかはげ alopecia prematura　○

日本人男性の約30%にみられ，前頭部や頭頂部を中心にパターン化した脱毛が特徴.

病因

遺伝の要素が強いが，直接にはテストステロンが5-αリダクターゼにより活性化されたジヒドロテストステロン（DHT）が，男性ホルモン感受性毛包において軟毛化を引き起こす．毛周期の成長期が短くなり，休止期毛包が増え毛は抜けやすく，終毛が減り軟毛に変わり，軟毛毛包も縮小する（miniaturized hair follicle).

症状（図25-19）

思春期以降に始まり，徐々に進行して40代で完成．前額髪際部から次第に脱毛してM型，あるいは頭頂部より円形に脱毛してカッパ型を呈し，進行すれば後頭・側頭部を除いて禿頭となる．毛は細く短くなり（軟毛化），やがて脱毛する．肥満者は前額よりの後退型（ヒポクラテス脱毛 calvitie hippocratique），痩身者は頭部より始まる型が多い．須毛（顎・頬・上口唇）は逆に濃くなる．女子は稀であるが，頭頂部全体の「びまん性脱毛」を呈する．有色人種に比べ白人で頻度が高い．

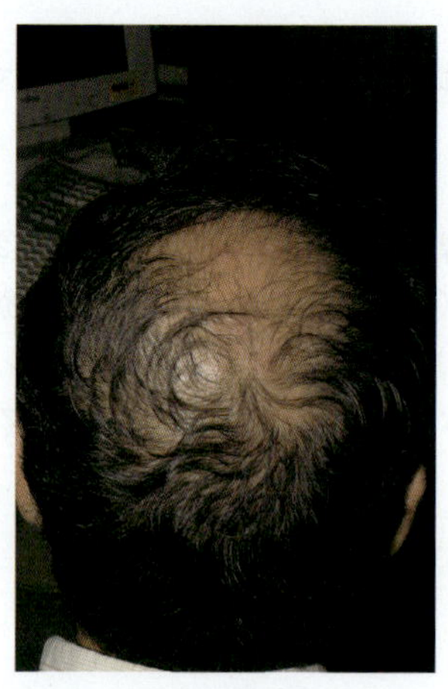

図25-19　壮年期脱毛症

治療

デュタステリド・フィナステリド（finasteride 5-α 還元酵素阻害薬）内服，1% ミノキシジル液など．育毛剤（塩化カルプロニウム，t-フラバノン，アデノシン，サイトプリン，ペンタデカン，ケトコナゾール）．

3. 休止期脱毛 telogen alopecia（effluvium）

休止期（通常は頭髪の10%程度）の毛髪が何らかの原因で異常に増えるために起こる脱毛で，1日に100本以上の毛が抜ける．妊娠・分娩・持続性高熱・外科的ショック・精神的ストレス・薬剤（ヘパリンとその類似物質・INF-α・エトレチナート・リチウム・バルプロ酸・カルバマゼピン）などが原因となりうる．これらの原因が加わった成長期毛が退行期を経て休止期に移行するので脱毛自体は2～4ヵ月後に起こる．

4. 機械的脱毛症 alopecia mechanica（図 25-20）

慢性の圧迫，摩擦・牽引などの機械的作用により脱毛を生じたもの．術後脱毛症は麻酔下の長時間圧迫による．休止期脱毛によることが多いが，成長期脱毛機序によることもあるという．多くは原因がなくなれば自然に回復する．乳児の後頭部に枕の圧迫など機械的刺激で帯状に脱毛がくる乳児仮性脱毛も，多くの場合矗毛状毛根の短く切れた毛を残す（休止期脱毛）．これは放置してかまわない．

5. 抜毛狂（毛髪痒感狂，抜毛症）trichotillomania（Hallopeau 1899）（図 25-21）○

衝動的・習慣性に，あるいは無意識に毛を引き抜くことで生じる脱毛で，機械的

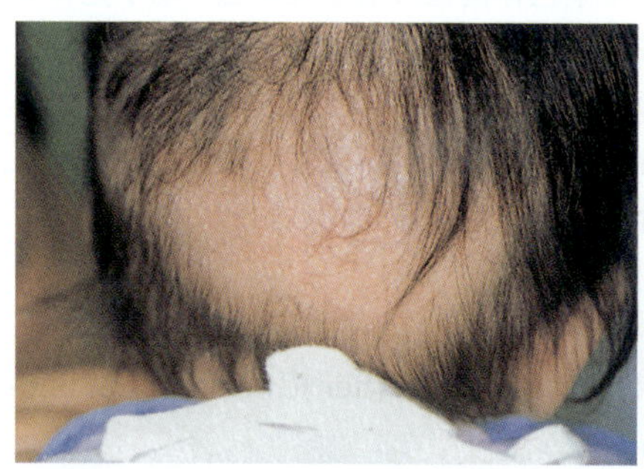

図 25-20　機械的脱毛症（乳児仮性脱毛）

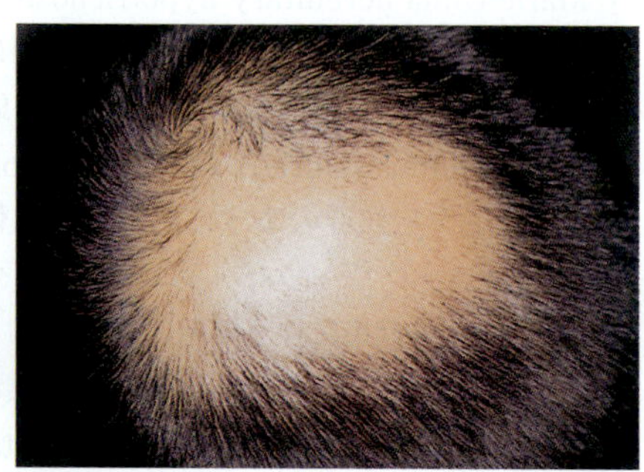

図 25-21　抜毛狂

脱毛症の一種．一般に学童期，特に女児に多い．手のよく届く範囲に限局し，頭毛（前頭・側頭に多く，後頭に少ない）に多いが，その他，眉毛・睫毛・腋毛・恥毛にも起こる．形は不整形，卵円形あるいは帯状，境界不明瞭，不完全脱毛が多い．びらん・結痂を伴うこともある．精神的要素（家庭や学校での精神的ストレス・神経症・うつ病・自閉症）が基底にあることが多く，咬爪症・吸指症・自己損傷症などと共通性をもち，しばしば合併．抜毛を食し（trichophagia），毛髪胃石を生じることもある．子どもの場合は，しばしば欲求不満・精神的不安定・自罰傾向がある．精神的安定感のための周囲の助力が重要で，時には精神科にて加療．生活上の注意として毛を短く切ったり，保護帽子を用いたりする．

6. 先天性脱毛症 alopecia congenita

多くの先天異常に伴う病態で無毛・脱毛・乏毛をきたす．

1）先天性無毛症・乏毛症 atrichia congenita，hypotrichosis congenita

① atrichia with papular lesions：常染色体劣性の遺伝性疾患．生後数ヵ月で頭髪・体毛が脱落する．小表皮嚢腫が多発する．*Hairless* 遺伝子 zinc-finger domain の変異による．

②先天性外胚葉形成不全症でも無毛・乏毛症をみることがある（☞ p.500）．

③ hypotrichosis simplex：常染色体優性の遺伝性疾患．他の先天異常を伴わない乏毛症で生後6ヵ月頃から毛髪が脱落して疎となる．毛は細く，粗で壊れやすく10 cm 以上には伸長しない．頭髪のみの限局型と頭髪以外の毛も脱毛する汎発型がある．前者は corneodesmosin をコードする *CDSN* 遺伝子に，後者は毛包の発生・分化に重要な Wnt シグナル阻害機能を有する *APCDD1* 遺伝子に変異をみる．

④ Marie-Unna hereditary hypotrichosis：常染色体優性の遺伝性疾患．幼小児に発症して進行性の重症型と青年・成人期に発症の軽症型とがある．前者では頭髪は疎で硬くねじれる．後者では脱毛は前頭部などに顕著で男性型脱毛症様を呈する．*U2HR*（human hairless 遺伝子の 5′ non-coding region）の変異が報告されている．

⑤ネザートン症候群のように毛幹異常を伴う乏毛症もある（☞ p.349）．

2）他の遺伝性疾患に伴う無毛・乏毛症

ダウン症候群，Hallermann-Streiff 症候群，progeria，Werner 症候群，Rothmund-Thomson 症候群，dyskeratosis congenita など．

3）限局性脱毛をきたす先天異常

皮膚欠損症や脂腺母斑・表皮母斑に限局性脱毛をみる．側頭前頭髪際部より三角形に脱毛・乏毛をきたす**先天性三角形脱毛症**や外陰**無毛症**もある．

7. その他の原因による脱毛症

1）びまん性脱毛症

内分泌異常（下垂体機能低下・甲状腺機能低下ないし亢進），膠原病（SLE・DM・MCTD・SjS・SSc），栄養障害・代謝障害（吸収不良性症候群・腸性肢端皮膚炎・Cronkhite-Canada症候群・低アルブミン血症・悪液質・鉄欠乏性貧血・ホモシスチン尿症・肝硬変・腎不全・維持透析），感染症（梅毒・ハンセン病・頭部白癬），薬物〔特に抗腫瘍薬，向精神薬・β遮断薬・抗寄生虫薬（アルベンダゾール・メベンダゾール）〕などによる．

2）限局性脱毛症，瘢痕性脱毛症 alopecia cicatricans pseudopelade (Brocq 1884)（図25-22）

外傷・熱傷・放射線・炎症・各種疾患〔LE・強皮症・毛孔性扁平苔癬（☞ p.367）・慢性膿皮症（☞ p.840）・毛包性ムチン沈着症（☞ p.456）〕による瘢痕形成の結果，毛包が破壊消失し，脱毛をきたしたもの．多くは永久脱毛で，毛再生は望めない．

〔付〕**原発性瘢痕性脱毛症 primary cicatricial alopecia**：DLEや毛孔性扁平苔癬などでは毛包を主たる標的に炎症細胞が浸潤しバルジ領域の幹細胞を傷害，毛包が消失して脱毛症を呈する．この一群を上記のように一括する考えがある．本症も進行性，不可逆性ではあるが，病初期の診断とステロイド薬局注などの治療の重要性が指摘されている（☞ p.757 参照）．

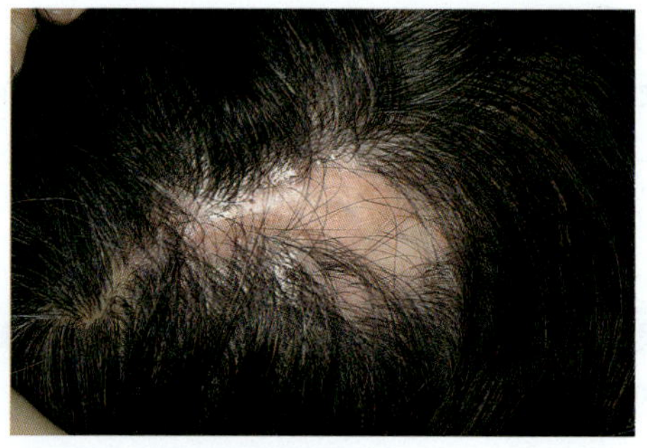

図 25-22　瘢痕性脱毛症（膿皮症）

3）脱毛・易脱毛性をきたす慢性毛包破壊性皮膚疾患

頭部毛包に破壊性炎症を生じて異物肉芽反応，肥厚性瘢痕治癒を繰り返しながら，慢性に経過して限局性脱毛，易脱毛性を生じる．ブドウ球菌を主とする慢性感染をきたすが，病因，病態上は二次的と考えられ，従来の慢性膿皮症の名称は使われない傾向にある．

8. 禿髪性毛包炎 folliculitis decalvans（Brocq）（図 25-23）

被髪頭部，須毛部に毛包一致性膿疱を生じ，次々と隣接毛包に波及，瘢痕治癒しながら，新生病巣を形成する．円形から類円形の脱毛斑で病巣中心部は治癒し，周辺に毛包一致性の膿疱が存在する．脱毛巣縁・内の一つの毛包から数本の毛が束になって生えていることもある（tufted hair）．青壮年男性に多いが，稀．

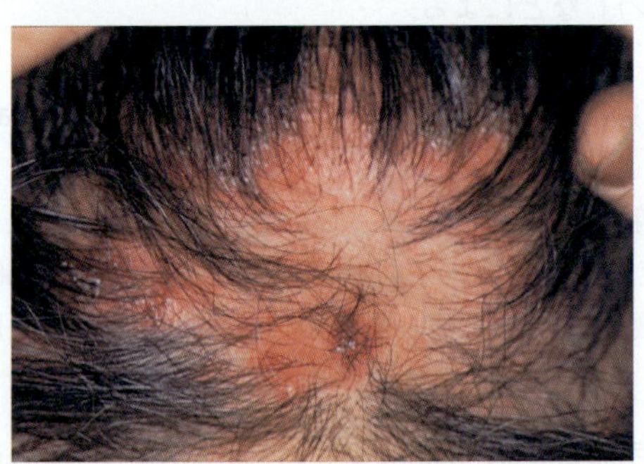

図 25-23　禿髪性毛包炎

9. 頭部乳頭状皮膚炎 dermatitis papillaris capillitii（Kaposi 1869）（図 27-24），folliculitis keloidalis, sycosis nuchae

中年以降の男性の後頭・項部に毛包性膿疱が反復集簇性に発し，長い経過中に米粒大から小指頭大までのケロイド状結節を形成（項部ケロイド）．その表面は平滑で，ところどころ陥凹して集合した硬毛束が残存する（tufted hair folliculitis）．肥満傾向の人に多い．欧米では acne keloidalis の病名で扱われている．

10. 膿瘍性穿掘性頭部毛包周囲炎 perifolliculitis capitis abscedens et suffodiens（Hoffmann 1907）（図 27-25）

青壮年の男性の頭部に生じる稀な慢性膿皮症で，脱毛を伴って有痛性結節が多発，

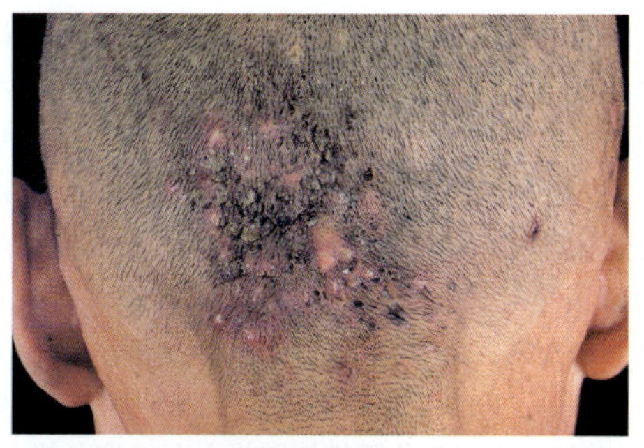

図 25-24　頭部乳頭状皮膚炎

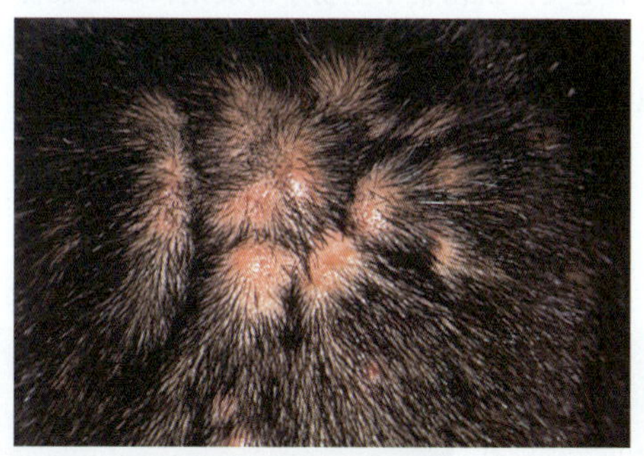

図 25-25　膿瘍性穿掘性頭部毛包周囲炎

追発する．初期には毛包炎が多発し，これが数週間で徐々に大豆大ないし小指頭大の有痛性結節となる．硬結は近隣した部分に追発し融合傾向を示し，脳回転状に見えることもある．硬結上の毛髪は容易に抜毛することができ，毛包の開口部より排膿をみる．やがて結節は軟化し膿瘍となる．

集簇性痤瘡，化膿性汗腺炎と合併して follicular occlusion triad，さらに毛巣洞を加えて occlusion tetrad と呼ぶ．

以上３つの頭部慢性膿皮症（時に集簇性痤瘡も含め）は，病態的には同一と考えられ，難治性で単なる抗菌薬投与には反応しにくい．ステロイド局注や手術的療法を組み合わせる．

11．化膿性汗腺炎 hidradenitis suppurativa（図 25-26，27）　○

本症は汗腺の感染症ではなく，自然免疫活性化を背景に生じる．毛包中心の慢性・炎症性・再発性の消耗性皮膚疾患である．通常，思春期以降，腋窩と鼠径，肛門性器部，臀部などのアポクリン腺の多い部位の皮膚深層に有痛性炎症性病変が生じる．小結節，瘻孔，膿瘍，瘢痕をみるが，一次性の感染症ではなく，嚢腫などの前駆病変に感染症状が加わって起きるものを総称する．多くは毛包の閉塞病変が先行し，その結果嚢腫病変が生じ，内容物に対する反応として炎症が生じ，嚢腫が破れ，さらに強い炎症反応が惹起される．またこの時点で二次的に別の感染症が加わる．真皮内で破れた嚢腫壁をもとに次第に複雑な病変となって遷延するものが多い．培養では表皮ブドウ球菌をはじめとするCNSの検出率が高い．病変が遷延するにしたがい検出菌も多彩になる．思春期以降に発症，腋窩や乳房下は女性に多く，臀部は中年以降の男性に多い．欧米で慢性膿皮症という病名は用いられず，臀部慢性膿皮症（図25-28）は臀部に生じる化膿性汗腺炎として取り扱われる．

治療は重症度に合わせて，抗菌薬や生物学的製剤による薬物療法とデルーフィング，レーザー，局所切除，広範切除を合わせる．体重減量や禁煙指導も重要である．稀に癌化（有棘細胞癌）．

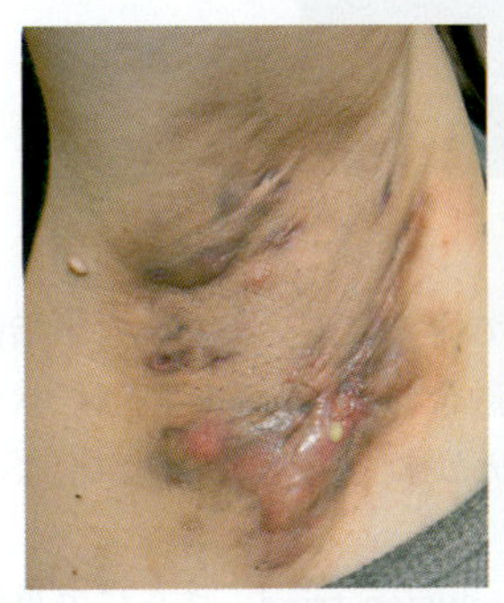

図25-26　化膿性汗腺炎（腋窩）

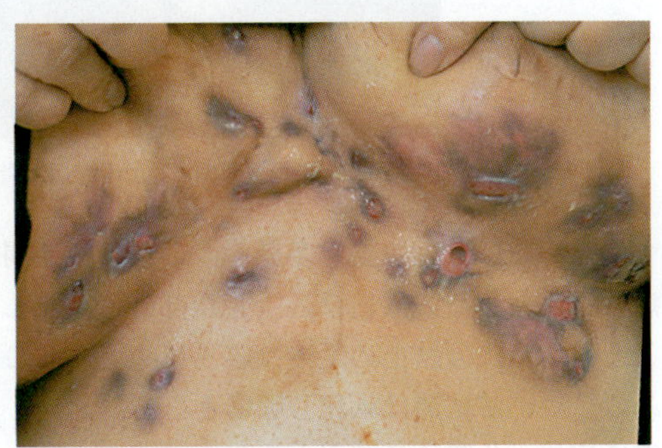

図25-27　化膿性汗腺炎（乳房下）

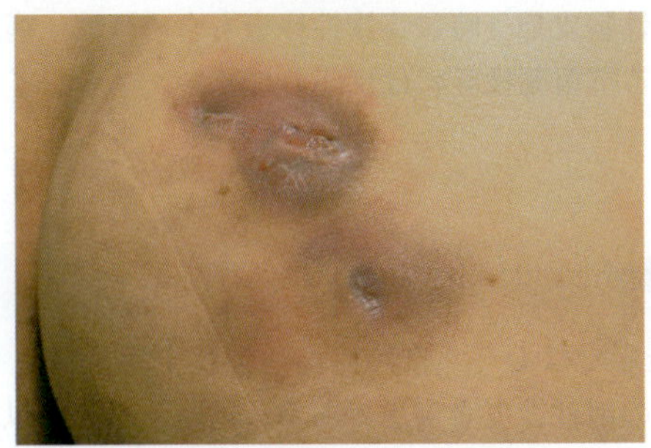

図25-28　臀部慢性膿皮症

12. 粃糠性脱毛症 alopecia pityrodes

頭部粃糠疹（ふけ症）にびまん性脱毛が合併する．頭部には絶えず灰白色の細かい鱗屑が付着し，毛髪は細く，乾燥して光沢を失い，また短い．しばしば瘙痒を伴い，頭皮も発赤する．脂漏性皮膚炎や慢性の接触皮膚炎などの一症状のことが多い．思春期以降の男性に多い．脂漏性皮膚炎に準ずる治療．

13. Frontal fibrosing alopecia（Kossard 1994）

前頭部〜側頭部の髪際部に帯状に瘢痕性脱毛を生じる．閉経期以降の中高年女性に好発．初期病理組織像が毛孔性扁平苔癬様で，同症の一型と考えられている．初期にはステロイド局注が奏効することも．

2 多毛症 hypertrichosis，hirsutism

多毛症とは軟毛が終毛（硬毛）化するもの．両性毛（腋毛・陰毛下半），男性毛（須毛・胸毛・陰毛の上半），無性毛（眉毛・睫毛）のうち，女性・小児の男性毛の多毛症を男性化毛症（hirsutism）と呼び区別する．

1. 全身性多毛症 hypertrichosis generalizada

1）先天性全身性多毛症

極めて稀な常染色体性優性遺伝性疾患．脱落すべき胎生毛が軟毛に置き換わって出生し，さらに成長を続ける．

2）先天性症候性多毛症

18トリソミー，Turner症候群，Rubinstein-Taybi症候群，Bloom症候群，Hurler症候群や他のムコ多糖症，Cornelia de Lange症候群，Winchester症候群，Berardinelli症候群，血管拡張性運動失調症，ポルフィリン症などで多毛．

3）後天性症候性多毛症

①**悪性腫瘍随伴性**：全身に無・低色素性軟毛が多毛化する（hypertrichosis villosa）．悪性腫瘍の治療で軽快する．

図 25-29　仙骨部多毛症

②**内分泌・神経疾患随伴性**：Lawrence-Seip 症候群・若年性甲状腺機能低下症，甲状腺機能亢進症，栄養障害，神経性無食欲症，脳挫傷・脳炎・多発性硬化症など.
③**薬剤による多毛症**：シクロスポリン・ジフェニルヒダントイン・ジアゾキシド・副腎皮質ステロイド・ミノキシジルなど.

2．局所性多毛症 localized hypertrichosis（図 25-29）

潜在性脊椎破裂・髄膜瘤・脊椎後側彎症における仙骨部硬毛巣洞（faun tail 牧神の尾），有毛性色素性母斑，ベッカー母斑などは硬毛が，慢性刺激による労働者の肩背部多毛，エイズ患者の睫毛の多毛，医原性多毛（PUVA・ステロイド外用・ラタノプロスト点眼・ビマトプロスト点眼）では軟毛が多毛化.

3．男性化毛症 hirsutism

女性・子どもにはみられない男性化毛（硬毛）が顔面・胸部・大腿に生じる.

基礎疾患を伴わない特発性と男性ホルモン過剰をきたす多嚢胞卵巣症候群（多毛・肥満・不妊の3徴候），SAHA（seborrhea, acne, hirsutism, androgenetic alopecia）症候群，卵巣腫瘍・副腎皮質男性化腫瘍や過形成・クッシング症候群に伴う場合が多い．続発性ではまず原疾患の治療，レーザー照射や電気分解．男性ホルモン過剰症では避妊薬・抗アンドロゲン薬・GnRH アゴニスト内服.

3　毛髪の形態異常

脆弱性をきたす毛幹構造異常と，形態的異常のみで脆弱性のない２種に大別できる．近年ダーモスコピーが形態異常の診断に有用．

①脆弱な毛幹異常

1．連珠毛 monilethrix, beaded hair（図 25-30）

小児期に発症する．毛髪に一定間隔をおいて紡錘状膨大部と狭窄部とが交互に生じ，狭窄部は毛髄を欠きここで切断して短毛・疎毛となる．頭毛に多いが，時に恥毛・眉毛にも生じる．病巣皮膚は萎縮化し毛孔性角化，匙形爪甲，精神遅滞を合併．

常染色体性優性遺伝で毛ケラチン遺伝子（*KRT81*，*KRT83*，*KRT86*）の変異が報告されている．これら遺伝子は毛皮質の強度と弾性に関与する蛋白質を構成しているという．

常染色体劣性型の遺伝形式を呈し，やや非典型的な連珠毛に，デスモグレイン４遺伝子（*DSG4*）の変異が報告されている．

2．結節性裂毛 trichorrhexis nodosa, trichoclasia（Samuel Wilks 1852）（図 25-31，32）

毛髪のところどころに球状・楕円状の灰白色小結節を生じる．結節は毛幹皮質が

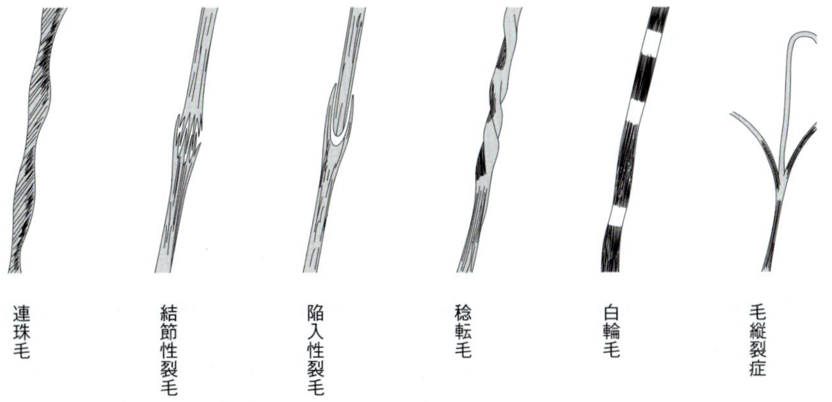

図 25-30　毛髪の形態異常

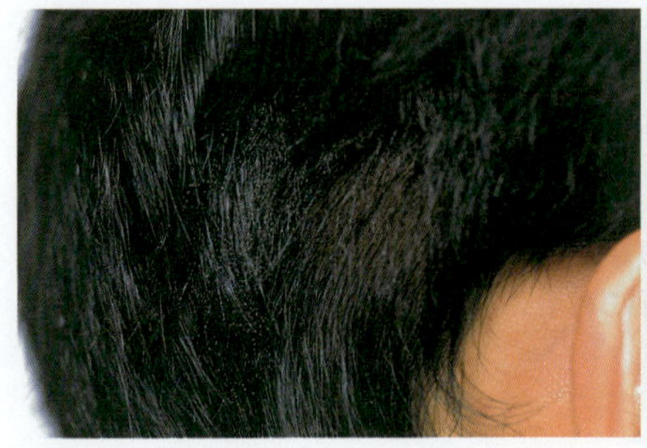

図 25-31 結節性裂毛

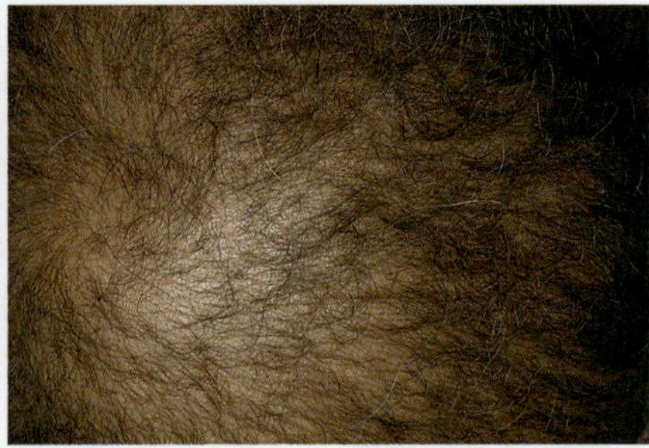

図 25-32 縮毛

線維状に細裂してブラシを2個合わせたかのようにみえ，折れやすい（paint brush fracture）．頭毛に多く，口・頬ひげなどにも発する．

毛皮質の intercellular cement substance の障害と毛皮質の脆弱性により生じる．毛ケラチンに異常はない．外傷（ブラッシング・パーマ），Menkes 症候群，ネザートン症候群，アルギニノコハク酸尿症，trichothiodystrophy，甲状腺機能低下症などが原因，起因．

3. 陥入性裂毛 trichorrhexis invaginata, bamboo hair, Netherton syndrome（図 25-30）

毛幹に竹の節様の結節を形成し，折れやすい．ネザートン症候群の特徴的一症状（☞ p.349）．

4. 捻転毛 pili torti, twisted hair（図 25-30）

扁平化した毛幹が次々と捻転し，明暗，太細の状態が交互する．捻転部で折れやすい．毛は正常の長さに達しない．常染色体性優性・劣性遺伝の先天性捻転毛は思春期以後自然治癒することもある．他の先天的形成異常症（Menkes 症候群・Björnstad 症候群・Crandall 症候群・Salti-Salem syndrome）の一症状となる．膠原病・ポルフィリン症・感染症・サルコイドーシスに生じる後天性捻転毛もある．

〔付 1〕**trichothiodystrophy**：短く扁平で折れやすい頭毛（脆弱毛髪 brittle hair）．硫黄含有アミノ酸のシステインの減少が原因で，毛髪の硫黄量の低下あり．爪萎縮・魚鱗癬・低身長・精神発達遅滞・運動失調・白内障・光線過敏症を合併．DNA 修復の転写に関係する遺伝子 *ERCC2*（*XPD*）と *ERCC3*（*XPB*）に異常．

〔付 2〕**Menkes 症候群（kinky hair disease）**：捻転毛・結節性裂毛を呈し，短毛．発育不良・筋緊張低下・神経症状・血管障害などを伴う．予後不良．銅代謝異常で，伴性劣性遺伝．

ATP7A（Xq13.2-13.3，P-type ATPase 関連銅輸送蛋白）遺伝子に変異．

〔付 3〕**Björnstad 症候群**：捻転毛と感音性難聴．*BCS1L* 遺伝子変異．

〔付 4〕**bubble hair**：ドライヤー・カーラーなどの熱により毛幹中に泡を生じ，脆弱で折れやすい．

②毛幹の形態異常

1. 縮毛 curly hair, frizzy hair（図 25-32）

毛髪の縮れた状態をいい，人種によっては縮毛が大多数を占めるが，日本人には稀．縮毛は短く，断面は楕円形で 180°の軸捻転を示す．光沢なく褐色のことが多い．しばしば外胚葉性形成不全症に合併．縮毛・乏毛を症候とする常染色体性劣性遺伝疾患（Naxos 病）（掌蹠角化症の項☞ p.352）がありプラコグロビン遺伝子（*Pk*）の変異による．

2. 白輪毛 pili annulati, ringed hair（図 25-30）

毛に交互に黒白の輪がみられるもので，常染色体性優性遺伝．白色（明色）帯は 2～3 mm 幅にすぎない．皮質の線維－細胞間の空気含有空隙が明暗を形成している．

3. 毛縦裂症 trichoptilosis（図 25-30）

毛髪の先端が縦に裂け，時に毛根にまで及んで羽毛状を呈する．末梢性結節性裂毛とも考えられている．毛の栄養障害・乾燥化・機械的刺激などによる．

4. 結毛症（毛結節症）trichonodosis, knotting hair

毛の途中に係蹄状の結び目を作る状態で，ここで折れやすい．カールした婦人の頭毛に多く，機械的刺激が考えられる．

4 白毛 canities, poliosis, poliothrix ○

毛母色素細胞のメラニン産生が減少・停止して毛髪が白・灰白色化する．

機序

①加齢による老人性白髪（canities senilis）.

②先天性に，先天性白皮症・早老症候群（Werner 症候群・Rothmund-Thomson 症候群）・Waardenburg 症候群（内眼角・涙点外方偏位・広く高い鼻根・眉毛内側部増生・虹彩変色・限局性前頭部白毛），まだら症など.

③後天性に，尋常性白斑・放射線皮膚炎・瘢痕・円形脱毛症（再生期）・フォークト－小柳－原田病などに合併する他，栄養障害性疾患（ビタミン B_{12} 欠乏・吸収不全症候群・内分泌障害）・薬剤（ヒドロキシクロロキン・メフェネシン・ブチロフェノン）・神経疾患・精神的ショック（overnight graying of hair）にも続発する．家族性早期白髪（わかしらが）は優性遺伝性.

〔付〕**緑色の毛髪**：反復するプール水泳により傷害された毛髪に銅濃度の高い水（銅製の導管・浄水器から），除藻剤（銅を含む）が作用して頭毛・須毛が末梢ほど緑色になる．銅とケラチンの結合による.

5　その他の毛髪異常

1. 棘状毛貯留症 trichostasis spinulosa（Noble 1913）（図 25-33～35）

毛孔一致性面皰様黒色小点で，毛包内に 10～数十本の棍棒毛（休止期毛）が束状の毛塊を形成する．顔・項・背・胸部に好発．自覚症状はない．中高年に多い.

脂腺肥大による毛包長軸の屈曲，毛孔の閉塞．そのため軟毛が漏斗部に蓄積する．圧出する.

2. 角質内巻毛症 rolled hairs（Fergusson and Derblay 1963），poils en spirale（Adatto 1963）（図 25-36）

角層内に毛が 2，3 ないし数回渦巻き貯留している状態で，男子に多い．毛孔性過角化により正常な毛幹が皮表に伸び出せない状態.

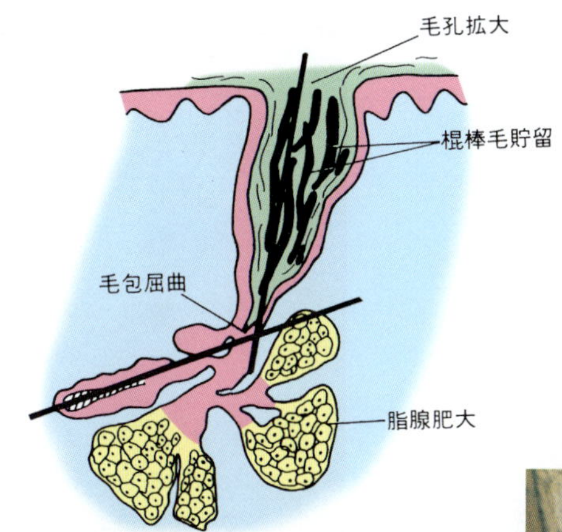

図 25-33　棘状毛貯留症

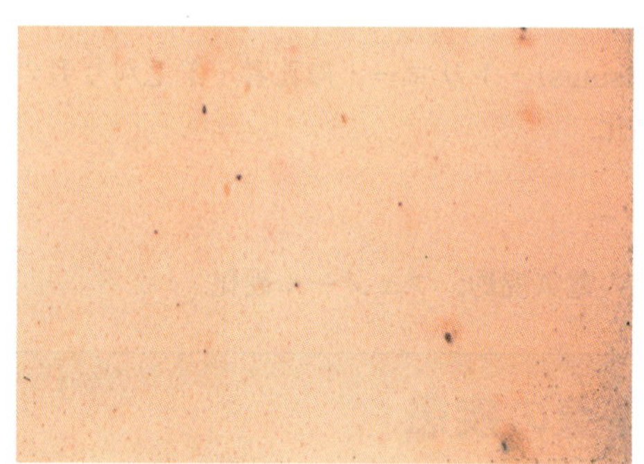

図 25-34　棘状毛貯留症

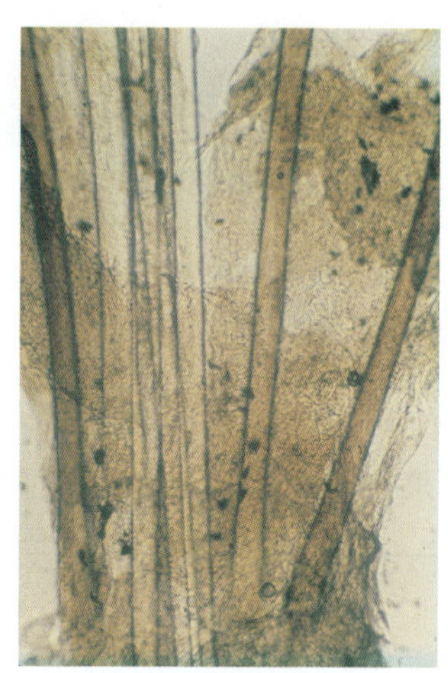

図 25-35　棘状毛貯留症

3. 毛巣病 pilonidal disease（Hodges 1880），毛巣洞 pilonidal sinus，Jeep-disease，hair granuloma ○

病因

毛包の閉塞性変化とともに毛が皮膚に刺入され瘻孔・肉芽腫・嚢腫形成．慢性膿皮症に近似．

症状（図 25-37）

毛髪が皮膚内に陥入し，肉芽腫様に腫脹，さらに瘻孔を形成する．稀に毛髪がみえることがある．坐位（車の長時間運転）と関連して尾仙骨部に多く，その他後頭部・眼瞼・耳朶・耳前・恥骨部・外陰部・腋窩（剃毛する女性）・臍部・指趾間に

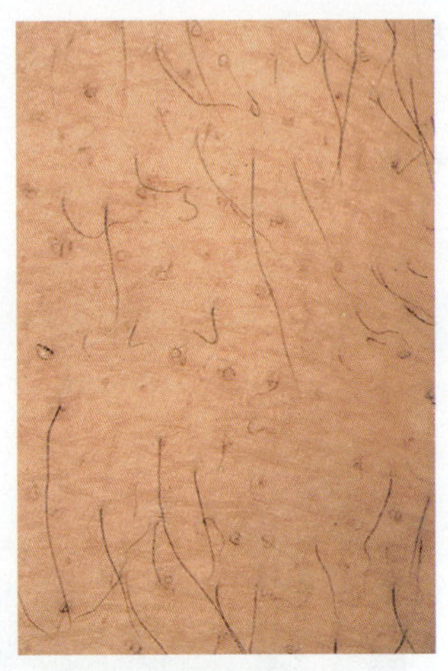

図 25-36　角質内巻毛症

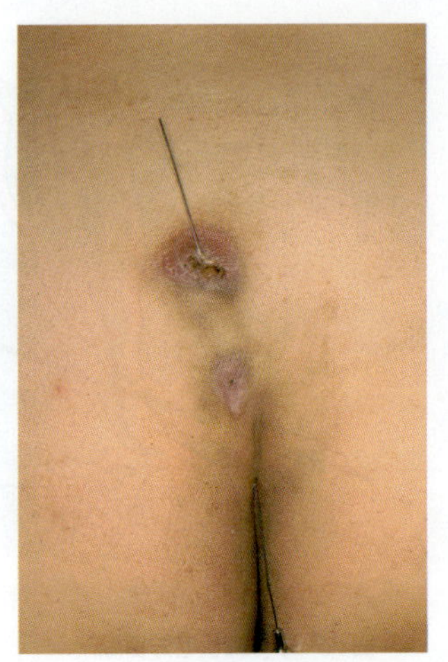

図 25-37　毛巣病（瘻孔形成・ゾンデ貫通）

生じる．指間は理容師（barber's hair sinus）・トリマー・搾乳者・羊毛刈り者の好発部位．肥満の男性にも多い．稀に癌化．

治療

瘻孔・嚢腫の完全摘出，切開・排膿，電気焼灼，フェノール硬化．

Ⅲ．汗腺の疾患

エクリン汗腺，アポクリン汗腺の異常に分けられるが発汗異常に伴う病変を主徴とする．

1．汗疹 miliaria　○

汗貯留症候群（sweat retention syndrome）の一つで，汗管閉塞により汗が貯留して汗管外に漏出するために発症．乳幼児，小児に多いが成人にも発症する（図 25-38）．

1）水晶様汗疹 miliaria crystallina，あせも

高温，発熱などにより，帽針頭大の小水疱が体幹・四肢屈側に多発，瘙痒も炎症もなく，小水疱は 1 日ないし 3〜4 日で自然に破れ鱗屑を残して治癒（白色水晶様

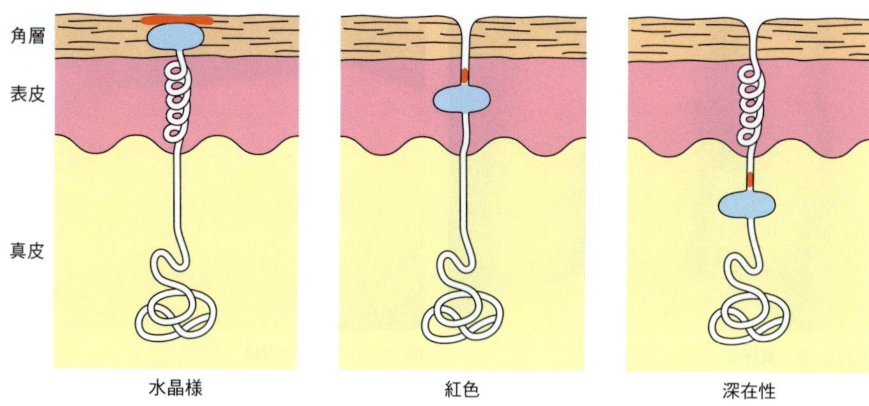

図 25-38　汗疹と発生部位

汗疹 m. c. alba)．時に潮紅をみる（紅色水晶様汗疹 m. c. rubra)．組織学的に角層内小水疱で，ケラチンによる汗孔の閉塞あり，拡張汗管もみられる．

2）紅色汗疹 miliaria rubra

高温多湿下（熱帯・ボイラーマン・料理人・熱気浴)，肥満者，多汗症の人に多く，体幹・四肢屈側に好発．帽針頭大の紅色小丘疹で，発赤を伴い，瘙痒がある．従来は夏季に多かったがクーラーやシャワーの普及で減り，一方暖房設備の発達で冬季でも稀ではない．表皮内汗管の閉塞拡張．湿疹化しやすく（汗疹性湿疹 eczema sudaminosum, sudamina)，化膿して汗疹性膿痂疹（impetigo miliaris）や乳児多発性汗腺膿瘍となることがある．

3）深在性汗疹 miliaria profunda

通常熱帯地方にみられる紅色汗疹の重症型．広範囲に扁平小丘疹が舗石状に多発，発汗停止により熱中症を起こしやすい．真皮上層の汗管の閉塞拡張．

治療

水晶様汗疹は放置しても自然に治癒．紅色汗疹にはステロイド薬を外用，細菌感染を合併すれば抗生物質内服．予防が重要で，室温，衣服，寝具などに注意．

2．異汗症 dyshidrosis，汗疱 pompholyx　○

病因

エクリン汗貯留現象と解する他，表皮内水疱形成（海綿状態）が一義的で湿疹の

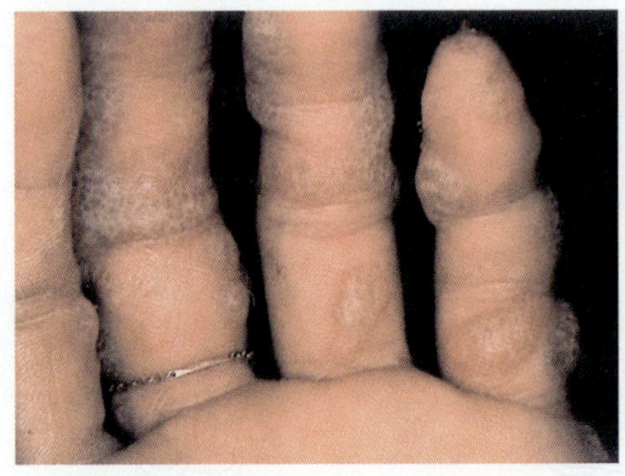

図 25-39　異汗症

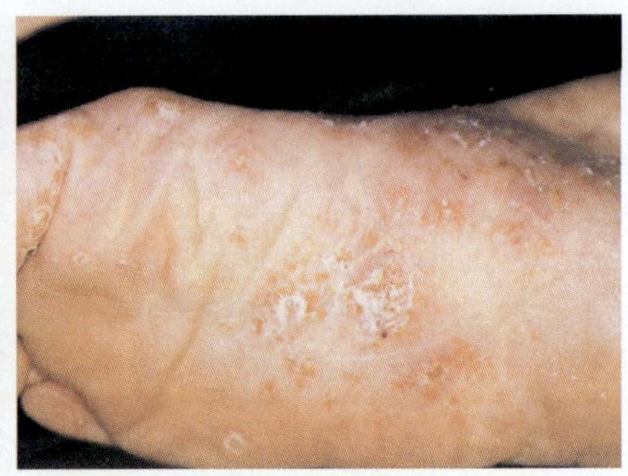

図 25-40　異汗性湿疹

一種とする考えもあり（Kutzner 1986），季節（温暖）・年齢（思春期より 40 歳くらい）・多汗症なども背景にある．

症状（図 25-39，40）

手掌足底，特に手足側縁，指趾側縁に多発する帽針頭大～豌豆大の小水疱ないし水疱で，水様透明の内容を有する．小さいものは隆起せず，皮内に透明小点としてみられる．瘙痒の有無は種々．穿刺すればやや粘稠な水を出す．急速に発現，あるいは数日で徐々に発生．掌蹠多汗症を合併することもある．水疱をほとんど形成せず，環状の落屑を生じる軽症もある（乾性落屑性異汗症 dyshidrosis lamellosa sicca）．異汗性湿疹（eczema dyshidrosiforme）とほぼ同義とも考えられている．

鑑別診断

①汗疱状白癬（夏季増悪・瘙痒・真菌証明），② id 疹（他に原発巣・急激な発生），③掌蹠膿疱症（膿疱が主体・限局性の潮紅と固い鱗屑）．

治療

①ステロイド軟膏，② 5%サリチル酸ワセリン，尿素軟膏，③制汗薬（20%塩化アルミニウム液），④精神安定薬．

3. 臭汗症 bromidrosis，osmidrosis　○

1）腋臭症 osmidrosis axillae，goatlike odor，わきが

思春期アポクリン腺の発達とともに臭気が腋窩に生じる．アポクリン汗中の脂肪酸，あるいはこれが皮表細菌（*P. acnes*，*S. epidermidis*，*Diphtheroid* など）で分

解され，低級脂肪酸（trans-methyl-2-hexenoic acid，イソ吉草酸，カプロン酸，カプリル酸，ベラルゴン酸，カプリン酸）に表皮角層や脂腺・エクリン汗腺分泌物が混じ臭気を発する．人種差，遺伝性もある．体臭には個人差があり，また体臭を神経質に意識する人（osmidrophobia）も多いので慎重に診断する．

治療

①清拭，②剃毛，③制汗・消臭剤（20％塩化アルミニウム液，2％タンニン酸アルコール，デオドランド剤，抗生物質軟膏・ローション塗布），④ボツリヌス毒素治療，⑤電気凝固，⑥アポクリン腺切除手術．

2）摂取物質によるもの

ニンニク・香辛料・薬剤など．

3）足臭症 osmidrosis pedum，sweaty feet odor

エクリン汗腺と皮脂腺からの分泌物を常在菌が分解してイソ吉草酸を生じ，靴下・靴で蒸れて臭気を発する．

4．色汗症 chromhidrosis

青黒～黄～緑色汗はアポクリン汗中のリポフスチンが酸化されて生じ，腋窩に多い．紅色汗（ポルフィリン色素産生菌），緑色汗（銅・緑膿菌・インドキシル），黒色汗（皮表での酸化物），青色汗（銅）などは皮表の色素，染料，金属などによる．

5．血汗症 haematidrosis

稀に汗中に血液を混ずる．血管の脆弱化，血友病，代償性月経（手掌血汗），マラリア，ヒステリーでみられる．

6．尿汗症 uridrosis

尿素量の多い汗で，尿臭あり．汗は乾くと小顆粒～薄片結晶となる．痛風・リウマチ・尿毒症にみられる．

7. Fish odour syndrome：トリメチルアミン尿症 trimethylaminuria

腐魚臭を伴う汗，尿，吐息を発する．腸内食物を分解できずに trimethylamine（TMA）が蓄積して生じる．Flavin-containing monooxygenase 3（*FMO3*）遺伝子の変異．

8. 多汗症 hyperidrosis ○

1）全身性多汗症 generalized hyperidrosis

原因不明の原発性と他疾患に合併する続発性とがある．続発性全身性多汗症は高温環境・重労働・肥満の他，有熱性疾患・甲状腺機能亢進症・RA・糖尿病・妊娠・閉経・体温調節中枢刺激（脳振盪・パーキンソン病・腫瘍・外傷）・カルチノイド症候群・先端巨大症・尿崩症・Riley-Day 症候群・痛風・副腎褐色細胞腫・結核・悪性腫瘍・薬剤（アスピリン・三環系抗うつ薬・モルヒネ・プロプラノロール・ピロカルピン・フィゾスチグミン）による．盗汗（ねあせ，night sweats）もこの一種．治療は難しいが，抗コリン薬・自律神経調節薬など．

2）局所性多汗症 h. localis

手掌足底・腋窩・前額・鼻尖・乳房間部などに好発（冷汗）．①多くは精神感動による．②時にカフェイン（コーヒー・コーラ）・チョコレートが誘因．③中枢神経障害（進行麻痺・半身不随・脊髄空洞症・脳腫瘍・脳膿瘍・脳血管障害），末梢神経障害（交感神経切断・鎖骨下動脈瘤・神経炎），皮膚疾患（エクリン母斑・青色ゴム乳首様母斑症候群・グロームス腫瘍・POEMS 症候群・カウザルギー・強皮骨膜症）により巣状または片側性多汗症を生じる．

治療は①外用薬（ソフピロニウム臭化物，10〜20％塩化アルミニウム・5％サリチル酸アルコール・10％タンニン酸アルコール・ホルムアルデヒド），②水道水イオントフォレーシス，③ボツリヌス毒素治療，④胸腔鏡下交感神経切除術など．

〔付 1〕**耳介側頭神経症候群** auriculotemporal syndrome（Frey's syndrome）：耳介側頭神経の障害により味覚性発汗（gustatory sweating）をきたす．食事（特に香ばしいもの；コーヒー・紅茶・トマトジュース・チョコレート・熱いスープなど）の際に耳介側頭領域に緊張性疼痛，血管拡張，発汗をみる．耳下腺手術後，耳下腺疾患などで起こる．ボツリヌス毒素治療に反応する．

〔付 2〕**symmetrical lividities of the soles of the feet**（Pernet 1925）：若年者の足底・足縁に左右対称的に（稀に手掌に非対称的に），中心がチアノーゼ様に膨隆，あるいは湿軟し，辺縁紅斑性の皮疹が多発する．多汗（臭汗）があり，靴（スニーカー・ブーツ）・靴下で蒸れて湿軟し，これに機械的刺激（運動・軽石などによる摩擦）が加わって発症．制汗薬（塩化アルミニウム）あるいは機械的刺激除去に反応する．

9. 無汗症 anhidrosis

無汗症は好適な条件下でも発汗をみない状態で，先天性と後天性の無汗症に大別できる．

1）先天性無汗症

①**遺伝性無汗性外胚葉形成不全症** congenital anhidrotic ectodermal dysplasia

伴性劣性遺伝（男性のみ）が多く，時に常染色体性劣性遺伝．鞍鼻・萎縮性鼻炎・嗅味覚障害・歯牙形成不全・爪甲形成不全・頭毛疎毛・眉毛部隆起・耳介奇形を伴う．汗腺欠如のため夏季の労働・運動には注意（☞ p.500）．

②**ファブリー病** Fabry's disease

αガラクトシダーゼ欠損によりエクリン汗腺にグロボトリアオシルセラミドが蓄積して無汗，乏汗を起こす（☞ p. 466）．

③**先天性無痛無汗症** congenital insensitivity to pain with anhidrosis

神経成長因子受容体（*NTRK1*）遺伝子異常による常染色体劣性遺伝性疾患で，交感神経節後根線維が欠損して発汗機能が欠如する．温覚・痛覚が欠如し，中枢神経障害性の多動・咬傷・精神運動発達遅滞を合併することもある．

2）後天性無汗症

①**特発性全身性無汗症** acquired idiopathic generalized anhidrosis：若年者に突然生じる，皮膚の疼痛・コリン性じんま疹を伴う無汗症．無汗原因となる皮膚疾患や他の自律神経異常を伴わず，汗腺変性像はない．汗腺または発汗神経終末の機能異常か．ステロイド著効．

②**神経性無汗症**：視床下部の体温調節中枢の障害（腫瘍・外傷・炎症・手術）の他，脊髄病変（前角炎・多発性硬化症・空洞症・脊髄炎・腫瘍），末梢神経病変（アルコール性多発性神経炎・ハンセン病・腫瘍），薬剤（アトロピンなど）などにより無汗・乏汗が生じる．

3）その他

汗腺萎縮，強皮症，瘢痕，色素性乾皮症，早産児，アジソン病，糖尿病，ヒ素中毒，シェーグレン症候群，起立性低血圧症，多発性骨髄腫，粘液水腫，乾癬・アトピー性皮膚炎，魚鱗癬，天疱瘡などで乏汗をきたす．

抗コリン薬（グリコピロニウム・スコポラミン・アトロピン），抗てんかん薬（トピラマート・ゾニサミド・カルバマゼピン），ジフェニルヒドラミン・クロルプロマジン・ボツリヌス毒素・モルヒネ・イミプラミンなどの薬剤も乏汗症を惹起することがある．

4）Ross 症候群 idiopathic segmental anhidrosis

①片側性または両側分節性の無汗症，②腱反射消失，③ Adie 緊張性瞳孔を 3 主徴とする．代償性に多汗を伴うこともある．末梢神経系の変性によると考えられている．

10. 鼻部紅色顆粒症 granulosis rubra nasi（Jadassohn 1901）

鼻尖・鼻翼，時に頬・オトガイがびまん性に潮紅し，紅色顆粒状小丘疹が多発し，小水疱，膿疱も混在，しばしば小さい痂皮を付着する．局所多汗あり．幼小児，学童期に始まり，思春期には多くは自然治癒．遺伝，また季節的影響もある．

11. フォックス・フォアダイス病 Fox-Fordyce disease（1902）

主として腋窩，その他乳暈・臍窩・外陰部などのアポクリン腺存在部に，半米粒大の充実性丘疹が集簇性に生じ，激痒がある．毛は粗となり，短く切れさらに脱落する．苔癬化はない．思春期から中年の女性に多く難治．月経前・月経中に増悪することが多く，また妊娠時軽快，閉経期治癒もある．アポクリン汗管が角化で閉塞し，表皮内に汗があふれて海綿状態をきたし，微小水疱・表皮肥厚をきたしたもので，ホルモンの影響が考えられる．アポクリン汗疹（apocrine miliaria）．男性ホルモン軟膏，ステロイド軟膏塗布．

Ⅳ. 爪甲疾患

爪の色調の変化，形状の異常，性状の異常，爪周囲の異常の面から記述する．爪独自の疾患，全身性疾患に，あるいは皮膚疾患に伴う爪甲病変もあれば，先天性，後天性に分けることも可能である．

1 爪甲の色調の変化

色調の変化の観察にダーモスコープが有用.

1. 黒～褐色の爪 melanonychia（図 25-41～44）◎

爪甲帯状色素沈着症は母斑細胞母斑・悪性黒色腫・ボーエン病・爪母爪床部出血・爪母の慢性刺激（爪囲炎）・外傷・X 線照射・ポイツ・イェーガース症候群・細菌感染（*Proteus mirabilis*）などによって生じる．びまん性色素沈着の背景には，アジソン病・ウィルソン病・Crow-Fukase 症候群・ポルフィリン症・アルカプトン尿症・銀皮症・薬剤性（ヒ素・金剤・フトラフール・ブレオマイシン・シクロホスファミド・アドリアマイシン・抗マラリア薬・ミノサイクリン・5Fu・メトトレキサート・ジドブジン）・老人性変化などがある．

色素細胞母斑と悪性黒色腫の鑑別にはダーモスコープをはじめ，年齢，経過など多種の要素を加味する．

〔付〕**小児母斑性爪部色素斑** nevoid nail area melanosis in children（井上 1990），melanonychia striata（Kopf 1980），longitudinal melanonychia（Baran 1989）（図 25-41，42）：乳幼児の爪に外傷などの誘因なく黒色の縦走する線条が出現，拡大して，時に全爪にわたる黒色化をきたす．爪の色素性母斑で，自然消褪傾向あり．思春期まで経過を慎重に観察する．

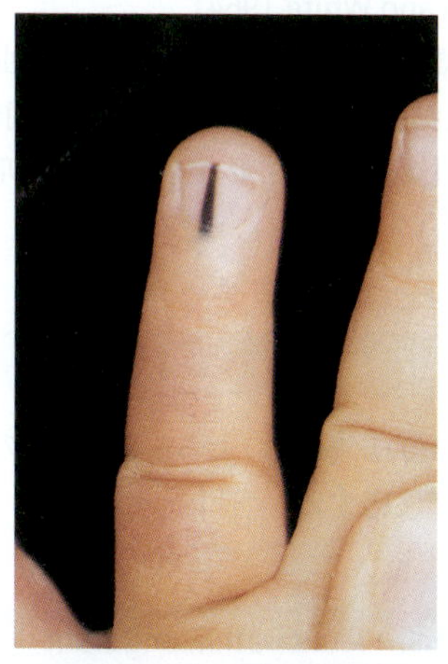

図 25-41　小児の爪部黒色色素線条（色素性母斑）

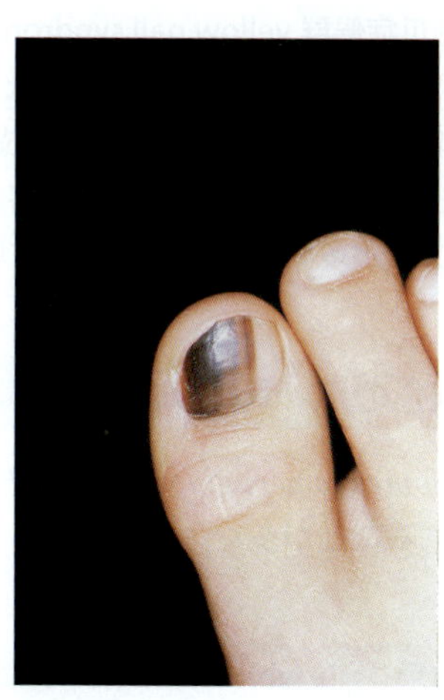

図 25-42　小児の爪部色素斑（色素性母斑）

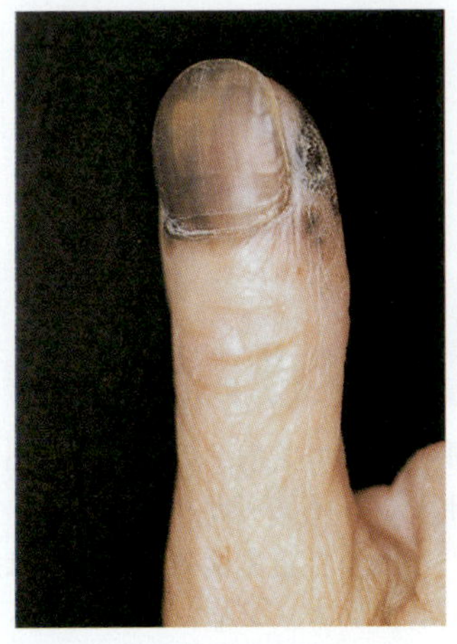

図 25-43　爪部悪性黒色腫

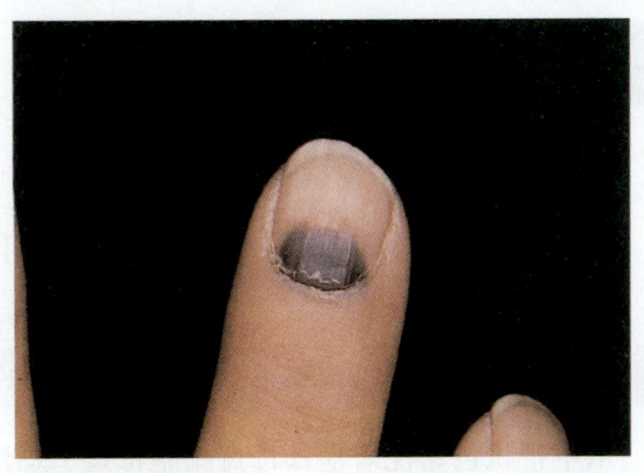

図 25-44　爪下出血

2. 黄色爪，黄色爪症候群

1）黄色爪 yellow nail

爪甲が肥厚して発育が遅延すると黄色調を帯びてくる．爪周囲のリンパ浮腫，テトラサイクリン・アテブリン・D-ペニシラミン内服，グルタルアルデヒド・アクリノールの接触などが原因．

2）黄色爪症候群 yellow nail syndrome（Samman and White 1964）

①ほぼ全爪の黄色爪（成長速度低下，黄～黄褐～黒褐色，爪半月消失・彎曲・肥厚・剝離），②胸水貯留（慢性気管支炎・気管支拡張症），③リンパ浮腫（四肢・顔面）を3主徴とするリンパ循環障害による後天性の症候群．形成された黄色爪は永続することが多いが，30％は自然に軽快するともいう．

3. 緑色の爪 green nail（図 25-45）

Pseudomonas aeruginosa（時に *Proteus mirabilis*）感染による．1，2本の指爪に限局することが多く，ゲンタマイシンの外用に反応する．

4. 白色の爪 white nail，爪甲白斑症 leukonychia，leukopathia unguium

爪甲の不全角化と粗糙化，爪甲剝離，爪下浮腫・線維増生により爪が白色化する．

角化異常（乾癬や機械的外力，遺伝性）や爪甲内異物（白癬の侵入など）によって爪甲白斑が生じ，汎発性・部分性・線状・点状を呈する．

1）先天性爪甲白斑症

出生時から爪甲が陶器様に白色化している．常染色体性優性遺伝．稀．

2）後天性爪甲白斑症

乾癬や爪白癬に随伴することが多く，単なる白斑ではなくしばしば爪の変形を伴う．全身的な影響（肝硬変・若年性糖尿病・腎炎・ハンセン病・結核・梅毒・チフス・ホジキン病・貧血・強皮症など）によるものは汎発性ないし部分性のものが多いが，局所的要因（マニキュア・食塩水との接触）によるものは横走する線状型が多い．線状型でも感染症（ジフテリア・チフス・結核・マラリア・寄生虫・梅毒・猩紅熱），ペラグラ，ステロイド・バルビツール薬投与のような全身性影響の下に生じるものもある．機械的外力によるものは点状，線状が多い．

〔付 1〕**Mee 線条**：爪半月と同じ曲線を描く，幅 2〜3 mm の白い横線条で爪成長とともに先端に移動する．爪床の不全角化による．急性ヒ素・タリウム・フッ素中毒・心筋梗塞・ホジキン病でみられる．

〔付 2〕**Muehrcke（ミューレック）白帯**（図 25-46）：前者とほぼ同じ臨床像であるが爪成長とともに移動しない．腎障害による低アルブミン血症（2.2g/dL 以下）で発現する．

〔付 3〕**Terry's nail（1954）**：爪甲が白く濁った状態で半月は不鮮明となる．爪甲近位部 1/2 がこの状態にあるのを half and half nail といい，腎不全・肝硬変に特徴的であるが，低栄養・高齢者にもみられる．

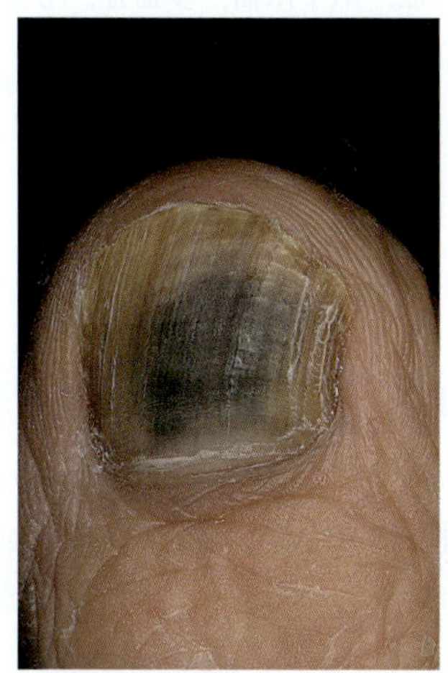

図 25-45　緑色の爪

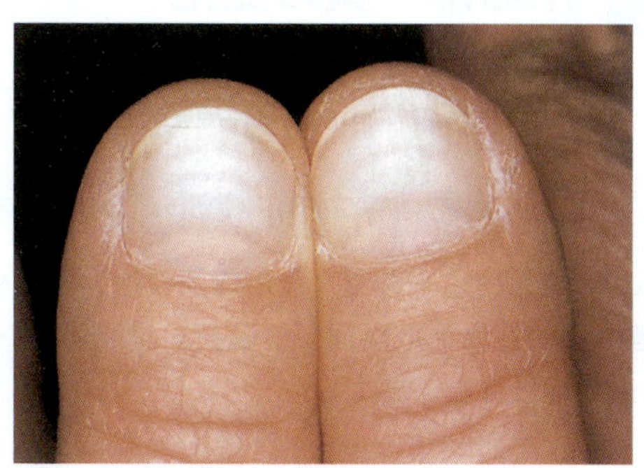

図 25-46　ミューレック白帯

25章

表 25-1　全身疾患と爪変化（勝岡 1999）

肺疾患	肺癌（ヒポクラテス爪），肺線維症（ばち状指），気管支拡張症（yellow nail）
心疾患	先天性心疾患・心不全（爪チアノーゼ），細菌性心内膜炎（線状出血），心筋梗塞（Mee 線条），心不全（red lanulae：赤い爪半月），大動脈不全（Quincke's pulse：爪床・近位爪廓の毛細血管の拍動）
腎疾患	慢性腎不全〔half and half nail，ミューレック白帯，red crescent（爪甲紅斑：遠位端の三日月状紅斑）〕
肝疾患	肝硬変（Terry's nail，爪扁平苔癬，色素沈着）
内分泌疾患	アジソン病（爪甲・爪廓色素沈着，爪甲剝離症），下垂体機能低下（爪甲長く薄い半月消失），副甲状腺機能亢進（横溝，縦溝，脆弱化，混濁），糖尿病（爪床出血，びらん，潰瘍，脆弱化，疼痛，変形，陥入爪，白癬，カンジダ症）
消化器疾患	Crohn 病，潰瘍性大腸炎（ばち指），ポイツ・イェーガース症候群（色素線条），Cronkhite-Canada 症候群（爪甲萎縮・脱落），Plummer-Vinson 病（匙状爪）
リンパ球性腫瘍	ホジキン病（Mee 線条），セザリー症候群（爪甲線状出血，爪囲出血，爪甲下角層増殖），CTCL（近位爪廓腫脹）
血液疾患	血小板減少症・壊血病（線状出血），赤血球増多症（爪甲層状分裂症，匙状爪，暗赤・赤褐色化），低色素性貧血（匙状爪，蒼白爪），クリオグロブリン血症（爪甲下紫斑）
代謝異常・中毒	Wilson 病（灰青色），ヘモクロマトーシス（灰青色・褐色，匙状爪），銀皮症（青褐・スレート色），アルカプトン尿症（灰青色），亜鉛欠乏症（爪囲炎，爪萎縮），ペラグラ（匙状爪），ビタミンA欠乏症（脆弱化），アミロイドーシス（扁平苔癬様変化），砒素中毒（白斑，脱落）

5. 紅色爪 erythronychia

爪の紅色変化は爪甲下の血管腫，爪下・爪囲の炎症，爪下出血，多血症，心疾患，抗癌剤投与で生じる．

2　爪の形・質の変化

1. 爪甲脱落症 onychomadesis，nail shedding

爪甲の脱落するもので，後爪郭部の強い炎症や爪甲下への血液や浸出液貯留の後に起こる．外傷・爪周囲炎・乾癬・扁平苔癬・剝脱性紅皮症・水疱症・Stevens-Johnson 症候群などによる．

2. 爪甲横溝 transverse groove/ridge，Beau-Reil line

横走する小溝で，爪母における炎症部に一致して生じ，その幅は病変の期間を，深さはその強さを示す．爪の成長とともに移動する．熱性疾患（麻疹・猩紅熱）・中毒・糖尿病・尿毒症・低カルシウム血症・重症失血・円形脱毛症などに際して症候性に発し，また局所的要因として爪囲の湿疹・感染症・マニキュア・外傷などがある．

3. 爪甲縦溝 longitudinal groove

爪甲の縦の方向に走る線条で，老人性変化の一つであり，アトピー性皮膚炎・乾癬・強皮症・扁平苔癬・ダリエー病・毛孔性紅色粃糠疹・黒色表皮腫などでもみられる．

4. 点状凹窩 pitting（Rosenau 徴候）

爪甲表面の針でつついたような小陥凹．爪の成長とともに先端に移動する．乾癬（大きさ・深さは種々）・円形脱毛症（約 10％）・アトピー性皮膚炎・脂漏性皮膚炎・光沢苔癬・リウマチ熱・尋常性天疱瘡の他，爪囲湿疹，爪囲真菌症，また健常人でも生じる．爪母部の炎症などの小範囲の障害により起こる．

5. 爪甲剝離症 onycholysis

病因

全身性ないし皮膚疾患〔甲状腺機能亢進 / 低下（Plummer's nail）・強皮症・アジソン病・貧血・掌蹠多汗症・乾癬・カンジダ症・梅毒Ⅱ期・先天性表皮水疱症〕，局所性要因（マニキュア・洗剤・ホルマリン・アルカリ・局所機械的刺激），薬剤（テトラサイクリン・クロラムフェニコール・オクソラレンによる光線過敏性爪甲剝離症）など．

症状（図 25-47）

爪甲遊離縁より近位方向に向かい，爪甲が爪床より剝離．

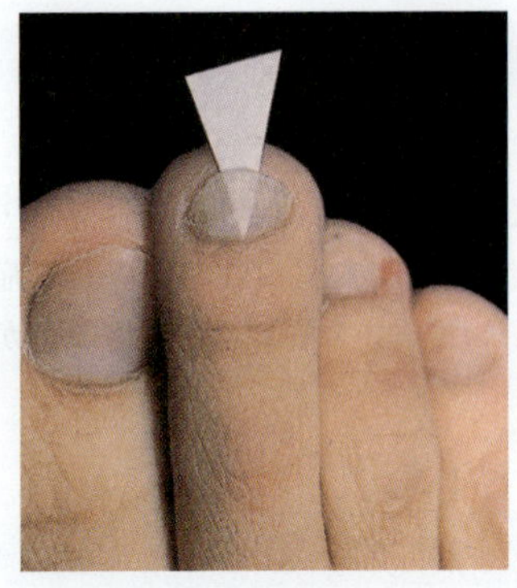

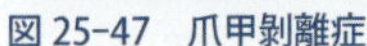
図 25-47 爪甲剥離症

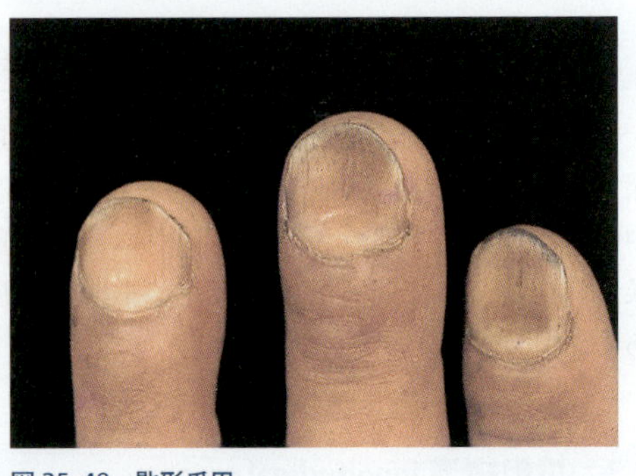
図 25-48 匙形爪甲

6. 匙形爪甲 koilonychia，spoon nail ○

病因

指腹に加わる外力によることが多い．全身性（鉄欠乏性貧血・胃切除後・凍瘡・扁平苔癬・甲状腺機能亢進症・先端巨大症・黒色表皮腫・レイノー病・慢性胃腸炎・ビタミン欠乏症），局所性（職業性：石鹸・酸・アルカリ・石油・有機溶剤，局所性のものは数本の指趾に限局する）因子に付随することもある．

匙形爪甲，口角炎，赤く平たい舌を伴う鉄欠乏性貧血を Plummer-Vinson 症候群という．

症状（図 25-48）

爪甲がスプーン状に陥凹する．手爪に多く，爪甲自体も薄くなる．乳幼児の趾爪では一時的に生理的変化として生じることあり．扁平爪甲（platonychia）はその前段階と考えられる．

7. 時計皿爪 clubbed finger，ヒポクラテス爪 unguis Hippokrates，太鼓ばち指（鼓桴状指）drumstick fingers ○

症状（図 25-49）

爪甲が全体に大きくなり，時計ガラス状に円く隆起し，同時に指趾末節は太鼓ばち状に肥大する．骨膜近くの血管床の増加，爪母と爪床の膠原線維の増生・ムチン性浮腫による．

①**症候性**：慢性心肺疾患（肺気腫・肺癌・気管支拡張症・先天性心疾患など）に続発する．甲状腺機能亢進症・肝硬変・潰瘍性腸炎・クローン病などにも合併する

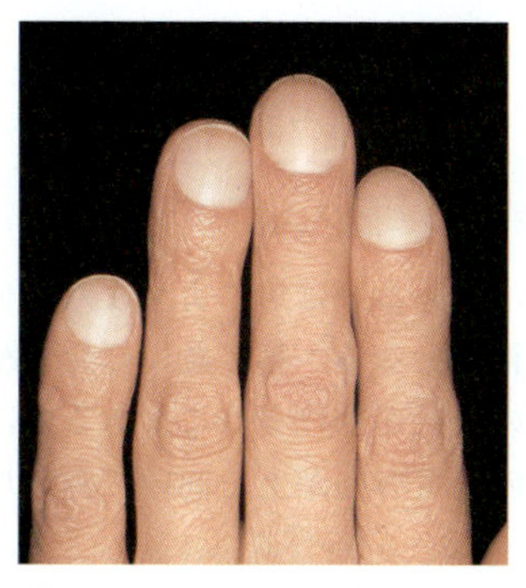

図 25-49　時計皿爪

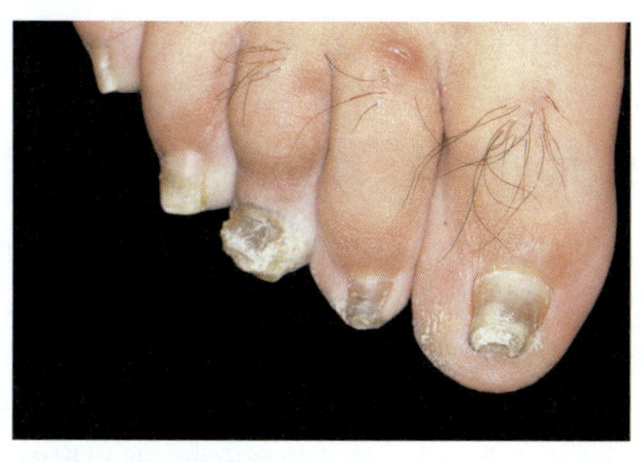

図 25-50　厚硬爪甲

ことがある．

②**特発性**：四肢長管骨の骨膜性肥厚（periostosis），脳回転状皮膚，四肢末端皮膚の肥厚（pachydermia），太鼓ばち指を主徴とするいわゆる pachydermoperiostosis（☞ p.503）．

いずれも対称性かつ指趾ともに発するが，片側性のときは大動脈瘤・大動脈弓欠如・患側鎖骨下動脈瘤・神経叢麻痺・腋窩静脈閉塞などを考える．

8．厚硬爪甲 pachyonychia（図 25-50）

爪が厚く硬くなり，彎曲度が増して半円筒状となる．

1）先天性厚硬爪甲症 pachyonychia congenita

① **Jadassohn-Lewandowsky 症候群（1 型）**：①爪硬化肥厚，②舌白色角化症，③四肢の毛包性角化性丘疹，④手掌足底の角化・水疱，⑤多汗，⑥常染色体性優性遺伝，*K6a* あるいは *K16* に変異．

② **Jackson-Lawler 型（2 型）**：①爪硬化肥厚，②毛包脂腺系の囊腫，③粘膜病変は稀，④頭髪・眉毛異常，⑤常染色体性優性遺伝，*K17* あるいは *K6b* に変異．

③ **Schafer-Brunauer 型（3 型）**：1，2 型に加えて角膜混濁・白内障を伴う．

④ **4 型**：3 型に加えて嗄声・毛髪異常・知能障害を伴う．

なお，近年では遺伝子変異によって分類され，その臨床症状の出現頻度が解析されている．

2）局所性厚硬爪甲症

反復する外力（外傷・職業性・小さすぎる靴）で一部の爪が厚硬爪甲性に変化す

る．第1趾に多い．

9．爪甲鉤彎症，鉤彎爪 onychogryposis

爪甲が肥厚し，かつ異常に伸びてねじれて曲がり，鉤あるいは角のような外観を呈する．光沢を失って粗糙となり，縦溝深く，灰黄褐色となる．第1趾に好発．趾遠位端の隆起（外傷・深爪・抜爪など）により爪甲の成長が妨げられて，あるいは爪甲下角質増殖（爪白癬・爪カンジダ）により爪甲の発育方向が上を向いて鉤彎爪を形成するという．抜爪後形成術．爪白癬の治療．

10．菲薄爪，脆弱爪 thin nail，fragile nail，brittle nail

爪甲の軟化と菲薄化で，白色透明化し裂けやすい．低色素性貧血・甲状腺機能低下・栄養不良・薬剤（エトレチナートなど）・扁平苔癬などによる．

11．爪甲縦裂症 onychorrhexis，split nail

爪甲に縦条が目立ち，爪甲遊離縁で縦方向に割れる．微細外傷・連続性の狭い横溝形成・後爪郭上皮の腫瘍・扁平苔癬・外的刺激（マニキュア・化学物質）などによる．

〔付〕**Twenty nail dystrophy（20爪異栄養症）**（Hazelrigg 1977）（図25-51）：指趾の全爪甲に縦条を伴う粗糙変化をきたして表面の光沢が失われる．当初小児で報告されたが，成人にも発症しうる．爪の扁平苔癬とも考えられたが，近年は爪の湿疹反応，爪炎との考え方が強まっている．ステロイド内服・外用．

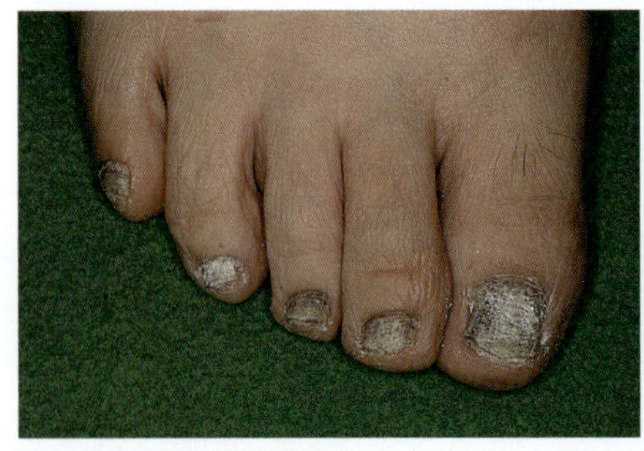

図25-51　Twenty nail dystrophy

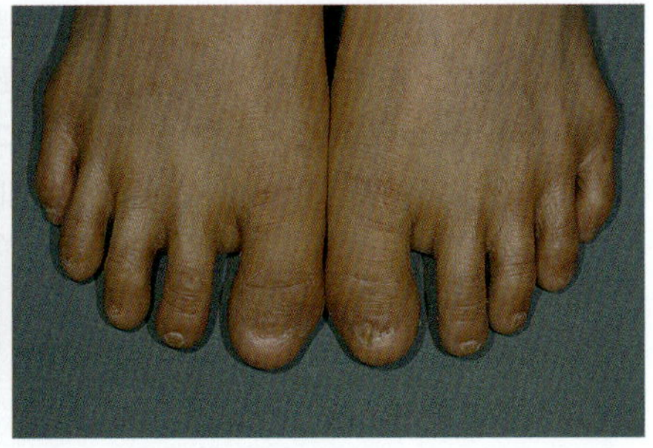

図25-52　先天性無爪甲症

12. 爪甲層状分裂症 onychoschisis, lamellar nail dystrophy

爪甲の水分含有量が減少して，爪遊離辺縁で雲母のように薄く層板状に分離・剝離する．マニキュアの使用例に多く，全身的原因（SLE・粘液水腫・シモンズ症候群・ビタミン代謝異常・肝障害・神経疾患・皮膚T細胞リンパ腫）によることもある．

13. 爪下角質増殖症 subungual hyperkeratosis

爪下に角質増殖を示し，爪甲が少し上方に押し上げられた状態で，爪床の炎症・真菌症・外傷で生じる．爪甲鉤彎症に進展する可能性もある．

3 爪形成異常

1. 先天性爪形成不全 ○

1）先天性無爪症 anonychia congenita（図 25-52）

出生時より，すべての，あるいはほとんどの爪甲が欠如する．通常，爪甲欠如以外の病変を伴うことはない．常染色体性劣性遺伝で，多くは孤発例．*R-spondin 4*（RSPO4）遺伝子の変異が報告されている．

2）nail-patella 症候群 osteo-onycho-dysplasia hereditarian

膝蓋骨形成不全ないし欠如（病的脱臼・亜脱臼），肘頭変形，腸骨棘変化（iliachorn），皮膚変化（魚鱗癬様・乾燥化・手掌角化），爪発育不全（拇指側に強い），眼変化（虹彩色素異常），先天性腎症，常染色体性優性遺伝〔*LMX1B*（LIM-homeodomain transcription factor）遺伝子（9q34）の異常が原因〕．

3）Zinsser-Fanconi 症候群（Zinsser-Cole-Engman 症候群）

①網状色素沈着（顔・頸・前胸），②爪形成不全，③舌白板症を3主徴とし，脾腫・再生不良性貧血をも伴う（母斑症の Cole-Engman 症候群 ☞ p.592）．

4）Coffin-Siris 症候群（fifth digit syndrome）

第5指趾爪欠如・低形成，指趾末節骨の欠如・低形成，頭髪疎，特異な顔貌，四

肢・前額・背部多毛，成長障害，精神遅滞．常染色体優性遺伝，孤発．クロマチン再構成に関係するSWI/SNF complexをコードする遺伝子（*ARID1A*，*ARID1B*，*SMARCB1*，*SMARCA4 SMARCE1*）に変異あり．

5）DOOR症候群

聾（deafness），末節骨・爪の形成不全（onycho-osteodystrophy），精神発達遅滞（mental retardation）．常染色体性優性／劣性遺伝．一部の患者で尿中2-oxoglutarate増加，白血球などの2-oxoglutarate decarboxylase活性低下．半数の患者で*TBC1D24*遺伝子に変異をみる．

6）異形爪 ectopic nail

小指掌側・拇指橈側に痕跡的な爪甲．

7）その他

色素失調症，先天性外胚葉形成不全症，Werner症候群，Rothmund-Thomson症候群，Ellis-van Creveld症候群（chondroectodermal dysplasia，多指趾症），先天性表皮水疱症などに種々の爪形成不全を伴う．

2. 皮膚疾患に伴うもの

乾癬（点状陥凹・油滴状爪・粗糙化）（☞ p.382）．扁平苔癬（縦線条・翼状爪膜・萎縮）のほか，アロポー稽留性肢端皮膚炎・掌蹠膿疱症・湿疹・ダリエー病・毛孔性紅色粃糠疹などでも爪の粗糙化など爪の形成異常をきたす．

4 その他の爪の異常

1. 咬爪症 onychophagia（図25-53）

常に爪甲を咬むあるいは舐める病癖で，幼小児で欲求不満などが基礎にあることが多い（自己損傷症の一種 ☞ p. 262）．爪甲は遊離辺縁から破壊され，爪下出血・指末節奇形などを伴う．

2. 翼状爪 pterygium

爪郭部から爪上皮が爪床上を覆うように伸びた状態で，爪母で爪甲が形成されなくなると生じる．扁平苔癬，末梢血管運動障害，特発性萎縮などにみられる．

3. 陥入爪（刺爪）ingrown nail, onychocryptosis, ungui incarnati（図 25-54）○

圧迫（窮屈な靴・立ち仕事）・外傷・先天異常・潜在性糖尿病・末梢循環障害などのため，爪側縁が深く爪溝中に刺入したために，爪郭の肥厚，炎症性反応，肉芽形成をきたす．靴の圧迫によるものが多く，したがって第 1 趾に生じやすい．圧迫を避け，抗炎症療法を行うが，根治は手術的療法（刺入側を爪母・爪床・側爪郭・肉芽組織を含めて楔状切除，縫合，フェノールによる腐食）・人工爪．軽症例には嵌入爪にチューブを挿入するガーター法，超弾性ワイヤーを爪甲先端に通して彎曲を矯正するワイヤー法を試みる．

〔付 1〕**まき爪** incurved nail（図 25-55）：側縁が丸く内側に巻くようになり，爪床をはさみ込むように伸び，圧迫により激しい痛みがある．超弾性ワイヤー法や VHO 法による矯正．

〔付 2〕**curved nail of the fourth toe**（Iwasawa 1991）：第 4 趾爪が先天的に彎曲する．同趾末節骨の低形成あり．

4. 爪囲炎（爪郭炎）paronychia（図 25-56）○

爪郭の炎症で，爪を取り囲む皮膚が発赤・腫脹・落屑し，時に圧迫により膿汁を爪縁より排出する．原因としては湿疹，洗剤・化学薬品による接触皮膚炎（特に主婦手湿疹），真菌症（カンジダ症），膿皮症などがある．爪甲は二次的に混濁・肥厚・線条・萎縮をきたす．

〔付〕**上皮成長因子受容体（EGFR）阻害薬**：分子標的薬の EGFR 阻害薬は肺癌，乳癌，大腸癌などの治療に使われるが，高頻度に爪囲炎を，さらに爪甲の菲薄化，陥入爪をきたす（☞ p.302）．

5. 爪囲紅斑 ○

皮膚筋炎・強皮症・SLE などで爪母部の発赤・毛細血管拡張をみる．

6. 爪上皮出血点 nailfold bleeding（Takehara 1991）

爪上皮・爪廓に黒色点 / 線状の小出血でしばしば毛細血管ループの拡張を伴う．膠原病，特に強皮症，MCTD（70〜80%），DM（30%），SLE（10%）にみられ，早期診断に有用である．環指＞中指・小指＞拇指の順に多い．

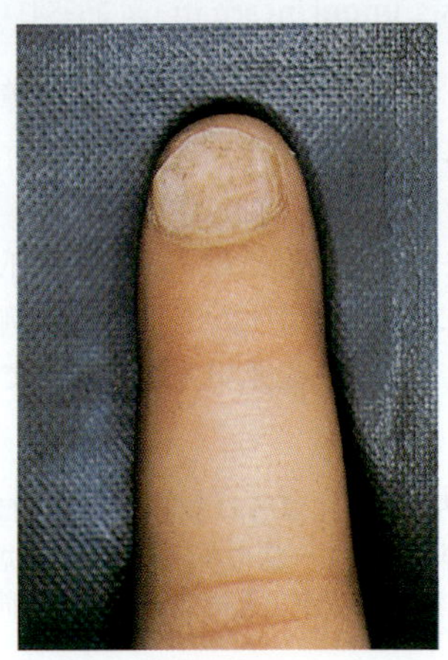

図 25-53　咬爪症

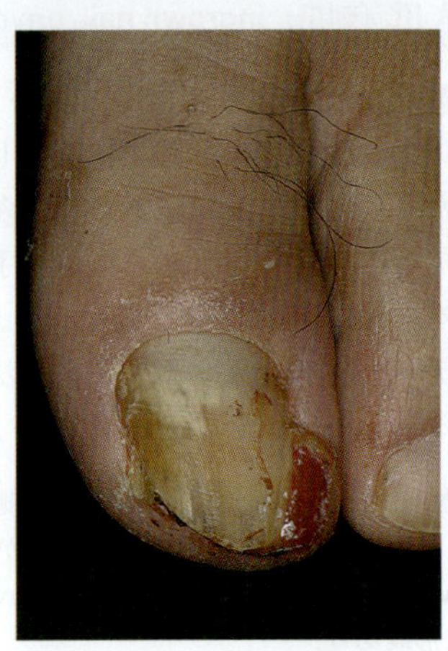

図 25-54　陥入爪（肉芽形成）

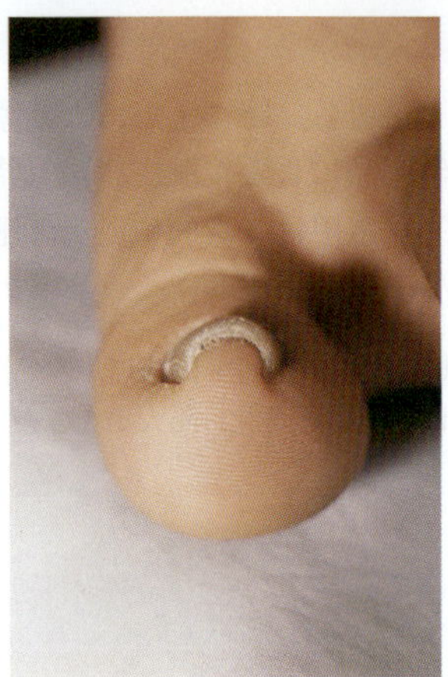

図 25-55　まき爪

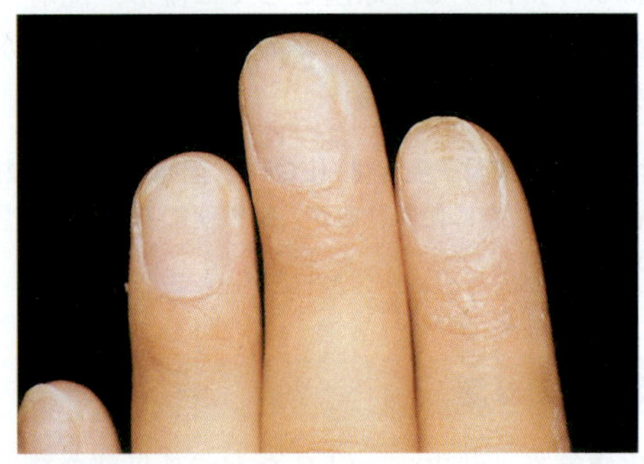

図 25-56　爪囲炎（爪甲横溝を伴う）

第26章 ウイルス性疾患

ウイルスはDNAウイルスとRNAウイルスに大別され，いずれかの核酸と蛋白質から構成される．他の生物の細胞内でのみ増殖し，感染には特定の受容体が必要で，感染は種特異性を示すことが多い．ウイルスの増殖時にウイルスの核酸情報が感染した宿主細胞の遺伝情報を撹乱して様々な病変を引き起こす．ウイルスが細胞内で増殖・ウイルス粒子が産生され続ける状態を持続感染と称し，ヒト免疫不全ウイルス，EBウイルス，C型肝炎ウイルスなどの感染でみられる．ヘルペスウイルスのようにウイルスの遺伝子とその存在を補助する遺伝子が細胞内にあって，ウイルス粒子は産生されない感染状態を潜伏感染という．

本章に感染症法の特定病原体と感染症を表示する．多数のウイルス・ウイルス感染症を含み，蔓延防止と治療のために逐次改訂されている．

1 ヒトヘルペスウイルス感染症

ヒトヘルペスウイルス（human herpes virus；HHV）は正20面体構造の2本鎖DNAウイルスで，3亜科に分かれ，8群（HHV1～HHV8）がある．α亜科のHHVは神経節，β亜科はマクロファージ系細胞，γ亜科はB細胞に潜伏する．

1. 単純疱疹 herpes simplex

単純ヘルペスウイルス（herpes simplex virus；HSV）は皮膚・粘膜・神経に親和性が高く，神経節細胞に潜伏感染し，再活性化すると再発型の口唇ヘルペスや性器ヘルペスを起こす．HSVは生物学的，抗原性の面から1型と2型とに分けられる．HSV-1は口唇など上半身に多く，HSV-2は性器など下半身に病変を生じる．HSVの初感染の多くは不顕性感染で，一部が顕症化して特徴的な病像を呈する．不顕性，軽微の顕性感染者がウイルスを無症候性に排出して感染源になっている可能性がある．

病型と症状

1）再発型

皮膚粘膜移行部に，紅暈を伴った小水疱が集簇して発し，数日してびらん，もしくは乾燥して治癒する．しばしばピリピリ感あり．時に所属リンパ節腫脹．

口唇疱疹（h. labialis）（図 26-1）は発熱・胃腸障害・疲労・ストレス・日光照射・寒冷などで誘発され，陰部疱疹（性器ヘルペス，h. genitalis）（図 26-2）は性交・月経などを機に生じることが多い．その他，顔面・体幹・臀部・手指（ヘルペス性ひょう疽）などにも再発しうる．

表 26-1　感染症法と感染症（2021 年）

感染症類型	感染症
1 類感染症	エボラ出血熱，クリミア・コンゴ出血熱，痘瘡，南米出血熱，ペスト，マールブルグ病，ラッサ熱
2 類感染症	急性灰白髄炎，結核，ジフテリア，重症急性呼吸器症候群（SARS），中東呼吸器症候群（MERS），鳥インフルエンザ（H5N1），鳥インフルエンザ（H7N9）
3 類感染症	コレラ，細菌性赤痢，腸管出血性大腸菌感染症，腸チフス，パラチフス
4 類感染症	E 型肝炎，ウエストナイル熱，A 型肝炎，エキノコックス症，黄熱，オウム病，オムスク出血熱，回帰熱，キャサヌル森林病，Q 熱，狂犬病，**コクシジオイデス症**，サル痘，ジカウイルス感染症，重症熱性血小板減少症候群（SFTS ウイルス），腎症候性出血熱，西部ウマ脳炎，ダニ媒介脳炎，炭疽，チクングニア熱，**ツツガムシ病**，デング熱，東部ウマ脳炎，鳥インフルエンザ（H5N1 と H7N9 以外），ニパウイルス感染症，**日本紅斑熱**，日本脳炎，ハンタウイルス肺症候群，B ウイルス病，鼻疽，ブルセラ症，ベネズエラウマ脳炎，ヘンドラウイルス感染症，発しんチフス，ボツリヌス症，マラリア，**野兎病**，**ライム病**，リッサウイルス感染症，リフトバレー熱，類鼻疽，レジオネラ症，レプトスピラ症，ロッキー山紅斑熱
5 類感染症	アメーバ赤痢，RS ウイルス感染症，咽頭結膜熱，インフルエンザ，ウイルス性肝炎（A，E 型以外），A 群溶血性レンサ球菌感染症，カルバペネム耐性腸内細菌感染症，感染性胃腸炎，急性出血性結膜炎，急性弛緩性麻痺，急性脳炎，クラミジア肺炎（オウム病を除く），クリプトスポリジウム症，クロイツフェルト・ヤコブ病，**劇症型溶血性レンサ球菌感染症**，**後天性免疫不全症候群**，細菌性髄膜炎，ジアルジア症，侵襲性インフルエンザ菌感染症，侵襲性髄膜炎菌感染症，侵襲性肺炎球菌感染症，**水痘**，性器クラミジア感染症，**性器ヘルペスウイルス感染症**，**尖圭コンジローマ**，先天性風疹症候群，**手足口病**，**伝染性紅斑**，**突発性発疹**，**梅毒**，播種性クリプトコックス症，破傷風，バンコマイシン耐性黄色ブドウ球菌感染症，**バンコマイシン耐性腸球菌感染症**，百日咳，**風疹**，ペニシリン耐性肺炎球菌感染症，ヘルパンギーナ，マイコプラズマ肺炎，**麻疹**，無菌性髄膜炎，**メチシリン耐性黄色ブドウ球菌感染症**，薬剤耐性アシネトバクター感染症，薬剤耐性緑膿菌感染症，流行性角結膜炎，流行性耳下腺炎，淋菌感染症
新型インフルエンザ等感染症	該当疾患なし（2021 年 2 月初まで新型コロナウイルス感染症）

皮膚科に関連の強い感染症を［色付き］で表示した．

2）初感染

顕症化は一部のみ．ウイルス血症を生じて，皮膚・粘膜を中心に広範囲に病変をきたす．乳幼児・成人の初感染が顕症化しやすく，高熱・咽頭痛・白血球増多症をきたす．指先にヘルペス性ひょう疽（herpetic whitlow），ヘルペス性爪周囲炎（herpetic paronychia）を生じることもある（図 26-3）．

①新生児ヘルペス

新生児の産道感染と考えられており，高熱・哺乳力低下・けいれん・呼吸不全な

表 26-2 ウイルス性皮膚疾患

DNA ウイルス			
ヘルペスウイルス Human Herpes Virus（HHV）	1型（α）	単純疱疹ウイルス 1 型（HSV1）	歯肉口内炎・カポジ水痘様発疹症・口唇ヘルペス
	2型（α）	単純疱疹ウイルス 2 型（HSV2）	性器ヘルペス
	3型（α）	水痘・帯状疱疹ウイルス（VZV）	水痘・帯状疱疹
	4型（γ）	EB ウイルス（EBV）	伝染性単核球症・ジアノッティ・クロスティ症候群・EB ウイルス関連 T/NK 細胞増殖疾患・バーキットリンパ腫・上咽頭腫瘍
	5型（β）	サイトメガロウイルス（CMV）	伝染性単核球症・先天性巨細胞封入体症・間質性肺炎
	6型（β）	ヒトヘルペスウイルス 6 型（HHV6）	突発性発疹
	7型（β）	ヒトヘルペスウイルス 7 型（HHV7）	突発性発疹
	8型（γ）	ヒトヘルペスウイルス 8 型（HHV8）	カポジ肉腫
パルボウイルス		ヒトパルボウイルス B19	伝染性紅斑
アデノウイルス		ヒトアデノウイルス	急性発疹症
ポックスウイルス		モルシポックスウイルス オルソポックスウイルス パラポックスウイルス	伝染性軟属腫 痘瘡・牛痘・猿痘 搾乳者結節・オルフ
パポバウイルス		ヒトパピローマウイルス	ウイルス性疣贅
ヘパドナウイルス		B 型肝炎ウイルス	ジアノッティ・クロスティ病
RNA ウイルス			
パラミキソウイルス		麻疹ウイルス	麻疹
トガウイルス		風疹ウイルス	風疹
ピコルナウイルス		エンテロウイルス群 コクサッキーウイルス群	手足口病・急性発疹症 手足口病・ヘルパンギーナ
フラビウイルス		デングウイルス C 型肝炎ウイルス	デング熱・出血熱 じんま疹様紅斑
レトロウイルス		成人 T 細胞白血病ウイルス ヒト免疫不全ウイルス	成人 T 細胞白血病 AIDS

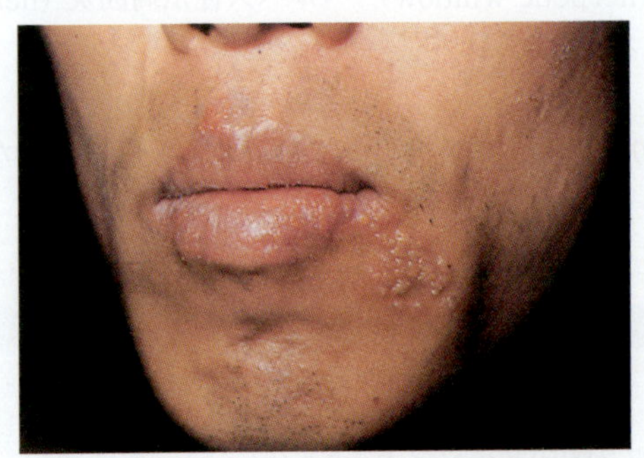
図 26-1　単純疱疹

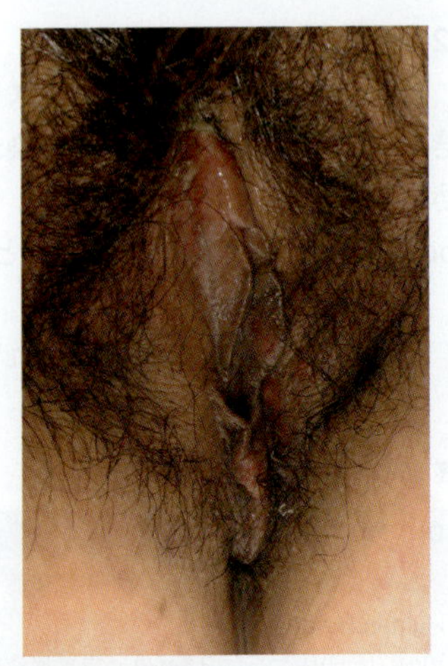
図 26-2　陰部疱疹

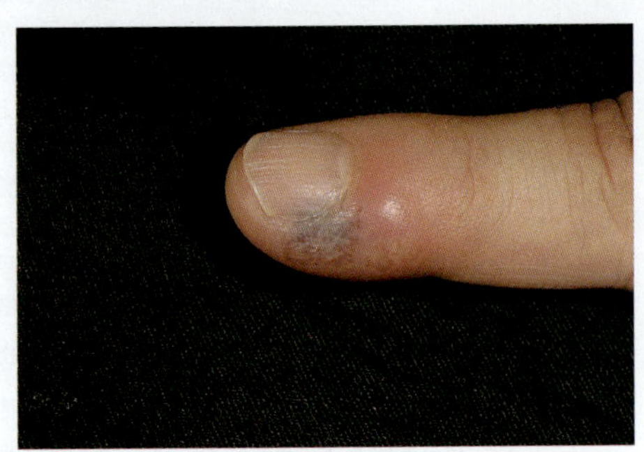
図 26-3　ヘルペス性ひょう疽

どの症状を生後数日で起こす．皮膚・粘膜症状が軽微でヘルペス性脳炎をきたすこともあり注意が必要．早期の抗ウイルス薬による治療．死亡・重度の後遺症を残す可能性あり．

②ヘルペス性歯肉口内炎 herpetic gingivostomatitis

幼児～青年期の初感染はこの型が多い．高熱とともに口腔内に小水疱が多発して，びらん・潰瘍化する．有痛性で，歯肉も発赤・腫脹する．HSV-1がほとんど．他の急性感染症・ベーチェット病と鑑別．

③急性性器ヘルペス

5類感染症．性器・外陰部の広い範囲に灼熱感や高熱とともに小水疱が多発し，びらん・潰瘍化する．痛みが強い．リンパ節も有痛性に腫大．時に仙骨神経が侵さ

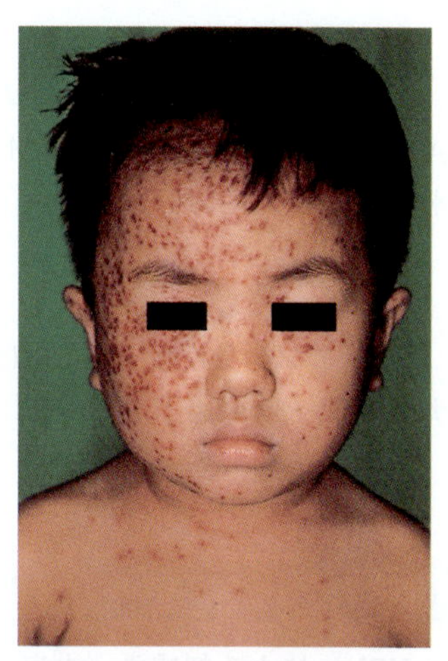

図 26-4 カポジ水痘様発疹症

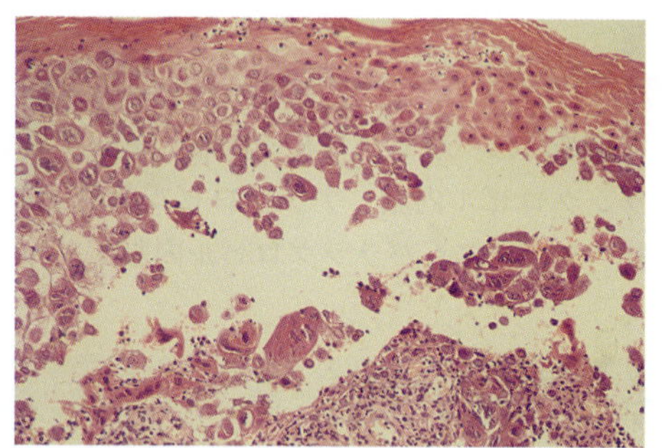
図 26-5 疱疹の組織（表皮内水疱と変性した巨細胞）

れて排尿障害（Elsberg 症候群）を起こす．多くは性行為時の初感染．思春期以降の女性に多く，男性は症状も軽く少ない．時に乳幼女児に発症．HSV-2 のみならず HSV-1 によることもしばしば．多くは2週間程度で自然に軽快する．抗ヘルペス薬投与が著効する．

◎④**カポジ水痘様発疹症** Kaposi varicelliform eruption（1893），疱疹性湿疹 eczema herpeticum（図 26-4）

a）病因：HSV（特にⅠ型）の初感染，時に再感染あるいは再発．局所免疫能の低下も関与．

b）症状：湿疹，特にアトピー性皮膚炎の乳幼児・成人に，突然高熱とともに湿疹病変局面に，**紅暈を有する小水疱・水疱が多数集簇性に発生**，膿疱化・潰瘍化し，所属リンパ節も有痛性に腫脹する．ダリエー病，脂漏性湿疹，天疱瘡，ヘイリー・ヘイリー病，先天性魚鱗癬様紅皮症，Wiskott-Aldrich 症候群，菌状息肉症，セザリー症候群，悪性リンパ腫に合併することもある．全身症状の軽度の例もあり．より小さな水疱が集簇・多発する点で水痘と臨床的に鑑別する．

⑤**疱疹後多形紅斑 post-herpetic erythema multiforme**

初感染，再発性の単純ヘルペス出現 4〜15 日後に四肢に多形紅斑を生じることがある．

病理（図 26-5）

表皮細胞は球状変性・網状変性を示す．多核巨細胞を形成する．核内封入体をみる．

診断

①モノクロナール抗体による蛍光抗体法，②ツァンク試験（水疱底スメアのギムザ染色多核巨細胞・核内封入体），③抗体価（ELISA：感度がよい，初感染でIgM，IgG抗体が上昇），④ PCR法による DNA 検出，⑤水疱からのウイルス分離．

治療

初感染にはバラシクロビル内服，アシクロビル・ビダラビン全身投与．再発型はバラシクロビル内服，アシクロビル軟膏・アラセナ A 軟膏・誘発因子を避ける．性器ヘルペスにもバラシクロビル内服．

2. 水痘と帯状疱疹 ◎

水痘・帯状疱疹ウイルス（varicella zoster virus；VZV）による初感染（水痘）とウイルスの再活性化による再発（帯状疱疹）．

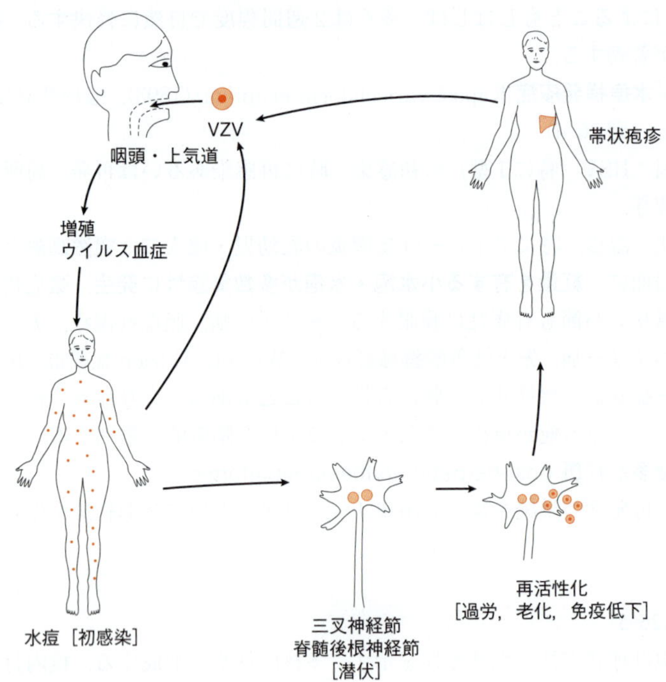

図 26-6　水痘・帯状疱疹ウイルスと水痘，帯状疱疹

◎1）水痘 varicella，chicken pox，みずぼうそう

5類感染症，定点把握対象．経気道感染したウイルスは所属リンパ節で増殖して血中に入って第一次ウイルス血症を，さらに肝・脾など網内系で増殖して第二次ウイルス血症を起こして皮膚病変を形成する（図 26-6）．

疫学

1～5歳児に多いが，近年，成人例が増加している．春から初夏に小流行．

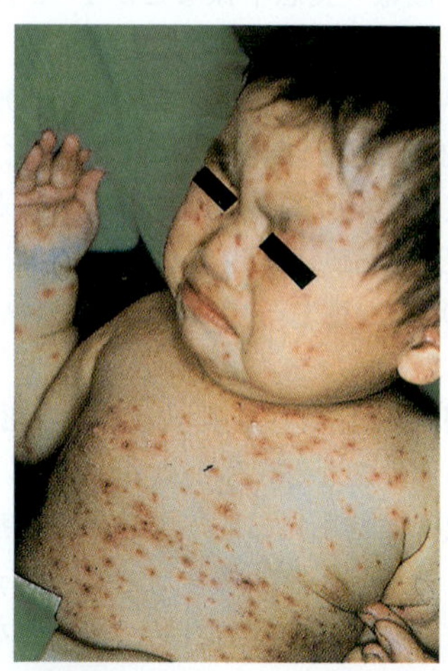

図 26-7　水　痘

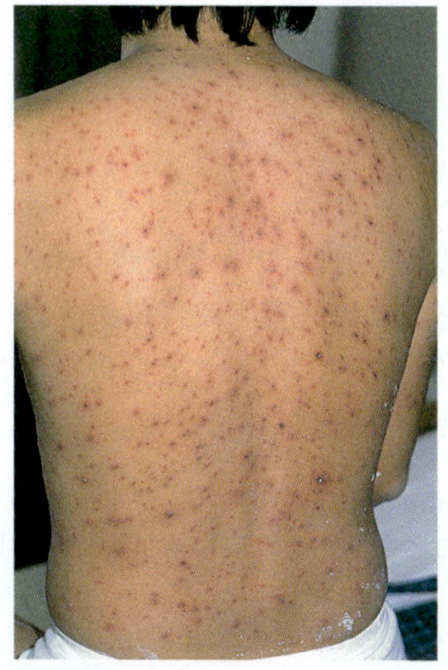

図 26-8　成人水痘

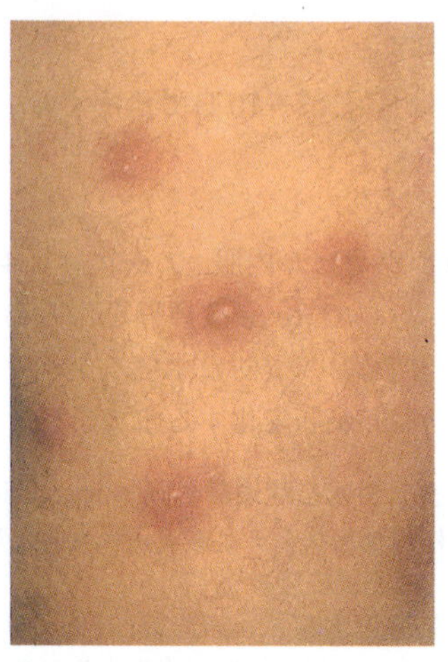

図 26-9　水　痘

病因

VZV 初感染（飛沫による経気道的）. 口腔内病変のあるものは特に感染力が強い. 脳・脊髄神経節内に潜伏，宿主の免疫低下などで帯状疱疹として再発する. VZV 初感染はほとんどが顕症化して水痘を発症.

症状（図 26-7〜9）

①**潜伏期**：10〜20 日（14 日）.
②**前駆症状**：軽度発熱・不機嫌・食思不振などが 1〜2 日，見逃されることも少なくない.
③**発疹期**：豌豆大までの浮腫性紅斑が出現，すぐに小水疱化して散在する．小水疱は紅暈を有し緊張性，内容は透明であるが時に膿疱化．個疹は 3〜4 日で乾燥して痂皮を生じる．新旧皮疹が混在．軽度瘢痕を残すこともある．体幹に多く，被髪頭部にも散在．手掌足底は稀．口腔内（水疱とアフタ：約 60％）・結膜・角膜（フリクテン性角結膜炎）にも生じる．頸項部のリンパ節も腫脹する．初期には虫刺症の皮疹と紛らわしい.
④**合併症**：脳炎（小脳失調型），間質性肺炎（成人例の死亡原因で最も多い），汎発性水痘（脳・肺・腎・脾・骨髄などにも病巣）.

成人型ないし重症型：成人は幼小児に比べて発熱など症状が強い．白血病，糖尿病，結核，抗腫瘍薬・ステロイド薬投与患者，先天性無 γ グロブリン血症，HIV 感染者などでは全身症状がより強く，皮疹も汎発・潰瘍化など重症化し，また非定型的なことも多い（異型水痘）．臓器侵襲があり予後不良のこともある.

予後

通常は良好．7〜10 日で治療する.

治療

バラシクロビル内服．アシクロビル注射．小児は解熱薬〔アセチルサリチル酸（アスピリン）〕で Reye 症候群を生じるリスクがあるので注意．軟膏療法（カチリ・抗生物質軟膏）．予防に水痘ワクチン（生後 1〜3 年の間に 2 回，定期接種化されている）．水疱が痂皮化するまで学校・幼稚園・保育園などは休ませる.

〔付 1〕**先天性水痘症候群** congenital varicella syndrome：妊娠初期に妊婦が水痘に感染すると稀に神経症状を主とする先天異常児を出産することがある．皮膚に瘢痕を伴い，四肢低形成，網膜脈絡炎あり.

〔付 2〕**新生児水痘** neonatal varicella：母体が分娩前・後に水痘（またはウイルス血症を伴う帯状疱疹）に罹り，児が感染するもの．分娩前 1 週の母体感染で出生数日以内に発症する児には母体由来の抗体があって通常の経過をたどる．分娩直前～直後に母体が感染して抗体産生以前に発症した児では母親由来の抗体がなく，児の水痘は重篤化する．

2）帯状疱疹 herpes zoster

病因

①脳・脊髄後根神経節に潜伏感染している．水痘帯状疱疹ウイルス（VZV）〔ヒトヘルペスウイルス（HHV）3型〕の再活性化による．

②**発症誘因**：疲労や免疫能低下，全身性疾患（悪性リンパ腫・白血病・肺炎・肺結核・糖尿病・エリテマトーデスなど），薬剤投与（ステロイド薬・抗腫瘍薬・免疫抑制薬），外傷など．

症状（図 26-10，11）

①片側の一定神経領域に神経痛様疼痛，時に発熱・感冒様症状を伴う．

②数日遅れて同神経領域に，紅暈を伴った小水疱，紅色丘疹，小紅斑が集簇性に発し，全体として帯状に並ぶ．水疱は半米粒大から小豆大まで，大きさ・形は単一で，緊張性は少なく，扁平または中央に凹みがある．水疱ははじめ透明，のち混濁して膿疱化する．血疱化したり，壊疽に陥ることもある．神経痛・知覚過敏・蟻走感などを伴い，2～3週間でびらん結痂して治る．しばしば所属リンパ節が腫脹する．

③通常軽い瘢痕をもって治癒するが，高齢者・重症型では神経痛が残ることがある（**帯状疱疹後神経痛** post-herpetic neuralgia；PHN）．

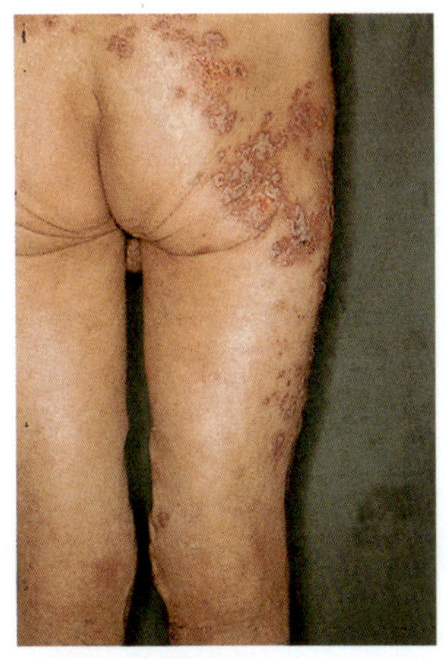

図 26-10　帯状疱疹

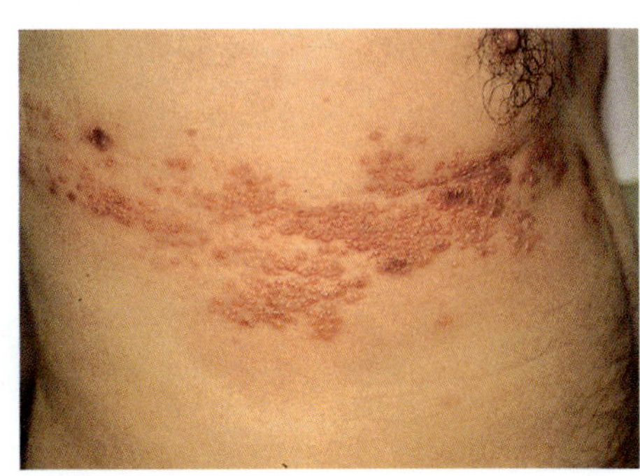

図 26-11　帯状疱疹

好発部位

胸髄神経領域が最も多く，次いで三叉神経領域・腰部・坐骨部.

特殊型

①**不全型** zoster incomplete：紅斑が主体で，小水疱をほとんど欠く.

②**汎発型** z. generalisatus：帯状の典型配列の他に，全身散在性に小水疱が多発. 高齢者や免疫抑制状態の人に生じやすい.

③**両側性** z. bilateralis：両側性にくるもので，かつ対称性のことが多い. 稀.

④**ハント症候群**（1907）Hunt syndrome または Ramsay-Hunt 症候群：顔面神経膝神経節を侵し，①外耳道・耳介周囲に皮疹，②顔面神経麻痺（さらに迷走・滑車・外転・三叉・舌咽神経麻痺），③内耳障害（耳鳴り・難聴・めまい）・味覚障害などを伴う.

⑤**運動麻痺**：侵される神経領域に応じて，外眼筋麻痺・三角筋麻痺・大腿四頭筋麻痺・腹直筋麻痺をみることがある. 仙髄領域が侵されると排尿障害を生じうる.

組織所見（図 26-12，13）

表皮内の**球状変性**（ballooning degeneration）と**網状変性**（reticular degeneration）が特徴的で，球状変性した表皮細胞の核内に封入体（Lipschütz 小体）をみることがある. 神経節・末梢神経に炎症・変性が起こる.

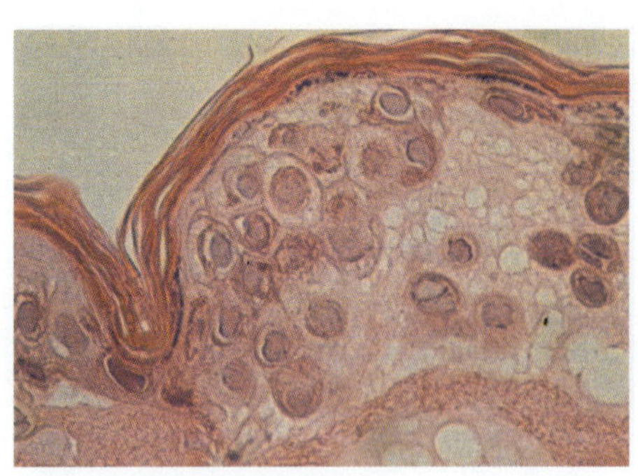

図 26-12　球状変性（帯状疱疹）

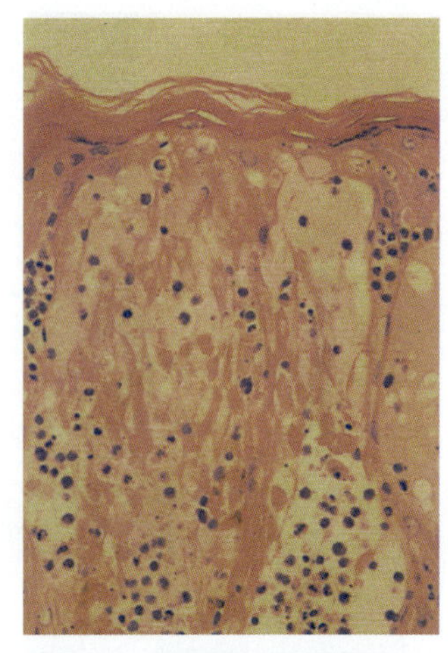

図 26-13　網状変性（帯状疱疹）

診断

①視診（片側性，帯状配列，神経痛様疼痛を伴う），②イムノクロマト法，③蛍光抗体法で抗原検出，④ツァンク（Tzanck）試験，⑤発病初期と2週間後の4倍以上の抗体価の上昇，⑥水疱からのウイルス分離，⑦ウイルスDNAの検出.

鑑別診断

①毛包炎・虫刺症，②単純性疱疹，③接触皮膚炎，④片頭痛・胸部痛・腹痛など片側性神経痛では帯状疱疹も疑う.

予後

良好，通常再発しない．高齢者に帯状疱疹後疼痛（PHN）が長く残ることがある.

治療

疼痛緩和・再上皮化促進・PHNを残さないことが治療の目標．①できるだけ早期にアメナメビル・バラシクロビル・ファムシクロビル・アシクロビル・ビダラビンを全身投与，②アシクロビル・アラセナA軟膏外用，③疼痛緩和NSAIDs，④炎症が強い，麻痺が生じた場合は抗ウイルス療法とともにステロイド薬の全身投与，⑤抗PHN療法（プレガバリン・ミロガバリン・NSAIDs・三環系抗うつ薬・イオントフォレーシス・神経ブロック）.

なお2016年以降50歳以上の高齢者には弱毒生水痘ワクチンが接種できるようになっている（任意接種）.

3. 伝染性単核球症 infectious mononucleosis (Sprunt and Evans 1920) ◎

病因

EB（Epstein-Barr）ウイルス（EBV，HHV4）初感染で一生潜伏感染する．免疫抑制状態で再活性化する性質がある．既感染者の一部は常時口腔内にEBウイルスを排出するので，小児は母親から，思春期では異性から（kissing disease）感染することが多い．日本では幼児期の不顕性感染がほとんどを占めるが，思春期以降の初感染は顕症化しやすいといわれる.

一部はサイトメガロウイルス（CMV），HHV6などによる.

症状（図26-14，15）

発熱・リンパ節腫脹・末梢血液での**異型リンパ球出現を伴うリンパ球増多**が3主徴．アンギーナ・口蓋点状出血・リンパ節腫脹・肝脾腫を伴い第4～7病日に紅斑

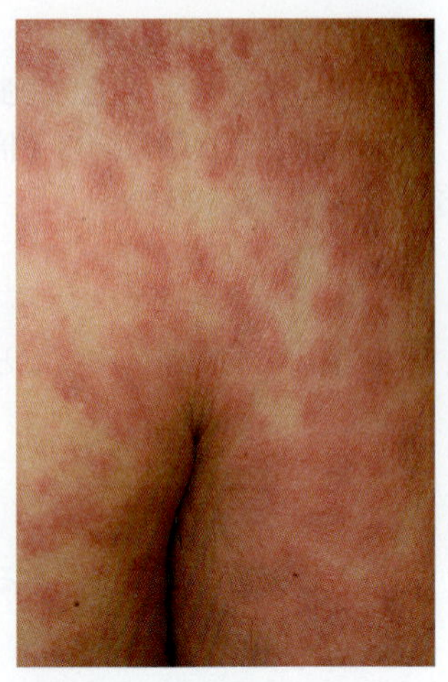

図 26-14　伝染性単核症（発疹）

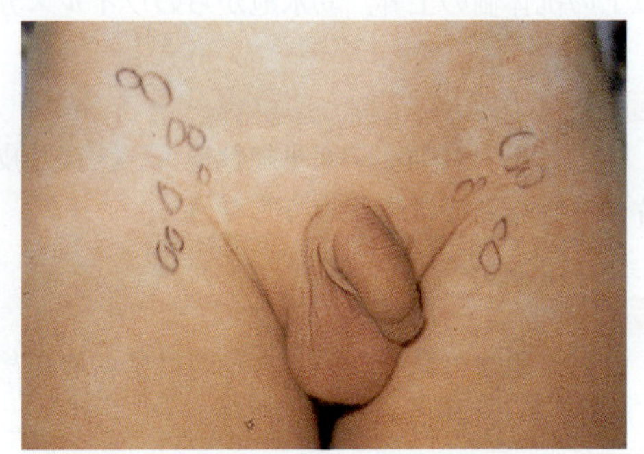

図 26-15　伝染性単核症（表在リンパ節腫脹）

（じんま疹様・斑状丘疹・麻疹様・猩紅熱様，稀に結節性紅斑様・多形滲出性紅斑様），紫斑などの皮疹を併発（皮疹発生率 10〜50％）．ほとんどの例で肝機能異常．ペニシリン系薬剤で薬疹を生じやすく，また誘発されることあり（EBV による drug-induced hypersensitivity syndrome）．

診断と予後

抗体測定：EBV 抗体陽性．感染初期に VCA-IgM 抗体価が上昇し，1〜2ヵ月で消失，遅れて VCA-IgG 抗体が出現して長期間高い抗体価を維持する．EBNA 抗体は回復期に出現してその後も継続するので，EB ウイルスの潜伏感染を意味する．Paul-Bunnell 反応・PCR 法によるウイルス DNA 検出．通常は予後良好．

〔付 1〕EB ウイルス関連疾患

1）**種痘様水疱症** hydroa vacciniforme：小児の日光過敏症で，EB ウイルスの潜伏感染した NK/T 細胞増殖症．一部は EB ウイルス関連 NK/T リンパ腫に進展する．稀（☞ p. 279）．

2）**蚊刺過敏症** hypersensitivity to mosquito bites（Hidano 1982）：小児に好発．蚊やブヨに刺されると局所の腫脹・硬結・潰瘍とともに高熱・リンパ節腫大・肝脾腫・肝障害などの全身症状を伴う．EB ウイルス関連リンパ腫を続発したり，慢性活動性 EB ウイルス感染症・ウイルス関連血球貪食症候群（VAHS）・NK 細胞白血病を合併する．末梢血中に NK 細胞がクローン性，またはオリゴクローン性に増殖する．しばしば VCA や EA に対して異常に高い抗体価を示す．

3）**慢性活動性 EB ウイルス感染症** chronic active EB virus infection：発熱を繰り返し，肝脾腫，リンパ節腫脹，白血球減少，血小板減少，高 γ グロブリン血症をきたす．EB ウイルス感染 NK 細胞または T 細胞の増多症を示し，蚊刺症や血球貪食症候群，種痘様水疱症と共通の病因を有し，また経過中にそれぞれに類似の皮疹を示すこともある．血中のM-CSF・TNF-α・IFN-γ・sIL-2R・IL-6が高値．血清フェリチンも上昇する．しばしばNK/T細胞リンパ腫に進展して予後不良．

4）**EBウイルス関連血球貪食症候群** EB virus-associated hemophagocytic syndrome（VAHS），**組織球性髄様細網症** histiocytic medullary reticulosis，**血球貪食性リンパ組織球症** hemophagocytic lymphohistiocytosis（HLH）：発熱・体重減少・リンパ節腫脹・肝脾腫・汎血球減少・DICをきたし，斑状丘疹や紫紅色丘疹が多発することがある．小児の血球貪食症候群の半数以上を占める．家族性発症例もある．予後不良（☞ p. 695）．

5）**EBウイルス関連リンパ腫**：T細胞系では節外性NK/T細胞リンパ腫（鼻型）・血管免疫芽性球性T細胞リンパ腫，B細胞系ではバーキットリンパ腫がある．

〔付2〕**サイトメガロウイルス感染症**：AIDSや臓器移植時などに全身性のサイトメガロウイルス〔cytomegalovirus（CMV），HHV5〕感染症を起こす．伝染性単核球症やGianotti-Crosti症候群の一因ともなる．CMV感染の約30%に皮疹を伴うが，非特異的．陰部肛囲の潰瘍は比較的特徴的．多くは乳幼児期に産道・経母乳・水平感染により不顕性感染．治療はガンシクロビル・高力価免疫グロブリン製剤．

4. 突発性発疹 exanthema subitum，roseola infantum，三日熱発疹

生後4ヵ月以降の乳児に，**3〜4日高熱**（38〜39℃）が持続し，**解熱とともに，体幹・顔面・四肢の順に風疹様小紅斑が多発**，融合して麻疹様となり，**3日後に消褪**，あとに落屑・色素沈着を残さない．潜伏期約10日．わずかにリンパ節腫脹，粘膜には永山斑を生じる．発熱1，2日目で軟口蓋に粟粒大淡紅色顆粒→米粒大の紅斑，発疹出現前後には軟口蓋・咽頭全体が発赤腫脹して永山斑は不明瞭となる．予後は良好，再感染なし．稀に熱性けいれん・脳炎・髄膜炎・中耳炎・肝機能障害（劇症肝炎）・血小板減少性紫斑を伴う．

ヒトヘルペスウイルス6型（HHV-6）の初感染（唾液による経口感染・経気道感染，平均生後9ヵ月で発症）．時にHHV-7で発症（平均26ヵ月とやや発症が遅く，軽症）．流行性はなく散発性．一部は不顕性感染で，潜伏感染するという．

2 伝染性紅斑 erythema infectiosum，リンゴ病 ◎

頰部紅斑（リンゴ病）と手足のレース状紅斑が特徴のヒトパルボウイルスB19（human parvovirus B19）感染症．

疫学

ほぼ5〜6年周期で流行するが，2015年に次いで2019年に大きい流行をみた．小学校・幼稚園・保育園（5〜9歳が多く，1〜4歳がこれに次ぐ）で小流行し，母親・保母・看護師も罹患することがある．冬から春〜初夏にかけて多発し9月頃は最も少ない．5類感染症，定点把握対象．

病因

human parvovirus B19（18〜25 nmのDNAウイルス）による．赤血球膜上のP抗原保有細胞，特に赤芽球前駆細胞に感染・増殖する．飛沫による経気道感染．院内感染の報告もあり．

症状（図26-16〜18）

潜伏期は2週前後（感染7日でウイルス血症をきたし，約1週間続く）．微熱など軽度感冒様前駆症状に続いて，顔面に深紅色紅斑（蝶型〜平手打ち様）が現れる〔口囲は蒼白に残る（slapped cheek disease）〕．最初はわずかに隆起した円形紅斑であるが急速に融合し，隆起はなくなり「**平手打ち**」様の深紅色紅斑となり，鼻根部で連なると蝶形を示す．境界は明瞭で，耳側・下顎側はやや網目状となる．次いで上腕伸側に爪甲大の紅斑が生じ，前腕・手背に拡大，融合して地図状となり，中央から褪色して連環状→網目レース状→ほどけかかった**レース状**となる．時に体幹，大腿にも．被髪頭部は侵されない．皮疹は四肢で4〜5日，顔面で7〜10日で消失する．色素沈着を残さず治癒するが，数週後精神的興奮・気温上昇・入浴・日光などで紅斑の再燃することあり．造血障害のため稀に紫斑を生じる．成人では全身症

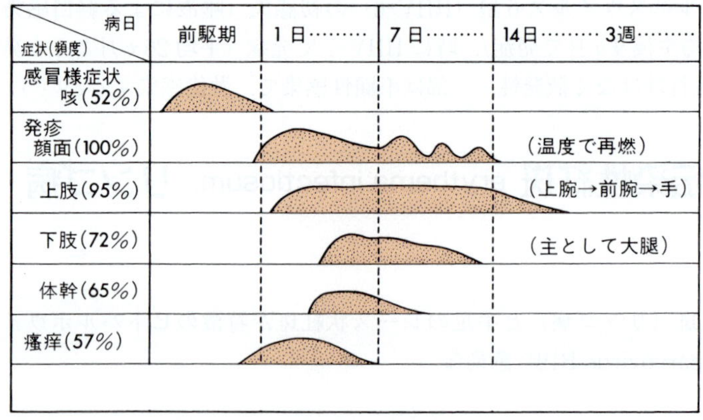

図26-16　伝染性紅斑の症状および経過（西脇原図）

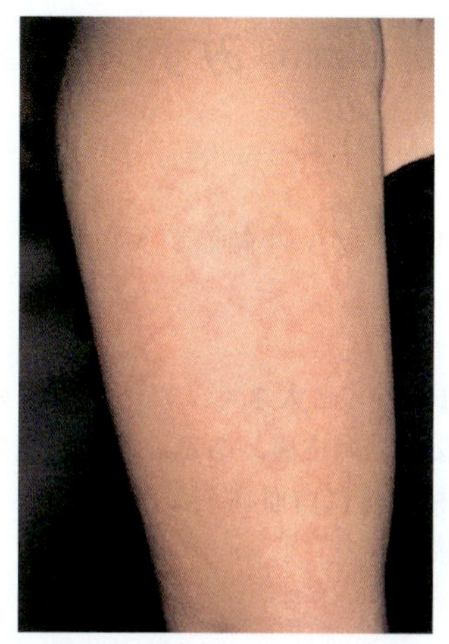

図 26-17 伝染性紅斑（網目状紅斑）

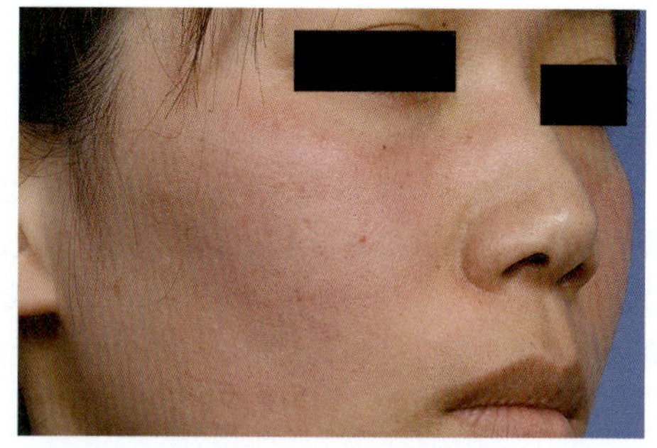

図 26-18 伝染性紅斑（成人の蝶形紅斑様）

状（発熱・頭痛・倦怠感・関節痛）が強く経過も遷延するが，皮膚症状は非定型的でより軽い．予後良好．

検査

抗 HPV-B19，IgM 抗体上昇をみる（IgM 抗体は感染後 14 日頃上昇，1〜2ヵ月で低下，IgG 抗体は 2〜3 週後に上昇し長期続く）．初期に網状赤血球・ヘモグロビン減少，次いで AST，ALT の増加，RA 因子・ANA などの陽性，補体の低下，白血球減少もみられる（SLE 様）．PCR 法で遺伝子検出（発熱期から約 2ヵ月陽性）．

治療

特異的治療なく対症的（安静，関節痛に鎮痛薬）．ハイリスク患者（貧血・免疫抑制状態）に免疫グロブリン．発疹出現時は既に感染力はないが，妊婦や溶血性貧血患者は伝染性紅斑の患児に近づかないようにする．

〔付 1〕①HPV-B19 が妊娠 20 週までに標的の骨髄前赤芽球系細胞に感染すると胎児水腫（hydrops fetalis，胎児致死率は約 10%）をきたすことがある．②伝染性紅斑以外にアナフィラクトイド紫斑，gloves and socks syndrome，血管炎，風疹様皮疹，膿疱，水疱など多彩な皮疹を生じ，関節炎，心筋炎，脳炎の症状を発することもある．

〔付 2〕**gloves and socks syndrome**（Harms 1990）：手袋，靴下の部位に一致して小紅斑・丘疹を生じ，出血を帯びる．瘙痒あり，しばしば粘膜疹を伴う．中等度発熱・白血球減少・好中球減少・血小板減少を伴うものの予後良好で 6〜10 日で消褪する．多くは parvovirus B19 によるが，HBV，EBV，CMV なども原因になりうる．

3 伝染性軟属腫 molluscum contagiosum，みずいぼ ◎

幼小児に広く発症するpoxvirus感染症で，皮膚に軟らかい小結節が多発する．

病因

伝染性軟属腫ウイルス（poxvirus：300×200×100 nmと大きく，ヒトが唯一の宿主）が皮膚に直接感染する．アトピー性皮膚炎など乾燥皮膚，あるいは湿疹病変に合併しやすく，プールでの感染も多い．成人は稀．時に白血病・ATL・AIDS・菌状息肉症・免疫抑制薬使用などの免疫不全が背景にある．

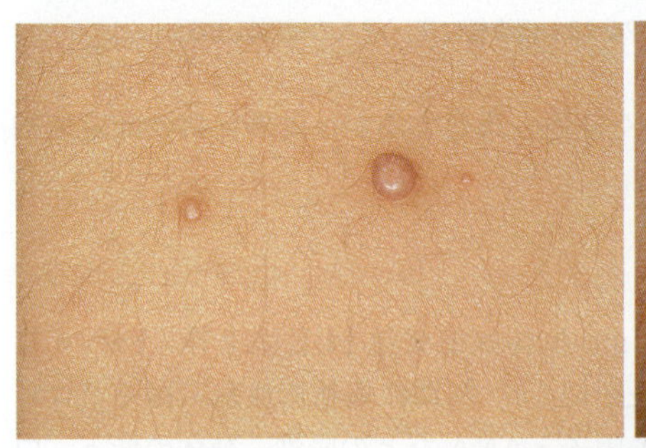

図26-19　伝染性軟属腫

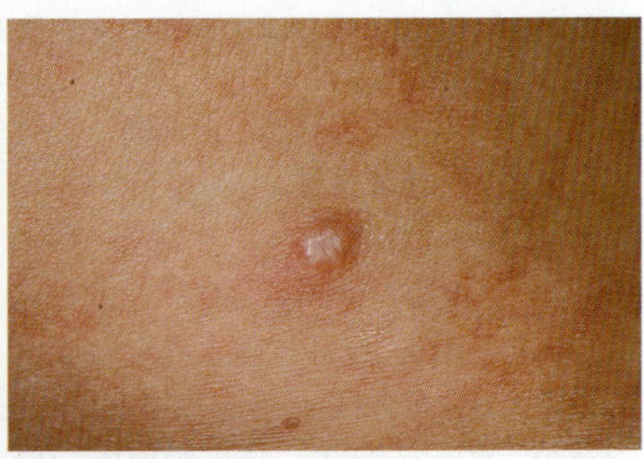

図26-20　成人の伝染性軟属腫

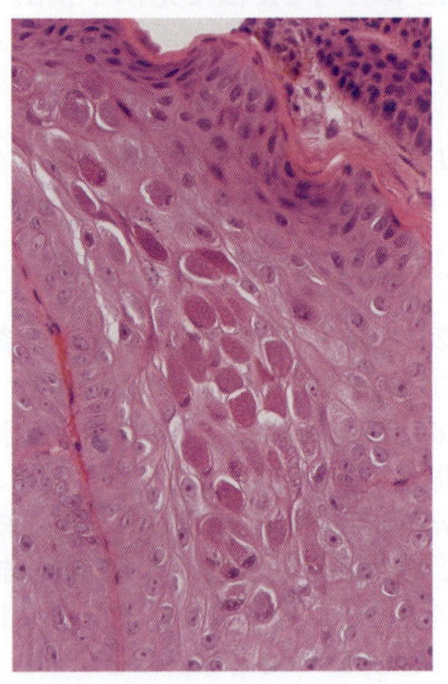

図26-21　伝染性軟属腫（封入体）

症状（図 26-19，20）

小児の体幹・四肢に発する豌豆大までの小結節で，半球状に隆起し，その中央は臍窩状に陥凹する．常色〜淡紅色〜淡褐色，水様光沢を帯び，軟らかく，強くつまむと粥様物質を排出する．自家接種により多発する．時に自然消褪．稀に周囲に湿疹様反応．

組織所見（図 26-21）

表皮は中央で真皮内に彎入・増殖し，同部には変性表皮細胞が相接してブドウ状に密集する．変性細胞は好塩基性の細胞質性封入体で占められ，核は側方に押しやられ菲薄化している．

治療

表面麻酔後トラコーマ摂子で摘除．凍結療法・レーザー療法・電気焼灼法．

4 痘瘡と類症

1）痘瘡（天然痘）variola，smallpox

痘瘡ウイルス（poxvirus に属する orthopoxvirus）感染症であるが，1980 年 5 月に WHO が根絶宣言．以後患者は発生していない．バイオテロ対策としてワクチン備蓄が論じられている．感染法上の 1 類感染症．

2）種痘疹 vaccinia

種痘によって皮膚に生じる異常発疹であるが，種痘自体が行われなくなっている．

〔付 1〕**動物からの感染**：ウシ・ネコ痘瘡のヒト感染は種痘による交差免疫でほとんどみなくなったが，最近散発的報告もある．多くはネコからで，ネコの前足・顔に皮疹あり．ヒトに感染すると，紅斑，7〜12 日で丘疹・水疱，2〜3 週で潰瘍，痂皮，6〜8 週で瘢痕治癒．手指・顔頸部に単発し，風邪症状，結膜炎を伴う．免疫低下状態（アトピー皮膚炎にステロイド外用中など）では汎発することあり．同様の感染がアフリカでサル痘として発生している．

〔付 2〕**搾乳者結節** milker's nodules（Winternitz 1899），paravaccinia：乳牛より搾乳者に感染する牛痘で，指に単発または多発する．潜伏期 5〜14 日，紅斑・丘疹・小水疱として始まり，硬い小結節となる．6 週ほどで自然治癒し，全身症状はない．parapoxvirus（paravaccinia virus，milker's node virus）による．

5 ヒト乳頭腫ウイルス感染症 ◎

Papovavirusのヒト乳頭腫ウイルス（human papilloma virus；HPV）が表皮細胞に感染して同細胞が増殖，乳頭腫状肥厚をきたして角化性病変（疣贅）病変を形成する．HPVは直径55 nm，約8 kbの2本鎖環状DNAをもつ正20面体の球形ウイルスで，約150種のDNA型に分類される．尋常性疣贅・青年性扁平疣贅・尖圭コンジローマ・疣贅状表皮発育異常症などを生じる．

病因・病態

HPVはヒトからヒトへ直接感染，あるいは器具などを介して間接感染する．潜伏期間は一定しないが数週～数年，平均3ヵ月程度といわれている．HPVは表皮幹細胞に感染する可能性が示唆されているが，成熟ウイルス粒子は分化した表皮上層の細胞核内で形成される．

病型（表26-3）

臨床像とDNA型は基本的に相関する．

◎1）尋常性疣贅 verruca vulgaris，common wart

最もよくみるウイルス性疣贅．HPV-2/27/57が検出される．

表26-3　疣贅の臨床・病理とHPV-DNA型

臨床病型	病理組織像の特徴	主なHPV-DNA型
尋常性疣贅	乳頭腫状表皮増殖，有棘層上層・顆粒層の空胞細胞・粗大ケラトヒアリン顆粒	HPV2/27/57
ミルメシア疣贅	空胞細胞，粗大ケラトヒアリン顆粒，顆粒状の細胞質封入体	HPV1
ウイルス性足底表皮嚢腫	表皮嚢腫，壁・内腔の好酸性封入体・空胞様構造	HPV60
Ridged wart	好酸性細胞質封入体	HPV60
色素性疣贅	均質無構造の細胞質封入体	HPV65/4/60
点状疣贅	紐・毛糸玉状の細胞質封入体	HPV63
扁平疣贅	Basket-weave状角質増生，有棘層上層・顆粒層の空胞細胞（bird-eye cell）	HPV3/10/28
尖圭コンジローマ	表皮中上層細胞の一様の空胞化（koilocytosis）	HPV6/11
ボーエン様丘疹症	ボーエン病様異型細胞，表皮細胞の乱れ	HPV16
疣贅状表皮発育異常症	有棘層上層・顆粒層の澄明変性細胞	HPV5/8/17/20

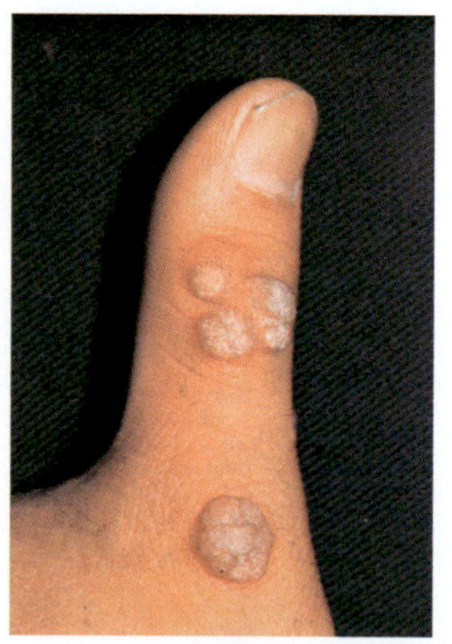

図 26-22　尋常性疣贅

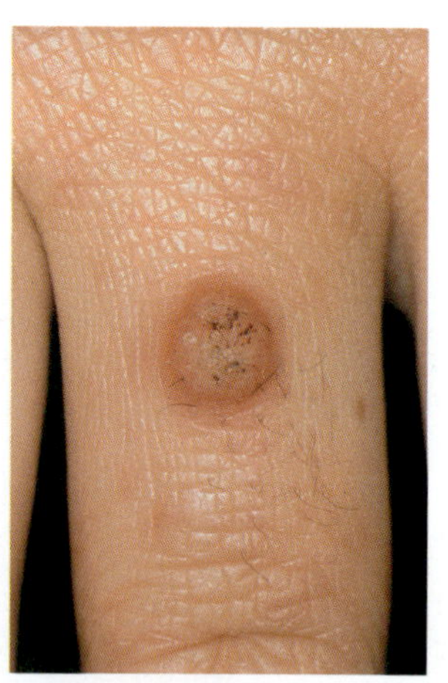

図 26-23　尋常性疣贅（点状出血）

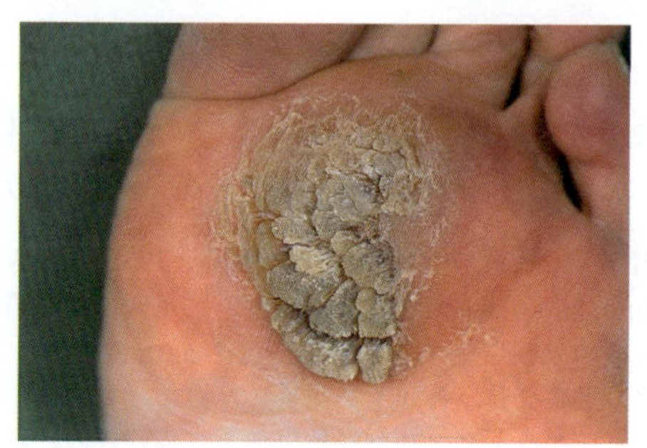

図 26-24　足底疣贅

症状（図 26-22～24）

帽針頭大小丘疹が増大して豌豆大に及び，表面は疣状を呈する．単発または散在性に多発．四肢末端に好発する．爪囲ではしばしば癒合して疣状局面を，手掌足底ではあまり隆起せず顆粒性角化巣（掌蹠疣贅 palmoplantar wart またはモザイク疣贅）を形成する．頭顔頸部の細長い角化性突起を糸状疣贅という．大きな疣贅を中心に小さな疣贅が多発することもある．通常，自覚症状はない．

組織所見（図 26-25，26）

乳頭腫様増殖，有棘層上層および顆粒層における多数の空胞細胞と粗大ケラトヒアリン顆粒．抗 HPV 抗体を用いた ABC 法でパラフィン切片中にウイルス局在を証明できる．

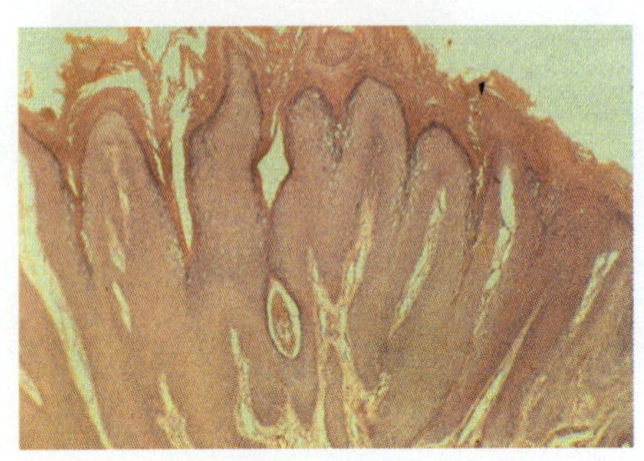

図 26-25　尋常性疣贅（乳頭腫）

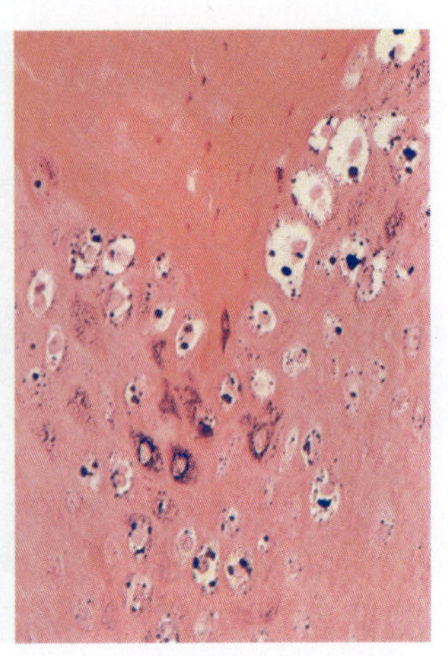

図 26-26　尋常性疣贅（空胞細胞）

治療

液体窒素冷凍療法，ブレオマイシン局注，ポドフィリン液外用，ヨクイニン・グリチルリチン・エトレチネート内服，暗示療法・電気凝固・切除．

〔付 1〕**ミルメシア疣贅** myrmecia wart（Lyell and Miles 1951）：HPV I 型による深在性手掌足底疣贅（deep palmoplantar wart）．幼小児の手掌・足底に中心噴火口状に陥凹するドーム状結節を生じ蟻塚様の外観を呈する（myrmecia＝anthill 蟻塚）．疼痛・発赤・腫脹を伴うことが多い．通常の足底疣贅（モザイク疣贅）と異なって融合することなく孤立する．通常の空胞細胞や粗大なケラトヒアリン顆粒に加えて細胞質内に顆粒状封入体が出現する点が特徴．

〔付 2〕**ウイルス性足底表皮囊腫** viral plantar cyst（Kawashima 1991）：足底表皮囊腫でありその壁・内腔に好酸性封入体と空胞様構造とがみられる．HPV 60（および HPV-57）の感染．HPV が足底表皮に感染し角化をきたし，圧迫により表皮細胞が皮下に埋没して囊腫を形成する．エクリン汗管上皮に感染，これが真皮内汗管に及び囊腫を形成するとの見解もある．圧迫の強い利き足の母趾球・母趾腹・踵に好発，しばしば圧痛あり．足底疣贅の合併は少ない．

〔付 3〕**ridged wart**（Honda 1994, Egawa 1998）：同じく HPV-60 による足底疣贅．扁平隆起性，表面平滑で皮溝・皮丘が保たれる．常色ないし褐色，時に圧痛．通常単発．

〔付 4〕**色素性ウイルス疣贅，くろいぼ** pigmented viral wart（Egawa 1998）：黒色調の色素沈着を伴う尋常性疣贅の臨床像．HPV-4，65 による．稀に HPV-60．均質無構造の細胞質内封入体が特徴．

〔付 5〕**点状疣贅**：足底に多い白色点状の角化性病変で，HPV-88 を検出．紐，毛糸玉状の細胞質内封入体が出現．

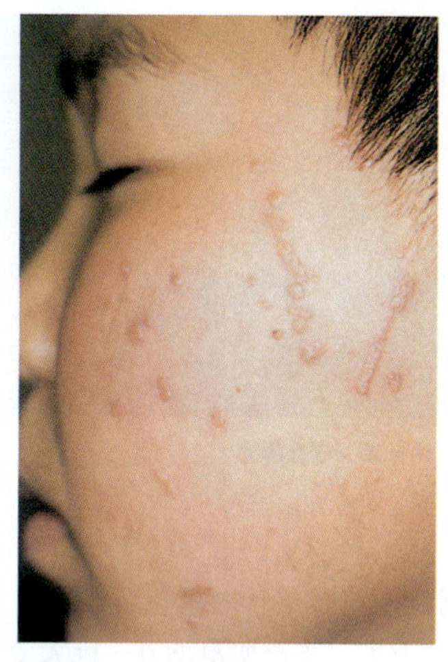

図 26-27 扁平疣贅

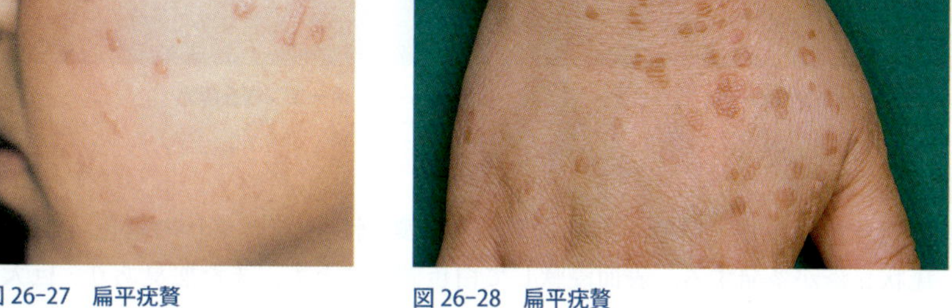

図 26-28 扁平疣贅

○2）青年性扁平疣贅 verruca plana juvenilis, flat wart

扁平疣贅ともいう．青少年，特に女子に好発．HPV-3，10，28，時に HPV-27，29，24 も検出される．

症状（図 26-27，28）

手背・顔面（前額・頬）に，扁平隆起した正常皮膚色～淡褐～帯紅褐色の，円～楕円～多角形の丘疹が多発，時に融合し，また線状に並ぶ（いわゆる Köbner 現象）．多発する扁平疣贅が急に発赤・瘙痒など炎症反応を生じ自然に消失する（一種の腫瘍免疫反応）．難治性で数年に及ぶことも．

組織所見

扁平な表皮肥厚・basket weave 状の角質増生，有棘層上層・顆粒層に空胞細胞（bird-eye cell）．

治療

ヨクイニン・シメチジン内服，冷凍療法，5-Fu 軟膏，接触免疫療法．

○3）尖圭コンジローマ condyloma acuminatum

性感染症の側面が強く，多くは HPV-6，11，時に HPV-2 による．5 類感染症．

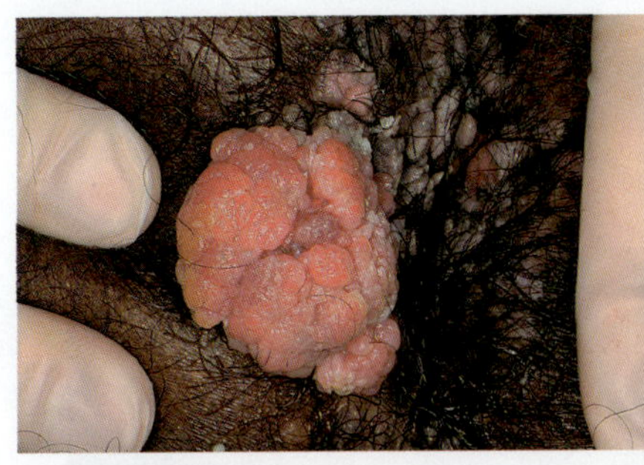

図 26-29　尖圭コンジローマ

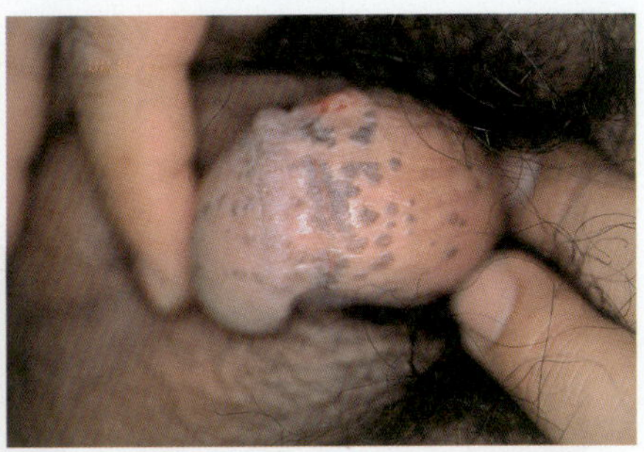

図 26-30　ボーエン様丘疹症

症状（図 26-29）

陰茎冠状溝・包皮・陰唇・肛囲に乳頭状〜鶏冠状〜花野菜状の紅色・褐色で14日，疣状丘疹が多発する．表面浸軟して白色調のことも．また悪臭あり．巨大で角化の強いものをBuschke-Löwenstein腫瘍と呼び，外陰部癌と鑑別する必要がある．

組織所見

乳頭腫症を伴う表皮肥厚と表皮上中層の細胞の一様な空胞化（koilocytosis）．

治療

イミキモド外用，冷凍療法，炭酸ガスレーザー，電気凝固，5-Fu・ブレオマイシン軟膏．

4）ボーエン様丘疹症 Bowenoid papulosis（Kopf 1977）（図 26-30）

HPV-16など粘膜型ハイリスクHPV（HPV-33，34，39，55など）感染による．外陰部・肛囲の皮膚・粘膜に褐〜黒褐色の色素斑・丘疹が散在・集族する．比較的若年に生じる．自然消褪もあり，予後良好．組織像は表皮肥厚・表皮細胞の配列の乱れ・ボーエン病様の異型細胞が主徴．比較的異型性は低く，基底層の色素が増強し真皮上層のメラノファージをみる．

○ 5）疣贅状表皮発育異常症 epidermodysplasia verruciformis（Lewandowsky-Lutz 1922）

HPVに対する免疫異常に基づいて，扁平疣贅が全身に多発し，生涯持続する．日光裸露部に皮膚癌が発生する高発癌性遺伝性皮膚疾患の一つ．

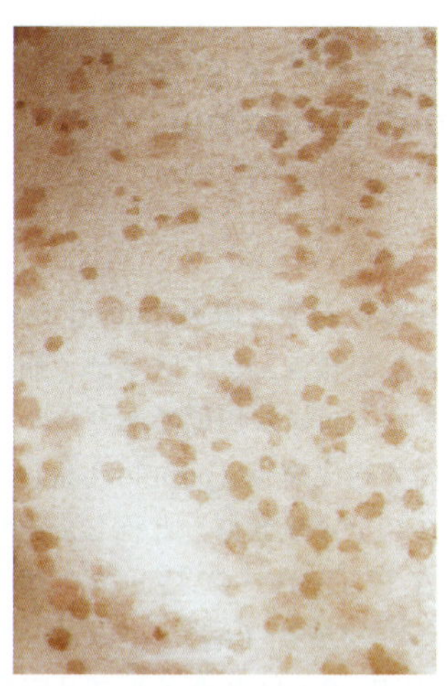

図 26-31　疣贅状表皮発育異常症

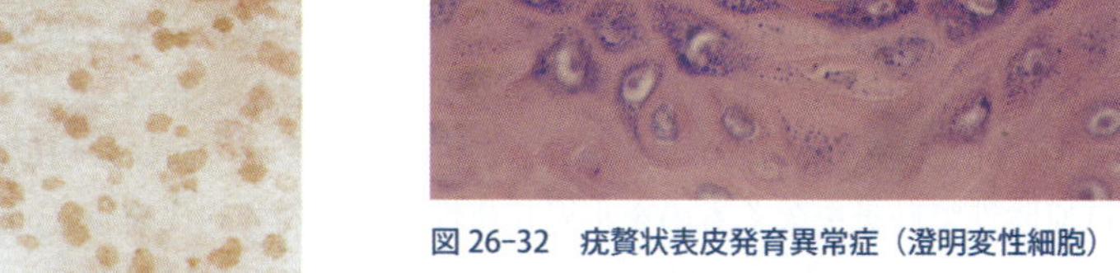

図 26-32　疣贅状表皮発育異常症（澄明変性細胞）

病因

扁平疣贅は HPV-5，8，17，20 型とその他皮膚型ハイリスク HPV 感染による．細胞性免疫の低下・異常による HPV 易感染性が推測される常染色体性劣性遺伝性疾患で *EVER1/TMC6*，*EVER2/TMC8* 遺伝子の変異が報告されている．

症状（図 26-31）

皮疹は幼児期に始まり，思春期より急に増加．手背・足背・上肢・体幹・顔面などに大小の扁平疣贅様皮疹が播種・多発する．しばしば融合して網状配列を示す．紅斑・癜風様外観を呈するものもある．

組織所見（図 26-32）

角質増殖，表皮肥厚．有棘層上層および顆粒層に多数の澄明変性細胞．

予後

20～50%が青年期に癌（有棘細胞癌・ボーエン病・基底細胞癌）に進行する（癌細胞中に 5，8，17，20 型の存在が確認されている）．癌は日光裸露部に多く，紫外線の影響も大きい．

治療

エトレチナート内服．

6 ジアノッティ病 Gianotti disease，ジアノッティ・クロスティ症候群 Gianotti-Crosti syndrome ○

歴史

Gianotti は HBs 抗原陽性で肝炎を伴うものを小児丘疹性先端皮膚炎（acrodermatitis papulosa infantilis）（IPAD：ジアノッティ病）として報告，ジアノッティ病は HBV（B 型肝炎ウイルス）の初感染で生じる疾患である．同様の病態でありながら HBs 抗原陰性で肝炎を欠くものを小児丘疹性小水疱性先端皮膚炎（papulovesicular acrolocated syndrome）（PVAS：ジアノッティ・クロスティ症候群）と称した．ジアノッティ・クロスティ症候群は様々なウイルスで生じ〔EBV・CMV・コクサッキー A16・A，B，C 型肝炎ウイルス（B 型の場合はジアノッティ病）・パラインフルエンザウイルス・アデノウイルス・エコーウイルス 7，9・ロタウイルス・三種混合ワクチンやインフルエンザワクチン接種後など〕，皮疹に小水疱や紫斑を混じ，あるいは上気道炎が先行するなど多少異なる．しかし，近年 HBV 感染を他のウイルス感染によるジアノッティ症候群と区別しない考え方も強い．

病因

HBV（ジアノッティ病）に次いで近年 EBV が原因と考えられるのも多くなってきている．さらに Cox B，Cytomegalo V，また HCV，HAV，Cox A16，B4，5，Echo7，9，Adeno V，Entero V，RSV，Rota V，Parainfluenza V，Vaccinia V，poliovirus，などの関与も考えられる（ジアノッティ・クロスティ症候群）．

症状（図 26-33，34）

6ヵ月～12 歳（1～2 歳に多い）の小児の下肢に始まり，3～4 日で急速に上行する径 3～4 mm，単調な紅色丘疹で，四肢伸側，臀部，膝窩・肘窩を除く四肢屈側，頬・オトガイ・頸を侵す．一部紫斑状，自覚症はない．2ヵ月の潜伏期で発症，3～4 日で完成して 20～30 日続き自然に消褪．時にケブネル現象あり（ジアノッティ病）．生後 18ヵ月未満では個疹は大きく 5～10 mm に及ぶ．左右対側性に播種状に生じ，体幹部を侵さない．ジアノッティ・クロスティ症候群は軽度の全身症状（カゼ気味・食思不振），表在性リンパ節腫大を伴うことが多く，ジアノッティ病では肝腫脹（非黄疸性急性肝炎像）を伴うが，黄疸は稀．ジアノッティ・クロスティ症候群はジアノッティ病に比べ，痒みが強い．

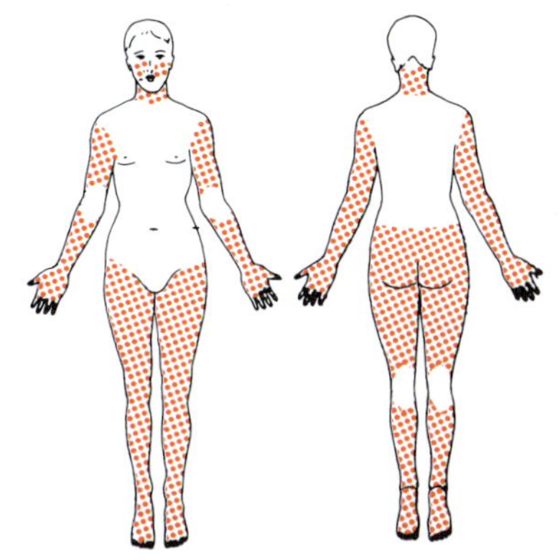

図 26-33　ジアノッティ・クロスティ症候群の好発部位

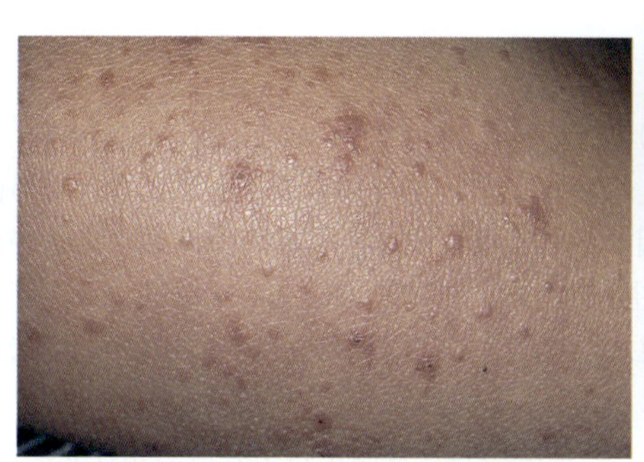

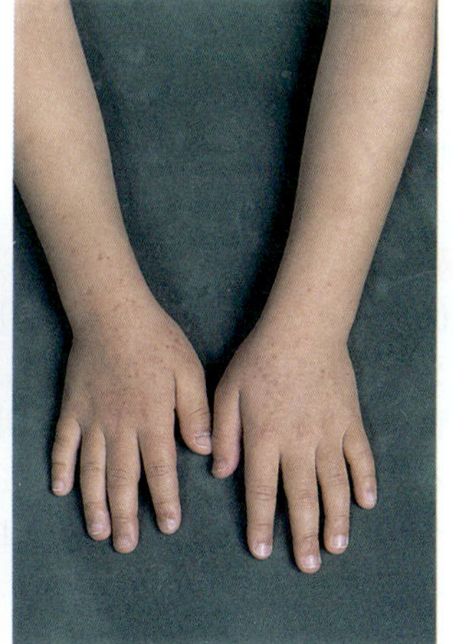

図 26-34　ジアノッティ・クロスティ症候群

検査所見

ジアノッティ病では AST，ALT，LDH，ALP，アルドラーゼ上昇，単球・リンパ球増加，低血色素性貧血，γ-グロブリン増加，HBs 抗原陽性，Paul-Bunnell 反応陰性．ジアノッティ・クロスティ症候群では肝機能は多く正常で HBs 抗原陰性．白血球の一過性減少，CRP の軽度上昇，原因ウイルス抗体価の上昇など．

治療

概ね対症療法でよい．安静の他，ジアノッティ病では IFN，抗 HBV 免疫グロブリンまたは，HBV ワクチンなど．肝機能は2〜3ヵ月で正常化するが肝障害を残すことあり．HBV キャリアへの移行防止を第一に考え，HBe 抗原陽性の場合は入院加療（肝庇護・IFN）する．患児から家族に伝染してB型肝炎が発症した例もあるので，家族も抗 HBV 免疫グロブリン・HBV ワクチンを使用するのがよい．

7　麻疹 morbilli, measles　◎

小児のウイルス発疹症で，伝染力が強く，二相性の発熱，カタル症状が特徴．2008年頃に10代，20代の若者に流行したこともあったが，2009年以降は患者が大幅に減少している．5類感染症で定点把握対象．

病因

パラミクソウイルス科（paramyxoviridae）モルビリウイルス属（morbillivirus）の麻疹ウイルス（1本鎖 RNA ウイルス，120〜140 nm）の飛沫感染．

症状（図 26-35）

①**潜伏期**：10〜12日（経気道感染）．

②**カタル性前駆期**：3〜4日．高熱（38〜39℃）・全身倦怠感とともに鼻汁・鼻閉・結膜炎（眼脂・充血・羞明）・咽頭気管支炎（乾燥性咳嗽）のカタル症状が出現する．患者の90%以上に口腔粘膜の**コプリック斑**（Koplik buccal spot：紅暈を伴う砂粒大の小白斑）を皮疹の1，2日前に生じ，皮疹発生後3日以内に消失する．この時期は感染性が高い．

③**発疹期**（図 26-36，37）：4〜5日．一旦解熱した体温が再上昇（二相性発熱），カタル症状も増強し，発疹は耳後・頬部に始まり，被髪頭部・体幹を侵し，最後に四肢に及ぶ．個疹は帽針頭大紅斑に始まり，拡大・増数，さらに**融合して**爪甲大

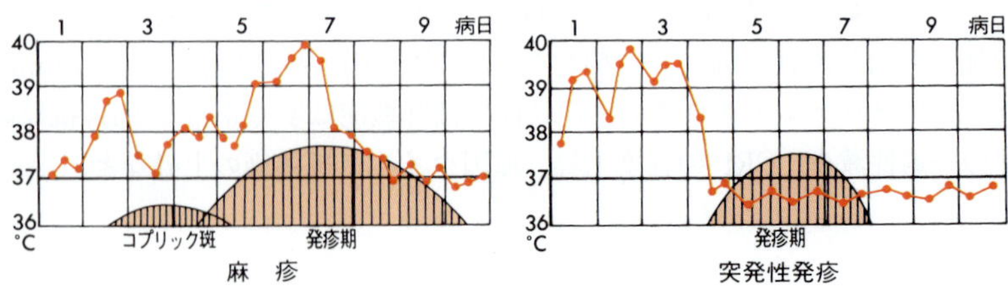

図 26-35　主な急性伝染性発疹症の経過（柳下原図）

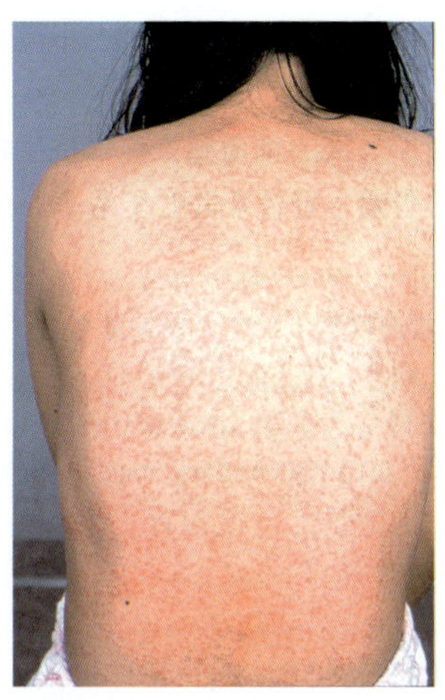
図 26-36　成人の麻疹

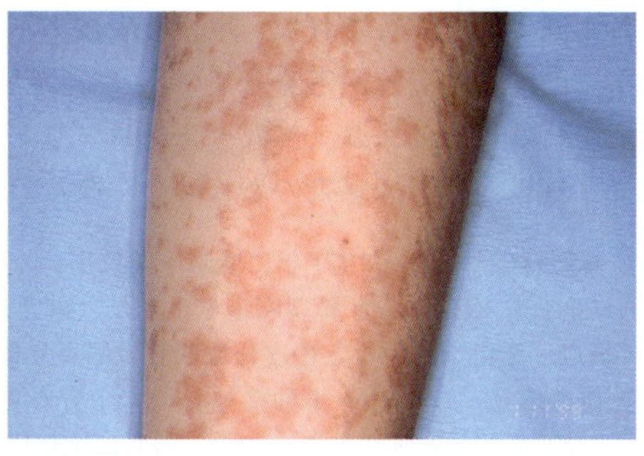
図 26-37　成人の麻疹

の不整形紅斑となり，密に分布してその間に健常皮膚面を網状に残す．紫斑を混じたり，粘膜症状が強く Stevens-Johnson 症候群類似の臨床像を呈することもある．胃腸症状・肺炎・中耳炎を合併することもある．4〜5 日で急速に解熱，落屑を生じ，色素沈着を残して治癒．

検査・診断

発疹期に白血球・血小板減少，異型リンパ球をみる．一過性肝機能障害．麻疹特異 IgG・IgM 抗体価上昇．蛍光抗体法でのウイルス証明（鼻粘膜）．分離（咽頭ぬぐい液，血液）．ウイルス DNA 検査．

予後

予後は良好で，終生免疫を獲得．中耳炎（二次的細菌感染）・麻疹肺炎（麻疹ウイルスによる巨細胞性肺炎と二次的細菌性感染：前者は間質性肺炎で樹枝状・軌道様・網目状陰影を呈す）・仮性クループ・大腸炎・麻疹脳炎（0.1％にみられ死亡率10〜25％，比較的年長児に多い）・亜急性硬化性全脳炎（**SSPE，罹患 5〜15 年後に生じる**）・**心筋炎の合併に注意．妊婦の感染では流産・早産**することもある．

予防・治療

1989 年より麻疹・おたふくかぜ・風疹の三種混合の MMR ワクチン，1995 年以降高度弱毒生ワクチンを定期接種，2006 年より 2 回接種（1〜2 歳の 1 年間と小学就学前 1 年間に）されている．2008 年より 5 年間，中学 1 年次，高校 3 年次相当時に各1回接種が試行された．現在は生後1年以降1年以内に1期接種，小学就学前1年以内に2期接種が定着している（多くはMR二種混合ワクチン）．

発症すれば安静・保温・補液・γ-グロブリン注射，二次的細菌感染症に抗生物質．解熱後3日以上で飛沫感染の恐れはなくなるので，登園・登校を許してもよい．

〔付1〕**異型麻疹**：1966～1971年に麻疹予防に用いた不活化ワクチン（Kワクチン）接種者が，のちに麻疹に罹患すると異型麻疹を生じた（カタル症状が軽度でコプリック斑も出ず，丘疹・紅斑・紫斑・水疱などの皮疹は四肢末端より体幹に向う．肺炎症状が強い）．

〔付2〕**修飾麻疹**：ワクチン単独接種しても十分な免疫が得られない（primary vaccine failure），接種後抗体を獲得したものの，のちに抗体価の低下した（secondary vaccine failure）場合に麻疹に罹患すると潜伏期が延長，軽症化する．

8 風疹 rubeola，rubella，german measles，epidemic roseola，three-day measles

いわゆる「三日はしか」で，麻疹に比べてカタル症状や全身症状は軽い．5類感染症で定点把握対象．

病因

トガウイルス科ルビウイルス属（*Togaviridae Rubivirus*）の1本鎖RNAウイルス（50～70 nm）．飛沫感染が多く（感染力は弱い），リンパ節を経て，ウイルス血症をきたす．25～50％は初感染が不顕性といわれる．

疫学

多くは春～初夏に発生する．日本では2～3年周期で流行し，10年ごとに大流行していた．2004年の流行後は急速に患者が減少していたが，2011年にアジアで大規模な流行が発生し，2012年は小流行，2013年に大流行，2018年と2019年には小流行した．近年は成人男性に多く，特に30代を中心に20歳以上50歳未満の年齢層に拡大している．一方，女性患者は男性の1/4，20代前半を中心に，18歳以上30歳以下に多い．

症状（図26-38）

①**潜伏期**：2～3週（平均16日）．

②**前駆期**：1～2日．ごく軽微で，軽度発熱（3日ほど）・全身違和感・食思不振・表在リンパ節腫脹をみる．成人で強く，小児ではほとんど気づかれない．

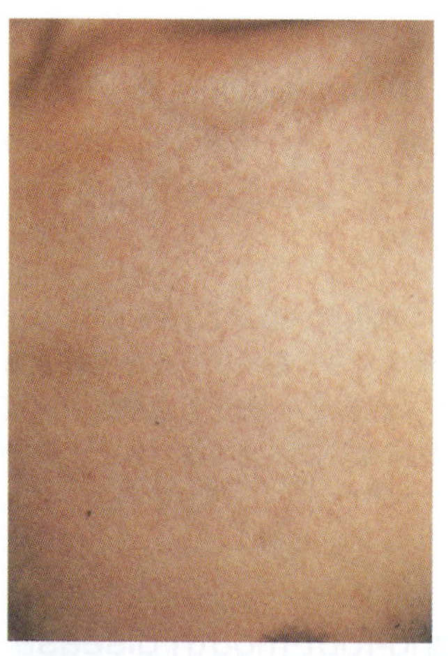

図 26-38　風　疹

③**発疹期**：急速に発し3日で消褪する（三日はしか）．顔面に発し，急速に耳後部・体幹・四肢と拡大，個疹は**粟粒大紅色丘疹（小紅斑）で，融合せず**，しばしば貧血暈を伴う．落屑・色素沈着は残さない．結膜充血・口腔疹（口蓋の点状出血・毛細血管拡張：Forschheimer 斑）を伴う．後頭・耳後のリンパ節腫脹が特徴的．成人は症状の重い傾向がある．

検査所見

白血球減少・異型リンパ球出現・風疹 HI 抗体（発病1週でピーク，2，3年続く）．IgM 抗体（発病1週でピーク，2，3ヵ月で陰性化），咽頭ぬぐい液（発疹出現1週前より，出現後2週まで）および血液（発疹出現1週前より，発疹出現後速やかに消失）からのウイルス DNA の検出．

予後

通常良好．妊婦は妊娠5ヵ月までに罹患すると，種々の障害を伴った低出生体重児出産の危険がある（**先天性風疹症候群** congenital rubella syndrome；CRS）．妊娠2ヵ月までは白内障，3ヵ月までは心奇形（動脈管開存・心房心室中隔欠損・肺動脈狭窄・心筋炎），4〜5ヵ月までは難聴を生じる．稀に血小板減少性紫斑・多発性神経炎・関節炎・脳炎・溶血性貧血などを合併．

治療

安静のみで可．発疹消褪後登校・登園する．

予防

風疹ワクチン予防接種．2006年から定期接種（生後1年以降1年以内に1期接種，小学就学前1年以内）が定着している（多くはMR二種混合ワクチン）．なお，感染既往のない，あるいはワクチン接種歴のない生殖年齢の男女には風疹抗体検査，ワクチン接種が勧められている．

〔付〕blueberry muffin lesions：新生児（しばしば出生時）で直径2～8 mmの楕円～円形の浸潤ある紫紅色斑が全身に多発する．組織は真皮赤芽球造血の像．先天性ウイルス感染症（風疹・サイトメガロウイルス感染症），先天性血液疾患（遺伝性球状赤血球症・血液型不適合妊娠による新生児溶血性貧血）においてみられる．生後24時間で最も数が増え，3週以内に消褪する．

9　手足口病 hand-foot-mouth disease (Robinson 1957)　○

口腔粘膜と四肢末端の水疱を特徴とする幼児を中心に流行するウイルス感染症．5類感染症．

病因

Cox A16，A10，Entero 71，稀にCox A4～6，ECHO-16．唾液・糞便の手指を介する経口感染，時に飛沫による経気道感染．稀に水疱より接触感染．

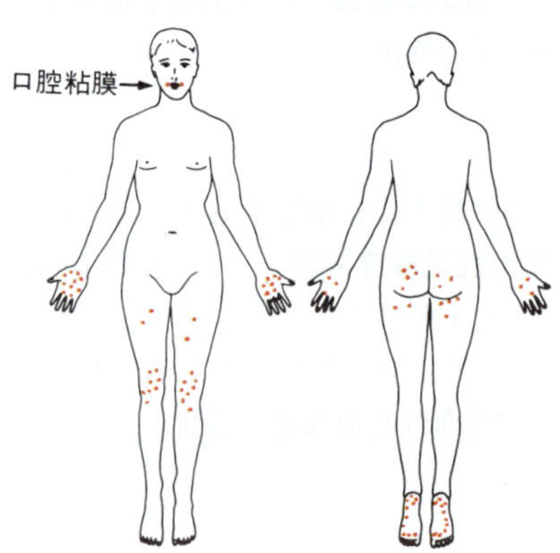

図26-39　手足口病の好発部位

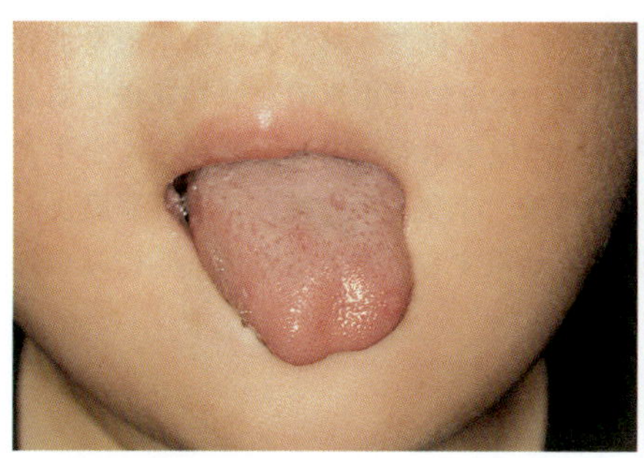
図 26-40　手足口病

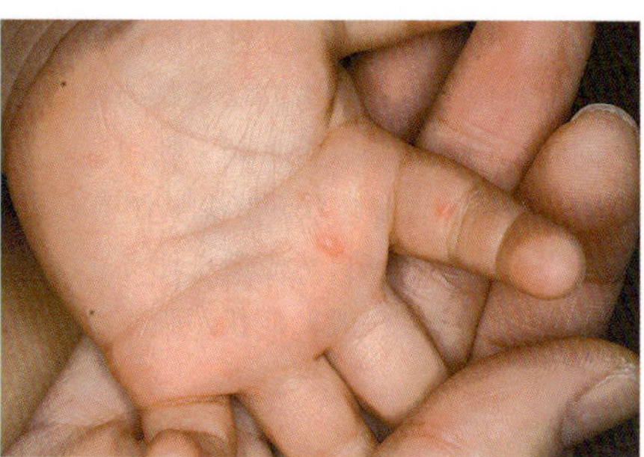
図 26-41　手足口病

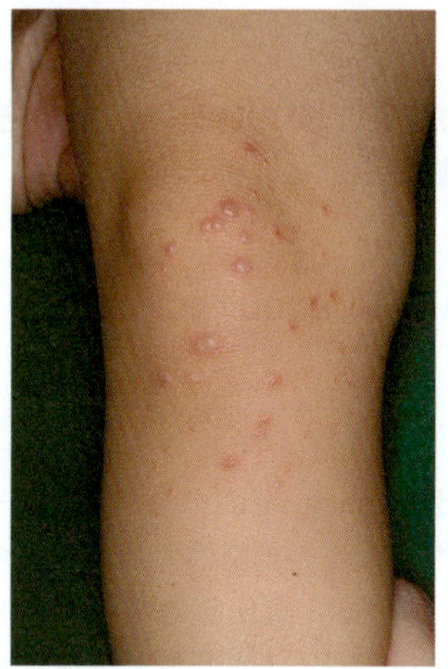
図 26-42　手足口病

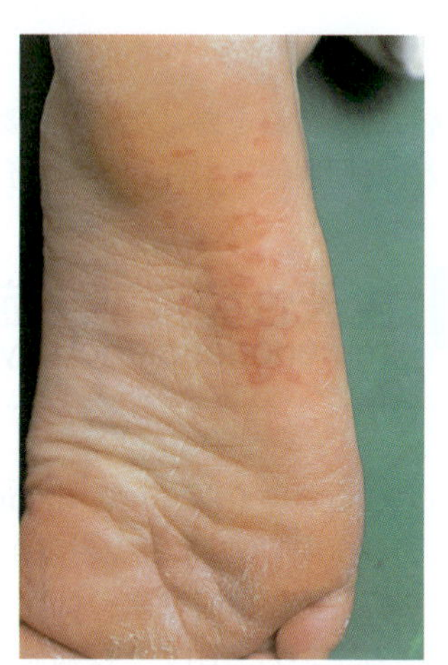
図 26-43　手足口病

疫学

1957 年カナダで初報告，日本では 1967 年（関西），1968 年（関東），1970 年（全国），次いで 2～4 年ごとに流行し，最近では 2011 年，2013 年にも流行．1～5 歳児（最近はしばしば成人，特に男性）に小流行性に夏季を中心に毎年発生するが，秋・冬にも発生する．近年，Cox A6 感染が流行し，広範囲に皮疹が出現，また爪の脱落や変形をきたすことがある．

症状（図 26-39～43）

①**潜伏期**：3～4 日．

②主に手掌（特に拇指）・足底（土踏まずは少ない）に，他に手足背・肘頭・殿・

大腿・膝蓋部に，孤立性小紅斑が出現，すぐに半米粒大～豌豆大の小水疱を形成．手掌足底では紋理方向に長軸の楕円形小水疱，他部位は小水疱ないし丘疹である．同時に口腔粘膜（舌・頬・軟口蓋・歯肉）に同様小水疱・アフタ様びらんを生じる．発熱・胃腸症状（下痢・食思不振）・不機嫌・上気道炎，稀に無菌性髄膜炎・脳炎・心筋炎・自然流産を伴う．1～2週間で治癒する．成人感染例も時にみられ，発熱を含めて一般に症状が強くあらわれる．

検査所見

白血球増多症．水疱内容よりウイルス分離またはウイルス抗原の蛍光抗体法による証明，ペア血清での血中抗体価の上昇などをみれば診断は確実である．

治療

通常特別な治療を要しない．必要に応じて解熱剤，口腔内のケア，補液．感染力は比較的長期間持続するという．手洗い，排泄物の適切な処理に注意する．

10 後天性免疫不全症候群（AIDS；acquired immunodeficiency syndrome）◎

ヒト免疫不全ウイルス1型（human immunodeficiency virus type 1；HIV-1）の感染症で，血中CD4^{+}Tリンパ球が減少する慢性進行性の細胞性免疫不全症である．5類感染症，全数把握対象．なおHIVには，血清学的・遺伝学的性状からHIV-2が区別されている．HIV-2は病原性，感染性ともにHIV-1より低く，流行地域も西アフリカに限局している．

疫学

日本では2008年までは経年的にエイズ患者・HIV感染者ともに増加していたが，その後は横ばい状態が続いている．性的接触による感染例，また成人男性例が多い．

感染

主たる経路は性行為であり，他に血液を介しての感染（薬物注射・輸血・針刺し事故）や母子感染がある．病原体はレトロウイルスの一種HIV-1（コアの中にRNAと逆転写酵素を有する）で，CD4^{+}T細胞に選択的に感染し致死的障害を与える．

病期

①**急性感染期（1〜2ヵ月）**：感染2〜4週後に感冒様症状（発熱・咽頭痛・関節痛・リンパ節腫大）とともに一過性に皮疹（紅斑・丘疹）を生じる．1〜2週で軽快する．この時期には抗体価は陰性（window period）であるが，血液中にHIV-1が増殖している．

②**無症候期（数ヵ月〜10年）**：リンパ節腫大以外に特に自覚・他覚症状のない時期で感染後数ヵ月から平均5〜10年続く．血液中のHIVウイルス量はほぼ一定であるが，$CD4^{+}T$細胞に感染，破壊を繰り返している．$CD4^{+}T$細胞はゆっくり減少して免疫機構の破壊も進行している．

③**症候期**

ⓐ初期にはエイズ関連症候群ARC（AIDS related complex）として全身倦怠感・下痢・発熱・体重減少などが3ヵ月以上続く．口腔内カンジダ症・繰り返す帯状疱疹・特発性血小板減少症などを伴うこともある．この時期には$CD4^{+}T$細胞数が減少して（200個/mL以下），ウイルス量が増加している．

ⓑ進行すると，さらに$CD4^{+}T$細胞数が減少するとともに原虫（pneumocystis carinii肺炎）・細菌・真菌・ウイルスその他の日和見感染症，カポジ肉腫（約30％），HIV脳症（認知症・行動異常・運動麻痺・意識障害）・HIV消耗性症候群（スリム病slim disease）などをきたす．

症状・合併症

①**日和見感染**：ニューモシスチス肺炎・カンジダ症（特に口腔）・クリプトコッカス症・白癬・汎発性ヒストプラスマ症（紅斑・丘疹・痤瘡・潰瘍）・トキソプラスマ症・クリプトスポリジウム症（消化管寄生原虫，下痢）・帯状疱疹・単純疱疹（特に肛門周囲潰瘍形成型は難治，直腸炎を伴うことあり）・CMV感染（肛門部潰瘍）・伝染性軟属腫（汎発性）・HPV疣贅・非定型抗酸菌症・結核・梅毒・慢性痤瘡様毛包炎・膿痂疹・細菌性類上皮血管腫症（bacillar epithelioid angiomatosis：皮膚・粘膜の血管腫様皮疹）・疥癬（特にノルウェー疥癬）．

②**悪性腫瘍**

ⓐカポジ肉腫Kaposi's sarcoma（図26-44）：全身に赤紫〜黒褐色の斑・結節が多発する．古典型に比べ汎発性で粘膜（消化管・口腔・結膜）にも生じる．エイズ治療により免疫機能が回復すると退縮する．

ⓑ原発性びまん性大細胞型B細胞リンパ腫primary diffuse large B-cell lymphoma（中枢神経系）

ⓒバーキットリンパ腫Burkitt lymphoma

ⓓその他：浸潤性子宮頸癌．

26章

③エイズ関連皮膚疾患・皮疹

ⓐ脂漏性皮膚炎（図26-45）：80％以上に．角化・炎症が強い．ケトコナゾール外用が有効でステロイド外用に反応しにくい．

ⓑ pruritic papular eruption：瘙痒の強い慢性痒疹様皮疹で，前腕に始まり体幹・下肢に拡大．ステロイド外用に反応が鈍く，UVB照射が有効．

ⓒ毛孔性紅色粃糠疹（HIV-associated PRP）

ⓓ乾癬（汎発性・重症化，30％に関節症）・膿疱性乾癬・好酸球性膿疱性毛包炎．

ⓔ口腔毛状白板症 oral hairy leukoplakia（図26-46）

ⓕ薬疹の発生率が高い．

診断

HIV抗体検査〔ELISA法・ゼラチン粒子凝集法（GPA法）：0.3％に偽陽性〕でスクリーニング，Western blot法・RT-PCRによりHIVを確認する．HIV-RNA

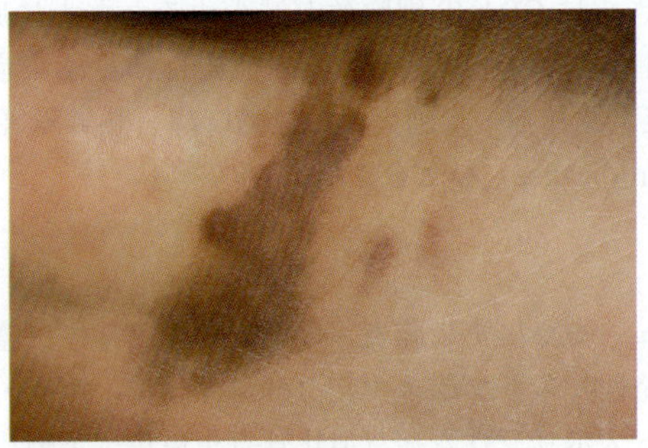

図26-44　AIDSカポジ肉腫（足底）

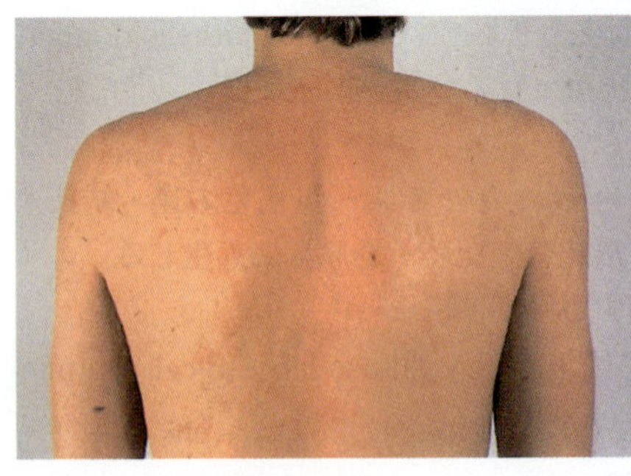

図26-45　AIDS脂漏性皮膚炎

（Göteborg大原図）

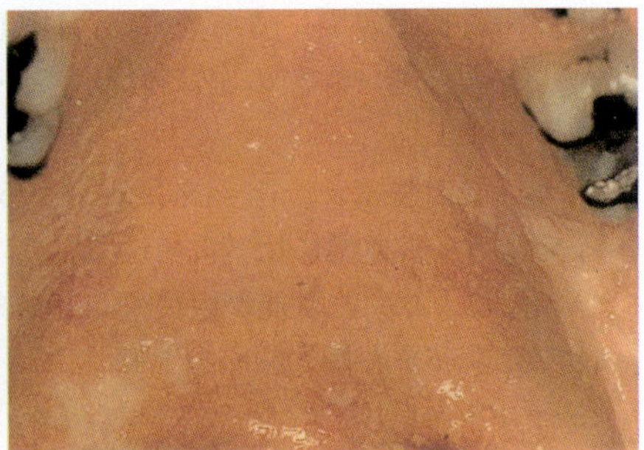

図26-46　AIDS口腔毛状白板症

（Göteborg大原図）

量や CD4$^+$T リンパ球数は病態把握と治療効果の判定に有用.

治療

多剤併用抗レトロウイルス療法（highly active antiretroviral therapy；HAART), 核酸系逆転写酵素阻害薬（NRTI), 非核酸系逆転写酵素阻害薬（NNRTI), プロテアーゼ阻害薬（PI). 近年は治療薬剤の奏効率が高まり早期治療の考え方が強まっている. 一方で, HAART 治療で CD4 が増加すると各種感染症が顕在化する免疫再構築症候群が生じることがある.

その他, 日和見感染の治療, 予防, 腫瘍に対する治療, 針刺し事故への対応などが必要である.

〔付〕デング熱（Dengue fever）：フラビウイルス属のデングウイルス（1〜4 型）感染によって起こる. 感染症法の第 4 類感染症. 東南アジア, 南アジア, 中南米など世界中の熱帯・亜熱帯地域に好発する. ネッタイシマカ, ヒトスジシマカが媒介する. 日本では近年輸入感染症として本症を診る. 感染して数日の潜伏期の後, 発熱（高熱, 二峰性）で発症, 頭痛, 筋肉痛, 関節痛, 食指不振や倦怠感を伴う. 3〜5 病日には顔面, 軀幹, 四肢に麻疹様紅色皮疹が出現, 拡大して皮膚科を受診することもある. 通常は後遺症なく回復する. 必要に応じて対症療法. なお出血傾向が強く, 紫斑, 鼻出血, 消化管出血などを呈し, 時に中枢神経症状が出現する（dengue hemorrhagic fever). DIC, 強い循環障害が生じることもある（dengue shock syndrome).

第27章 皮膚の細菌感染症

皮膚の細菌感染症は，通常，臨床病型によって分類される．10版では，「急性細菌感染症」，「慢性細菌感染症（慢性膿皮症）」，「全身感染症（全身症状を伴う）」に分けて記述していた．近年，「慢性細菌感染症（慢性膿皮症）」の病因，病態の考え方が大きく変わってきており，本章では同項目については従来の臨床疾患名を記載するにとどめて，その詳細については各項目ごとに別に記述することにした．

I．概　説

1．細菌感染症の病態

外部から細菌が皮膚に達したとき（contamination），皮膚に寄生して病変を生じるかどうかは，その細菌の種類・量・毒性などの菌側の要素のほかに，生体の防御能すなわち皮表酸性膜，健全な角層，常在菌の拮抗作用，汗に含まれるIgA，皮膚免疫が大きな役割を果たす（host-parasite-relationship）．病原体の侵入に対して免疫記憶なしに反応する自然免疫機構〔貪食細胞（好中球・単球・マクロファージ），補体，サイトカイン，デフェンシン（ケラチノサイトや好中球などが産生する抗菌ペプチド），Toll様受容体（細菌菌体成分を特異的に認識して初期防御反応と獲得免疫誘導），NK細胞，NKT細胞〕がまず作動し，次いで獲得免疫（T細胞，B細胞の反応）が動いて抗原特異的に応答する．免疫不全状態〔先天性・後天性（免疫抑制薬・AIDSなど）〕，全身衰弱，糖尿病は細菌寄生を容易にする．このような易感染性宿主（compromised host）においては，弱毒菌による**日和見感染**（opportunistic infection）がしばしば起きる．

2．細菌の検査法

通常，Gram（グラム）染色，特殊なときに抗酸菌染色（結核菌・らい菌・非結核性抗酸菌），芽胞染色（破傷風菌・炭疽菌），莢膜染色（肺炎球菌・炭疽菌），鞭毛染色，異染小体染色（ジフテリア菌）で鏡検する．次いで必要に応じて膿疱・水疱・びらん・潰瘍より培養，分離菌の感受性を検査する．近年は，DNA 診断が簡単・迅速・高精度で細菌・結核菌・真菌などの証明，株の判定に極めて有用．レンサ球菌感染症では，迅速診断キットや血清反応（ASO・ASK）もよく用いられる．また菌種の同定はマトリックス支援レーザー脱離イオン化質量分析計が導入された．

3. 細菌の分類（表 27-1）

一般細菌の分類は，菌の発育条件によって好気性（aerobic）と嫌気性（anaerobic）に，Gram（グラム）染色の結果からグラム陽性菌とグラム陰性菌に，顕微鏡下の形状から球菌と桿菌に分類される．

表 27-1　主な細菌と関連皮膚疾患

分類		原因菌	疾患名
好気性菌	グラム陽性球菌	*Staphylococcus aureus*	膿皮症
		Staphylococcus epidermidis	
		Streptococcus pyogenes	膿皮症，レンサ球菌感染症
		Streptococcus agalactiae	壊死性筋膜炎
		Streptococcus dysgalactiae subsp. equisimilis	壊死性筋膜炎
	グラム陽性桿菌	*Corynebacterium minutissimu*	紅色陰癬
		Corynebacterium tenuis	黄菌毛
		Corynebacterium diphtheriae	皮膚ジフテリア
		Erysipelothrix rhusinopathiae	類丹毒
		Nocardia	ノカルジア症
		Bacillus anthracis	炭疽
	グラム陰性桿菌	*Vibrio vulnificus*	壊死性筋膜炎
		Aeromonas hydrophila	壊死性筋膜炎
		Pseudomonas aeruginosa	壊疽性膿瘡
		Burkholderia mallei	鼻疽
		Burkholderia pseudomallei	類鼻疽
		Pasteurella multocida	ネコ・イヌによる創傷感染
		Bartonella henselae	ネコひっかき病
		Francisella tularensis	野兎病
嫌気性菌	グラム陽性桿菌	*Clostridium perfringens*	ガス壊疽
		Actinomyces israelii	放線菌症
		Cutibacterium acnes	痤瘡

4. 皮膚の常在菌

ヒトの皮膚から分離される細菌は，①常在菌（resident）と②通過菌（transient）とに分かれる．後者による皮膚変化が一般的な感染症である．

皮膚細菌叢（skin flora）は主に常在菌からなる．皮膚からは，コアグラーゼ陰性ブドウ球菌（coagulase-negative staphylococci；CNS）のうち，**表皮ブドウ球菌**（*Staphylococcus epidermidis*）が最も多く分離される．これと並んで皮膚細菌叢の中核をなすのが，***Cutibacterium acnes***である．

5. 主な病原菌

1）ブドウ球菌属 *Staphylococcus*（図 27-1）

グラム陽性球菌．ヒトの皮膚感染症の原因となる黄色ブドウ球菌（*Staphylococcus aureus*）はコアグラーゼ陽性である．**皮膚の細菌感染症は，黄色ブドウ球菌によることが最も多い**．コアグラーゼ陰性ブドウ球菌（CNS）で皮膚感染病巣から分離されることが多いのは，表皮ブドウ球菌（*Staphylococcus epidermidis*）である．

黄色ブドウ球菌は腸管毒素（エンテロトキシン），**表皮剝脱毒素**（exfoliative toxin；ET, exfoliatin, epidermolysin = epidermolytic toxin），TSST-1（toxic shock syndrome toxin-1），PVL（Panton-Valentine leukocidin）のような外毒素，コアグ

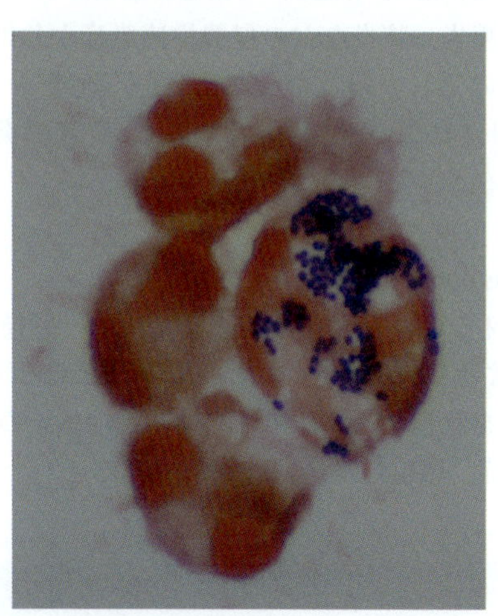

図 27-1　黄色ブドウ球菌（好中球に貪食されている．青く染まって見えるのが菌）
（秋田大学中央検査部　小林則子技師長提供）

27章

ラーゼ・プロテアーゼ・リパーゼその他の酵素を産生する．このETはデスモソームの構成要素のデスモグレイン1（desmoglein 1, Dsg1）を特異的に分解し，水疱性膿痂疹・ブドウ球菌性熱傷様皮膚症候群（SSSS）の発症に関与する．

メチシリン耐性黄色ブドウ球菌（**MRSA**；methicillin-resistant *Staphylococcus aureus*）はペニシリンに低親和性の細胞壁合成酵素PBP2′（ペニシリン結合蛋白penicillin-binding protein2′）を産生し，β-ラクタム系抗菌薬に耐性を獲得する．近年，院内感染型のみならず市中感染型のMRSAも報告されている．院内感染防止には，手洗い・消毒，含嗽の励行，免疫低下患者の隔離，鼻腔内保菌者に3日間ムピロシン軟膏を鼻腔に外用．

2）レンサ球菌属 *Streptococcus*

グラム陽性球菌．溶血性によりα，β，γの3種類に分ける．β溶血をする溶血性レンサ球菌は，Lancefieldの血清学的分類によりA群（*Streptococcus pyogenes*：GAS），B群（*Streptococcus agalactiae*：GBS），C群，G群（*Streptococcus dysgalactiae subsp. equisimilis*：SDSE）に分けられている．

このA群レンサ球菌が，皮膚のレンサ球菌感染症の主な原因菌である．膿痂疹，丹毒，蜂窩織炎，壊死性筋膜炎が代表的である．*Streptococcus pyogenes*は，その細胞壁ポリペプチドであるM抗原により約60の型に分けられている．溶血毒素（ストレプトリジンO），ストレプトキナーゼなどを出す．ストレプトリジンOに対する抗体が，antistreptolysin O（ASO）である．B群レンサ球菌は，近年では高齢者の敗血症や化膿性髄膜炎，肺炎などの侵襲性感染症が急増している．C，G群レンサ球菌は従来病原性の乏しい菌とされていたが，近年A群と同様に劇症型となり，死亡率も高く，注目されている．高齢者に多く，蜂窩織炎や壊死性筋膜炎，肺炎，尿路感染症の原因となる．

3）緑膿菌 *Pseudomonas aeruginosa*

グラム陰性桿菌．ピオシアニンという色素を産生し，感染した病巣部が緑青色に染まる．弱毒菌で健常者に感染症を惹き起こすことは少ないが，compromised hostでは重篤な感染症を惹起する．日和見感染・院内感染の原因菌として重要．緑膿菌毛包炎，趾間感染症，壊疽性膿瘡が代表的である．

6. 主な抗菌薬

細菌は薬剤耐性を獲得しやすく，これに対して新しい薬剤が次々と開発されてきた．皮膚感染症は黄色ブドウ球菌によることが多く，また薬剤耐性を有するブドウ

表 27-2　主な抗菌薬

1．細胞壁阻害薬
A．βラクタム系 1）ペニシリン系：ペニシリン G. 2）広範囲ペニシリン系：アンピシリン（ABPC），アモキシシリン（AMPC），PMPC，SBTPC，ピペラシリン（PIPC）. 3）複合ペニシリン系：アンピシリン・クロキサシリン（1：1）. 4）βラクタマーゼ阻害薬配合：ABPC ＋スルバクタム，AMPC ＋クラブラン酸，タゾバクタム＋ピペラシリン，セフォペラゾン＋スルバクタム. 5）セフェム系 ⑴注射用 第 1 世代：セファゾリン（CEZ）. 第 2 世代：セフォチアム（CTM），CMZ，FMOX. 第 3 世代：セフォペラゾン（CPZ），CMX. 第 4 世代：セフォゾプラン（CZOP），CPR，CFPM. ⑵経口用 第 1 世代：セファレキシン（CEX），セファクロル（CCL）. 第 2 世代：セフォチアム（CTM-HE），セフロキシム（CXM-AX）. 第 3 世代：セフジニル（CFDN），セフポトキシム（CPDX-PR）. 6）カルバペネム系：イミペネム / シラスタチン（IPM/CS），メロペネム（MEPM），ドリペネム（DRPM），パニペネム / ベタミプロン（PAPM/BP），ビアペネム（BIPM）. 7）モノバクタム系：アズトレオナム（AZT）. 8）経口ペネム系：ファロペネム（FRPM） B．グリコペプチド系：バンコマイシン（VCM），テイコプラニン（TEIC）. C．ホスホマイシン系：ホスホマイシン（FOM）.
2．タンパク合成阻害薬
A．アミノグリコシド系 ストレプトマイシン（SM），カナマイシン（KM），ゲンタマイシン（GM），アルベカシン（ABK），トブラマイシン（TOB），フラジオマイシン（FRM），スペクチノマイシン（SPCM），アミカシン（AMK）. B．マクロライド系：エリスロマイシン（EM），クラリスロマイシン（CAM），ロキシスロマイシン（RXM），アジスロマイシン（AZM），ジョサマイシン（JM）. C．テトラサイクリン系：テトラサイクリン（TC），ドキシサイクリン（DOXY），ミノマイシン（MINO），チゲサイクリン（TGC）. D．リンコマイシン系：リンコマイシン（LCM），クリンダマイシン（CLDM）. E．ストレプトグラミン系： F．オキサソリジノン系：リネゾリド（LZD），テジゾリド（TZD）.
3．DNA・RNA 合成阻害薬
A．キノロン系：オフロキサシン（OFLX），レボフロキサシン（LVFX），シプロフロキサシン（CPFX），トスフロキサシン（TFLX），ガレノキサシン（GRNX），ナジフロキサシン（NDFX），オゼノキサシン（OZNX）. B．リファンピシン（RFP） C．サルファ剤：サラゾスルファピリジン（SASP）. D．ST 合剤（ST）
4．細胞膜障害薬
A．ポリペプチド系：ポリミキシン B（PL-B），バシトラシン（BC），コリスチン（CL）. B．リポペプチド系：ダプトマイシン（DAP）.
5．その他
フシジン酸（FA）.

球菌が増加しており，抗菌薬の選択には十分留意する必要がある．主な抗菌薬を表27-2に示す．

Ⅱ．急性細菌感染症

細菌による皮膚感染症を**膿皮症**（pyoderma）と称する．従って，急性膿皮症ともいう（図27-2）．

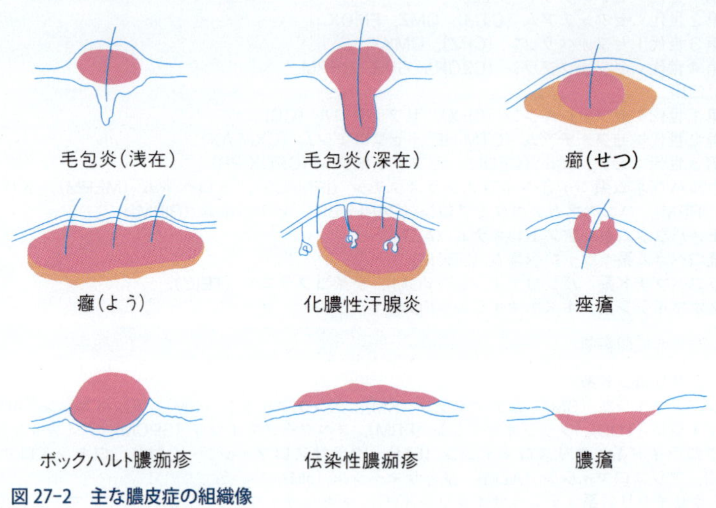

図27-2　主な膿皮症の組織像

1　毛包性膿皮症

1. 毛包炎 folliculitis

毛包入口部から毛包漏斗部の炎症．

病因（図27-3）

表皮ブドウ球菌，黄色ブドウ球菌によることが多い．稀にグラム陰性桿菌毛包炎，緑膿菌性毛包炎がある．

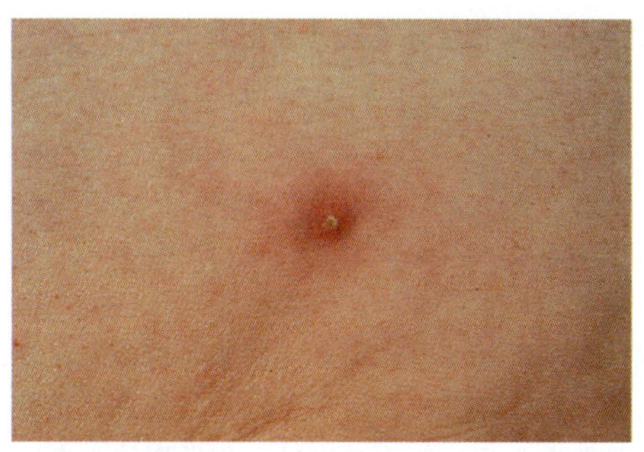

図 27-3　毛包炎

症状

表在性の毛包炎が多発するものを**ボックハルト膿痂疹**（impetigo Bockhart）（毛包性膿痂疹）という．帽針頭大の毛包性小膿疱で紅暈を伴う．わずかに疼痛があり中央に毛が貫通する．約 1 週間で瘢痕を残さずに治癒．掻破，不潔な衣類着用，油脂との接触で生じやすい．緑膿菌毛包炎は温水公衆プール，ジャクジー，温水浴槽の利用後に生じる．

治療

抗菌薬内服，外用．

2. 癤（せつ） furunculus, furuncle（acute deep folliculitis）（図 27-4）　◎

1 本の毛包を中心とした急性・深在性の毛包炎を癤（せつ），複数の毛包に及ぶも

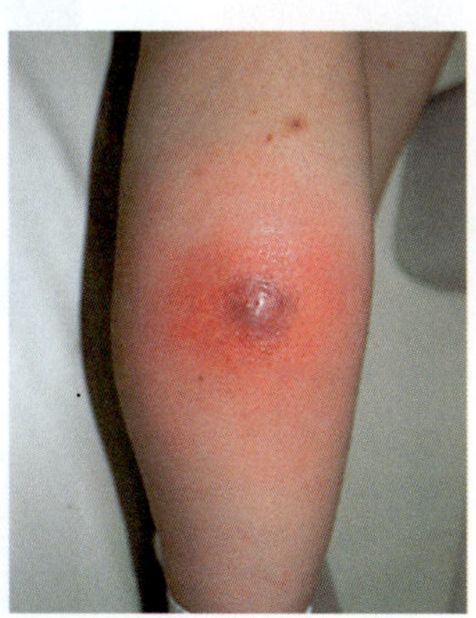

図 27-4　癤（せつ）

のを癰（よう），癤が多発・反復するものを癤腫症という．

病因

黄色ブドウ球菌．

症状（図 27-5）

有痛性の毛孔一致性丘疹で始まり，発赤・腫脹・浸潤し，頂点に膿栓を持ち，自然痛・圧痛を伴う結節を形成．膿栓が排出されると急速に治癒する．所属リンパ節炎を伴う．時に軽い発熱をみる．顔面の癤は，化学療法のない時代に髄膜炎や脳膿瘍の原因になることがあり，面疔（めんちょう）として恐れられた．

癰（よう）（carbunculus, carbuncle）は，数個の近接する毛包が化膿し，鶏卵大，時に手掌大に及ぶ発赤・腫脹・浸潤性隆起局面を生じる．その面上に点々と膿栓をみる．熱感・疼痛・悪寒発熱などを伴うことも多い．化膿は深部で進行して篩状に組織壊死をきたして交通穿孔する．壮年以後の項背部に好発し，糖尿病が基礎にあることが多い．瘢痕を残す．

癤腫症（furunculosis）は，毛包炎・癤が次から次へと引き続いて多発する状態で，時に糖尿病・全身衰弱・免疫機能低下状態・不潔などが背景にある（図 27-6）．

治療

黄色ブドウ球菌を念頭に内服抗菌薬を選ぶ．膿瘍が軟化したら，切開排膿してもよいが，顔面では慎重に．

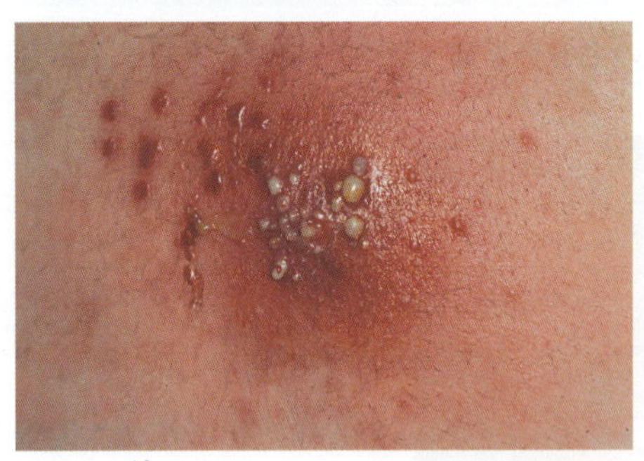

図 27-5　癰（よう）

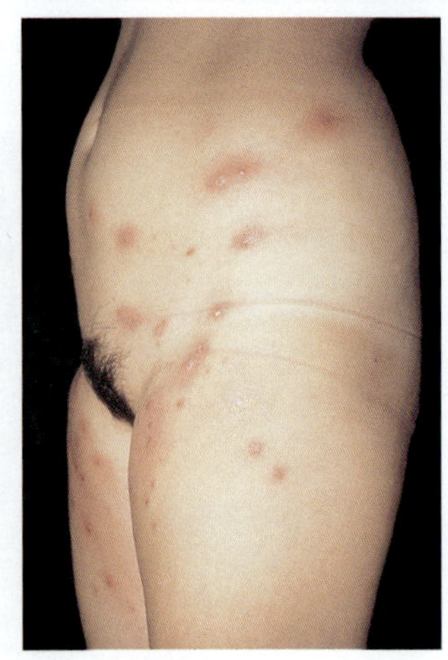

図 27-6　癤腫症

3．尋常性毛瘡 sycosis vulgaris（図 27-7）

慢性の深在性の毛包炎で，成人男性須毛部（特に上口唇）に毛包性膿疱が多発する．紅暈を伴い，のちに痂皮を形成する．互いに融合して紅斑浸潤局面を作る．瘙痒・灼熱痛が激しく，難治のことが多い．時に湿疹化（eczema sycosiforme）する．黄色ブドウ球菌が多く，表皮ブドウ球菌がこれに次ぐ．糖尿病などが基礎にあることもある．カミソリによるひげそりを禁止し，抗菌薬を内服，外用する．白癬菌毛瘡・カンジダ性毛瘡と鑑別する．

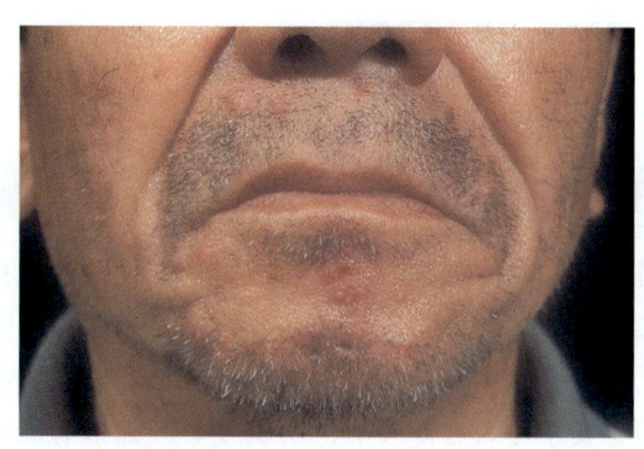

図 27-7　尋常性毛瘡

2　汗腺性膿皮症

1．化膿性汗孔周囲炎 periporitis suppurativa（図 27-8），エクリン汗孔炎 eccrine periporitis，膿疱性汗疹 miliaria pustulosa

表在性の汗腺性膿皮症．エクリン汗孔入口部に黄色ブドウ球菌が感染する．高温多湿の夏季に新生児・乳幼児の頭部・顔面に毛孔とは無関係に紅暈を伴った浅在性膿疱，紅色丘疹を生じる．汗疹，汗腺膿瘍を合併する．

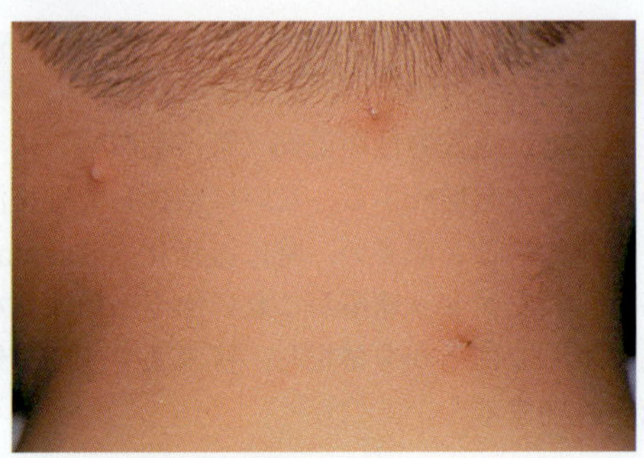

図 27-8　化膿性汗孔周囲炎

2. 乳児多発性汗腺膿瘍 multiple sweat gland abscess of infant（図 27-9）

深在性の汗腺性膿皮症．いわゆる「あせものより」．化膿性汗孔周囲炎と混在する．新生児・乳幼児の顔面・頭・背・臀部に多発する発赤を伴った豌豆大の皮下硬結で，のち隆起して軟化，浮動を呈する．疼痛あり．自潰して排膿することもあるが，深部の膿瘍のため切開を要することが多い．所属リンパ節は有痛性に腫脹し，発熱することもある．夏季に多く，黄色ブドウ球菌による．抗菌薬投与．

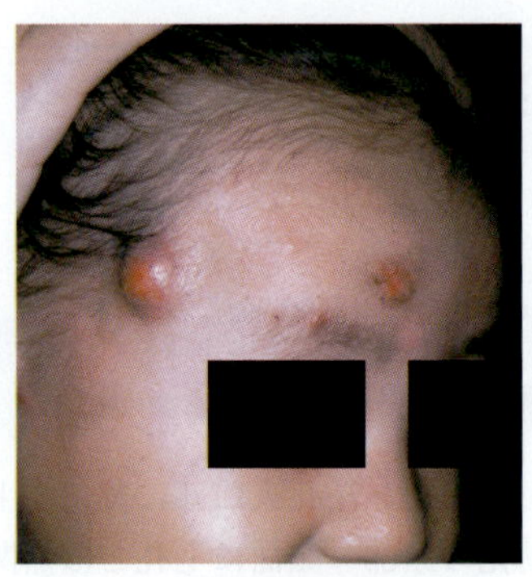

図 27-9　乳児多発性汗腺膿瘍

3　爪囲膿皮症

瘭疽 felon, whitlow, panaritium（図 27-10），化膿性爪囲炎 pyogenic paronychia　○

爪囲部皮膚の急性細菌感染症．黄色ブドウ球菌，A レンサ球菌，緑膿菌などが原因．爪と骨の間に膿瘍を形成する．指趾は閉鎖領域のため排膿が起こりにくく，疼痛が激しい．

抗菌薬を投与するが，切開排膿により疼痛軽減，治癒促進が図れる．

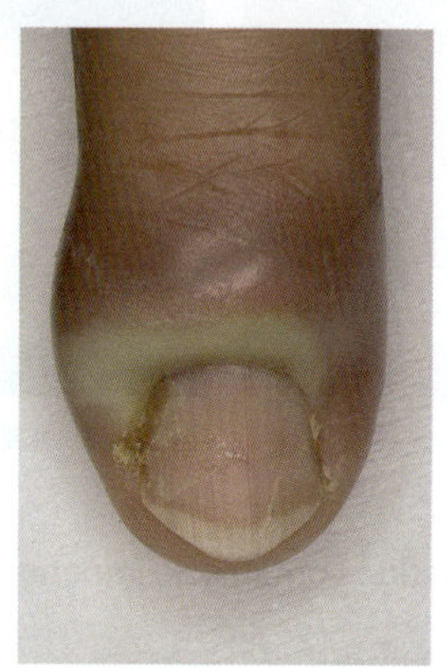

図 27-10　瘭疽

4　非付属器性膿皮症

1．伝染性膿痂疹 impetigo contagiosa（図 27-11～13）　◎

黄色ブドウ球菌による水疱性膿痂疹と主に A 群レンサ球菌による痂皮性膿痂疹に分ける．ほとんどが黄色ブドウ球菌によるが，A 群レンサ球菌が分離される場合も黄色ブドウ球菌との混合感染が多い．いわゆる「とびひ」．

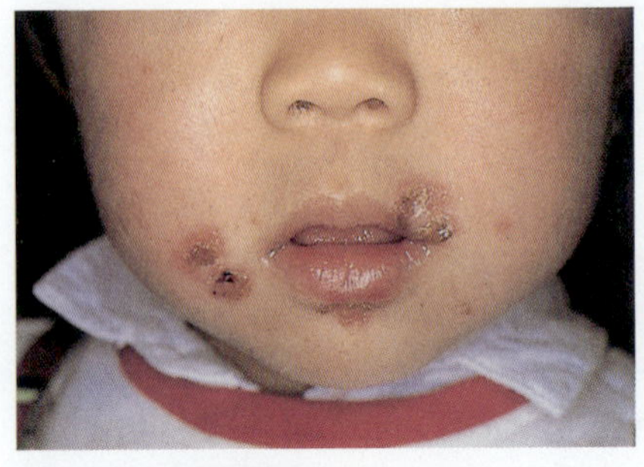

図 27-11　伝染性膿痂疹

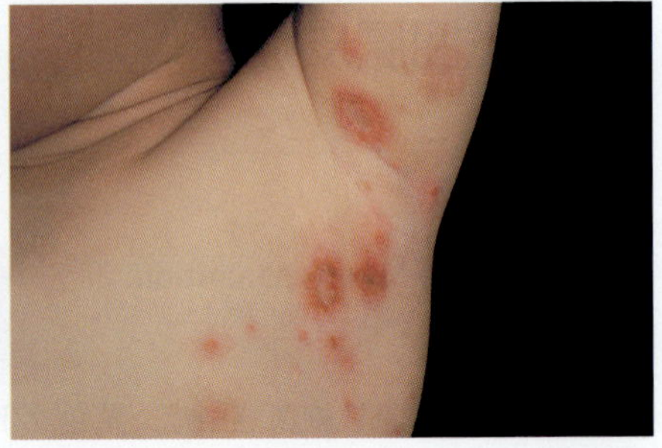

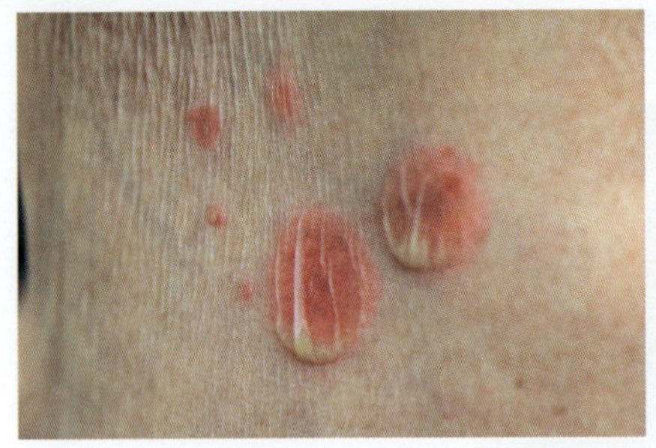

図 27-12　水疱性膿痂疹（膿半月）

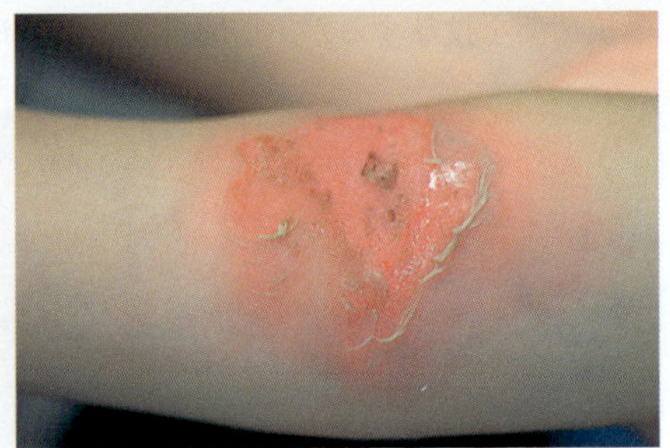

図 27-13　水疱性膿痂疹（ニコルスキー現象）

1）水疱性膿痂疹 bullous impetigo contagiosa, impetigo bullosa

病因

黄色ブドウ球菌の exfoliative toxin がデスモグレイン 1 を表皮表層で解離するセリンプロテアーゼ機能をきたして水疱を形成する．

症状

夏季に，主として乳幼児の顔面・体幹・四肢に，豌豆大半球状の水疱が次々に発し，容易に破れてびらん面と化し，白～黄色の痂皮を生じる．水疱内容の接触により次々と伝染する（すなわち「飛び火」する）．乾燥するにしたがい，縁取るように鱗屑を形成する．

治療

βラクタマーゼ阻害薬とペニシリン系薬剤のエステル結合薬，セフェム系，ペネム系，マクロライド系抗菌薬の内服．石鹸を用いシャワーで洗浄，抗菌薬外用，さらに亜鉛華軟膏を重層塗布して患部を被覆するのもよい．広範囲のときは幼稚園などを休んで他児との接触を避ける．

予防

①清潔，②入浴・シャワー，③湿疹病変の治療．

2）痂皮性膿痂疹 crusted impetigo contagiosa, impetigo crustosa（図 27-14）

症状

年齢・季節に関係なく，小紅斑→小膿疱→黄褐色痂皮形成をきたし，圧迫により膿汁を出す．また比較的衛星小病巣を有する．咽頭痛，発熱，所属リンパ節腫脹などの全身症状を伴うことが多い．アトピー性皮膚炎に合併することがある．A 群レンサ球菌（と黄色ブドウ球菌の混合感染）によることが多い．

治療

レンサ球菌単独であればペニシリン系薬の内服でよいが，黄色ブドウ球菌との混合感染が疑われる時は水疱性膿痂疹と同様に治療する．腎炎発生（10%）に注意する．治療期間は腎炎発生予防の観点から 10 日間が推奨されているが，抗菌薬の投与で腎炎発生が予防できるという確実な証拠はない．

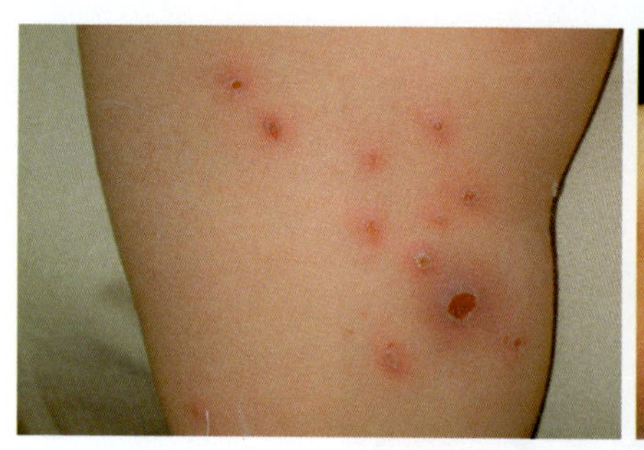
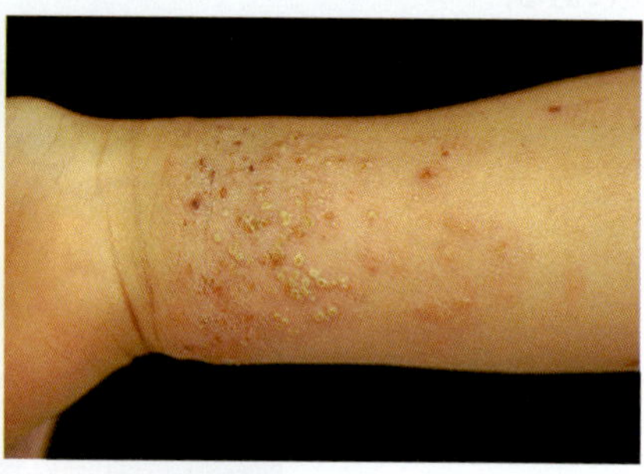

図 27-14　痂疲性膿痂疹

2. 手部（足部）水疱型膿皮症 pyodermia bullosa manuum

手，足の伝染性膿痂疹．手掌・指腹の角層は厚いので疱膜は厚く大きくなる．紅暈あり．指球部に限局するのを水疱性遠位指端炎（blistering digital dactylitis）（図 27-15）という．黄色ブドウ球菌や A 群レンサ球菌による．

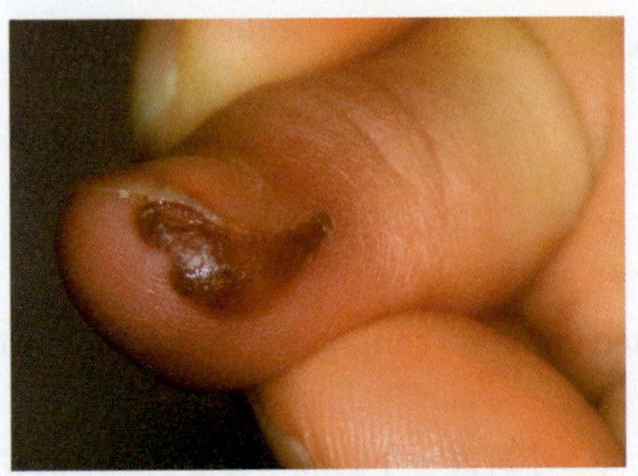

図 27-15　blistering digital dactylitis

3. 尋常性膿瘡 ecthyma vulgare（図 27-16）

痂皮性膿痂疹（impetigo crustosa）より深く，表皮全層，真皮浅層までを侵す．A 群レンサ球菌によることが多いが，黄色ブドウ球菌のこともある．膿痂疹・小児ストロフルス・湿疹などを掻破することで続発，小水疱・小膿疱を形成，次いで汚穢褐色痂皮を生じ，圧迫により膿汁を排出する豌豆大の円形小潰瘍で，下肢に好発し，夏から秋に多い．小瘢痕をもって治癒．皮膚の不潔・栄養障害・糖尿病が基礎にある．

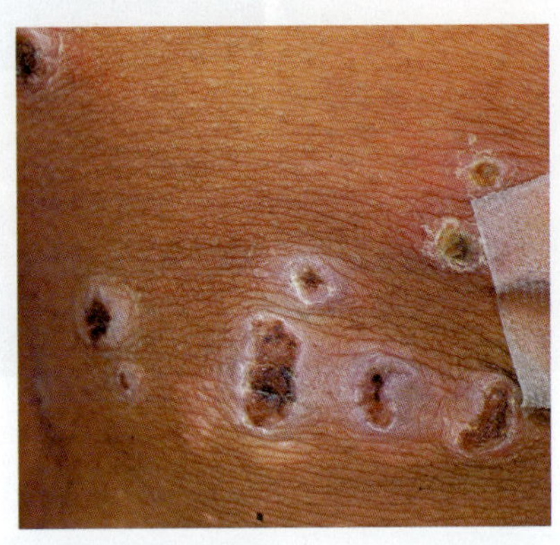

図 27-16　尋常性膿瘡

4. 急性細菌性亀頭包皮炎 acute bacterial balanoposthitis

黄色ブドウ球菌，A 群レンサ球菌による亀頭・包皮の感染症．亀頭や包皮に発赤，浮腫性腫脹，びらん，膿性滲出液，疼痛が急性に生じる．A 群レンサ球菌による亀頭包皮炎は，性行為感染症として，時に報告されている．オーラルセックスによる場合が多い．

5．肛囲連鎖球菌性皮膚炎 perianal streptococcal dermatitis

A群レンサ球菌による肛門周囲の表在性感染症で，境界明瞭な紅斑を呈する．生後6ヵ月～12歳頃までの小児（特に男児）の肛囲にみられる．排便後疼痛で気付くことが多い．瘙痒あり．小外傷に続発．その他，体部に伝染性膿痂疹，包皮亀頭炎・外陰腟炎を合併することあり．ペニシリン薬，セフェム薬，マクロライド薬を用いる．

6．丹毒 erysipelas（図27-17）◎

主にA群レンサ球菌による真皮の感染症．顔面・四肢に境界明瞭な紅斑・発熱を呈する．

病因

A群レンサ球菌が多いが，検出率は低い．時に黄色ブドウ球菌，肺炎球菌．

症状

突然悪寒・発熱・頭痛を伴って，主に顔面または下腿に境界明瞭な浮腫性紅斑を生じ，表面緊張して光沢あり，浸潤を触れ，圧痛がある．遠心性に急速に拡大する．時に水疱を生じる（水疱性丹毒 erysipelas bullosa）．全身的には高齢者・幼年者・糖尿病・ステロイド投与者が，局所的にはリンパうっ滞・静脈瘤が危険因子．リンパ流の障害により同一部位に再発を繰返しやすい（**習慣性丹毒** erysipelas habitualis）．

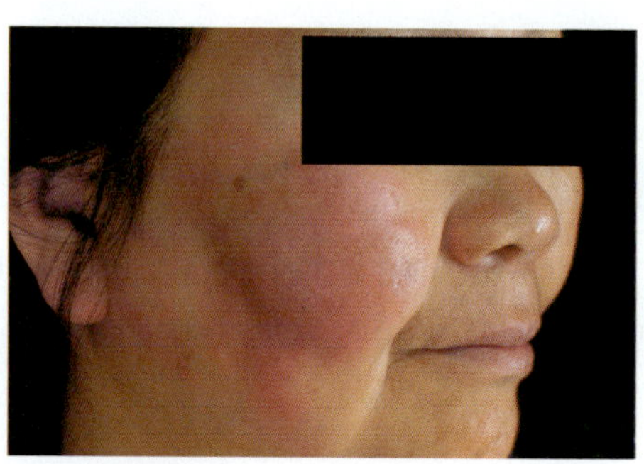

図27-17　丹毒

組織所見

真皮の高度の浮腫，毛細血管・リンパ管の拡張，好中球の浸潤．しばしば皮下組織に及ぶ．acute superficial cellulitis.

治療

A群レンサ球菌のみをターゲットにする場合はペニシリン薬，A群レンサ球菌と黄色ブドウ球菌をターゲットにする場合はセフェム薬を選択する．腎炎併発に注意．

7. 蜂窩織炎 phlegmon，蜂巣炎 cellulitis ◎

真皮深層から皮下組織の急性膿皮症．

病因

ブドウ球菌やレンサ球菌による真皮深層から皮下組織に及ぶ急性ないし慢性の広範な化膿性炎症．

症状（図27-18）

びまん性の潮紅をきたすが，紅斑の境界は不明瞭である．広範に硬い浸潤・腫脹・熱感を伴い，疼痛が激しい．やがて中央軟化して波動を示す．高熱・悪寒戦慄など全身症状も強い．四肢，特に**下肢に好発**する．

鑑別診断

①丹毒，②壊死性筋膜炎，③深部静脈血栓症．

治療

セフェム薬，ペネム薬，ニューキノロンなどの全身投与．

8. リンパ管炎 lymphangitis

リンパ管に沿って，帯状・線状の有痛性の発赤を生じる．領域リンパ節に達すると，リンパ節炎（lymphadenitis）をきたす．小外傷や足白癬の二次感染，細菌性爪囲炎などから起こる．

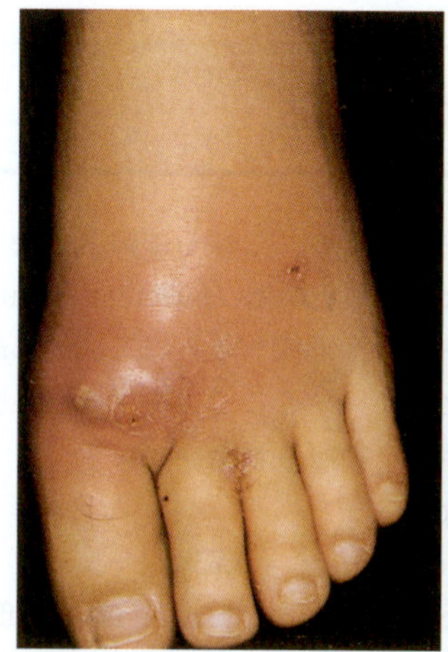
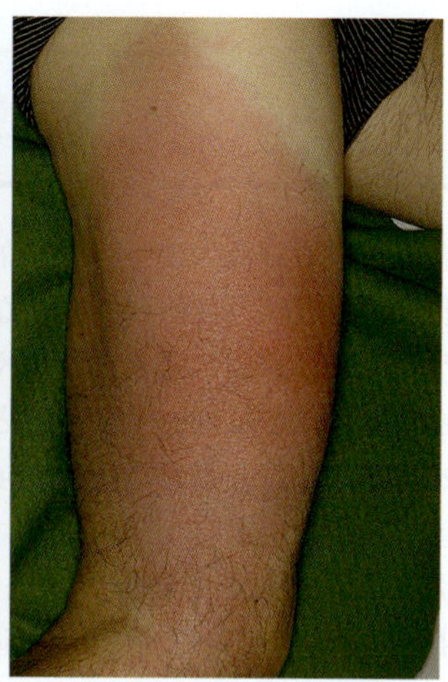

図 27-18　蜂巣炎

9．蚕食（点状）性角質融解症 pitted keratolysis（Zaias 1965）（図 27-19）

足底・趾腹に円形小陥凹（角層の欠損）が多発，融合して不規則地図状になる．多汗症・悪臭あり．*Kytococcus sedentarius* によると考えられているが，他に *Streptomyces* 属・*Corynebacterium* 属・*Dermatophilus* 属などによるとするものもある．抗菌薬外用（クリンダマイシンやフシジン酸）・イミダゾール系抗真菌剤（グラム陽性菌にも有効）外用，時にクリンダマイシンやエリスロマイシン内服．局所の清潔乾燥化．予防的に多汗症の治療が有用である．

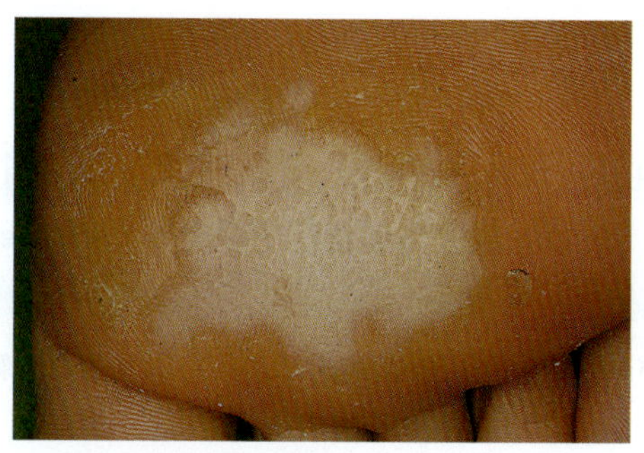

図 27-19　蚕食性角質融解症

Ⅲ．慢性膿皮症

慢性膿皮症における細菌の関与は一義的ではない．しばしば細菌感染が起こるが，病因，病態上その関与は一義的とは言えない．毛包閉塞（follicular occlusion）と囊腫形成が先行し，囊腫が破れて異物反応や膿瘍を形成，さらに二次的に細菌感染が加わり，複雑で遷延性の経過をたどることが多い．ここでは従来の慢性膿皮症の項目のみを記述する．それぞれの詳細は各項目を参照されたい．

・禿髪性毛包炎 folliculitis decalvans（☞ p.758）
・頭部乳頭状皮膚炎 dermatitis papillaris capillitia（☞ p.758）
・膿瘍性穿掘性頭部毛包周囲炎 perifolliculitis capitis abscedens et suffodiens（☞ p.758）
・化膿性汗腺炎 hidradenitis suppurativa（☞ p.759）
・臀部慢性膿皮症 pyodermia chronica glutealis（☞ p.760）
・慢性乳頭状潰瘍性膿皮症 pyodermia chronica papiillaris et exulcerans（☞ p.339）
・壊死性痤瘡 acne necroticans（☞ p.340）.

Ⅳ．全身感染症

全身感染症は，細菌が産生する毒素に関連したものが主である．この他に，強い局所の病変とともに全身症状をきたす壊死性筋膜炎や敗血疹を伴う敗血症もある．

1 毒素関連性疾患

1. ブドウ球菌性熱傷様皮膚症候群 staphylococcal scalded skin syndrome（Melish 1970）（SSSS），新生児剝脱性皮膚炎 dermatitis exfoliativaneon-○atorum Ritter（1878）

黄色ブドウ球菌が産生する表皮剝脱毒素による有痛性の表皮剝離，びらん．乳幼児に好発し発熱を伴う．

病因

皮膚（伝染性膿痂疹）・鼻（nasal carrier）・咽頭に黄色ブドウ球菌が感染または定着し，菌の出すexfoliative toxin（ET，表皮剝脱毒素．A型：分子量26,400，B型：分子量26,800）が流血中に入り全身皮膚のデスモグレイン1を融解して水疱形成をきたしたもの．

症状（図27-20）

10歳以下，特に0～3歳児を侵す．季節は9月にピークがあり，10月以降に及び，冬期にも生じる．37.5～40℃の発熱とともに**口囲の発赤（放射状亀裂・びらん）**，眼瞼の発赤（眼脂），猩紅熱様紅斑（頸・腋窩・陰股部→体幹・四肢）を生じ，これに引続き大小の水疱を生じ，膜様水疱蓋は破れて表皮が剝脱する（図27-21）．落屑（体幹で粃糠様・小葉状，手足で膜様），紅斑部に摩擦痛あり，**ニコルスキー現象陽性**．頸部リンパ節腫脹をきたす．咽頭・口囲・鼻孔・眼脂より黄色ブドウ球菌陽性，白血球増多，好酸球増多あり．極期は約1週間，3～4週で落屑をもって治癒する．年長児では，顔面の皮疹は定型であるが，全身の皮膚は潮紅のみが見られる型（staphylococcal scarlet fever, staphylococcal scarlet rash），限局性の表皮剝離に留まる不全型がある．

稀に新生児で死亡．稀に成人を侵すが，糖尿病・肝硬変・RA・腎疾患などの基礎疾患を有することが多く，免疫低下，腎障害に伴うexfoliative toxinクリアランスの低下などで重篤になりやすい．

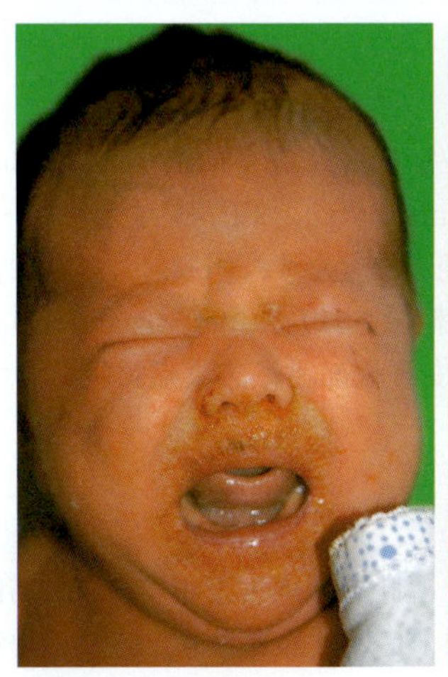
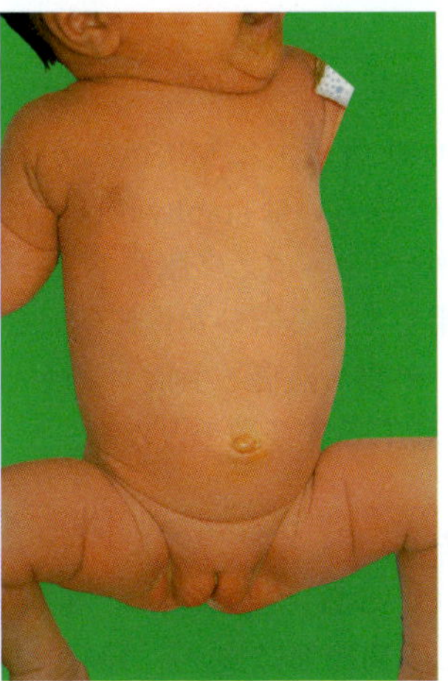

図27-20 SSSS

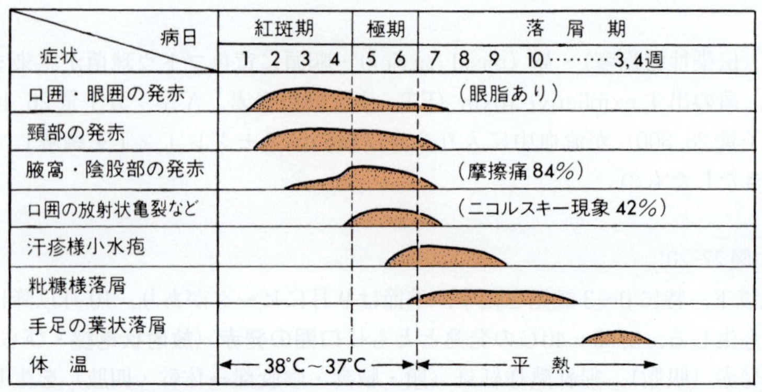

図 27-21　SSSS の経過（西脇原図）

組織

顆粒層部で剝離，表皮壊死.

治療

①黄色ブドウ球菌に感受性のあるβラクタム系抗菌薬の内服・点滴静注，②補液.

2. トキシックショック症候群 toxic shock syndrome（Todd 1978）（TSS），ブドウ球菌毒素性ショック症候群 staphylococcal toxic shock syndrome

病因

黄色ブドウ球菌（主に MRSA）が産生する毒素（toxic shock syndrome toxin-1；TSST-1，あるいは staphylococcal enterotoxin；SE，いずれもスーパー抗原）により，発熱，ショック，多臓器不全，発赤をきたす．当初，月経時に高吸収性タンポンを使用している若い女性に多いと報告された（menstrual TSS）．現在製品回収に伴い，外傷・熱傷・手術・分娩・皮膚軟部組織感染症に続発して発症する non-menstrual TSS が多数を占める.

症状（図 27-22）

①**急性期（1～5 日）**：悪寒戦慄・発熱・嘔吐・下痢・腹痛・頭痛・筋肉痛と共に全身が発赤し（間擦部に強い），猩紅熱様・日焼け様となり，時に小膿疱を混ず．結膜・咽頭・口腔粘膜に充血．低血圧のため眩暈・脱力感.

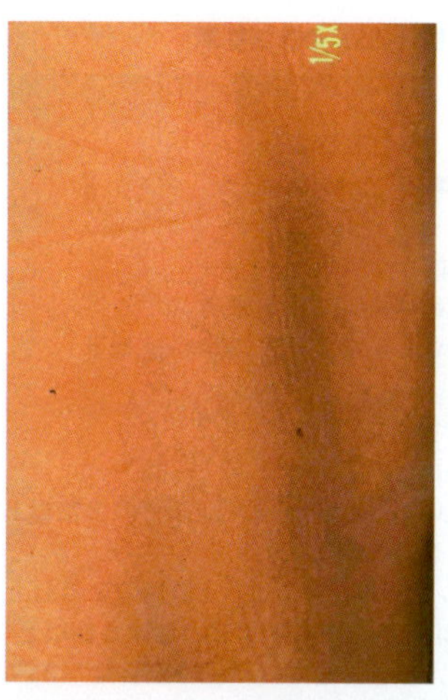

図 27-22　トキシックショック症候群の紅斑（長尾洋先生提供）

合併症：多臓器障害（腎不全・意識障害・呼吸困難・筋痛）.

②**回復期（1 週後）**：発赤消褪し粃糠様落屑，手足は膜様落屑.

予後

TSS の致死率は 5%以下.

検査所見

多核白血球増多（左方移動）・リンパ球減少・血小板減少・凝固系異常・AST・ALT 上昇・CPK 上昇.

治療

①抗菌薬（セフェム・カルバペネム・バンコマイシン）静脈内投与，②感染巣の処置，③免疫グロブリン製剤投与，④全身管理.

3. トキシックショック様症候群 toxic shock-like syndrome（CDC 1993）（TSLS），レンサ球菌毒素性ショック症候群 streptococcal toxic shocksyndrome，劇症型 A 群レンサ球菌感染症 ○

A 群レンサ球菌による重症感染症．レンサ球菌性発熱性外毒素（streptococcal pyogenic exotoxin；SPE）により，ショックと多臓器不全〔腎不全，急性呼吸窮迫症候群（ARDS），DIC〕をきたす．**高頻度に壊死性筋膜炎を合併する**．大量のペニ

表 27-3　トキシックショック症候群（TSS）の診断基準

①発熱：体温≧38.9℃（≧102°F）
②発疹：全身の斑状紅斑ないしびまん性紅皮症
③落屑：発症より1〜2週間後に掌蹠・指趾に生じる．
④血圧低下：
・成人（≧16歳）では収縮期血圧≦90 mmHg
・小児ではそれぞれの年齢別収縮期血圧の4/5未満
・起立時拡張期血圧が臥位あるいは坐位より>15 mmHg低下
・起立性失神，起立性眩暈
⑤多臓器障害（以下の臓器系のうち3つ以上）：
・消化管：発症時の嘔吐あるいは下痢
・筋　肉：激しい筋肉痛，あるいはCPK値の正常上限値の2倍以上上昇
・粘　膜：腟，口腔，咽頭，あるいは結膜の充血
・腎　臓：BUNまたは血清クレアチニン値の正常上限値の2倍以上上昇 尿路感染がなく尿沈渣での高倍率視野で白血球5個以上
・肝　臓：総ビリルビン，AST，あるいはALTの正常上限値の2倍以上上昇
・血　液：血小板数≦100,000/μL
・中枢神経：発熱および低血圧がなく神経学的巣症状がない状態での失見当識あるいは意識障害
⑥次の検査結果が陰性であること
・血液，咽頭液，脳脊髄液の培養（血液から黄色ブドウ球菌が検出されてもよい）
・ロッキー山紅斑熱，レプトスピラ症，あるいは麻疹の血清反応
◎以上6項目すべてを満たす症例をTSSとする（落屑を生じる前に患者が死亡した場合は落屑を除く）． 5項目を満たす症例は疑い例とする．

（Centers for Disease Control and Prevention, 1990）

シリン，全身管理を行い，壊死性筋膜炎はデブリドマンを施す．致死率はTSSより高く，30〜70%（表27-4）．

表 27-4　トキシックショック様症候群（TSLS）の診断基準

1．A群レンサ球菌（化膿連鎖球菌）の検出
①　本来は無菌であるべき部位から
②　本来は無菌ではない部位から
2．重篤な臨床症状
①　血圧低下
②　臨床症状・検査異常（以下のうち2項目以上を満たすこと）
(1)　腎障害
(2)　凝固異常
(3)　肝障害
(4)　急性呼吸窮迫症候群（ARDS）
(5)　壊死性筋膜炎
(6)　紅斑（びまん性猩紅熱様皮疹）

（Stevens DL, 2000）

確実例：1（①）+2（①+②）
疑診例：1（②）+2（①+②）

4. 新生児 TSS 様発疹症 (neonatal toxic exanthematous disease：NTED)

新生児早期の発症で発熱，発疹，血小板減少を特徴とする．黄色ブドウ球菌のコロナイゼーションにより産生された TSST-1 による．皮疹の特徴は①全身（掌蹠を含む)，②粟粒大の丘疹状紅斑，③融合傾向あり，④数日で消褪，⑤膜様落屑なしである．TSS とは大きく異なり，軽症で自然軽快する．成熟児は無治療で自然軽快するが，未熟児は重症化する場合がある．

5. レンサ球菌感染症 streptococcal infection，猩紅熱 scarlatina, scarlet fever ○

高熱，咽頭痛，口囲蒼白，苺状舌，全身の紅斑を主症状とする．

病因

A 群レンサ球菌が産生するレンサ球菌性発熱性外毒素（SPE）による．気道および創傷より感染．

症状

4〜8 歳に好発．

①**潜伏期**：2〜5 日．創傷によるものは 1〜2 日．

②**前駆期**：発熱（39〜40℃）・頭痛・嘔吐・咽頭痛〔咽頭発赤は赤黒く（beefy red)，扁桃腫脹〕・アンギーナ・頸部リンパ節腫脹．軟口蓋に粘膜疹，舌は鮮紅色で舌苔を被むる．1（〜2）日．

③**発疹期**：帽針頭大，初め蒼紅，次いで鮮紅色の毛包性小丘疹が鼠径・大腿三角・関節屈側面より体幹・顔面へと多発し，ざらざらしてビロード状の感じがある．顔面では口囲・オトガイ・鼻翼を避け（**口囲蒼白** circumoral pallor)，一方頬部はびまん性に潮紅して特有の顔貌をなす（猩紅熱顔貌 facies scarlatinosa)．強い瘙痒あり．小丘疹は時に出血性に，また小水疱化する（miliaria scarlatinosa)．特に背部では融合してびまん性潮紅となり，摩擦すると 10〜20 秒後に蒼白線条を呈する（dermographie blanche)．硝子圧で黄色調を示す（中毒性肝障害によるビリルビン量増加)．3，4 日目に粟粒大汗疹を生じることあり．舌は舌苔がとれ〔舌苔のあるときは白くみえるので白い苺状舌（white strawberry tongue）という〕，発赤が強くかつ乳頭が腫大する（赤い**苺状舌** red strawberry tongue)．関節窩では皺襞に沿って皮疹が著明となり，線状出血をきたす（Pastia 徴候)．皮疹は 3〜4 日で暗赤色となり，1 週間で落屑する．

④**落屑期**：第 7〜10 両日で，顔面では粃糠様，体幹では小葉状に落屑．手足では

手袋・足袋状に表皮剥脱をきたすことがある.

診断

①咽頭培養からA群レンサ球菌を証明. ②酵素免疫法による迅速診断. ③ASO・ASK値は1~3週後に上昇する.

治療

ペニシリン薬, セフェム薬を少なくとも10日間投与する. 急性糸球体腎炎（10~15%), リウマチ熱（0.3~3%）の続発に注意する.

2 その他の全身性感染症

1. 壊死性筋膜炎 necrotizing fasciitis（Wilson 1952） ◎

浅在性筋膜の急性細菌性感染症. 重症例ではショック, 多臓器不全をきたしうる. 抗菌剤投与に加え, デブリドマン, 全身管理を要す.

病因

病変は, 浅在性筋膜（深在性筋膜上の粗な結合織）を主座とし, 深在性筋膜（真の筋膜）上を水平方向に急速に拡大する. 皮膚の栄養血管が障害され血栓が形成されるため, 広範囲の壊死を生じる. 原因菌は, A群, B群, C群, G群レンサ球菌, 腸内細菌, 嫌気性菌（*Bacteroides, Peptostreptococcus*). A群レンサ球菌は健常人に好発. 非A群レンサ球菌, 腸内細菌, 嫌気性菌は糖尿病などの基礎疾患を有する症例に好発する. A群レンサ球菌の場合, 症状が揃えば, 劇症型A群レンサ球菌感染症（TSLS）と診断される. 嫌気性菌などで皮下にガスが見られればガス壊疽（非クロストリジウム性ガス壊疽）である. 打撲・注射・熱傷・骨折・手術・齲歯・扁桃膿瘍・肛囲膿瘍・浸軟性趾間白癬などに続発する.

症状（図27-23）

四肢, 特に下肢に好発する, **激痛**を伴う限局性の発赤腫脹で小水疱・水疱から紫斑・血疱と進行し, **びらん, 壊死, 潰瘍**, 皮下波動を生じ, **急激に進行**する. 切開しゾンデを入れると, 深在性筋膜上を容易に押し進めることが出来る. 皮下組織・浅筋膜に広範な溶解性壊死塊・穿掘性壊死を認め, 漿液性排液を大量にみる. 進行

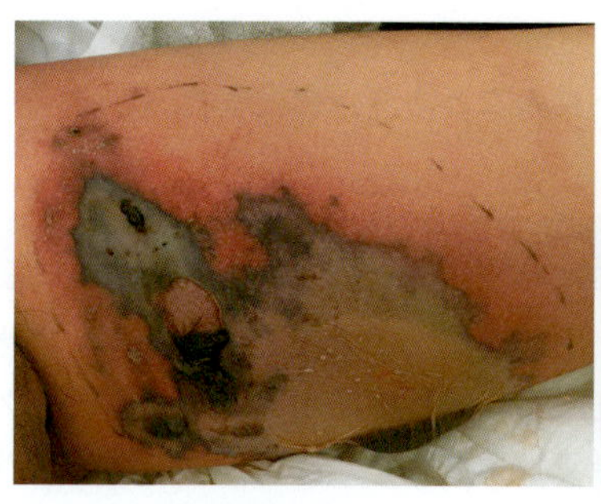
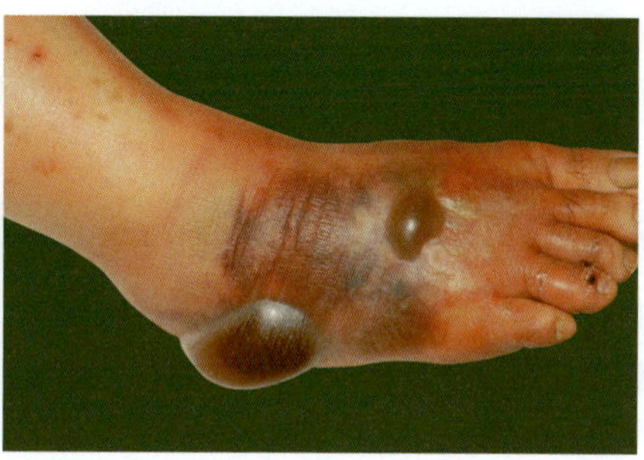

図 27-23　壊死性筋膜炎

すると，小血管の閉塞と神経障害により逆に知覚低下をきたす．全身症状（**高熱**・悪寒・関節痛・筋痛・悪心嘔吐・全身倦怠感）が強い．ショック・肝腎機能障害・DIC を伴うときもある．

検査所見

白血球増多・核の左方移動・血小板減少・凝固系異常・肝機能障害．抗菌薬投与前に，滲出液や血液のグラム染色を行い，培養を提出．CT・MRI で皮下組織，筋膜周囲の浮腫を認める．

治療

早期に切開，デブリドマンを行う（図 27-24）．全身管理．抗菌薬は，A 群レンサ球菌の場合はペニシリン薬，腸内細菌や嫌気性菌などで起炎菌が予測できない場合はカルバペネム薬，クリンダマイシンなど．

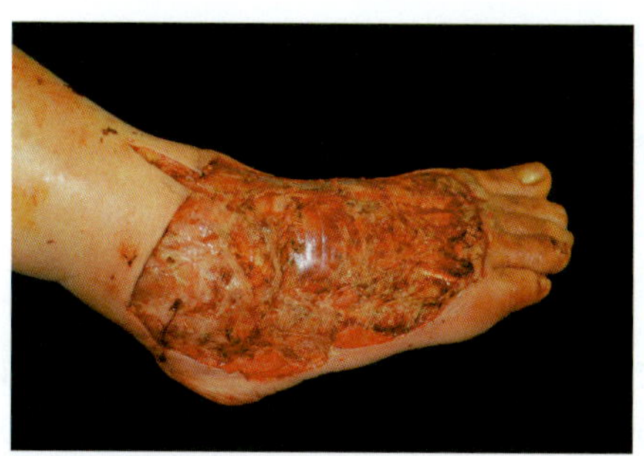

図 27-24　壊死性筋膜炎のデブリドマン後

予後

糖尿病・動脈硬化の合併する例では予後不良のことあり，死亡率約 30%.

2. フルニエ壊疽 Fournier's gangrene（図 27-25）

陰嚢・陰茎・会陰の壊死性筋膜炎．外傷，尿道疾患，手術などに引続き，発熱，陰嚢の有痛性腫脹をきたし，3日ほどで壊疽に陥り精巣は露出する．病原菌（グラム陰性菌・黄色ブドウ球菌・レンサ球菌・嫌気性菌など）が皮下に増殖し，内外陰動脈と大腿動脈の外陰分枝に閉塞性動脈炎をきたす．糖尿病・肝障害などが基礎にあることあり．

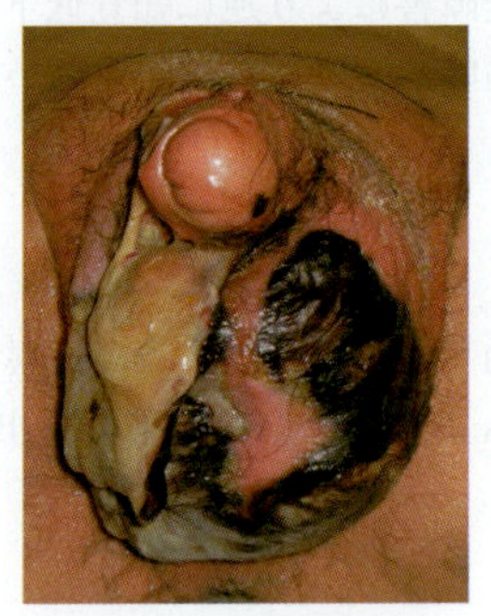

図 27-25 フルニエ壊疽

3. ガス壊疽 gas gangrene ○

主に嫌気性菌による重篤な疾患．*Clostridium* 性と非 *Clostridium* 性に分ける．触診上の握雪感，捻髪音．画像ではガス像を認める．

1）*Clostridium* 性ガス壊疽

病因

主として外傷に続発する．原因菌は *Clostridium perfringens*（ウェルシュ菌）が多い．筋壊死が主体．

症状

半～数日の潜伏期で局所の浮腫・腫脹・激痛をきたし，症状は急速に進行する．触診上，握雪感がある皮下気腫をきたし，捻髪音（crepitation）を聴く．皮膚は暗紫色，壊疽に陥る．菌外毒素により溶血・ビリルビン血尿・ヘモグロビン尿を生じ，

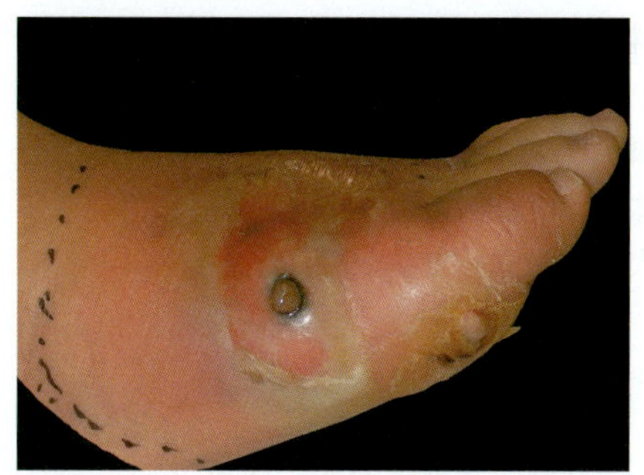

図 27-26　非 *clostridium* 性ガス壊疽

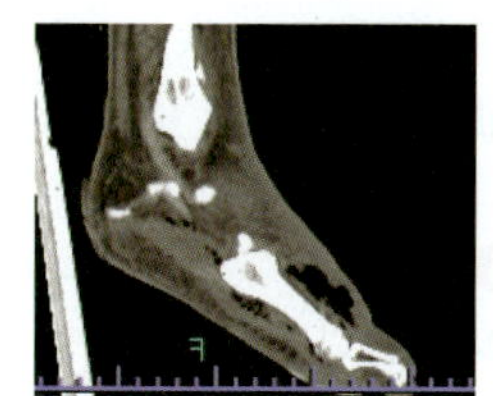

図 27-27　非 *clostridium* 性ガス壊疽（CT）

腎不全で死亡することもある．

検査

CT・MRI では，筋膜周囲から筋組織内にガス像．

治療

切開し開放創とする．デブリドマン，過酸化水素水での洗浄．高圧酸素療法．起炎菌に感受性のある抗菌薬．基礎疾患の治療．重症例では肢切断．

2）非 *clostridium* 性ガス壊疽（図 27-26，27）

病因

糖尿病・悪性腫瘍などの基礎疾患に併発する．ガス産生性グラム陰性桿菌による（*Peptostreptococcus* などの嫌気性菌に，*Klebsiella*, *Pseudomonas* など好気性菌が混合感染する）壊死性筋膜炎である．

症状

進行はやや緩徐で，基礎疾患・起炎菌により差がある．

検査

CT・MRI では，皮下組織から筋膜周囲にガス像．

4. *Vibrio vulnificus* 感染症　○

病因

Vibrio vulnificus は，2〜3％の塩分を至適濃度とする好塩性グラム陰性桿菌（vulnificus は傷をつける，苦痛を与えるの意味）．海水・汽水域に棲息する多くの魚介類から分離される．これらを生食することにより（経口的：原発性敗血症型・胃腸型），あるいは傷口から経皮的に（創傷感染型）感染する（前者が圧倒的に多い）．鉄依存性が強く，鉄の存在下に病原性が増強．鉄過剰状態の肝硬変患者に好発する．海水温 20℃以上域（西日本・瀬戸内海・太平洋沿岸）で 7～9 月に多い．

症状

感染 2 日以内に突然高熱・悪寒を発し，胃腸型では腹痛・嘔吐・下痢をきたす．皮疹は下腿，特に左側に多く，浸潤性紅斑・水疱・血疱・紫斑・壊死（***Vibrio vulnificusx* 性壊死性筋膜炎・蜂巣炎**）など．壊死は数時間単位で進行し，敗血症ショック・DIC で死亡することあり（死亡率 70%）．

治療

急速に進行するので早期対応が重要．対ショック（カテコールアミン），対 DIC 療法．抗菌薬（ペニシリン薬・セフェム薬・テトラサイクリン薬・ニューキノロン薬），壊死組織のデブリドマン．

5. Aeromonas 壊死性軟部組織感染症 Aeromonas necrotizing soft tissue infection

Aeromonas はグラム陰性桿菌で水のある環境（淡水，汽水，海水）で生育する．好冷菌で 5℃でも生育可能．発生時期は通年性である．肝硬変・白血病などの基礎疾患を有する患者が冷凍食品も含む水に関連した食品を摂取後，急速に発熱・腹痛・皮膚軟部組織の壊死をきたす．原因菌としては，*Aeromonas hydrophila* が多い．

6. 敗血疹 septicemide（図 27-28）

体内（皮膚を含む）に存する化膿性病巣（アンギーナ・中耳炎・胆囊炎・膿皮症など）から菌が血中に入り（敗血症 sepsis），それが皮膚に到達して，菌自体，あるいは菌体による血栓形成により敗血症性血管炎を生じて，紅斑・紫斑・丘疹・結節・膿疱・潰瘍などの敗血疹を形成する．悪寒発熱を伴うことが多い．皮疹・血中・原発巣より同種の菌が検出され，黄色ブドウ球菌・レンサ球菌によることが多い．強力な抗菌薬・輸液など．

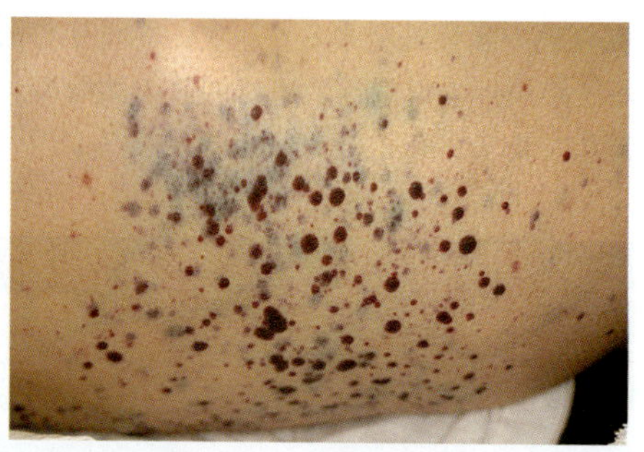

図 27-28 敗血疹（多発性紫斑）

7. オスラー結節 Osler's nodule（1909）（図 27-29）

主として感染性心内膜炎（infective endocarditis：黄色ブドウ球菌・緑色連鎖球菌などグラム陽性菌，稀にカンジダ・アスペルギルス・クリプトコッカス・緑膿菌），時に留置動脈カテーテルに併発する一過性の有痛性結節性紅斑．指趾・手掌・足底・前腕末梢に生じる豌豆大の紅斑で疼痛が先行する．発症機序に血管栓塞，細菌感染による免疫複合体血管炎反応（組織：塞栓性血管炎・leukocytoclastic vasculitis）などが考えられる．感染性心内膜炎の 15%にみられ，その発見に連なる可能性もある．感染性心内膜炎にはこの他，Janeway 発疹（手掌足底に直径 1～5 mm の無痛性紅斑を生じ数時間～数日続く），爪下線状出血斑（subungual splinter hemorrhage），点状出血斑（上胸部・頚・四肢・結膜・口腔粘膜に 1～2 mm の点状出血で 2，3 日続く）などの皮疹を生じる．

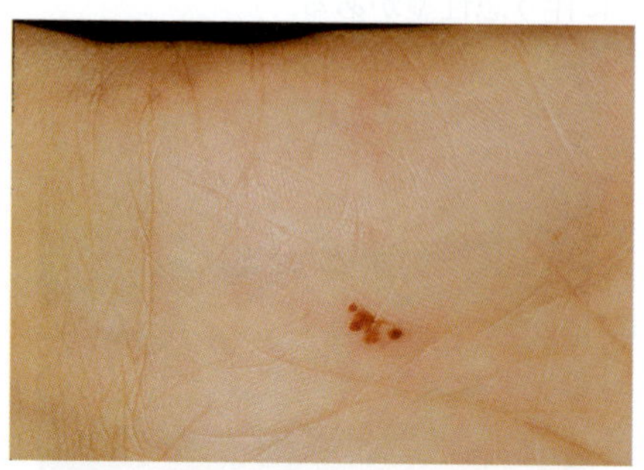

図 27-29 感染性心内膜炎に生じた足底の紫斑

8. 電撃性紫斑（purpura fulminans）（図 27-30）

電撃性紫斑は DIC に伴う重篤な皮膚症状であり，①先天性のプロテイン C 欠乏症に伴うタイプ，②猩紅熱や水痘続発するタイプ，③重症の敗血症に伴うタイプの3型に分類されている．感染性の電撃性紫斑は四肢の壊疽や斑状の紫斑で，髄膜炎菌，肺炎球菌などが原因である．死亡率 40～70%である．

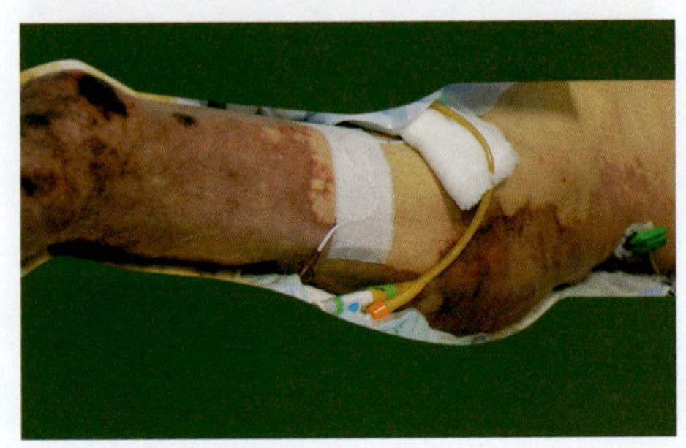

図 27-30　電撃性紫斑病

9．壊疽性膿瘡 ecthyma gangraenosum（Kreibich）（図 27-31）

免疫不全患者に発症することがほとんどである．緑膿菌によることが多いが *Klebsiella pneumoniae* や *Citrobacter freundii* など他のグラム陰性菌や真菌による場合もある．

外陰，臀部，四肢に中心が，紅暈を有する小硬結・小膿疱が生じ，やがて中心が壊疽性となり，黒色壊死に覆われる深い潰瘍や打ち抜き状の潰瘍になる．局所感染からの慢性型と敗血症に伴う急性型がある．

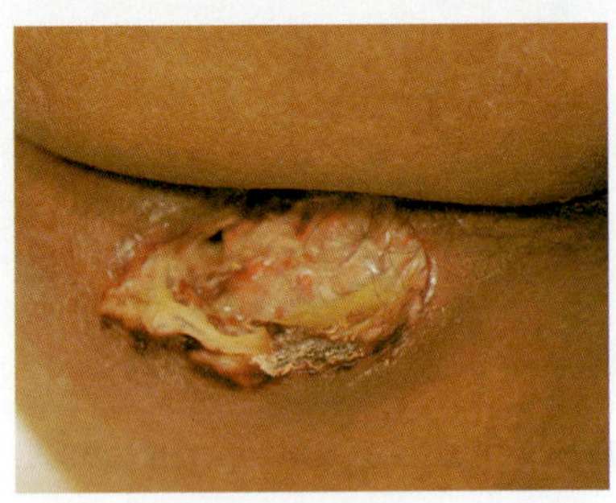

図 27-31　壊疽性膿瘡（臀部）

V. その他の感染症

1 グラム陽性桿菌感染症

1. 紅色陰癬 erythrasma

病因

Corynebacterium minutissimum（Sarkany 1962）を主とする蛍光ジフテロイド（fluorescent diphtheroid）による．この菌は腋窩・外陰部の常在菌であり，糖尿病・肥満・多汗などによる一種の日和見感染．かつて真菌症と考えられていた．

27章

症状（図27-32）

成人・老人の陰股部・腋窩・第4趾間，さらに乳房下面・殿裂に，紅～紅褐色の，境界明瞭な粃糠様落屑局面で，時に苔癬化する．自覚症状はない（稀に瘙痒・灼熱感）．頑癬と異なり隆起せず，丘疹・小水疱を欠き，中心治癒傾向もない．古典型（間擦部）・趾間型・汎発型．

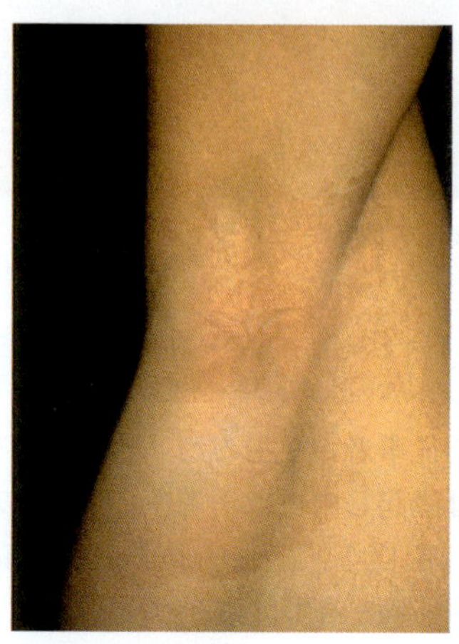

図27-32 紅色陰癬

診断

①暗室にてウッド燈で照らすと，紅色蛍光（サンゴ紅色 coral red/pink）を発する．②セロテープ剝離（double stick tape）の鱗屑のグラム染色を油浸鏡検し，グラム陽性の短桿菌を多数みる．③ Sarkany 特殊培地で透明な半球状小集落をみる．

治療

①一般にはイミダゾール系抗真菌薬外用が最も有効，②広範囲のときにはエリスロマイシン・テトラサイクリンなど内服．

2. 黄菌毛 trichomycosis palmellina, trichomycosis axillaris（図 27-33）

腋毛，稀に陰毛に黄褐色～白色の膠様物が付着し，あたかも毛幹がふやけたようにみえる．時に悪臭あり．*Corynebacterium* 属などの蛍光ジフテロイド（fluorescent diphtheroid）によるグラム陽性桿菌感染症．青年に好発．不潔で多汗の人に生じやすい．ウッド燈で蛍光（黄・白・青色）．膠様物を採取し，グラム染色では短連鎖球菌～かもめ状のグラム陽性短桿菌がみられる．清潔を図り，テトラサイクリン軟膏やクリンダマイシン外用，あるいは剃毛．

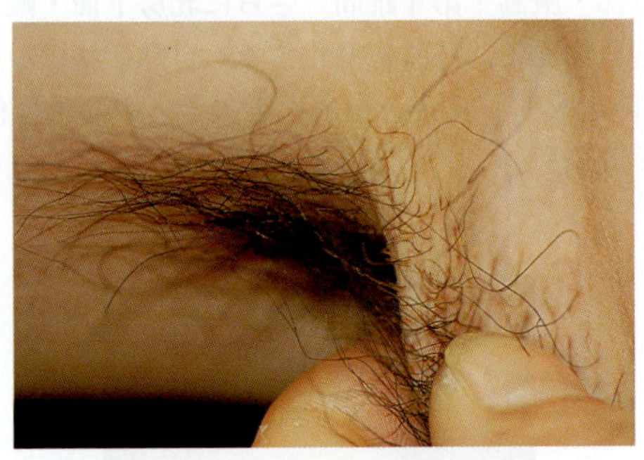

図 27-33 黄菌毛

3. 類丹毒 erysipeloid

獣肉や海産物を扱う職業従事者の手指の灼熱感・瘙痒を伴う限局性浮腫性紅斑．遠心性に拡大する．辺縁は隆起し中央は消褪する．時に水疱形成．稀に発熱・関節炎・心内膜炎・汎発性皮疹を伴う．*Erysipelothrix rhusiopathiae*（グラム陽性無芽胞性短桿菌）の経動物（豚・牛・鳥）感染．ペニシリン，テトラサイクリン．

4. 皮膚ジフテリア diphtheria cutis

幼児特に女児に多く，外陰肛囲・口囲・外耳に好発．膿皮症様・湿疹様・潰瘍性・壊疽性発疹．咽頭ジフテリア（偽膜形成）を伴うことがある．*Corynebacterium diphtheriae* 感染，熱帯に多い．エリスロマイシン・ペニシリンとジフテリア血清．

5. 炭疽 anthrax

病因

炭疽菌（*Bacillus anthracis*）（Koch 1876）は，大気中で芽胞を形成し，熱・化学物質・紫外線に抵抗性．数十年無栄養状態で土壌・動物製品中に生存しうる．草食動物（ウシ・ヒツジ・バッファロー）から直接（畜産業など）あるいは獣皮・獣毛・織物を介し（なめし皮業・羊毛洗浄業），皮膚・肺・腸から侵入．地方病として散発，比較的トルコ・パキスタンに多い（炭疽ベルト）．ヒトからヒトへの感染はない．2001 年，バイオテロリズムで利用された．日本では稀だが，感染症法の四類感染症に分類されている．

27章

症状

①**皮膚感染（95%）**：感染 2，3 日後，瘙痒性紅色性小丘疹（虫刺症様），一両日中に水疱・血膿疱・腫脹（悪性膿疱 malignant pustule），次いで自潰し石炭のかけらのような痂皮を付す（anthrax carbuncle）．稀に浮腫に始まり（炭疽浮腫 malignantanthracic edema），二次的に水疱・痂皮・壊疽に陥ることあり．リンパ管・リンパ節炎を併発，あるいは血中に入り，その外毒素によるショック死あり．

②**肺炭疽**：稀．風邪症状・縦隔リンパ節腫脹・呼吸困難などで急死．死亡率は高い．

③**腸炭疽（汚染食品摂取による）**：激しい腹部症状（悪心嘔吐・発熱・腹痛・吐血・下血・腹水），あるいは口咽頭症状（嚥下困難・頸部リンパ節腫脹）．敗血症で死亡することあり．

治療

ペニシリン系，カルバペネム系，キノロン系，テトラサイクリン系の抗菌薬．

6. 放線菌症 actinomycosis

病因

病原菌は *Actinomyces israelii*. 嫌気性グラム陽性放線菌で口腔中（虫歯・歯石・扁桃窩）の無害な常在菌であるが，齲歯・歯周囲炎・抜歯・歯科的手術・外傷などにより内部へ侵入して発症する．

症状

下顎角〜側頸部に圧倒的に多く，深部に板状硬結を生じ，表層に波及して潰瘍を形成，破れて瘻孔となる．分泌物中には黄白色の菌塊，すなわち**顆粒**（granule, Drüse）が混じ，顆粒の辺縁に棍棒体が，また顆粒をつぶしてグラム染色すると陽性の微細糸状体および桿菌様物がみられる．咬筋拘縮による開口不全・咀嚼障害をきたし得る．陳旧病巣は瘢痕化する．

治療

ペニシリンが第一選択．セフェム・テトラサイクリン・クリンダマイシン・エリスロマイシン．病巣のドレナージ・瘻管摘出・掻破切除．

7. 皮膚ノカルジア症

Nocardia 属の様々な好気性土壌腐生菌による．肺原発で血行性に脳や皮膚などに多発性の膿瘍をきたす続発性皮膚ノカルジア症と，外傷などで直接皮膚に侵入する皮膚原発のものがある．皮膚原発のものは，菌腫型，膿瘍型，皮膚リンパ管型がある．

1）ノカルジア性菌腫 nocardial mycetoma（図 27-34, 35）

a）病因：*Nocardia asteroides*（日本では最も多い），*Nocardia otitidiscaviarum*, *Nocardia brasiliensis* が知られる．

b）症状：足が硬く腫脹し，一部軟化して瘻孔を多発，漿液性〜膿血性排膿があり，この中に**黄色顆粒**（granule, Drüse；菌塊）をみる．稀に骨に及び，所属リンパ節を侵す．

c）治療：サルファメトキサゾール＋トリメトプリム（ST 合剤），ミノサイクリン．

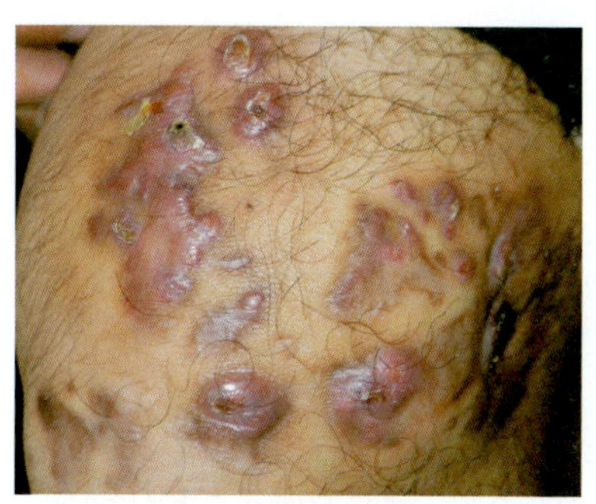

図 27-34　皮膚ノカルジア症

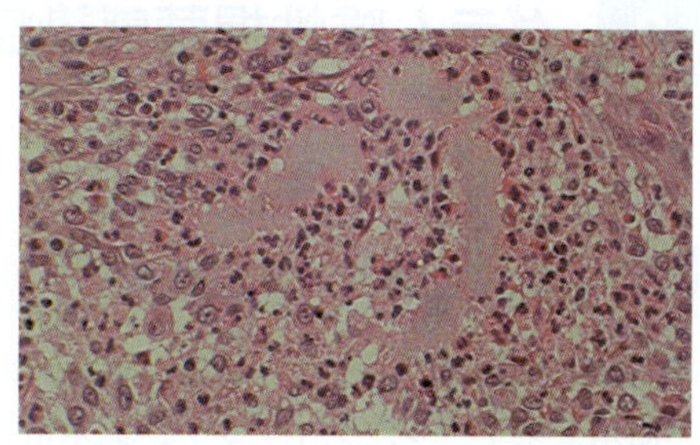

図 27-35　皮膚ノカルジア症〔組織中の顆粒（菌塊），HE 染色〕

2）ノカルジア性膿瘍 nocardial abscess（図 27-36）

a）病因：*Nocardia asteroides* が多い．

b）症状：瘻孔を作らない皮下の膿瘍．

3）皮膚リンパ管型ノカルジア症 lymphocutaneous nocardiosis，スポロトリコイドノカルジア症

a）病因：*Nocardia brasiliensis* が多い．

b）症状：比較的急性で，原発巣は潰瘍化し，スポロトリコーシスのリンパ管型に似た結節を次々と生じる．

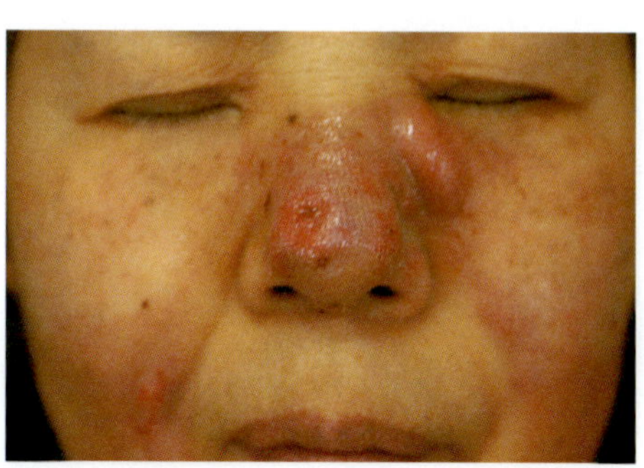

図 27-36　皮膚ノカルジア症（膿瘍）

2 グラム陰性桿菌感染症

1．緑膿菌感染症

1）緑膿菌性毛包炎 pseudomonas folliculitis

温水公衆プール，ジャクジー，温水浴槽など利用して1～4日後に生じる．皮疹は毛孔一致性，紅斑，小水疱，紅色丘疹，膿疱からなる．瘙痒を伴うことが多い．高温により塩素レベルが下がり，細菌の増殖するのが原因とされている．ウェットスーツやスポンジからの感染による症例報告もある．体幹，腋窩，臀部が中心．時に頭痛，咽頭痛，耳痛，発熱，倦怠感を伴う場合がある．治療は1～2週間で自然治癒する．セフェム薬やニューキノロンが有効である．

〔付〕pseudomonas hot-foot syndrome

緑膿菌毛包炎と同様の原因で，小児多い．急速に足底に疼痛と熱感を伴う紅色の硬結となる．集団感染の報告もある．

2）緑色爪 green nail

長時間，水に暴露される人に多い．緑膿菌による急性爪囲炎を伴う場合と爪だけの感染とがある．爪は緑色，青緑色，緑褐色となる．

3）趾間感染症 toe web infection

ゴム靴や安全靴などを長時間履く職業やレクリエーション，高温や多湿の気候が関連する．緑黄色の浸出液を伴うびらん～潰瘍になる．角質増殖し，浸軟する（図27-37）．緑膿菌によることが多い．

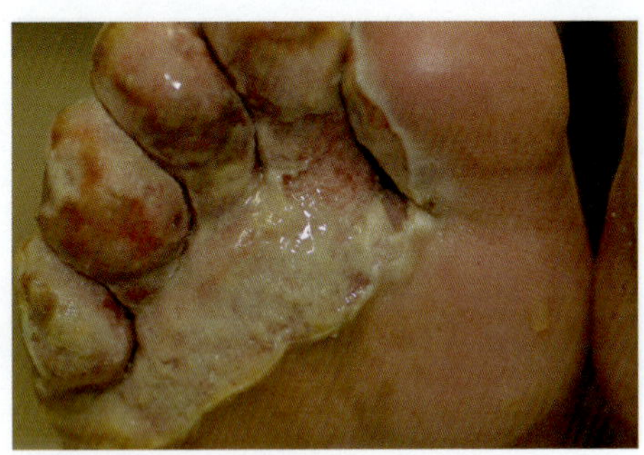

図27-37　toe web infection

2. *Pasteurella multocida* 感染症（図 27-38）

Pasteurella multocida は哺乳動物（イヌ・ネコ・ブタ・ウシ）・鳥類の口腔や胃腸の常在菌でり，ネコの保有率が最も高い．ヒトへの感染は，①咬・掻傷による局所感染，②呼吸器感染，③敗血症・髄膜炎など．①は 24 時間以内に発赤・腫脹・疼痛を生じ蜂巣炎となり，やがて膿瘍化する．上肢に多く，関節，腱，骨に炎症が波及する場合がある．リンパ管炎を伴うこともある，治療はペニシリン・セフェム・テトラサイクリン．

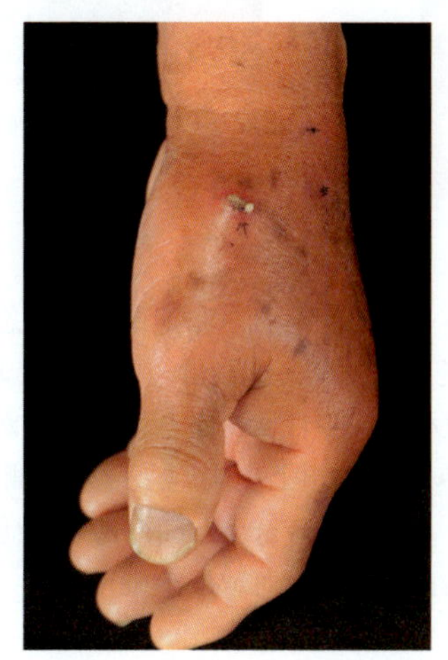

図 27-38　*Pasteurella multocida* 感染症

3. ネコひっかき病 cat-scratch fever（Foshay 1932）

病因

Bartonella henselae によることが最も多い．ネコ（特に仔猫）にひっかかれて感染する．ネコノミを介することがあり，イヌも感染源となりうる．秋～冬に多く，夏は稀．子ども，20 歳以下の若年者に多い．

症状

感染から 3～5 日後，受傷部に丘疹，次いで 2，3 日で水疱ないし膿疱と化し，結痂に至る（皮疹は 40％にみられる）（図 27-39）．1～3 週間でリンパ節が有痛性に腫脹（片側性・単発性・鳩卵～鶏卵大・波動→自潰），時に発熱・頭痛・関節痛あり．ほとんどは良性の経過をたどり，6～12 週で自然治癒する．一部はリンパ節の膿瘍

27章

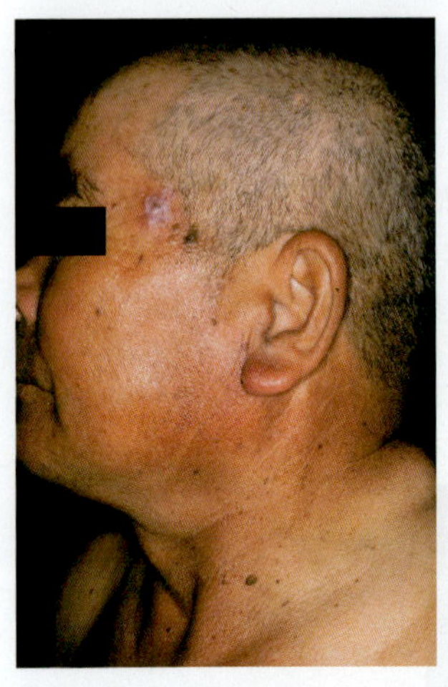

図 27-39　ネコひっかき病

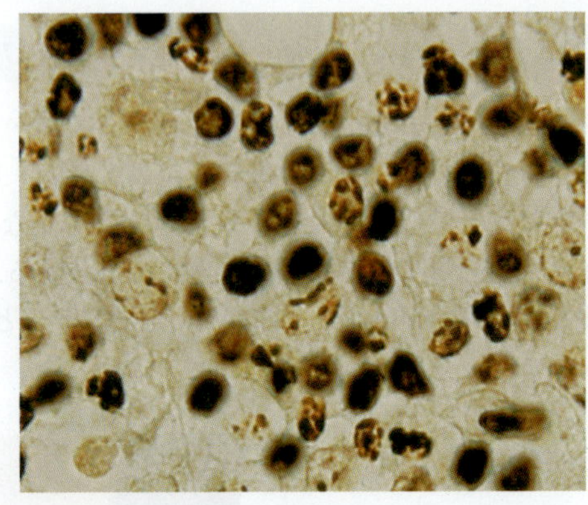

図 27-40　*Bartonella henselae*（Warthin-Starry 銀染色）

が重症化して強い痛みを伴うことがある．非定型例では急性脳症・不明熱・肝脾多発性肉芽腫・視神経網膜炎・パリノー症候群（結膜炎と耳周囲リンパ節炎）・骨髄炎・肺炎・結節性紅斑・血小板減少性紫斑をきたすことがある．皮膚・リンパ節ともに壊死・類壊死塊を囲み柵状に類上皮細胞，その外側にリンパ球が浸潤する．*Bartonella henselae* はグラム陰性・Warthin-Starry 銀染色陽性小桿菌（図 27-40）（長さ 2 μm，幅 0.5～0.6 μm，ネコ赤血球に感染）．

確定診断

①腫大リンパ節生検像で壊死性肉芽腫性リンパ節炎と Warthin-Starry 銀染色陽性の小桿菌分離培養（血液寒天培地），②血清診断（IFA：IgG 抗体 512 倍以上，ペア血清で 2 倍以上，IgM 抗体 20 倍以上；EIA：IgG 抗体＞12 単位，IgM 抗体＞12 単位），③ PCR 法．

治療

通常は鎮痛・解熱薬など対症療法．時に切開・排膿してテトラサイクリン，マクロライド，ニューキノロン投与．

4. 鼻疽 glanders

Burkholderia mallei による人畜共通感染症．ウマ・ロバ・ラバなどに感染したものを馬鼻疽の鼻汁から，ヒトの外傷皮膚・結膜・鼻粘膜・気道を介して感染する．

急性型と，慢性型がある．急性型では悪寒発熱で始まり，潰瘍は急速に広がるとともに，ばら疹，丘疹が散生し，これも膿疱・潰瘍化する．鼻部には丹毒様発赤・鼻カタル症状を生じ，菌が血中に入ると短期間で死亡する．予後不良．慢性型では全身症状軽く，潰瘍は瘢痕化する．患者の隔離消毒が必要．治療はアミノグリコシド，テトラサイクリン，サルファ剤．

5. 類鼻疽 melioidosis

Burkholderia pseudomallei による人畜共通感染症．東南アジアなど熱帯の風土病．ヒトを含む哺乳動物を侵し，汚染された土壌を介し感染する．急性型は敗血症をきたす．慢性型は皮下膿瘍，瘻孔．日本では極めて稀であるが，熱帯地域への旅行歴ある発熱患者に注意．治療は鼻疽に準じる．

6. 野兎病 tularemia

Francisella tularensis による．齧歯類，特に野兎との接触，あるいは野兎を刺したマダニ刺咬症・蚊刺症により人の皮膚・気道・眼粘膜に侵入する．感染症法における四類感染症．2～4 日の潜伏期後，悪寒・発熱・頭痛・関節痛を発し，侵入門戸の所属リンパ節が有痛性に腫脹，あるいは初感染部に有痛性丘疹・潰瘍．野兎病疹として多形滲出性紅斑・結節性紅斑・じんま疹などを併発．早期に適切に治療すればほとんど回復する．時に肺炎などで予後不良のことあり．アミノグリコシド，テトラサイクリンが有効．

3 その他の特殊なもの

外歯瘻 external dental fistula（図 27-41）

齲歯・歯根炎・歯槽骨炎などの膿汁が外方皮膚に瘻孔を形成して排出されている状態で，下顎頤部（第一大臼歯）に圧倒的に多い．10 代に好発．歯科的根治療法を行わないと治癒しない．必要に応じて歯瘻管摘出術．

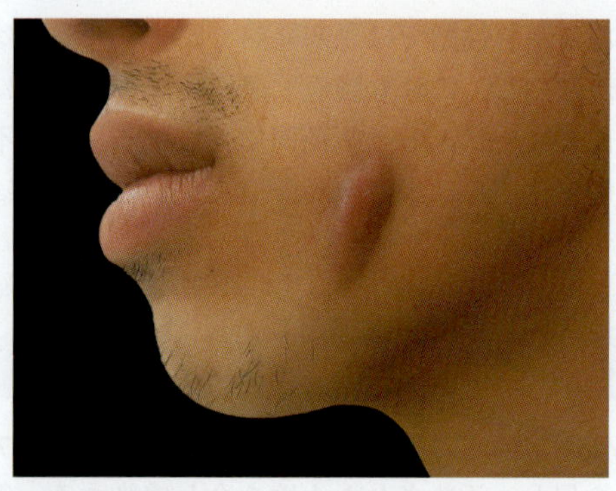

図 27-41　外歯瘻

第28章 皮膚抗酸菌感染症

皮膚の抗酸菌感染症には皮膚結核，非結核性抗酸菌感染症，ハンセン病がある．抗酸菌は長さ1～10 μm，直径0.2～0.6 μmのグラム陽性桿菌でマイコバクテリア科に属する．細胞壁が脂質に富み，アニリン系色素で一旦染色されると酸・アルカリによる脱色に抵抗性（抗酸性）を示す．結核菌，非結核性抗酸菌，らい菌に大別されている（表28-1）．

1 皮膚結核 

病因・病態

皮膚結核（tuberculosis cutis，cutaneous tuberculosis，tuberculosis of the skin）

表28-1　皮膚感染性抗酸菌の分類とその性状

増殖速度	菌群	集落の色調	菌種
	結核菌群	暗発色（－），光発色（－）	*M. tuberculosis* *M. bovis*
遅育菌 slow growers （集落形成に1週以上）	Ⅰ群菌	光発色菌 暗発色（－），光発色（黄）	*M. marinum* *M. kansasii*
	Ⅱ群菌	暗発色菌 暗発色（黄），光発色（黄～橙色）	*M. gordonae*
	Ⅲ群菌	非光発色菌 暗発色（－），光発色（－）	*M. avium, M. intracellulare* *M. ulcerans, M. haemophilum*
速育菌 rapid growers （集落形成が1週以内：25℃，37℃）	Ⅳ群菌	暗発色（－），光発色（－）	*M. fortuitum, M. chelonae* *M. abscessus*
特殊栄養要求菌	らい菌	人工培地では発育しない	*M.leprae*

を起こす結核菌はヒト型菌（*Mycobacterium tuberculosis*）とウシ型菌（*M. bovis*）であるが，前者によることがほとんどで後者は極めて稀．結核菌は乾燥や温度に抵抗性が強いという．

人体に侵入した結核菌はマクロファージに貪食され，分泌されるIL-12などによりTh1型リンパ球が増殖してインターフェロンγ，TNF-αなどのサイトカインが産生・放出される．結核菌の破壊とともに肉芽腫〔結核結節（tubercle）〕が形成される．

疫学

皮膚結核は結核全体の1.2％程度を占めるといわれるが，結核自体が減少しており，患者も高齢化している．日本の結核罹患率は人口10万対10.1人（2020年）と年々低下しており，近隣アジア諸国に比べ低水準にあり，アメリカなどに近づきつつある．一方，①免疫低下をきたしやすい治療法（強力な化学療法・免疫抑制療法・TNF-α阻害薬）の発達，② AIDSにおける日和見感染，③結核の多い発展途上国からの入国・在住者の増加，④経済・住環境などの劣化，⑤薬剤耐性菌の出現などから，再興・輸入感染症として若成年層を含めて再びその増加が指摘されている．

病型（表28-2）

真正皮膚結核と結核疹に大別できる．前者は皮膚病巣で結核菌が増殖しており，比較的容易に結核菌を分離でき，病変は限局性・片側性のことが多い（尋常性狼瘡・皮膚腺病・皮膚疣状結核・潰瘍性粟粒結核）．後者は結核過敏性の個体に，菌ないしその分解産物が血行性に散布されて発疹が生じ，通常病巣部に結核菌を検出

表28-2　皮膚結核の症状

	限局性	汎発性	小丘疹	丘疹	結節	局面	潰瘍瘢痕	膿瘍瘢痕	ツ反応	菌検出	
皮膚腺病	⧻					⧺	⧻		⧺	⧻	真正皮膚結核
潰瘍性粟粒結核	⧺					−	⧻		＋	⧻	
尋常性狼瘡	＋〜⧺	（＋）			＋	⧻	⧺		⧺	＋	
皮膚疣状結核	⧻					⧻	＋		⧻	⧺	
皮膚粟粒結核		⧻	＋	＋				＋	−〜＋	⧻	
壊疽性丘疹状結核疹		⧺		⧺				⧻	⧻	−	結核疹
バザン硬結性紅斑		＋			⧻	（＋）	−〜＋		⧻	−	
陰茎結核疹		＋		＋				⧻	⧻	−	
腺病性苔癬		⧻	⧻	＋					⧻	−	

できない（腺病性苔癬・壊疽性丘疹状結核疹・陰茎結核疹・バザン硬結性紅斑・結節性結核性静脈炎）．近年，PCR-DNA 診断の進歩により結核疹でも菌がしばしば検出され，皮膚結核を菌量，宿主免疫，感染経路から見直す動きもある．その観点からは結核疹は菌量の少ない paucibacillary 型といえる．

1. 皮膚初感染病巣 primary tuberculous complex

結核に免疫のない人の皮膚初感染で，顔面・四肢に多い．感染 2 週で結節ないし潰瘍を，数週後リンパ節腫脹をきたし，ツ反応陽転．原発巣は瘢痕治癒する．BCG（bacille bilié Calmette-Guérin）接種はいわば人工的皮膚初感染病巣である．

2. 真正皮膚結核

1）尋常性狼瘡 lupus vulgaris

真正皮膚結核の中で最も多い病型であるが，近年減少して遭遇する機会が少ない．

病因

結核免疫のある個体に，菌が肺結核など内部（血行性・リンパ行性）または外部から皮膚に達して発症する．

症状（図 28-1，2）

①顔面（鼻孔周囲・頬・口唇・耳朶：80%）・頸部に圧倒的に多いが，どこにで

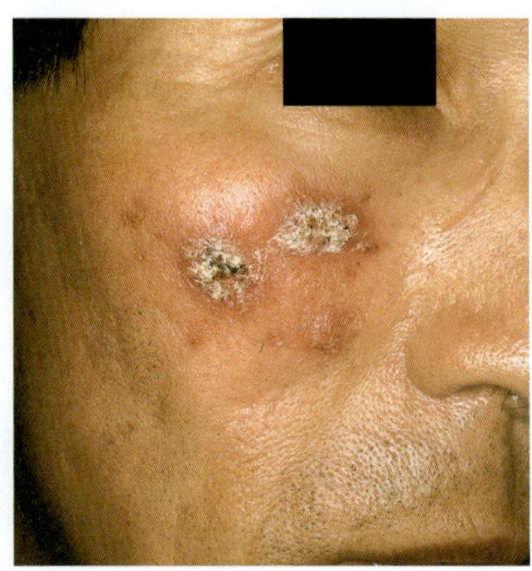

図 28-1 尋常性狼瘡

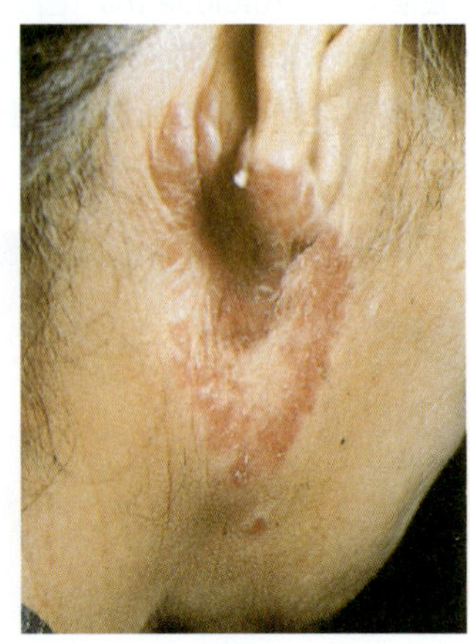

図 28-2 尋常性狼瘡

も発症しうる.

②原発疹は粟粒大の皮内小結節で黄褐～赤褐色，やがて融合して紅斑局面を形成，表面落屑し，中央は瘢痕化する.

③扁平斑状型が多いが，落葉状，増殖性疣状，硬化性，蛇行性を呈する.

④中央が萎縮し瘢痕・治癒する.

鑑別診断

①サルコイドーシス，②第3期梅毒，③ DLE，④非結核性抗酸菌症（PCR 法で鑑別できる).

予後

抗結核薬に反応し，生命の予後はよいが醜形を残す．瘢痕面に癌を発することがある（狼瘡癌 lupus carcinoma).

2）皮膚疣状結核 tuberculosis verrucosa cutis（図 28-3）

結核に免疫性の個体に，主として外傷より外来性に結核菌が接種されて発症する．数個の硬い紅褐色丘疹として始まり，融合・拡大とともに表面は疣状，紅暈を有するようになる．病巣は不整形に拡大，中央は瘢痕状，周囲は疣状で堤防状に隆起し，蛇行状～連圏状を呈する．外傷を受けやすい四肢末端・四肢大関節部・臀部・肛囲に好発する.

慢性に経過するが予後良好．癌化は稀．近年ほとんどみることはない.

3）皮膚腺病 scrofuloderma（図 28-4）

リンパ節・骨・関節・筋・腱の結核病変が皮膚に連続性に波及して生じる.

健常皮膚の皮下に無痛性硬結を生じ，次第に増大，軟化して波動を触れ，冷膿瘍

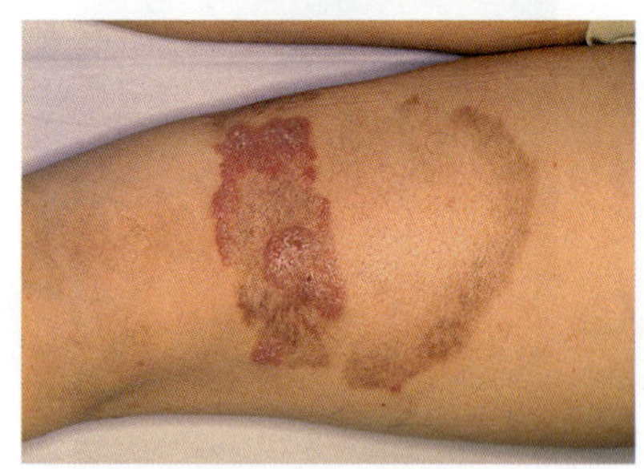

図 28-3　皮膚疣状結核

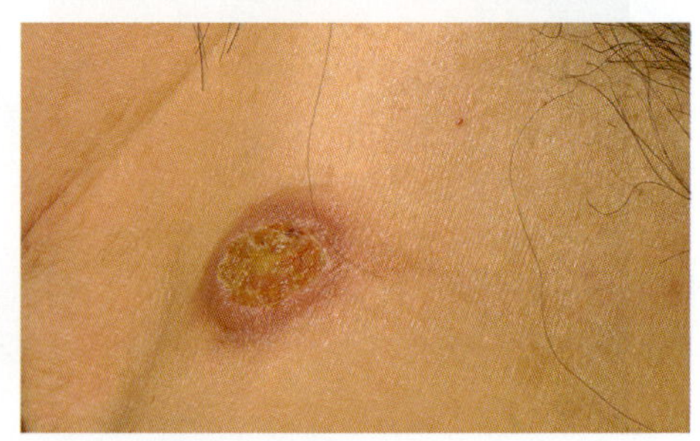

図 28-4　皮膚腺病（頸部）

を形成する．皮膚は菲薄化，暗赤色に変化して自潰，瘻孔ないし潰瘍を生じる．潰瘍面は弛緩性肉芽面で，辺縁皮膚は増殖しない．

分泌膿汁および組織中に多数の結核菌．ツ反応陽性．不規則索状瘢痕をもって治癒．頸部に圧倒的に多い（頸部リンパ節結核に続発）．腋窩・陰股部などにも生じる．近年，時にみることがある．

4）皮膚粟粒結核 tuberculosis cutis miliaris

幼児の急性全身性粟粒結核が血行性に散布して皮膚に，丘疹・水疱・膿疱・紫斑・紅斑，次いで小潰瘍を多発する．予後不良．個体はアネルギー状態でツ反応陰性．日本では極めて稀．

5）転移性結核性膿瘍 metastatic tuberculous abscess

免疫能の低下した個体皮膚に粟粒結核や他臓器結核から結核菌が血行性に散布されて，皮下結節，膿瘍，潰瘍，瘻孔が多発・単発する．四肢に好発．稀．

3．結核疹

1）腺病性苔癬 lichen scrofulosorum（図 28-5）

結核免疫個体で血行性に菌または菌体成分が散布されて生じる．初感染後，BCG 接種に続発することが多い．非結核説もある．

体幹・四肢に，粟粒大，黄褐色ないし紅褐色丘疹が播種・集簇して多発，頂点に粃糠様落屑が付着，小膿疱をみる．自覚症状はない．

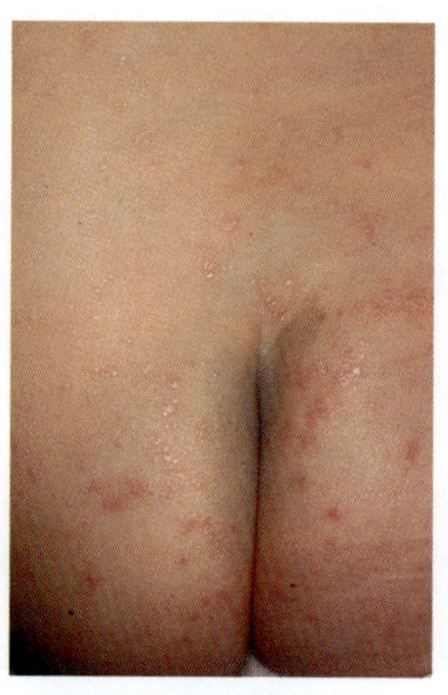

図 28-5 腺病性苔癬

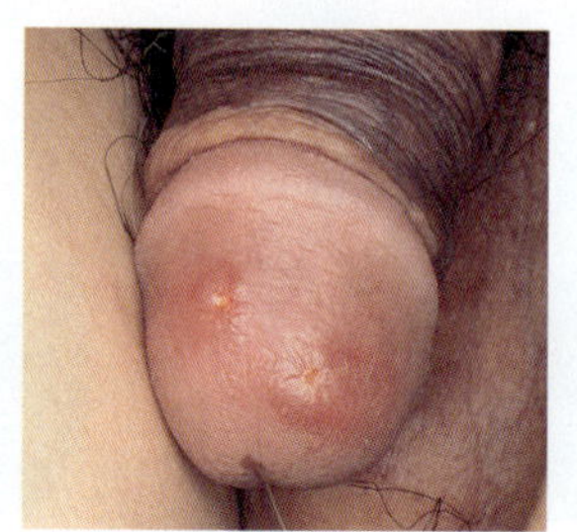

図 28-6 陰茎結核疹

扁平苔癬，光沢苔癬と鑑別する．予後良好で，多くは数ヵ月で治癒．稀．

2）壊疽性丘疹状結核疹 papulonecrotic tuberculide

結核アレルギー性血管炎で，主として四肢伸側に痤瘡様の暗紅色丘疹が多発する．中心が壊死・陥凹，結痂，小潰瘍化し，小瘢痕をもって治癒．新旧疹が混在して多彩．青年，特に女子に多い．予後良好，一般に5〜6週で軽快．近年は稀．

3）陰茎結核疹 penis tuberculid（柳原1920）（図28-6）

亀頭または包皮に，半米粒大の紅色小丘疹が多発し，頂点膿疱化してくずれ，不整形の小潰瘍と化し，やがて陥凹性小瘢痕となって治癒．青年に好発．稀．

多く泌尿器結核を合併し，また陰茎形成性硬結（induratio penis plastica）を伴うことがある．

4）バザン硬結性紅斑 erythema induratum Bazin

代表的結核疹の一つであり，ツ反応強陽性．しかし，活動性結核の合併が少ない，結核菌が証明されない，ステロイドの有効例もあることなどから結核を否定する考えも強く，非結核性の血行障害（nodular vasculitis，Montgomery 1945）も考えられている．最近はかなり減少している．

症状（図28-7）

①豌豆大〜小鶏卵大までの暗紅色紅斑で，全体にあるいは一部に硬結を認める．自発痛・圧痛は通常ない．1〜2ヵ月で消褪するが，一方で軟化・潰瘍化し瘢痕治癒をきたす．

②若い女性（特に足が太めの）の下腿に多く，時に大腿・前腕にも生じる．

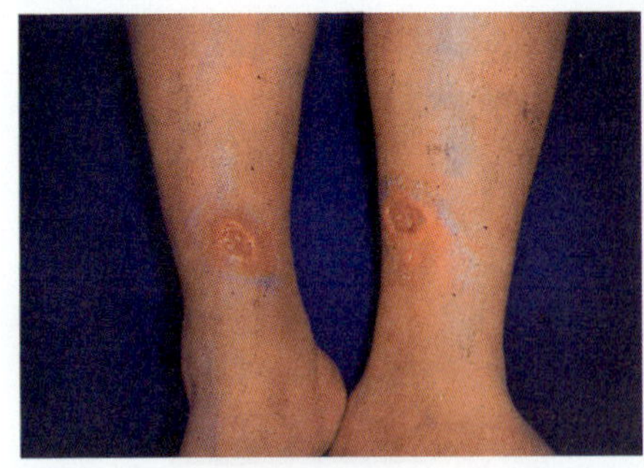

図28-7　バザン硬結性紅斑

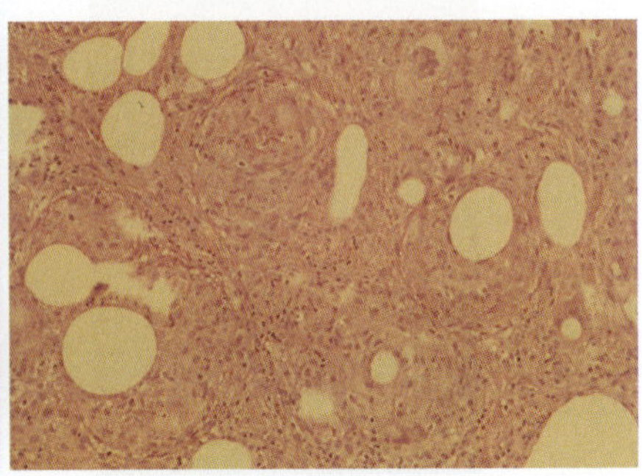

図28-8　バザン硬結性紅斑（組織）

組織所見（図 28-8）

皮下脂肪組織中の結核性肉芽腫性脂肪織炎（血管炎に結核肉芽腫が続発する）.

鑑別診断

①結節性紅斑（圧痛・熱感・自潰せず・関節痛・一過性），②ゴム腫（梅毒血清反応陽性・腎型潰瘍），③凍瘡（冬期）.

治療

抗結核薬投与の他，下腿の安静・うっ血の防止，時にステロイド投与．潰瘍化すると治療に抵抗するが，予後は良好.

5）結節性結核性静脈炎 phlebitis tuberculosa nodosa

下腿・足・前腕などに，比較的急性に皮下硬結を生じ，皮膚は常色，時に軽く発赤．しばしば索状に硬結を触れる．潰瘍化しない．軽度の発熱・全身違和感を前駆症とすることもある．近年，極めて稀.

4. 組織所見（図 28-9）

類上皮細胞（epithelioid cell）が集簇・増殖，ラングハンス巨細胞，時に異物巨細胞を混じ，外側をリンパ球が囲む．肉芽組織の中心部は自己融解して，いわゆる乾酪壊死（caseation necrosis）に陥る（結核結節 tubercle）.

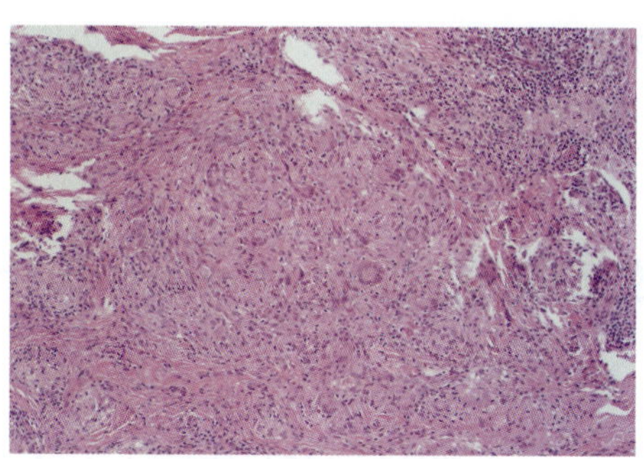

図 28-9 結核結節（尋常性狼瘡の組織）

5. 診断

①結核菌証明：塗沫検査（蛍光染色，Ziehl-Neelsen 染色），培養（小川培地，

MGIT 法などの液体培地)，遺伝子診断（PCR 法，DNA-DNA ハイブリダイゼーション法)，②組織像，③他の結核症状（胸部 X 線像・赤沈など)，④クォンティフェロン第 2 世代（QFT-G2)：結核菌特異抗原に対する末梢血リンパ球のインターフェロン γ 応答を定量する結核診断法．皮膚結核の補助診断に有用，⑤ツベルクリン反応（PPD 反応：遅延型過敏反応の典型)：粟粒結核を除き陽性．現在，結核菌の有無の診断には PCR 法が迅速で信頼性が高く，菌種は DNA-DNA ハイブリダイゼーションによる．

6. 治療

皮膚結核のみ，特に結核疹の場合には明確な治療基準は示されていない．しかし抗結核薬の内服が基本であり，多剤併用，短期治療が原則である．病型，合併症，年齢などを勘案して以下の多剤療法から適切な治療法を選択する．

1）**4 剤併用**：4 剤を 2ヵ月，その後ピラジナミドを除いた 3 剤を 4ヵ月間投与する．
　①イソニコチン酸ヒドラジド（INH）（イソニアジド）：1 日 0.2～0.5 g，連日内服．副作用：肝障害，末梢神経炎，血液障害，痤瘡様皮疹．
　②リファンピシン（RFP）：1 日 450 mg，朝食前，連日内服．副作用：肝障害，発疹，血小板減少症，大腸炎，尿の赤色化．
　③エタンブトール（EB）：1 日 1.0 g，朝食前，連日．副作用：視神経障害，末梢神経障害，高尿酸血症．
　④ピラジナミド（PZA）：1 日 1.5 g，1～3 回分服．連日．副作用：肝障害，間質性肺炎，高尿酸血症．

2）**3 剤併用**：1）から PZA を除いた 3 剤を 6ヵ月，その後さらに EB を除いて 3～6ヵ月間投与する．

3）**2 剤併用**：INH と RFP の 2 剤を 6～9ヵ月間投与する．

2　非結核性抗酸菌感染症 non-tuberculous mycobacteriosis

結核菌・らい菌以外の抗酸菌は，一括して atypical tubercle bacilli（Griffith 1924）と呼ばれていたが，近年は非結核性抗酸菌（non-tuberculous mycobacteria；NTM，Wolinsky 1979）ということが多い．NTM は 60 種以上あるが皮膚病変を起こす菌種は少ない．

1. *Mycobacterium marinum* 感染症，魚槽肉芽腫（fish tank granuloma），プール肉芽腫（swimming pool granuloma） ◎

病因・感染

水中に棲息する腐生抗酸菌の一種である *mycobacterium marinum* 感染症．この菌は水，特に淡・海水に生息し 30～32℃が至適，37℃では増殖しにくく，42℃で発育しない．皮膚の非結核性抗酸菌症の原因菌の 60％以上を占める．

日本では，熱帯魚（あるいは海水魚）槽からの感染が多い．魚を扱う職業の人（熱帯魚飼育販売者・水族館飼育員・調理師・漁夫・魚商など）や，趣味で熱帯魚を飼育する人に好発する．感染者は外傷歴のあることが多いが，はっきりしないこともある．日本ではプール水の塩素濃度が高いので菌は発育せず，プール由来はなくなっている．時に AIDS の日和見感染．

症状（図 28-10，11）

3 週間前後の潜伏期を経て，魚槽肉芽腫では手指背に，プール肉芽腫では肘頭・膝蓋に好発する．紅色丘疹・小膿疱を生じ，拡大して結節・潰瘍を形成する．軽度の圧痛・少量の排膿があり，陳旧化して鱗屑・痂皮に覆われる疣状局面・腫瘤を呈する（皮膚限局型）．リンパ管に沿って上行性に皮膚転移巣（スポロトリコーシスのリンパ管型に類似，皮膚リンパ管型）を生じることがあり，稀に皮膚，皮下，骨，関節，リンパ節などに多発・播種することもある（播種型）．内臓を侵すことはない．

組織所見

類上皮細胞肉芽腫と微小膿瘍，抗酸菌染色陽性．

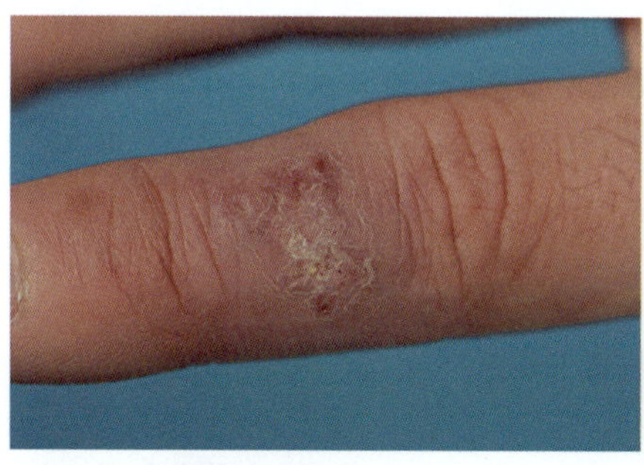

図 28-10　非結核性抗酸菌症（熱帯魚飼育者の指背）

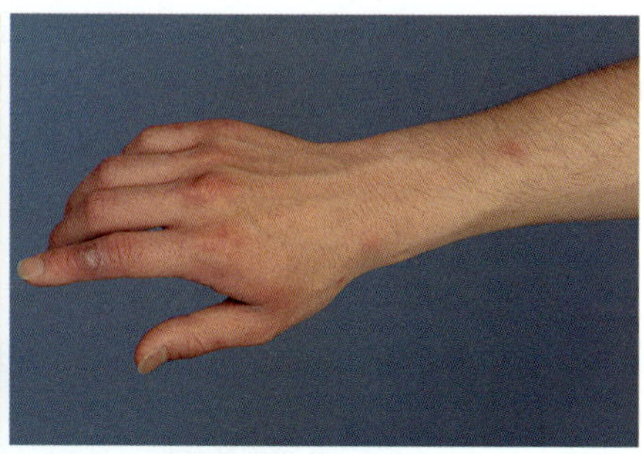

図 28-11　非結核性抗酸菌症（リンパ管に沿って転移巣）

診断

遺伝子検査，痂皮下面の膿汁のZiehl-Neelsen染色および小川培地での培養（発育至適温度30～32℃，遅育，光発色性陽性）．

治療

ミノサイクリン（200 mg/日）が一次選択，その他リファンピシン・アミカシン・サルファ剤・オフロキサシン・スパルフロキサシン・クラリスロマイシンが有効．温熱療法（40～44℃，1日2時間）も有効で，薬剤療法との併用がよい．稀に切除．

2. その他の非結核性抗酸菌性感染症

*Mycobacterium*感染症の多くは*M. marinum*によるが，*M. fortuitum*（10%前後），*M. chelonae*（7%前後），*M. avium*（7%前後），*M. abscessus*（5%以下），*M. kansasii*（4%以下），*M. gordonae*，*M. ulcerans*，*M. haemophilum*も皮下腫瘍・肉芽腫性結節・潰瘍を形成する．免疫不全者では化膿性炎症像（マクロファージによる肉芽腫が形成されない）を呈し，稀に全身に播種状に生じる．37℃で発育可能菌種（*M. avium*，*M. fortuitum*）はリンパ節・関節・内臓も侵すこともある．*M. avium*など菌種によっては遺伝子診断（PCR法，DDH法）が可能になっている．

1）*M. chelonae*感染症

*M. chelonae*は土・水中に棲息する．四肢・顔面の肉芽腫様結節・皮下膿瘍．ミノサイクリン・温熱療法・切除．

2）*M. avium*感染症

*M. avium*は土，動物（ハト）の糞に棲息．37～40℃が至適．小児の四肢・体幹に，潰瘍を伴う皮下硬結・膿瘍．免疫不全者では全身感染（肺）あり．24時間風呂・エステでの感染あり．クラリスロマイシン・イソニアジド・リファンピシン併用，切除．

3）*M. intracellulare*感染症

土・水中常在菌．基礎疾患（膠原病・免疫低下状態）・外傷に続発．結節・丘疹・硬結・膿瘍・潰瘍など．リファンピシン・エタンブトール・カナマイシン有効．かつて*M. avium*と区別困難なため*M. avium-intracellulare complex*と称されていた．

3　ハンセン病 Hansen's disease, leprosy ◎

ハンセン病はらい（癩）菌（*Mycobacterium leprae*, Hansen 1874）による慢性の抗酸菌感染症で，皮膚と末梢神経に病変をきたす．感染・寄生する菌量，患者の免疫状態によってその臨床像が大きく異なる．

らい菌は長さ 1〜8 μm，幅 0.3〜0.5 μm の抗酸性桿菌で，細胞内寄生・増殖する．マクロファージ内で松葉状に集合し，あるいは「らい球 globi」（らい菌が密集して脂質様物質で連なって一塊となったもの）を形成する（図 28-12）．Toll-like receptor 2（TLR2）を介して，らい菌がマクロファージに取り込まれるとサイトカインやインターフェロンが分泌され，またプロセッシングを受けて $CD4^+$，$CD8^+$T 細胞が活性化されて免疫能力が賦活する．一方で IL-10 など免疫抑制性のサイトカインも分泌される．免疫能賦活・抑制のバランスが負に傾くと，らい菌が生存・増殖すると考えられている．

患者の膿汁・鼻汁・唾液から幼小児期に経気道的に感染し（大部分が家族内感染），長期間（数年〜十数年，時に数十年）の潜伏期を経て発症する．発症にも個体の細胞性免疫能，菌量，栄養状態，環境・衛生状態など種々の因子が関係する．

〔注〕WHO の実施した MDT（multi-drug therapy）により患者数は著しく減少した．しかし熱帯の開発途上国には多数の患者がおり，2018 年に WHO は約 18 万人の患者を新規に登録した．最近の日本での新規患者は日本人が 0〜1，2 名，在日外国人が数〜10 名ほどである．

1. 病型分類（表 28-3，図 28-13）

マドリッド式 1953：①らい腫型（lepromatous type，LL 型），②類結核型（tuber-

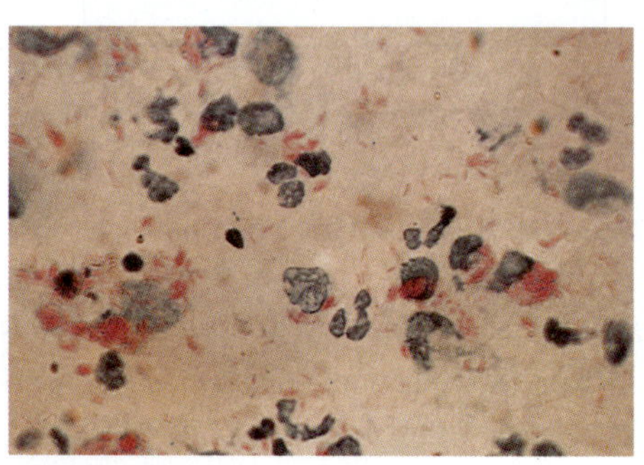

図 28-12　らい菌

表 28-3 ハンセン病の分類

	菌量	菌指数	細胞性免疫	抗 PGL-1 抗体	皮疹数	分布	個疹	知覚障害	末梢神経肥厚
TT	PB	0	⧺	±〜−	1〜3	局限性,非対称性	紅色板状,大,境界明瞭	著明	皮疹の近く
BT	PB	0〜⧺	⧺	±	多数,衛星病巣	局限性,両側性,非対称性	TTに似る,小,境界不明瞭	中等度	多数
BB	MB	⧺〜卌	±	+〜±	多数,衛星病巣	両側性,対称性	紅色板状,中央脱色,環状	中等度	軽度
BL	MB	⧻〜卌+	±	⧺	多数,非対称性	全身性,一部非対称性	LLに似る	中等度	軽度
LL	MB	卌〜卌+	−	⧻	多数,対称性	全身性,対称性	斑,丘疹,板状局面,結節,光沢あり	なし〜軽度	なし
I		0〜(+)		−?	少ない[1個]	限局性	淡い紅斑,小脱色素斑	軽度	

TT: tuberculoid, BT: borderline tuberculoid, BB: borderline, BL: borderline lepromatous, LL: lepromatous, I: indeterminate, PB: paucibacillary, MB: multibacillary.

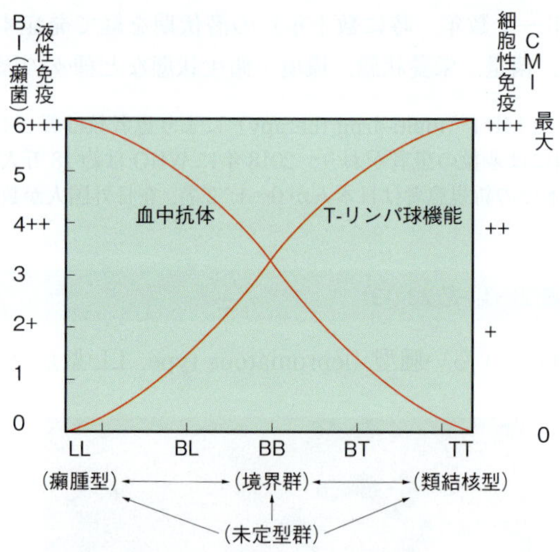

図 28-13 細胞性免疫,液体免疫と病型の関係

culoid type, TT型), ③境界群 (borderline group, B群), ④未定型群 (indeterminate group, I群), ⑤反応相 (reactional phase) を分ける. Ridley and Jopling (1962) は宿主の抵抗性の強いTT型から弱いLL型を両極とし, 中間にB型 (さらにBT, BB, BLと分ける) を置く分類を提唱, 広く用いられている. 免疫学的

分類に比し，簡便な①多菌型（multibacillary form；MB），②少菌型（paucibacillary form；PB），③単疹少菌型（single-lesion PB）の3型分類（WHO分類）が最近よく用いられている．おおよそ多菌型はらい腫型に，少菌型は類結核型に比定することができる．

2. 皮膚症状

1）LL型（多菌型，MB）（図28-14，15）

左右対称性に多彩な病変が多発する．

①**斑状型**：境界不明瞭な，やや浸潤を有するわずかに黄色調の紅斑が多発融合，脱色斑が混在．

②**浸潤結節型**：にぶい赤味のある浸潤局面，にぶい光沢を有する丘疹・結節（らい腫 leproma）が多発，時に獅子面（facies leontina），その他脱毛や潰瘍を生じる．

③**びまん性型**：びまん性浸潤で特に結節を生じない（メキシコ・中央アメリカに多い型）．両側性末梢神経障害は緩徐に出現・進行，初期には軽度知覚麻痺のみのことが多い．アネルギー状態にあり，病巣にらい菌多数．

2）TT型（少菌型，PB）（図28-16，17）

病変は1〜数個と少数で，境界明瞭な円〜楕円形の比較的大きい淡紅〜黄褐色のわずかに隆起した板状局面である．中心軽快傾向を示し（輪状紅斑），発汗が低下し，皮表は乾燥して落屑する．消褪後不完全脱色を残す．知覚・運動麻痺や病変近くの神経肥厚がある．らい菌に対する免疫が成立している．病巣部にらい菌は少ない．

3）B群

TT型とLL型の中間型で慢性に経過．境界不明瞭な紅色浸潤局面が多発，中に健常皮膚を残すことがある．らい菌に対する免疫状態が不安定で種々の病像を示す．

① **BT（少菌型，PB）**：知覚鈍麻を伴う紅色板状局面でTT型に似るが，より小さく数も多く，境界不明瞭で乾燥・脱毛も強くない．小衛星病巣あり．末梢神経肥厚あり．知覚障害は強い．

② **BB（多菌型，MB）**：TTとLLの中間で，中央に脱色斑，周囲に紅色板状硬結あるいは環状紅斑（punched out，hole in cheese），小衛星病巣あり．軽度の知覚障害．

③ **BL（多菌型，MB）**（図28-18，19）：多発する斑・板状局面・丘疹・結節．末梢神経肥厚あり．

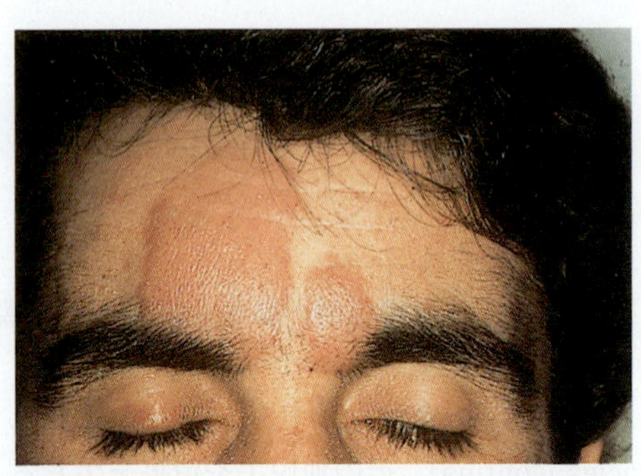
図 28-14　ハンセン病（LL 型）

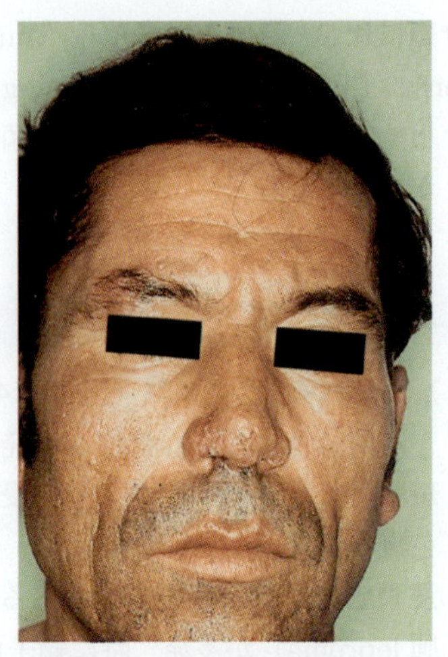
図 28-15　ハンセン病（LL 型）

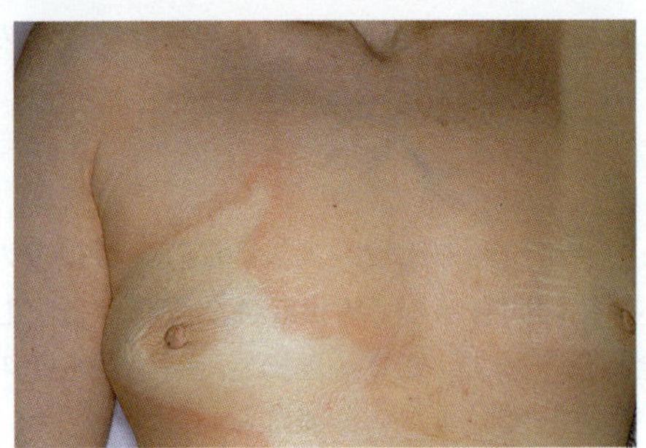
図 28-16　ハンセン病（TT 型）

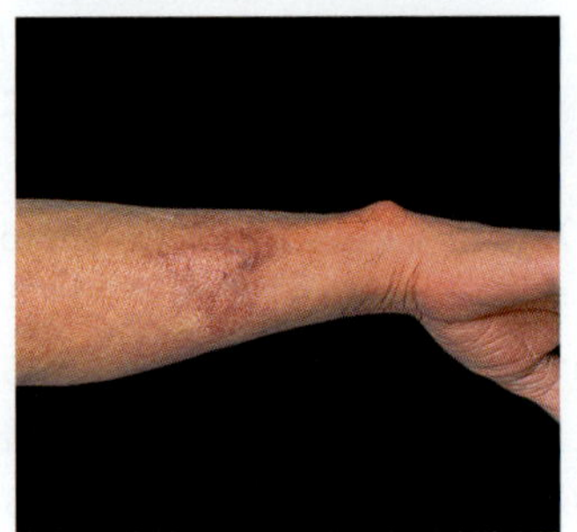
図 28-17　ハンセン病（TT 型）

4）I 群

単純紅斑（浸潤のない淡紅色斑）と不完全脱色斑．知覚鈍麻と発汗障害のあることが多い．初期病変でＴ・Ｂ・Ｌいずれの方向に進むか未確定のもので自然消褪するか，進行して他型になる．

3. その他の症状

1）神経症状

①知覚障害：まず温冷覚・痛覚，次いで触覚が侵される．LL 型とＢ群で明らかでないこともある．

②末梢神経肥厚：大耳介神経，頸神経叢（胸鎖乳突筋後縁），尺骨神経（肘関節

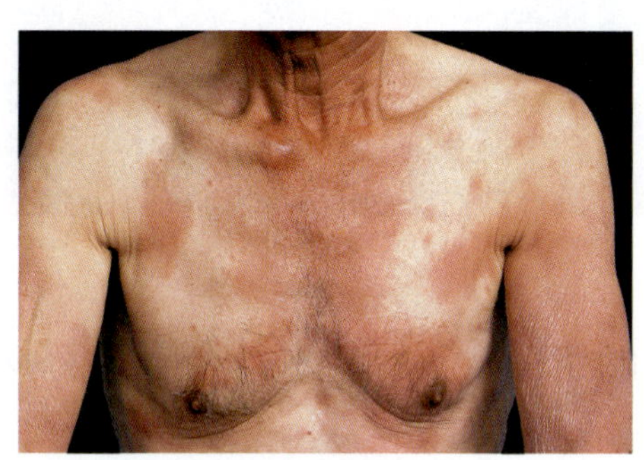

図 28-18　ハンセン病（BL 型）

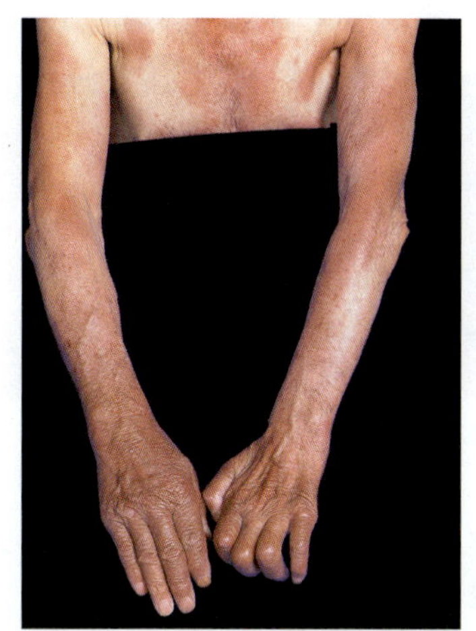
図 28-19　ハンセン病（BL 型，猿手）

尺骨神経窩)，橈骨神経（三角筋下縁)，正中神経（腕関節屈側)，総腓骨神経（膝膕で腓骨頭外上方）・腓腹神経（下腹後面下方・足背）などが紡錘状～数珠状に触れる．頸を強く横に向けると大耳介神経の肥厚が視診できる．

③運動麻痺：顔面神経麻痺が多い．

④神経痛：らい反応に激痛のあることがある．

2）発汗障害：低下．

3）手足変形：鷲手状，猿手状（筋萎縮)，短縮，断指．

4）眼症状：結膜結節（LL 型)，角膜潰瘍（TT 型)，角膜炎・角膜実質炎・強膜結節・虹彩毛様体炎・緑内障（LL 型)，角膜炎・全眼球炎から失明へ．

5）喉頭結節で嗄声・呼吸困難に（生命に対する唯一の危機)．

28 章

4. 組織所見

1）LL 型

らい腫（leproma）形成．らい細胞（lepra cell，Virchow cell）はらい菌の生存するマクロファージ，大形明澄細胞で，古くなると泡沫状となり，多数のらい菌とらい球（globi）を含有する．表皮は菲薄化し，真皮最上層に侵されない 1 層を残す (subepidermal clear zone)．

2）TT 型（図 28-20)

類上皮細胞浸潤でラングハンス型巨細胞を含む．乾酪壊死巣はなく，菌の発見は

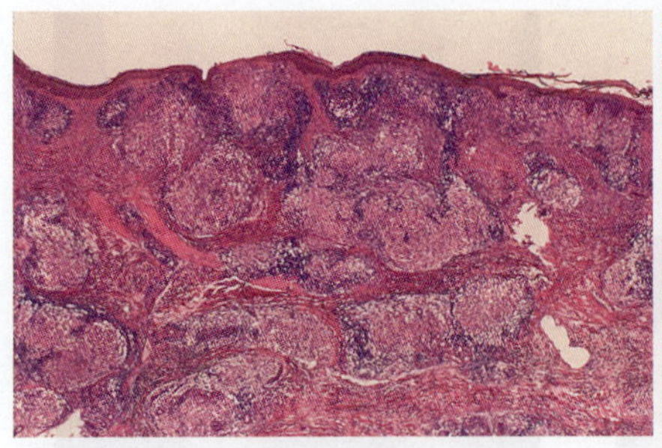
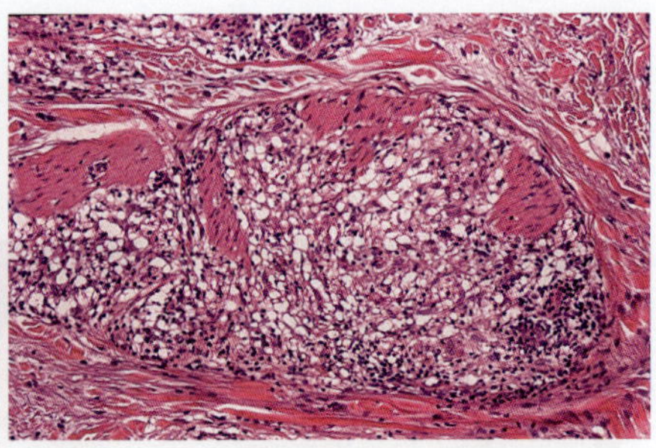

図 28-20　ハンセン病（TT 型組織）

容易ではない．神経が肉芽腫によって置換・破壊されることが多い．真皮最上層の侵されない1層はない．

3）B 群

LL・TT 型の中間像を示す．BL は，リンパ球浸潤が主で肉芽腫形成に乏しく，神経周囲の線維芽細胞が増殖していわゆる "onion skin" 像を呈する．BB は，リンパ球浸潤が減り肉芽腫形成が強くなる．BT は，肉芽腫が神経・血管に沿って伸び，汗腺・立毛筋に及び，これらを破壊する．

4）I 群

単純紅斑：リンパ球・マクロファージが神経・血管・汗腺・立毛筋周囲の真皮内に浸潤．類上皮細胞肉芽腫形成（－）．

5. 病型と経過

I 群は初期症状でそのまま治癒するか他型へ，B 群は BT，TT または BL，LL 型へ，TT 型の斑紋は一過性であるが神経症状は進行，LL 型は進行性．

6. らい反応 lepra reaction

経過中に出現する急性炎症反応（発熱，神経症状，皮疹）で，免疫学的機序によると考えられている．

7. 診断

1）臨床所見の確認

①知覚麻痺，②神経肥厚，③手足の変形（拇指球・小指球の萎縮，鷲手，猿手，屈指，断節，足穿孔症など），④脱毛・皮疹・皮膚乾燥化・水疱（熱傷）・潰瘍・瘢痕など．

2）検査

①らい菌の証明：皮疹や鼻中隔粘膜を検する（nasal smear）．

②らい菌特異抗原「抗 PGL-1（phenolic glycolipid-1）」による血清学的診断（多菌型で 80％以上陽性，少菌型の陽性率は 30％前後）．

③ DNA 診断：PCR 法により DNA を増幅．診断あるいは治療経過の追跡にも有用．

8. 治療

耐性防止のために殺菌的化学療法薬による多剤併用療法が基本で，患者の免疫状態や神経症状を考慮しつつ，らい反応を起こさないようにする．

WHO の推奨する標準的処方を以下に示す．この一部を修飾，治療期間を延長した別の標準的方法（日本ハンセン病学会）もある．

①多菌型（治療期間 12ヵ月）

リファンピシン（RFP）：600 mg 月 1 回

ダプソン（DDS）：100 mg 毎日

クロファジミン（フェナジン色素剤）：300 mg 月 1 回，50 mg 毎日

②少菌型（治療期間 6ヵ月）

リファンピシン：600 mg 月 1 回

ダプソン：100 mg 毎日

③単疹少菌型（単回服用）

リファンピシン：600 mg

オフロキサシン：400 mg

ミノサイクリン：100 mg

〔付〕日本では 1907 年に「癩予防ニ関スル件」が制定され，比較的緩やかな隔離政策が行われた．1931 年には「癩予防法」と改制されて，強制収容・隔離の政策が実行された．経口スルホン薬が開発された後も，1953 年に強制収容・隔離政策を持続する法律「らい予防法」が制定された．1996 年 4 月にようやく「らい予防法」は廃止され，優生保護法（患者の優

生手術）と出入国管理・難民認定法（患者の入国禁止）の該当項目も同時に削除された．現行の「感染症法」にハンセン病は該当せず，届け出などを含めて法律上の規制は特にない．最近の新規患者は一般の医療機関で診療されている．

第29章 真菌症

真菌（fungus）は真菌界（Kingdom Fungi）を形成する一群の微生物である．真菌による疾患を**真菌症（mycosis）**と言う．病変が表皮・毛・爪・粘膜など生体表面に限局する**表在性真菌症（superficial mycosis）**と真皮・リンパ節・内臓に及ぶ**深在性真菌症（deep mycosis）**を区別する．なお，*Actinomyces* と *Nocardia* は長年真菌と考えられてきたが，近年細菌に分類されるようになったため，本書では細菌感染症の項でこれを記述した．

Ⅰ．概説

1 分類

生物は**原核生物（Prokaryote）**と**真核生物（Eukaryote）**に分類される．真核細胞をもつ真核生物はさらに動物界，植物界，真菌界，原生動物界，クロミスタ界（藻類に相当）の5つの界に分けられる．病原真菌は，有性生殖の時期に形成される器官の形態により，接合菌（Zygomycota）・子嚢菌（Ascomycota）・担子菌（Basidiomycota）の3門に分かれる．病原真菌の多くは有性世代（teleomorph）が発見されておらず，不完全菌類（Deuteromycetes）とされている．

国際的な規約では，有性世代と無性世代（anamorph）では異なった種名をつけ，有性世代の菌名を優先することになっている．しかし，現在この二重命名法を廃止し one fungus one name とすることが決まっている．菌名が変更されつつあり，教科書や論文により表記が異なっていることもある．

2 形態

一般に微生物の形態には，休止型と栄養型（発育型）がある．真菌の休止型を**胞子**（spore）という．一方，真菌の栄養型には多細胞性と単細胞性があるが，大多数の真菌は前者の栄養型，すなわち，糸状に長く伸びる多細胞構造体の**菌糸**（hypha）を作る．菌糸を形成する真菌を**糸状菌**（filamentous fungi）と総称する．いわゆるカビ（mold）は，糸状菌のことを指している．栄養型が単細胞性の真菌を**酵母**（yeast）という．真菌は通常，単一の栄養型で発育するが，発育条件に応じて菌糸形，酵母形のいずれでも発育できる真菌が知られており，これを二形性真菌（dimorphic fungus）と称する．

1. 菌糸（図 29-1）

細長い糸状で，分岐しつつ伸び，幅がほぼ一定のものを真性菌糸といい，培地上で絨毛状を呈する．隔壁（septum）のある菌糸を有隔菌糸，隔壁のない菌糸を無隔菌糸と称する．機能面から栄養菌糸と生殖菌糸，培地の表面から空気中に伸張する気生菌糸と培地内に侵入して栄養を吸収する潜入（基質内）菌糸がある．酵母は出芽（budding）によって増殖するが，分芽しても分離せずに長く伸びて菌糸状になることがある．幅が一定でなく，連結部位で細くくびれているのが特徴で，これを**仮性菌糸**（pseudohypha）といい，カンジダ属でみられる．

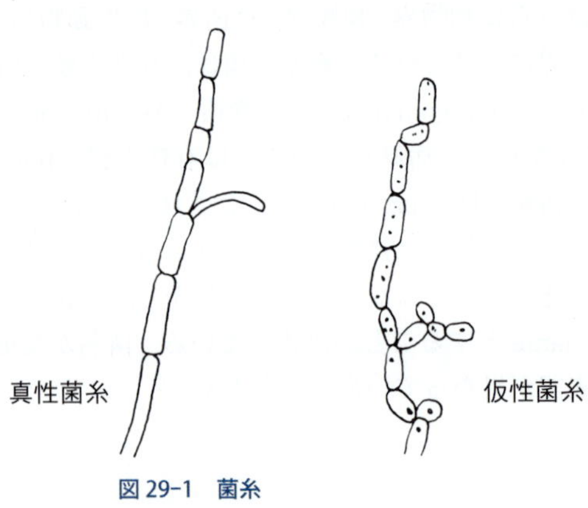

図 29-1　菌糸

2. 胞子

繁殖に関係し有性胞子と無性胞子とに分かれ，前者は卵胞子（oospore）・接合胞子（zygospore）・子嚢胞子（ascospore）・担子胞子（basidiospore），後者は遊走子（zoospore）・胞子嚢胞子（sporangiospore）・分子生（conidium）があり，分生子には分節型分生子（arthroconidium）・厚膜分生子（chlamydoconidium）がある．分生子には，出芽型分生子（blastoconidium），シンポジオ型分生子（symposiopconidium），アネロ型分生子（annelloconidium），フィアロ型分生子（phialoconidium），ポロ型分生子（poroconidium），アレウリオ型分生子（aleurioconidium）などがある．

3. 菌糸の変形（図 29–2）

特に白癬菌にみられ，同定に役立つ．

例えば，ラケット状 racquet mycelium や櫛状 pectinate hypha などの菌状がみられることがある．

図 29–2　変形菌糸

29章

3 検査法

試料より菌要素を見出し，分離培養により菌種を決定することが診断確定に必要．

1）KOH 法（図 29–3，4）

鱗屑・水疱蓋・爪・毛を採ってガラスにのせ，10～30％苛性カリ液を 1～2 滴たらし，カバーガラスをかぶせ数分間おき（加温すると時間を短縮できる），充分に透徹したら軽く被いガラスを圧し，顕微鏡のしぼりを少し絞って 100～400 倍で鏡検する．DMSO（dimethyl sulfoxide）を 15～30％の割に混ずると（ズーム液），透徹時間が短縮される（加温不要）．また，KOH 液にパーカーインクを加えると菌が青く染色される．特に癜風菌では有用．現在，市販のズームブルー液で代用可能で

図 29-3 白癬菌の菌糸（KOH 直接検鏡）

図 29-4 カンジダの胞子と仮性菌糸（KOH 直接鏡検）

ある．

検体は病巣辺縁部のものがよい．円刃メス・鑷子・鋏を用いて採る．丘疹はその上層を，小水疱・膿疱は疱膜を鋏で切り取る．毛髪は短く切れた患毛を毛抜きで抜き取り，爪は爪下の脆い角化物をメスで削り取る．粘膜では白苔を採る．浸軟部・中心治癒部では検出しにくい．

①**白癬菌**：隔壁を有する幅 3～4 μm の分岐性菌糸で隔壁部にくびれはなくスムースであり，しばしば数珠状に連なる分節胞子（分節型分生子）をみる（分節胞子の存在はカンジダ菌との鑑別になる）．ただし，時に変形が著しい．毛髪では毛幹周囲寄生（毛外菌 ectothrix）と，毛小皮下・毛皮質寄生（毛内菌 endothrix）とがある．

②**カンジダ**：前者に比して細い仮性菌糸で（幅 2～3 μm），屈曲する傾向があり，ところどころくびれ（ソーセージ様），隔壁を欠く．仮性菌糸側より分芽状に単生胞子，くびれ部から桑実状に胞子塊をみる．

③**マラセチア**：幅 2～3 μm, 長さ 30～40 μm の棍棒状～くの字状の菌糸と球形胞子．

④**黒色真菌**：鱗屑・痂皮・膿中に二重壁を有する褐色球形胞子（硬化細胞 sclerotic cell），褐色菌糸．

⑤菌要素と間違いやすいもの：ⓐ弾力線維（分岐・隔壁がない，太さほぼ均等，弧状～直線状に長い），ⓑモザイク菌（mosaic fungi）（不規則に屈し，くびれのある構造物で，角層細胞間の脂質など諸説ある）（図 29-5），ⓒ線維物質（綿・布の線維，はるかに大きい），ⓓ角質細胞（辺縁が重なると菌糸のようにみえる，被いガラスで圧するとばらばらとなり，個々の角質細胞であることがわかる）．

2）塗抹染色法

膿汁・分泌物を塗抹し PAS 染色すると菌要素は紫紅色に染まる．クロモブラストミコーシスの菌要素は無染色で褐色にみえる．クリプトコッカス症では髄液沈渣を墨汁で封ずると胞子を取巻く莢膜が明瞭となる．

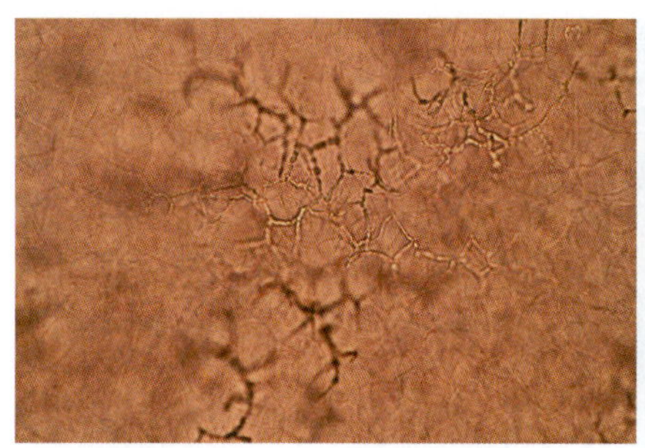
29-5 モザイク菌

図 29-6　*Trichophyton interdigitale* の巨大培養（サブローブドウ糖寒天培地）

3）分離培養法（図 29-6）

鱗屑・毛・膿汁などの材料を**サブロー（Sabouraud）ブドウ糖寒天培地**（ブドウ糖 40 g・ペプトン 10 g・寒天 15 g・水 1,000 mL・pH 無修正，近時ブドウ糖を 20 g とすることが多い）に植え，室温ないし 25℃孵卵器中で 3～4 週間培養，その集落（colony）の状態（発育速度・形態・色調・色素産生など）から同定する．雑菌抑制のためシクロヘキシミド 500 mg，クロラムフェニコール 50 mg を加えることもある．シクロヘキシミドは *Cryptococcus, Aspergillus, Mucor* を抑制するので，これらが病原菌と考えられるときには用いない．また，**brain-heart-infusion 培地**（二形性真菌の菌糸形から酵母形への変換・維持），オートミール寒天（*Aspergillus, Trichophyton rubrum* の色素産生），**コーンミール培地**（皮膚糸状菌の胞子形成促進・カンジダの厚膜胞子形成）など多くの培地がある．マラセチアは，サブロー培地にオリーブ油その他の油脂を重層したものを用いる．分離培養された菌集落の肉眼的所見（表面性状・色・発育速度など）から大略の同定ができる．必要に応じて，さらに巨大培養・懸滴培養（hanging drop culture）・スライドカルチャー・生化学的同定・生物学的同定・動物接種などを行う．

4）スライド・カルチャー slide culture（図 29-7）

この標本をラクトフェノール・コットンブルーで染色して鏡検し，大分生子・小分生子・ラセン体・ラケット菌糸・結節状器官などから同定する．

5）分離菌の生化学的同定

糖発酵試験・糖利用試験・硝酸カリ利用試験・尿素分解試験・澱粉様物質産生試験・グルコシド分解試験・エタノール利用試験など．

6）分離菌の生物学的同定

子嚢形成試験・ジャームチューブ形成試験・動物接種による病原性試験．

29章

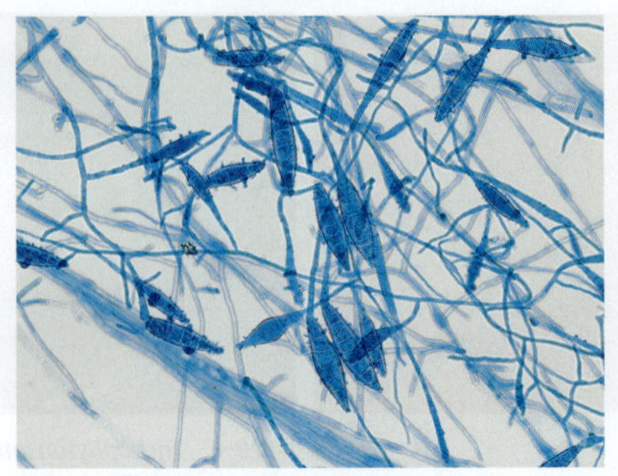

図 29-7　*Microsporum canis* の大分生子
（スライドカルチャー）

7）病理学的診断法

PAS 染色（紅染），Gomori-Grocott 法（黒染），Gridley 法（菌糸深紫色・胞子深紅～紫色），ムチカルミン染色（*Cryptococcus*），Giemsa 染色（*Histoplasma* 青紫色），蛍光染色法（ファンギフローラ Y），蛍光抗体法．HE 染色で球状胞子周囲に好酸性に染まる星芒状物（星芒体 asteroid body）．

8）皮内反応

スポロトリコーシスの診断に，**スポロトリキン反応**（0.1 mL 皮内注射，48 時間後の硬結で判定する）．

9）血清学的診断

真菌症全般のスクリーニングのため，真菌細胞壁の主要な構成成分である 1,3-b-D- グルカンの検出キットがある．血清中のアスペルギルスのガラクトマンナンやカンジダのマンナンを検査するキットもある．

10）分子生物学的検査法

原因菌同定のための direct PCR 法，糸状菌菌種同定のためのリボソーム RNA 遺伝子解析，ミトコンドリア DNA 解析による分子疫学調査などが試みられている．マトリックス支援レーザー脱離イオン化飛行時間型質量分析（MALDI-TOFMS）による同定も導入されている．

11）ウッド灯による蛍光

波長 365nm の紫外線のライトで皮膚・毛髪を暗室内で照らすと，感染巣が蛍光を発する．*Microsporum canis, Microsporum ferrugineum*（緑色），癜風（黄褐色），黄癬（灰～灰白色）．

4 治療

1）**抗真菌薬注射・内服・外用**（表 29-1）
2）**その他**（ヨードカリ内服・温熱療法・手術）

II．皮膚糸状菌症

皮膚糸状菌症（dermatophytosis）は皮膚糸状菌（dermatophyte）感染症で，白癬・黄癬・渦状癬があるが，日本では黄癬や渦状癬はほとんど見られないので，皮膚糸状菌症と白癬はほぼ同義として使われる．皮膚糸状菌は ***Trichophyton***（白癬菌属），***Microsporum***（小胞子菌属）および ***Epidermophyton***（表皮菌属）から成る．これらは，①ヒト好性（anthropophilic）の *Trichophyton rubrum, Trichophyton tonsurans, Trichophyton schoenleinii, Trichophyton concentricum, Trichophyton violaceum, Microsporum audouinii, Microsporum ferrugineum, Epidermophyton floccosum*，②動物好性（zoophilic）の *Trichophyton equinum, Trichophyton verrucosum, Microsporum canis*，③土壌好性（geophilic）の *Nannizzia gypsea*（以前の *Microsporum gypseum*）などがある．*Trichophyton mentagrophytes* complex には，ヒト好性の *Trichophyton interdigitale* と，動物好性の *Trichophyton mentagrophytes* と *Trichophyton benhamiae* がある．国内で分離される白癬菌としては *Trichophyton rubrum* の頻度が最も高く，*Trichophyton interdigitale* がこれに次ぐ．両菌種を合わせた分離頻度は，90％を超える．

1 浅在性白癬 tinea superficialis

白癬菌はケラチンを栄養源とするため，ケラチンに富む表皮角層・爪・毛包内角質・毛など無核の組織内に寄生して病変を生じる．生きた細胞内には侵入しない．部位により，頭部白癬，体部白癬，股部白癬，足白癬，手白癬．爪白癬と呼称されている．鱗屑や爪，毛の KOH 直接鏡検法により，診断を確定する．治療は，抗真菌薬の外用・内服．

表 29-1 抗真菌薬

	一般名	主な商品名	外用薬	内服薬	注射薬	特徴
1．抗生物質						
ポリエンマクロライド系	ナイスタチン	ナイスタチン	○	○		腸管カンジダ症
	ピマリシン	ピマリシン	○			眼科
	アムホテリシンB	ファンギゾン・アムビゾーム		○	○	腎毒性
2．アゾール系						
(1)イミダゾール系	クロトリマゾール	エンペシド	○			
	ミコナゾール	フロリード	○		○	食道カンジダ症
	イソコナゾール	アデスタン	○			
	スルコナゾール	エクセルダーム	○			
	ビホナゾール	マイコスポール	○			
	ネチコナゾール	アトラント	○			
	ラノコナゾール	アスタット	○			
	エコナゾール	パラベール	○			
	オキシコナゾール	オキナゾール	○			
	ケトコナゾール	ニゾラール	○			脂漏性皮膚炎に適応あり
	ルリコナゾール	ルリコン / ルコナック*	○			*爪白癬用高濃度製剤
(2)トリアゾール系	フルコナゾール	ジフルカン		○	○	
	ホスフルコナゾール	プロジフ			○	
	イトラコナゾール	イトリゾール		○	○	
	ボリコナゾール	ブイフェンド		○	○	
	エフィナコナゾール	クレナフィン	○			爪白癬用高濃度製剤
	ホスラブコナゾール	ネイリン		○		爪白癬のみの適応
3．モルフォリン系	アモロルフィン	ペキロン	○			
4．ベンジルアミン系	ブテナフィン	メンタックスボレー	○			
5．アリルアミン系	テルビナフィン	ラミシール	○	○		
6．チオカルバミン酸系	リラナフタート	ゼフナート	○			
	トルナフタート	ハイアラージン	○			
7．キャンディン系	ミカファンギン	ファンガード			○	
	カスポファンギン	カンサイダス			○	
8．その他	フルシトシン	アンコチル		○		
	シクロピロクスオラミン	バトラフェン	○			

1．頭部白癬 tinea capitis

病原菌

従来，ネコを介した *Microsporum canis* 感染や，ステロイド誤用による *Trichophyton rubrum* 感染による本症を時にみる程度であったが，最近，柔道やレスリングなど格闘技選手の間で *Trichophyton tonsurans* による本症が拡がっている．

症状（図 29-8，9）

頭部に大小の，円形の，境界明瞭な鱗屑局面を生じ（gray patch），その毛は灰色，胞子鞘で囲まれ，折れやすくまた抜けやすい（脱毛局面）．一般に炎症症状に乏しく自覚症状もないが，*Microsporum canis* によるものは炎症症状が強く，早期にケルスス禿瘡へ移行すると考えられる．

病毛が皮面上で切れて脱落し，残った病毛が毛孔内に黒い点状にみえるのを black dot ringworm（黒点型）といい，原因菌は，毛内菌（endothrix）の *Trichophyton violaceum, Trichophyton tonsurans* がほとんどである．

鑑別診断

脂漏性皮膚炎（境界不明瞭・毛髪正常），乾癬（銀白色の厚い鱗屑・毛髪正常）．必ず KOH 法で鑑別する必要があるが，菌数が少なく培養により始めて確診されることも少なくない．培養が重要である．誤診してステロイド外用などを続けているとケルスス禿瘡に進行することがある．

治療

①抗真菌薬（イトラコナゾール・テルビナフィン）内服，②頭部の清潔と乾燥を保つ．③患毛はできるだけ抜去し，鱗屑・痂皮は亜鉛華単軟膏貼布で軟化・除去す

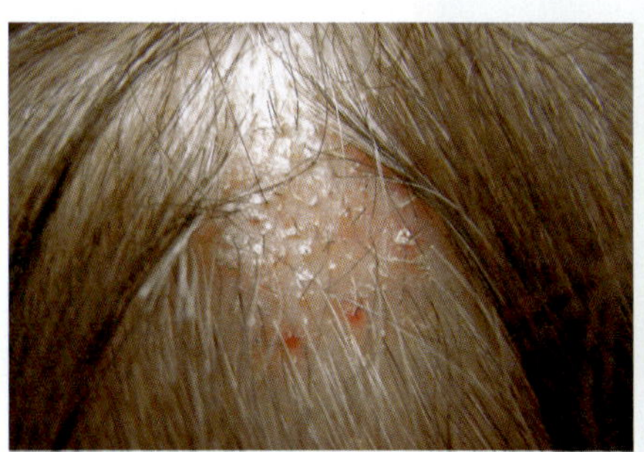

図 29-8　頭部白癬（折れ毛）

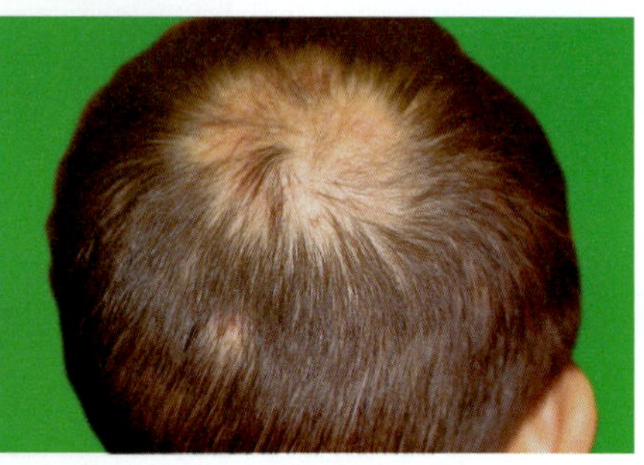

図 29-9　頭部白癬（複数の脱毛局面）

る．③抗真菌薬外用はあまり効果がなく，病変を刺激して悪化させる場合がある．

2. 生毛部白癬 ○

陰股部に生じる股部白癬と，それ以外の生毛部に生じる体部白癬に分ける．体部白癬から，顔面白癬を分けることもあるが，治療は体部白癬と同じである．いずれも中心治癒傾向のため環状の臨床像を呈する．治療は，抗真菌外用薬が主体．広範囲の場合，抗真菌薬内服を使用．

1）股部白癬 tinea cruris

症状（図29-10）

成人男子（稀に女子）の陰股部・臀部を侵し，境界明瞭な局面で，中央は治癒傾向を示し，苔癬化から色素沈着に及ぶ．辺縁は連圏状となり，やや堤防状に隆起し，漿液性丘疹・丘疹・鱗屑が並ぶ．瘙痒あり．

陰嚢は通常白癬菌に侵されることは少ないが，稀に陰股部病巣に続発して罹患する．

病原菌

大部分は *Trichophyton rubrum*，次いで *Trichophyton interdigitale*，稀に *Epidermophyton floccosum*.

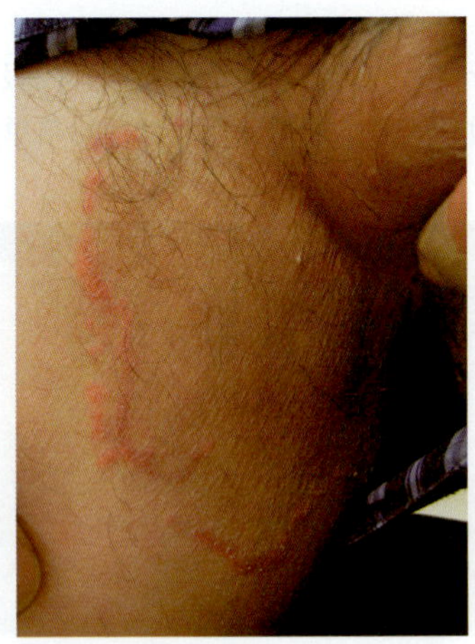

図29-10　股部白癬

鑑別診断

慢性湿疹（浸潤苔癬化，時に湿潤・陰嚢にも波及），乾癬（間擦部は好発部位），ヘイリー・ヘイリー病（家族内発生・病勢に中央辺縁の差がない・組織像），皮膚疣状結核（辺縁疣状・中央瘢痕性・瘙痒なし），紅色陰癬（辺縁隆起なし・紅色蛍光），乳房外パジェット病（白癬の合併はあり得る）．

2）体部白癬 tinea corporis

症状（図 29-11）

境界明瞭で，円形・連圏状で辺縁に漿液性丘疹や小水疱，鱗屑・痂皮がある．中心部は治癒傾向を示すがさらに生じて二重環状となることがある．炎症症状は弱いものから強いものまで様々．炎症の強いものは瘙痒も強い．ヒト好性の *Trichophyton rubrum* などでは炎症は強くないが，動物好性の *Microsporum canis, Trichophyton verrucosum* では炎症が強い．

鑑別診断

ジベルばら色粃糠疹（紅斑と鱗屑縁・対側性に多発して一定の配列），乾癬（厚い鱗屑・中心治癒傾向少ない），多形紅斑（紅斑著明・滲出性），脂漏性湿疹（中心治癒傾向なし・小水疱なし・脂漏部位），貨幣状湿疹（小さい・湿潤結痂傾向大・四肢に好発），ハンセン病（稀だが重要，知覚低下）．

3）異型白癬 atypical form of dermatophytoses

白癬にステロイド外用薬を誤用していると，炎症が抑えられ，中心治癒傾向もはっきりせず典型的な環状・連圏状を呈さないことがある．このような白癬を異型白癬と呼ぶ（図 29-12）．

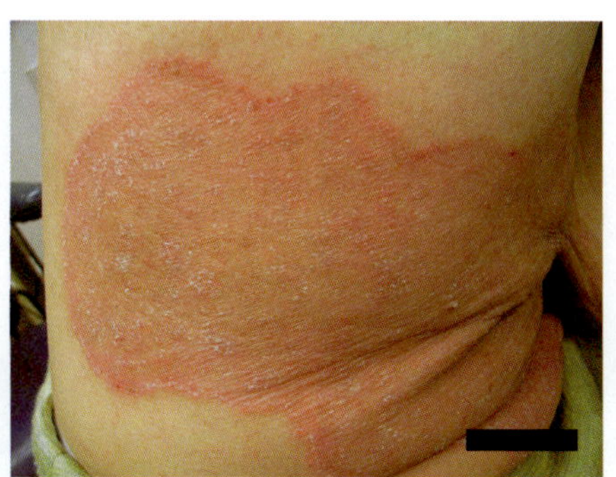

図 29-11　体部白癬

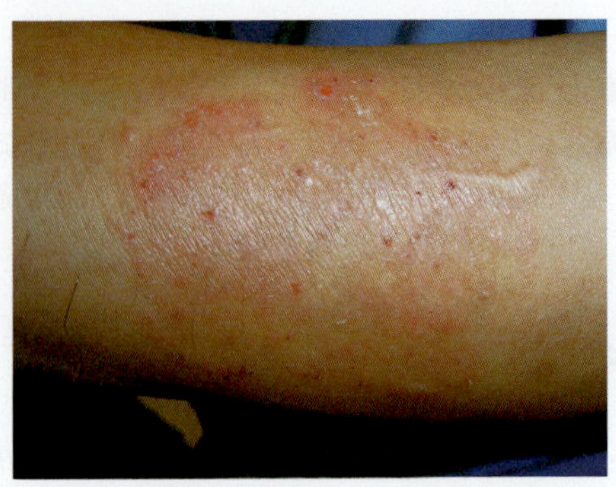

図 29-12　異型白癬（ステロイド誤用により中心治癒傾向が不明瞭）

3. 足白癬 tinea pedis，athlete's foot ◎

白癬の中の最も多い病型で，無毛部の足底，趾間に生じたもの（足背は生毛部であり，この部の白癬は体部白癬に入れる）．生毛部白癬に比べて，瘙痒は訴えないか軽いことが多い．以下の３型に分類する．

症状（図 29-13〜15）

①**小水疱鱗屑型**：汗疱状の小水疱が趾腹・足底・足縁に生じ，鱗屑を伴う．

②**趾間型**：趾間，特に第４趾間の皮膚が浸軟し，発赤びらんし，時に亀裂する．

③**角質増殖型**：足底全体に角化して硬く，皮溝に沿って白い鱗屑をみる．乾燥性，瘙痒は軽く，慢性に経過して季節的変動も少ない．同時に手掌に同じ病変のみられることあり．老人に多い．

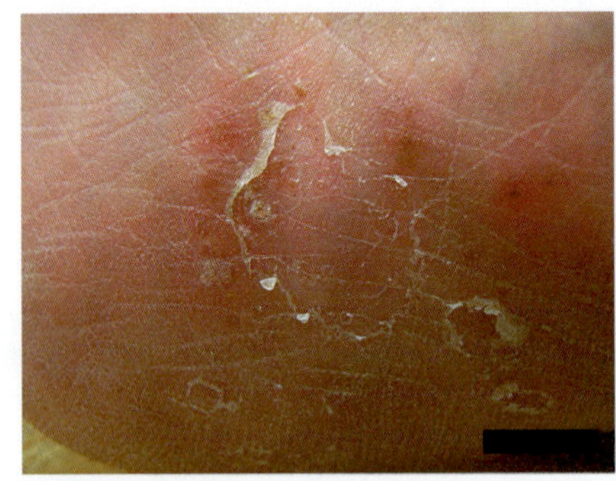

図 29-13　足白癬（小水疱鱗屑型）

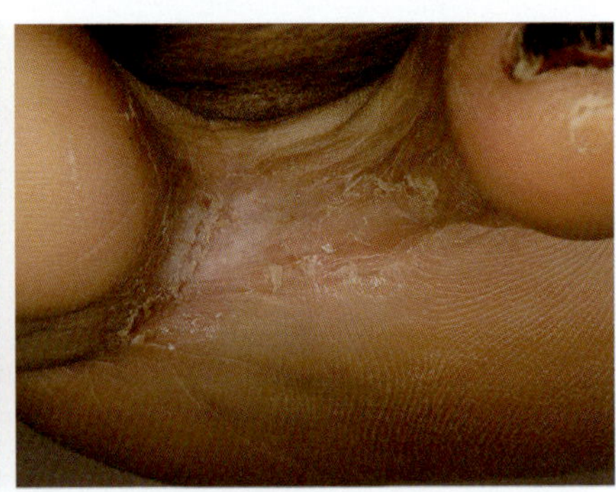

図 29-14　足白癬（趾間型）

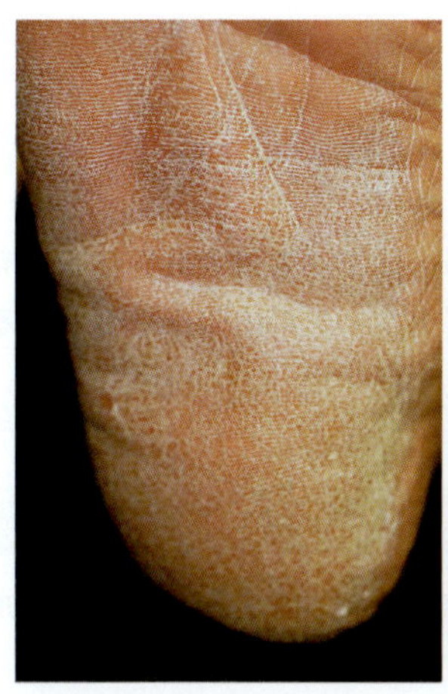

図 29-15　足白癬（角化型）

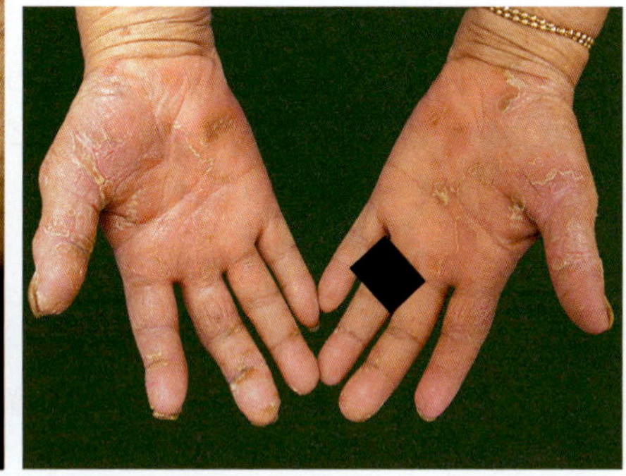

図 29-16　手白癬

3型とも成年男性に多く（最近は性差は少なくなってきた），特に足がゴム靴などで蒸されている職業に多い．夏季増悪し，冬期には軽快するが，年余にわたり難治である．

病原菌

Trichophyton rubrum と *Trichophyton interdigitale* で，分離菌のほとんどを占める．角質増殖型はほとんど *Trichophyton rubrum* である．

鑑別診断

①汗疱（一過性で鱗屑縁をもって治癒・多汗），②掌蹠膿疱症（膿疱主体・紅斑面・手掌にも病変・季節差なし），③カンジダ症（指間びらん症），④掌蹠角化症（先天性・持続性・角化増殖が高度），⑤紅色陰癬（ウッド灯下で紅色を呈する），⑥疥癬（手足に疥癬トンネル，ダーモスコピー有用），⑦抗真菌外用薬による接触皮膚炎（炎症症状，瘙痒が激しい）．

4. 手白癬 tinea manus（図 29-16）

足白癬に比し頻度は低く 1/20 程度．かつ足白癬に合併することが多い．角質増殖型が多く（75%），また片側性のことが多い．

原因菌

Trichophyton rubrum がほとんど.

治療

生毛部白癬，手足白癬は抗真菌薬外用が治療の主体であるが，汎発化したものや角質増殖型足白癬ではイトラコナゾール・テルビナフィンの内服を必要とすることがある.

5. 爪白癬 tinea unguium ○

白癬菌による爪真菌症．爪真菌症の中では白癬菌によるものが最も多い．爪白癬の多くの例で，他部位の白癬（足白癬，手白癬）を合併している.

症状（図 29-17）

爪が混濁（白・灰白・黄褐色）・肥厚・脆弱となり，表面は凹凸不平に，先端は破壊し，爪下角質増殖をきたす．逆に菲薄化することもある．爪周囲炎は通常伴わない．趾爪では大部分が足白癬からの波及により，指爪では白癬病巣掻破による感染と考えられる．高齢者に多い．爪甲の先端や側縁から進行する Distal and lateral subungual onychomycosis（DLSO），爪甲近位部から進行する proximal subungal onychomycosis（PSO），爪甲表面が白濁する superficial white onychomycosis（SWO），全面積・全層にわたり侵される total dystrophic onychomycosis（TDO）の病型を区別できる．また，特殊型として細長く混濁する「楔型」もある.

病原菌

Trichophyton rubrum が多く（80%），*Trichophyton interdigitale* が次ぐ.

鑑別診断

爪カンジダ症（爪囲炎を伴うことが多く，爪の変化は比較的軽度，指爪に好発）．乾癬，掌蹠膿疱症，扁平苔癬の爪病変，厚硬爪甲，爪甲鈎彎症.

治療

テルビナフィン内服・ホスラブコナゾール内服（共に爪甲への移行，貯留に優れる）．経口薬が使用できない場合，軽症例ではルリコナゾール，エフィナコナゾールなどの爪甲外用薬が有効.

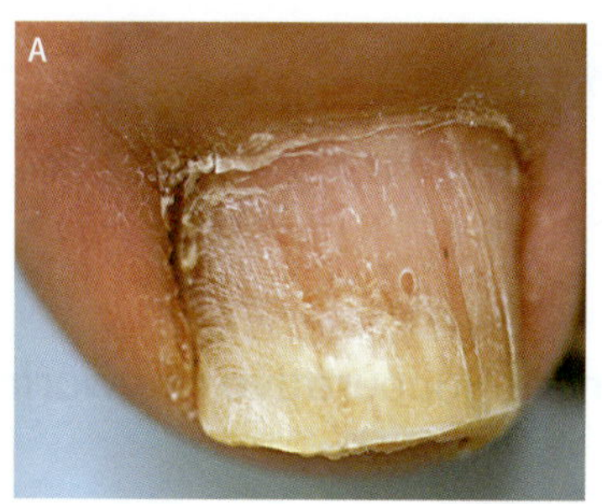

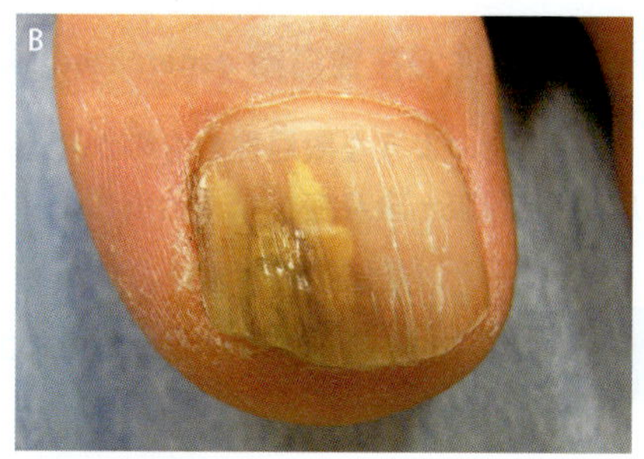

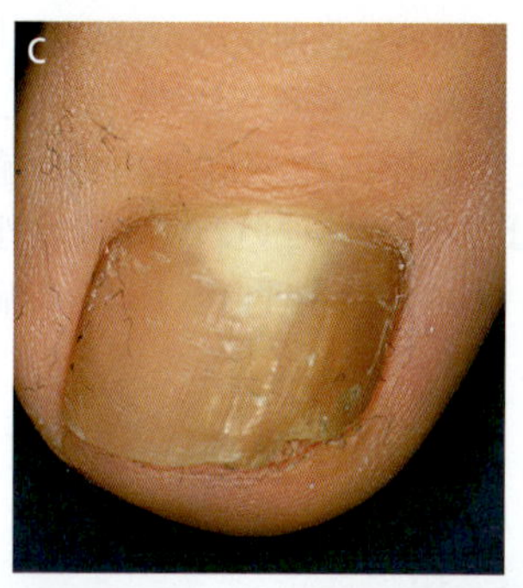

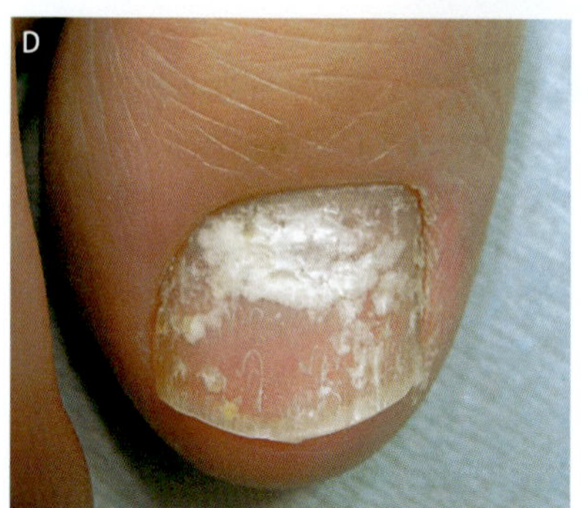

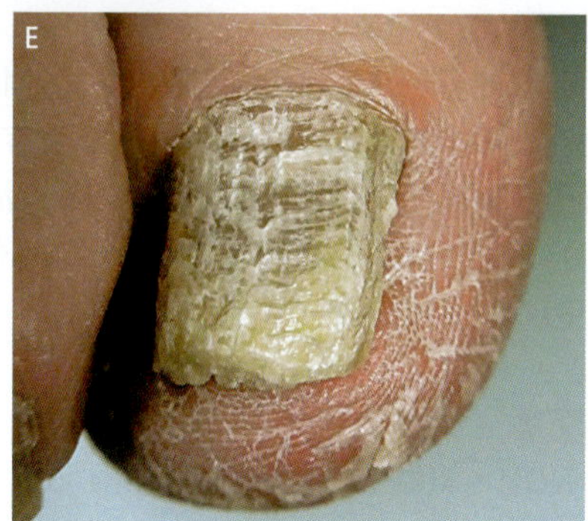

図 29-17　爪白癬（A：DLSO 型，B：楔型，C：PSO 型，D：SWO 型，E：TDO 型）

6. 汎発性浅在性白癬 generalized trichophytosis

頭部白癬のような限局性のものから急速に全身に播種状に拡大するものがある．リンパ節腫脹・全身症状なく治療によく反応する．稀．

2 炎症性白癬 Inflammatory tinea, Suppurative ringworm

日本では，かつて，表皮に限局し炎症反応が軽微な「浅在性白癬」と，真皮内の激しい炎症を伴う「深在性白癬」に分類されていた．しかし，後者には，炎症は真皮に及ぶものの，白癬菌は真皮内ではなく毛包内で増殖している疾患が含まれ，これらは真の深在性白癬ではないため，「いわゆる深在性白癬」（福代 1999）として再分類された．最近は，「いわゆる深在性白癬」は「炎症性白癬」とする傾向がある．炎症性白癬は，白癬菌による破壊性毛包炎を本態とし，真皮内での白癬菌の増殖を認めないものである．

1. ケルスス禿瘡 kerion celsi ○

症状（図 29-18）

頭部の扁平〜半球状の化膿性・結節状病変で，波動・膿疱・痂皮あり，圧すれば毛孔から排膿する．毛は脱落し，また容易に抜毛される．自発痛・圧痛あり．後頭・耳後・頸部リンパ節腫脹．数週で瘢痕治癒する．稀に発熱・頭痛．表在性白癬にステロイド外用薬を誤用して発することも多く，また白癬疹（後述）を続発することがある．小児に多いが成人例もある．

検査

KOH・組織で毛内菌要素を検する．培養で原因菌を同定．

病原菌

Microsporum canis, Nannizzia gypsea（以前の *Microsporum gypseum*），*Trichophyton rubrum, Trichophyton interdigitale.*

鑑別診断

頭部慢性膿皮症，癤（せつ），膿痂疹性湿疹．

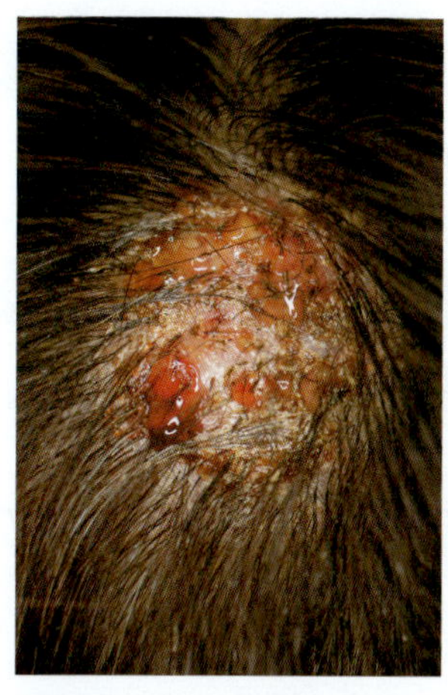

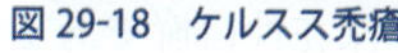

図 29-18　ケルスス禿瘡

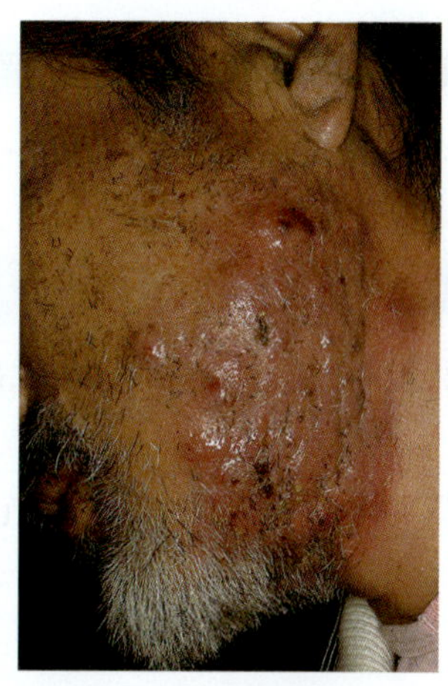

図 29-19　白癬菌性毛瘡

治療

抗真菌薬内服（テルビナフィン・イトラコナゾール）.

2. 白癬菌性毛瘡 sycosis trichophytica，sycosis parasitaria, tinea barbae ○

症状（図 29-19）

須毛部（クチヒゲ・アゴヒゲ・ホホヒゲ）に限局して紅斑・鱗屑を生じ，やがて結痂性扁平浸潤性局面となり，毛包性膿瘍を生じ，圧迫により排膿する．毛は脱落または抜けやすい．リンパ節腫脹は少ない．成年男性に多い．ヒゲ剃り，ステロイド薬外用などが引金になりうる．

病原菌

Trichophyton rubrum が多く，*Trichophyton interdigitale, Trichophyton verrucosum, Nannizzia gypsea*（以前の *Microsporum gypseum*）によることもある．

鑑別診断

尋常性毛瘡，カンジダ性毛瘡．

治療

抗真菌薬内服（テルビナフィン・イトラコナゾール）.

3. その他の硬毛部急性深在性白癬

上記1，2を除く硬毛部（腋窩・恥丘・眉部）に生じる．

4. 生毛部急性深在性白癬

青年男子に多く，生毛部の体部白癬に続発する急性化膿性毛包炎．

3 深在性白癬 Tinea profunda, deep dermatophytosis

白癬菌が真皮や皮下組織内で増殖するのが，真の深在性白癬であるが，極めて稀である．基礎疾患を有することが多い．

1. 白癬菌性肉芽腫 granuloma trichophyticum

症状

①**限局型**（Majocchi 1883）：先行白癬病巣部に限局し，全身は侵されない．数個の小結節が集簇，時に潰瘍化．予後良好．

②**汎発型**：汎発性表在性白癬が先行，リンパ節腫脹を伴い，全身症状も出現する．内臓転移（脳・心・骨）で死亡することあり．結節は各所に多発（顔頭部に多く，次いで体幹，四肢），弾性硬で時に融合し舗石状となる．稀に口唇・鼻・耳介を破壊することあり．

組織像

真皮に壊死巣，それを取囲む組織球・巨細胞から成る肉芽腫組織，好中球・リンパ球・形質細胞混在．

病原菌・病因

Trichophyton rubrum が多い．白癬菌が掻破などにより真皮に接種され，副腎皮質ステロイドの外用・内服や宿主の免疫不全により真皮や皮下組織で白癬菌が寄生・増殖して肉芽腫性病変を形成する．トリコフィチン反応は陰性のことが多い．

治療

抗真菌薬内服（テルビナフィン・イトラコナゾール）.

2. 白癬菌性膿瘍 dermatophyte abscess（Fukushiro 1974）

主として下腿（その他上肢，体幹）の狭い範囲に大小複数個の皮下結節・硬結を生じ，わずかに隆起し，弾性硬で波動を触れることもある．稀に自潰．真皮深層～皮下の膿瘍．中央は空洞化し（lake），そこには好中球，その周囲に組織球・巨細胞浸潤，次いでリンパ球・形質細胞・線維芽細胞，中央に菌要素．表在性白癬先行，免疫低下状態.

3. 白癬菌性菌腫 dermatophyte mycetoma

中年の頭顔・四肢の瘻孔を有する限局性皮膚硬結で，肉芽面・瘻孔に多数の顆粒（granules, grain, Drüse）を見る．顆粒は黒～白～黄色を呈し，菌糸の集合体である．病原菌は *Trichophyton rubrum, Microsporum canis, Microsporum ferrugineum* ほか種々.

4. 下腿結節性肉芽腫性毛包周囲炎 nodular granulomatous perifolliculitis of the legs（Wilson 1954）

下腿の下 1/3 に片側性に多発する小結節～皮内硬結で，白癬菌性肉芽腫の variant. 破壊された毛包中心性の組織球・巨細胞の肉芽腫．大型胞子集塊の辺縁に淡紅色放射状物質の囲み（Splendore-Hoeppli 現象）がみられる.

29章

4 特殊な菌による白癬

1. *Microsporum canis* 感染症 ○

Microsporum canis は，動物好性菌．戦後高級飼い猫（ペルシャネコ・シャムネコ）の輸入とともに全国に拡大．ネコ・イヌに接触の多い女性・子どもに多く，家庭内（時に学校内）に発生する．罹患動物は脱毛巣を示す.

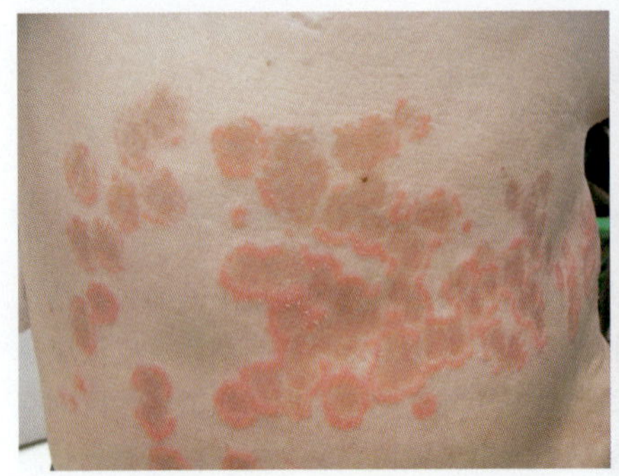

図 29-20　*Microsporum canis* による体部白癬

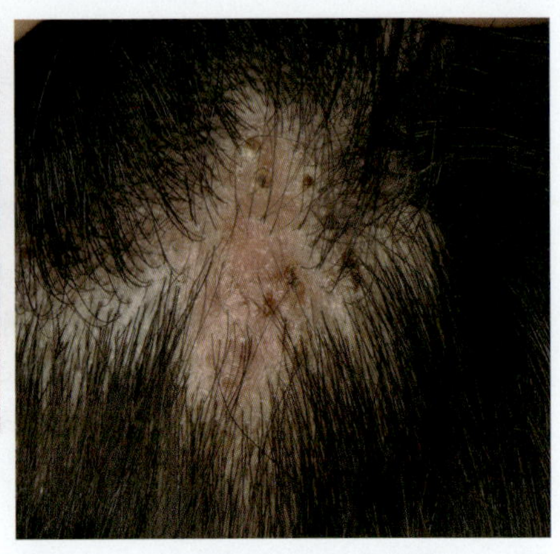

図 29-21　*Trichophyton tonsurans* 感染症
（伊藤美佳子医師提供）

症状（図 29-20）

体部白癬・頭部白癬・ケルスス禿瘡の像をとる．体部白癬型は辺縁に丘疹・小水疱・鱗屑が環状に並び中心治癒傾向を示す小型の紅斑で，露出部位（顔・頸・四肢）に多発する．瘙痒が強い．稀に手・足・爪白癬を生じる．ウッド灯で病毛は黄緑色蛍光を発する．

治療

患者・動物ともに抗真菌薬内服．家庭内塵埃の処理．感染力が強いので家族・ペットを完全に治療する必要あり．

2. *Trichophyton tonsurans* 感染症，格闘家白癬 tinea corporis gladiatorum（図 29-21）

Trichophyton tonsurans は頭部白癬の原因菌として知られている．近年欧米のレスラー間の集団発生が報告され，日本でも 2000 年頃から柔道やレスリングの選手などに集団発生するようになった．競技で接触しやすく微細外傷を受けやすい頭部・耳介・顔面・上肢などに多発性，難治性病変を生じる（病型としては，頭部白癬と体部白癬で black dot ringworm の形をとりやすい）．脱毛を伴う環状紅斑を呈するが，症状は比較的軽微で，感染しても病識に乏しいことも多い．頭部白癬には抗真菌薬内服．体部白癬にも毛包内に侵入するため，抗真菌薬外用に加えて抗真菌薬内服が望ましい．団体スポーツ部内では，全員を診療する．頭部のヘアブラシ法

による培養でスクリーニングする.

5　その他の皮膚糸状菌症

1.　黄癬 favus, Tinea favosa

症状

毛髪の根元に黄白色痂皮が固まり，次第に堆積して鼡尿臭のある乾固したものとなる．これは容易に皮膚よりはがれ，**菌甲**（scutulum）と呼ばれる．菌甲を除去すると湿潤面がみられ，やがて脱毛・萎縮性瘢痕となる．生毛部黄癬（favus corporis），爪黄癬（favus unguium）を合併することもある．思春期前の男子，特に栄養不良児に多い．菌甲・毛髪内に菌多数．フランス・ロシア・南アメリカ・地中海・中近東・ブラジルの風土病で，日本では過去に北陸地方で散発したが，最近報告例はない．

病原菌

黄癬菌（*Trichophyton schoenleinii*），稀に *Trichophyton violaceum, Nannizzia gypsea*（以前の *Microsporum gypseum*）．

治療

抗真菌薬内服.

2.　渦状癬 tinea imbricata（Manson）

渦状の鱗屑縁を形成する特異な臨床像を呈する.

症状

熱帯・亜熱帯（東南アジア，中南米）にみられ，体幹四肢に遠心性に拡大する褐色斑を生じ，隆起した辺縁に輪状の灰白色鱗屑をみる．瘙痒大．新旧の輪が同心円状・波紋状・渦紋状・屋根瓦状または唐草模様状に並び，慢性に経過する．

病原菌

Trichophyton concentricum のみ.

6 関連病型

白癬疹 trichophytid（図 29-22）

白癬病巣の急性増悪時に，苔癬状（lichen trichophyticus）・汗疱状・湿疹状の小病巣が，対側性に多発するもので，糸状菌ペプチドに対するアレルギー性反応（id 反応）である．その他多形滲出性紅斑・結節性紅斑・遠心性環状紅斑・猩紅熱様・丹毒様となる．

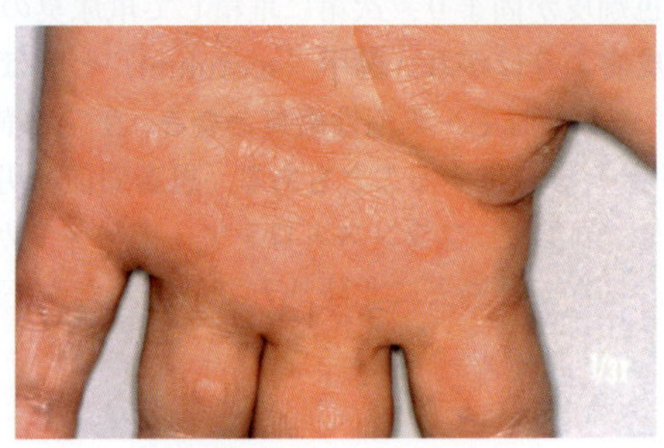

図 29-22　白癬疹
（梅林芳弘博士提供）

Ⅲ．カンジダ症 candidiasis, moniliasis

カンジダは酵母様真菌で，80 種以上の菌種が知られている．病原菌種は，ほとんどが *Candida albicans* である．稀に *Candida tropicalis, Candida parapsilosis, Candida guilliermondii, Candida krusei, Candida glabrata* などによる感染が知られている．カンジダは健常人の腸管・腟・咽頭・口腔・皮膚に少数存在する常在菌である．全身，あるいは局所の要因により異常増殖をきたし，病変を形成する，すなわち内因性感染症，あるいは日和見感染症としての性格を有している．常在菌なので，病変部から培養しただけではカンジダ症とは診断できず，通常，直接鏡検で菌を確認する（胞子集塊と仮性菌糸を確認）（図 29-4）．

ステロイド薬投与，抗菌薬投与，免疫抑制薬投与，全身性疾患（糖尿病・悪性腫瘍・腎炎・その他免疫不全疾患），肥満，多汗，おむつ，動・静脈カテーテル法などの諸因子に伴ってカンジダ症が増加する傾向がある．

1　皮膚カンジダ症 cutaneous candidiasis

1. カンジダ性間擦疹 candidial intertrigo（図 29-23）　○

皮膚粘膜カンジダ症の半数近くを占める．腋窩・乳房下・陰股部・肛囲などの間擦部に，紅斑・びらん・膿疱・落屑・浸軟を生じ，瘙痒・疼痛などあり．鱗屑は白癬のそれに比して薄く軟かく，オブラート状に大きく剝げやすい．紅斑局面周囲に，丘疹・膿疱などの衛星病巣が散在性に生じる．夏季に多く，女性，太った男性，多汗症の人に発生しやすく，基礎疾患として糖尿病などがある．おむつなどの局所因子も関与．女性陰股部発生例では，外陰・腟カンジダ症を合併することが多い．時に頑癬様の境界明瞭な環状皮疹を呈することがある（頑癬状皮膚カンジダ症 ringworm-like candidiasis）．

2. カンジダ性指間びらん症 interdigital candidiasis, erosio interdigitalis blastomycetica（図 29-24）　○

指間に比較的境界明瞭な潮紅びらんを生じて瘙痒があり，周囲皮膚は白く浸軟する．**第 3 指間に好発**．水仕事する主婦・炊事婦・掃除人・労働者に多い．経過慢性．

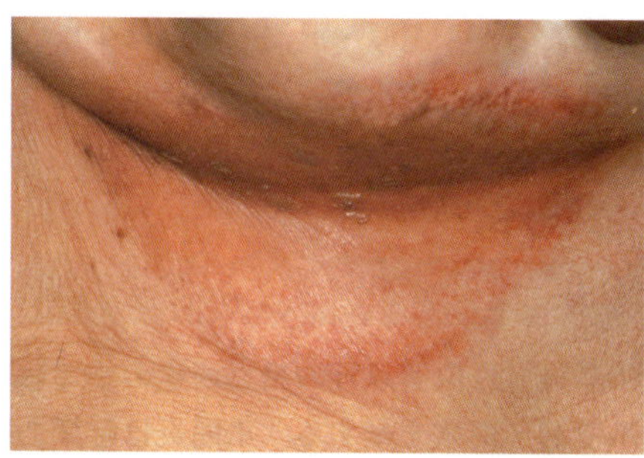

図 29-23　カンジダ性間擦疹（乳房下）

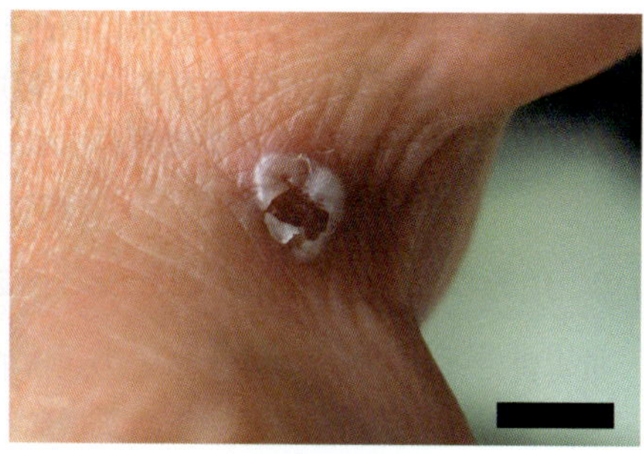

図 29-24　カンジダ指間びらん症

3. 乳児寄生菌性紅斑 erythema mycoticum infantile（図 29-25，26）　○

乳児（3～7 ヵ月）のカンジダ性間擦疹．肛囲・臀部・陰股部・大腿に境界明瞭な紅斑を生じ，紅斑落屑性の乾燥型（Beck 型）と，小水疱小膿疱混在の湿潤型（Ibra-

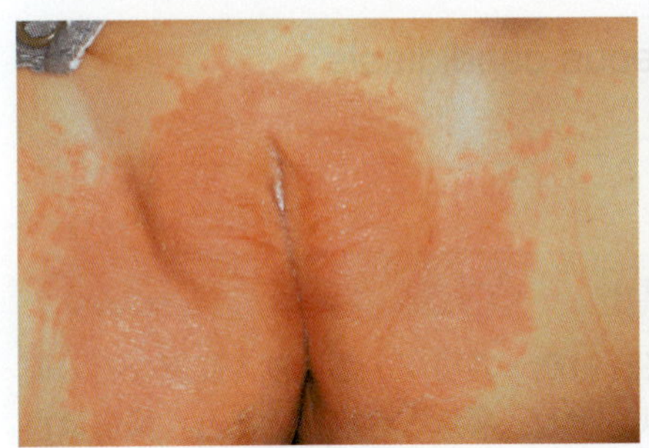

図 29-25　乳児寄生菌性紅斑

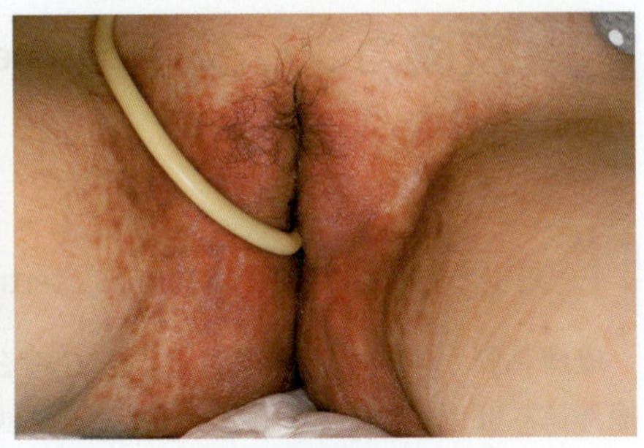

図 29-26　カンジダ性間擦疹（おむつ部）

him 型）とがあるが，両型の区別は必ずしも明瞭ではない．おむつのとれ始める 1 歳を過ぎると急速に減少する．おむつ皮膚炎・アトピー性皮膚炎・ステロイド外用・下痢などに続発しやすい．おむつ皮膚炎との鑑別が重要（☞ p.148）．局所の清潔（おむつに関するケア）・抗真菌薬外用．

なお，寝返りのできない乳児の背部に汗疹様皮疹が播種したり，その汗疹様皮疹が破れて環状鱗屑を伴う小紅斑が融合して膿痂疹様を呈することもある（播種型）．

4. カンジダ性爪囲炎 onychia et paronychia blastomycetica（図 29-27）

爪囲が発赤腫脹し，圧すればわずかに排膿，しばしば圧痛あり．爪甲の変形は爪囲炎に伴う二次的なもので，カンジダは爪甲表面に存在するが，爪実質からは検出されない．爪は変形して表面波状に凹凸不整となるが，肥厚・混濁・崩壊は少ない．中指に多く経過は慢性で，水仕事に従事する人に多い．後爪郭と爪の間に水が貯留して適温になるとカンジダが発育，増殖して炎症をきたす．

5. 爪カンジダ症 nail candidiasis（図 29-28）

爪実質にカンジダが寄生するもの．指爪に多い．爪白癬以外の爪真菌症の中では最も頻度が高い．著明な爪甲下角質増殖と爪変形・崩壊を呈する．爪囲炎は軽微あるいはないことが多く，臨床的には爪白癬と区別が難しい．慢性皮膚粘膜カンジダ症の爪病変や生後 10 日から 1 ヵ月ごろに気づかれる爪カンジダ症もこの型を呈する．前者は年齢とともに軽快傾向，後者は 6 ヵ月くらいで自然治癒する．成人では通常アゾール系抗真菌薬（イトラコナゾール）の内服で治療する．

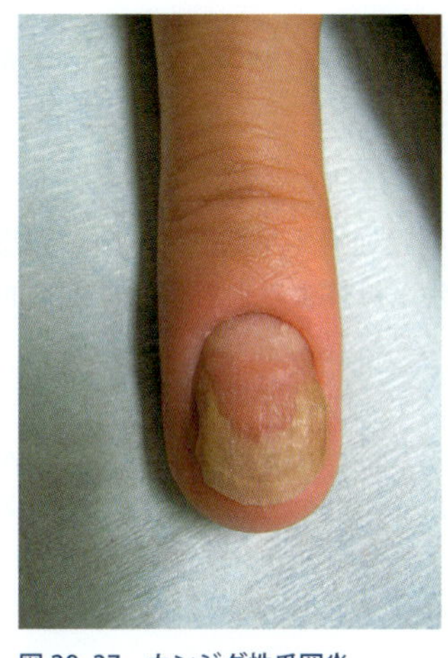
図 29-27　カンジダ性爪囲炎

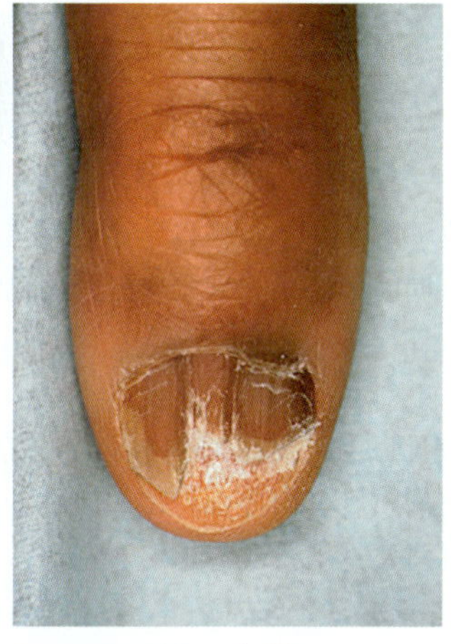
図 29-28　爪カンジダ症

6．毛包炎型カンジダ症 follicular candidiasis, *Candida* folliculitis

大部分はステロイド外用薬によって誘発されている．

1）カンジダ性毛包炎・カンジダ性痤瘡 *Candida* folliculitis・*Candida* acne

カンジダが面皰や毛包に侵入・増殖して毛包周囲炎を生じたもので，若年，中年女性の顔面に多い．尋常性痤瘡に類似の臨床像．長期臥床者で背部に多発することもある．

2）カンジダ性毛瘡 *Candida* sycosis

男性の口囲・頤部のカンジダ性毛包炎が剃毛刺激などにより尋常性毛瘡ないし白癬性毛瘡に類似の臨床像を呈したもの．

7．角質増殖型カンジダ症 hyperkeratotic cutaneous candidiasis

手掌・足蹠などに角質増殖型白癬と区別できないようなカンジダ症を生じることがある．慢性皮膚粘膜カンジダ症の角質増殖性皮膚病変（カンジダ性肉芽腫・Hauser-Rothman 型 monilial granuloma）とは別．イトラコナゾール内服．

8. 先天性皮膚カンジダ症 congenital cutaneous candidiasis（Sonnenschein 1960）

機序

母体の腟カンジダが上行性に羊水感染（卵膜通過・早期破水）→胎児皮膚感染．胎盤などにも同時に感染をきたす．経胎盤性（母体より血行性）は否定的．

症状

出生時〜数日以内に粟粒大〜小豆大の紅色丘疹→小水疱→膿疱→びらん→痂皮・鱗屑が全身皮膚（特に間擦部）に．口腔・爪・爪囲の侵されることもある．一般状態良好．抗真菌薬外用に反応して数週から1ヵ月で治癒することが多い．

予防

母体の外陰・腟カンジダ症の治療．

9. 汎発性皮膚カンジダ症 generalized cutaneous candidiasis（図29-29）

乳児寄生菌性紅斑やカンジダ性間擦疹の皮疹が全身性・広範囲に拡大したもの．免疫不全状態が基礎にあることもあるが，ステロイド薬の誤用によることが多い．抗真菌薬外用，あるいはアゾール系抗真菌薬内服．稀に，内臓カンジダ症からカンジダが血行性に播種して広範囲に汗疹様皮疹や膿疱が播種する．予後が悪い．

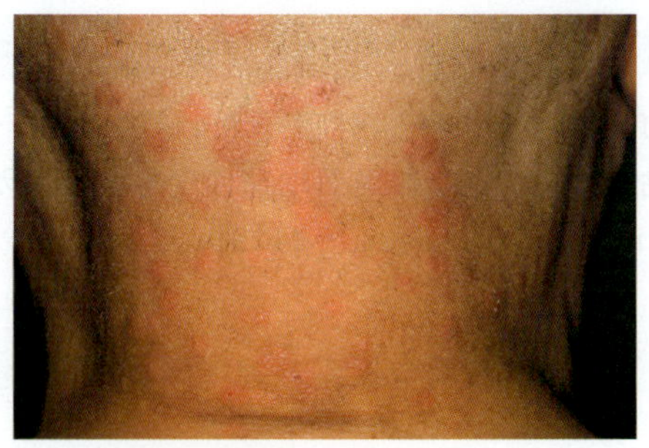

図29-29　汎発性皮膚カンジダ症
（免疫抑制薬使用中）

10. 陰嚢カンジダ症 scrotal candidiasis

陰嚢皮膚に落屑を有する紅斑を生じ，夏季に多く，青壮年，入院患者，労働者（発汗）に多く，また糖尿病に合併しやすい．稀に包皮・陰茎にも生じる．

2　粘膜カンジダ症 mucosal candidiasis

1. 口腔カンジダ症（鵞口瘡）oral candidiasis（thrush）（図 29-30）

口唇・口腔・舌粘膜の白色偽膜ないし白苔で新生児，虚弱児に多く，成人の場合は，糖尿病・免疫低下状態（免疫抑制薬，悪性腫瘍，HIV 感染症など）が背景にあることが多い．抗 IL-17，抗体製剤投与に伴うこともある．白苔はやや強く粘膜に付着するが，これをピンセットまたは鋏で採り，鏡検して診断する．ミコナゾールゲル・イトラコナゾール内用液・アムホテリシン B 注射液の希釈液の塗布やうがいによく反応する．免疫抑制が背景にある場合，繰り直す．

2. カンジダ性口角びらん症 candidial perlèche（図 29-31）　○

口角の限局性の発赤と湿潤で鱗屑縁を有する．口腔カンジダ症が波及するのと単独で生じるものがある．通常の口角炎にカンジダが感染して生じることもある．

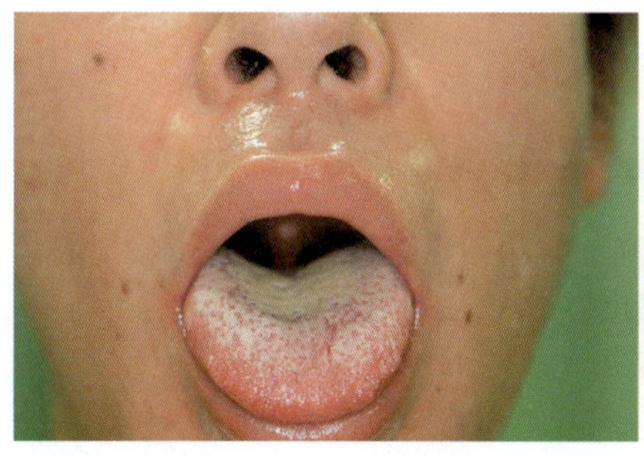
図 29-30　口腔カンジダ症（AIDS 患者）

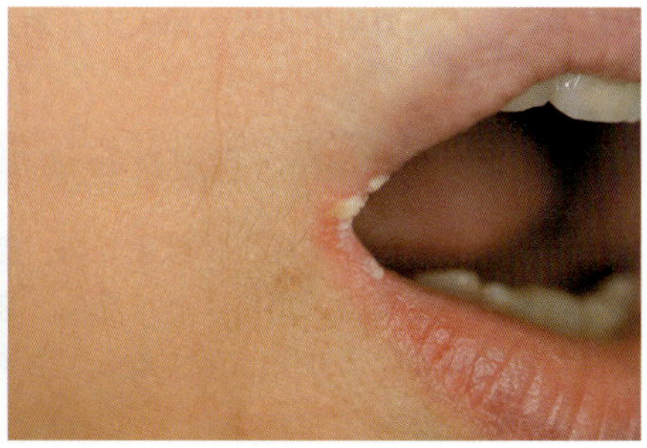
図 29-31　カンジダ性口角びらん症

3. 黒毛舌 black hairy tongue（図 29-32）

舌背中央部が黒～黒褐色となり絨毛状の舌苔を被むる．自覚症状はない．抗菌薬投与後に生じることが多い．黒色調はカンジダと共棲する細菌（*Bacillus subtilis var. niger*）の産出する色素によるとされる．口腔内の清潔を保持して，ポピドンヨードでうがいする．カンジダの治療や絨毛をブラシなどで機械的に除去するのも有効．

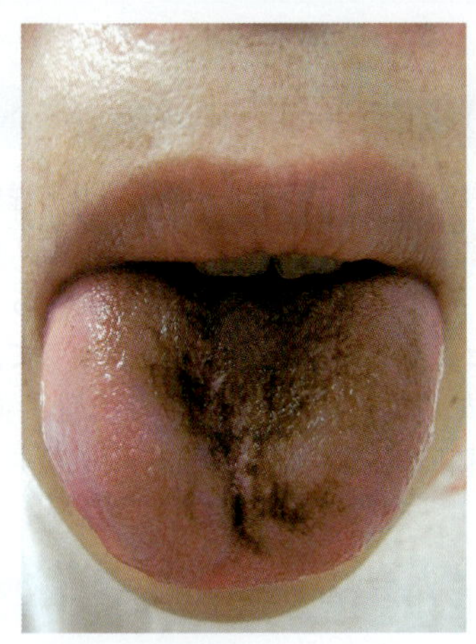

図 29-32　黒毛舌

4. 外陰腟カンジダ症 vulvovaginal candidiasis　○

外陰に発赤・腫脹・湿潤・瘙痒あり，表面に白苔が多量に付着し，のち肥厚・亀裂を生じる．腟壁にも白苔をみる．陰部瘙痒症の 1/3 を占める．妊婦や糖尿病の女性に多い．抗真菌薬の腟錠の挿入が有効．

5. カンジダ性亀頭・包皮炎 *candida* balanoposthitis

亀頭，包皮にかけて紅斑に紅色丘疹，膿疱が混在して，浸軟性鱗屑を付着する．ステロイド外用薬の誤用によって発症・悪化していることも多い．腟カンジダ症の女性から性行為によって感染することもある．

3 特殊な病型

1．慢性皮膚粘膜カンジダ症 chronic mucocutaneous candidiasis（CMCC）

先天性あるいは遺伝性の免疫不全や内分泌異常を背景に幼少時に発症する浅在性の皮膚粘膜カンジダ症で，難治性で慢性に経過する症候群．

病因

免疫不全〔一部遺伝性・先天性（Th17 経路に関与する種々の遺伝子変異が報告されている）・後天性〕・内分泌障害（下垂体・副腎機能低下症，甲状腺・副甲状腺機能低下症など）が基礎にある．カンジダに対する細胞性免疫異常が指摘されているが，カンジダ以外に対する免疫能は比較的正常に保たれている．

症状（図 29-33，34）

幼少児期より口腔カンジダ症や口角びらん症を生じ，爪甲下角質増殖を主とする爪カンジダ症を呈する．皮膚では連圏状に大きな紅斑が多発融合し，角化増生が強い．角化の強い疣状病変をカンジダ性肉芽腫（monilial granuloma）（Hauser and Rothman 1950）と呼ぶ．

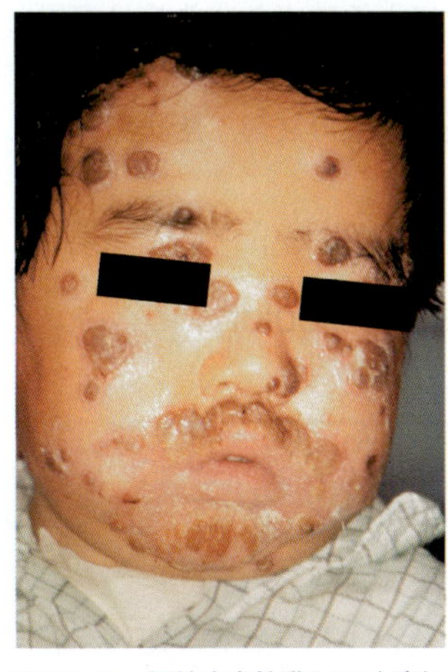

図 29-33　慢性皮膚粘膜カンジダ症

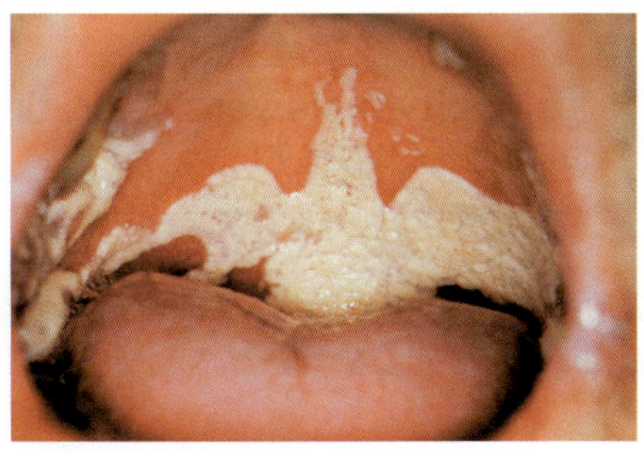

図 29-34　慢性皮膚粘膜カンジダ症

治療・経過

抗真菌薬の内服に反応するが，中止すると再発する．夏季増悪・冬季軽快しつつ慢性に経過するが，年齢と共に軽快する．内臓を侵さず生命的予後は良好．

2. 深在性皮膚粘膜カンジダ症 deep mucocutaneous candidiasis, subcutaneous candidiasis

真皮・皮下組織におけるカンジダの増殖で，AIDS 患者など免疫不全状態の患者に生じる．内臓カンジダ症が真皮に波及するか，あるいはカンジダが毛包・外傷・血管の留置カテーテルから直接真皮内に侵入する．内臓カンジダ症が波及したものでは紅色丘疹・結節・膿瘍が多発し，皮膚粘膜に原発する場合は膿疱・膿瘍・潰瘍などを呈して肉芽腫性変化を伴うことが多い．アゾール系抗真菌薬の内服，あるいはポリエン系（アムホテリシン B）やアゾール系，キャンディン系の点滴・静注．

Ⅳ．マラセチア感染症

マラセチアは不完全菌酵母の 1 属で，ヒトなど恒温動物の皮膚に常在する．ヒトの皮膚から分離される菌種は分子生物学的に詳細に解析され，*Malassezia restricta, M. globosa* を主とし，*M. furfur, M. sympodialis, M. slooffiae, M. obtsusa, Malassezia dermatitis, M. japonica, M. yamatoensis, M. nana* が報告されている．マラセチアの特徴は，脂質に対する親和性で（脂質好性酵母），脂漏部位（前胸部，上背部，頸部，被髪頭部）に豊富に常在する．マラセチアによる確実な感染症は癜風とマラセチア毛包炎であるが，脂漏性皮膚炎との関連も注目されてきている．さらに融合性細網状乳頭腫症（☞ p.371），アトピー性皮膚炎，乾癬の誘因，悪化因子としても論じられている．

1　癜風 pityriasis versicolor, tinea versicolor

俗にいう「くろなまず」　○

代表的なマラセチア感染症．常在菌であるマラセチアが，高温・発汗などの条件で過剰に増殖して生じる．*M. globosa* が主たる菌種とされる．

症状（図 29-35）

米粒大から爪甲大までの境界明瞭な円～楕円形の斑が，主として成人の上胸・上背・腋窩を侵す．わずかに粃糠様．鱗屑を付け，これをメスでこすると思いがけないほどの微細な鱗屑をみる（**カンナ屑現象**：診断価値あり）．色は淡褐色のものと，逆に脱色するものとがあり，それぞれ黒色癜風（pityriasis versicolor nigra），白色癜風（pityriasis versicolor alba）と呼ぶ．しばしば融合して局面を作る．瘙痒はないことが多く，多汗の人に生じやすい．治癒後しばらく色素脱失面を残す．皮膚以外は侵さない．

検査（図 29-36）

マラセチアは，KOH 法では太く短かい短冊状の仮性菌糸と胞子とがみられる．Wood 燈で黄褐色蛍光．好脂性で脂質を含む培地（Dixon 培地，オリーブ油を重層したポテトデキストロース寒天培地など）で培養される．

鑑別診断

ジベルばら色粃糠疹（特有の配列・潮紅あり・経過が早い・融合傾向がない），融合性細網状乳頭腫症（部位特有・鱗屑なし・のち細網状に，ただし本症病因の一つにマラセチア説あり），尋常性白斑（境界明瞭・鱗屑なし・完全脱色），偽梅毒性白斑（側背・腰部に多し・鱗屑なし・不完全脱毛・境界不明瞭），類乾癬（季節性なし）．

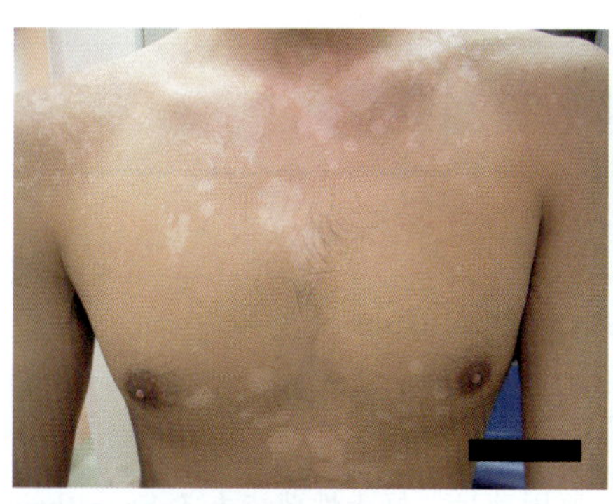

図 29-35 癜風（白色癜風）

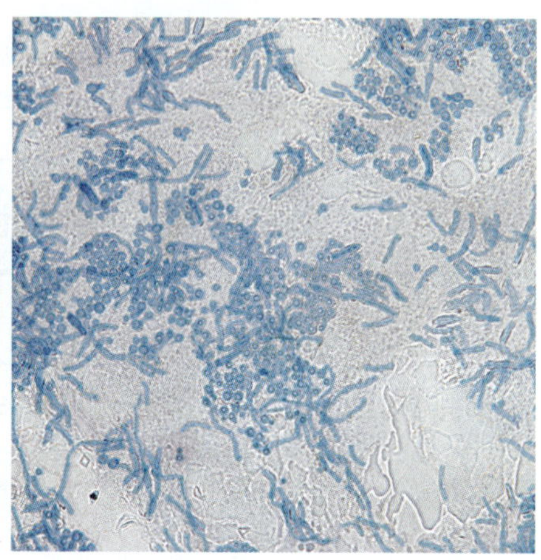

図 29-36 癜風の鏡検像（ズームブルー染色）

治療

抗真菌薬外用（特にイミダゾール系）．重症例では内服（イトラコナゾール）．皮膚の清潔，制汗．

2 マラセチア毛包炎 *Malassezia* folliculitis（Graham 1968），*Pityrosporum* folliculitis（Potter 1973）（図 29-37）

マラセチアによる皮脂分解，炎症反応が起こり痤瘡に類似するが，面皰は伴わず，個疹や分布が均一である．青壮年男性の前胸・肩・背・上腕伸側に好発，高温多湿・ステロイド外用などを誘因に発症する（ステロイド痤瘡と本症を同一とする考えもある）．膿疱内容をPaker-KOH法やズームブルーで見ると，多数の胞子をみる．抗真菌薬外用，イトラコナゾール内服．

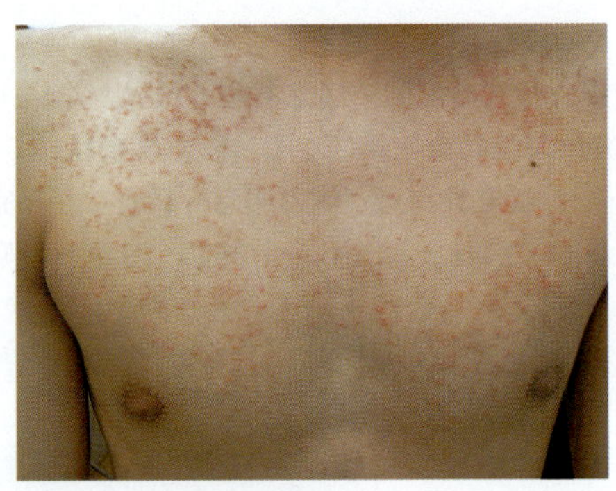

図 29-37　マラセチア毛包炎

V．その他の真菌症

1 スポロトリコーシス sporotrichosis ◎

日本で最も頻度の高い深在性真菌症．原因菌は，好土性菌である *Sporothrix schenckii* species complex である．菌が外傷などを契機に真皮内に感染・増殖して

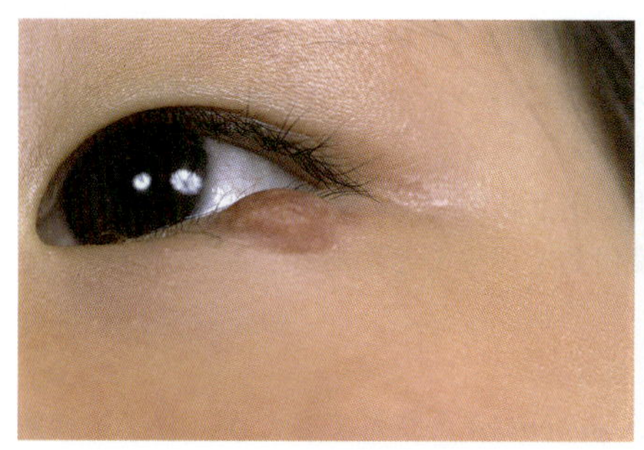

図 29-38　スポロトリコーシス（固定型）

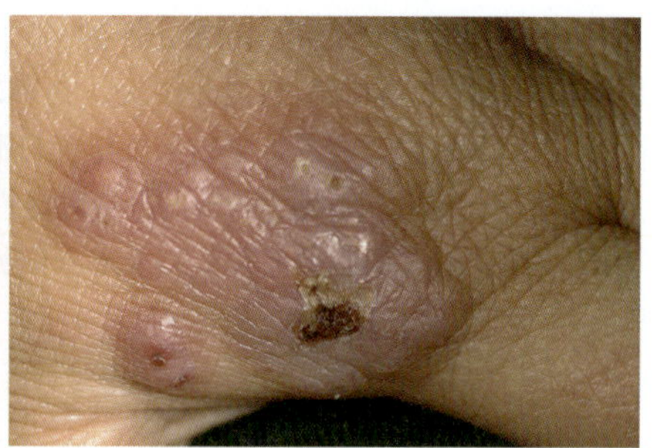

図 29-39　スポロトリコーシス（固定型）

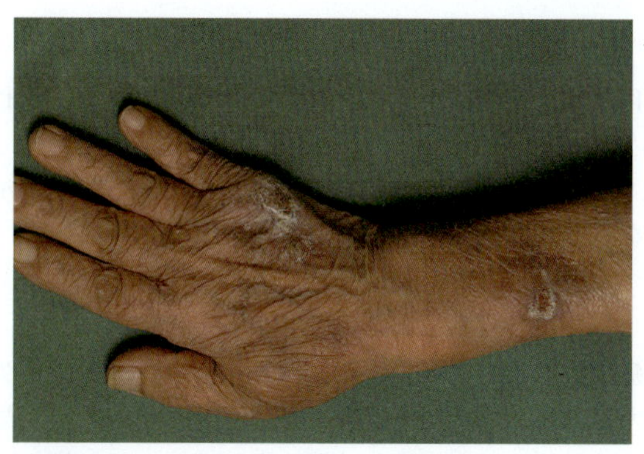

図 29-40　スポロトリコーシス（リンパ管型）

発症する．病型は固定型とリンパ管型に分かれる．病理学的に肉芽腫内に菌要素を認める．スポロトリキン反応陽性．治療は，温熱療法，ヨードカリ，抗真菌薬内服．外科的切除．

症状

主として皮膚を，稀に粘膜・骨・肺をも侵す．自然界（特に土壌）に棲息する真菌で，農業・園芸業・子供に多い．通常外傷（切創・刺創・擦過創・トゲ）により接種され，数週～数ヵ月の潜伏期間を経て発症する．小児では顔面，成人では前腕・手背に多く（夏は下肢を露出するので，下肢にも生じ得る），晩秋より冬期にかけての発生が多い．日本では関東・九州に多く，北海道・東北・北陸・山陰に少ない．

①**固定型または限局性 localized form**（図 29-38，39）：原発巣のみに留まるもので，顔・手背・前腕に多い．淡紅色丘疹として発し，浸潤の強い小結節・結節となり自潰，潰瘍化する．顔面ことに眼瞼では肉芽腫様を呈する．

②**リンパ管型 lymphatic form**（図 29-40）：侵入部位（上肢先端・顔など）に淡紅色丘疹を生じ，やがて自潰し，次いでリンパ管に沿って求心性に飛石状に，皮下結節を次々と生じる．この結節は早晩自潰する．

③**播種型 disseminated form**：全身汎発性の皮下結節で，のち皮膚と癒着・自潰・潰瘍化する．血行散布により生じ，内臓侵襲を伴うことがある．近年は極めて稀．

病原菌

日本ではほぼ *S. globosa* である（従来 *S. schenckii* とされてきたが，分子系統解析で *S. globosa* であることが判明している）．好土性菌．温度依存性二形性真菌．

組織所見

真皮～皮下に肉芽腫．中央は小膿瘍，次いで巨細胞を混ずる類上皮細胞，その外にリンパ球・形質細胞の浸潤，表皮はしばしば偽表皮腫性増殖．膿瘍中に**星芒体**（**asteroid body**：Splendore-Hoeppli 物質）（図 29-41），巨細胞中あるいは遊離して，菌要素（胞子）をみる（図 29-42）．

診断

①培養：鱗屑・痂皮・膿汁・生検で得た組織片をサブロー・ブドウ糖寒天培地に接種し，室温または25℃で培養1～2週で灰白色次いで黒褐色，表面やや湿性の絨毛状コロニーを生じる．さらにスライド・カルチャーで，菌糸側壁に直接付着，あるいは菌糸先端にロゼット状に集族した分生子が観察される．

②組織検査：PAS 陽性・菌数少なく連続切片を要する．星芒体．

③膿汁・滲出液 PAS 染色：塗抹標本で菌要素・星芒体を探す，②より陽性率高い．

④スポロトリキン反応：スポロトリキン抗原液を 0.1 mL 前腕皮内に注射，48 時間

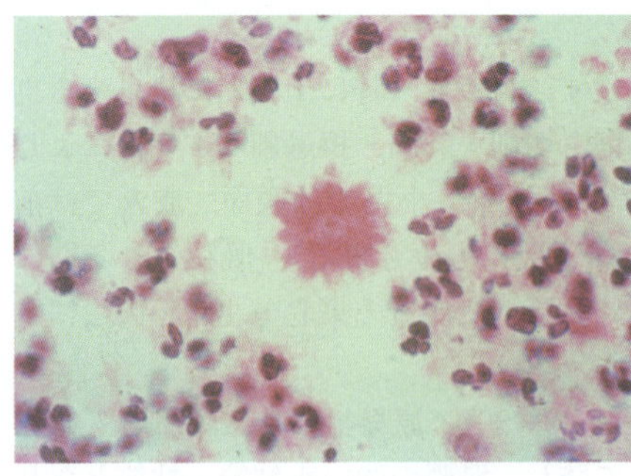

図 29-41　スポロトリコーシス（星芒体）

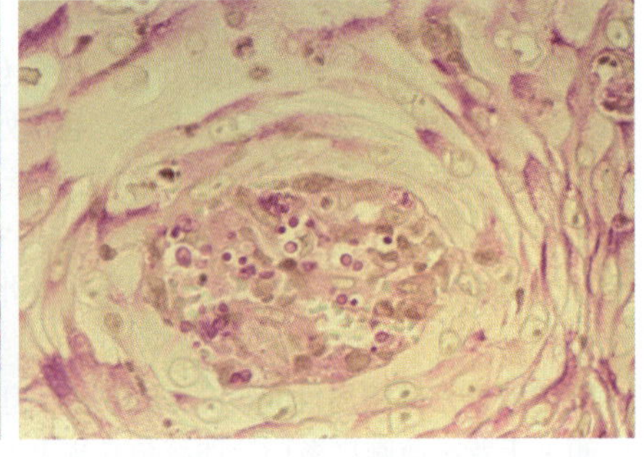

図 29-42　スポロトリコーシス（PAS 陽性の菌要素）（秋田大学皮膚科提供）

後の硬結をみる．5 mm 以下（－），5～10 mm（±），10～15 mm（＋），15 mm 以上（卄）とする．特異性が高い．

鑑別診断

非結核性抗酸菌症，クロモブラストミコーシス，皮膚結核，癤（腫症），慢性膿皮症，膿痂疹．有棘細胞症（Bowen 病含む）．

治療

ヨードカリ内服（1 日 0.5～1.0 g，必要に応じ増量 1.0～1.5 g が多い，1～3 ヵ月）．イトラコナゾール（100～200 mg/日），テルビナフィン内服．温熱療法（40～45℃，白金カイロ・使い捨てカイロ・発熱シートを 1 日 2 時間，1～2 ヵ月，ひだこ・熱傷に注意）．限局している場合，外科的切除．

2 黒色真菌感染症 dermatiaceous fungal infection

メラニン色素を産生して培地上で暗色にみえる真菌を総称して黒色真菌という．皮膚の黒色真菌感染症には，褐色胞子型菌要素のあるクロモブラストミコーシス（黒色分芽菌症），菌糸型菌要素のみられるフェオヒフォミコーシス（黒色菌糸症），黒癬があるが，菌腫・爪真菌症・砂毛の一部でも黒色真菌によるものがある．

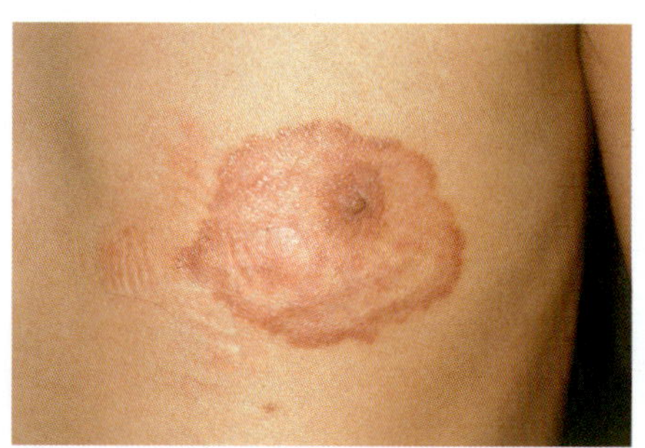

図 29-43　クロモブラストミコーシス

1. 黒色分芽菌症 chromoblastomycosis，疣状皮膚炎 dermatitis verrucosa ○

症状（図 29-43）

鱗屑・痂皮を付着する浸潤性小紅斑局面が遠心性に拡大して，中央部は軽度の瘢痕を残して軽快，辺縁に病勢が強い環状，連圏状を呈する．時に乳頭状～疣状～花野菜状の増殖が強い疣状皮膚炎，稀にあまり隆起しない局面型をみる．

慢性に経過する．通常健常人に生じ予後良好であるが，ごく稀に内臓（脳・リンパ節・肝・肺・腸）を侵し，脳転移で死亡することがある．そのような場合，免疫不全状態（HIV 感染症・糖尿病・RA・SLE・悪性腫瘍・肝不全・ステロイド薬投与・免疫抑制療法）における日和見感染の可能性に注意する．

病原菌

Fonsecaea monophora（従来，形態学的に *F. pedrosoi* とされていたものの多くは分子系統解析で日本では *F. monophora* と判明した）が多いが，他に多様な菌が原因となる．土壌中に広く分布し，軽微な外傷などを介して皮膚に入り病原性を発揮する．

診断

① KOH 法で sclerotic cell（硬壁細胞：大形で直径 5～12 mm，厚壁・暗褐色・球形．隔壁により分割される）（図 29-44）または muriform cell（石垣様細胞：2 個以上の隔壁により 4 つ以上に分割されるもの）がみられる（墨汁を 1 滴混ずるとみえやすい）．②組織，③培養．

組織所見

組織球，リンパ球の浸潤する非特異的肉芽腫を形成し，表皮は角質増殖を伴って

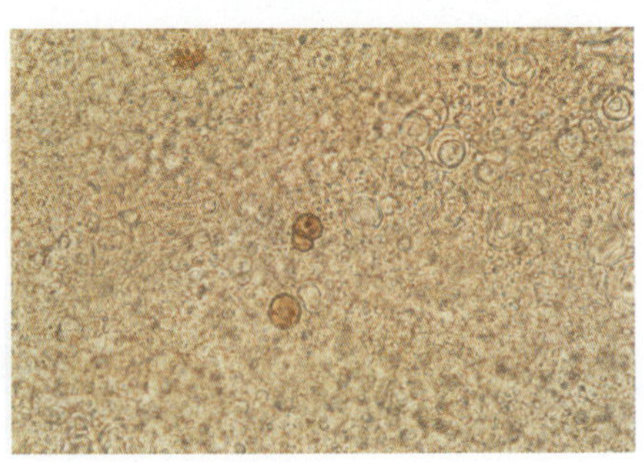

図 29-44 Sclerotic cell

偽上皮腫性増殖を示す．菌要素（胞子）は大型でHE標本でも黄褐色を呈し，真皮内の浸潤細胞に混じて，あるいは巨細胞に貪食された状態で比較的容易に見出しうる．

鑑別診断

皮膚疣状結核，非結核性抗酸菌症，スポロトリコーシス，慢性膿皮症，慢性湿疹，乾癬，有棘細胞症（Bowen病含む）．

治療

イトラコナゾール（200～400 mg/日）・テルビナフィン（125 mg/日，時に高用量で）内服，アムホテリシンB（局注，リポソーム製剤）・切除・温熱療法・併用療法．

2．フェオヒフォミコーシス phaeohyphomycosis，黒色菌糸症

症状

外傷に引続いて，皮下に硬結，膿瘍，嚢腫を形成する（phaeomycotic cyst）．組織内菌要素の色調は淡褐色～褐色．間質または巨細胞内に有隔壁性菌糸，分生子連鎖，遊離円形細胞（spherical cell）をみる．sclerotic cellやmuriform cellはみられない．多くは全身もしくは局所の免疫不全による日和見感染症である．

病原菌

従来，*Exophiala jeanselmei*が代表的菌種とされてきたがcomplexであり，分子生物学的に*E. xenobiotica*が主要であるとされている．その他，*E. dermatitidis*や*E. oligosperma*など多様な菌が原因となる．これらの菌は自然界に広く分布（汚水汚泥，浴槽，配水管）する．

3．黒癬 tinea nigra，黒色癬，手掌黒癬

土壌や腐木などの腐生菌である*Hortaea werneckii*（*Phaeoannellomyces werneckii*や*Exophiala werneckii, Cladosporium werneckii*と同義）による表在性真菌症．日本では沖縄・九州・四国が主（十数例）．手掌，時に足底に生じる境界明瞭な淡褐～黒褐色色素斑．鱗屑・潮紅なく瘙痒もない．年少者にやや多い．イミダゾール系抗真菌薬外用．

3 無色菌糸症 hyalohyphomycosis

黒色菌糸症と対をなす疾患概念で，組織内菌要素が無色のもの．ただし，カンジダ症やアスペルギルス症など疾患概念が確立されたものは除かれる．原因菌は *Fusarium solani, F. oxysporum, Pseudoallescheria boyii* など100種以上．大半は従来弱毒菌とされたもので，immunocompromised host に日和見感染をきたす．

4 菌腫 mycetoma，マズラ菌症 maduramycosis，マズラ足 Madura foot（Emmons 1934），足菌腫

症状

菌腫（mycetoma）とは，皮内から皮下の進行性，慢性の化膿性肉芽腫で，腫脹・瘻孔形成・顆粒排出を三主徴とする．顆粒とは菌塊で，瘻孔からの排出液中に見られ，大きさは0.25～1 mm 程度．下肢，特に足部に好発する．

病原菌

菌腫には放射菌性菌腫〔actinomycotic mycetoma，特にノカルジア性菌種（nocardial mycetoma）〕（☞ p.856）と真菌性菌腫（eumycotic mycetoma）とがある．後者の原因菌は，*Pseudallescheria boydii* が代表的で，*Exophiala jeanselmei* による報告もある．

治療

アムホテリシンB静注・イトラコナゾールやテルビナフィン内服・切開排膿・瘻孔の摘出や掻爬・足切断など．

5 皮膚クリプトコッカス症 cutaneous cryptococcosis ○

Cryptococcus neoformans による皮膚・皮下組織の感染症．結節・腫脹・膿瘍・膿皮症・潰瘍を呈する．以下のように分類する．

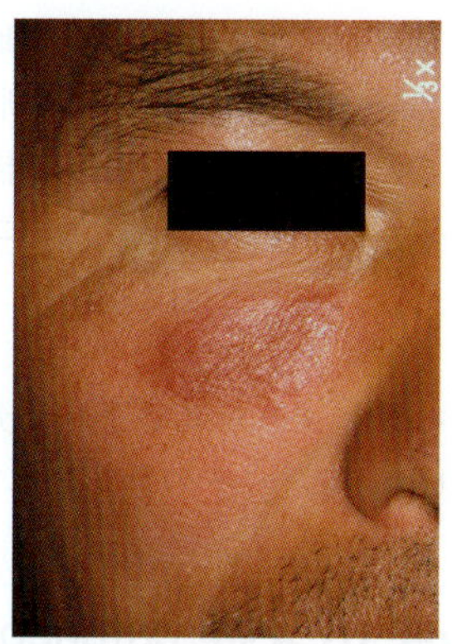

図 29-45　皮膚クリプトコッカス症
（梅林芳弘ほか：皮膚 32：45-49，1990）

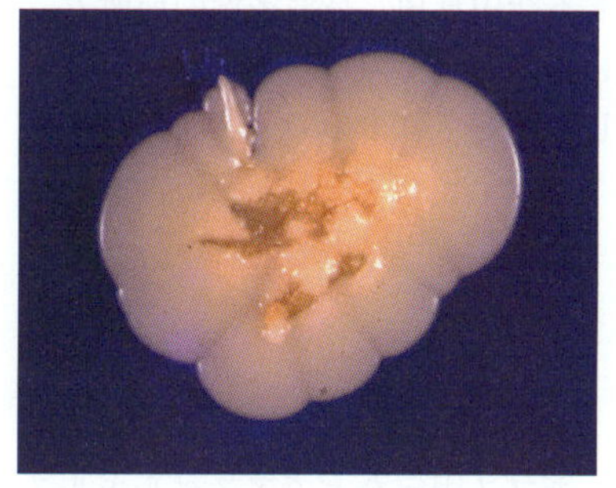

図 29-46　*Cryptococcus neoformans*（白く光沢のあるコロニー）
（梅林芳弘ほか：皮膚 32：45-49，1990）

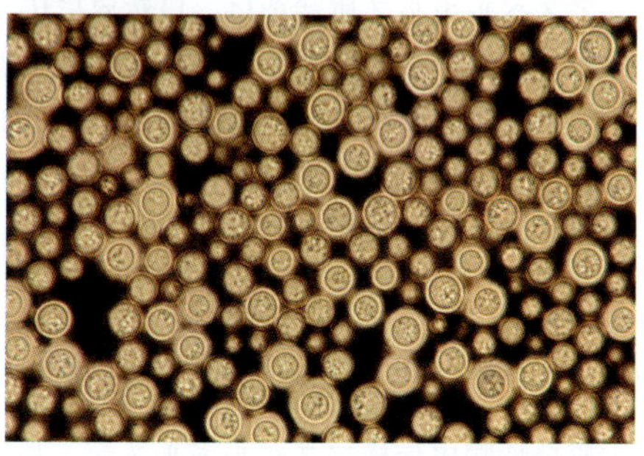

図 29-47　*Cryptococcus neoformans*（莢膜）
（梅林芳弘ほか：皮膚 32：45-49，1990）

分類

1）原発性皮膚クリプトコッカス症（図 29-45）

外傷などにより皮膚，皮下にクリプトコッカスが接種されたもの．

2）続発性皮膚クリプトコッカス症

主に肺病変から，皮膚，皮下に血行性に播種性病変を生じたもの．免疫不全患者の日和見感染が多い．

病原菌

酵母様真菌である *Cryptococcus neoformans* は，自然界に広く存在するが，特に鳩糞中から多く分離される．サブローブドウ糖寒天培地に白い光沢あるコロニーを形成（図29-46），のち茶色となる．3〜15 mmの卵円形酵母型細胞で分芽する．幅広い莢膜を持つので墨汁法（またはニグロジン液）で検出できる（図29-47）．莢膜はムチカルミン染色で赤染．アルシアンブルー染色やコロイド鉄染色で青染．

治療

アムホテリシンB，5FC，イミダゾール系薬（ミコナゾール・フルコナゾール・イトラコナゾール），小さければ切除．ハトの糞を介しての感染に注意．

6 皮膚アスペルギルス症 cutaneous aspergillosis

アスペルギルス属諸菌は，自然界に広く存在する空中真菌．高温多湿の局所で，皮膚表面にアスペルギルスが非侵襲性・腐生的に増殖し，その後，経皮的に（特に毛包より）侵入する．アスペルギルスは雑菌として培養されるので，診断には病巣内の存在を証明する必要がある．

以下のように分類される．

分類

1）原発性皮膚アスペルギルス症

①原発性膿皮症様アスペルギルス症：長期臥床・ギプス固定などでアスペルギルスが皮膚に侵入し，膿痂疹や毛包炎など種々の膿皮症の病型をとる．

②菌腫型および慢性肉芽腫型皮膚アスペルギルス症：宿主の免疫能低下を背景に慢性に経過し，予後不良．

③その他

2）続発性皮膚アスペルギルス症

主として肺を侵し血行性に皮膚に至る．丘疹，結節，腫瘍，潰瘍．日和見感染．

3）爪アスペルギルス症

病原菌

Aspergillus fumigatus が多く，他に *Aspergillus flavus, Aspergillus terreus, Aspergillus niger* などがある．病理組織でY字状に分岐した有隔壁性の菌糸．抗菌薬添加サブローブドウ糖寒天培地で白色ビロード状コロニーを作り，胞子は暗青色，菌子に隔壁あり，分生子柄の先は膨大して数〜十数個の分生子が数珠状に並ぶ．

治療

治療はアムホテリシンB・ミカファンギン，カスポファンギン，ボリコナゾール・イトラコナゾール．

7 皮膚ムコール症 cutaneous mucormycosis, 皮膚接合菌感染症，皮膚接合菌症，cutaneous zygomycosis

接合菌門の真菌による感染症の中でムコール目によるものが主要であるため，接合菌症とムコール症を同義に用いることある．

症状

皮膚ムコール症は，熱傷・外傷部位に接種され，局所に膿疱・水疱・潰瘍・黒色痂皮を生じるもの．重症糖尿病・貧血・白血病・悪性リンパ腫・肝疾患・消耗性疾患の末期あるいはその治療に起因する免疫不全状態のときに好発する．

病原菌

Mucor 属，*Rhizopus* 属，*Rhizomucor* 属，*Absidia* 属．多くは土中，水中などに広く自然界に生息する環境内常在菌．

治療

アムホテリシンB.

8 皮膚アルテルナリア症 cutaneous alternariosis

環境中に広く分布する *Alterinaria* 属が免疫抑制状態（皮膚炎のステロイド外用・免疫抑制薬など）・外傷後あるいは植物（特に果実類）から日和見感染する．顔面，時に前腕に小膿疱・小丘疹が集簇して浸潤性局面から顆粒状・虫食い状の潰瘍化する深在型と，角層に寄生して落屑性紅斑ないしびらんを呈する浅在性とがある．イトラコナゾールが有効．

9 皮膚プロトテカ症 cutaneous protothecosis, 皮膚プロトテコーシス

無葉緑素藻類の *Prototheca* 感染症．厳密には真菌症ではない．樹液（ナラ・クヌギ）・河水・土壌・下水・動物排泄物（イヌ・ネコ・ウシ）・魚（の内臓）・腐敗した馬鈴薯などに生息，外傷・水との接触あるいは日和見的にヒトに感染する．人獣共通感染症である．ヒトでは *Prototheca wickerhamii* が多い．顔・頸・手足に多く，丘疹・局面形成・小結節・水疱・潰瘍を形成（皮膚皮下型），その他関節滑液嚢型・全身型がある．組織球・好中球・リンパ球・巨細胞からなる肉芽腫病変にPAS, Grocott 染色に陽性の菌要素（円形胞子，車軸・桑実状内生胞子）を含む胞子嚢を見る．ケトコナゾール・フルコナゾール・アムホテリシンB．

10 トリコスポロン症 trichosporosis

Trichosporon cutaneum による稀な真菌症．皮膚病変は顔が多い．結節・局面・皮下硬結・膿瘍・潰瘍・瘢痕形成の臨床像をとる．真皮内に肉芽腫を形成し，菌要素は胞子連鎖か菌糸形．アゾール系抗真菌薬内服．白色砂毛（下記）をきたすこともある．

11 砂毛 piedra

頭毛，時に眉毛・睫毛・須毛に小さい硬い砂粒状の小結節が固着するもの．白色砂毛は日本を含む広い地域でみられ，*Trichosporon cutaneum* による．黒色砂毛は熱帯，亜熱帯にみられ，黒色真菌の一種である *Piedraia hortae* による．いずれも自然界に分布する．

12 輸入真菌症（地域流行型真菌症）

特定地域の環境（特に土壌）中に生息する真菌により発症する風土病的深在性真菌症を，「地域流行型真菌症」という．日本では原因菌は生息しないが，外国で感染して国内で発症する例や，輸入物を介して国内で発症する例があり，これらを「輸入真菌症」と称す．

1. ブラストミセス症 blastomycosis，北米分芽菌症 North American blastomycosis

全身型（免疫不全者の日和見感染）で吸収されて体内に入り，血液によって全身に播種する．皮膚は好発部位である．肺（肺炎・空洞）・皮膚・骨・男性性器・口腔鼻腔粘膜・中枢神経系を侵し，時に結節性紅斑を併発する．皮膚には疣状丘疹・潰瘍・皮下膿瘍を生じる．稀に皮膚に原発し，硬結・潰瘍・リンパ管炎（小結節が連続）・リンパ節炎を生じ，自然治癒が多い．*Blastomyces dermatidis* 感染．北米に多く，時に中東，アフリカ．日本にはみられない．イトラコナゾール・ボリコナゾール・アムホテリシン B.

29章

2. パラコクシジオイデス症 paracoccidiomycosis，南米分芽菌症 South American blastomycosis

吸入感染で肺に感染した後，口腔・咽頭の丘疹・潰瘍・肉芽腫を生じリンパ節に及ぶ．連続性・血行性・リンパ行性に皮膚に及び結節・潰瘍・ケロイド様皮疹を形成．全身撒布あり（特に AIDS 患者）．中南米に多く，同地からの在日労働者にみられることあり．*Paracoccidiodes brasiliensis* による．組織像で芽胞に発芽が多くあり操舵輪（marine pilot's wheel）のようにみえる．イトラコナゾール・ボリコナゾール・アムホテリシン B.

3. コクシジオイデス症 coccidioidomycosis

肺に原発，皮膚では頸部に多く結節・紅斑・肉芽腫を形成し皮膚腺病に似る．米国南西部・メキシコに多い．皮膚原発はトゲなどによる外傷に続発．HIV 感染者で全身撒布型（肺・脳膜・骨・リンパ節）となる．*Coccidioides immitis* 感染による．組織中で球状体（胞子嚢）をつくり，内部に多数の内生胞子を容れる．アムホテリシンB・フルコナゾール・イトラコナゾール．

4. ヒストプラスマ症 histoplasmosis

Histoplasma capsulatum var. *capsulatum* による．米国東部，中南米，中央アフリカに多い．臓器移植によるドナーからの感染もありうる．吸引により肺病変を，血行性に皮膚病変を作る．免疫不全状態の患者では，播種性皮膚病変（丘疹，小結節，腫瘍，潰瘍）を作りやすい．播種性ヒストプラスマ症では，ヒストプラスマの酵母形がマクロファージ内で増殖し続ける．AIDS患者で特に発生率の高い真菌症の一つ．イトラコナゾール，アムホテリシンB.

5. マルネッフィ型ペニシリウム症 penicillosis marneffei

Talaromyces marneffei（旧 *Penicillium marneffei*）による．中国南部・東南アジアでみられ，bamboo rat により媒介される．皮膚・粘膜病変としては，顔面・四肢・口蓋などに丘疹，小結節が多発する．AIDS患者に発生しやすい．イトラコナゾール，アムホテリシンB.

第30章 スピロヘータ・原虫・動物性皮膚疾患

スピロヘータ中トレポネーマ・パリダム（梅毒），動物中ニキビダニによるものは，それぞれ31章，25章に記した．

1 ダニによる皮膚疾患

ダニはクモ綱ダニ目に属する節足動物である．

1. 疥癬 scabies，ひぜん ◎

ヒトを固有宿主とするヒゼンダニが角層に感染寄生する．イベルメクチンの内服が治療に有効．

原因（図30-1，2）

ヒトヒゼンダニ（*Sarcoptes scabiei var. hominis*）（節足動物門 *Arthropoda*，クモ形綱 *Arachnida*，ダニ目 *Acarina*，ヒゼンダニ科 *Sarcoptidae*，ヒト疥癬虫）の角層

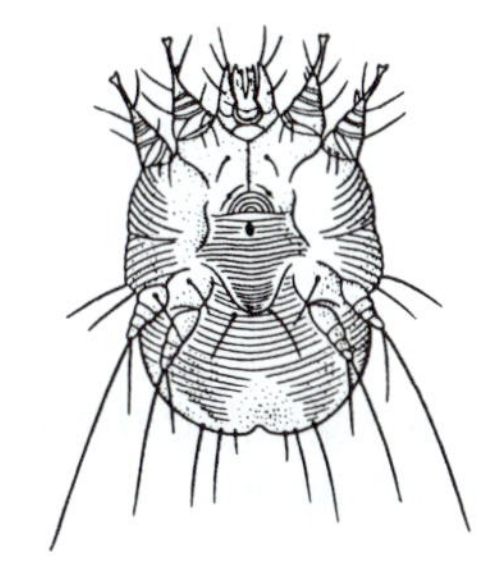

図30-1　疥癬虫メス
（新日本動物図鑑より）

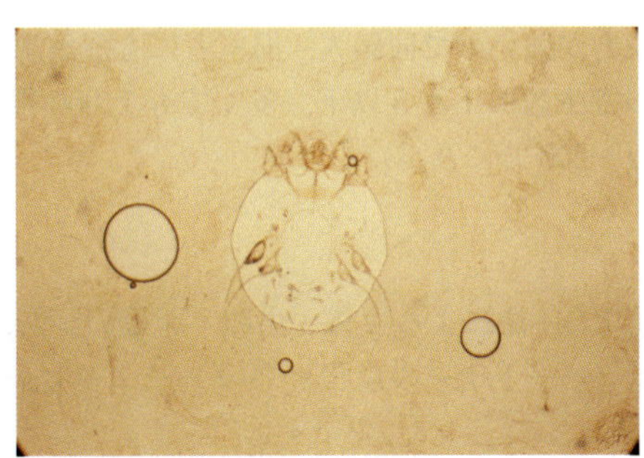

図30-2　疥癬虫

寄生．ヒトヒゼンダニは球形の胴で雌は0.4×0.3 mm，オスは0.2×0.15 mmで4対の脚を持つ．交尾したメスは角層内にトンネルを作り，1日2，3個の卵を1ヵ月間は産み続け，その後4〜5週で死滅する．卵は3，4日で孵化，幼虫・若虫・成虫となるのに14〜17日を要し，皮膚の溝・毛包内に棲む．ヒゼンダニは乾燥に弱く，ヒトの皮膚を離れると比較的短時間で死滅する．

感染

性交などで直接感染する（STDの一種）が，衣類・寝具を介することも多い．1970年代より増加傾向にあり，1985年頃からは施設（高齢者・障害児・合宿・寄宿舎・病院）で多数例が発生した．最近は減少．感染後症状が発現するまでの潜伏期間は1ヵ月といわれている．

症状（図30-3〜7）

①指間・指側・下腹部・外陰部（特に陰嚢・亀頭・陰茎）・関節屈窩のような皮膚の軟らかい部位に紅色小丘疹ないし漿液性丘疹が多発し，小水疱・小膿疱を混じ，陰部・腋窩などではしばしば小結節を形成する．乳幼児では手足に小水疱・小膿疱，高齢者では紫斑・痂皮を生じる．痒みが激しく，掻破痕をみる．

②数mmの細い灰白色線状皮疹がわずかに隆起し（疥癬トンネル mite burrow），その先端には卵を産みつけている成熟メスが潜んでいる．

③掻破の二次的湿疹化・間擦疹化が起こる．

④しばしば小丘疹（じんま疹様苔癬状）が体幹に広く散在し，その一部はアレルギー性反応（痒疹型）と考えられ，虫体・卵を見出せないことも多い．

⑤**ノルウェー疥癬（Norwegian scabies，痂皮型，角化型）**：手足・肘頭・膝蓋・臀部・関節背面などに黄白色の角質増殖が蠣殻状に重積し，爪は粗糙化，爪甲下角質増殖をみる．寝たきり，重症感染症，悪性腫瘍などの基礎疾患に，あるいはステロイド・免疫抑制薬投与など免疫力の低下に伴って発症することが多い．感染力が強いので同居人，同室者にも疥癬患者をみる（通常の疥癬ではメスの成虫の寄生数は1人5以下，多くても1,000程度であるが，ノルウェー疥癬では100万〜200万に及ぶ）．

診断

①KOH法による虫体・虫卵・卵殻の証明，②病歴：家族・集団内での発生，性交歴（パートナーの症状），③ダーモスコピーによる虫体・卵の確認．

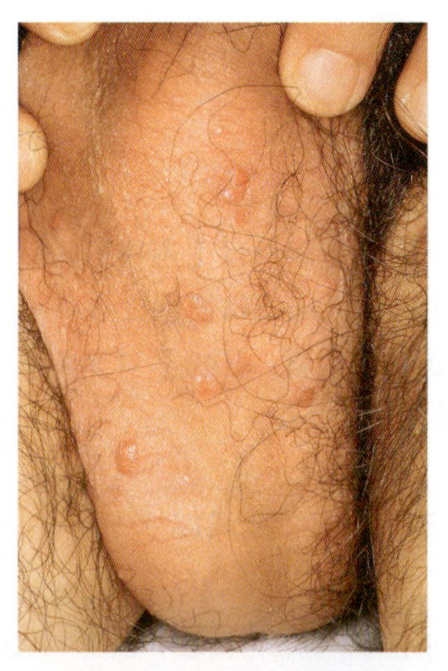

図 30-3　疥癬（陰嚢の丘疹）

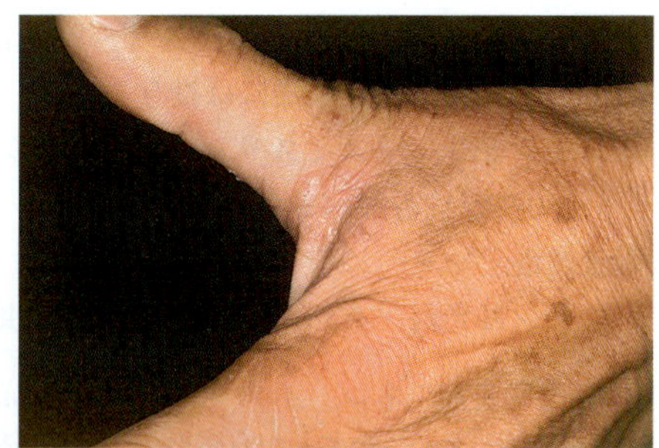

図 30-4　疥癬（指間の丘疹）

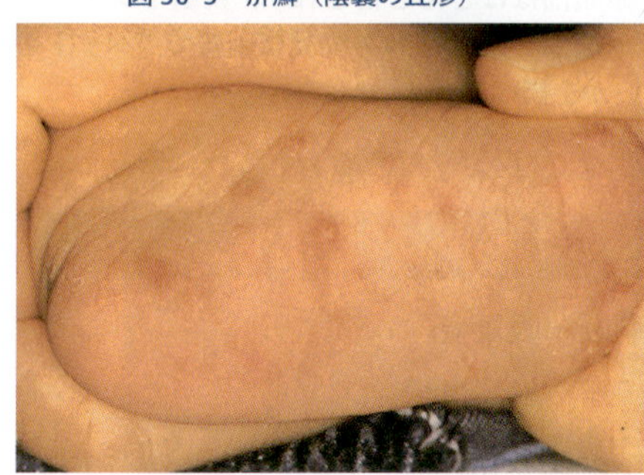

図 30-5　疥癬（足蹠の丘疹・膿疱）

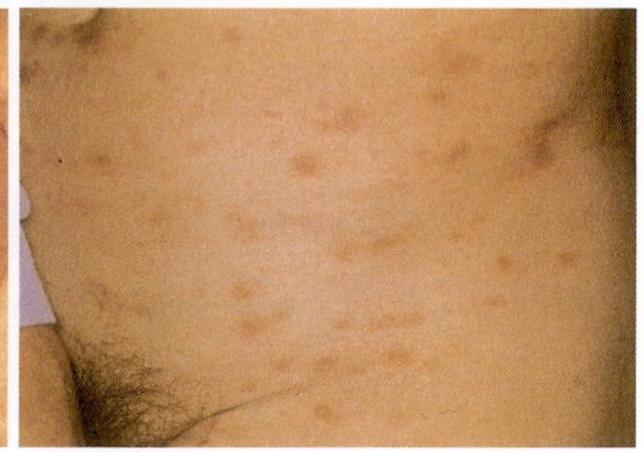

図 30-6　疥癬（体幹に多発する丘疹）

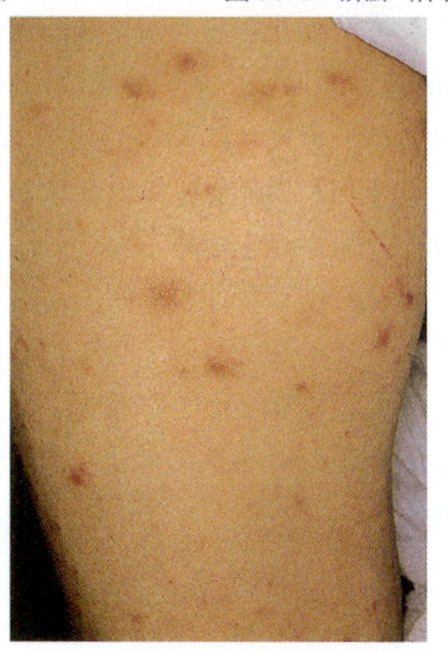

図 30-7　疥癬（下肢に多発する丘疹）

鑑別診断

虫刺症，痒疹，湿疹．

治療

①イベルメクチン 200 μg/kg を 1～2 回空腹時内服，2 回目は 1 週後．肝障害のある場合，幼小児，妊婦には投与しない．高齢者，授乳婦には慎重投与．

②フェノトリン（スミスリン）ローション，硫黄含有軟膏，10%クロタミトン軟膏，6～30%安息香酸ベンジル・アルコール液の外用．

③硫黄浴．

④フトン日光浴，衣類・住宅の清潔化（虫体は 50℃以上で死滅）．

〔付〕**動物疥癬**：ネコ，イヌ〔*Sarcoptes scabiei var. canis*：体長 0.3～0.4 mm や猫疥癬虫（*Notoedres cati*）など〕から感染し，急性湿疹状の小丘疹が動物と接触する面，すなわち体幹前面・前腕屈側に多発する．指間・外陰・頭顔部はほとんど侵されず，疥癬トンネルもみられない（ヒト皮膚では産卵しない）．ヒトの皮疹からの虫体の発見は困難で，ペットの耳朶前縁・前頭部に脱毛・小丘疹・結痂がないかを調べる．

2. マダニ刺症 tick bite ○

肉眼で見える大きいダニ（tick）による刺咬・吸血症．

症状

マダニ（2～8 mm 大）は大型のダニで，山野の草木上で待機し，炭酸ガス濃度・音・振動で宿主（ヒト・ウシ・ノウサギ・ウマ・タヌキ・イヌ・イタチ）の来るのを知り，寄生する．上背・前腕・顔面（ヤマトマダニ）や大腿・肛囲・腋窩・趾間・外陰部（タカサゴキララマダニ）を侵す．刺咬時疼痛あり．ゆっくり長時間吸血し，体長，体重ともに倍増し，約 10 日で飽血して脱落する．一見スイカの種のようであるが，よく見ると 4 対の脚の動くのを認める．

治療（図 30-8）

虫体除去：①局所麻酔下に周囲皮膚とともに切除，②薬剤で麻痺・窒息させる，③注射器で陰圧を加え，虫体をピンセットで除去．媒介性疾患の予防：テトラサイクリン，ペニシリンなどの投与．

予防

①山歩きには露出部を少なくする．②ジエチルトルアミド・フタル酸ジメチルを

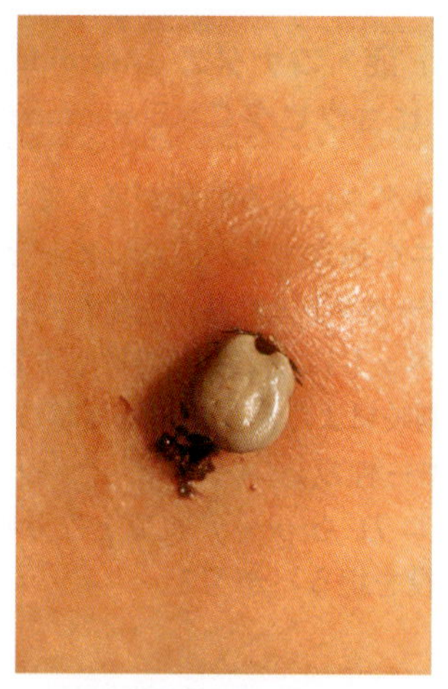

図 30-8　マダニ刺症

衣類・露出皮膚面に噴霧しておく．

〔付 1〕**マダニの種類と分布**：ヤマトマダニ（宿主：成虫で大型哺乳類，幼虫・若虫で小型齧歯類，日本，特に東北・関東・中国・台湾・ミャンマー・ネパールに分布）が最も多く，その他シュルツェマダニ（本州・北海道），カモシカマダニ，タネガタマダニ（中国地方），タカサゴキララマダニ（南西諸島），アカコッコマダニ（関東東北地方，特に伊豆七島のアカコッコに寄生），キチマダニ（日本紅斑熱・野兎病）など．

〔付 2〕**媒介性**：ツツガムシ病（リケッチア）・日本紅斑熱（リケッチア）・ロッキー山紅斑熱（リケッチア）・重症熱性血小板減少症候群（SFTS，ウイルス）・回帰熱（ボレリア）・Q 熱（リケッチア）・野兎病（細菌）・マダニ媒介脳炎・バーベシア症（原虫）のほか，*Borrelia burgdorferi* の媒介者として注目され，日本のライム病のほとんどは *Ixodes persulcatus*（シュルツェマダニ）が媒介している（☞ p.933）．

3. イエダニ症

イエダニ（*Ornithonyssus bacoti*，tropical rat mite．体長メス 0.7 mm，オス 0.4 mm，吸血時丸味を帯び，白色から赤～黒色に変色する）はネズミに寄生し，ネズミを離れて昼夜の差なくヒトを刺す．下腹部・大腿内側・上腕内側のような皮膚の軟らかい部分に，膨疹・紅色小丘疹・小水疱→びらん・結痂を生じ，激しい瘙痒がある．しばしば痒疹化．夏季（暖房により冬も），家族的に発生．オイラックス H 軟膏・クンメルフェルト液外用，ネズミ駆除，駆虫剤の天井裏・隙間への噴霧．

最近の環境（ネズミ減少・密封高温の家屋構造）からイエダニ症は著減している．

4. ツメダニ（Cheyletus）症・コナダニ（Acaroidea）症・ホコリダニ（Tarsonemidae）症・ヒョウヒダニ（Epidermoptidae）症

近年家屋塵に含まれるツメダニによる刺症が増えている．ツメダニはイエダニより小さく食品に付くコナダニを捕食するが，時にヒトをも刺す．25～30℃，湿度60～80%が最適で夏タタミ・カーペット・寝具に生棲する．タタミ・カーペットの乾燥化，クーラーで室温を下げる，ベッドに寝るなどで対応する．他に家屋内の塵・衣類・寝具・食品中のダニの，①刺咬による瘙痒性皮疹（特にケナガコナダニ *Tyrophagus putrescentiae*），②アレルギー性反応（ヤケヒョウヒダニ *Dermatophagoides pteronissinus*，コナヒョウヒダニ *D. farinae* が抗原となり喘息・鼻炎・皮膚炎を生じ，アトピー性皮膚炎発症の一役を担う）がある．

5. スズメサシダニ（Dermanyssus hirundinis）症

集簇性～散在性の紅色小丘疹で中央に吸血による小陥凹あり，激痒．膨疹形成はない．体幹・上腕内側・大腿内側に多く，野鳥活動期の5～7月に多い．寝室で刺されることが多く，その近くの家屋（屋根下・戸袋など）にスズメ・ツバメ・ムクドリなどの巣が発見される．トリサシダニ（*Ornithonyssus sylviarum*）によるものもほぼ同様で，これは飼鳥に多い．

2 ダニが媒介する感染症

ツツガムシ病と日本紅斑熱は，ダニが媒介する日本における代表的なリケッチア症である．特徴的発疹や症状を診ての診断と的確な治療が重要．近年，マダニを媒介してのRNAウイルス感染症の重症熱性血小板減少症候群（severe fever with thrombocytopenia syndrome；SFTS）が日本でも発生している．致死率が高く注意．

1. ツツガムシ病 Tsutsugamushi disease, scrub typhus ◎

Orientia tsutsugamushi（ツツガムシ病リケッチア）を保有するツツガムシ（ダニの一種）の幼虫に吸着されて発症する．

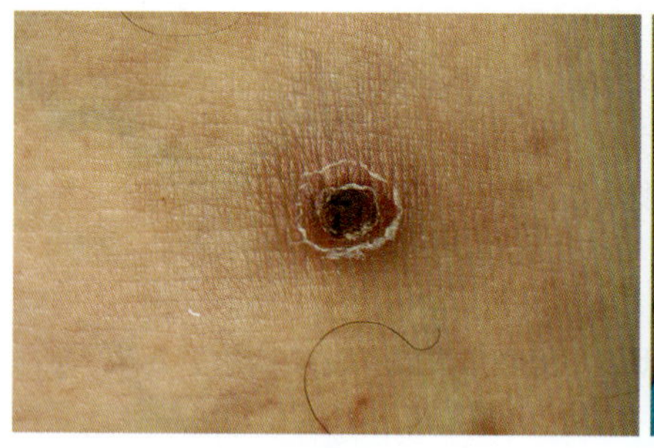

図 30-9　ツツガムシ病（刺し口）

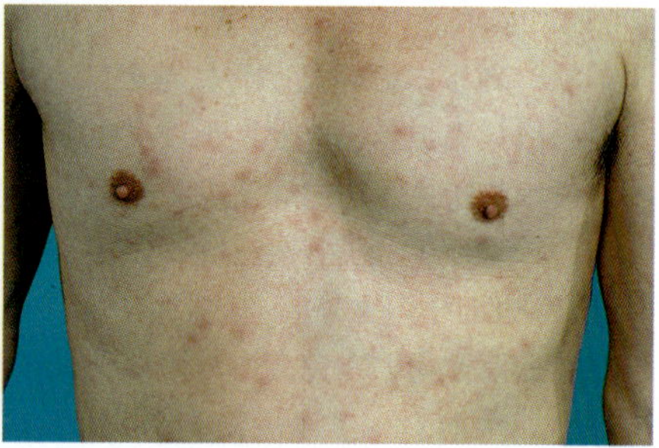

図 30-10　ツツガムシ病（紅色丘疹・小紅斑が散在）

感染

1970 年代以降，東北・北陸の河川域で夏に発生していたアカツツガムシによる古典型が減少して，フトゲツツガムシ，タテツツガムシによる新型が急増した．新型は北海道を除く全国に広がり，秋～冬に多い．保有する菌型（血清型）はアカツツガムシが Kato 型，フトゲツツガムシが Karp 型，一部 Gilliam 型，タテツツガムシが Kawasaki 型，Kuroki 型である．

症状

刺されて 5～14 日の潜伏期後に高熱とともに全身に発疹を生じる．

①**刺し口皮疹**（図 30-9）：体幹・外陰部などの刺口に，3～5 日後水疱・発赤腫脹・硬結→黒色結痂性潰瘍→ 2，3 週で瘢痕治癒．

②**発熱**：刺されて 5～14 日後（リケッチア血症），悪心・頭痛・40℃に及ぶ発熱・全身倦怠感・筋肉痛．気管支炎・肺炎様症状や時にせん妄・狂躁状態，14～20 日で解熱．

③**リンパ節腫脹**：所属および表在性リンパ節が腫脹し圧痛あり．

④**撒布疹（ツツガムシ疹）**：発熱後 2，3 日で全身（**四肢より体幹に多い**）に米粒～爪甲大の瘙痒のない辺縁不整形の浮腫性紅斑・紅色丘疹・小紫斑が発生し速やかに全身に拡大し，7～10 日で消褪（図 30-10）．色調が中央で濃く，辺縁で薄い，境界のぼやけた紅斑がしばしばみられ，バラ疹と呼ばれる．

⑤**その他**：口腔粘膜・眼瞼結膜充血，咽頭痛，肝脾腫，低ナトリウム血症，筋肉痛．治療が遅れると間質性肺炎・ARDS・DIC・多臓器不全．

組織所見

①**バラ疹様紅斑**：毛細血管拡張と壁肥厚，血管・汗腺周囲性リンパ球浸潤．

②**刺し口**：乳頭下層に至る楔形壊死，血管壁肥厚，出血，リンパ球浸潤．

診断

①症状（**刺し口の発見**が特に重要，バラ疹様紅斑）や発病1～2週前の生活歴（野原の散策や山歩きなど）から本症を疑う．

②**一般検査所見**：白血球減少・好中球増多と左方移動・好酸球減少・異型リンパ球出現（数%）・血小板減少・CRP陽性・赤沈促進・尿蛋白陽性・血尿・AST・ALT・LDHの上昇．

③**患者血清を用いた免疫ペルオキシダーゼ法，免疫蛍光法**：IgM抗体が上昇，急性期と回復期のペア血清で4倍以上IgG抗体が上昇していれば確定．精製抗原の問題，交差反応などで複数の血清型亜型（Kato・Karp・Gilliam型など）が上昇することが多い．

④**PCR法**：血液，刺し口の組織などからリケッチアDNAを同定．早期の確定診断に有用．

治療

ミノサイクリン・ドキシサイクリン（200 mg，10～14日間）（ペニシリン系・β-ラクタム・アミノグリコシドは無効）．

予防

①山林・原野・草地（ノネズミが多い）には長袖・長ズボン・長靴を用いる．

②皮膚露出面にダニ忌避剤を塗る．

③地面に腰を下ろしたり寝ころんだりしない．

④帰宅後すぐに入浴，下着もすぐに洗濯する．

2. 日本紅斑熱 Japanese spotted fever

*Rickettsia japonica*が原因で，キチマダニ，ヤマアラシダニ，フタトゲチマダニ，ヤマトマダニなどが媒介する．前記マダニにより刺し口，発熱，発疹の3主徴をきたす疾患で，ツツガムシ病と鑑別する必要がある．千葉県以西の太平洋岸の各県から報告されている．近年，報告例は毎年200例以上を数え，2020年には400例以上に増えている．

山間部での土木工事・山林作業・ハイキング・川釣りの際，感染（4～10月，初夏～秋），2～8日後頭痛・高熱，次いで2～3日で**四肢末端（手掌・足底）**に小紅斑が多発，**中枢に向かって拡大する**とともに出血性となる．眼瞼結膜充血，頰・前額部の紅斑，高熱による苦悶から特有の顔貌を示す（紅斑熱様顔貌）．**刺し口は5～10 mm径の硬結でやや小さく**，中央は黒色痂皮を有する潰瘍．リンパ節腫脹は軽い．

治療が遅れると心筋炎・脳炎・ショック・DIC・多臓器不全など．Weil-Felix 反応で OX_2 単独強陽性（ツツガムシ病では OX_{19} 単独強陽性），紅斑熱群リケッチアに対する血清抗体価の上昇，血液・刺し口・紅斑の PCR 検査陽性．他に CRP 高値・赤沈亢進・LDH 著増・血小板減少・CPK 上昇など．テトラサイクリン系抗生物質が第一選択．ニューキノロン系も有効．

〔付〕ロッキー山紅斑熱 Rocky Mountain spotted fever

北米の地方病で犬や小齧歯類をリザーバーとする *Rikettsia rickettsii* 感染による．高熱とともに頭痛，筋肉痛，関節痛，倦怠感，90％以上に全身に小紅斑が多発する．ダニ刺し口傷が診断に有用といわれる．多くは2～3週後に解熱，軽快するが，治療が遅れ重症化すると神経症状や循環不全を生じ生命の危険率も高まる．治療はツツガムシ病と同様．

3. ライム病 Lyme borreliosis (Steere 1977, Burgdorfer 1982)　○

アメリカ・コネチカット州ライム地方での集団発生によりライム病と命名された．マダニ（日本ではシュルツェマダニ *Ixodes persulcatus*）の媒介するボレリアが引き起こすスピロヘータ感染症．

病因

Borrelia 感染．日本には *B. garinii*，*B. afzelli* が分布する．ボレリアは齧歯類・キツネ・シカ・トリなどを保有体に，マダニ（tick，日本ではシュルツェマダニが多い）を媒介者としてヒトや家畜などに感染する．発症に免疫反応（免疫複合体・サプレッサー T 細胞活性低下・抗ミエリン抗体など自己抗体産生）が関与し，局所では IL-6 産生が T，B 細胞の免疫調節障害をきたしているという．

症状

全身性の感染症で，Ⅰ期（限局性感染期；数日～数週間），Ⅱ期（播種性感染期；数週～数ヵ月），Ⅲ期（遷延性感染期；数ヵ月～数年）を区別するが，各種病変がこの病期順に進行するとは限らない．アメリカでは関節炎症状（*B. burgdorferi* が分布），欧州では神経症状が強く（*B. burgdorferi*，*B. garinii*，*B. afzelli* の3種が分布），日本では慢性の関節炎症状がほとんどなく，皮膚症状主体で全身性病変が少なく軽い（*B. garinii*，*B. afzelii* の2種が分布）．

第Ⅰ期：ダニ刺咬後数日～1ヵ月で同部に遠心性に拡大する環状紅斑（径数 cm，稀に数十 cm，時に中央にさらに紅斑を生じる標的状 bull-eye erythema）を形成し，これは数日～数週，時に6ヵ月以上続く（慢性遊走性紅斑 erythema chronicum migrans；ECM）(図 30-11)．軽度の痒み・灼熱感がある．日本では ECM がほぼ

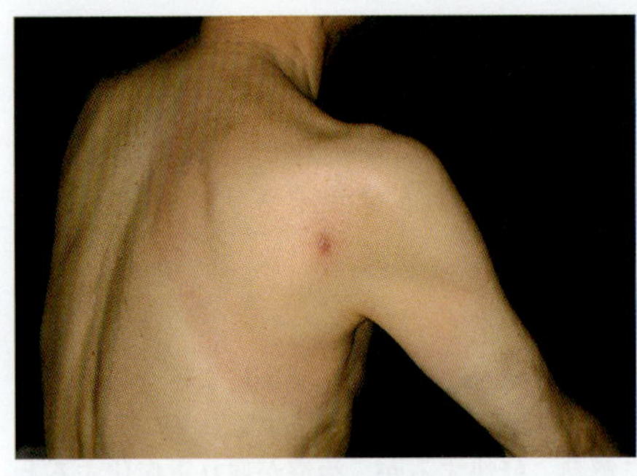

図 30-11　ライム病の慢性遊走性紅斑

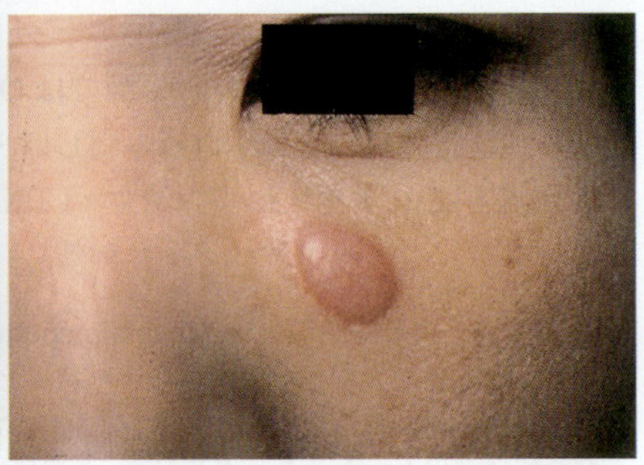

図 30-12　ボレリアリンパ球腫

必発するが，発熱・頭痛・倦怠感・筋痛・リンパ節腫脹などの全身症状の出現頻度は低い．

第Ⅱ期：感染から数週〜数ヵ月．発熱を起こすことが多く，時に多発性 ECM 様紅斑（刺咬部以外の小型の ECM 様紅斑），ボレリアリンパ球腫（半球状，ほぼ円形の紅褐色小結節）（図 30-12）をみる．日本では，神経症状（髄膜炎・Bell 麻痺・根神経炎・脊髄炎など），心症状（心筋炎・心内膜炎・AV ブロック・心肥大など），その他症状（筋炎・筋膜炎・関節炎など）はいずれも頻度が低い．

第Ⅲ期：感染から数ヵ月〜数年．①慢性の関節炎（膝・肘・腰・踵に多く，間歇的急性の疼痛，関節腫脹）と②慢性萎縮性肢端皮膚炎（acrodermatitis chronica atrophicans；ACA，巻煙草紙状 cigarrette paper-like で細かいしわが多くなり，色素異常・毛細管拡張・脱毛を伴って多形皮膚萎縮状）（図 30-13）などが報告されているが，日本では稀．

組織所見

ECM：血管周囲性にリンパ球・形質細胞主体の浸潤で好酸球を混じる．リンパ球腫：濾胞構造をもつリンパ球の巣状浸潤（lymphfolliculosis）（図 30-14）．ACA：初期に血管周囲性ないし真皮上層帯状リンパ球浸潤，毛細血管拡張，晩期に真皮・皮下に巣状細胞浸潤・毛細血管拡張・表皮萎縮・液状変性・浮腫・真皮に空胞状裂隙．

診断

①病歴（流行地滞在）と臨床所見（ECM，マダニ刺咬）．②血清反応：感染後 4 週で陽性化，酵素抗体法（ELISA），間接蛍光抗体法（IFA），③ウエスタンブロット法で確認，④皮膚組織・血液からのボレリア培養・検出，4〜5 週の時間を要する．血清反応や培養は抗生物質を使用すると偽陰性化しやすい．

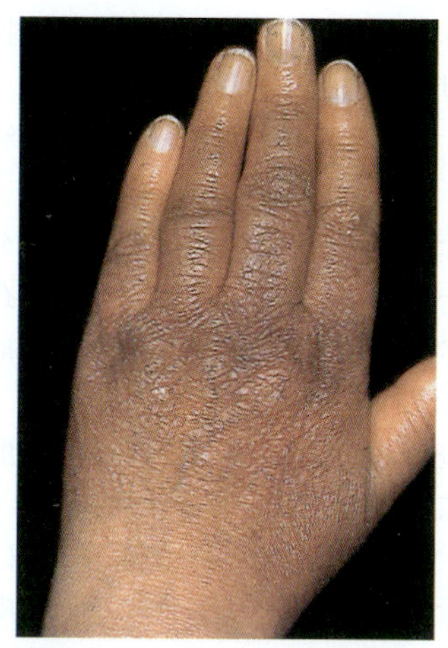
図 30-13　慢性萎縮性肢端皮膚炎

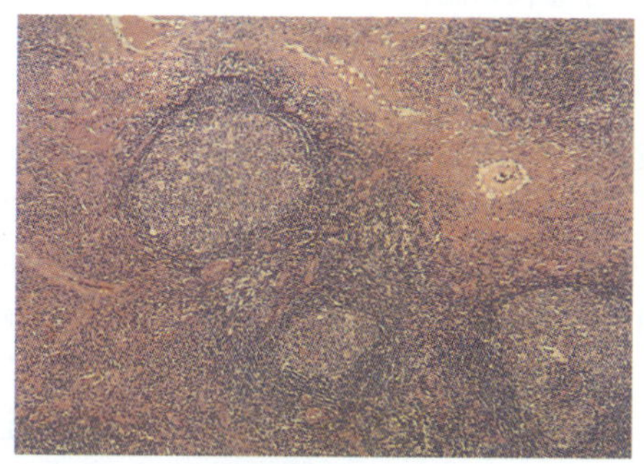
図 30-14　リンパ濾胞構造

治療

ECM：ドキシサイクリン 200 mg/ 日・アモキシシリン 1,500 mg/ 日・セフロキシムアキセチル 1,000 mg/ 日経口投与が第一選択で，2〜3 週間連続．神経症状など：セフトリアキソン 2 g/ 日点滴 2〜3 週間．妊婦にはペニシリン系を用いる．

予防

布目の細かい，明るい色の長袖，長靴などを着用．着衣に，また乳幼児・老人では頭部にマダニの付着を調べる．咬着マダニは虫体を破損しないように除去．汚染地域で刺咬された場合は抗生物質の予防投与（5〜7 日）．

3　昆虫による皮膚疾患

1. シラミ（虱）症 pediculosis, sucking louse　○

シラミは宿主特異性が強く，ヒトにはヒトジラミ（アタマジラミとコロモジラミの亜種あり）とケジラミの雌雄の幼・成虫が寄生・吸血する．

①**アタマジラミ症（*Pediculosis capitis*）**（図 30-15）：ヒトジラミ科のアタマジラミ（体長メス 3〜4 mm，オス 2 mm）．後頭側頭に多く寄生し，卵が点状に白く見える．無症状のこともあるが，寄生後数ヵ月で成虫が増えると瘙痒が起こる．小

児・女子に多い．0.4％フェノトリン（スミスリン）シャンプー，ジメチコン製剤，ベンジルアルコール製剤，すき櫛で根気よく虫と卵を除去し，あるいは散髪する．近年，フェノトリン抵抗性のアタマジラミが増えていると指摘されている．時々幼児・学童間に流行．

②**コロモジラミ症**（***Pediculosis humanus***）：ヒトジラミ科のコロモジラミ（アタマジラミより少し大きく，メス3〜4 mm，オス2〜3 mm，卵0.5×0.3 mm）．衣服の縫目などに産卵，皮膚に付いて吸血し，被覆体幹部・頸部に紅斑・膨疹・小結節・血痂と痒みを生じる．近年ホームレスの人々に流行．

③**ケジラミ症**（***Pediculosis pubis***）（Linnaeus 1758）（図30-16）：ケジラミ（昆虫綱，シラミ目，ケジラミ科，ケジラミ）は横幅が広く淡褐色を呈し，体長メス1.0〜1.2 mm，オス0.8〜1.0 mm，カニに似ているのでcrab liceとも呼ばれる．卵は灰白色，一端をセメント様物質で毛髪に固定，1週で孵化，13〜16日間に3回脱皮して成虫と化す．成虫は1ヵ月生存．主として陰毛，時に腋毛・須毛・眉毛・睫毛にも寄生し，毛幹の根元に灰白色の点状物としてみられ，瘙痒は比較的少ない．性感染症として再び増加している．その他，家庭内・合宿・集団生活などでの直接・間接接触（寝具・タオルを介して）などでも感染する．0.4％フェノトリンパウダー・シャンプー（スミスリン：3日おきに3〜4回，5〜10分間つけ，次いで洗い落とす），剃毛，すき櫛，睫毛ではピンセットで除去．

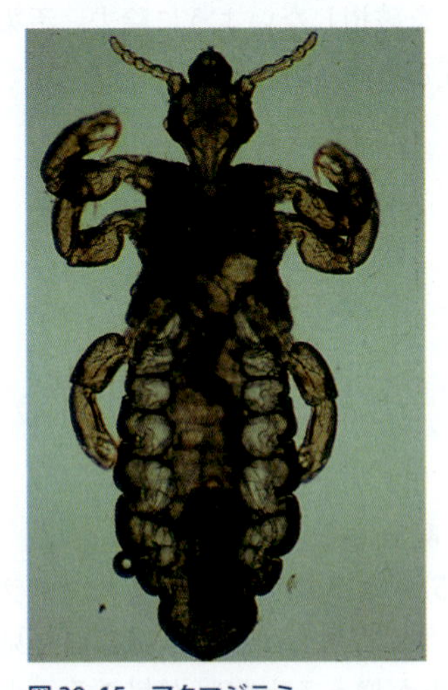
図30-15　アタマジラミ

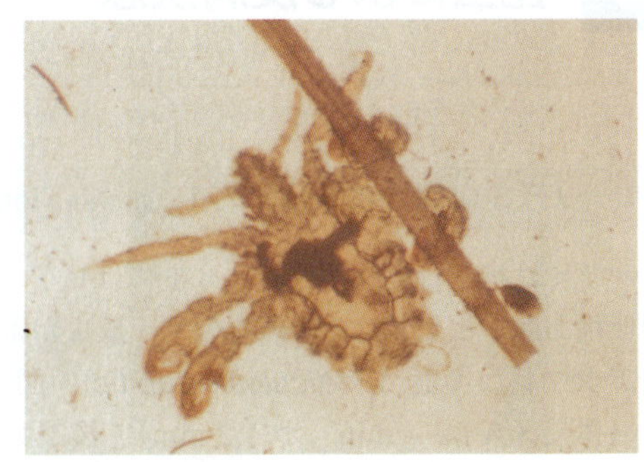
図30-16　ケジラミ

表 30-1　シラミ症の分類

	産卵期間	1 日産卵	総数	孵化期間	寄生部位
アタマジラミ	1ヵ月	3〜9 個	100 個	7 日前後	頭毛
コロモジラミ	1〜1.5ヵ月		200〜300 個		着物
ケジラミ	3〜4 週	1〜4 個	30〜40 個		陰毛（腋毛） （時に頭毛・睫毛）

表 30-2　昆虫，節足動物による皮膚病変

原因虫	発症様式	病変，特徴，その他
昆虫		
ハチ	刺咬	紅斑・浮腫・痛み，ハチアレルギー（アナフィラキシー）.
アリ	刺咬	紅斑・浮腫・痛み.
カ	吸血	紅斑・浮腫・痒み，重症型蚊刺過敏症. 媒介：デング熱，日本脳炎.
ブユ	吸血	小出血点，腫脹と痒み，痒疹.
アブ	吸血	刺傷時に激痛.
ヌカカ	吸血	刺傷時チクチク痛い.
ノミ	吸血	紅色丘疹，下腿に多い，ネコノミがほとんど.
トコジラミ（南京虫）	吸血	夜間，浮腫性紅斑が散在・集簇，痒い
ドクガ	毒針毛接触	直後膨疹様紅斑・痒み. 翌日以降に紅色丘疹多発，痒み強い.
イラガ	毒棘接触	浸潤性紅斑・痒み.
ハネカクシ	虫液接触	ピリピリ感，紅斑，水疱，びらん（線状）.
カミキリモドキ	虫液接触	ヒリヒリ感，水疱（カンタリジン）.
ヒトジラミ	寄生	頭髪に寄生，卵の付着，痒い.
ケジラミ	寄生	主に陰毛に寄生，卵の付着，痒み，性感染症.
その他の節足動物		
クモ	刺咬	疼痛，カバキコマチグモが多い，セアカコケグモが増加.
ムカデ	刺咬	激痛，紅斑・腫脹，スリッパや靴内で咬まれることも.
サソリ	刺咬	疼痛，紅斑・腫脹，日本の西南諸島のサソリは弱毒種.
ツツガムシ	咬着	媒介：ツツガムシ病，刺し口あり.
イエダニ	吸血	紅斑・紅色丘疹・漿液性丘疹，痒み，微細な刺点.
マダニ	吸血	媒介：ライム病，日本紅斑熱，重症熱性血小板減少症候群.
ヒゼンダニ	寄生	疥癬.
ニキビダニ	寄生	ニキビダニ症（痤瘡，酒皶）.

2. トコジラミ症 bedbug bite，cimicosis

昆虫綱，半翅目，トコジラミ科，カメムシ目のトコジラミ（*Cimex lectularius*, ナンキンムシ）はカメムシ類の中でヒトに吸血性があることで有名．成虫は5～7 mm 程度に成長する．原産は熱帯地方であるが温帯地方に蔓延する．最近，宿泊施設や家庭にも出没するといわれる．皮膚病変は紅斑・膨疹・丘疹・水疱から，膿疱・膿痂疹・癤など種々の相あり．壁の隙間・タタミ・天井・寝具などに潜み，炭酸ガスにひかれて夜間現れて吸血，露出部が侵されるので朝気づくことが多い．痒みが強い．刺口（小出血点）は2個といわれるが，1個のことが多い．皮表を転々とすることもある．春夏に多い．壁・床のすき間の清掃・殺虫．

3. ノミ（蚤）刺症 flea bite（図 30-17）

最近日本では，ネコノミ（*Ctenocephalides felis*，体長2～4 mm）によるものが多く，ヒトノミ（*Pulex irritans*，体長3 mm）はほとんどみられない．6～10月に多い．飼いネコのみならず，ノラネコの歩く土・砂にノミがいるので，ネコと直接接触しなくてもしばしば発生する．吸血のときに出す唾液（ヒスタミン・蛋白を含む）によって紅斑・膨疹・丘疹・出血，時に水疱を生じる．下腿に好発する（ネコノミの飛び上がれる高さ）．イヌノミ・スズメトリノミによることもある．ネコノミが「ネコ引っ掻き病」を媒介することがある．治療はステロイド外用，ペットにはフェニトロチオン（スミチオン）・フェノトリン（スミスリン）粉剤を用いる．

〔付〕**スナノミ症**：南米・アフリカ・インド・パキスタンなどの砂地に棲息するノミ（sand flea：体長1 mm）のメスが皮膚（下肢が多い）に頭からもぐり込み，中心に黒点（ノミの腹部）のある硬い小結節を形成し，痛痒い．吸血して成長し虫体は5～6 mm と大きくなり皮内に卵を産む（1日に150～200個）．時に二次感染をきたす．宿主はヒトを含む哺乳類（ブタ・イヌ・ウシ）である．いずれも該地への渡航者．虫体・虫卵の除去が必要．虫体に効果のある薬剤は現在のところない．

4. 蚊刺症 mosquito bite（図 30-18）

双翅目（カ・ブユ・アブ・ハエなど）の蚊メス成虫が吸血時に分泌する唾液腺物質による即時型，遅延型アレルギー反応．膨疹・紅斑・瘙痒を生じ1時間ほどで消褪，その後数時間で再び紅斑，さらに丘疹・水疱を生じ，2，3日で消褪する．稀に潰瘍化やショックをきたす（重症型≒蚊アレルギー）．アカイエカが最も多い．アブの刺傷時には強い痛みを伴うことが多い．コガタアカイエカは日本脳炎を，ハマダラカはマラリアを，アカイエカ・ハマダラカはフィラリア症を媒介する．最近は国内でもデング熱を媒介，同症が発生している（ヒトスジシマカ，ネッタイシマカ）．

5. ブユ（ブヨ・ブト）（蚋）刺症 Simuliidae, black fly bite（図 30-19）

下肢をはじめとして露出部に，中央に溢血点を伴った膨疹性紅斑を生じ，瘙痒が強い．慢性化して結節性痒疹をしばしば形成する．春から秋にかけて朝夕，小川・渓流の近くで刺される．体長 2～7 mm のメスの成虫が吸血する．キタオオブユ・キアシオオブユ・アシマダラブユ（以上山地性），アオキツメトゲブユ・ヒメアシマダラブユ・ニッポンヤマブユ（以上平地性）．

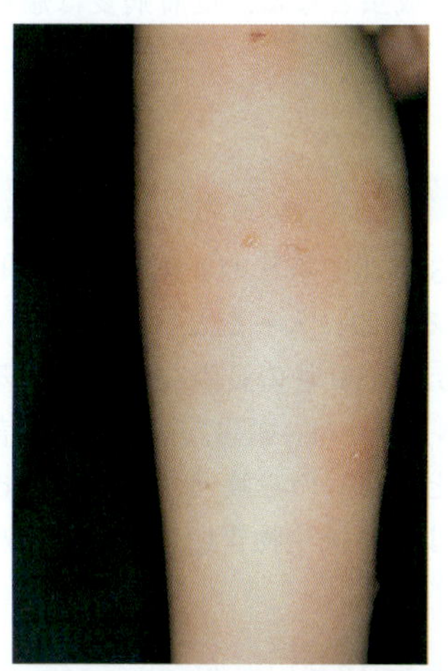

図 30-17 虫刺症（ネコノミ）

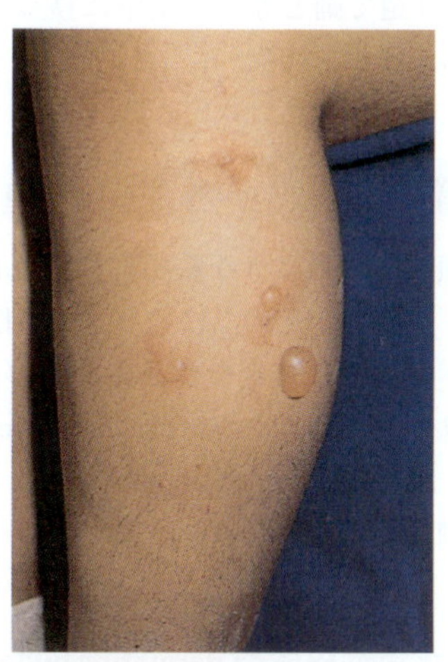

図 30-18 虫刺症（蚊）

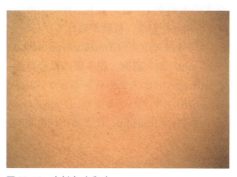

図 30-19 虫刺症（ブユ）

6. 蝿蛆病，ハエ症 myiasis

ハエの幼虫が起こす皮膚病変で，偶発性皮膚ハエ症と真性皮膚ハエ症とに分けられる．

①偶発性皮膚ハエ症は不潔な創傷・潰瘍や腫瘍部にキンバエ，ニクバエの幼虫が寄生，産卵により発症する．組織内に虫卵や動く蛆（ウジ）をみる．観血的に幼虫を摘出する．ヒロズキンバエの幼虫（医療用ウジ）を難治性潰瘍の治療に用いることがある．

②真性皮膚ハエ症は中南米のヒトヒフバエ，アフリカのヒトクイバエによる．渡航時に寄生，帰国後に医療機関を受診することがある．ハエが人体皮膚で吸血するときにヒト皮膚内に移る．皮内に入ると皮膚面に孔を開け，尾端気門で呼吸し，5〜10週で蛹となり，土中に移って2，3週で成虫となる．皮膚病変は癤様にみえる．圧出，切除．

7. 線状皮膚炎 dermatitis linearis（Asahi 1917）

顔頸・四肢のような露出部に毒液付着後2，3時間で線状の紅斑腫脹が生じ，小丘疹・小膿疱がその上に並び，灼熱疼痛感がある．眼に入ったときは結膜炎・角膜潰瘍・虹彩毛様体炎を生じ失明のおそれもある．6〜9月の日没後に飛行するアオバアリガタハネカクシ（*Paederus fuscipes*）（体長7 mm，頭黒，前・中胸橙黄，後胸黒，腹背橙赤，尾節黒，翅鞘青緑，脚黄褐色と多彩）の毒液（ペデリン pederin）の接触（手ではらいのけるため線状となる）による．抗生物質加ステロイド外用薬．

8. 水疱性皮膚炎 dermatitis bullosa（Matsunaga 1924）（図30-20）

露出部に小豆〜大豆大の水疱を1〜数個発生，容易に破れる．毒液付着後2〜6時間で発赤腫脹，次いで小水疱を形成，被膜が破れてびらんとなり，ヒリヒリ痛む．2週間ほどで治る．アオカミキリモドキ（*Xanthochroa waterhousei*, Harold 1875）（ヤケドムシ，体長9〜14 mm，頭・前胸・腹・脚部は橙黄色，上肢は緑色）・キクビカミキリモドキ（*X. atriceps*）・ヒメツチハンミョウ（*Meloe auriculatus*）・キイロゲンセイ（*Zonitis japonica*）・マメハンミョウ（*Epicauta gorhami*, 体長14〜17 mm，頭赤，体黒色）の毒液（cantharidin）による．抗生物質加ステロイド外用薬．

9. 毒蛾皮膚炎 Euproctis dermatitis（図 30-21）

毒針毛（長さ 0.1～0.2 mm）刺入直後チクチクした疼痛，数時間後には瘙痒を伴う浮腫性紅斑・丘疹が主として頸・顔・上胸・上背・側胸・上肢屈側に集簇，散在する．庭仕事をした日の夜か翌日に気づくことが多い．毒針毛内腔の毒液成分はプロテアーゼ・エステラーゼ・キニノゲナーゼ・ホスホリパーゼ A_2・ヒスタミン．毒針毛刺入の物理的刺激（真皮上層に達する）とこれら毒液の化学的刺激により炎症を生じる．

掻破すると毒毛がより深く入って悪化する．ガムテープで剝離を数回繰り返し，シャワーでよく流す．ステロイド外用薬，オイラックス H，止痒薬内服．

①**ドクガ**（*Euproctis subflava*，Bremer 1864）：毛虫（幼虫）はクヌギ・ナラ・サクラ・ウメ・リンゴ・バラ・カキ・ナシ・キイチゴ・ツツジの葉を食するので，これら樹木の手入れのあとに生じやすい．成虫によることが多い．6～8 月に孵化する．全国に分布する．

②**チャドクガ**（*E. pseudoconspersa*，Strand 1914）：毛虫はツバキ・サザンカ・チャに付着し，年 2 回発生するので 6，7 月と 10 月に主として南日本に被害が出る．幼虫によることが多い．

③**モンシロドクガ**（*E. similis*，Fuessly 1775）：ウメ・サクラ・クワ・バラ・クヌギ・カキに多い．成虫は年 2，3 回発生し（6～11 月），全国に分布する．

④**イラガ**（*Monema flavescens*，Walker 1855）：刺されると激しい痛みあり．カキ・ナシ・リンゴ，時にサクラ・モミジの葉を食べる．

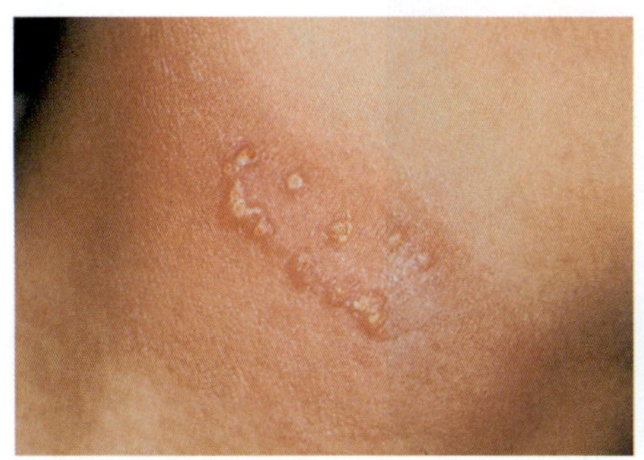

図 30-20 水疱性皮膚炎

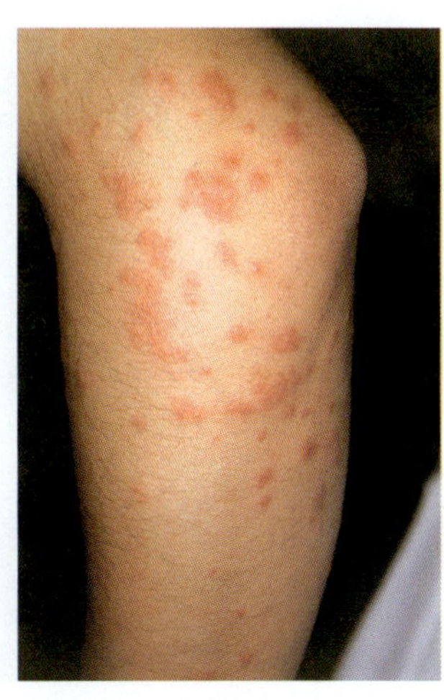

図 30-21 毒蛾皮膚炎

⑤その他，マツカレハ（アカマツ・クロマツ・ヒマラヤスギ），ツガケムシ（ツガ・モミ・マツ），タケノホソクロバ（タケ・ササ），ルリタテハ（ユリ），ツマグロヒョウモン（スミレ・パンジー），ナシケンモン（ナシ・サクラ・ヤナギ・ヨモギ・アブラナ），マイマイガ（ナシ・サクラ・リンゴ・ウメ・ビワ・カキ・クヌギ・カキ），クヌギカレハ（クヌギ・クリ・リンゴ）．

10. ハチ刺症 bee sting, stinging wasps（図 30-22）○

キイロスズメバチ，アシナガバチ（体長 10〜25 mm），ミツバチなどによることが多い．オオスズメバチは大きく攻撃性大，スズメバチは黒・青色や化粧香料に敏感に反応する．激痛・紅斑性浮腫，次いで斑状出血・水疱，時に潰瘍化．時に嘔気・呼吸困難・じんま疹・眩暈・腹痛・頭痛・意識障害・血圧低下，さらにショック死（ハチ毒のアレルギー反応：中高年男性，職業上ハチに刺される頻度の高いヒトに多い）．毒素はヒスタミン・セロトニン・キニン・アセチルコリン・ヒアルロニダーゼ・ホスホリパーゼ・ドパミン・コリンエステラーゼ・メチリン・アパミンなど．ハチの針（産卵管）は皮膚にとどまるので抜去しておく必要がある．ハチ毒圧出ないし吸出，流水で洗浄・冷却，抗ヒスタミン薬・ステロイド薬外用，キシロカイン局注，セファランチン静注，対ショック療法（携帯用エピネフリン皮下注薬）．ハチ毒素抽出液による脱感作療法も有用．

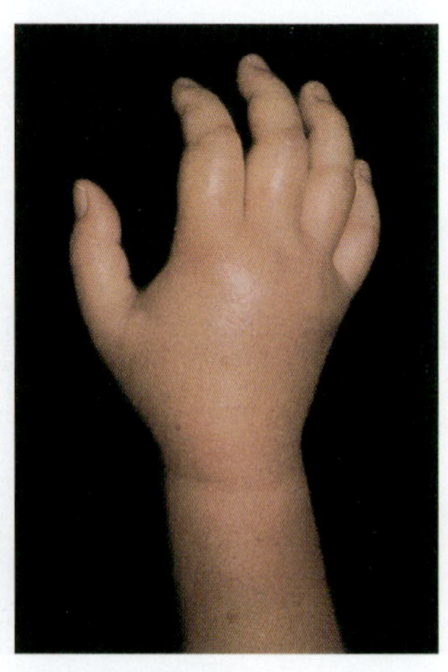

図 30-22　蜂刺傷

11．アリ刺症 ant bite

オオハリアリ（*Brachyponera chinensis*）（体長は女王蟻 7 mm，職蟻 4〜4.5 mm，尾端に毒針，オスは刺さない）は日本全土に分布，湿った腐食土・朽木に住んでおり，室外であるいは室内に飛来してヒトを刺す．6〜7 月に多い．激痛・浮腫性紅斑を生じる．*Solenopsis* 属（fire ants）では局所だけでなく，全身の瘙痒・浮腫，粘膜浮腫，呼吸困難，頻脈，眩暈，血圧低下，腹痛，アナフィラキシーショックをきたすことあり．

4　クモ刺咬症，ムカデ咬症，サソリ刺症

1．クモ刺咬症 arachnidism，spider bite

①日本ではカバキコマチグモ（*Cheiracanthium japonicum*，体長 10 mm，背甲は橙黄色，顎部は黒色）による咬症が多い．突然刺痛あり，次いで局所の紅斑・浮腫を生じ，その中に小出血咬創が 2 個ある．痛みが続くことも．発熱，呼吸困難など全身症状を呈することあり．稀にショック．神経毒（カテコールアミン類・セロトニンなど）．
対症療法：セファランチン，局所的には局麻・ステロイド軟膏・冷湿布・60％リドカインテープ貼布．

②外来産のセアカゴケグモ（*Latrodectus hasseltii*，red-back spider．メスの体長 10 mm，背甲に赤い菱形，腹部に赤い砂時計様マークがある）咬症が近畿地域を中心に，次第に関東方面各地でも報告されている．刺咬時は気づかないこともあるが，1 時間くらいして発赤・腫脹とともに痛みが出現，全身症状やアナフィラキシーショックも稀にある．強い神経毒（α-ラトロトキシン）．抗血清も一部では使われている．

2．ムカデ咬症 chilopodiasis，centipede bite

オオムカデ属（*Scolopendra*）のトビズムカデ（本州・四国・九州），アオズムカデ，アカズムカデ，タイワンオオムカデ（沖縄）による．溶血素・ヒスタミン・ヒアルロニダーゼ・セロトニン・サッカラーゼなどを含むムカデ毒の化学反応と毒成分へのアレルギー反応とで激しい炎症を生じる．強い疼痛と紅斑・浮腫・腫脹，2 個の

咬点（丘疹・出血）あり．全身反応（呼吸困難・意識障害）を伴うこともある．ムカデは夜間に活動し昼は石・落葉・ごみ・植木鉢などの下に潜む．5～11月に多い．フェニトロチオン・マラチオンなどの有機リン系殺虫剤が有効．軽症例にはステロイド外用・抗ヒスタミン薬内服，疼痛が強ければ局所麻酔薬，アナフィラキシーなど重症例には血管確保・ステロイド静注・セファランチン静注・エピネフリン筋注．

3．サソリ刺症 scorpion sting

日本では八重山群島（マダラサソリ・ヤエヤマサソリ）・硫黄島・小笠原群島（マダラサソリ）に棲息するが，いずれも弱毒性．近時輸入木材に潜み，あるいはペットショップで販売されることより上記以外でも散発する．*Chactidae*（ヒゲナガサソリ科）サソリ（600種のサソリの1/6）は局所毒（5'ヌクレオチダーゼ・ヒアルロニダーゼ・蛋白分解酵素・セロトニン・ヒスタミン）を有し，局所に激痛・発赤腫脹・壊死とリンパ管炎・リンパ節炎をきたすが，数日で軽快．神経毒を有する *Buthidae*（キョクトウサソリ科）サソリ（サソリの大部分）では全身症状（悪心・嘔吐・発汗・徐脈・血圧上昇・けいれん・呼吸困難）をきたし，稀に死亡することもある．

治療は①中枢側緊縛（10分ごとに1分緩める），②冷却，③ステロイド外用，④局所疼痛対策，⑤抗ヒスタミン薬・グリチルリチン・セファランチン，⑥アドレナリンα受容体遮断薬，硫酸アトロピン，⑦全身的症状の対症療法，⑧サソリにはフェニトロチオン・ダイアジノン・DDVPなどの殺虫剤．

5　クリーピング・ディジーズ（皮膚幼虫移行症）（図30-23，24）○

クリーピング・ディジーズ（creeping disease）とは，ヒトを固有宿主としない寄生虫の幼虫が皮内，または皮下を遊走するために不規則に爬行する線状隆起性紅斑（進行性爬行疹，線状爬行疹）を生じる疾患群で，時に先端の小黒点部に虫体を発見できる．日本では顎口虫（淡水魚生食）を原因とするものが多く，旋尾線虫（ホタルイカ・ヤリイカ・ハタハタの生食）・マンソン裂頭条虫（幼虫汚染の自然水やヘビ・カエル・トリなどの肉の生食）・鉤虫（幼虫汚染の水辺・砂浜・湿地などで経皮感染）・糞線虫（奄美・沖縄などに多く，幼虫の経皮感染）・イヌ鉤虫（海外での感染例の増加）などがある．鉤虫症は下腿に好発するが，他は体幹・大腿に線状皮疹をみることが多い．全身症状（発熱・倦怠感・腹痛・下痢）・好酸球増多症を

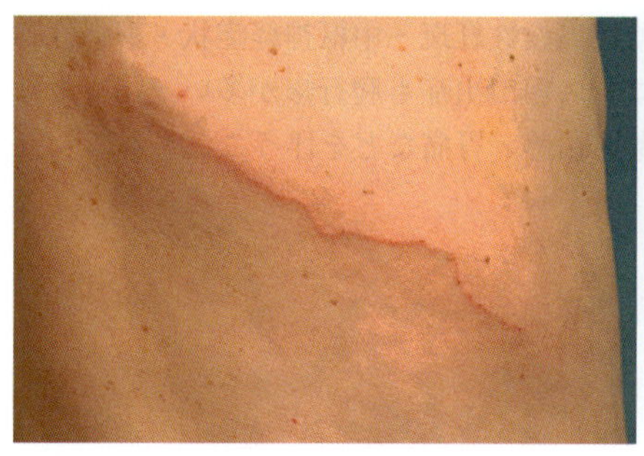

図 30-23 クリーピング・ディジーズ

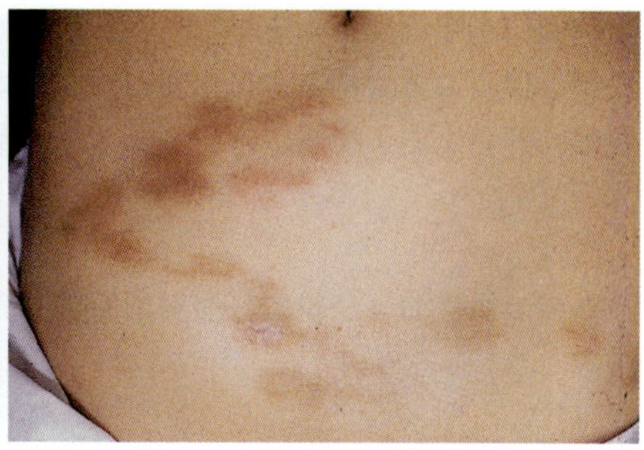

図 30-24 クリーピング・ディジーズ

伴うことあり．虫体摘出・皮内反応・血清反応で診断．

1. 皮膚顎口虫症 gnathostomiasis cutis ○

顎口虫症は有棘顎口虫（*Gnathostoma spinigerum*, Owen 1836），日本顎口虫（*G. nipponicum*）と外来種の剛棘顎口虫（*G. hispidum*）による．

疫学・病因

顎口虫はケンミジンコを第1中間宿主，魚類・両生類を第2中間宿主としている．ヒトは第2中間宿主や待機宿主（魚類・爬虫類・哺乳類）を生食して感染する．有棘顎口虫症は移動性の限局性浮腫（長江浮腫，ラングーン腫）が主徴で，雷魚・ボラ・フナ・コイなどの淡水魚の生食により感染する．国内では激減して，最近はほとんどが海外で感染して持ち込む輸入感染例である．近年は台湾・中国・韓国産“ドジョウのおどり食い”での外来性の剛棘顎口虫感染が多かった．西日本に散発し，爬行疹を呈する．最近，日本顎口虫（ドジョウ・マス生食，イタチが終宿主），ドロレス顎口虫（*G. doloresi*）（ヤマメ・ヘビ・カエル生食，イノシシが終宿主）による発症がみられ，これも爬行疹を呈することが多い．

有棘顎口虫の終宿主がイヌ・ネコであるのに対し，剛棘顎口虫・ドロレス顎口虫のそれはブタ・イノシシであり，その肉の生食によっても感染する．ヒトに感染したときは成虫になれず，幼虫のままで移動する．

症状

第2中間宿主生食後数週～数ヵ月で発赤腫脹が生じる．有棘顎口虫症は移動性の限局性浮腫を主徴とする．浮腫性腫脹は数日後には移動し，数週間～数ヵ月後に再び別の部位に移動する．顔面に好発，四肢では中枢より末梢に向かうことが多い．

30章

剛棘顎口虫症は爬行疹を呈し，さらに移動性出没性紅斑・中枢神経症状・一過性肺浸潤を伴うこともある．日本顎口虫，ドロレス顎口虫症も爬行疹が多い．爬行疹は腹部に好発する．初期に頭痛・微熱・全身違和感・胃痛などを伴うこともある．

検査所見

高度の血液および組織好酸球増多症，高 IgE 血症．

診断

皮内反応，ゲル内沈降反応（オクタロニー法・電気泳動法），ELISA 法，補体結合反応，蛍光抗体法，皮膚などよりの虫体確認による．なお，4 種類の顎口虫は頭球棘列の形態・数，腸管上皮細胞の形態・核数で鑑別する．

治療

虫体の摘出，アルベンダゾール（エスカゾール），イベルメクチン，スパトニン．

2. マンソン裂頭条虫症 sparganosis mansoni，マンソン孤虫症

生活史・感染（図 30-25）

マンソン裂頭条虫（*Spirometra*）は終宿主（イヌ・ネコなど）の糞便中の卵が水中で孵化して第 1 中間宿主（ケンミジンコ *Cyclops*）に入り，プロセルコイドとなる．このプロセルコイドが第 2 中間宿主（ヘビ・カエル・ニワトリ・ブタ・スッポン）に入りプレロセルコイド（*plerocercoid*，幼虫，長さ 4〜70cm の紐状）になり，この第 2 中間宿主を捕食した終宿主の腸管内で成虫となる．①第 2 中間宿主生食（ヘビ・カエルなどの生肉やヘビ・スッポンなどの生血を食する），②感染ケンミジンコ水を飲んで，人体に感染する（潜伏期 2 週〜10 年）が，③民間療法〔眼病にカエル生肉を眼にあてる（タイ・ベトナム），傷口にカエルの皮膚・生肉をあてる（中国）〕による経皮感染も稀にある．

ヒトは第 2 中間宿主に当たるのでほとんどが幼虫の感染で（幼虫移行症 larva migrans），成虫になることはないが，稀に成虫の腸管内感染もみられる．日本では全国に散発．海外でも中国・東南アジア・インド・アメリカ・オーストラリア・アフリカなど各地に．

症状

70％が皮膚を侵し，皮下脂肪の多い腰腹部に握雪感のある移動性索状物として触れる．線状爬行疹のこともある．稀に肺（咳・痰・呼吸困難・肺炎様症状）・眼窩

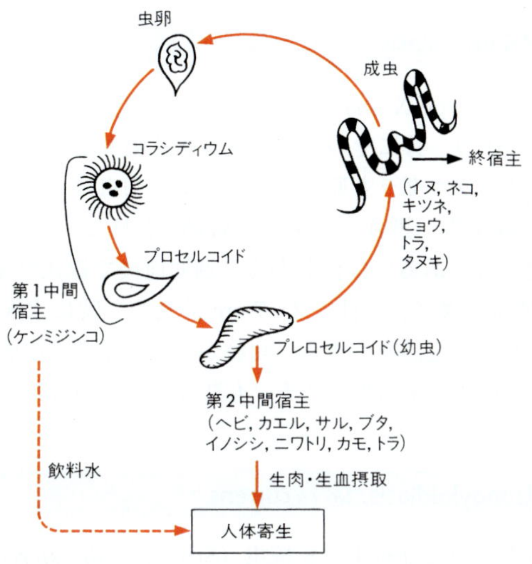

図 30-25　マンソン裂頭条虫の生活史（向井原図）

（眼球突出・眼圧上昇・疼痛・眩暈・失明）・尿路（排尿痛・血尿・尿閉・膀胱痛）・消化器・関節・心外膜（胸痛・心包炎）・頭蓋内（知覚麻痺・健忘）を侵す．好酸球増多症・赤沈促進・CRP 陽性．

診断

①皮内反応（幼虫を抗原，永続性）．
②免疫学的診断（プレロセルコイド抗原を用いた ELISA 法・オクタロニー法，虫体除去後 3〜6ヵ月で陰性化し，予後判定に役立つ）．
③その他（間接蛍光抗体法・沈降反応・二重拡散法）．

治療

外科的切除（幅 1 mm，長さ 10 cm ほどの乳白色虫体を確認），アルベンダゾール，プラジカンテル，時に，ノボカイン・エタノール液局注を試みることも．

予防

動物肉・血液の生食を避ける．

3. 旋尾線虫症 Spiruriniasis

旋尾線虫X型幼虫（type X *larva* of the superfamily *Spiruroidae*）によるヒト寄生虫感染症．ホタルイカ，特にその内臓の生食が感染源として多いが，他にハタハタ，スルメイカ，スケソウダラも原因となりうる．幼虫は－30℃で4日間凍結，または加熱処理で死滅する．摂食・感染後数時間～2日でイレウスなどの腹部症状（急性腹症型）をきたす，あるいは摂取から2週間前後で線状の爬行疹を呈する（皮膚型）．爬行疹は腹部に多く，1日に2～7 cm伸長し，時に水疱を形成する．生検で虫体を検出できれば確定診断できる．食歴が診断に重要．皮膚爬行症は虫体の摘出，急性腹症は対症療法，イベルメクチンも期待されている．

4. 糞線虫症 strongyloidiasis, larva currens

熱帯・亜熱帯の土壌中に分布する糞線虫（*Strongyloides stercoralis*）による寄生虫感染症．糞線虫はヒトを固有宿主とするが，爬行疹を生じる．十二指腸や空腸の粘膜・粘膜下組織に寄生する成虫が産卵，孵化した幼虫は腸管に移動して糞便中に排出され，土壌中でフィラリア型幼虫に変態し，皮膚や粘膜を通ってヒトに感染．皮膚では，蛇行状の遊走性じんま疹様病変が特徴で，臀部・鼠径部・体幹に好発する．1時間に5～10 cmの速度で移動し，数時間～数日で消え，これを繰り返す．腹痛・嘔気・嘔吐・下痢・便秘・イレウスなどの消化器症状や肺炎などの呼吸器症状をきたすこともある．糞便中の幼虫を確認すれば診断できる．イベルメクチンが第一選択．

6　海・水生動物による皮膚症

1. クラゲ刺症 jellyfish sting（図30-26，27）

クラゲ触手表面の刺胞内の有毒刺糸が皮膚に刺入・注入されて皮膚炎を生じる．はじめ灼熱感・激痛あり，点状～線状に紅斑・じんま疹様皮疹を生じ，時に皮下出血・壊死化する．発熱・悪寒・全身筋肉痛・胸内苦悶・嘔吐・腹痛などのショックをきたし，稀に死亡する．カツオノエボシ（大部分，8月土用波の頃）・アンドンクラゲ・シロガヤ・ヒクラゲ・アカクラゲ・ハナガサクラゲ・イラモ・ハブクラゲ（沖縄，猛毒）．熱い砂をかけ（毒は熱に弱い），水（できれば海水，真水では刺胞

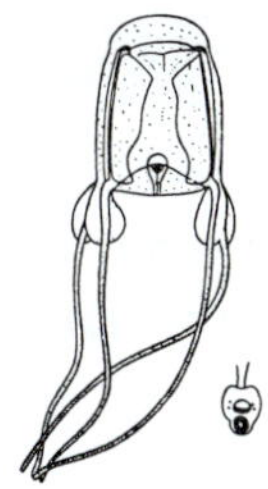

図 30-26
左：アンドンクラゲ（*Charybdea rastonii*）
右：カツオノエボシ（*Physalia physalis utriculus*）（新日本動物図鑑より）

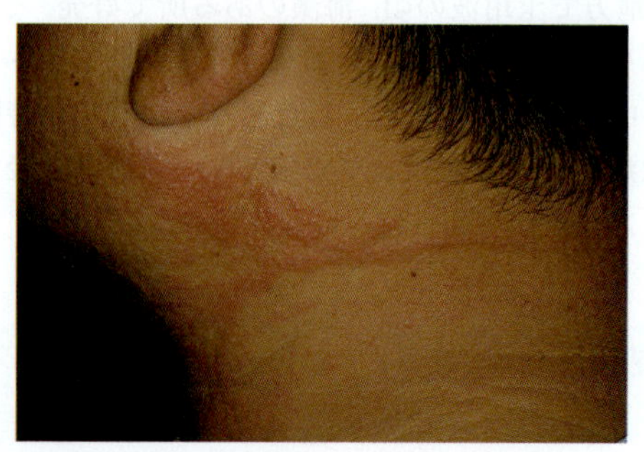

図 30-27 クラゲ刺症

が反転し，毒が皮内に入りやすい）でよく洗い流し，アルコール・酢をかけて無毒化．カチリ・抗ヒスタミン薬・ステロイド軟膏・キシロカインゼリーなど．局所治療が不十分だと再燃する．全身症状への対応（ステロイド薬）．

2. サンゴ皮膚炎 coral dermatitis

サンゴの刺糸に刺され，毒液が注入されて発症．刺傷時疼痛あり，数時間～1日で瘙痒ある丘疹・小水疱・潮紅を生じる．稀にアナフィラキシーショック．イシサンゴ（サンゴ礁を構成）では毒力弱く，外殻による外傷が多い．アナサンゴモドキ（南太平洋・インド洋・カリブ海のサンゴ礁を構成）は毒力が強く，発赤腫脹も高度．近年ダイビングによることが多い．ステロイド薬外用，石灰質骨格を除去．

3. ウニ棘刺症 sea urchin granuloma

ウニの棘の刺入による．有毒種（ラッパウニ・イイジマフクロウニ）では激痛あり，腫脹・発赤も強く，嘔吐・筋麻痺・呼吸困難をきたす．無毒種（ムラサキウニ）は棘による疼痛と発赤，しばしば肉芽腫を形成する．棘の完全除去，肉芽腫にはステロイド局注・冷凍療法・切除．

4. 海水浴皮膚炎 sea bather's eruption，プランクトン皮膚炎

動植物性プランクトン〔エビ・カニの幼虫ゾエア（0.3～0.5 mm大)〕の棘による刺傷が原因．湘南地方で土用波の頃，海藻のある所で好発．その他，広島・松山・鳥取・マイアミ・ハワイでも見られる．海水浴時にプランクトンが水着内に入りこみ刺傷する．海水浴中・直後にちくちくした痛みを感じて数時間～数日後に水着の形に一致して紅色丘疹が一斉に播種・多発して痒い．海水浴後すぐ水着を脱いで皮膚を水でよく洗う．ステロイドの外用・時に内服．

5. セルカリア皮膚炎 cercarial dermatitis，swimmers itch，水田皮膚炎（図30-28）

水田作業中や水泳中に主に四肢に瘙痒性紅斑・丘疹・水疱を生じる．掻破により膿疱となり，表皮肥厚などで運動障害・爪甲の変形をきたし，反覆により増悪する．貝を中間宿主とするトリ（ムクドリ・カモ）・ネズミ・ウシの住血吸虫（*Bilhar-*

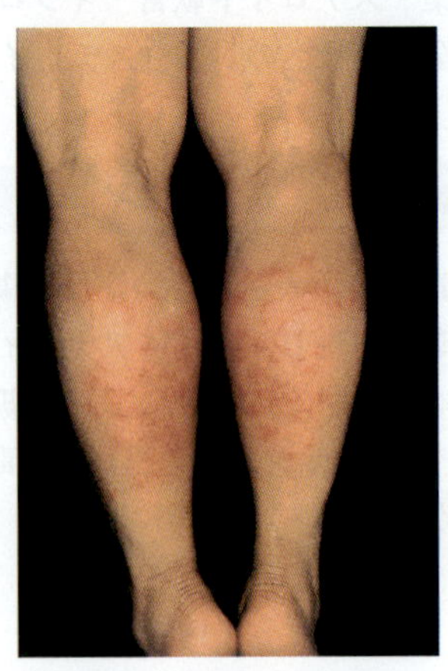

図30-28　セルカリア性皮膚炎

ziellinae 亜科の *Trichobilharzia*, *Gigantobilharzia* および一部の *Schistosoma* 属のセルカリア）の経皮侵入による．4～10月特に田植期に多い．宍道湖西岸の農夫に多いことから湖岸病とも呼ばれる．水田・湖の貝（ヒメモノアライガイ・モノアライガイ・ヒラマキモドキ）からの病原性セルカリアの検出，血液学的診断（cercarial envelope 法・間接蛍光抗体法）．予防は貝の駆除，長靴・手袋の使用，抗生物質加ステロイド外用．

6. 日本住血吸虫症 schistostomiasis japonica

日本住血吸虫（*Schistosoma japonicum*）の経皮感染（中間宿主ミヤイリガイより水中に遊出したセルカリア）で，中国（揚子江流域）・東南アジアに分布，日本では近年激減して終息宣言が出されている．かつては甲府盆地（山梨病・甲運病）・広島（片山病）・佐賀・岡山・茨城県の河川地域にみられた．6，7月頃水田に入った農夫の足に瘙痒性小丘疹から硬結，潰瘍を生じるとともに粘血下痢をきたし，慢性化して貧血，肝脾腫（→肝硬変，腹水），腹痛，虫卵による血管栓塞のためてんかん，呼吸困難，心包うっ血症状，心窩部痛をきたす．診断は便中虫卵，免疫血清診断（COPT；circumoval precipitation test），肝エコー（石灰化・魚鱗状パターン）などによる．水田に入るときは長靴を用い，ミヤイリガイの駆除を図る．

7. 毒ヘビ咬傷 venomous snakes bite

ヘビ2,900種のうち500種ほどが毒ヘビといわれる．日本の毒ヘビ咬傷は，マムシ，ハブ，ヤマカガシによる．

1）マムシ（蝮）*Agkistrodon blomhoffii*（クサリヘビ科）

ニホンマムシは，頭が三角形，背面に褐色銭形斑が多数あり，体長40～60 cm，尾は細い．上顎先端に2本の長い毒牙を持ち，出血毒の一種を注入する．四肢末梢に2個の咬傷を生じ，発赤腫脹・皮下溢血斑を生じ，患肢は腫脹，リンパ管炎・リンパ節炎をきたす．激痛のため歩行不能となることも多い．発熱・眩暈・頭痛・霧視・眼筋麻痺・呼吸促迫が出現，時に受傷2日ほどで急性腎不全・DIC・心筋変性のため死亡する．水辺に近い草むらに棲み，5～10月の夕方より夜にかけて活動する．咬まれれば中枢側を緊縛し，安静保持．6時間以内にマムシ抗毒素血清の投与．セファランチン注射．急性腎不全やDICの検索と治療．抗毒素投与時にはアナフィラキシーや遅延型アレルギーに注意．

2）ハブ *Trimeresurus flavoviridis*（クサリヘビ科）

ハブは奄美大島・徳之島・沖縄本島に多く，体長1.2〜1.5 m. 4〜6月，10〜11月，夕方から夜にかけて活動．マムシと同様に上顎に長い2本の毒牙を有し，出血毒（出血作用・筋融解壊死作用）を咬傷部に注入する．激痛・出血（牙痕からダラダラと続く）・腫脹・壊死・筋壊死・ミオグロビン尿症・呼吸困難・ショック．時に循環不全・ショックで死亡．できるだけ早期に咬傷部から毒を吸引し，切除，または切開して血液を圧出，冷却，指尖チアノーゼ・しびれなどの循環障害があれば減圧切開，筋膜切開．ハブ抗毒素血清（6時間以内）・セファランチン注射，輸液（乳酸加リンゲル1,000〜1,500 mL/6〜8時間）などの療法．ミオグロビン尿症があれば輸液で利尿を図る．

3）ヤマカガシ *Rhabdophis tigrinus*（ナミヘビ科）

北海道，南西諸島以外に棲み水辺に多い．奥歯の根元や頸腺に毒腺を有する．血小板破壊性の出血毒で，咬まれると牙傷部より出血，全身的に皮下出血をきたし，血尿・血便・脳内出血などのDIC．局所の疼痛や腫脹は軽度．抗毒素血清が有効．軽症にはセファランチン注射．

8. その他の有害動物による皮膚症

1）ヒル咬傷，ヒル症 hirudiniasis，leech bite

ヒルは環形動物門ヒル綱に属し，体長0.2〜40 cmで淡水に，あるいは陸上に棲む．日本では主として *Hirudo nipponica*（チスイビル・ミズビル），*Dinobdella ferox*（ハナビル），*Haemadipsa zeylanica*（ヤマビル）が咬傷・吸血する．唾液中にはヒルジン（抗凝血作用）が含まれ，血管拡張作用や局所麻酔作用もある．体重の5〜10倍量を吸血する．浮腫性紅斑・膿疱・肉芽腫・潰瘍をもきたす．リンパ球・好酸球浸潤，flame figureを示す．虫体完全除去（食塩水の滴下など刺激で除去）と止血．

◎2）フィラリア症（糸状虫症）filariasis，くさふるい

悪寒戦慄・発熱・頭痛・腰痛・関節痛とともに下肢・陰嚢に発赤腫脹．数日で軽快するが反復し，**象皮病（elephantiasis）**に移行する．リンパ管拡大・リンパ節腫大・副睾丸炎・睾丸炎・乳糜尿・乳糜胸腹水・乳び性下痢などあり．鹿児島・沖縄に多いといわれたが，徹底した防除対策により，新感染はなくなったと思われる．バンクロフト糸状虫は世界に広く分布し，特に東南アジア・インド・スリランカ・オーストラリア・中南米に多い．日本ではほとんどがバンクロフト糸状虫によるもので，イエカ，特にアカイエカ，時にハマダラカが媒介する．マレー糸状虫は東南アジアに多い．診断はミクロフィラリア検出（夜間耳朶・指尖より血液塗抹標本を作りギムザ染色)，摘出リンパ節より成虫検出，皮内反応，CF 法，免疫電気泳動法（オクタロニー法）による．治療はジエチルカルバマジン（スパトニン)，外科的切除．

3） 皮下囊尾虫症，有鉤囊虫症 cysticercosis hominis subcutanea，cysticercosis cellulosae

有鉤条虫（*Taenia solium*）の幼虫である囊尾虫（*Cysticercus cellulosae*）の皮下寄生．体幹四肢に多数の豌豆大，表面平滑，軟骨硬の皮下硬結を生じる．ブタ肉生食で虫卵を摂取，六鉤幼虫が腸管壁を通過して皮下・横紋筋・脳・心筋・眼に球状囊を作る．ブタのほかイノシシ・ヒツジ・イヌ・ネコ・サル・ネズミも中間宿主となりうる．診断は虫体・虫卵検出・補体結合反応・ゲル内沈降反応（オクタロニー法・免疫電気泳動法）による．寿命は皮下で 3～6 年，脳で 12～15 年という．外科的切除・プラジカンテル（ビルトリシド）内服．

4）アニサキス症 anisakiasis（図 30-29）

生魚・イカなどの摂取後，激しい腹痛とじんま疹発作を生じる．アニサキス幼虫が消化管粘膜に穿入するときに排出する分泌抗原に対するアレルギー反応と考えられている．虫体に対する異物反応として好酸球性肉芽腫を形成することもある．抗アニサキス IgE 抗体上昇．

予防：生食を避ける．加熱後に食する，あるいは冷凍処理後のものを食する．

治療：幼虫虫体の鉗子摘出，あるいは対症療法．

図 30-29 アニサキス

5）蟯虫症 oxyuriasis，enterobiasis

蟯虫（*Enterobius vermicularis*）は線虫の一種で，その成虫は盲腸付近に寄生，夜間肛門括約筋が弛緩すると雌虫（8～13 mm）が肛門より出て肛囲・会陰の皮膚に産卵する（1 万個，メスは直ちに死滅する)．このとき痒みや不快感を生じ，皮膚炎や掻破に伴う湿疹化をきたす．幼児に多く，肛門とその周辺が侵される．夜間肛門部の虫体の確認，早朝スコッチテープ法・KOH 法での鏡検で診断．ピランテル（コンバントリン）内服．

6）リーシュマニア症 leishmaniasis

鞭毛虫類のトリパノソーマ科に属する *Leishmania* 属の原虫による人畜共通疾患の一つ．サシチョウバエがたまたまヒトを刺して感染する．元来熱帯・亜熱帯で流行し，日本には輸入症例として入る．以下の病型を区別するが，原虫の種類や患者の免疫状態による．

治療はアムホテリシン系製剤の静注，5価アンチモンの静注または筋注，ミルテホシンの経口投与など．流行地では虫に刺されない注意を．

①**皮膚リーシュマニア症 cutaneous l.**（東方腫 oriental sore）：虫刺され様丘疹から潰瘍・結節を形成する．自然退縮することも，再発を繰り返して衛星状病巣やリンパ行性の連鎖状結節を，さらに全身皮膚に結節が多発することもある．

②**粘膜皮膚リーシュマニア症 mucocutaneous l.**：中南米に多い（*L. braziliensis*）．鼻が崩れてバクの鼻（tapia nose）を呈する．

③**内臓リーシュマニア症 visceral l.**（カラ・アザール Kala-azar）：肝脾腫をきたし，予後不良．*L. donovani*，*L. chagasi* による．近時 HIV 感染者での日和見感染として重要．

④**カラ・アザール後皮膚リーシュマニア症 post-kala-azar dermal l.**：前者治癒後数ヵ月～数年で皮膚に汎発性結節を生じ，患者が保虫宿主となる．

7）赤痢アメーバ症

赤痢アメーバ（*Entamoeba histolytica*）の腸管寄生感染症で熱帯・亜熱帯地方にみられる．皮膚病変をきたす皮膚アメーバ症に AIDS など免疫不全患者やさらに輸入感染として日本でも遭遇する．肛囲・臀部に皮下膿瘍や潰瘍を形成する．メトロニダゾール内服．

8）マイコプラズマ感染症 mycoplasmataceae

Mycoplasma pneumoniae（PPLO）感染（マイコプラズマ肺炎）で，多形滲出性紅斑・水疱・紅斑・丘疹・アフタ様粘膜疹を生じることがある．テトラサイクリン・マクロライド系著効．

第31章 性病・性感染症

従来梅毒・軟性下疳・鼠径リンパ肉芽腫症（第四性病）・淋疾の4疾患を性病（venereal diseases）と呼んでいたが，近年，性行為と関連して感染する疾患を性感染症（STD；sexually transmitted disease）として広義に解し，ヒト免疫不全感染症/AIDS・性器クラミジア感染症・性器ヘルペス・尖圭コンジローマ・性器伝染性軟属腫・A，B，C，G型肝炎・腟トリコモナス症・細菌性腟症・性器カンジダ症・赤痢アメーバ症・毛じらみ症・非クラミジア性非淋菌性尿道炎を含めている．性行動が若年化，多様化し，また一方で衛生指向や各種治療法の普及などによりSTDもその様相を変えている．一時梅毒は激減したが，最近は微増の傾向にある．軟性下疳・鼠径リンパ肉芽腫症は極めて稀である．

ここでは従来の性病の梅毒・軟性下疳・鼠径リンパ肉芽腫症を扱い，皮膚病変に関連する他の性感染症はそれぞれの章で記述する．

1 梅毒 syphilis, lues ◎

1. 歴史・疫学

梅毒は世界中にみられる性感染症であるが，その頻度は地域，国家の社会・経済状況に大きく依存する．日本では第二次世界大戦後（1945年）に急増したが，ペニシリンなど抗菌薬の普及により激減した．1960年代に再び増加したが，その後横ばい，減少傾向にあった．近年微増し，2010年以降増加傾向にあり，2017年からは1年に5,000例以上が報告されている．実症例数はより多いと推定されている．20～30代の男性に好発し，男女比は2～4：1．感染症法で梅毒は全数把握五類感染症に定められ，梅毒（早期顕症梅毒・晩期顕症梅毒・先天梅毒・無症状病原体保有者の4種で陳旧性梅毒は除く）と診断した医師は7日以内に最寄りの保健所に届け出る義務がある．

2. 病原体と感染経路（図 31-1）

梅毒は *Treponema pallidum*（TP）（*Spirochaeta pallida*）の感染症で，TP は細い糸状のラセン体で長さ 6～15 μm，直径 0.09～0.18 μm，ラセンは 8～20 個．長軸方向の回転と体の屈曲伸展を繰り返しながら運動するのが特徴で，これによって他のトレポネーマから区別しうる．30～35 時間ごとに横断分裂する．単鎖染色体上に 113 万 8,000 塩基対を有する．TP は乾燥に弱く，温度変化にも弱い．41℃で 2 時間，4℃で 72 時間以内に死滅する．殺菌剤や石鹸水などでも簡単に死滅する．

TP は hyaluronidase を有すること，また lipopolysaccharide や膜貫通型蛋白質など免疫原性物質を欠くことなどが感染成立に役割を果たしていると考えられている．感染は主として性交時に皮膚・粘膜の微細な傷口からの侵入による．侵入部位で増殖して特有の限局性病変を形成，やがて血行性に拡散して皮膚をはじめ全身の臓器を侵す．性交・性行為以外の感染（医療者が患者より，妊婦から胎児への母子感染，輸血など）による梅毒を無辜梅毒（syphilis insontium）と呼ぶが，最近はそのような例はほとんどない．なお，近年は HIV 感染者が梅毒感染を併発することも多く注意を要する．

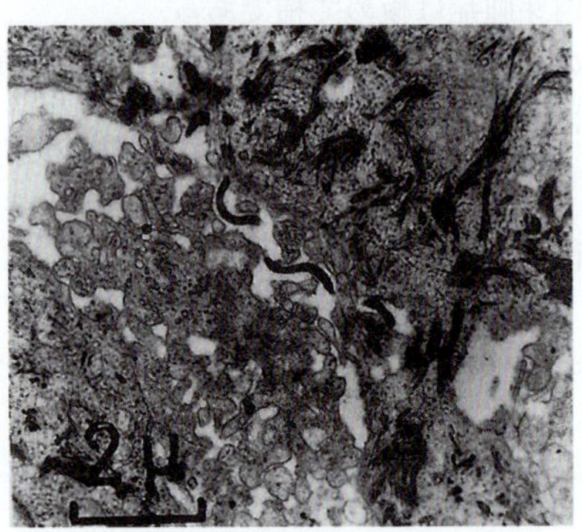

図 31-1　*Treponema pallidum*
（第 2 期疹，組織内）

3. 症状

従来，4 期に大別し，感染力の強い 1～2 期を早期梅毒，3～10 年後に発症する 3 期以降を晩期梅毒と称する．近年は 3～4 期まで進行する例は極めて少ない．感染力の有無により感染後 2 年以内の早期梅毒とその後の晩期梅毒の 2 期に分類する考え方もある（WHO）．特殊例に先天梅毒がある（図 31-2）．

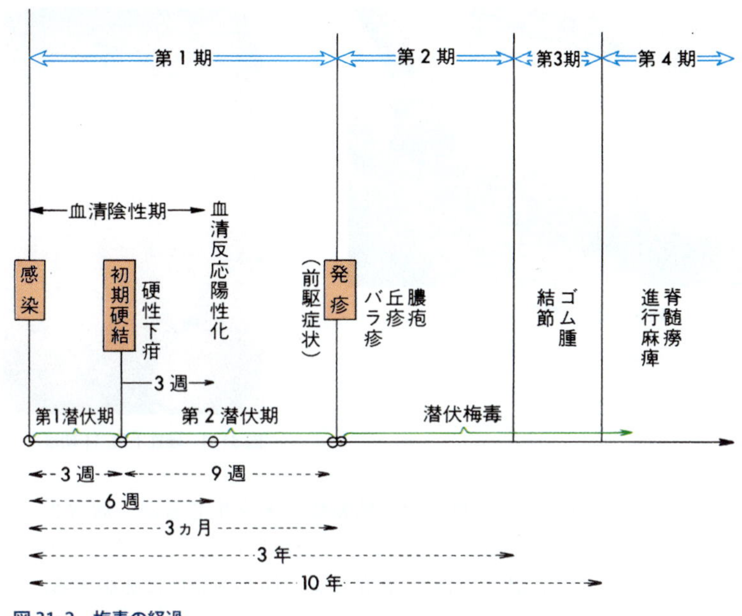

図 31-2 梅毒の経過

1）第 1 期梅毒 primary syphilis

TP が感染局所，所属リンパ節で増殖する時期．感染 3 週前後（この間が第 1 期潜伏期）に**初期硬結（initial sclerosis）**が，男子では冠状溝・亀頭・包皮に，女子では大小陰唇・陰唇交連・子宮腟部に生じる．初期硬結は爪甲大までの単発性の硬い丘疹ないし浸潤性局面で，速やかに中央が浅く潰瘍化する（**硬性下疳 hard chancre**，ulcus durum）（図 31-3，4）．自覚症状はない．多くは所属リンパ節腫脹（無痛性横痃 indolent bubo）を伴っている．リンパ節は多発性に腫大するが，融合せず，軟化自潰もせず，自発痛・圧痛・熱感などもない．

接吻や特殊な性交（口腔・肛門）によって外陰部以外，すなわち口唇・舌・肛門・乳暈・臍・腋窩・大腿内側などにも下疳は生じうる（陰部外下疳 extragenital chancre）．

初期硬結は加療された場合などは吸収されて下疳に進行しないし，下疳になっても約 3 週間で自然に消褪する．近年は 1 期疹に気づかず，第 2 期梅毒で診断されることも多い．

2）第 2 期梅毒 secondary syphilis

TP が局所から血行性に全身に広がる時期．感染後 3ヵ月（12 週）頃から，ばら疹，

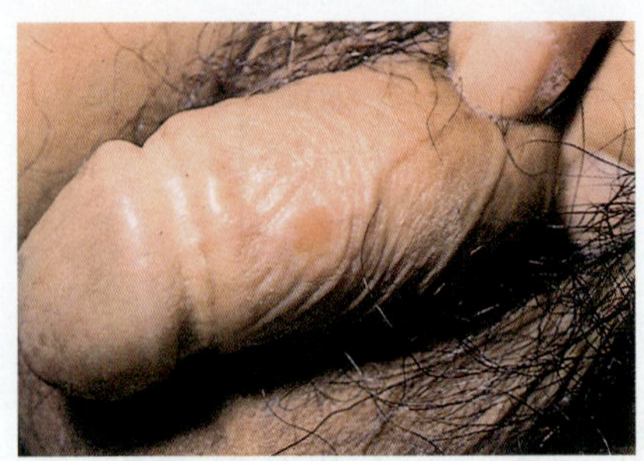
図 31-3　硬性下疳（1 期疹）

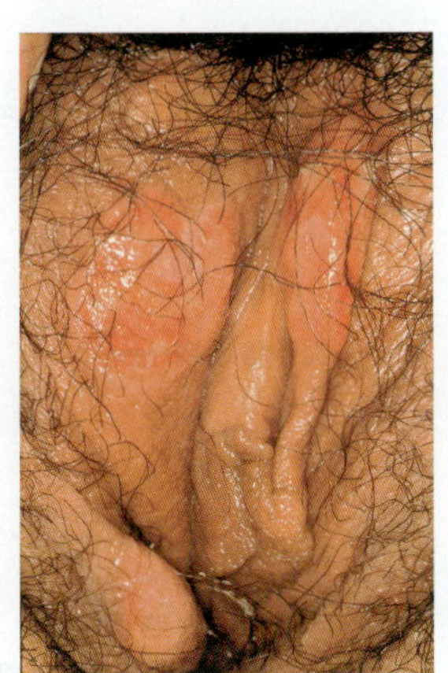
図 31-4　硬性下疳（1 期疹）

丘疹，乾癬様皮疹，扁平コンジローマ，粘膜疹などを生じるが，通常 2～3ヵ月以内に消褪．2 期疹は約 3 年間出没反復するが，次第に軽度となり間隔も伸び，やがて自然に消褪する（第 2 期潜伏梅毒）．表在リンパ節が多発性に腫脹する．

①**梅毒性ばら疹** syphilitic roseola（図 31-5）：軽度発熱・全身倦怠とともに，体幹・上肢内側などに，爪甲大の淡紅色斑を生じる．初期には播種状に小型のものが多発し，晩期には大型で環状の，暗紅色斑が散発する．

②**丘疹性梅毒** papular syphilis（図 31-6）：顔面・体幹・外陰・掌蹠に小豆大～指頭大の暗紅～銅紅色～鮮紅色の丘疹を生じる．時に環状に配列（環状丘疹性梅毒 syphilis papulosa annularis）．

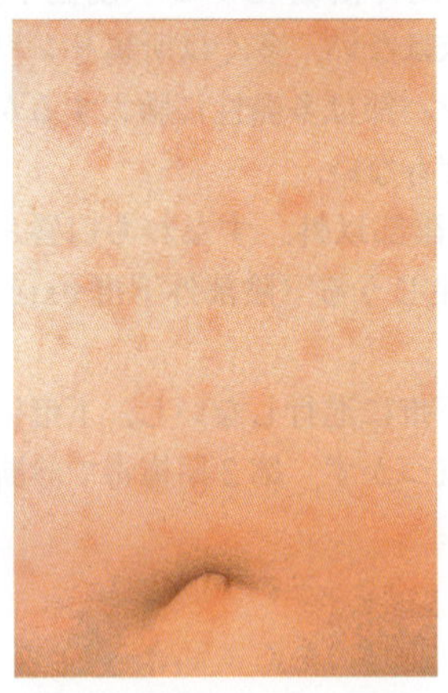
図 31-5　梅毒性ばら疹（2 期疹）

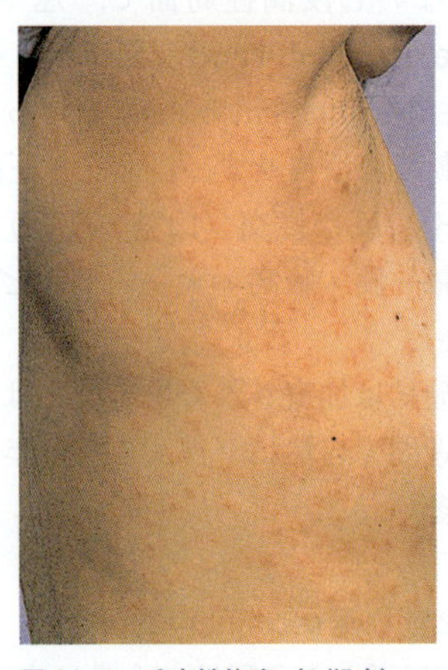
図 31-6　丘疹性梅毒（2 期疹）

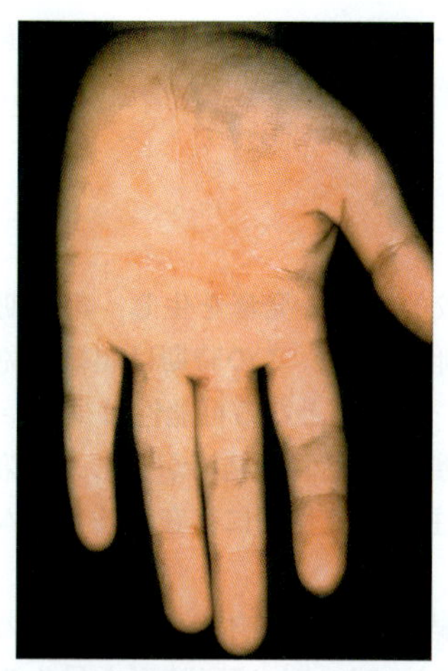
図 31-7　梅毒性乾癬（2 期疹）

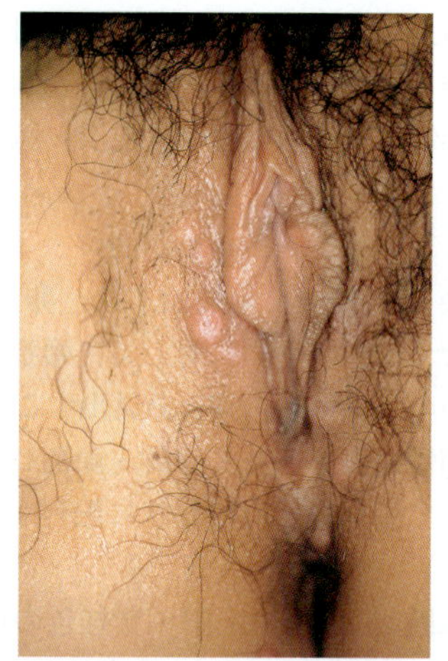
図 31-8　扁平コンジローマ（2 期疹）

ⓐ**梅毒性乾癬** syphilitic psoriasis（図 31-7）：手掌足底の落屑を有する乾癬類似の扁平丘疹，小局面．診断に重要．

ⓑ**扁平コンジローマ** condylomata lata（図 31-8）：肛囲・外陰・口角・腋窩・乳房下では湿潤・浸軟した扁平隆起性丘疹となり，乳頭状に増殖あるいはびらん・潰瘍化する．多量の TP が存在し感染源となりやすい．

③**梅毒性粘膜疹**（図 31-9）：軟口蓋後縁に沿って弧状に潮紅し扁桃炎を伴う梅毒性アンギーナ，口腔粘膜などに豌豆大の乳白色に浸軟した疹が多発する粘膜疹をみる．TP が豊富に存在．

④**その他**：膿疱性梅毒（丘疹に引き続き大小の膿疱，稀），梅毒性脱毛症（後頭・側頭部に不完全脱毛巣が多発して虫食い状の小斑状梅毒性脱毛症と，側頭部にびまん性に生じるびまん性梅毒性脱毛症とがある．時に眉毛・須毛も脱落．感染後

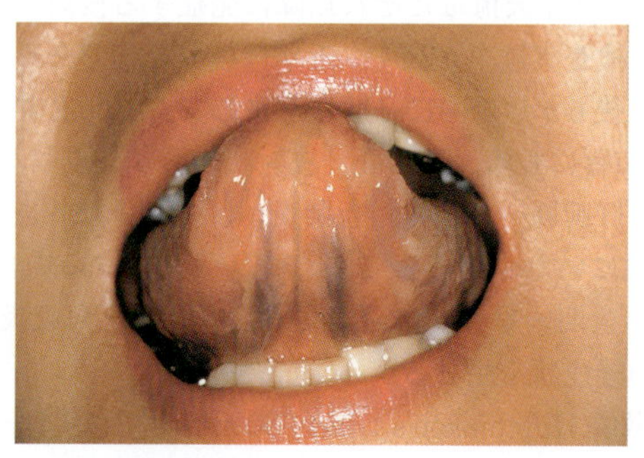
図 31-9　梅毒性粘膜疹（2 期疹）

5ヵ月頃からが多い)，梅毒性白斑（項頸・腰・陰股部などに，不完全脱色素斑が多発して網状)，色素性梅毒（顔面・体幹に斑状〜網状の紫灰〜褐色の色素沈着)，梅毒性爪炎（爪甲肥厚・混濁・脆弱化).

3）第3期梅毒 tertiary syphilis

感染後3（〜4）年で始まり，非対側性に比較的大きい発疹を生じ，第2期疹が痕跡なく治癒するのに対して，瘢痕治癒し，変形を残す．この時期は組織の免疫力が強いので，病巣にTPを見出すことは少なく，感染源となる可能性は少ない．

①**結節性梅毒**：四肢・体幹・顔面に豌豆大〜鶏卵大の浸潤性結節が生じ，次第に拡大して潰瘍化し，蛇行状に配列する．病変は主として真皮に存在する（ゴム腫は皮下).

②**ゴム腫** gumma：赤銅〜紫紅色の硬い皮下硬結で，中央が自潰，切れこみの鋭い噴火口状潰瘍となる．瘢痕治癒しながら進行してしばしば腎臓形を呈する．前額・前胸・脛骨上など下床に骨のある皮膚に好発し，筋・骨をも侵し，鼻中隔・鼻骨破壊は鞍鼻（saddle nose）をきたす．粘膜にも好発する．

4）第4期梅毒

感染後10年以上を経過すると心・血管系，神経系（脊髄癆・進行麻痺）を侵す．

5）先天梅毒 congenital syphilis

胎盤の完成する妊娠4ヵ月末以降に，経胎盤性に母体より胎児にTPが感染するもの．妊娠早期の感染では多くは5〜6ヵ月以降に流・早産する．生まれた場合は重症である．妊娠晩期に感染すると出生児の症状は軽い．母体が十分に治療されてはいるが血清反応のみが陽性（いわゆる抗療性梅毒）の場合は，抗体は児に入って出産時に陽性を示すが，児は健常体であり，血清反応も自然に陰性化する．出生後2年までに発症する早期先天梅毒とそれ以降に発症する後期先天梅毒とがある．日本では妊娠中の梅毒検査実施率が高く，近年は極めて稀である．

①**早期先天梅毒**：生後6ヵ月以内に2期疹が生じてくる．皮膚は薄く萎縮性で弛緩し（老人顔貌)，口唇に丘疹浸潤局面〔放射状の瘢痕形成：パロー凹溝（Parrot's furrow)〕，貧血・肝脾腫・鼻炎・白色肺炎・肝炎・骨軟骨炎（パロー仮性麻痺）をきたす．2〜4歳にいたり，第2，3期疹をもって始まる場合もある．

②**晩期先天梅毒**：学童期・思春期に発症する．ゴム腫・角膜炎（時に失明に)・骨膜炎・関節炎・神経症状を生じる．

③**ハッチンソン3徴候** Hutchinson's triad：先天梅毒児に生涯その像を残す症状で，

ⓐハッチンソン歯：永久歯の上顎門歯が短くビール樽型で，咀嚼面がM型に陥

四，ⓑ実質性角膜炎（keratitis parenchymatous），ⓒ内耳性難聴.

6）HIV 感染に伴う梅毒

梅毒は HIV 感染者に併発することが多い．HIV 感染者の梅毒血清反応陽性率，梅毒血清反応陽性者の HIV 陽性率ともに高く，性感染症としての梅毒，HIV は互いに感染効率を上げる方向で動いているように思われる．

梅毒の臨床症状に大差はないが，HIV 感染者では早期梅毒が重症化し，あるいは晩期梅毒に進行しやすい．

4. 組織所見

①**第 1 期**：形質細胞・リンパ球の密な浸潤，血管内皮細胞増殖，銀染色（Warthin-Starry）で表皮・真皮に TP 陽性.

②**第 2 期**：比較的非特異的細胞浸潤，血管内皮細胞肥厚・増殖，類上皮細胞肉芽腫（特に後期に），表皮肥厚（特に扁平コンジローマ），TP 陽性.

③**第 3 期**：類上皮細胞・巨細胞よりなる肉芽腫，形質細胞・リンパ球浸潤，血管内皮細胞肥厚.

5. TP の検出と梅毒血清反応検査

硬性下疳・粘膜疹・扁平コンジローマでは TP を直接顕微鏡下に検出できる．しかし，顕症・潜伏梅毒のほとんどは血清学的反応検査で診断している．

1）TP の検出法

硬性下疳・湿潤性の 2 期疹（粘膜疹・扁平コンジローマ）を摩擦清拭し，刺激漿液を採取する．

①**パーカーインク法**：ブルーブラックインク（No. 51）1 滴と検体 1 滴の割に混合，スライドガラス上に薄く伸ばし自然乾燥させる（火炎固定は不可）．青黒色に染色の TP を通常の顕微鏡で検する．標本は長期保存可能．簡便・迅速.

②**墨汁法**：パーカーインクの替わりに墨汁を使用.

③**暗視野法** dark field examination：刺激漿液・生食水を 1：1 に混じ暗視野装置でみる．星のように輝きながら，微細な運動をしている TP がみられる．

④その他蛍光抗体法などを利用することもある．

2）梅毒血清反応検査

カルジオリピン（ウシ心筋脂質CL，レシチン加で抗原性↑）を抗原とする脂質抗原法（serological test for syphilis：STS）とTPを抗原とする方法（TP抗原法）とがある．

① **STS**：ガラス板法，RPRカード法と補体結合反応（緒方法）などがあるが，補体結合反応は保険請求の項目から削除されている．梅毒血清反応は感染後6週頃に陽性化する．最近は鋭敏度が高まり，4週頃から陽性に出ることも多い．

特異的診断法ではないが，鋭敏で検出率が高い点，また臨床経過をよく反映する点から頻用されている．**生物学的偽陽性反応**（BFP；biological false positive）は梅毒でないのにSTSが陽性に出ることをいい，SLE，ハンセン病（特にL型），肝疾患（肝炎・肝硬変），妊娠，感染症（伝染性単核症・オーム病・風疹・水痘），悪性腫瘍，その他重篤な全身性疾患の場合にみられる．STS陽性のときには必ずTP抗原法で確認する．TP抗原法が陰性（BFP）であれば上記疾患を検索する．

ⓐ**ガラス板法**：沈降反応の一種で頻用されている．

ⓑ **RPRカード法** rapid plasma reagin card test：カーボン粒子を抗原担体として用いる検査法（カーボン法）．

ⓒ**梅毒凝集法**：カオリン粒子に吸着させた脂質抗原の受身凝集反応をみる方法．

② **TP抗原法**：FTA-ABSテスト，TPHAテストの2方法が広く用いられている．特異性が高いので，梅毒の確認，BFPの診断には有用．

ⓐ **FTA-ABSテスト** fluorescent treponemal antibody absorption test：TP菌体を抗原とする蛍光抗体間接法で陽性率が高い．標識抗体を変えればIgM抗体を検出して早期診断に役立つ．TP感染後約1週で梅毒IgM抗体が産生され始め，約1ヵ月でピークに，その頃からIgG抗体が産生されて3〜6ヵ月頃にピークに達するといわれている．感染後IgM抗体，STS，TPHAの順に陽性化し，治療後もこの順に陰性化する．

ⓑ **TPHAテスト** *Treponema pallidum* hemagglutination test：TPHAはTPの菌体成分を動物の赤血球に吸着させた受身凝集反応で，手技が簡単で広く用いられている．TPHAは陽性化するのが遅く，STSに比べて2〜3週遅れる．早期梅毒では陽性率が低い．

ⓒ **TP-EIA/ELISA法**：酵素免疫測定法による検査．

3）分子診断法

遺伝子配列が判明しているので47-kDa geneから調整したprimerを用いてのPCR法，あるいはRNA増幅による方法が可能．TPの少ない神経梅毒や先天性梅毒の診断に有用．

6. 治療（駆梅療法）

ペニシリン系抗菌薬は耐性 TP の報告もなく，現在でも著効し，妊婦にも使用可能で梅毒治療の第一選択薬である．ペニシリン系が使えないときはエリスロマイシン，テトラサイクリン系を用いる．ニューキノロン，アミノグリコシドは無効である．早期に治療するほど治療期間は短く，STS 抗体価も早く陰性化する．抗菌薬投与で，病巣部 TP は 2 日で消失し，硬性下疳は 2～4 週で吸収され，ばら疹は 1 週，丘疹は 2 週で治癒する．しかし血清反応の陰性化は 1 期で 2～6ヵ月，2 期で数ヵ月～1 年半を要するといわれる．

ポイントは必要かつ十分な抗菌薬を一定期間投与することで，ABPC 1.5 g/ 日 / 平均体重成人の投与を第 1 期梅毒で 2～4 週間，第 2 期梅毒で 4～8 週間を目安とする．無症候梅毒でも STS 抗体価 16 倍以上は治療対象で，感染時期に応じて，また不明の場合は 8～12 週間治療する．神経梅毒を疑ったり，HIV 感染者の梅毒には 3 倍量の大量ペニシリン治療が推奨されている．

Jarisch-Herxheimer 反応：治療開始数時間以内に生じる死滅した TP に対する反応で，発熱・全身倦怠感・悪寒・頭痛・筋肉痛・梅毒の皮膚病変の悪化をきたす．治療開始前によく説明しておくこと．

〔注〕抗菌薬治療で TP は死滅し，抗体のみ存在する**血清学的瘢痕**（serological scar）となっても，血清反応の「陽性」，「陰性」に過敏で「陰性化」を切望する患者もいる．治療は梅毒血清反応を陰性化することではないので適宜治癒判定・治療終了を判断する．

2 軟性下疳 ulcus molle, chancroid, soft chancre

日本では第二次世界大戦後大流行したが，漸次減少して現在では輸入感染症としてごく少数の患者がみられる程度である．サハラ以南のアフリカ諸国，中南米，アジアの開発途上国の都市部では現在も流行をみる．

病因

軟性下疳菌（*Haemophilus ducreyi*）による．グラム陰性の連鎖状桿菌で，Unna-Pappenheim 染色に好染．

臨床症状

感染後 2～7 日で外陰に圧痛を伴う紅色小丘疹を生じ，数日以内に中央が膿疱化，

31章

次いで有痛性潰瘍を形成する．潰瘍は不整形で浅く，辺縁鋸歯状で紅暈を有し，底面は膿苔で覆われ，触れると軟らかい（軟性下疳）．男性は陰茎亀頭・冠状溝・包皮に単発，女性は大小陰唇・膣前庭に多発する．病変は自家接種により多発し，女性にその傾向が強い．下疳発生後 2～3 週で，10～50%に鼠径リンパ節が腫脹する．片側性のことが多く，圧痛あるリンパ節が融合して団塊状となり，やがて自潰排膿する（有痛性横痃 dolent bubo）．梅毒の無痛性横痃と対照的である．本症は HIV 感染を促進し，また HIV 感染患者では本症が遷延するので注意．

診断

臨床診断の正診率は 30～50%と言われる．①潰瘍分泌物（縁下潜蝕部からがよい）のスメア鏡検（Unna-Pappenheim 染色）で魚群様配列～鉄道軌道状桿菌が赤染，②モノクローナル抗体を用いた間接抗体法や酵素免疫法，③ DNA を用いた診断法などがある．

鑑別診断

硬性下疳に比し，①潜伏期が短く，②軟らかで，③ Unna-Pappenheim 染色で陽性，④有痛性横痃，⑤原発巣以外に拡大せず，後遺症なく予後がよい．

性器ヘルペスは，①小潰瘍が多発して，痛い，②リンパ節腫脹は両側性で有痛性，③再発性がある，④ HSV を検出，⑤日本での頻度が高い．

鼠径リンパ肉芽腫症は，①軟らかい無痛性の潰瘍，②片側鼠径リンパ節が有痛性に腫脹，③クラミジアの証明などで鑑別する．

治療

①アジスロマイシン 1 g，経口単回．
②セフトリアキシン 250 mg，筋注単回．
③シプロフロキサシン 1.0 g 分 2，経口 7 日間．
④エリスロマイシン 2.0 g 分 4，経口 7 日間．
が推奨されている．サルファ剤・ペニシリン系・テトラサイクリン系薬剤などに耐性菌が報告されている．

3 鼠径リンパ肉芽腫症 inguinal lymphogranulomatosis, 第四性病，ニコラ・ファーブル病 morbus Nicolas-Fabre（1913）

日本ではほとんどみられない．時に輸入感染症として遭遇する程度．アフリカ，西南アジアや中南米の熱帯・亜熱帯地域では局地的に流行している.

病因

クラミジア（*Chlamydia trachomatis*）感染. クラミジアは大型（0.3〜0.4 μm）のほぼ球形で構造はリケッチアに類似し, 細胞内のみで増殖して原形質内に封入体を形成する細胞寄生性菌の一種である. かつて宮川小体と呼ばれた.

臨床症状

感染後 10〜14 日（3 日〜6 週）で外陰・肛門部に無痛性の小水疱・小丘疹を生じ, 小潰瘍化するが, 気づかないことも多く, また自然に消褪する（初期疹）. その後 1〜6 週で鼠径リンパ節が硬く腫脹し始め, 団塊をなし, 皮膚とも癒着し, 暗紅〜紫紅色の硬い硬結局面を形成する. やがて自潰して瘻孔を生じ粘稠な膿汁を排出する. 急性のリンパ節炎症に伴って, 発熱・悪寒戦慄・肝脾腫を, 白血球増多症・単球増多症・赤沈促進をみる. その後外陰・肛門に再び潰瘍を生じ, 特に女性では外陰より会陰, さらに深部に入って尿道・直腸に及び, 象皮病様硬化をきたし, 尿道直腸狭窄状を示す（エスチオメーヌ）.

診断

①フライ反応（Frei test）（患者リンパ節穿刺液を希釈滅菌し皮内注射を行うと 48 時間後に紅色丘疹）. ②皮疹・リンパ節の液をギムザ染色し油浸で小体を検出（技術的に難しく, むしろ電顕のほうがよい）. ③蛍光抗体法, 補体結合反応. ④遺伝子診断.

治療

テトラサイクリン, マクロライド, ニューキノロンが有効.
①ドキシサイクリン 200 mg 分 2, 3 週間.
②エリスロマイシン 2.0 g 分 4, 3 週間.
が推奨されている.

日本語索引

あ

い

う

け

こ

さ

し

す

そ

た

な

に

ぬ

ね

の

は

へ

ほ

ま

外国語索引

A

B

D

E

H

I

J

K

L

M

N

O

P

Q

R

S

T

皮膚科学

1971年10月31日　第1版第1刷
1977年2月1日　第1版第9刷
1977年10月2日　第2版第1刷
1984年3月1日　第2版第11刷
1984年11月10日　第3版第1刷
1986年12月1日　第3版第4刷
1987年10月1日　第4版第1刷
1990年3月15日　第4版第4刷
1991年1月10日　第5版第1刷
1995年2月10日　第5版第5刷
1996年4月1日　第6版第1刷
2001年2月1日　第6版第5刷
2002年4月1日　第7版第1刷
2004年2月1日　第7版第2刷
2006年6月1日　第8版第1刷
2011年4月15日　第9版第1刷
2015年1月15日　第9版第5刷
2016年10月15日　第10版第1刷
2020年5月20日　第10版第3刷
2022年6月15日　第11版第1刷 ©

編　集　大塚藤男　OTSUKA, Fujio
　　　　藤本　学　FUJIMOTO, Manabu
原　著　上野賢一　UYENO, Kenichi
発行者　宇山閔文
発行所　株式会社金芳堂
〒606-8425 京都市左京区鹿ケ谷西寺ノ前町34番地
振替　01030-1-15605
電話　075-751-1111(代)
https://www.kinpodo-pub.co.jp/
装　丁　梅山よし
組版・印刷・製本　亜細亜印刷株式会社

落丁・乱丁本は直接小社へお送りください．お取替え致します．

Printed in Japan
ISBN978-4-7653-1909-6